GW00660682

nouveau Larousse des débutants

LIBRAIRIE LAROUSSE
17, rue du Montparnasse, et boulevard Raspail, 114, Paris 6[e]

ISBN 2-03-020146-4

Direction de René LAGANE

Rédaction Jean-Pierre MÉVEL
Micheline DAUMAS
Christine EYROLLES

Dessins de la SEREG
Bertrand CHEVALLIER
Michel GAY
Yvan POMMAUX

Correction-révision

Louis PETITHORY, *chef correcteur*

Chantal BARBOT, Charles PRIOUX
avec la collaboration de René VIOLOT
et Sylvie HUDELOT

Maquette de Serge LEBRUN

Préface

Le *Nouveau Larousse des débutants* a été conçu pour de **jeunes enfants,** dans l'esprit des recherches récentes en matière de description et d'acquisition des langues. À partir du moment où un enfant sait lire, il peut trouver plaisir et profit à manier ce dictionnaire, son dictionnaire.

Le **volume du vocabulaire** enregistré ne devait être ni trop restreint, pour éviter le risque de n'apprendre que peu de choses aux élèves les plus avancés, ni trop abondant, pour éviter de les égarer dans une masse de termes qu'ils n'auraient guère l'occasion d'utiliser. Ont été éliminés des termes archaïsants, des mots techniques ou traduisant des notions hors de portée des enfants. Un nombre total d'environ 16000 mots a paru suffisant pour les besoins de cet âge. Mais, à ce chiffre, il convient d'ajouter un nombre important de mots concrets présentés dans des illustrations et expliqués par la seule image : le recours à l'index, qui les enregistre tous, permet, en se reportant à la page illustrée, d'interpréter des mots comme *attelle, bétonnière, éolienne, fennec, stéthoscope,* que peut offrir le hasard des conversations ou des lectures.

La pédagogie d'une langue vise moins à l'accumulation de connaissances ponctuelles dispersées qu'à la prise de conscience de l'existence de systèmes organisés, notamment dans le lexique. À cet effet, de nombreux **regroupements** ont été effectués avec des indications précises sur les correspondances de sens. Leur rôle est de faire apparaître les réseaux de relations de forme et de sens qui entrent en jeu au niveau de la communication. Tous les renvois nécessaires maintiennent le principe de l'ordre alphabétique.

Soit, par exemple, l'ensemble *comprendre, compréhensible, compréhensif, compréhension, incompréhensible.* Il est précisé que *compréhensible* et *incompréhensible* correspondent au sens 1 de *comprendre* (*je n'ai pas compris ses explications* [= saisir]); *compréhensif* renvoie au sens 2 du verbe (*j'ai des amis qui me comprennent,* qui acceptent ce que je fais); quant à *compréhension,* deux acceptions sont signalées, renvoyant respectivement au sens 1 (*ce livre est d'une compréhension difficile,* il est difficile à comprendre) et au sens 2 (*mon père m'a parlé avec compréhension* [= bienveillance]). Aucun dérivé ne correspond au sens 3 *(ce livre comprend trois parties).* On voit qu'une telle présentation ne constitue pas seulement une description analytique d'un ensemble lexical, mais qu'elle guide le choix de l'enfant vers le dérivé approprié, en attirant sans cesse son attention à la fois sur la régularité des correspondances possibles et sur le caractère aléatoire des correspondances réelles. Ce dictionnaire est donc un auxiliaire précieux pour apprendre à l'enfant à *s'exprimer* autant que pour lui permettre de *comprendre* ce qu'il lit ou ce qu'il entend.

L'**accès au sens** d'un mot se réalise par des voies diverses et complémentaires. Les systèmes de dérivation et de composition jouent déjà un rôle capital à cet égard, mais le *contexte* est si essentiel qu'il est souvent impossible d'indiquer le sens d'un mot (par exemple *comprendre, appréhender, réfléchir, tour*) tant qu'il ne figure pas dans un contexte. C'est pourquoi on a jugé préférable, pédagogiquement, de situer le mot dans une courte phrase *avant* d'en expliquer le sens; la phrase est en général suffisamment éclairante pour que, dès sa lecture, l'interprétation du mot soit déjà bien avancée, sinon totalement réalisée. Les précisions données ensuite apparaissent plutôt comme des explications, des commentaires en rapport avec l'emploi du mot dans l'exemple, que comme des définitions très générales qui imposeraient à l'enfant un effort d'abstraction souvent trop difficile pour son âge. Enfin, la mention des principaux **équivalents** ou **contraires** correspondant aux diverses acceptions complète l'information sur le sens, tout en favorisant l'enrichissement du vocabulaire.

Les cas d'homonymie ou de paronymie, les particularités de prononciation, de morphologie (spécialement de conjugaison), de syntaxe font l'objet de brèves **remarques** détachées en fin d'articles.

S'il est vrai que le rapport des mots et des choses peut être expliqué par le seul système linguistique, il apparaîtra encore bien plus clairement chaque fois que pourront intervenir des **tableaux** ou des **schémas** (par exemple, *calendrier, unités, parenté, géométrie*), ou des **images.** La même considération pédagogique qui a poussé à accorder une importance essentielle au contexte linguistique a fait choisir une méthode d'illustration par **ensembles** cohérents : c'est, en effet, dans des situations, réelles ou fictives, qu'un enfant est amené à interpréter ou à mobiliser un vocabulaire. Une collaboration étroite entre les dessinateurs et les rédacteurs a permis de présenter des situations vraisemblables dans une illustration qui suscite l'intérêt des enfants. L'exploitation pédagogique de ces pages illustrées peut se réaliser sous diverses formes : commentaires, échanges libres, rédactions, etc., qui seront autant d'occasions de mettre en œuvre le vocabulaire. Celui-ci est proposé de la façon la plus simple : les dénominations sont placées directement sur les éléments de l'image. Des indications marginales, tout au long du texte, renvoient aux pages où apparaissent les illustrations.

On n'a pas hésité à faire figurer sur les images des termes ou des acceptions non retenus dans le dictionnaire, moyen commode d'enrichir encore la nomenclature sans grossir l'ouvrage. Ces termes sont mentionnés dans l'**index** général de tous les mots illustrés, qui renvoie aux pages correspondantes. C'est ainsi qu'un mot comme *chaîne* renvoie aux illustrations des pages 75 (la chaîne du chien), 652 (chaîne de montagnes), 290 (chaîne de montage, travail à la chaîne), 76 (chaîne haute fidélité), 145 (chaîne d'arpenteur), 512 (chaîne de vélo).

La grande diversité des thèmes présentés (douze séries de cinq centres d'intérêt chacune) fait de ces 96 pages illustrées un large **panorama du monde contemporain** sur lequel le *Nouveau Dictionnaire des débutants* se propose de contribuer à ouvrir l'esprit des enfants.

Les signes phonétiques et les sons correspondants

les voyelles

[a]	papa, lac
[ɑ]	bâton, tas
[e]	année, nez
[ɛ]	sel, blême, forêt
[i]	il, île
[ɔ]	robe, port
[o]	pôle, peau
[u]	mou, goût
[y]	mur, nu
[ø]	peu, nœud
[œ]	jeune, œuvre
[ə]	me, remède
[ɛ̃]	brin, faim
[œ̃]	brun, parfum
[ɑ̃]	blanc, champ, paon
[ɔ̃]	mon, plomb
[j]	lieu, yeux
[ɥ]	lui, buée
[w]	oui, ouest

les consonnes

[p]	père, stop
[b]	banc, robe
[d]	dans, rude
[t]	train, mat
[k]	coq, que, kiosque
[g]	gare, bague
[f]	fable, phare
[v]	vie, wagon
[s]	sur, cire, ça, ration
[z]	zéro, cousin
[ʒ]	jour, gigot
[ʃ]	chou, bouche
[l]	lire, calcul
[r]	rare, finir
[m]	mer, homme
[n]	nage, naine
[ɲ]	agneau, baigner

Liste des abréviations

adj.	adjectif : *abominable, abondant* sont des adjectifs
adv.	adverbe : *d'abord, abondamment* sont des adverbes
conj.	conjonction : *car, donc* sont des conjonctions
conj. n° ..	conjugaison numéro .. : se reporter à la liste des conjugaisons irrégulières pages 12 à 18
fam.	familier : le mot appartient à la langue familière
interj.	interjection : *aïe!, ah!* sont des interjections
inv.	invariable : *abat-jour* est un mot invariable
n.	nom : *adversaire* peut s'employer aussi bien comme nom masculin que comme nom féminin
n. f.	nom féminin : *abbaye, abeille* sont des noms féminins
n. m.	nom masculin : *abbé, abcès* sont des noms masculins
pers.	personnel : *je, il* sont des pronoms personnels
pl. ou plur.	pluriel : *abats, abattis* sont des noms qui ne s'emploient qu'au pluriel
prép.	préposition : *à, de, vers* sont des prépositions
pron.	pronom : *je, ce, mien* sont des pronoms
• **R.**	remarque (de prononciation, d'orthographe, de grammaire)
v.	verbe : *abandonner, abasourdir* sont des verbes
V.	voir : se reporter à la remarque (• **R.**) du mot indiqué.

Attention aux différences entre les caractères d'imprimerie : le mot cherché est imprimé soit en **caractères gras épais :** c'est une **entrée,** soit en **caractères gras minces :** c'est un **dérivé.** Les *exemples* sont imprimés en *caractères italiques;* à l'intérieur de l'*exemple,* le MOT EXPLIQUÉ est imprimé en CAPITALES; l'explication du mot, ainsi que ses synonymes (=) et ses contraires (≠), est imprimée en caractères romains.
Pour comprendre le sens d'un **dérivé,** il faut se reporter au sens correspondant de l'**entrée :** par exemple **abattage** a deux sens, qui correspondent aux sens 1 et 2 de **abattre; abattement** n'a qu'un sens, qui correspond au sens 4 de **abattre.**
Quand un **dérivé** précède ou suit immédiatement une **entrée,** il n'y a pas de renvoi; si un ou plusieurs mots séparent le **dérivé** et l'**entrée,** il y a un renvoi (par exemple **abriter** → ABRI, car entre les deux il y a **abricot**).
Les chiffres figurant dans la marge renvoient aux pages où se trouve illustré le mot écrit en CAPITALES sur la même ligne.

le pluriel des adjectifs et des noms

TERMINAISON	EXEMPLES	RÈGLE
-s	La rue est large → *Les rue**s** sont larges*	En règle générale, on écrit un mot au pluriel en ajoutant un **s** au singulier.
-s, -x, -z	Ce prix est bas → *Ces prix sont bas*	Les mots terminés au singulier par **s, x, z** ne changent pas au pluriel
	Il lit le journal → *Il lit les journ**aux***	Les mots terminés par *-al* forment en général leur pluriel en **-aux**
-aux	Le veau est dans le pré → *Les ve**aux** sont dans le pré* L'étau est lourd → *Les ét**aux** sont lourds*	Les mots terminés par *-eau*, *-au* forment en général leur pluriel en **-aux**
	Ce vitrail est vieux → *Ces vitr**aux** sont vieux*	*bail, corail, émail, soupirail, travail, vantail, vitrail* forment leur pluriel en **-aux**
-eux	Son neveu est là → *Ses nev**eux** sont là*	Les mots terminés par *-eu* forment en général leur pluriel en **-eux**
-oux	Ce caillou est lisse → *Ces caill**oux** sont lisses*	*bijou, caillou, chou, genou, hibou, joujou, pou* forment leur pluriel en **-oux**
-als **-aus** **-ails** **-eus** **-ous**	Le bal est bruyant → *Les bal**s** sont bruyants* Ce landau est ancien → *Ces landau**s** sont anciens* Le rail est brillant → *Les rail**s** sont brillants* Le pneu est crevé → *Les pneu**s** sont crevés* Il est fou → *Ils sont fous*	Certains mots en *-al, -au, -eu* et la plupart des mots en *-ail, -ou* suivent la règle générale du pluriel en **-s**

le féminin des adjectifs et des noms

TERMINAISON	EXEMPLES	RÈGLE
-e	Ce clou est pointu → *Cette aiguille est pointu**e*** Le jardin est grand → *La cour est grand**e*** Le verre est plein → *La tasse est plein**e*** Mon cousin est là → *Ma cousin**e** est là*	En règle générale, on écrit un mot au féminin en ajoutant un **-e** au masculin
	Pierre est jeune → *Marie est jeune* Où est le concierge? → *Où est la concierge?*	Si le masculin se termine déjà par un *-e*, le mot ne change pas au féminin
-ère	John est étranger → *Kristina est étrang**ère*** Le boucher est aimable → *La bouch**ère** est aimable*	Les mots terminés par *-er* forment leur féminin en **-ère**
-tte **-lle** **-nne**	François est coquet → *Françoise est coque**tte*** Ce vin est naturel → *Cette boisson est natur**elle*** Daniel est gentil → *Danielle est genti**lle*** Le lion rugit → *La lio**nne** rugit* Le château est ancien → *La maison est ancie**nne***	Dans les mots terminés par *-et, -el, -on, -en,* on double au féminin la consonne finale
-ète	L'accord est complet → *L'entente est compl**ète***	*complet, discret, secret, inquiet* et quelques autres adjectifs forment leur féminin en **-ète**
-elle **-olle**	Ce livre est beau → *Cette image est **belle*** Le sol est mou → *La terre est **molle***	Les adjectifs terminés par *-eau, -ou* forment leur féminin en **-elle, -olle**
-euse **-ouse**	Jacques est sérieux → *Catherine est séri**euse*** André est jaloux → *Sophie est jal**ouse*** C'est un menteur → *C'est une ment**euse***	Les mots terminés par *-eux, -oux, -eur* forment leur féminin en *-euse, -ouse, -euse*

le féminin des adjectifs et des noms (suite)

TERMINAISON	EXEMPLES	RÈGLE
-eure	Ce plan est meilleur → *Cette solution est meilleure*	*antérieur, extérieur, inférieur, meilleur, supérieur* et quelques autres adjectifs forment leur féminin en **-eure**
-trice	M. Dupont est directeur → *Mme Durand est directrice*	Quelques mots en *-teur* forment leur féminin en **-trice**
-ve	Le combat a été vif → *La lutte a été vive*	Les adjectifs terminés par *-f* forment leur féminin en **-ve**
-sse	Ce calcul est faux → *Cette opération est fausse*	*bas, épais, faux, roux, las* forment leur féminin en **-sse**
Féminins particuliers	blanc → *blanche* franc → *franche* frais → *fraîche* sec → *sèche* doux → *douce* long → *longue* favori → *favorite*	malin → *maligne* vieux → *vieille* pécheur → *pécheresse* maître → *maîtresse* traître → *traîtresse* grec → *grecque*

les pronoms personnels

	SINGULIER	PLURIEL
première personne	je (j') me (m') moi	nous
deuxième personne	tu (t') te (t') toi	vous
troisième personne	il, elle le (l') lui se (s')	ils, elles les leur eux se (s')

CONJUGAISONS (auxiliaires et verbes réguliers)

AVOIR

Indicatif présent
- j' ai
- tu as
- il a
- nous avons
- vous avez
- ils ont

subjonctif présent
- j' aie
- tu aies
- il ait
- nous ayons
- vous ayez
- ils aient

indicatif imparfait
- j' avais
- tu avais
- il avait
- nous avions
- vous aviez
- ils avaient

subjonctif imparfait
- j' eusse
- tu eusses
- il eût
- nous eussions
- vous eussiez
- ils eussent

indicatif passé simple
- j' eus
- tu eus
- il eut
- nous eûmes
- vous eûtes
- ils eurent

conditionnel présent
- j' aurais
- tu aurais
- il aurait
- nous aurions
- vous auriez
- ils auraient

indicatif futur
- j' aurai
- tu auras
- il aura
- nous aurons
- vous aurez
- ils auront

impératif présent
- aie
- ayons
- ayez

participe présent
- ayant

participe passé
- eu

ÊTRE

indicatif présent
- je suis
- tu es
- il est
- nous sommes
- vous êtes
- ils sont

subjonctif présent
- je sois
- tu sois
- il soit
- nous soyons
- vous soyez
- ils soient

indicatif imparfait
- j' étais
- tu étais
- il était
- nous étions
- vous étiez
- ils étaient

subjonctif imparfait
- je fusse
- tu fusses
- il fût
- nous fussions
- vous fussiez
- ils fussent

indicatif passé simple
- je fus
- tu fus
- il fut
- nous fûmes
- vous fûtes
- ils furent

conditionnel présent
- je serais
- tu serais
- il serait
- nous serions
- vous seriez
- ils seraient

indicatif futur
- je serai
- tu seras
- il sera
- nous serons
- vous serez
- ils seront

impératif présent
- sois
- soyons
- soyez

participe présent
- étant

participe passé
- été

AIMER

indicatif présent
- j' aime
- tu aimes
- il aime
- nous aimons
- vous aimez
- ils aiment

subjonctif présent
- j' aime
- tu aimes
- il aime
- nous aimions
- vous aimiez
- ils aiment

indicatif imparfait
- j' aimais
- tu aimais
- il aimait
- nous aimions
- vous aimiez
- ils aimaient

subjonctif imparfait
- j' aimasse
- tu aimasses
- il aimât
- nous aimassions
- vous aimassiez
- ils aimassent

indicatif passé simple
- j' aimai
- tu aimas
- il aima
- nous aimâmes
- vous aimâtes
- ils aimèrent

conditionnel présent
- j' aimerais
- tu aimerais
- il aimerait
- nous aimerions
- vous aimeriez
- ils aimeraient

indicatif futur
- j' aimerai
- tu aimeras
- il aimera
- nous aimerons
- vous aimerez
- ils aimeront

impératif présent
- aime
- aimons
- aimez

participe présent
- aimant

participe passé
- aimé

FINIR

indicatif présent
- je finis
- tu finis
- il finit
- nous finissons
- vous finissez
- ils finissent

subjonctif présent
- je finisse
- tu finisses
- il finisse
- nous finissions
- vous finissiez
- ils finissent

indicatif imparfait
- je finissais
- tu finissais
- il finissait
- nous finissions
- vous finissiez
- ils finissaient

subjonctif imparfait
- je finisse
- tu finisses
- il finît
- nous finissions
- vous finissiez
- ils finissent

indicatif passé simple
- je finis
- tu finis
- il finit
- nous finîmes
- vous finîtes
- ils finirent

conditionnel présent
- je finirais
- tu finirais
- il finirait
- nous finirions
- vous finiriez
- ils finiraient

indicatif futur
- je finirai
- tu finiras
- il finira
- nous finirons
- vous finirez
- ils finiront

impératif présent
- finis
- finissons
- finissez

participe présent
- finissant

participe passé
- fini

LES TEMPS COMPOSÉS

AIMER

INDICATIF

passé composé

j'ai aimé
nous avons aimé

plus-que-parfait

j'avais aimé
nous avions aimé

passé antérieur

j'eus aimé
nous eûmes aimé

futur antérieur

j'aurai aimé
nous aurons aimé

SUBJONCTIF

passé

j'aie aimé
nous ayons aimé

plus-que-parfait

j'eusse aimé
nous eussions aimé

CONDITIONNEL passé

j'aurais aimé
nous aurions aimé

INFINITIF passé

avoir aimé

PARTICIPE passé

ayant aimé

PARTIR

INDICATIF

passé composé

je suis parti(e)
nous sommes parti(e)s

plus-que-parfait

j'étais parti(e)
nous étions parti(e)s

passé antérieur

je fus parti(e)
nous fûmes parti(e)s

futur antérieur

je serai parti(e)
nous serons parti(e)s

SUBJONCTIF

passé

je sois parti(e)
nous soyons parti(e)s

plus-que-parfait

je fusse parti(e)
nous fussions parti(e)s

CONDITIONNEL passé

je serais parti(e)
nous serions parti(e)s

INFINITIF passé

être parti(e)

PARTICIPE passé

étant parti(e)

LE PASSIF

INDICATIF

présent

je suis aimé(e)

imparfait

j'étais aimé(e)

passé simple

je fus aimé(e)

futur

je serai aimé(e)

passé composé

j'ai été aimé(e)

plus-que-parfait

j'avais été aimé(e)

passé antérieur

j'eus été aimé(e)

futur antérieur

j'aurai été aimé(e)

SUBJONCTIF

présent

je sois aimé(e)

imparfait

je fusse aimé(e)

passé

j'aie été aimé(e)

plus-que-parfait

j'eusse été aimé(e)

CONDITIONNEL

présent

je serais aimé(e)

passé

j'aurais été aimé(e)

IMPÉRATIF

sois aimé(e)

INFINITIF

présent

être aimé(e)

passé

avoir été aimé(e)

PARTICIPE

présent

étant aimé(e)

passé

ayant été aimé(e)

CONJUGAISONS IRRÉGULIÈRES

	1	2	3	4
	placer	**manger**	**nettoyer**	**payer**
Ind. présent	je place	je mange	je nettoie	je paie ou paye
Ind. présent	tu places	tu manges	tu nettoies	tu paies ou payes
Ind. présent	il place	il mange	il nettoie	il paie ou paye
Ind. présent	nous plaçons	nous mangeons	nous nettoyons	nous payons
Ind. présent	ils placent	ils mangent	ils nettoient	ils paient ou payent
Ind. imparfait	je plaçais	je mangeais	je nettoyais	je payais
Ind. p. simple	je plaçai	je mangeai	je nettoyai	je payai
Ind. futur	je placerai	je mangerai	je nettoierai	je paierai ou payerai
Cond. présent	je placerais	je mangerais	je nettoierais	je paierais ou payerais
Subj. présent	je place	je mange	je nettoie	je paie ou paye
Subj. présent	il place	il mange	il nettoie	il paie ou paye
Subj. présent	nous placions	nous mangions	nous nettoyions	nous payions
Subj. présent	ils placent	ils mangent	ils nettoient	ils paient
Subj. imparfait	il plaçât	il mangeât	il nettoyât	il payât
Impératif	place	mange	nettoie	paye ou paie
	plaçons	mangeons	nettoyons	payons
Participes	plaçant, placé	mangeant, mangé	nettoyant, nettoyé	payant, payé

	5	6	7	8
	peler	**appeler**	**acheter**	**jeter**
Ind. présent	je pèle	j'appelle	j'achète	je jette
Ind. présent	tu pèles	tu appelles	tu achètes	tu jettes
Ind. présent	il pèle	il appelle	il achète	il jette
Ind. présent	nous pelons	nous appelons	nous achetons	nous jetons
Ind. présent	ils pèlent	ils appellent	ils achètent	ils jettent
Ind. imparfait	je pelais	j'appelais	j'achetais	je jetais
Ind. p. simple	je pelai	j'appelai	j'achetai	je jetai
Ind. futur	je pèlerai	j'appellerai	j'achèterai	je jetterai
Cond. present	je pèlerais	j'appellerais	j'achèterais	je jetterais
Subj. présent	je pèle	j'appelle	j'achète	je jette
Subj. présent	il pèle	il appelle	il achète	il jette
Subj. présent	nous pelions	nous appelions	nous achetions	nous jetions
Subj. présent	ils pèlent	ils appellent	ils achètent	ils jettent
Subj. imparfait	il pelât	il appelât	il achetât	il jetât
Impératif	pèle	appelle	achète	jette
	pelons	appelons	achetons	jetons
Participes	pelant, pelé	appelant, appelé	achetant, acheté	jetant, jeté

	9	10	11	12
	semer	**révéler**	**envoyer**	**aller**
Ind. présent	je sème	je révèle	j'envoie	je vais
Ind. présent	tu sèmes	tu révèles	tu envoies	tu vas
Ind. présent	il sème	il révèle	il envoie	il va
Ind. présent	nous semons	nous révélons	nous envoyons	nous allons
Ind. présent	ils sèment	ils révèlent	ils envoient	ils vont
Ind. imparfait	je semais	je révélais	j'envoyais	j'allais
Ind. p. simple	je semai	je révélai	j'envoyai	j'allai
Ind. futur	je sèmerai	je révélerai	j'enverrai	j'irai
Cond. présent	je sèmerais	je révélerais	j'enverrais	j'irais
Subj. présent	je sème	je révèle	j'envoie	j'aille
Subj. présent	il sème	il révèle	il envoie	il aille
Subj. présent	nous semions	nous révélions	nous envoyions	nous allions
Subj. présent	ils sèment	ils révèlent	ils envoient	ils aillent
Subj. imparfait	il semât	il révélât	il envoyât	il allât
Impératif	sème	révèle	envoie	va
	semons	révélons	envoyons	allons
Participes	semant, semé	révélant, révélé	envoyant, envoyé	allant, allé

	13 haïr	14 fleurir	15 bénir	16 ouvrir
Ind. présent	je hais		je bénis	j'ouvre
Ind. présent	tu hais		tu bénis	tu ouvres
Ind. présent	il hait		il bénit	il ouvre
Ind. présent	nous haïssons		nous bénissons	nous ouvrons
Ind. présent	ils haïssent	Le verbe [flœrir]	ils bénissent	ils ouvrent
Ind. imparfait	je haïssais	est régulier sur	je bénissais	j'ouvrais
Ind. p. simple	je haïs	*finir;* la forme	je bénis	j'ouvris
Ind. futur	je haïrai	[flor-] n'existe	je bénirai	j'ouvrirai
Cond. présent	je haïrais	au sens fig. que	je bénirais	j'ouvrirais
Subj. présent	je haïsse	pour *florissant,*	je bénisse	j'ouvre
Subj. présent	il haïsse	il *florissait*	il bénisse	il ouvre
Subj. présent	nous haïssions		nous bénissions	nous ouvrions
Subj. présent	ils haïssent		ils bénissent	ils ouvrent
Subj. imparfait	il haït		il bénît	il ouvrît
Impératif	hais		bénis	ouvre
	haïssons		bénissons	ouvrons
Participes	haïssant, haï		bénissant, béni	ouvrant, ouvert

	17 fuir	18 dormir	19 mentir	20 servir
Ind. présent	je fuis	je dors	je mens	je sers
Ind. présent	tu fuis	tu dors	tu mens	tu sers
Ind. présent	il fuit	il dort	il ment	il sert
Ind. présent	nous fuyons	nous dormons	nous mentons	nous servons
Ind. présent	ils fuient	ils dorment	ils mentent	ils servent
Ind. imparfait	je fuyais	je dormais	je mentais	je servais
Ind. p. simple	je fuis	je dormis	je mentis	je servis
Ind. futur	je fuirai	je dormirai	je mentirai	je servirai
Cond. présent	je fuirais	je dormirais	je mentirais	je servirais
Subj. présent	je fuie	je dorme	je mente	je serve
Subj. présent	il fuie	il dorme	il mente	il serve
Subj. présent	nous fuyions	nous dormions	nous mentions	nous servions
Subj. présent	ils fuient	ils dorment	ils mentent	ils servent
Subj. imparfait	il fuît	il dormît	il mentît	il servît
Impératif	fuis	dors	mens	sers
	fuyons	dormons	mentons	servons
Participes	fuyant, fui	dormant, dormi	mentant, menti	servant, servi

	21 acquérir	22 tenir	23 assaillir	24 cueillir
Ind. présent	j'acquiers	je tiens	j'assaille	je cueille
Ind. présent	tu acquiers	tu tiens	tu assailles	tu cueilles
Ind. présent	il acquiert	il tient	il assaille	il cueille
Ind. présent	nous acquérons	nous tenons	nous assaillons	nous cueillons
Ind. présent	ils acquièrent	ils tiennent	ils assaillent	ils cueillent
Ind. imparfait	j'acquérais	je tenais	j'assaillais	je cueillais
Ind. p. simple	j'acquis	je tins, nous tînmes	j'assaillis	je cueillis
Ind. futur	j'acquerrai	je tiendrai	j'assaillirai	je cueillerai
Cond. présent	j'acquerrais	je tiendrais	j'assaillirais	je cueillerais
Subj. présent	j'acquière	je tienne	j'assaille	je cueille
Subj. présent	il acquière	il tienne	il assaille	il cueille
Subj. présent	nous acquérions	nous tenions	nous assaillions	nous cueillions
Subj. présent	ils acquièrent	ils tiennent	ils assaillent	ils cueillent
Ind. imparfait	il acquît	il tînt	il assaillît	il cueillît
Impératif	acquiers	tiens	assaille	cueille
	acquérons	tenons	assaillons	cueillons
Participes	acquérant, acquis	tenant, tenu	assaillant, assailli	cueillant, cueilli

	25 mourir	26 partir	27 vêtir	28 sortir
Ind. présent	je meurs	je pars	je vêts	je sors
Ind. présent	tu meurs	tu pars	tu vêts	tu sors
Ind. présent	il meurt	il part	il vêt	il sort
Ind. présent	nous mourons	nous partons	nous vêtons	nous sortons
Ind. présent	ils meurent	ils partent	ils vêtent	ils sortent
Ind. imparfait	je mourais	je partais	je vêtais	je sortais
Ind. p. simple	je mourus	je partis	je vêtis	je sortis
Ind. futur	je mourrai	je partirai	je vêtirai	je sortirai
Cond. présent	je mourrais	je partirais	je vêtirais	je sortirais
Subj. présent	je meure	je parte	je vête	je sorte
Subj. présent	il meure	il parte	il vête	il sorte
Subj. présent	nous mourions	nous partions	nous vêtions	nous sortions
Subj. présent	ils meurent	ils partent	ils vêtent	ils sortent
Subj. imparfait	il mourût	il partît	il vêtît	il sortît
Impératif	meurs	pars	vêts	sors
	mourons	partons	vêtons	sortons
Participes	mourant, mort	partant, parti	vêtant, vêtu	sortant, sorti

	29 courir	30 faillir	31 bouillir	32 gésir
Ind. présent	je cours	*inusité*	je bous	je gis
Ind. présent	tu cours	*inusité*	tu bous	tu gis
Ind. présent	il court	*inusité*	il bout	il gît
Ind. présent	nous courons	*inusité*	nous bouillons	nous gisons
Ind. présent	ils courent	*inusité*	ils bouillent	ils gisent
Ind. imparfait	je courais	*inusité*	je bouillais	je gisais
Ind. p. simple	je courus	je faillis	je bouillis	*inuisté*
Ind. futur	je courrai	je faillirai	je bouillirai	*inusité*
Cond. présent	je courrais	je faillirais	je bouillirais	*inusité*
Subj. présent	je coure	*inusité*	je bouille	*inusité*
Subj. présent	il coure	*inusité*	il bouille	*inusité*
Subj. présent	nous courions	*inusité*	nous bouillions	*inusité*
Subj. présent	ils courent	*inusité*	ils bouillent	*inusité*
Subj. imparfait	il courût	*inusité*	*inusité*	*inusité*
Impératif	cours	*inusité*	bous	*inusité*
	courons		bouillons	
Participes	courant, couru	*inusité*, failli	bouillant, bouilli	gisant, *inusité*

	33 saillir	34 recevoir	35 devoir	36 mouvoir
Ind. présent	*inusité*	je reçois	je dois	je meus
Ind. présent	*inusité*	tu reçois	tu dois	tu meus
Ind. présent	il saille	il reçoit	il doit	il meut
Ind. présent	*inusité*	nous recevons	nous devons	nous mouvons
Ind. présent	*inusité*	ils reçoivent	ils doivent	ils meuvent
Ind. imparfait	il saillait	je recevais	je devais	je mouvais
Ind. p. simple	*inusité*	je reçus	je dus	je mus
Ind. futur	il saillera	je recevrai	je devrai	je mouvrai
Cond. présent	il saillerait	je recevrais	je devrais	je mouvrais
Subj. présent	*inusité*	je reçoive	je doive	je meuve
Subj. présent	*inusité*	il reçoive	il doive	il meuve
Subj. présent	il saille	nous recevions	nous devions	nous mouvions
Subj. présent	*inusité*	ils reçoivent	ils doivent	ils meuvent
Subj. imparfait	*inusité*	il reçût	il dût	il mût
Impératif	*inusité*	reçois	dois	meus
	inusité	recevons	devons	mouvons
Participes	saillant, sailli	recevant, reçu	devant, dû, due	mouvant, mû, mue

	37	38	39	40
	vouloir	**pouvoir**	**savoir**	**valoir***
Ind. présent	je veux	je peux	je sais	je vaux
Ind. présent	tu veux	tu peux	tu sais	tu vaux
Ind. présent	il veut	il peut	il sait	il vaut
Ind. présent	nous voulons	nous pouvons	nous savons	nous valons
Ind. présent	ils veulent	ils peuvent	ils savent	vous valez
Ind. imparfait	je voulais	je pouvais	je savais	ils valent
Ind. p. simple	je voulus	je pus	je sus	je valais
Ind. futur	je voudrai	je pourrai	je saurai	je valus
Cond. présent	je voudrais	je pourrais	je saurais	je vaudrai
Subj. présent	je veuille	je puisse	je sache	je vaudrais
Subj. présent	il veuille	il puisse	il sache	je vaille
Subj. présent	nous voulions	nous puissions	nous sachions	nous valions
Subj. présent	ils veuillent	ils puissent	ils sachent	ils vaillent
Subj. imparfait	il voulût	il pût	il sût	il valût
Impératif	veuille	*inusité*	sache	*inusité*
	veuillons	*inusité*	sachons	*inusité*
Participes	voulant, voulu	pouvant, pu	sachant, su	valant, valu

**prévaloir* fait au subj. prés. *prévale*

	41	42	43	44
	voir	**prévoir**	**pourvoir**	**asseoir**
Ind. présent	je vois	je prévois	je pourvois	j'assieds/j'assois
Ind. présent	tu vois	tu prévois	tu pourvois	tu assieds/tu assois
Ind. présent	il voit	il prévoit	il pourvoit	il assied/il assoit
Ind. présent	nous voyons	nous prévoyons	nous pourvoyons	nous asseyons/nous assoyons
Ind. présent	vous voyez	vous prévoyez	vous pourvoyez	vous asseyez/vous assoyez
Ind. présent	ils voient	ils prévoient	ils pourvoient	ils asseyent/ils assoient
Ind. imparfait	je voyais	je prévoyais	je pourvoyais	j'asseyais/j'assoyais
Ind. p. simple	je vis	je prévis	je pourvus	j'assis
Ind. futur	je verrai	je prévoirai	je pourvoirai	j'assiérai/j'assoirai
Cond. présent	je verrais	je prévoirais	je pourvoirais	j'assiérais/j'assoirais
Subj. présent	je voie	je prévoie	je pourvoie	j'asseye/j'assoie
Subj. présent	nous voyions	nous prévoyions	nous pourvoyions	nous asseyions/nous assoyions
Subj. présent	ils voient	ils prévoient	ils pourvoient	ils asseyent/ils assoient
Subj. imparfait	il vît	il prévît	il pourvût	il assît
Impératif	vois,	prévois,	pourvois,	assieds, asseyons
	voyons	prévoyons	pourvoyons	assois, assoyons
Participes	voyant, vu	prévoyant, prévu	pourvoyant, pourvu	asseyant, assis assoyant, assis

	45	46	47	48
	surseoir	**seoir**	**pleuvoir**	**falloir**
Ind. présent	je sursois	*inusité*	*inusité*	*inusité*
Ind. présent	tu sursois	*inusité*	*inusité*	*inusité*
Ind. présent	il sursoit	il sied	il pleut	il faut
Ind. présent	nous sursoyons	*inusité*	*inusité*	*inusité*
Ind. présent	vous sursoyez	*inusité*	*inusité*	*inusité*
Ind. présent	ils sursoient	*inusité*	*inusité*	*inusité*
Ind. imparfait	je sursoyais	il seyait	il pleuvait	*inusité*
Ind. p. simple	je sursis	*inusité*	il plut	*inusité*
Ind. futur	je sursoirai	il siéra	il pleuvra	il faudra
Cond. présent	je sursoirais	il siérait	il pleuvrait	il faudrait
Subj. présent	je sursoie	*inusité*	il pleuve	il faille
Subj. présent	nous sursoyions	il siée	*inusité*	*inusité*
Subj. présent	ils sursoient	*inusité*	*inusité*	*inusité*
Subj. imparfait	il sursît	*inusité*	il plût	il fallût
Impératif	sursois,	*inusité*	*inusité*	*inusité*
	sursoyons	*inusité*	*inusité*	*inusité*
Participes	sursoyant, sursis	seyant, sis	pleuvant, plu	fallant, fallu

	49	50	51	52
	déchoir	**tendre**	**fondre**	**mordre**
Ind. présent	je déchois	je tends	je fonds	je mords
Ind. présent	tu déchois	tu tends	tu fonds	tu mords
Ind. présent	il déchoit	il tend	il fond	il mord
Ind. présent	*inusité*	nous tendons	nous fondons	nous mordons
Ind. présent	ils déchoient	ils tendent	ils fondent	ils mordent
Ind. imparfait	*inusité*	je tendais	je fondais	je mordais
Ind. p. simple	je déchus	je tendis	je fondis	je mordis
Ind. futur	*inusité*	je tendrai	je fondrai	je mordrai
Cond. présent	*inusité*	je tendrais	je fondrais	je mordrais
Subj. présent	je déchoie	je tende	je fonde	je morde
Subj. présent	*inusité*	nous tendions	nous fondions	nous mordions
Subj. présent	ils déchoient	ils tendent	ils fondent	ils mordent
Subj. imparfait	*inusité*	il tendît	il fondît	il mordît
Impératif	*inusité*	tends,	fonds,	mords,
	inusité	tendons	fondons	mordons
Participes	*inusité*, déchu	tendant, tendu	fondant, fondu	mordant, mordu

	53	54	55	56
	rompre	**prendre**	**craindre**	**battre**
Ind. présent	je romps	je prends	je crains	je bats
Ind. présent	tu romps	tu prends	tu crains	tu bats
Ind. présent	il rompt	il prend	il craint	il bat
Ind. présent	nous rompons	nous prenons	nous craignons	nous battons
Ind. présent	vous rompez	vous prenez	vous craignez	vous battez
Ind. présent	ils rompent	ils prennent	ils craignent	ils battent
Ind. imparfait	je rompais	je prenais	je craignais	je battais
Ind. p. simple	je rompis	je pris	je craignis	je battis
Ind. futur	je romprai	je prendrai	je craindrai	je battrai
Cond. présent	je romprais	je prendrais	je craindrais	je battrais
Subj. présent	je rompe	je prenne	je craigne	je batte
Subj. présent	nous rompions	nous prenions	nous craignions	nous battions
Subj. présent	ils rompent	ils prennent	ils craignent	ils battent
Subj. imparfait	il rompît	il prît	il craignît	il battît
Impératif	romps,	prends,	crains,	bats,
	rompons	prenons	craignons	battons
Participes	rompant, rompu	prenant, pris	craignant, craint	battant, battu

	57	58	59	60
	mettre	**moudre**	**coudre**	**absoudre**
Ind. présent	je mets	je mouds	je couds	j'absous
Ind. présent	tu mets	tu mouds	tu couds	tu absous
Ind. présent	il met	il moud	il coud	il absout
Ind. présent	nous mettons	nous moulons	nous cousons	nous absolvons
Ind. présent	ils mettent	ils moulent	ils cousent	ils absolvent
Ind. imparfait	je mettais	je moulais	je cousais	j'absolvais
Ind p. simple	je mis	je moulus	je cousis	*inusité*
Ind. futur	je mettrai	je moudrai	je coudrai	j'absoudrai
Cond. présent	je mettrais	je moudrais	je coudrais	j'absoudrais
Subj. présent	je mette	je moule	je couse	j'absolve
Subj. présent	nous mettions	nous moulions	nous cousions	nous absolvions
Subj. présent	ils mettent	ils moulent	ils cousent	ils absolvent
Subj. imparfait	il mît	il moulût	il cousît	*inusité*
Impératif	mets,	mouds,	couds,	absous,
	mettons	moulons	cousons	absolvons
Participes	mettant, mis	moulant, moulu	cousant, cousu	absolvant, absous, -te

	61	62	63	64
	résoudre	**suivre**	**vivre**	**paraître**
Ind. présent	je résous	je suis	je vis	je parais
Ind. présent	tu résous	tu suis	tu vis	tu parais
Ind. présent	il résout	il suit	il vit	il paraît
Ind. présent	nous résolvons	nous suivons	nous vivons	nous paraissons
Ind. présent	ils résolvent	ils suivent	ils vivent	ils paraissent
Ind. imparfait	je résolvais	je suivais	je vivais	je paraissais
Ind. p. simple	je résolus	je suivis	je vécus	je parus
Ind. futur	je résoudrai	je suivrai	je vivrai	je paraîtrai
Cond. présent	je résoudrais	je suivrais	je vivrais	je paraîtrais
Subj. présent	je résolve	je suive	je vive	je paraisse
Subj. présent	nous résolvions	nous suivions	nous vivions	nous paraissions
Subj. présent	ils résolvent	ils suivent	ils vivent	ils paraissent
Subj. imparfait	il résolût	il suivît	il vécût	il parût
Impératif	résous, résolvons	suis, suivons	vis, vivons	parais, paraissons
Participes	résolvant, résolu	suivant, suivi	vivant, vécu	paraissant, paru

	65	66	67	68
	naître	**croître**	**rire**	**conclure***
Ind. présent	je nais	je croîs	je ris	je conclus
Ind. présent	tu nais	tu croîs	tu ris	tu conclus
Ind. présent	il naît	il croît	il rit	il conclut
Ind. présent	nous naissons	nous croissons	nous rions	nous concluons
Ind. présent	ils naissent	ils croissent	ils rient	ils concluent
Ind. imparfait	je naissais	je croissais	je riais	je concluais
Ind. p. simple	je naquis	je crûs	je ris	je conclus
Ind. futur	je naîtrai	je croîtrai	je rirai	je conclurai
Cond. présent	je naîtrais	je croîtrais	je rirais	je conclurais
Subj. présent	je naisse	je croisse	je rie	je conclue
Subj. présent	nous naissions	nous croissions	nous riions	nous concluions
Subj. présent	ils naissent	ils croissent	ils rient	ils concluent
Subj. imparfait	il naquît	il crût	il rît	il conclût
Impératif	nais, naissons	croîs, croissons	ris, rions	conclus, concluons
Participes	naissant, né	croissant, crû, crue	riant, ri	concluant, conclu

*et *exclure, inclure,* sauf *inclus, incluse* (part. passé)

	69	70	71	72
	nuire	**conduire**	**écrire**	**suffire**
Ind. présent	je nuis	je conduis	j'écris	je suffis
Ind. présent	tu nuis	tu conduis	tu écris	tu suffis
Ind. présent	il nuit	il conduit	il écrit	il suffit
Ind. présent	nous nuisons	nous conduisons	nous écrivons	nous suffisons
Ind. présent	ils nuisent	ils conduisent	ils écrivent	ils suffisent
Ind. imparfait	je nuisais	je conduisais	j'écrivais	je suffisais
Ind. p. simple	je nuisis	je conduisis	j'écrivis	je suffis
Ind. futur	je nuirai	je conduirai	j'écrirai	je suffirai
Cond. présent	je nuirais	je conduirais	j'écrirais	je suffirais
Subj. présent	je nuise	je conduise	j'écrive	je suffise
Subj. présent	nous nuisions	nous conduisions	nous écrivions	nous suffisions
Subj. présent	ils nuisent	ils conduisent	ils écrivent	ils suffisent
Subj. imparfait	il nuisît	il conduisît	il écrivît	il suffît
Impératif	nuis, nuisons	conduis, conduisons	écris, écrivons	suffis, suffisons
Participes	nuisant, nui	conduisant, conduit	écrivant, écrit	suffisant, suffi

	73	74	75	76
	lire	**croire**	**boire**	**faire**
Ind. présent	je lis	je crois	je bois	je fais
Ind. présent	tu lis	tu crois	tu bois	tu fais
Ind. présent	il lit	il croit	il boit	il fait
Ind. présent	nous lisons	nous croyons	nous buvons	nous faisons
Ind. présent	ils lisent	ils croient	ils boivent	ils font
Ind. imparfait	je lisais	je croyais	je buvais	je faisais
Ind. p. simple	je lus	je crus	je bus	je fis
Ind. futur	je lirai	je croirai	je boirai	je ferai
Cond. présent	je lirais	je croirais	je boirais	je ferais
Subj. présent	je lise	je croie	je boive	je fasse
Subj. présent	nous lisions	nous croyions	nous buvions	nous fassions
Subj. présent	ils lisent	ils croient	ils boivent	ils fassent
Subj. imparfait	il lût	il crût	il bût	il fît
Impératif	lis,	crois,	bois,	fais,
	lisons	croyons	buvons	faisons
Participes	lisant, lu	croyant, cru	buvant, bu	faisant, fait

	77	78	79	80
	plaire	**taire**	**extraire**	**repaître**
Ind. présent	je plais	je tais	j'extrais	je repais
Ind. présent	tu plais	tu tais	tu extrais	tu repais
Ind. présent	il plaît	il tait	il extrait	il repaît
Ind. présent	nous plaisons	nous taisons	nous extrayons	nous repaissons
Ind. présent	ils plaisent	ils taisent	ils extraient	ils repaissent
Ind. imparfait	je plaisais	je taisais	j'extrayais	je repaissais
Ind. p. simple	je plus	je tus	*inusité*	je repus
Ind. futur	je plairai	je tairai	j'extrairai	je repaîtrai
Cond. présent	je plairais	je tairais	j'extrairais	je repaîtrais
Subj. présent	je plaise	je taise	j'extraie	je repaisse
Subj. présent	nous plaisions	nous taisions	nous extrayions	nous repaissions
Subj. présent	ils plaisent	ils taisent	ils extraient	ils repaissent
Subj. imparfait	il plût	il tût	*inusité*	il repût
Impératif	plais,	tais,	extrais,	repais,
	plaisons	taisons	extrayons	repaissons
Participes	plaisant, plu	taisant, tu	extrayant, extrait	repaissant, repu

	81	82	83	84	85
	clore	**oindre**	**frire**	**sourdre**	**vaincre**
Ind. présent	je clos	j'oins	je fris	*inusité*	je vaincs
Ind. présent	tu clos	tu oins	tu fris	*inusité*	tu vaincs
Ind. présent	il clôt	il oint	il frit	il sourd	il vainc
Ind. présent	*inusité*	nous oignons	*inusité*	*inusité*	nous vainquons
Ind. présent	*inusité*	ils oignent	*inusité*	ils sourdent	ils vainquent
Ind. imparfait	*inusité*	j'oignais	*inusité*	*inusité*	je vainquais
Ind. p. simple	*inusité*	j'oignis	*inusité*	*inusité*	je vainquis
Ind. futur	je clorai	j'oindrai	je frirai	*inusité*	je vaincrai
Cond. présent	je clorais	j'oindrais	je frirais	*inusité*	je vaincrais
Subj. présent	je close	j'oigne	*inusité*	*inusité*	je vainque
Subj. présent	nous closions	nous oignons	*inusité*	*inusité*	nous vainquions
Subj. présent	ils closent	ils oignent	*inusité*	*inusité*	ils vainquent
Subj. imparfait	*inusité*	il oignît	*inusité*	*inusité*	il vainquît
Impératif	*inusité*	oins,	fris,	*inusité*	vaincs,
	inusité	oignez	*inusité*	*inusité*	vainquons
Participes	*inusité*, clos	oignant, oint	*inusité*, frit	*inusité*	vainquant, vaincu

Liste des planches et des tableaux

Les signes phonétiques et les sons correspondants 6
Le pluriel des adjectifs et des noms 9
Le féminin des adjectifs et des noms 9-11
Les pronoms personnels 11
La conjugaison des verbes 12-20

I. L'homme et la femme
Le corps humain (extérieur) 33
Au stade 34-35
Les vêtements 36-37
L'hôpital et la santé 38-39
Le corps humain (intérieur) 40

II. L'habitation
Le jardin d'agrément 73
La maison 74-75
La salle de séjour et la chambre 76-77
La cuisine et la salle de bains 78-79
Les fleurs 80

Le calendrier 125

III. L'architecture
Chez l'architecte 145
Le château fort 146-147
L'église 148-149
Le chantier de construction 150-151
Les travaux publics 152

IV. La vie citadine
La rue 217
La ville 218-219
Le centre commercial 220-221
Le marché 222-223
Le brocanteur 224

V. Le travail
Le bricoleur 289
L'usine et l'atelier 290-291
Le bureau 292-293
L'école 294-295
La couture et le tricot 296

L'État 298
La géométrie 348
Les grades militaires 355

VI. La vie à la campagne
La foire agricole 361
La ferme 362-363
Les travaux agricoles 364-365
Le jardin potager 366-367
L'étable et l'écurie 368

Habitants des pays, des villes et des régions 376-377

VII. Les loisirs
Le cirque 433
Le zoo 434-435
Jeux et distractions 436-437
La musique 438-439
Le théâtre et le cinéma 440

Les nombres 517

VIII. Les moyens de transport
L'automobile 505
Routes et autoroutes 506-507
La gare et le train 508-509
L'avion et l'aéroport 510-511
Le tour de France cycliste 512

La parenté 547

IX. Paysages du monde
Le désert 577
Paysage méditerranéen 578-579
L'Afrique tropicale et équatoriale 580-581
L'Amérique du Nord 582-583
Paysage polaire 584

X. La montagne et la forêt
L'alpinisme 649
La montagne en été 650-651
Les sports d'hiver 652-653
La forêt (1) 654-655
La forêt (2) 656

XI. La mer et la rivière
La rivière 721
La plage 722-723
La côte 724-725
Le port de commerce 726-727
Le port de pêche 728

Le temps 754

XII. Services civils et militaires
Les pompiers 761
L'armée de terre 762-763
La marine de guerre 764-765
L'armée de l'air 766-767
Les postes 768

Les unités de mesure 795

à prép. joue un rôle grammatical très important, dans des emplois très divers : *Reste* À *ta place. Je viendrai* À *trois heures. J'écris une lettre* À *mon cousin. Il a gagné la côte* À *la nage. Voici une machine* À *coudre. Je commence* À *m'ennuyer.*

• **R.** *À* se distingue par l'accent grave de [*il*] *a* (du v. *avoir*). ‖ Suivi de *le* ou de *les*, *à* devient AU ou AUX : *Je vais* AU *lit. Il est allé* AUX *U. S. A.*

abaissement, abaisser → BAS 1.

abandonner v. **1.** *Les propriétaires* ONT ABANDONNÉ *la maison,* ils l'ont quittée définitivement. — **2.** *Il* A ABANDONNÉ *son meilleur ami,* il l'a délaissé. — **3.** *Le boxeur* A ABANDONNÉ *au troisième round,* il a renoncé à continuer. ◆ **abandon** n. m. (sens 1) *La guerre a provoqué l'*ABANDON *de ces villages* (= désertion). • (sens 2) *Il laisse ses affaires* À L'ABANDON, il ne s'en occupe pas. • (sens 3) *Il y a eu dix* ABANDONS *dans cette étape.*

abasourdir v. **1.** *Ce vacarme m'*ABASOURDIT, il me casse les oreilles. — **2.** *Je* SUIS ABASOURDI *par une telle nouvelle,* je suis stupéfié.

abat-jour n. m. inv. *L'*ABAT-JOUR *rabat la lumière de la lampe.* ▷ 76

abats n. m. pl. *Les pieds, les rognons, le cœur, les poumons des animaux de boucherie sont des* ABATS. ◆ **abattis** n. m. pl. *Les pattes, la tête, le cou d'une volaille sont des* ABATTIS. ▷ 222

abattre v. **1.** *Le vent* A ABATTU *un arbre,* il l'a fait tomber par terre (= renverser). — **2.** *Le boucher* A ABATTU *dix veaux,* il les a tués. — **3.** *Les policiers* ONT ABATTU *un gangster,* ils l'ont tué. — **4.** *Il* A ÉTÉ *très* ABATTU *par cette nouvelle* (= décourager, démoraliser). ◆ **abattage** n. m. (sens 1) *Les bûcherons sont chargés de l'*ABATTAGE *des arbres.* • (sens 2) *L'*ABATTAGE *des bœufs est réglementé.* ◆ **abattoir** n. m. (sens 2) *On mène les moutons à l'*ABATTOIR, l'endroit où on les abat. ◆ **abattement** n. m. (sens 4) *Pierre est dans un profond* ABATTEMENT (= découragement).

• **R.** Conj. nº 56.

abbaye n. f. Une ABBAYE est un bâtiment habité par des moines ou des religieuses (= monastère).

• **R.** On prononce [abei].

abbé n. m. *L'*ABBÉ *Dubois a dit sa messe,* le prêtre catholique. ‖ *Bonjour monsieur l'*ABBÉ.

abcès n. m. *Je souffre d'un* ABCÈS *dentaire,* d'un amas de pus.

abdiquer v. *Napoléon dut* ABDIQUER *en 1814,* renoncer au pouvoir. ◆ **abdication** n. f. *On avait annoncé l'*ABDICATION *du roi.*

294, 33 ◁ **abdomen** n. m. *L'intestin est contenu dans l'*ABDOMEN (= ventre). ◆ **abdominal** adj. *Il souffre de douleurs* ABDOMINALES.
• **R.** On prononce [abdɔmɛn].

362 ◁ **abeille** n. f. *On élève les* ABEILLES *dans des ruches; elles produisent le miel et la cire.*

abîmer v. *Pierre* ABÎME *tous ses jouets,* il les met en mauvais état (= détériorer, endommager).

abject adj. *Ce film est* ABJECT (= répugnant, ignoble).

abjurer v. *Henri IV* ABJURA *le protestantisme,* il y renonça.

ablutions n. f. pl. *Faire ses* ABLUTIONS, c'est se laver.

abnégation n. f. *Il se consacre à cette œuvre avec une* ABNÉGATION *totale,* en renonçant à tout intérêt personnel.

aboiement → ABOYER.

abois n. m. pl. *Tous ses créanciers le pourchassent, il est* AUX ABOIS, dans une situation désespérée.

abolir v. *L'esclavage* EST ABOLI *depuis longtemps,* il est légalement supprimé. ◆ **abolition** n. f. *Certains réclament l'*ABOLITION *de la peine de mort* (= suppression).

abominable adj. *Quelle odeur* ABOMINABLE! (= affreuse). ◆ **abominablement** adv. *Il chante* ABOMINABLEMENT *faux* (= affreusement).

abondant adj. *La récolte a été* ABONDANTE, très importante (≠ insuffisant). ◆ **abondance** n. f. *Nous avions des provisions* EN ABONDANCE, en grande quantité. ◆ **abondamment** adv. *Il pleut* ABONDAMMENT (= beaucoup). ◆ **abonder** v. *Le gibier* ABONDE *dans cette région,* il y en a beaucoup (= foisonner, pulluler). ◆ **surabondant** adj., **surabondance** n. f., **surabondamment** adv., **surabonder** v. indiquent une quantité encore plus grande.

abonnement n. m. *On prend un* ABONNEMENT *à un journal quand on paie d'avance pour le recevoir régulièrement par la poste.* ◆ **abonner** v. *Il* S'EST ABONNÉ *à plusieurs revues.*

d'abord adv. *On sert* D'ABORD *les hors-d'œuvre, puis la viande,* pour commencer, en premier lieu (≠ ensuite, après).

aborder v. **1.** *Le bateau* A ABORDÉ *dans une petite île,* il est arrivé à la côte. — **2.** *Les deux navires* SE SONT ABORDÉS, ils se sont heurtés. — **3.** *Pierre m'*A ABORDÉ *dans la rue,* il s'est approché de moi pour me parler (= accoster). — **4.** *Nous* AVONS ABORDÉ *ce problème difficile,* nous avons commencé à nous en occuper. ◆ **abord** n. m. **1.** (sens 3) *Cette personne est d'un* ABORD *facile,* il est facile de l'aborder. — **2.** AU PREMIER ABORD, *cela semble facile,* selon la première impression, à première vue. ◆ **abordage** n. m. (sens 1) *La tempête rendait l'*ABORDAGE *difficile.* • (sens 2) *Le bateau a coulé à la suite d'un* ABORDAGE. ◆ **abordable** adj. *Un prix* ABORDABLE n'est pas excessif. ◆ **inabordable** adj. *La viande atteignait des prix* INABORDABLES.

aboutir v. 1. *Cette rue* ABOUTIT *à la gare,* elle s'y termine. — 2. *La discussion* A ABOUTI *à un accord,* elle a eu ce résultat. ◆ **aboutissement** n. m. (sens 2) *Cette découverte est l'*ABOUTISSEMENT *de mes recherches* (= résultat).

aboyer v. *Les chiens* ABOIENT, ils poussent des cris. ◆ **aboiement** n. m. L'ABOIEMENT est le cri du chien.

abréger v. *J'ai dû* ABRÉGER *mon voyage,* le raccourcir. ◆ **abrégé** n. m. Un ABRÉGÉ est un texte qui ne dit que l'essentiel (= résumé).

abreuver v. *Les lions* S'ABREUVENT *à la mare,* ils y boivent. ◆ **abreuvoir** n. m. *Dans un* ABREUVOIR, *on fait boire le bétail.* ▷ 363

abréviation n. f. *«Bus», «c.-à-d.» sont des* ABRÉVIATIONS *pour «autobus», «c'est-à-dire»,* des mots raccourcis. ▷ 7

abri n. m. 1. *Une grotte peut servir d'*ABRI *contre la pluie,* de protection. — 2. *Il est* À L'ABRI *de la misère,* il n'a pas à la craindre. ◆ **abriter** v. (sens 1) *Un store nous* ABRITE *du soleil* (= protéger). ◆ **sans-abri** n. inv. (sens 1) *Le tremblement de terre a fait mille* SANS-ABRI, mille personnes sans logement. ▷ 509

abricot n. m. L'ABRICOT est un fruit jaune produit par un ABRICOTIER. ▷ 367

abriter → ABRI.

abrupt adj. *Une falaise* ABRUPTE est presque verticale (= escarpé).

abrutir v. *Il* EST ABRUTI *par l'alcool,* il est rendu stupide. ◆ **abrutissement** n. m. *Cet ivrogne est tombé dans l'*ABRUTISSEMENT.

absent adj. *Deux élèves sont* ABSENTS, ils ne sont pas là (≠ présent). ◆ **absence** n. f. *Son* ABSENCE *a été involontaire* (≠ présence). ‖ *Il se plaint de l'*ABSENCE *de renseignements* (= manque). ◆ **s'absenter** v. *Je* M'ABSENTERAI *de Paris au mois d'août,* je partirai momentanément.

abside n. f. L'ABSIDE d'une église est située derrière le chœur. ▷ 148

absolu adj. *Il exige une obéissance* ABSOLUE (= total, complet). ◆ **absolument** adv. *C'est* ABSOLUMENT *faux* (= complètement).

absorber v. 1. *Le buvard* ABSORBE *l'encre,* il s'en imbibe, s'en imprègne. — 2. *Le malade n'a rien pu* ABSORBER, boire ou manger (= avaler). — 3. *Son travail l'*ABSORBE, l'occupe entièrement. ◆ **absorbant** adj. (sens 1) *Ces serviettes sont en tissu très* ABSORBANT. • (sens 3) *La comptabilité est une occupation* ABSORBANTE.

s'abstenir v. *Je* M'ABSTIENS *de le critiquer,* j'évite de le faire.
• R. Conj. nº 22.

abstrait adj. *«Bonté», «sagesse», «repos» sont des noms* ABSTRAITS, *ils ne désignent pas des êtres ou des objets matériels* (≠ concret).

absurde adj. *Cette explication est* ABSURDE, *car elle ne tient pas compte de la réalité* (= déraisonnable, stupide). ◆ **absurdité** n. f. *C'est une* ABSURDITÉ *de vouloir faire de l'alpinisme sans préparation* (= stupidité).

abus n. m. *L'*ABUS *du tabac nuit à la santé,* l'usage excessif. ◆ **abuser** v. *Il* ABUSE *de ses droits,* il en fait un usage excessif, injuste. ◆ **abusif** adj. *Il fait un emploi* ABUSIF *de ce mot,* trop fréquent.

acacia n. m. L'ACACIA est un arbre qui a des fleurs jaunes ou blanches.

académie n. f. *L'*ACADÉMIE *française* est une société d'écrivains. ◆ **académicien** n. m. *Les* ACADÉMICIENS *ont un habit vert.*

acajou n. m. *Ce coffret est en* ACAJOU, en un bois rougeâtre.

acariâtre adj. *M*[me] *Lepic a un caractère* ACARIÂTRE (= désagréable).

accabler v. *Il* EST ACCABLÉ *de travail* (= surcharger, écraser). ◆ **accablant** adj. *En août, la chaleur a été* ACCABLANTE (= insupportable).

accalmie → CALME.

accaparer v. *Ce garçon* ACCAPARE *l'attention de l'assistance,* il la retient entièrement.

accéder → ACCÈS.

accélérer v. **1.** *Le conducteur* ACCÉLÈRE *dans la ligne droite,* il va plus vite (≠ ralentir). — **2.** ACCÉLÉREZ *vos préparatifs!* (= hâter). ◆ **accélération** n. f. *L'*ACCÉLÉRATION *du progrès est continue.* ◆ **accélérateur** n. m. (sens 1) *Appuie sur l'*ACCÉLÉRATEUR!, sur le mécanisme qui fait aller plus vite.

505 ◁

accent n. m. **1.** *Pierre a l'*ACCENT *marseillais,* il prononce le français comme les Marseillais. — **2.** *L'*ACCENT *est aigu dans «pré», grave dans «près», circonflexe dans «prêt»,* le signe placé sur la voyelle. — **3.** *Il* A MIS L'ACCENT *sur son rôle,* il a insisté. ◆ **accentuer** v. (sens 2) *Ce texte* EST *mal* ACCENTUÉ, les accents ne sont pas correctement mis. • (sens 3) *La hausse des prix* S'ACCENTUE, devient plus forte (= s'intensifier). ◆ **accentuation** n. f. (sens 2) *Tu as oublié l'accent de «âme» : c'est une faute d'*ACCENTUATION. • (sens 3) *On note une* ACCENTUATION *du froid.*

accepter v. *J'*ACCEPTE *votre aide,* je veux bien la recevoir (≠ refuser). ◆ **acceptable** adj. *Ce devoir est* ACCEPTABLE (= convenable). ◆ **acceptation** n. f. *Je me réjouis de son* ACCEPTATION (≠ refus). ◆ **inacceptable** adj. *Vos conditions sont* INACCEPTABLES *: je refuse.*

accès n. m. **1.** *L'*ACCÈS *de ce sommet est difficile,* on peut difficilement l'atteindre. — **2.** *L'enfant a eu un* ACCÈS *de fièvre,* une brusque poussée. ◆ **accessible** adj. (sens 1) *Un lieu très* ACCESSIBLE est facile à atteindre. ◆ **accéder** v. (sens 1) *Jacques* A ACCÉDÉ *à une situation importante,* il y est parvenu. ◆ **inaccessible** adj. (sens 1) *Ce pic est* INACCESSIBLE.

accessoire **1.** adj. *Je ferai une remarque* ACCESSOIRE, qui s'ajoute (= secondaire; ≠ essentiel). — **2.** n. m. *Le cric est un* ACCESSOIRE *d'automobile,* un objet dont on peut avoir besoin pour utiliser l'automobile.

506, 37 ◁

accident n. m. **1.** *Il a été victime d'un* ACCIDENT *de la circulation,* d'un choc causant des dommages, parfois des blessures ou la mort. — **2.** *J'ai appris cela* PAR ACCIDENT, par hasard. — **3.** *Un* ACCIDENT *du terrain* est une inégalité du sol. ◆ **accidenté** adj. (sens 1) *Une voiture* ACCIDENTÉE est celle qui a subi un accident. • (sens 3) *Un terrain* ACCIDENTÉ a un relief inégal. ◆ **accidentel** adj. (sens 1) *Sa mort a été* ACCIDENTELLE. • (sens 2) *Une rencontre accidentelle* est due au hasard. ◆ **accidentellement** adv. (sens 2) *Un trésor a été découvert* ACCIDENTELLEMENT (= par hasard).

acclamer v. *La foule* ACCLAME *le vainqueur,* elle le salue par des cris d'enthousiasme. ◆ **acclamation** n. f. *Les spectateurs poussent des* ACCLAMATIONS *de joie* (= cri).

acclimatation, acclimater → CLIMAT.

accolade n. f. Une ACCOLADE sert à réunir plusieurs lignes ({).

accommoder v. **1.** ACCOMMODER *des aliments,* c'est les apprêter. — **2.** S'ACCOMMODER *de quelque chose,* c'est s'en contenter. ◆ **accommodant** adj. (sens 2) *Le patron est un homme* ACCOMMODANT (= conciliant, arrangeant). ◆ **accommodement** n. m. (sens 2) *On a trouvé un* ACCOMMODEMENT *pour les mettre d'accord* (= arrangement).

accompagner v. **1.** *J'*ACCOMPAGNE *un ami à la gare,* j'y vais avec lui. — **2.** *L'orchestre* ACCOMPAGNE *le chanteur,* il joue une musique s'adaptant à l'air qu'il chante. ◆ **accompagnement** n. m. (sens 2) *Il chante avec* ACCOMPAGNEMENT *de guitare.* ◆ **accompagnateur** n. (sens 1) *L'*ACCOMPAGNATEUR d'un groupe d'enfants voyage avec eux. • (sens 2) *Sophie est l'*ACCOMPAGNATRICE *du chanteur.* ◆ **raccompagner** v. (sens 1) *Je vais vous* RACCOMPAGNER *chez vous.*

accomplir v. *Les éclaireurs* ONT ACCOMPLI *leur mission,* ils l'ont réalisée complètement (= exécuter). ◆ **accomplissement** n. m. *Il se consacre à l'*ACCOMPLISSEMENT *de sa tâche.*

accord → ACCORDER.

accordéon n. m. *On danse au son de l'*ACCORDÉON, un instrument. ▷ 438

accorder v. **1.** *Les deux adversaires* SE SONT *enfin* ACCORDÉS, ils ont été du même avis (= s'entendre). — **2.** *Les musiciens* ACCORDENT *leurs instruments,* ils les règlent pour jouer juste. — **3.** *L'adjectif* S'ACCORDE *avec le nom,* il se met au même genre et au même nombre. — **4.** *Je vous* ACCORDE *cette autorisation,* j'accepte de vous la donner (≠ refuser). ◆ **accord** n. m. (sens 1) *L'*ACCORD *règne entre nous,* la bonne entente, la concorde. ‖ *Nous sommes* D'ACCORD, nous sommes du même avis. ‖ *Un* ACCORD *commercial* est une convention, un traité. • (sens 2) *Faire un* ACCORD *au piano,* c'est jouer plusieurs notes ensemble. • (sens 3) *L'*ACCORD *du verbe se fait avec le sujet.* • (sens 4) *Je donne mon* ACCORD *à ce projet,* je l'accepte. ◆ **désaccord** n. m. (sens 1) *Un* DÉSACCORD *subsiste entre eux* (= divergence, différend).

accoster v. **1.** *Le bateau* ACCOSTE, il se range le long du quai. — **2.** ACCOSTER *un passant,* c'est venir auprès de lui (= aborder).

accotement n. m. *Défense de stationner sur l'*ACCOTEMENT!, le bord de la route. ▷ 506

accoucher v. *Cette femme va bientôt* ACCOUCHER, elle va mettre un enfant au monde. ◆ **accouchement** n. m. *Mme Dupont est partie dans une clinique d'*ACCOUCHEMENT.

s'accouder → COUDE. / **accoupler** → COUPLE. / **accourir** → COURIR.

s'accoutrer v. *Elle* S'ACCOUTRE *ainsi sous prétexte de suivre la mode,* elle s'habille de manière ridicule. ◆ **accoutrement** n. m. *Quel* ACCOUTREMENT *grotesque!*

accoutumer → COUTUME.

accrocher v. **1.** *On* A ACCROCHÉ *le tableau au mur,* on l'y a attaché au moyen d'un clou, d'un crochet, etc. — **2.** *Pierre* A ACCROCHÉ *sa chemise au fil de fer barbelé,* il l'a déchirée. — **3.** *Le chauffeur* A ACCROCHÉ *l'aile d'une voiture,* il l'a heurtée, cabossée. — **4.** S'ACCROCHER *aux branches,* c'est s'y cramponner, s'y agripper. — **5.** S'ACCROCHER *à un travail,* c'est s'y obstiner. ◆ **accroc** n. m. (sens 2) *J'ai fait un* ACCROC *à ma veste,* une déchirure. ◆ **accrochage** n. m. (sens 1) *L'*ACCROCHAGE *des wagons est bruyant.* • (sens 3) *Il y a eu un* ACCROCHAGE *entre deux camionnettes.* ◆ **accrocheur** adj. (sens 5) *Un garçon* ACCROCHEUR est tenace, actif. ◆ **décrocher** v. (sens 1) DÉCROCHE *la carte murale!* ◆ **raccrocher** v. (sens 1) *Il* A RACCROCHÉ *sa veste au portemanteau.*

accroissement, accroître → CROÎTRE.

s'accroupir v. *Les enfants* S'ACCROUPISSENT *pour jouer,* ils s'assoient sur leurs talons.

accu → ACCUMULER.

accueillir v. *Jean* ACCUEILLE *chaleureusement son ami,* il le reçoit. ◆ **accueil** n. m. *Jean nous a fait un* ACCUEIL *amical.* ◆ **accueillant** adj. *Cette personne est* ACCUEILLANTE, elle vous reçoit bien.
• **R.** Conj. nº 24.

acculer v. *Certains commerçants* SONT ACCULÉS *à la faillite,* ils n'ont plus d'autre possibilité.

accumuler v. *Il* A ACCUMULÉ *les fautes d'orthographe,* il en a fait beaucoup. ◆ **accumulation** n. f. *L'*ACCUMULATION *des preuves se poursuit.* ◆ **accumulateur** ou **accu** n. m. Un ACCUMULATEUR est un appareil qui emmagasine l'électricité (= accu, batterie). 505 ◁

accuser v. **1.** *On* ACCUSAIT *le gardien de négligence,* on disait qu'il était coupable. — **2.** *La comparaison entre vous* ACCUSE *vos différences,* elle les souligne, les fait apparaître. — **3.** *J'*ACCUSE RÉCEPTION *de votre envoi,* je déclare l'avoir reçu. ◆ **accusation** n. f. (sens 1) *Ton* ACCUSATION *est injuste* (= reproche). ◆ **accusateur** adj. et n. (sens 1) *Je répondrai à mes* ACCUSATEURS, à ceux qui m'accusent. ◆ **accusé 1.** n. et adj. (sens 1) *L'*ACCUSÉ *affirmait son innocence.* — **2.** adj. (sens 2) *Des traits* ACCUSÉS sont très visibles. — **3.** n. m. (sens 3) *Un* ACCUSÉ DE RÉCEPTION est un papier par lequel on reconnaît qu'on a reçu un envoi.

acéré adj. *Mon couteau a une lame* ACÉRÉE, très tranchante.

achalandé adj. *Ce magasin est bien* ACHALANDÉ, il a beaucoup de marchandises.

s'acharner v. S'ACHARNER *contre un adversaire,* c'est l'attaquer avec obstination et violence. ◆ **acharné** adj. *Ils ont livré un combat* ACHARNÉ (= furieux). ◆ **acharnement** n. m. *Pierre travaille avec* ACHARNEMENT (= obstination, ténacité).

acheminer → CHEMIN.

acheter v. *Marie* ACHÈTE *un pain chez le boulanger,* elle se le procure en payant. ◆ **achat** n. m. **1.** *Il envisage l'*ACHAT *d'une maison* (= acquisition). — **2.** *Emportez vos* ACHATS (= emplette). ◆ **acheteur** n. *L'*ACHETEUSE *a payé comptant* (= acquéreur, client). ◆ **racheter** v. **1.** *Il n'y a plus de sucre, il faut en* RACHETER. — **2.** *Il était en retard au rendez-vous, mais il* S'EST RACHETÉ *en apportant des fleurs,* il s'est fait pardonner. ◆ **rachat** n. m. *Il s'est consacré au* RACHAT *de ses fautes passées* (= réparation).

• **R.** Conj. nº 7.

achever v. **1.** *Je n'*AI *pas* ACHEVÉ *la lecture de ce livre,* je n'ai pas fini. — **2.** ACHEVER *un animal blessé,* c'est le tuer complètement. ◆ **achèvement** n. m. (sens 1) *L'*ACHÈVEMENT *de mon travail est proche* (= fin). ◆ **inachevé** adj. (sens 1) *Je ne veux pas laisser mon entreprise* INACHEVÉE.

acide adj. *Ces pommes ont un goût* ACIDE, piquant à la langue. ◆ **acide** n. m. Les ACIDES sont des corps chimiques particuliers. ◆ **acidité** n. f. *Je n'aime pas l'*ACIDITÉ *du citron,* sa saveur acide. ◆ **acidulé** adj. *Les bonbons* ACIDULÉS sont légèrement acides.

acier n. m. *La lame de ton couteau est en* ACIER, une sorte de fer très dur. ◆ **aciérie** n. f. *Dans les* ACIÉRIES, *on transforme la fonte en acier.*

acompte n. m. *Verser un* ACOMPTE *sur une facture,* c'est payer une partie de ce qu'on doit.

acoustique n. f. *Cette salle a une bonne* ACOUSTIQUE, on y entend bien.

acquérir v. **1.** ACQUÉRIR *une voiture,* c'est en devenir propriétaire (= acheter). — **2.** ACQUÉRIR *une preuve, une certitude, etc.,* c'est les obtenir. ◆ **acquéreur** n. m. (sens 1) *Cette maison n'a pas trouvé d'*ACQUÉREUR (= acheteur). ◆ **acquisition** n. f. (sens 1) **1.** *M. Dupont a fait l'*ACQUISITION *d'un piano.* — **2.** *Montrez-moi vos* ACQUISITIONS (= achat).

• **R.** Conj. nº 21.

acquiescer v. *J'*ACQUIESCE À *cette proposition,* je donne mon accord. ◆ **acquiescement** n. m. *Il a fait connaître son* ACQUIESCEMENT.

acquisition → ACQUÉRIR.

acquit n. m. *J'ai vérifié l'adresse* PAR ACQUIT DE CONSCIENCE, par scrupule, pour éviter tout risque de remords.

acquitter v. **1.** *Le tribunal l'*A ACQUITTÉ, il l'a déclaré innocent (≠ condamner). — **2.** *J'*AI ACQUITTÉ *une facture* (= payer). ◆ **acquittement** n. m. (sens 1) *Le tribunal a prononcé l'*ACQUITTEMENT *de l'accusé.*

âcre adj. *Ce fruit a un goût* ÂCRE (= piquant). ◆ **âcreté** n. f. *L'*ÂCRETÉ *du médicament lui fait faire la grimace.*

acrobate n. *Au cirque, des* ACROBATES *font des sauts périlleux,* des gymnastes très agiles. ◆ **acrobatie** n. f. *Nous avons applaudi les* ACROBATIES *du trapéziste.* ◆ **acrobatique** adj. *Le trapéziste fait un numéro* ACROBATIQUE. ▷ 433

• **R.** Acrobatie se prononce [akrɔbasi].

acte n. m. **1.** *Vous êtes responsables de vos* ACTES, de ce que vous faites (= action). — **2.** *Une tragédie en cinq* ACTES est en cinq parties. — **3.** *Un* ACTE *de naissance* est un écrit officiel.

440 ◁ **acteur** n. *Qui est l'*ACTRICE *qui joue dans ce film?* (= interprète).

actif → AGIR.

1. action n. f. *M. Durand possède des* ACTIONS *d'une société,* des parts du capital de cette société. ◆ **actionnaire** n. *Les* ACTIONNAIRES *ont touché des revenus importants,* les possesseurs d'actions.

2. action, actionner, activement, activer, activité → AGIR.

actuel adj. *Les événements* ACTUELS sont ceux qui ont lieu maintenant
754 ◁ (= présent). ◆ **actuellement** adv. *Il est* ACTUELLEMENT *en vacances* (= pour le moment). ◆ **actualité** n. f. **1.** *Il se tient au courant de l'*ACTUALITÉ, de ce qui se passe maintenant. — **2.** (au plur.) Les ACTUALITÉS sont un film court résumant l'essentiel de ce qui vient de se passer.

adapter v. **1.** ADAPTER *une poignée à un récipient,* c'est l'y fixer, l'y ajuster. — **2.** ADAPTER *un roman à la télévision,* c'est en faire un film. — **3.** S'ADAPTER *aux circonstances,* c'est s'y plier, s'y conformer. ◆ **adaptation** n. f. (sens 2) *Ce film est une* ADAPTATION *d'un roman.* • (sens 3) *Ce travail demande une période d'*ADAPTATION (= apprentissage, mise au courant). ◆ **réadapter** v. (sens 3) *Après vingt ans passés à l'étranger, il* SE RÉADAPTE *difficilement dans son pays.*

addition n. f. **1.** *Quand on ajoute un nombre à un autre, on fait une* ADDITION. — **2.** *Ajouter de l'eau à une pâte, c'est faire une* ADDITION *d'eau.* — **3.** *Payer l'*ADDITION *au restaurant,* c'est payer le montant total de la dépense (= note). ◆ **additionner** v. (sens 1) *Il faut* ADDITIONNER *ces nombres pour obtenir le total* (= ajouter). • (sens 2) *Elle boit du vin* ADDITIONNÉ *d'eau* (= mêler, étendre).

adepte n. *Pierre est un* ADEPTE *de la musique moderne,* un partisan.

adhérer v. **1.** *Le timbre* ADHÈRE *à l'enveloppe,* il y est collé. — **2.** ADHÉRER *à un parti,* c'est en devenir membre. ◆ **adhérent 1.** adj. (sens 1) *Le goudron est une matière très* ADHÉRENTE (= collant). — **2.** n. (sens 2) *De nouveaux* ADHÉRENTS *se sont inscrits au syndicat* (= membre). ◆ **adhérence** n. f. (sens 1) *Ce pneu a une bonne* ADHÉRENCE, il colle à la route. ◆ **adhésion** n. f. (sens 2) *L'*ADHÉSION *à un parti* (= inscription).
293 ◁ ◆ **adhésif** adj. (sens 1) *Tu fermeras le paquet avec du ruban* ADHÉSIF.

adieu n. m. *On dit* ADIEU *à quelqu'un qu'on quitte pour longtemps.*

adjectif n. m. *«Grand», «beau» sont des* ADJECTIFS, des mots qui accompagnent un nom.

adjoint n. *M. Durand est* ADJOINT *au maire,* il le remplace parfois.

763, 355 ◁ **adjudant** n. m. Un ADJUDANT est un sous-officier immédiatement supérieur au sergent-chef.

adjuger v. **1.** *Le premier prix* A ÉTÉ ADJUGÉ *à Paul,* il lui a été attribué. — **2.** *Il* S'EST ADJUGÉ *le meilleur morceau,* il l'a pris.

adjurer v. *Je l'*AI ADJURÉ *de se taire* (= supplier).

admettre v. **1.** *Jean* A ÉTÉ ADMIS *dans la classe supérieure,* il a pu y entrer (= recevoir). — **2.** *J'*ADMETS *vos explications,* je reconnais qu'elles

sont valables. ◆ **admission** n. f. (sens 1) *Le jury a décidé l'*ADMISSION *de ce candidat.* ◆ **admissible** adj. (sens 1) *Un candidat* ADMISSIBLE *est autorisé à passer l'oral de l'examen.* ◆ **inadmissible** adj. (sens 2) *Une chose* INADMISSIBLE est inacceptable, intolérable.
• **R.** Conj. nº 57.

administrer v. *Le conseil municipal* ADMINISTRE *la commune,* il la dirige (= gérer). ◆ **administrateur** n. m. *Les* ADMINISTRATEURS *de la société se sont réunis.* ◆ **administration** n. f. **1.** *Il se consacre à l'*ADMINISTRATION *de l'usine* (= gestion). — **2.** *Il a des démêlés avec l'*ADMINISTRATION, avec les services publics. ◆ **administratif** adj. *Une décision* ADMINISTRATIVE est prise par l'Administration.

admirer v. **1.** *Nous* AVONS ADMIRÉ *le paysage,* nous l'avons trouvé très beau. — **2.** *J'*ADMIRE *cet acteur,* je trouve qu'il a de très grandes qualités. ◆ **admirable** adj. *Ce film est* ADMIRABLE (= superbe, merveilleux, magnifique). ◆ **admirablement** adv. *Elle chante* ADMIRABLEMENT (= merveilleusement). ◆ **admirateur** n. *Le chanteur était entouré d'une foule d'*ADMIRATRICES. ◆ **admiratif** adj. *Un regard* ADMIRATIF exprime l'admiration. ◆ **admiration** n. f. *Ce spectacle est digne d'*ADMIRATION, d'être admiré.

admissible, admission → ADMETTRE.

adolescent n. Un ADOLESCENT n'est plus un enfant et n'est pas encore un adulte (entre 14 et 18 ans environ). ◆ **adolescence** n. f. L'ADOLESCENCE est la période pendant laquelle on est adolescent.

s'adonner v. S'ADONNER *au sport,* c'est en faire beaucoup.

adopter v. **1.** *Ils ont* ADOPTÉ *un enfant,* ils le traitent légalement comme leur fils (ou leur fille). — **2.** *Il* A ADOPTÉ *un air d'indifférence,* il a pris. — **3.** ADOPTER *un projet,* c'est l'approuver. ◆ **adoptif** adj. (sens 1) *Une mère* ADOPTIVE est celle qui adopte un enfant. ‖ *Un fils* ADOPTIF est celui qui est adopté. ◆ **adoption** n. f. (sens 1) *L'*ADOPTION *d'un orphelin.* • (sens 3) *L'*ADOPTION *du projet est décidée.*

adorer v. **1.** ADORER *Dieu,* c'est le prier avec respect. — **2.** *Elle* ADORE *son chien, les gâteaux, le cinéma,* elle les aime extrêmement (≠ détester). ◆ **adorable** adj. (sens 2) *Cet enfant est* ADORABLE (= charmant). ◆ **adorateur** n. (sens 1) *Les Incas étaient des* ADORATEURS *du Soleil.* • (sens 2) *Cette chanteuse a beaucoup d'*ADORATEURS (= admirateur). ◆ **adoration** n. f. (sens 1) *Des religieux étaient prosternés en* ADORATION *devant l'autel.* • (sens 2) *Il a une* ADORATION *pour son fils.*

adosser → DOS. / **adoucir, adoucissement** → DOUX.

1. adresse → ADROIT.

2. adresse n. f. **1.** *Quelle est son* ADRESSE*?,* l'endroit où il habite. — **2.** *Il a lancé des injures* À L'ADRESSE DE *ses chefs,* à leur intention. ◆ **adresser** v. (sens 1) ADRESSER *une lettre à quelqu'un,* c'est la lui envoyer. • (sens 2) ADRESSER *la parole à quelqu'un,* c'est lui parler.

▷ 768

adroit adj. *Un ouvrier* ADROIT est celui qui sait s'y prendre (= habile). ◆ **adroitement** adv. *Le chauffeur a évité* ADROITEMENT *l'obstacle*

(= habilement). ◆ **adresse** n. f. *Marie conduit sa voiture avec* ADRESSE (= habileté, dextérité). ◆ **maladroit** adj. *Il a eu un geste* MALADROIT (= gauche). ◆ **maladroitement** adv. *Jean dessine* MALADROITEMENT. ◆ **maladresse** n. f. *J'ai cassé ce vase par* MALADRESSE.

adulte n. Un ADULTE est quelqu'un qui n'est plus dans l'enfance ou dans l'adolescence (= grande personne).

adverbe n. m. *« Maintenant », « bien », « très » sont des* ADVERBES, des mots invariables.

adversaire n. *Il a répondu aux attaques de ses* ADVERSAIRES, des gens qui s'opposent à lui. ◆ **adverse** adj. *C'est l'équipe* ADVERSE *qui a gagné* (= opposé).

adversité n. f. *Il a été courageux dans l'*ADVERSITÉ (= malheur).

aération, aérer, aérien → AIR.

aérodrome n. m. Un AÉRODROME est un terrain aménagé pour le décollage et l'atterrissage des avions. ◆ **aérogare** n. f. *Je dois être à* 510 ◁ *8 heures à l'*AÉROGARE, une gare où on prend l'avion. ◆ **aéronautique** adj. et n. f. *L'industrie* AÉRONAUTIQUE est celle qui concerne les avions. ‖ L'AÉRONAUTIQUE est la fabrication des avions. ◆ **aéroport** n. m. Un 511 ◁ AÉROPORT est l'ensemble formé par un aérodrome et par les bâtiments administratifs correspondants.

affable adj. *L'hôtelier a un air* AFFABLE (= aimable, accueillant). ◆ **affabilité** n. f. *Il a répondu avec* AFFABILITÉ (= amabilité).

affaiblir, affaiblissement → FAIBLE.

affaire n. f. **1.** *Nous avons discuté de cette* AFFAIRE, de cette question. — **2.** AVOIR AFFAIRE À *quelqu'un,* c'est être mis en rapport avec lui. ‖ C'EST MON AFFAIRE, cela ne regarde que moi. — **3.** *Cette voiture est excellente : j'ai fait une bonne* AFFAIRE, un marché avantageux. — **4.** *M. Durand est dans* LES AFFAIRES, il est dans le commerce ou l'industrie. — **5.** *Range tes* AFFAIRES!, tes vêtements, tes objets personnels. ◆ **affairé** adj. (sens 1) *M. Durand est un homme très* AFFAIRÉ (= occupé).

s'affaisser v. **1.** *Le blessé* S'EST AFFAISSÉ, il est tombé sous son propre poids. — **2.** *Le sol* S'EST AFFAISSÉ, il s'est enfoncé. ◆ **affaissement** n. m. (sens 2) *Cet* AFFAISSEMENT *de terrain est dû aux pluies.*

affamé → FAIM.

affecter v. **1.** *On m'*A AFFECTÉ *à ce poste* (= nommer). — **2.** AFFECTER *une somme à quelque chose,* c'est l'y employer. — **3.** AFFECTER *la joie, la tristesse, etc.,* c'est faire semblant de l'éprouver (= feindre, simuler). — **4.** *Il* A ÉTÉ *très* AFFECTÉ *par la mort de son ami,* très ému, attristé. ◆ **affecté** adj. (sens 3) *Son amabilité est* AFFECTÉE, il fait semblant. ◆ **affectation** n. f. (sens 1) *J'ai reçu un changement d'*AFFECTATION (= fonctions, emploi, poste). • (sens 3) *Une* AFFECTATION *d'insouciance* est une insouciance feinte. ◆ **désaffecté** adj. (sens 2) *La colonie de vacances est installée dans une caserne* DÉSAFFECTÉE, qui ne sert plus de caserne.

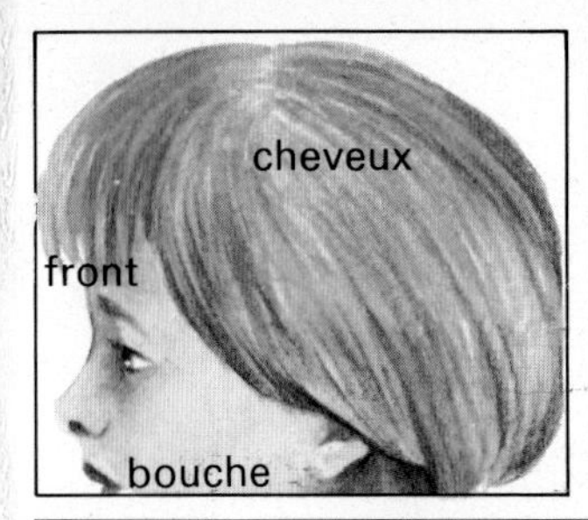
cheveux
front
bouche

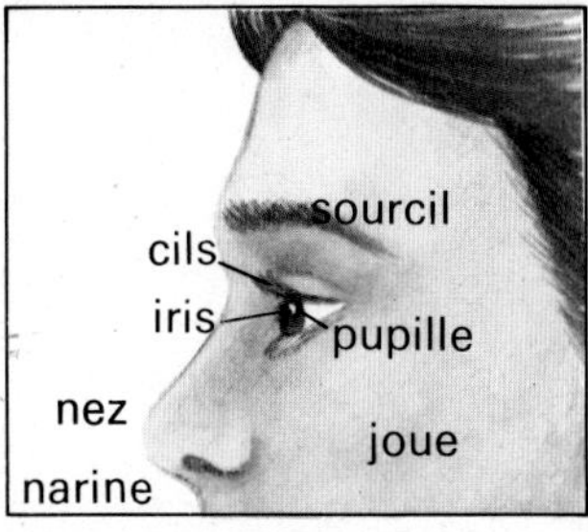
sourcil
cils
iris
pupille
nez
joue
narine

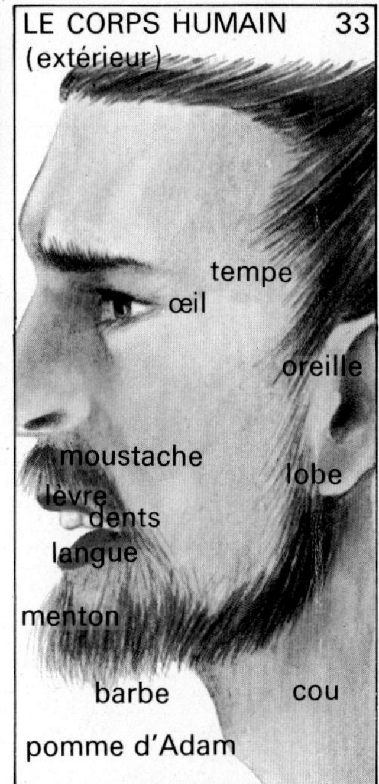
tempe
œil
oreille
moustache
lobe
lèvre
dents
langue
menton
barbe
cou
pomme d'Adam

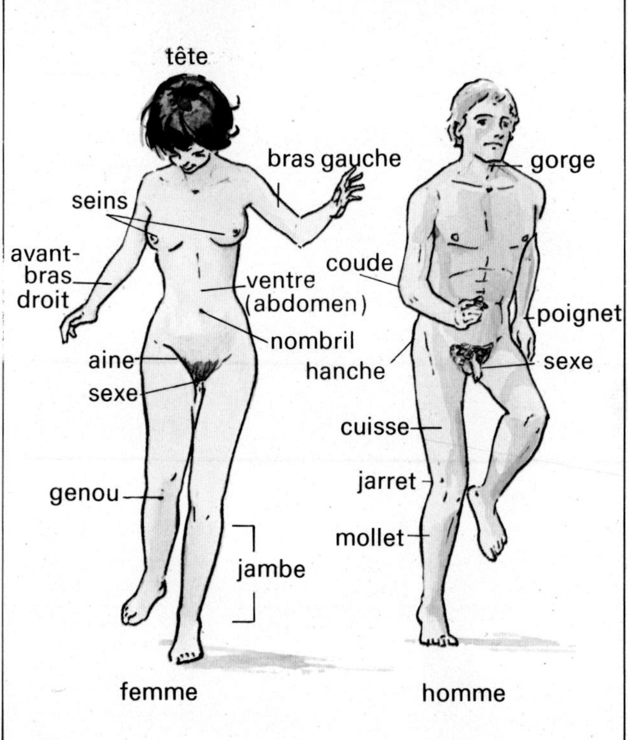
tête
bras gauche
gorge
seins
avant-bras droit
coude
ventre (abdomen)
poignet
nombril
aine
hanche
sexe
sexe
cuisse
jarret
genou
mollet
jambe
femme
homme

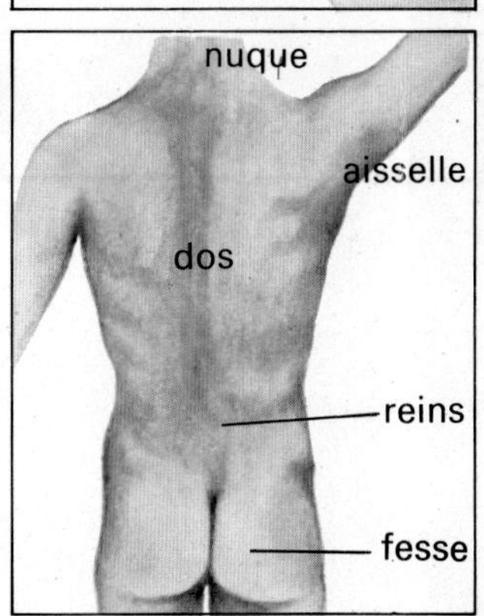
nuque
aisselle
dos
reins
fesse

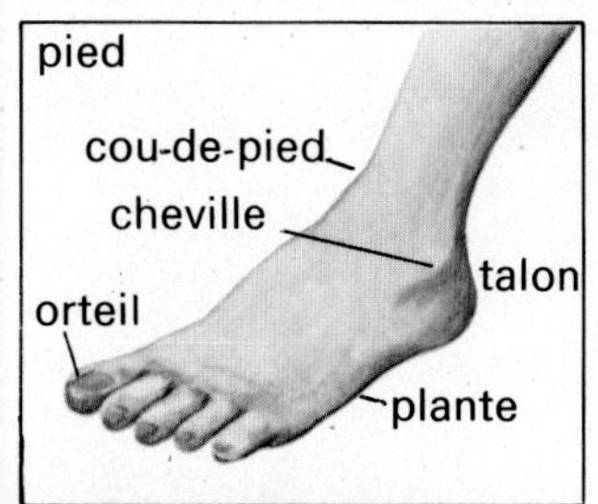
pied
cou-de-pied
cheville
talon
orteil
plante

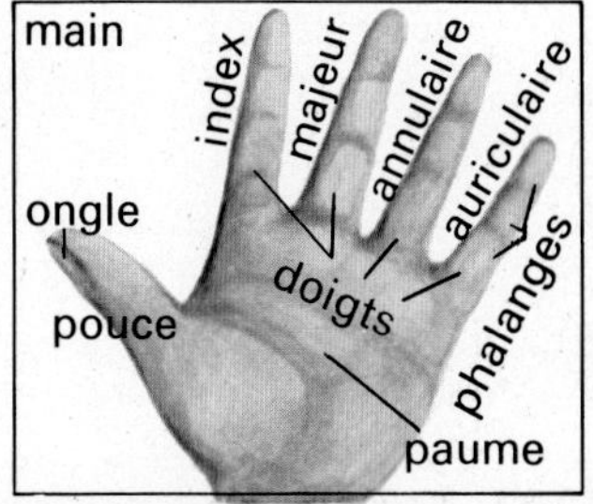
main
index
majeur
annulaire
auriculaire
ongle
doigts
phalanges
pouce
paume

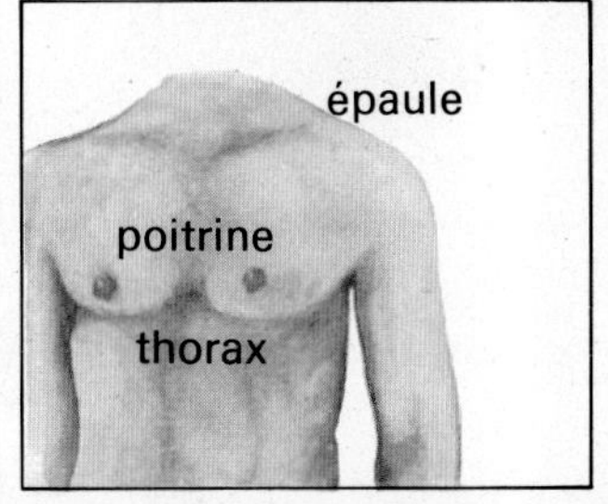
épaule
poitrine
thorax

saut
en longueur

course de vitesse (sprint)
départ
piste

judo
ceinture
kimono
tapis
(tatami)

110 m haies

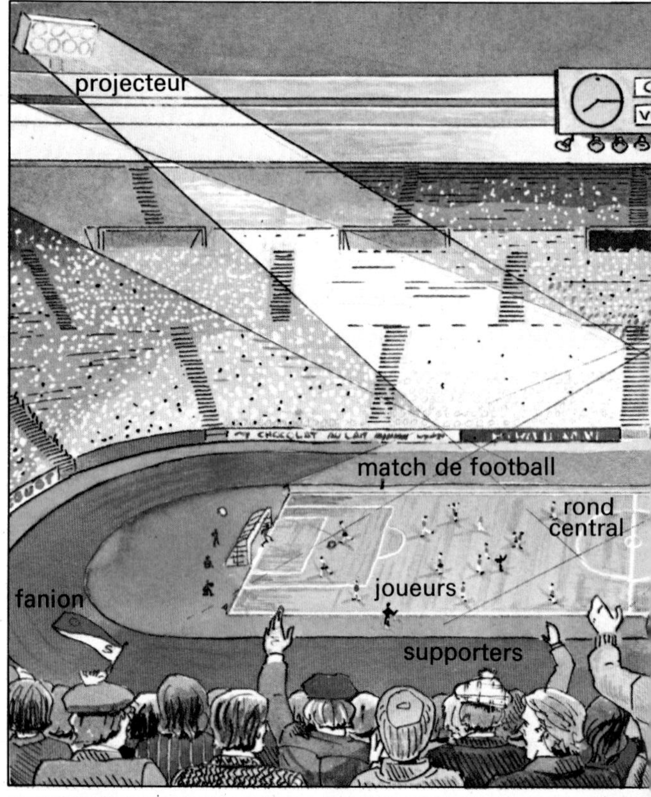
projecteur
match de football
rond
central
joueurs
fanion
supporters

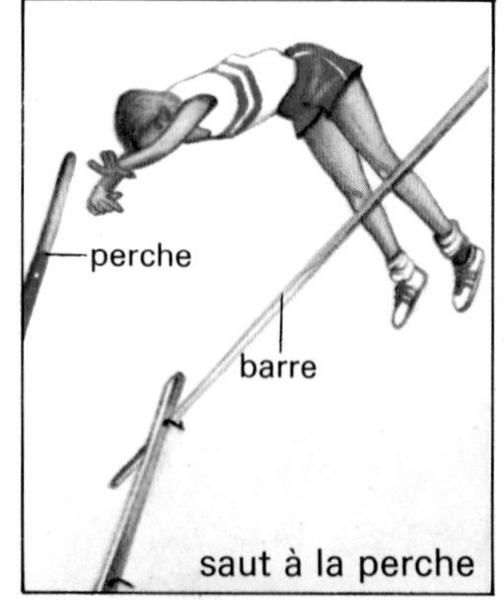
perche
barre
saut à la perche

lancement
du disque

lancement du poids

haltères

tennis
raquette
court
filet
balle

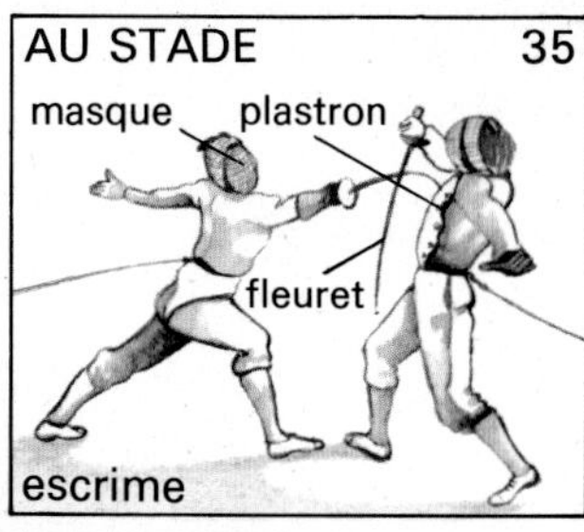
masque
plastron
fleuret
escrime

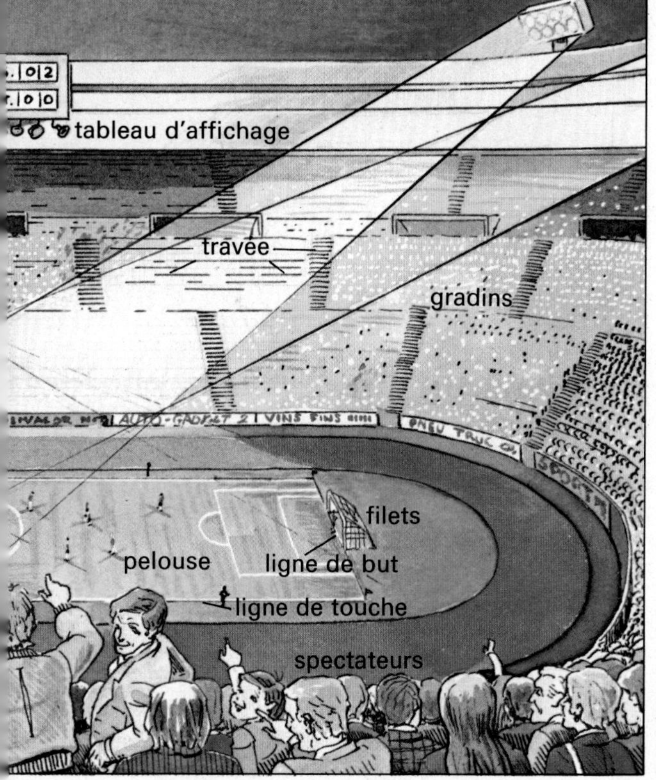
tableau d'affichage
travée
gradins
filets
pelouse
ligne de but
ligne de touche
spectateurs

gymnastique
poutre

hand ball
cage

rugby
poteaux
mêlée
terrain
ballon ovale

basket-ball
panier

col roulé
chandail
capuchon
cardigan
tricot
pull-over
jupe
écharpe
ceinture
revers
blue-jean
pantalon
EFOUR
PMU
OPERA
toque
mécanicien
gilet
garçon de café
cuisinier
costume de ville
salopette
agent de police
imperméable
a t t r o u p e m e n t
pyjama
chemise de nuit
collants
chaussettes
tee-shirt
soutien-gorge
slip

chemise
blouson
manche
cintre
veston
manteau
revers
tailleur
robe
tablier
blouse
BANQUE DE
képi
uniforme
blouse
motocycliste
civière
accident
ambulance
casquette
blouse
bandoulière
sac à main
fermoir
béret
pantoufle
visière
casque
gant
sandale
talon
botte

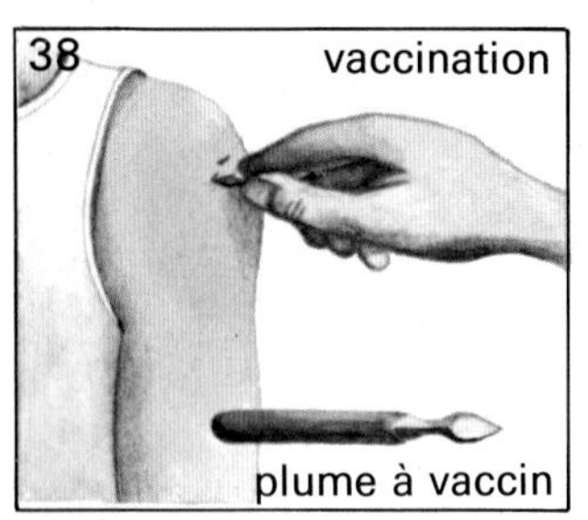
vaccination
plume à vaccin

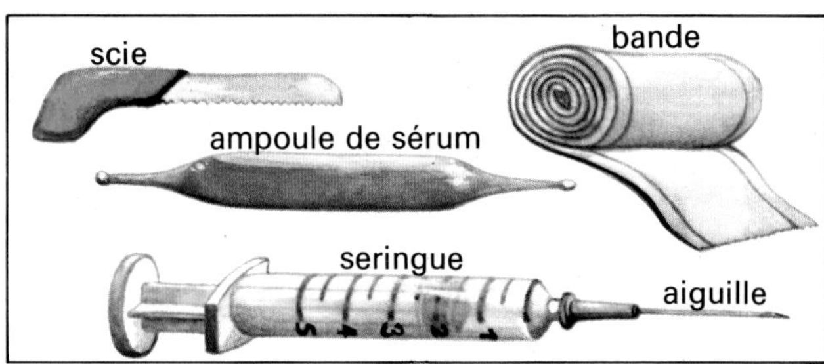
scie
bande
ampoule de sérum
seringue
aiguille

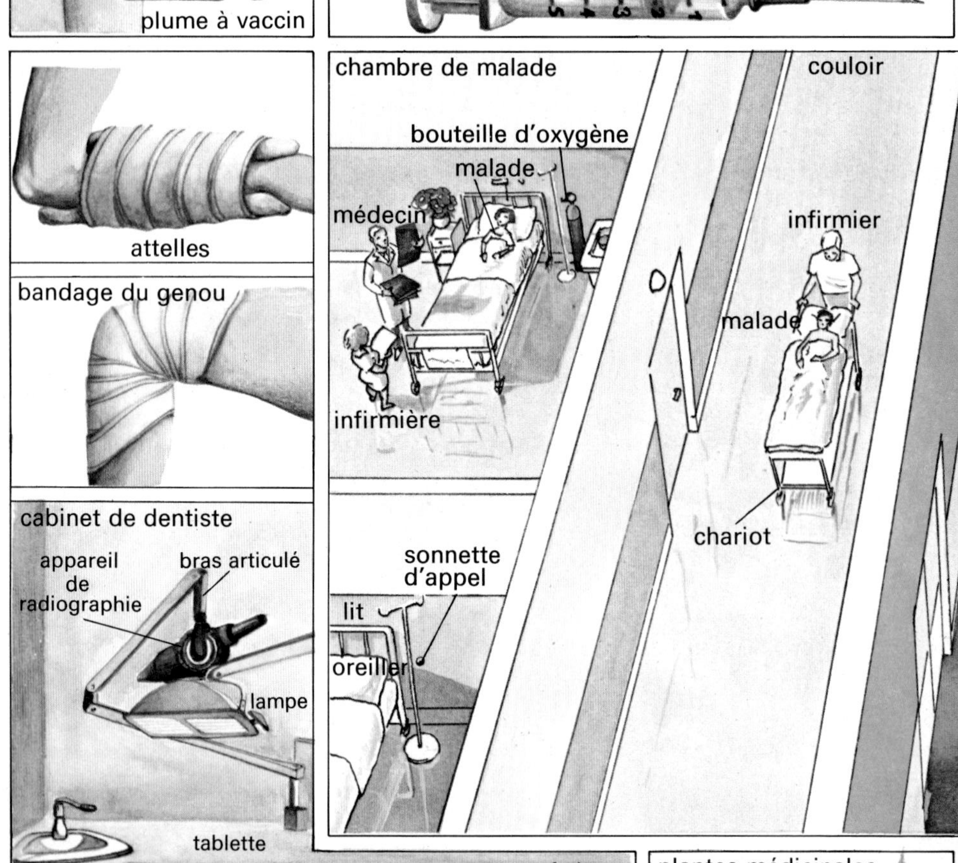
attelles
bandage du genou
cabinet de dentiste
appareil
de
radiographie
bras articulé
lampe
tablette
chambre de malade
bouteille d'oxygène
malade
médecin
infirmière
sonnette
d'appel
lit
oreiller
couloir
infirmier
malade
chariot

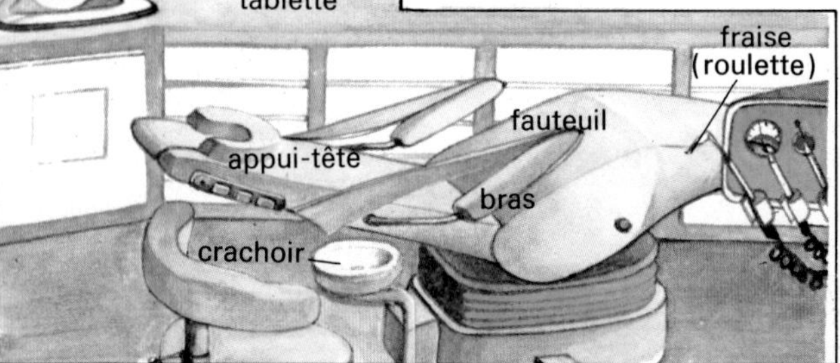
fraise
(roulette)
fauteuil
appui-tête
bras
crachoir

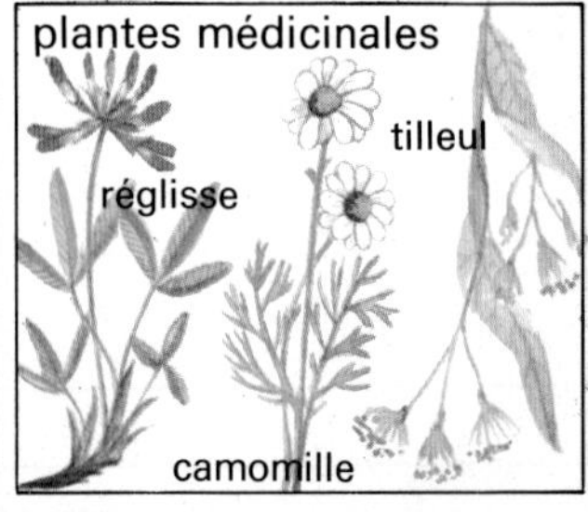
plantes médicinales
tilleul
réglisse
camomille

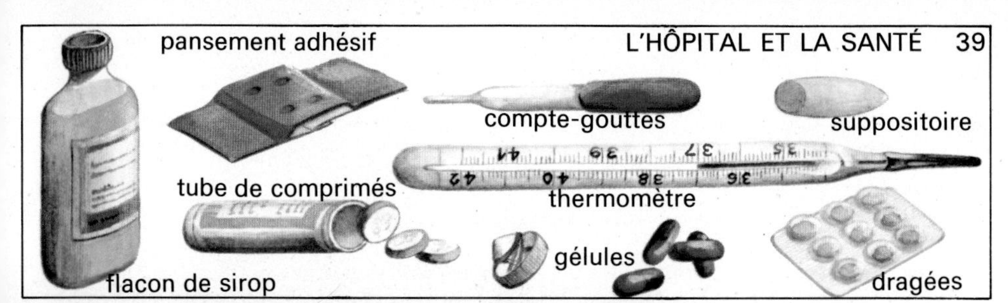
pansement adhésif
compte-gouttes
suppositoire
thermomètre
tube de comprimés
gélules
flacon de sirop
dragées

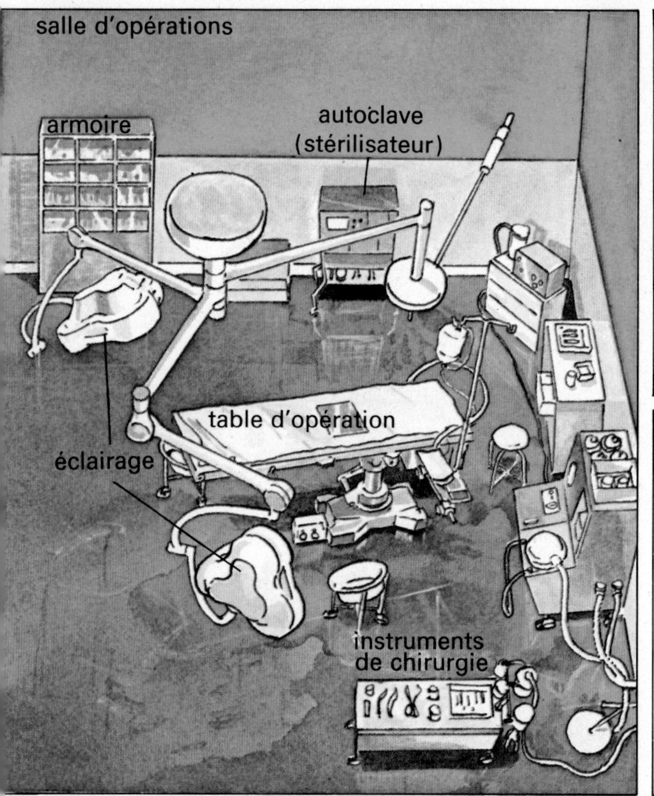
salle d'opérations
armoire
autoclave (stérilisateur)
table d'opération
éclairage
instruments de chirurgie

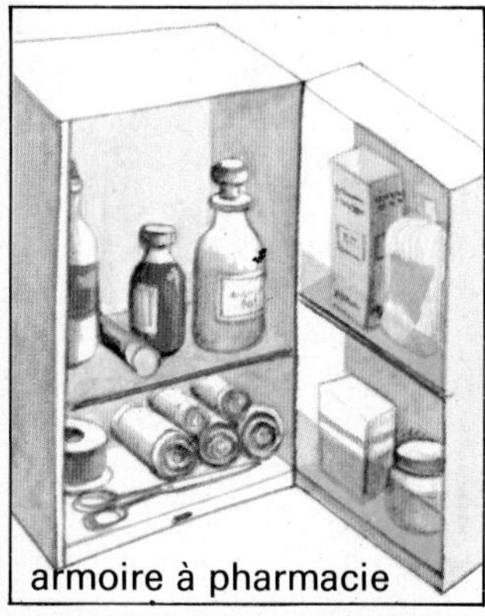
armoire à pharmacie

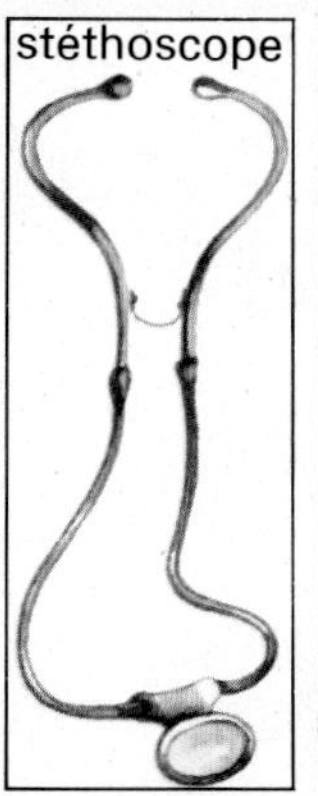
stéthoscope

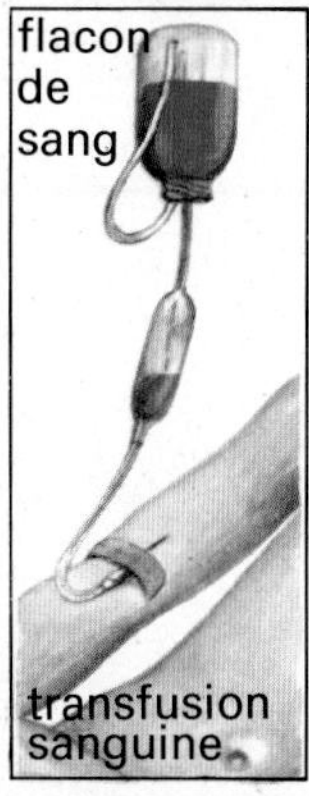
flacon de sang
transfusion sanguine

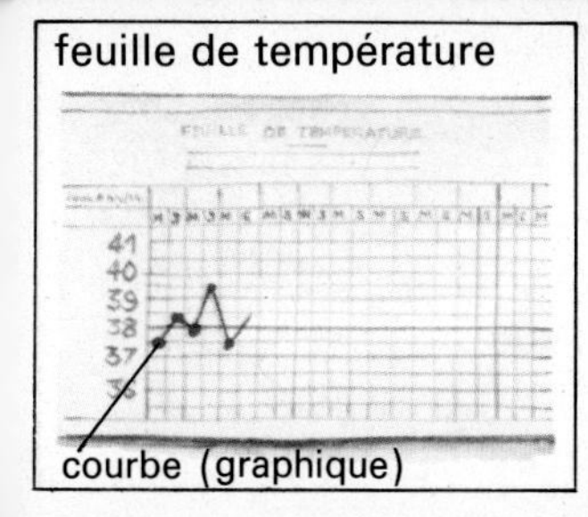
feuille de température
courbe (graphique)

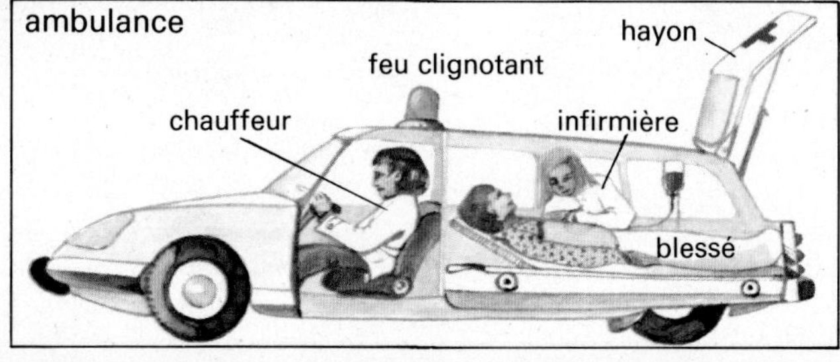
ambulance
hayon
feu clignotant
chauffeur
infirmière
blessé

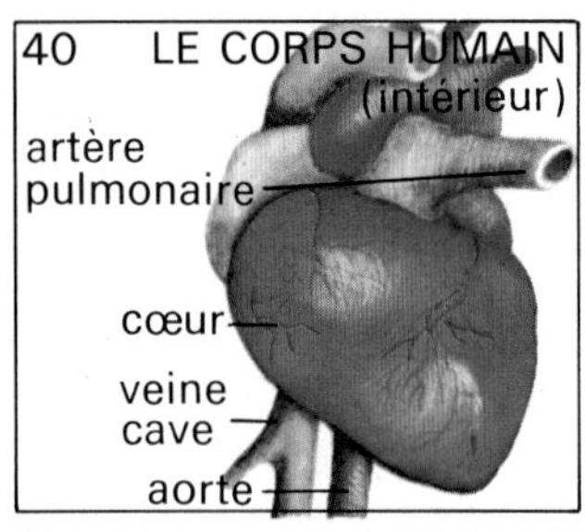
artère
pulmonaire
cœur
veine
cave
aorte

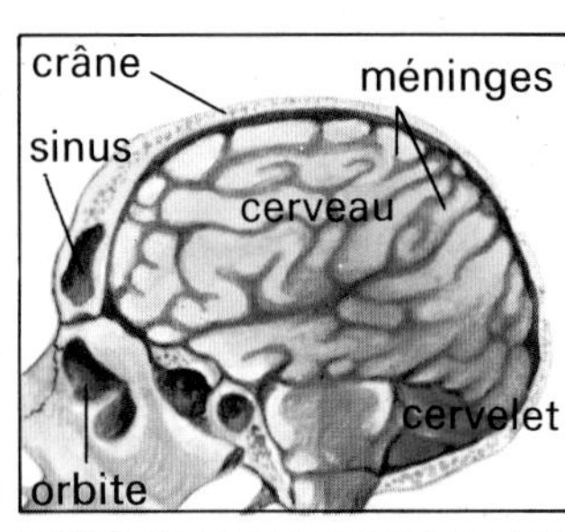
crâne
méninges
sinus
cerveau
orbite
cervelet

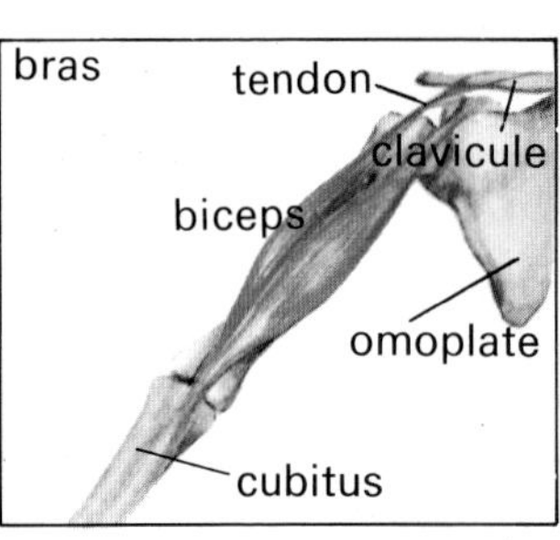
bras
tendon
clavicule
biceps
omoplate
cubitus

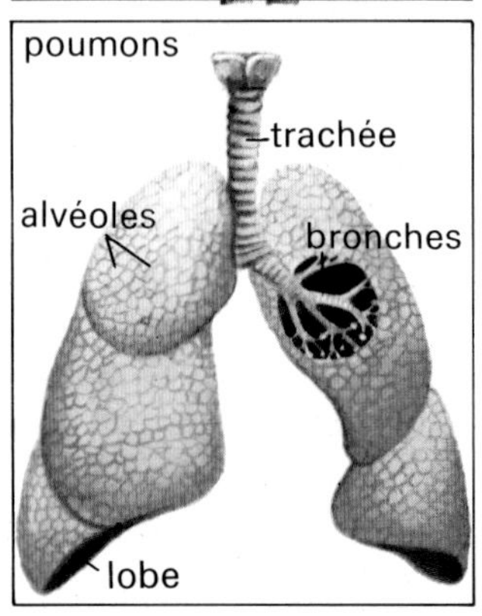
poumons
trachée
alvéoles
bronches
lobe

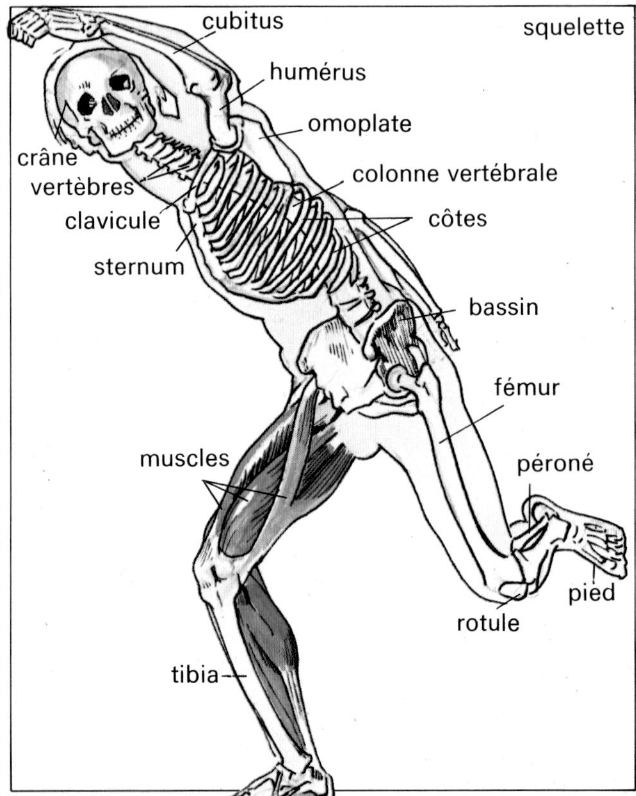
squelette
cubitus
humérus
omoplate
crâne
vertèbres
colonne vertébrale
clavicule
côtes
sternum
bassin
fémur
muscles
péroné
pied
rotule
tibia

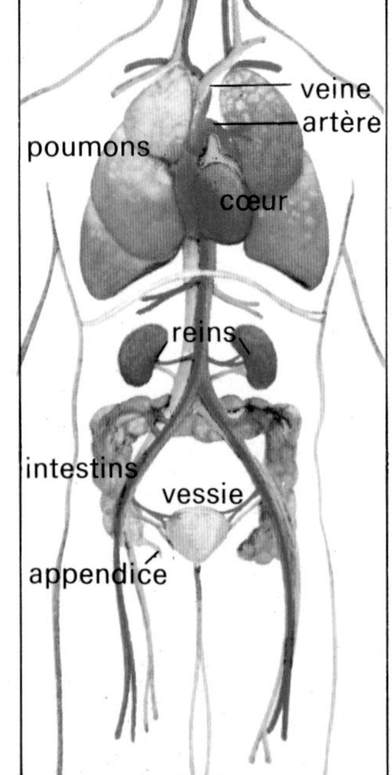
veine
artère
poumons
cœur
reins
intestins
vessie
appendice

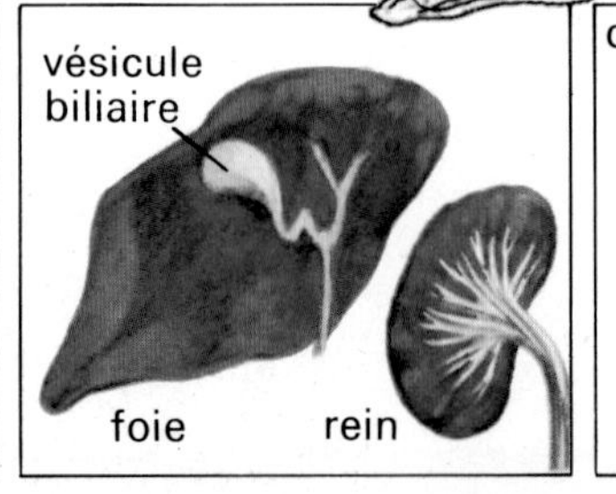
vésicule
biliaire
foie
rein

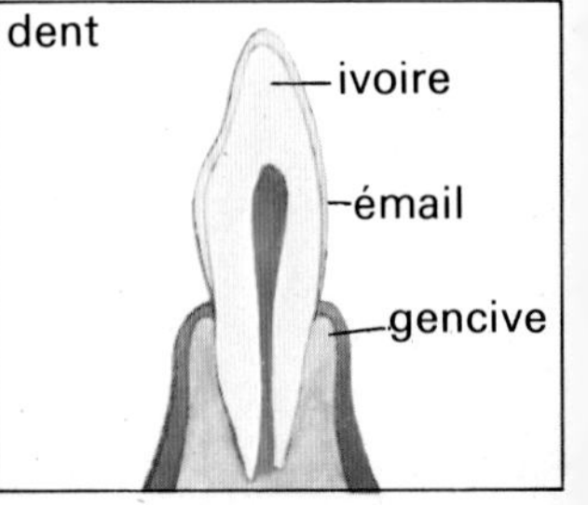
dent
ivoire
émail
gencive

affection n. f. **1.** *Jean a pour moi une* AFFECTION *fraternelle,* il m'aime comme un frère (= tendresse). — **2.** *Une* AFFECTION *de la peau* est une maladie. ◆ **affectionner** v. (sens 1) *Il* AFFECTIONNE *la musique,* il l'aime. ◆ **affectueux** adj. (sens 1) *Jean est un enfant* AFFECTUEUX (= tendre, aimant).

affermir → FERME 2.

afficher v. **1.** *On* A AFFICHÉ *un concert,* on l'a annoncé par des affiches. — **2.** *Il* AFFICHE *son mépris,* il le montre ouvertement. ◆ **affiche** n. f. (sens 1) *Le mur est couvert d'*AFFICHES *publicitaires,* de grandes feuilles illustrées. ◆ **affichage** n. m. (sens 1) *Un panneau d'*AFFICHAGE est un panneau où l'on pose les affiches. ▷ 217 ▷ 35

affilé adj. *Une lame* AFFILÉE est coupante, aiguisée.

affirmer v. *J'*AFFIRME *que c'est vrai,* je le déclare fermement (= soutenir, certifier). ◆ **affirmation** n. f. *Cette* AFFIRMATION *est inexacte* (= déclaration). ◆ **affirmatif** adj. et n. f. *Il m'a donné une réponse* AFFIRMATIVE, il a dit oui (≠ négatif). ‖ *Il a répondu par l'*AFFIRMATIVE.

affligé adj. ÊTRE AFFLIGÉ *d'une maladie,* c'est en souffrir.

affluer v. *Les vacanciers* AFFLUENT *sur cette plage,* ils y arrivent en grand nombre. ◆ **affluence** n. f. *L'*AFFLUENCE *des touristes commence fin juin.* ◆ **affluent** n. m. *La Saône est un* AFFLUENT *du Rhône,* un cours d'eau qui se jette dans le Rhône. ▷ 721

affoler v. *Son imprudence m'*AFFOLE, elle m'effraie (≠ calmer). ◆ **affolement** n. m. *On entendait des cris d'*AFFOLEMENT (= terreur).

affranchir, affranchissement → FRANC 2.

affreux adj. **1.** *Elle a une robe* AFFREUSE, très laide (= hideux). — **2.** *Quel temps* AFFREUX!, très désagréable. ◆ **affreusement** adv. *Je suis* AFFREUSEMENT *inquiet* (= terriblement).

affront n. m. *Il lui a fait un* AFFRONT *en refusant de lui serrer la main,* une insulte en public (= offense).

affronter v. AFFRONTER *un adversaire,* c'est ne pas craindre de lutter contre lui. ◆ **affrontement** n. m. *L'*AFFRONTEMENT *a été violent.*

affubler v. *Marie* S'EST AFFUBLÉE *d'un déguisement,* elle s'est habillée de manière ridicule.

affût n. m. *Il est* À L'AFFÛT *des nouvelles,* il les guette.

affûter v. *Le menuisier* AFFÛTE *ses outils,* il les aiguise.

afin que conj. *Il crie* AFIN QU'*on l'entende,* pour que. ◆ **afin de** prép. *Il crie* AFIN D'*être entendu,* pour être entendu.

agacer v. *Cet enfant m'*AGACE *avec ses questions,* il m'énerve. ◆ **agaçant** adj. *Ce petit bruit est* AGAÇANT (= énervant). ◆ **agacement** n. m. *Il a eu un geste d'*AGACEMENT (= impatience).

âge n. m. **1.** *Quel* ÂGE *avez-vous?,* depuis combien de temps êtes-vous né? — **2.** *Dans son* JEUNE ÂGE, *dans l'*ÂGE MÛR, *dans un* ÂGE AVANCÉ, dans sa jeunesse, sa maturité, sa vieillesse. — **3.** *L'*ÂGE *du bronze* est l'époque où les hommes fabriquaient beaucoup d'objets en bronze. ◆ **âgé** adj. **1.** (sens 1) *Pierre est* ÂGÉ *de douze ans,* il a cet âge. — **2.** *Sa grand-mère est* ÂGÉE, elle est vieille.

agence n. f. *Une* AGENCE *de voyages, de publicité, etc.,* est une entreprise commerciale qui s'occupe de ces affaires.

agencer v. *Cet appartement* EST *bien* AGENCÉ, bien disposé. ◆ **agencement** n. m. *L'*AGENCEMENT *d'un spectacle,* c'est son organisation.

agenda n. m. *J'inscris mes rendez-vous sur mon* AGENDA (= carnet). • **R.** On prononce [aʒɛ̃da].

s'agenouiller → GENOU.

agent n. m. **1.** *Un* AGENT *de liaison* est chargé d'une mission de liaison. — **2.** *L'*AGENT *(de police) règle la circulation* (= gardien de la paix).
36 ◁

s'agglomérer v. *La farine mal délayée* S'AGGLOMÈRE *en grumeaux,* se rassemble en masses. ◆ **agglomération** n. f. Une AGGLOMÉRATION est un groupe d'habitations formant un village ou une ville et sa banlieue.

s'agglutiner v. *Les bonbons* SE SONT AGGLUTINÉS *dans le paquet,* ils se sont collés ensemble.

aggravation, aggraver → GRAVE.

agile adj. *Cet enfant est* AGILE *comme un singe* (= leste). ◆ **agilité** n. f. *Il court avec* AGILITÉ (= légèreté).

agir v. **1.** *Il faut* AGIR, *au lieu de vous lamenter,* faire quelque chose. — **2.** AGIR *auprès d'un ministre,* c'est faire une démarche auprès de lui. — **3.** *Vous* AVEZ AGI *sagement en appelant le médecin,* vous vous êtes conduit sagement. — **4.** *Ce médicament* AGIT *sur les nerfs,* il produit un effet. — **5.** *Dans ce roman,* IL S'AGIT D'*espionnage,* il en est question. — **6.** *Maintenant, il* S'AGIT DE *se dépêcher,* il faut. ◆ **agissements** n. m. pl. (sens 3) *Ses* AGISSEMENTS *m'inquiètent,* ses manières d'agir blâmables. ◆ **actif** adj. **1.** (sens 1) *Un homme* ACTIF est quelqu'un qui travaille beaucoup, qui agit (= travailleur, énergique). • (sens 4) *Un médicament* ACTIF produit un effet (= efficace). — **2.** *Dans « le chat attrape la souris », le verbe est à la voix* ACTIVE (≠ passif). ◆ **activement** adv. (sens 1) *Il prépare* ACTIVEMENT *son départ.* ◆ **activer** v. (sens 1) ACTIVEZ *les travaux* (= hâter). ‖ *On* S'ACTIVE *autour des blessés* (= s'affairer, s'empresser). ◆ **activité** n. f. (sens 1) **1.** *À plus de quatre-vingts ans, il est encore d'une grande* ACTIVITÉ. — **2.** *Ne négligez pas vos* ACTIVITÉS *professionnelles* (= occupation). ◆ **action** n. f. **1.** (sens 1) *L'*ACTION *de cet homme politique a été importante,* ce qu'il a fait. ‖ *Nous allons* PASSER À L'ACTION, agir. ‖ *Ses* ACTIONS *sont désintéressées* (= acte). • (sens 4) *L'*ACTION *de ce médicament est lente* (= effet). — **2.** METTRE EN ACTION *un appareil,* c'est le faire fonctionner. ◆ **actionner** v. ACTIONNER *le signal d'alarme,* c'est s'en servir, le faire fonctionner. ◆ **inactif** adj. (sens 1) *Ne restez pas* INACTIF (= désœuvré). ◆ **inactivité** n. f. (sens 1) *Sa maladie lui impose des semaines d'*INACTIVITÉ. ◆ **inaction** n. f. (sens 1) *Vous n'allez pas vivre dans l'*INACTION, sans rien faire (= désœuvrement).

agiter v. **1.** *Le vent* AGITE *les branches,* il les fait remuer. — **2.** *Cet enfant* S'AGITE *nerveusement* (= gigoter). — **3.** *Les ouvriers* S'AGITENT, ils manifestent leur mécontentement. ◆ **agitation** n. f. (sens 1) *L'*AGITATION *des vagues est perpétuelle.* • (sens 2) *Une* AGITATION *fiévreuse précède le départ* (= excitation). • (sens 3) *L'*AGITATION *sociale se développe* (= troubles). ◆ **agitateur** n. m. (sens 3) Les AGITATEURS sont ceux qui causent volontairement des incidents politiques ou sociaux.

agneau n. m. *Nous avons mangé un gigot d'*AGNEAU, un jeune mouton. ▷ 361

agonie n. f. L'AGONIE, ce sont les derniers moments d'un mourant. ◆ **agoniser** v. *Le blessé* AGONISE, il est mourant.

agrafe n. f. **1.** Une AGRAFE est un petit crochet servant à fermer un vêtement. — **2.** Une AGRAFE est une attache métallique servant à fixer des feuilles de papier. ◆ **agrafer** v. (sens 1) *Cette robe* S'AGRAFE *au col* (= fermer). • (sens 2) AGRAFEZ *ces feuillets ensemble* (= attacher). ◆ **dégrafer** v. (sens 1) DÉGRAFE *ton manteau* (= ouvrir). ▷ 296

agrandir, agrandissement → GRAND.

agréable adj. *L'odeur des roses est* AGRÉABLE, elle plaît. ◆ **agréablement** adv. *Les vacances se passent* AGRÉABLEMENT. ◆ **agrément** n. m. *Cette ville est pleine d'*AGRÉMENT, de charme. ◆ **agrémenter** v. *Elle* A AGRÉMENTÉ *sa réponse d'un sourire,* elle y a ajouté quelque chose d'agréable. ◆ **désagréable** adj. *Ce temps brumeux est* DÉSAGRÉABLE. ◆ **désagréablement** adv. *Son échec l'a* DÉSAGRÉABLEMENT *surpris.* ◆ **désagrément** n. m. *Les* DÉSAGRÉMENTS *de la vieillesse* sont les ennuis qui la rendent désagréable.

agréer v. **1.** *Veuillez* AGRÉER *mes sentiments amicaux,* les accepter (formule de politesse). — **2.** *Un modèle* AGRÉÉ est un modèle officiellement admis. ◆ **agrément** n. m. (sens 1) *Il a agi sans mon* AGRÉMENT, sans que je l'accepte (= accord).

agrément → AGRÉABLE et AGRÉER. / **agrémenter** → AGRÉABLE.

agrès n. m. pl. *La barre fixe, les barres parallèles, les anneaux sont des* AGRÈS, des instruments servant à faire de la gymnastique.

agression n. f. *Une* AGRESSION *à main armée* est une attaque violente. ◆ **agresser** v. *Les malfaiteurs* ONT AGRESSÉ *un pompiste* (= attaquer). ◆ **agresseur** n. m. *Des* AGRESSEURS *masqués ont assommé le caissier.* ◆ **agressif** adj. *Il a pris un air* AGRESSIF, celui d'une personne qui va attaquer. ◆ **agressivité** n. f. *Il a répondu calmement, sans* AGRESSIVITÉ.

agriculture n. f. L'AGRICULTURE est la culture de la terre. ◆ **agriculteur** n. m. *Les* AGRICULTEURS *se plaignent de la sécheresse,* ceux qui cultivent la terre (= cultivateur). ◆ **agricole** adj. *Les tracteurs sont des machines* AGRICOLES, servant à l'agriculture. ▷ 361 ▷ 361, 365

s'agripper v. AGRIPPE-TOI *au rocher* (= s'accrocher, se cramponner).

s'aguerrir v. S'AGUERRIR *contre le froid, la douleur,* c'est s'accoutumer à les endurer (= s'endurcir).

aguets n. m. pl. *Le chasseur est* AUX AGUETS, il surveille tout attentivement.

ah!, ah? interj. exprime la satisfaction, la douleur, la surprise, etc. : AH! *quel plaisir!* AH! *comme c'est dommage!* AH? *Pourquoi dites-vous cela?*

ahurir v. *Je* SUIS AHURI *par cette nouvelle,* extrêmement étonné. ◆ **ahurissant** adj. *Une invention* AHURISSANTE est stupéfiante. ◆ **ahurissement** n. m. *Son visage exprimait l'*AHURISSEMENT (= stupéfaction).

aider v. **1.** *Nous l'*AVONS AIDÉ *dans ses recherches,* nous avons participé à son effort (= seconder). — **2.** *Pierre* S'AIDE *d'un levier pour déplacer le bloc,* il s'en sert. ◆ **aide** n. f. (sens 1) *Nous comptons sur l'*AIDE *de nos amis* (= appui, soutien). • (sens 2) *Le prisonnier s'est évadé* À L'AIDE D'*une corde* (= au moyen de). ◆ **aide** n. (sens 1) *Une* AIDE *familiale* est une personne qui aide. ◆ **s'entraider** v. (sens 1) *Entre voisins, il faut* S'ENTRAIDER, s'aider l'un l'autre. ◆ **entraide** n. f. *Un comité d'*ENTRAIDE *a été créé* (= secours).

aïe! interj. exprime la douleur : AÏE! *tu me fais mal!*

aïeux n. m. pl. *Nos* AÏEUX, ce sont nos ancêtres.

650 ◁ **aigle** n. m. *Un* AIGLE *plane dans le ciel,* un grand oiseau de proie. ◆ **aiglon** n. m. L'AIGLON est le petit de l'aigle.

aigre adj. **1.** *Un fruit* AIGRE a une saveur piquante (= acide). — **2.** *Une voix* AIGRE est désagréable, criarde. ◆ **aigrelet** adj. (sens 1) *Des cerises* AIGRELETTES sont légèrement aigres. ◆ **aigrement** adv. (sens 2) *Il a répondu* AIGREMENT. ◆ **aigreur** n. f. (sens 1) *L'*AIGREUR *de ce vin le rend imbuvable.* • (sens 2) *L'*AIGREUR *de ses répliques montre sa colère.* ◆ **aigrir** v. (sens 1) *Ce vin commence à* AIGRIR, devenir mauvais (= surir). • (sens 2) *Pierre* EST AIGRI *par ses échecs.*

aigu adj. **1.** *Le dard* AIGU *d'une guêpe* est terminé en fine pointe
348 ◁ (= piquant). — **2.** *Un angle* AIGU est un angle inférieur à l'angle droit. — **3.** *Une douleur* AIGUË est une douleur vive. — **4.** *Un son* AIGU est un son émis fortement sur une note élevée. ◆ **suraigu** adj. (sens 4) *Elle poussait des cris* SURAIGUS (= strident).

509 ◁ **aiguillage** n. m. Un AIGUILLAGE est un dispositif permettant de faire changer un train de voie.

296 ◁ **aiguille** n. f. **1.** *On coud avec une* AIGUILLE *et du fil.* — **2.** *À midi, les*
220 ◁ *deux* AIGUILLES *de la montre sont sur le chiffre 12.* — **3.** *Les feuilles des*
655 ◁ *pins et des sapins s'appellent des* AIGUILLES. ◆ **aiguillon** n. m. *Les guêpes et les abeilles piquent avec leur* AIGUILLON (= dard).

aiguiller v. *L'enquête* S'AIGUILLE *vers une nouvelle piste* (= s'orienter).

aiguillon → AIGUILLE.

aiguiser v. *Le boucher* AIGUISE *ses couteaux,* il les rend plus coupants.

367 ◁ **ail** n. m. *As-tu mis de l'*AIL *dans la salade?,* une plante qui a une odeur forte et sert d'assaisonnement.

651 ◁ **aile** n. f. **1.** *Cet oiseau est blessé à une* AILE, *il ne peut plus voler.* — **2.** *Les*
505, 511 ◁ *réacteurs sont sous les* AILES *de l'avion.* — **3.** *Un camion a accroché l'*AILE *gauche de ma voiture.* — **4.** *Une* AILE *de bâtiment* est la partie qui s'étend sur le côté. ◆ **ailé** adj. (sens 1) *Les mouches sont des insectes* AILÉS. ◆ **aileron** n. m. (sens 1) *Un* AILERON *de poulet* est l'extrémité d'une aile.

ailleurs adv. **1.** *Ne reste pas ici, va jouer* AILLEURS, à un autre endroit. — **2.** *Il faut rentrer,* D'AILLEURS *il pleut,* de plus, de toute façon.

aimable adj. *Une personne* AIMABLE cherche à faire plaisir, accueille bien les gens (= gentil, accueillant). ◆ **aimablement** adv. *Il m'a* AIMABLEMENT *proposé de m'aider.* ◆ **amabilité** n. f. *Nous avons reçu un accueil plein d'*AMABILITÉ.

aimant n. m. Un AIMANT est un morceau d'acier qui attire le fer. ◆ **aimanter** v. *L'aiguille* AIMANTÉE *de la boussole s'oriente vers le nord.*

aimer v. **1.** *Jean* AIME *sa femme et ses enfants,* il se sent attiré vers eux, heureux de vivre avec eux. — **2.** *J'*AIME *la musique, le sport,* j'y prends plaisir. — **3.** *J'*AIME MIEUX *le théâtre que le cinéma* (= préférer). ◆ **bien-aimé** adj. et n. (sens 1) *Il embrasse sa fille* BIEN-AIMÉE (= chéri).

aine n. f. L'AINE est la partie du ventre, où les cuisses se rejoignent. ▷ 33

aîné adj. et n. *Le fils* AÎNÉ est celui qui est né le premier.

ainsi adv. **1.** *Pourquoi me regardez-vous* AINSI?, de cette façon (= comme ça). — **2.** *Il n'y avait* POUR AINSI DIRE *personne à la réunion,* presque personne. — **3.** *Il est venu* AINSI QUE *je le lui avais demandé,* comme je le lui avais demandé. — **4.** *Il avait invité ses proches parents,* AINSI QUE *quelques amis,* et aussi quelques amis. — **5.** AINSI, *vous ne vous souvenez de rien?,* alors, en fin de compte...

air n. m. **1.** *Pierre respire à pleins poumons le bon* AIR *de la campagne.* — **2.** *Regardez* EN L'AIR, vers le haut. — **3.** *Il nous regarde avec un drôle d'*AIR (= expression). — **4.** *Elle* A L'AIR *heureuse,* elle semble heureuse. ‖ *Cette histoire* A L'AIR D'*une plaisanterie.* — **5.** *L'*AIR *de cette chanson s'adapte bien aux paroles,* la musique. ◆ **aérer** v. (sens 1) AÉRER *une pièce,* c'est en renouveler l'air. ◆ **aération** n. f. (sens 1) *Un trou d'*AÉRATION *permet à l'air de pénétrer.* ◆ **aérien** adj. **1.** (sens 2) *Un câble* AÉRIEN est tendu dans l'air. — **2.** *Le transport* AÉRIEN se fait par avion ou par hélicoptère. ▷ 766 ◆ **antiaérien** adj. *Un abri* ANTIAÉRIEN protège des attaques de l'aviation. ▷ 765

aire n. f. **1.** *L'avion vient d'arriver sur l'*AIRE *d'atterrissage,* le terrain plat. — **2.** *Peux-tu calculer l'*AIRE *de ce carré?* (= surface). ▷ 506

aisance n. f. **1.** *Il soulève avec* AISANCE *une grosse pierre,* avec facilité. — **2.** *Ces gens vivent dans l'*AISANCE, ils ont de l'argent. ◆ **aisé** adj. (sens 1) *Un travail* AISÉ ne demande pas d'effort (= facile, simple). • (sens 2) *Une personne* AISÉE est celle qui a de quoi vivre largement. ◆ **aisément** adv. (sens 1) *Ce problème se résout* AISÉMENT (= facilement). ◆ **malaisé** adj. (sens 1) *Un exercice* MALAISÉ (= difficile). ◆ **malaisément** adv. (sens 1) *On retrouve* MALAISÉMENT *son chemin* (= difficilement).

aise n. f. **1.** *Je suis* À L'AISE *dans ces chaussures,* elles ne me gênent pas. — **2.** (au plur.) *Paul aime ses* AISES, son confort.

aisé, aisément → AISANCE.

aisselle n. f. L'AISSELLE est le creux du bras sous l'épaule. ▷ 33

ajonc n. m. *La lande est couverte d'*AJONCS, d'arbrisseaux épineux à fleurs jaunes.

ajourner v. **1.** AJOURNER *un rendez-vous,* c'est le renvoyer à plus tard. — **2.** *Un candidat* AJOURNÉ est refusé. ◆ **ajournement** n. m. (sens 1) *Le président a décidé l'*AJOURNEMENT *de la réunion* (= renvoi).

ajouter v. *Je voudrais* AJOUTER *quelques lignes à cette lettre,* les mettre en plus (≠ retrancher, ôter, enlever). ◆ **rajouter** v. RAJOUTE *un peu de sel!,* ajoutes-en encore. ◆ **surajouter** v. *Diverses taxes* SE SURAJOUTENT *au prix,* viennent en supplément.

ajuster v. **1.** AJUSTEZ *bien le couvercle!,* appliquez-le exactement (= adapter). — **2.** *Je dois* AJUSTER *mes dépenses à mes revenus,* les faire correspondre. ◆ **ajustage** n. m. (sens 1) *L'*AJUSTAGE *de ce mécanisme est délicat* (= mise au point). ◆ **ajustement** n. m. (sens 2) *L'assemblée a apporté un dernier* AJUSTEMENT *au projet* (= retouche). ◆ **ajusteur** n. m. (sens 1) Un AJUSTEUR est un ouvrier qui exécute des pièces mécaniques. ◆ **rajuster** ou **réajuster** v. (sens 2) RAJUSTER *les prix,* c'est les modifier en tenant compte du coût de la vie. ◆ **réajustement** n. m. (sens 2) *Les syndicats réclament un* RÉAJUSTEMENT *des salaires.*

alambic n. m. *Un* ALAMBIC *sert à fabriquer de l'alcool.*

alarme n. f. *Dès le début de l'incendie, un locataire a donné l'*ALARME, il a prévenu du danger (= alerte). ◆ **alarmer** v. *Vous* VOUS ALARMEZ *sans raison,* vous vous inquiétez. ◆ **alarmant** adj. *Les nouvelles sont* ALARMANTES (= inquiétant; ≠ rassurant).

album n. m. *Jean classe ses timbres dans un* ALBUM, un livre dont les feuilles sont à remplir.
• **R.** On prononce [albɔm].

alchimiste n. m. *Les* ALCHIMISTES *du Moyen Âge cherchaient à fabriquer de l'or,* des sortes de magiciens.

alcool n. m. **1.** *On désinfecte la plaie avec de l'*ALCOOL *à 90°,* avec un liquide extrait de certains corps végétaux. — **2.** *L'*ALCOOL *nuit à la santé,* les boissons fortes faites de certains de ces liquides. ◆ **alcoolique** adj. et n. (sens 2) *Cet homme est devenu* ALCOOLIQUE, il boit trop d'alcool. ◆ **alcoolisme** n. m. (sens 2) *L'accident est dû à l'*ALCOOLISME, à l'abus de l'alcool. ◆ **alcoolisé** adj. (sens 2) *Le vin, la bière sont des boissons* ALCOOLISÉES, contenant de l'alcool. ◆ **alcootest** n. m. (sens 2) *Les gendarmes l'ont fait souffler dans l'*ALCOOTEST, un appareil destiné à voir s'il avait bu de l'alcool.

aléatoire adj. *Nous travaillons pour un résultat* ALÉATOIRE (= incertain, hasardeux; ≠ sûr).

alentour adv. *Vous verrez une maison avec des arbres* ALENTOUR, tout autour. ◆ **alentours** n. m. pl. *Les* ALENTOURS *de la ville sont pittoresques,* les lieux voisins (= environs).

1. alerte adj. *Il marchait d'un pas* ALERTE, vif, agile, leste.

2. alerte n. f. *Les sirènes sonnent l'*ALERTE, elles avertissent d'un danger (= alarme). ◆ **alerter** v. *On* A ALERTÉ *les gendarmes aussitôt après l'accident,* on les a prévenus.

algèbre n. f. L'ALGÈBRE est une méthode particulière de calcul où certains nombres sont remplacés par des lettres de valeur plus générale.

algue n. f. Les ALGUES sont des plantes qui vivent dans l'eau. ▷ 723

alibi n. m. *L'accusé a fourni un* ALIBI, une preuve qu'il n'était pas coupable.

aliéné adj. et n. Un ALIÉNÉ est un malade mental (= fou). ◆ **aliénation** n. f. *Il donne des signes d'*ALIÉNATION (= folie).

alignement, aligner → LIGNE.

aliment n. m. *Les légumes verts sont des* ALIMENTS *sains* (= nourriture). ◆ **alimentaire** adj. *Les produits* ALIMENTAIRES servent à se nourrir. ◆ **alimenter** v. *On* ALIMENTE *les bébés avec des farines et du lait* (= nourrir). ◆ **alimentation** n. f. *Nous avons une* ALIMENTATION *variée* (= nourriture). ◆ **sous-alimenté** adj. *Être* SOUS-ALIMENTÉ, c'est être insuffisamment nourri. ◆ **sous-alimentation** n. f. *Certaines populations souffrent de* SOUS-ALIMENTATION. ◆ **suralimentation** n. f. *Le médecin a prescrit la* SURALIMENTATION, une alimentation très nourrissante.

alinéa n. m. *Va à la ligne et commence un nouvel* ALINÉA (= paragraphe).

s'aliter → LIT. / **allaiter** → LAIT.

allécher v. *J'*AI ÉTÉ ALLÉCHÉ *par ces belles promesses,* attiré, séduit. ◆ **alléchant** adj. *Un plat* ALLÉCHANT est appétissant.

allée n. f. **1.** *Les* ALLÉES *d'un parc* sont des chemins bordés d'arbres, de haies, etc. — **2.** *Les* ALLÉES ET VENUES *des voyageurs dans un hall de gare* sont leurs trajets en tous sens. ▷ 73, 75, 366

alléger → LÉGER.

allègre adj. *Il marche d'un pas* ALLÈGRE, vif et joyeux. ◆ **allégresse** n. f. *Elle a accepté avec* ALLÉGRESSE, avec une grande joie.

aller v. **1.** *Pierre* VA *chaque jour à l'école* (= se rendre). — **2.** *Cette route* VA *à Lyon* (= mener, conduire). — **3.** *Comment* ALLEZ-*vous?* (= se porter). — **4.** *Les affaires* VONT *mal,* elles sont en mauvais état (= marcher). — **5.** *Ce complet vous* VA *bien,* il fait un bel effet sur vous (= convenir). — **6.** *Je* VAIS *partir, il* VA *être 3 heures,* je partirai dans un instant, il sera bientôt 3 heures. — **7.** *Je veux* M'EN ALLER, ALLONS-NOUS-EN (= partir). ◆ **aller** n. m. (sens 1) *À l'*ALLER, *nous avons voyagé en voiture* (≠ retour).
• **R.** Conj. nº 12. ‖ *Aller* se conjugue avec l'auxiliaire *être.*

alliage n. m. *Le laiton est un* ALLIAGE *de cuivre et de zinc,* un métal obtenu en fondant ensemble ces métaux.

alliance n. f. **1.** *Un traité d'*ALLIANCE *a été conclu,* un traité qui établit une union. — **2.** *Son* ALLIANCE *est en or,* l'anneau qu'il porte à un doigt, comme beaucoup de gens mariés. ◆ **allier** v. (sens 1) *Ces deux pays* SE SONT ALLIÉS *pour se défendre en commun* (= unir, associer).

allô! interj. marque le début d'une conversation téléphonique : ALLÔ! *Qui est à l'appareil?*

allocation n. f. *Les* ALLOCATIONS *familiales* sont des sommes versées aux gens ayant des enfants.
• **R.** Ne pas confondre ALLOCATION et ALLOCUTION.

allocution n. f. *Le président a prononcé une* ALLOCUTION *de bienvenue,* un petit discours sans solennité.

allongement, allonger → LONG.

allumer v. **1.** *On a* ALLUMÉ *le feu avec du papier* (= enflammer; ≠ éteindre). — **2.** ALLUME *la lampe électrique!* mets le contact (≠ éteindre). ◆ **allumage** n. m. (sens 1) *Jean est chargé de l'*ALLUMAGE *du feu* • (sens 2) *Nous avons eu une panne d'*ALLUMAGE, du dispositif qui produit les étincelles électriques du moteur. ◆ **allumette** n. f. (sens 1) *Frotte une* ALLUMETTE!, une petite tige de bois produisant du feu. ◆ **rallumer** v. *Albert* RALLUME *sa pipe éteinte.*

allure n. f. **1.** *La voiture roule à toute* ALLURE, très vite (= vitesse). — **2.** *Ce garçon a une drôle d'*ALLURE (= air, aspect).

allusion n. f. *Sa lettre fait* ALLUSION *à ses projets,* elle y fait penser sans les indiquer clairement.

alluvions n. f. pl. Des ALLUVIONS sont un dépôt boueux laissé par un cours d'eau.

almanach n. m. Un ALMANACH est un calendrier contenant des renseignements divers.
• **R.** On prononce [almana].

alors adv. **1.** *J'étais* ALORS *un enfant,* à ce moment-là. — **2.** *Vous êtes content?* ALORS *tant mieux,* dans ce cas, dans ces conditions. — **3.** *Il perd son temps,* ALORS QUE *son travail n'est pas fait,* tandis que, et cependant.

alouette n. f. Les ALOUETTES sont des petits oiseaux très répandus dans les campagnes.

alourdir → LOURD.

650 ◁ **alpage** n. m. Les ALPAGES sont des prairies de haute montagne.

alphabet n. m. L'ALPHABET est l'ensemble des lettres de A à Z. ◆ **alphabétique** adj. *Dans un dictionnaire, les mots sont classés dans l'ordre* ALPHABÉTIQUE.

649 ◁ **alpinisme** n. m. L'ALPINISME est un sport consistant en excursions et en ascensions en haute montagne. ◆ **alpiniste** n. *Trois* ALPINISTES *ont été bloqués par la tempête,* trois personnes pratiquant l'alpinisme.

altercation n. f. Une ALTERCATION est une querelle violente.

altérer v. **1.** *Le soleil* ALTÈRE *les couleurs,* il les rend moins belles (= abîmer). — **2.** *Cette longue promenade m'*A ALTÉRÉ, j'ai soif. ◆ **altération** n. f. (sens 1) *C'est une* ALTÉRATION *de la vérité,* un mensonge. ◆ **inaltérable** adj. (sens 1) *Un métal* INALTÉRABLE ne rouille pas, ne se ternit pas. ◆ **désaltérer** v. (sens 2) *Une boisson qui* DÉSALTÈRE apaise la soif.

alterner v. *Les jours et les nuits* ALTERNENT *régulièrement,* ils se succèdent à tour de rôle. ◆ **alternance** n. f. *L'*ALTERNANCE *des marées.*

◆ **alternatif** adj. *Un mouvement* ALTERNATIF va d'abord dans un sens, puis dans un autre. ◆ **alternative** n. f. *L'*ALTERNATIVE *est simple : obéir ou démissionner,* le choix à faire. ◆ **alternativement** adv. *On stationne* ALTERNATIVEMENT *de chaque côté de la rue,* tour à tour.

altitude n. f. *Un sommet de 3000 mètres d'*ALTITUDE s'élève à 3000 mètres au-dessus du niveau de la mer (= hauteur).

aluminium n. m. *Ces bols sont en* ALUMINIUM, un métal très léger.

alunir, alunissage → LUNE.

alvéole n. f. ou n. m. *Un gâteau de miel est formé d'*ALVÉOLES, de petites cases. ▷ 362

amabilité → AIMABLE.

amadouer v. *Le prisonnier a* AMADOUÉ *ses gardiens,* les a rendus plus doux par des paroles flatteuses, aimables.

amaigrir, amaigrissement → MAIGRE.

amalgame n. m. *Ce roman est un* AMALGAME *de plusieurs histoires vécues,* un mélange, une fusion. ◆ **s'amalgamer** v. *Ces populations* SE SONT AMALGAMÉES *en un peuple,* elles se sont fondues.

amande n. f. *Nous avons mangé un gâteau aux* AMANDES, un fruit à coque dure. ◆ **amandier** n. m. *Regarde les* AMANDIERS *en fleurs.*
• **R.** *Amande* se prononce [amãd] comme *amende.*

amanite n. f. *Attention, ce sont des* AMANITES!, des champignons dangereux. ▷ 656

amarre n. f. *Les* AMARRES *d'un bateau* sont les câbles servant à l'attacher. ◆ **amarrer** v. AMARRER *une barque,* c'est l'attacher solidement. ▷ 728

amas n. m. *Le tremblement de terre n'a laissé qu'un* AMAS *de ruines,* un tas, un monceau. ◆ **amasser** v. *Il* A AMASSÉ *une fortune colossale* (= réunir, entasser).

amateur adj. et n. m. **1.** *Jean est un* AMATEUR *de musique,* il l'aime. — **2.** *Un photographe* AMATEUR, *un cycliste* AMATEUR pratiquent la photographie, le cyclisme sans en faire profession.

ambassadeur n. m. Un AMBASSADEUR représente officiellement son pays à l'étranger. ◆ **ambassade** n. f. **1.** *Il est parti en* AMBASSADE, avec une mission d'ambassadeur. — **2.** *La foule a manifesté devant l'*AMBASSADE, les locaux où est installé l'ambassadeur.

ambiance n. f. **1.** *Il règne ici une* AMBIANCE *sympathique* (= atmosphère, climat). — **2.** *À la réunion, il y avait de l'*AMBIANCE (= gaieté, animation).

ambigu adj. *Une réponse* AMBIGUË peut être interprétée de plusieurs façons. ◆ **ambiguïté** n. f. *Explique-toi sans* AMBIGUÏTÉ (= équivoque).

ambition n. f. **1.** *Il est rongé d'*AMBITION, du désir de réussite, de gloire. — **2.** *Son* AMBITION *est d'être élu député* (= rêve). ◆ **ambitionner** v. (sens 2) *Elle* AMBITIONNE *de faire du cinéma,* elle désire cela ardemment. ◆ **ambitieux** adj. (sens 1) *Il a des projets* AMBITIEUX (≠ modeste).

39, 37 ◁ **ambulance** n. f. Une AMBULANCE est une voiture aménagée pour le transport des malades et des blessés. ◆ **ambulancier** n. m. Un AMBULANCIER est un conducteur d'ambulance.

223 ◁ **ambulant** adj. *Un marchand* AMBULANT transporte avec lui sa marchandise pour la vendre de place en place.

âme n. f. **1.** L'ÂME est le principe de la vie, de la conscience (par opposition au corps). — **2.** *Il lui est dévoué* CORPS ET ÂME, totalement. — **3.** RENDRE L'ÂME, c'est mourir. — **4.** *J'ai agi* EN MON ÂME ET CONSCIENCE, en toute honnêteté. — **5.** *Cet homme est une* ÂME *noble,* une personne.

amélioration, améliorer → MEILLEUR.

aménager v. *On* A AMÉNAGÉ *le grenier en salle de jeu,* disposé convenablement. ◆ **aménagement** n. m. *Il a fait des* AMÉNAGEMENTS *dans sa maison* (= modification, transformation).

amende n. f. **1.** *Défense de stationner sous peine d'*AMENDE (= contravention). — **2.** FAIRE AMENDE HONORABLE, c'est reconnaître ses torts.
• **R.** V. AMANDE.

amener v. *Il* A AMENÉ *un ami à la maison,* il l'a fait venir avec lui. ◆ **ramener** v. *M. Durand m'*A RAMENÉ *en voiture,* fait revenir avec lui.

s'amenuiser v. *Nos ressources* S'AMENUISENT, elles diminuent.

amer adj. **1.** *Le café sans sucre est* AMER, il a une saveur désagréable. — **2.** *Son échec a été une* AMÈRE déception (= pénible). ◆ **amèrement** adv. (sens 2) *Il regrette* AMÈREMENT *son erreur.* ◆ **amertume** n. f. (sens 2) *Il a exprimé son* AMERTUME (= déception).

amerrir → MER. / **ameublement** → MEUBLE 1. / **ameublir** → MEUBLE 2.

ameuter v. AMEUTER *les gens,* c'est les rassembler en les excitant.

ami n. *Il a réuni chez lui quelques* AMIS, des personnes qu'il aime bien et avec lesquelles il reste en relation. ◆ **amical** adj. *Un salut* AMICAL est un salut d'ami. ◆ **amicalement** adv. *Nous avons bavardé* AMICALEMENT. ◆ **amitié** n. f. **1.** *L'*AMITIÉ *est plus profonde que la camaraderie.* — **2.** (au plur.) *Faites-lui mes* AMITIÉS, donnez-lui mon souvenir amical. ◆ **inamical** adj. *Paul a fait un geste* INAMICAL (= hostile).

à l'amiable adv. *Un arrangement* À L'AMIABLE se fait par accord direct, sans contestation.

amiante n. f. L'AMIANTE est une matière qui ne brûle pas.

amical, amicalement → AMI. / **amincir** → MINCE.

765, 355 ◁ **amiral** n. m. Le grade d'AMIRAL est le plus haut dans la marine militaire.

amitié → AMI.

amnistie n. f. Une AMNISTIE est un pardon général prononcé officiellement en faveur de personnes condamnées.

amoindrir → MOINDRE. / **amollir** → MOU. / **amonceler** → MONCEAU.

amont n. m. *Melun est* EN AMONT DE *Paris sur la Seine,* plus près de la source. ‖ *Le bateau va vers l'*AMONT (≠ aval).

amorce n. f. **1.** *Ce pêcheur utilise des vers comme* AMORCE, comme moyen d'attirer le poisson. — **2.** *L'*AMORCE *d'un projectile* est le petit détonateur qui le fait exploser. — **3.** *Un pistolet à* AMORCES est un jouet qui fait éclater de petites charges de poudre contenues dans du papier. — **4.** *On entrevoit l'*AMORCE *d'une solution,* le début. ◆ **amorcer** v. (sens 1) *Ce pêcheur* AMORCE *au blé cuit.* • (sens 4) *On* A AMORCÉ *une discussion* (= commencer, entamer, ouvrir). ◆ **désamorcer** v. (sens 2) DÉSAMORCER *une bombe,* c'est en ôter l'amorce pour l'empêcher d'exploser.

amortir v. *Le tapis* A AMORTI *sa chute,* l'a rendue moins violente (= atténuer). ◆ **amortisseur** n. m. *Les* AMORTISSEURS *atténuent les cahots de la voiture.* ▷ 505

amour n. m. **1.** *Il s'est marié par* AMOUR, par attirance pour sa femme. — **2.** *L'*AMOUR *de la liberté, du sport, de la littérature* est un goût vif pour ces choses. ◆ **amoureux** adj. et n. (sens 1) *Il est* AMOUREUX *de sa voisine,* il l'aime. ‖ *Les* AMOUREUX *se promènent.*

amour-propre n. m. *Il a trop d'*AMOUR-PROPRE *pour accepter cet échec,* il est trop conscient de sa valeur (= fierté).

amphibie adj. *La grenouille est* AMPHIBIE, elle vit à l'air et dans l'eau.

amphithéâtre n. m. **1.** Dans l'Antiquité, un AMPHITHÉÂTRE était un théâtre en demi-cercle et à gradins. — **2.** *Les cours ont lieu dans un* AMPHITHÉÂTRE, dans une grande salle disposée en gradins. ▷ 579

amphore n. f. Dans l'Antiquité, une AMPHORE était un grand récipient. ▷ 579

ample adj. *Un manteau* AMPLE est large. ◆ **amplement** adv. *C'est* AMPLEMENT *suffisant* (= largement). ◆ **ampleur** n. f. *Il faut donner de l'*AMPLEUR *à cette jupe.* ‖ *On a constaté l'*AMPLEUR *du désastre* (= étendue). ◆ **amplifier** v. *Le micro* AMPLIFIE *le son* (= augmenter). ◆ **amplificateur** n. m. *M. Durand s'est acheté un* AMPLIFICATEUR, un appareil pour écouter des disques.

ampoule n. f. **1.** *Une* AMPOULE *électrique nous éclaire* (= lampe). — **2.** *Une* AMPOULE *de médicament* est un petit tube terminé en pointe. — **3.** *J'ai des* AMPOULES *aux pieds à force de marcher* (= cloque). ▷ 76 ▷ 38

amputer v. *On l'*A AMPUTÉ *d'une jambe,* on la lui a coupée. ◆ **amputation** n. f. *Le médecin a décidé l'*AMPUTATION *d'un doigt.*

amuser v. **1.** *Les clowns* AMUSENT *les enfants* (= distraire, divertir). — **2.** *Les enfants* S'AMUSENT *dans la cour* (= jouer). ◆ **amusant** adj. (sens 1) *Cette histoire est* AMUSANTE (= drôle). ◆ **amusement** n. m. (sens 2) *Le jeu de boules est son* AMUSEMENT *favori* (= distraction, passe-temps).

amygdale n. f. Les AMYGDALES sont de petits organes situés de chaque côté de la gorge.

an n. m. *Sa maladie a duré un* AN, douze mois (= année). ‖ *Le* JOUR DE L'AN, *le* PREMIER DE L'AN, c'est le 1er janvier. ▷ 125, 795

analogie n. f. *Il y a une* ANALOGIE *d'aspect entre le loup et le chien,* une ressemblance générale. ◆ **analogue** adj. *Ces deux situations sont* ANALOGUES (= voisin, comparable; ≠ différent).

analyse n. f. **1.** *L'*ANALYSE *du sang* est l'examen détaillé de ce qui le compose. ‖ *Faire l'*ANALYSE *d'un discours,* c'est en examiner les différents points. — **2.** En grammaire, l'ANALYSE est l'étude de la nature et de la fonction des mots ou des propositions. ◆ **analyser** v. (sens 1) *On a fait* ANALYSER *l'eau du puits.* • (sens 2) ANALYSEZ *cette phrase!*

ananas n. m. L'ANANAS est un fruit des pays chauds.

anarchie n. f. *Chacun n'en fait qu'à sa tête, c'est l'*ANARCHIE, c'est un grand désordre dû à l'absence d'autorité. ◆ **anarchiste** n. Les ANARCHISTES rejettent toute autorité.

728, 294 ◁ **anatomie** n. f. L'ANATOMIE est l'étude scientifique du corps des êtres vivants. ◆ **anatomique** adj. *Ce livre contient des dessins* ANATOMIQUES.

ancêtre n. m. Nos ANCÊTRES sont ceux qui ont vécu avant nous, dont nous sommes les descendants.

579 ◁ **anchois** n. m. Les ANCHOIS sont des petits poissons.

ancien adj. **1.** *Une église* ANCIENNE existe depuis longtemps (≠ récent, neuf). — **2.** *M. Durand est* ANCIEN *dans l'entreprise,* il y travaille depuis longtemps (≠ nouveau). — **3.** *Ce musée est installé dans une* ANCIENNE *église,* c'était autrefois une église. ◆ **anciennement** adv. (sens 3) *Paris s'appelait* ANCIENNEMENT *Lutèce* (= autrefois). ◆ **ancienneté** n. f. (sens 2) *M. Durand a vingt ans d'*ANCIENNETÉ.

727 ◁ **ancre** n. f. *Le bateau a jeté l'*ANCRE *dans le port,* une pièce métallique pour l'empêcher de se déplacer.

• **R.** *Ancre* se prononce [ɑ̃kr] comme *encre.*

ancrer v. *Il* S'EST ANCRÉ *cette idée dans la tête,* il ne veut pas l'abandonner.

andouille n. f. *Le charcutier vend de l'*ANDOUILLE, du boyau de porc rempli de morceaux de tripes. ◆ **andouillette** n. f. Une ANDOUILLETTE est une petite andouille qu'on mange rôtie.

361 ◁ **âne** n. m. **1.** L'ÂNE est un animal domestique voisin du cheval. — **2.** *Cet* ÂNE-*là n'a rien compris!,* cet individu stupide. ◆ **ânesse** n. f. (sens 1) L'ÂNESSE est la femelle de l'âne. ◆ **ânerie** n. f. (sens 2) Fam. *Il a dit une* ÂNERIE, une chose stupide. ◆ **ânonner** v. (sens 2) *Cet enfant* ÂNONNE, il lit maladroitement.

anéantir v. **1.** *Le village* A ÉTÉ ANÉANTI *par un tremblement de terre,* totalement détruit. — **2.** *Pierre* EST ANÉANTI *par cette nouvelle,* il est moralement abattu. ◆ **anéantissement** n. m. (sens 1) *C'est l'*ANÉANTISSEMENT *de tous ses espoirs* (= ruine).

anecdote n. f. *Le voyageur a raconté des* ANECDOTES *amusantes,* des faits curieux mais non essentiels (= historiette). ◆ **anecdotique** adj. *Un récit* ANECDOTIQUE consiste en anecdotes.

anémie n. f. *Jean prend des fortifiants contre l'*ANÉMIE, une faiblesse maladive. ◆ **anémier** v. *Elle* EST ANÉMIÉE *par la fièvre* (= affaiblir). ◆ **anémique** adj. *Cet enfant est* ANÉMIQUE.

655 ◁ **anémone** n. f. Les ANÉMONES sont des fleurs à large corolle.

ânerie, ânesse → ÂNE.

anesthésie n. f. L'ANESTHÉSIE est la suppression de la douleur par l'emploi d'un produit appelé ANESTHÉSIQUE. ◆ **anesthésier** v. ANESTHÉSIER *un malade,* c'est le rendre insensible à la douleur avant une opération (= endormir, insensibiliser).

anfractuosité n. f. *Les* ANFRACTUOSITÉS *du rocher,* ce sont ses creux.

ange n. m. **1.** Un ANGE est un être surnaturel, selon certaines religions (≠ diable). — **2.** *Cette jeune fille est un* ANGE, une personne très douce. ◆ **angélique** adj. (sens 2) *Un sourire* ANGÉLIQUE est très doux.

angine n. f. *Marie souffre d'une* ANGINE, d'une maladie de la gorge.

angle n. m. **1.** *Deux lignes qui se coupent forment quatre* ANGLES. — **2.** *Le mur forme un* ANGLE, un coin (= arête, encoignure). — **3.** ARRONDIR LES ANGLES, c'est rechercher la conciliation. ◆ **anguleux** adj. (sens 2) *Un visage* ANGULEUX est maigre et forme des sortes d'angles. ▷ 348

angoisse n. f. *L'*ANGOISSE *lui serrait la gorge,* une inquiétude extrême (= anxiété). ◆ **angoissant** adj. *La situation est* ANGOISSANTE (= tragique). ◆ **angoissé** adj. *Sa voix est* ANGOISSÉE (= anxieux, affolé).

angora adj. *Marie a un chat* ANGORA, à poils longs et doux.

anguille n. f. L'ANGUILLE est un poisson allongé comme un serpent. ▷ 721

anguleux → ANGLE.

animal n. m. **1.** *L'homme est un* ANIMAL *raisonnable,* un être vivant capable de sensibilité et de mouvement. — **2.** *François aime les* ANIMAUX, les êtres vivants autres que l'homme. — **3.** Fam. *Cet* ANIMAL-*là m'a menti,* cet individu. ◆ **animal** adj. (sens 1) *La chaleur* ANIMALE est celle des êtres animés.

animer v. **1.** ANIMER *un débat, une discussion,* c'est y mettre de la vie. — **2.** *Une chose* ANIMÉE *d'un mouvement* est une chose qui bouge. — **3.** *Il* EST ANIMÉ *par des intentions charitables,* celles-ci le poussent à agir (= diriger). — **4.** *L'été, ce village* S'ANIME, il devient vivant, actif. ◆ **animé** adj. (sens 2) *Les êtres* ANIMÉS sont les êtres vivants. • (sens 4) *Une rue* ANIMÉE, *une conversation* ANIMÉE sont pleines d'activité, de vie. ◆ **animateur** n. (sens 1) *L'*ANIMATEUR *d'une réunion* est celui qui la dirige. ◆ **animation** n. f. (sens 4) *Ce quartier est plein d'*ANIMATION (= vie). • (sens 1) *Ils discutent avec* ANIMATION (= vivacité). ◆ **inanimé** adj. (sens 2) *Il est resté* INANIMÉ *sur le sol* (= évanoui, inerte). ◆ **ranimer** ou **réanimer** v. (sens 2) *On* A RANIMÉ *le noyé par la respiration artificielle.* ‖ *L'incendie* S'EST RANIMÉ (= se rallumer). ◆ **réanimation** n. f. (sens 2) *Le blessé est dans la salle de* RÉANIMATION.

animosité n. f. *Il a de l'*ANIMOSITÉ *envers moi* (= malveillance, hostilité).

anis n. m. *Jean aime les bonbons à l'*ANIS, parfumés avec cette plante.

anneau n. m. **1.** *Un* ANNEAU *de rideau* est un cercle de métal, de bois, etc. — **2.** *Elle porte un* ANNEAU *au doigt,* une bague ou une alliance. ◆ **annulaire** n. m. (sens 2) L'ANNULAIRE est le quatrième doigt, où l'on porte souvent un anneau. ▷ 33

125 ◁ **année** n. f. **1.** *Il y a beaucoup de fruits cette* ANNÉE, dans la période actuelle de douze mois, comptée du 1er janvier au 31 décembre. — **2.** *C'était au début de la deuxième* ANNÉE *de guerre,* de la période de douze mois comptée à partir d'un moment particulier. ‖ *L'*ANNÉE *scolaire* est la période qui va de la rentrée d'automne aux grandes vacances. ◆ **annuel** adj. *Une fête* ANNUELLE revient chaque année. ◆ **annuellement** adv. *Combien dépensez-vous* ANNUELLEMENT *pour le chauffage?,* chaque année.

annexe adj. *Des dépenses* ANNEXES s'ajoutent aux dépenses principales. ◆ **annexe** n. f. Une ANNEXE est un bâtiment qui s'ajoute au bâtiment principal. ◆ **annexer** v. *L'Alsace* FUT ANNEXÉE *à l'Allemagne entre 1940 et 1944,* rattachée. ◆ **annexion** n. f. *L'*ANNEXION *de la Savoie à la France remonte à un siècle* (= rattachement).

anniversaire n. m. **1.** *Ils fêtent le dixième* ANNIVERSAIRE *de leur mariage,* le souvenir de cet événement qui s'est passé à la même date. — **2.** *C'est aujourd'hui mon* ANNIVERSAIRE, la date de ma naissance.

annoncer v. **1.** *Jean* A ANNONCÉ *son mariage à ses amis,* il le leur a fait savoir (= apprendre, informer de). — **2.** *Les hirondelles* ANNONCENT *le printemps,* elles en sont le signe. — **3.** *La journée* S'ANNONCE *bien,* elle commence bien. ◆ **annonce** n. f. (sens 1) *Je suis bouleversé à l'*ANNONCE *de cet accident* (= nouvelle). ‖ *Il lit les* ANNONCES *des journaux pour trouver un emploi* (= avis, information). ◆ **annonciateur** adj. (sens 2) *Ces nuages sont* ANNONCIATEURS *de pluie.*

768 ◁ **annuaire** n. m. *L'*ANNUAIRE *du téléphone* est un livre contenant un ensemble de renseignements et publié chaque année.

annuel, annuellement → ANNÉE. / **annulaire** → ANNEAU. / **annuler** → NUL. / **anoblir** → NOBLE.

anomalie n. f. *Cette chaleur en plein hiver est une* ANOMALIE, une particularité anormale (= bizarrerie).

ânonner → ÂNE.

anonyme adj. *Une lettre* ANONYME, *un don* ANONYME proviennent de quelqu'un qui n'a pas dit son nom. ◆ **anonymat** n. m. *Garder l'*ANONYMAT, c'est ne pas se faire connaître comme l'auteur de quelque chose.

653, 584 ◁ **anorak** n. m. Un ANORAK est une veste courte et imperméable.

anormal, anormalement → NORMAL.

224 ◁ **anse** n. f. **1.** *Elle a passé son bras dans l'*ANSE *du panier,* dans la partie courbe par laquelle on le tient. — **2.** *Le bateau a jeté l'ancre dans une*
725 ◁ ANSE *abritée,* une petite baie.

antagonisme n. m. *Un* ANTAGONISME *entre deux partis politiques* est un état d'opposition, de rivalité. ◆ **antagoniste** n. *Les deux* ANTAGONISTES *s'affrontent* (= adversaire).

antécédent n. m. **1.** *L'*ANTÉCÉDENT *d'un pronom relatif* est le nom ou le pronom représenté par ce relatif. — **2.** *Cet accusé a de mauvais* ANTÉCÉDENTS, sa conduite passée a été mauvaise.

antenne n. f. **1.** Une ANTENNE est un dispositif métallique permettant de diffuser ou de recevoir les émissions de radio, de télévision. — **2.** *Les papillons ont deux* ANTENNES, des sortes de cornes mobiles.

▷ 74, 505
▷ 294

antérieur adj. **1.** *La période* ANTÉRIEURE *à la guerre* est celle qui l'a précédée. — **2.** *Les pattes* ANTÉRIEURES *d'un chat* sont ses pattes avant (≠ postérieur). ◆ **antérieurement** adv. (sens 1) *Il formait ce projet* ANTÉRIEUREMENT *à son accident* (= avant; ≠ postérieurement).

anthropophage adj. et n. *Des peuplades* ANTHROPOPHAGES mangeaient de la chair humaine (= cannibale).

anti- indique, au début d'un mot, l'opposition, la défense contre quelque chose : un ANTIVOL protège *contre* le *vol,* un canon ANTICHAR est destiné à *combattre* les *chars,* etc.

antiaérien → AIR.

antibiotique n. m. *Le médecin a prescrit des* ANTIBIOTIQUES, un médicament.

antichambre n. f. *Un visiteur attend dans l'*ANTICHAMBRE, dans la pièce qui sert de salle d'attente (= vestibule).

anticiper v. *Vous* ANTICIPEZ *en faisant comme si vous aviez déjà réussi,* vous agissez avant le moment normal. ◆ **anticipation** n. f. *J'ai payé mes dettes par* ANTICIPATION, avant la date prévue. ‖ *Un roman d'*ANTICIPATION se situe dans un futur imaginaire.

antidote n. m. Un ANTIDOTE est un remède contre un poison.

antigel → GELER.

antilope n. f. *Les* ANTILOPES *courent très vite,* un animal sauvage.

▷ 580

antimilitariste → MILITAIRE.

antipathie n. f. *Cet individu louche m'inspire une profonde* ANTIPATHIE, un sentiment qui me détourne de lui (= aversion; ≠ sympathie). ◆ **antipathique** adj. *Il a un visage* ANTIPATHIQUE (≠ sympathique).

antipodes n. m. pl. *Cette supposition est* AUX ANTIPODES *de la réalité,* totalement à l'opposé.

antiquité n. f. **1.** *L'*ANTIQUITÉ *d'un monument,* c'est sa grande ancienneté. — **2.** Une ANTIQUITÉ est un objet datant d'une époque ancienne. — **3.** L'ANTIQUITÉ, ce sont les civilisations qui datent d'avant l'ère chrétienne. ◆ **antique** adj. (sens 3) *Il y a dans ce musée beaucoup de statues* ANTIQUES, qui datent de l'Antiquité. ◆ **antiquaire** n. (sens 2) *Il a acheté une armure chez un* ANTIQUAIRE, un marchand d'antiquités.

antisémite adj. et n. *Une politique* ANTISÉMITE est hostile aux juifs.

antisepsie n. f. L'ANTISEPSIE est la lutte contre les microbes. ◆ **antiseptique** adj. *Une pommade* ANTISEPTIQUE arrête l'infection.

antivol → VOL 2.

anxieux adj. *Nous étions* ANXIEUX *sur le sort des sinistrés,* extrêmement inquiets (= angoissé). ◆ **anxieusement** adv. *Les naufragés guettaient* ANXIEUSEMENT *l'arrivée des sauveteurs.* ◆ **anxiété** n. f. *À la nouvelle de la catastrophe aérienne, beaucoup de familles étaient dans l'*ANXIÉTÉ.

125 ◁ **août** n. m. *Il a fait très chaud au mois d'*AOÛT.
• **R.** On prononce [u] ou [ut].

apaisement, apaiser → PAIX.

aparté n. m. *Il m'a fait part de ses projets* EN APARTÉ, en confidence.

apatride → PATRIE.

apercevoir v. **1.** *Quelqu'un* A APERÇU *le malfaiteur qui s'enfuyait,* l'a vu peu distinctement (= entrevoir). — **2.** *J'*APERÇOIS *un ami dans la foule,* je le distingue soudain (= remarquer, discerner). — **3.** *Il* S'EST APERÇU *de son erreur,* il s'en est rendu compte. ◆ **aperçu** n. m. (sens 1) *Il nous a donné un* APERÇU *de ses projets,* une idée superficielle. ◆ **inaperçu** adj. (sens 2) *Ce détail est resté* INAPERÇU (= caché).
• **R.** Conj. n° 34.

apéritif n. m. *Prendrez-vous un* APÉRITIF *avant de dîner?,* une boisson souvent alcoolisée.

apesanteur → PESER. / **apeuré** → PEUR.

aphte n. m. *Pierre a des* APHTES, des petites plaies dans la bouche.

362 ◁ **apiculture** n. f. L'APICULTURE, c'est l'élevage des abeilles. ◆ **apiculteur** n. m. *Nous avons acheté du miel chez un* APICULTEUR.

apitoiement, apitoyer → PITIÉ. / **aplanir** → PLAN. / **aplatir** → PLAT.

aplomb n. m. **1.** *Cette chaise est branlante, elle n'est pas* D'APLOMB, en équilibre (= stable). — **2.** *Il garde son* APLOMB (= assurance, audace).

apocalypse n. f. *La ville bombardée offrait un spectacle d'*APOCALYPSE, de catastrophe épouvantable. ◆ **apocalyptique** adj. *Ce film présente des images* APOCALYPTIQUES, d'épouvante.

apogée n. m. *L'empereur était alors à l'*APOGÉE *de sa gloire,* au plus haut point, au sommet.

apolitique → POLITIQUE.

apologie n. f. *Un journaliste a été accusé de faire l'*APOLOGIE *du crime,* d'en dire du bien, d'en faire l'éloge.

apostrophe n. f. **1.** *Le chauffeur m'a lancé une* APOSTROPHE *injurieuse,* une parole vive d'interpellation. — **2.** *On indique l'élision d'une voyelle par une* APOSTROPHE, un signe d'écriture ('). ◆ **apostropher** v. (sens 1) *Il s'est fait* APOSTROPHER *par un gendarme,* interpeller brusquement.

apothéose n. f. *Le vainqueur du Tour de France a connu une* APOTHÉOSE *à l'arrivée,* des honneurs extraordinaires (= triomphe).

apôtre n. m. **1.** *Pierre était le chef des* APÔTRES, des douze disciples que Jésus envoya prêcher l'Évangile. — **2.** *Gandhi s'était fait l'*APÔTRE DE *la non-violence,* il s'était consacré à la diffusion de cette doctrine.

apparaître v. **1.** *Une image* APPARAÎT *sur l'écran,* elle se montre soudain (≠ disparaître). — **2.** *Tout ce travail* APPARAÎT *inutile,* il a l'air inutile (= paraître, sembler). ◆ **apparence** n. f. (sens 2) *Cette maison a une belle* APPARENCE (= aspect). ‖ *Il n'est doux qu'*EN APPARENCE, *en réalité il est très exigeant.* ‖ (au plur.) *Ne vous fiez pas aux* APPARENCES. ◆ **apparent** adj. (sens 1) *Une tache très* APPARENTE est très visible.

• (sens 2) *Sous un calme* APPARENT, *il cache une vive émotion* (= trompeur, extérieur). ◆ **apparemment** adv. (sens 2) *Il ne répond pas au téléphone, il est* APPAREMMENT *absent,* à ce qu'il semble (= vraisemblablement). ◆ **apparition** n. f. (sens 1) *L'*APPARITION *de la vedette fut saluée d'applaudissements* (≠ disparition). ‖ *La neige a fait son* APPARITION, il a commencé à neiger. ◆ **réapparaître** v. (sens 1) *La tache* RÉAPPARAÎT *malgré le nettoyage.* ◆ **réapparition** n. f. (sens 1) *On attend la* RÉAPPARITION *du soleil après l'orage.*

• **R.** Conj. n° 64. ‖ *Apparaître* se conjugue avec l'auxiliaire *être.*

apparat n. m. *Un costume d'*APPARAT, *un discours d'*APPARAT conviennent à une cérémonie très solennelle.

appareil n. m. **1.** *Un aspirateur, un moulin à café sont des* APPAREILS *ménagers.* — **2.** *Qui est à l'*APPAREIL?, au téléphone. — **3.** *Un* APPAREIL *s'est écrasé au décollage,* un avion. ◆ **appareillage** n. m. (sens 1) *L'*APPAREILLAGE *électrique* est l'ensemble des appareils d'une installation. ▷ 38, 437

appareiller v. *Le bateau va* APPAREILLER, se préparer au départ.

apparemment, apparence, apparent, apparition → APPARAÎTRE. / **apparenté** → PARENT.

appartement n. m. *Mon immeuble a deux* APPARTEMENTS *par étage,* deux logements de plusieurs pièces.

appartenir v. **1.** *Cette voiture m'*APPARTIENT, elle est ma propriété. — **2.** *La baleine* APPARTIENT *à la classe des mammifères,* elle en fait partie. ◆ **appartenance** n. f. (sens 2) *L'*APPARTENANCE *d'une personne à un groupe, à un syndicat,* c'est le fait qu'elle en fait partie.

• **R.** Conj. n° 22.

appât n. m. **1.** *Le pêcheur a mis un ver comme* APPÂT, comme moyen d'attirer le poisson (= amorce). — **2.** *L'*APPÂT *du gain,* c'est le désir, l'attrait du gain. ◆ **appâter** v. (sens 2) *Ta proposition l'*A APPÂTÉ (= attirer).

appauvrir → PAUVRE.

appeler v. **1.** *On* A APPELÉ *les enfants à table,* on leur a dit de venir. — **2.** *Cela* APPELLE *une explication,* cela a besoin d'être expliqué (= demander, nécessiter). — **3.** *Comment* APPELLE-*t-on cet outil?,* quel nom lui donne-t-on? (= nommer). ‖ *Ce chien* S'APPELLE *Dick,* son nom est Dick. ◆ **appel** n. m. **1.** (sens 1) *Le naufragé lançait des* APPELS *désespérés* (= cri). — **2.** *Son discours est un* APPEL *à la révolte* (= incitation). — **3.** FAIRE APPEL *à quelqu'un,* c'est lui demander son aide. — **4.** *Le condamné* FAIT APPEL, il demande à un tribunal spécial de corriger le jugement qui le condamne. ◆ **appellation** n. f. (sens 3) *C'est le même produit sous une* APPELLATION *différente* (= nom, dénomination).

• **R.** Conj. n° 6.

appendice n. m. **1.** *Des notes figurent en* APPENDICE *à la fin du livre,* comme élément ajouté. — **2.** L'APPENDICE est un petit prolongement du gros intestin. ◆ **appendicite** n. f. (sens 2) *Pierre a une crise d'*APPENDICITE, une inflammation de l'appendice. ▷ 40

• **R.** On prononce [apɛ̃dis, apɛ̃disit].

appesantir → PESER.

appétit n. m. *Le convalescent retrouve l'*APPÉTIT, le désir de manger. ◆ **appétissant** adj. *Un plat* APPÉTISSANT met en appétit.

applaudir v. APPLAUDIR *un artiste, un discours,* c'est battre des mains pour marquer son approbation. ◆ **applaudissements** n. m. pl. *Son discours a soulevé des* APPLAUDISSEMENTS.

appliquer v. **1.** APPLIQUER *une couche de vernis,* c'est l'étendre sur une surface. — **2.** APPLIQUER *une règle,* c'est la mettre en pratique. — **3.** *Les élèves* S'APPLIQUENT, ils travaillent avec soin. ◆ **applicable** adj. (sens 2) *Le nouveau règlement est* APPLICABLE, il doit être appliqué. ◆ **appliqué** adj. (sens 3) *Jean est un écolier* APPLIQUÉ (= travailleur, soigneux). ◆ **application** n. f. (sens 1) *Il faut laisser sécher la première couche de peinture avant l'*APPLICATION *de la seconde.* • (sens 2) *Les clients protestent contre l'*APPLICATION *des nouveaux tarifs* (= entrée en vigueur). • (sens 3) *On l'a félicité pour son* APPLICATION. ◆ **inapplicable** adj. (sens 2) *Cette décision est* INAPPLICABLE, on ne peut pas l'appliquer.

appoint n. m. *On est prié de faire l'*APPOINT, de payer en fournissant la petite monnaie pour arriver à la somme juste.

appointements n. m. pl. *Ses* APPOINTEMENTS *sont médiocres,* ce qu'il gagne régulièrement par son travail (= salaire, traitement).

apporter v. **1.** *Le facteur nous* APPORTE *le courrier,* il le porte jusqu'à nous. — **2.** APPORTEZ *tous vos soins à ce travail* (= mettre, donner). ◆ **apport** n. m. *L'*APPORT *de quelqu'un,* c'est ce qu'il apporte.

apposer v. *Tu dois* APPOSER *ta signature au bas du texte,* la mettre.

apposition n. f. *Dans «Paris, capitale de la France», le mot «capitale» est en* APPOSITION *au mot «Paris»,* il le précise.

apprécier v. **1.** *J'*APPRÉCIE *ce gâteau,* je le trouve bon. — **2.** APPRÉCIER *une distance à vue d'œil,* c'est l'évaluer. ◆ **appréciable** adj. (sens 1) *Son aide a été* APPRÉCIABLE (= utile). • (sens 2) *Il n'y a aucune différence* APPRÉCIABLE (= sensible, notable). ◆ **appréciation** n. f. (sens 1) *Il a porté une* APPRÉCIATION *favorable* (= jugement). • (sens 2) *J'ai commis une erreur d'*APPRÉCIATION (= évaluation, estimation). ◆ **inappréciable** adj. (sens 2) *Il nous a rendu un service* INAPPRÉCIABLE, très précieux (= inestimable).

appréhender v. **1.** *Les policiers* ONT APPRÉHENDÉ *un malfaiteur,* ils l'ont arrêté. — **2.** *J'*APPRÉHENDE *un accident,* je le crains. ◆ **appréhension** n. f. (sens 2) *Il s'est présenté à l'examen avec* APPRÉHENSION (= crainte).

apprendre v. **1.** *J'*AI APPRIS *cette nouvelle par la radio,* j'en ai été informé. — **2.** *Mon frère* APPREND *l'anglais,* il l'étudie pour le savoir. — **3.** *Il m'*A APPRIS *son mariage,* il me l'a annoncé. — **4.** *Le professeur* APPREND *l'anglais aux élèves,* il le leur enseigne. ◆ **apprenti** n. (sens 2) Un APPRENTI est celui qui apprend un métier par la pratique. ◆ **apprentissage** n. m. (sens 2) *Ce garçon est en* APPRENTISSAGE *chez un mécanicien,* il y apprend le métier par la pratique.

• **R.** Conj. n° 54.

apprêter v. **1.** APPRÊTER *un repas,* c'est le préparer. — **2.** *Je* M'APPRÊTE À *partir* (= se préparer, se disposer).

apprivoiser v. *Pierre* A APPRIVOISÉ *un corbeau,* il l'a habitué à vivre avec les hommes (= domestiquer).

approbateur, approbation → APPROUVER. / **approchant, approche, approcher** → PROCHE. / **approfondir** → PROFOND.

approprié adj. *Chaque objet est à la place* APPROPRIÉE, qui convient.

s'approprier v. *Il* S'EST APPROPRIÉ *la part qui restait,* il l'a prise pour lui (= s'emparer de, s'adjuger).

approuver v. *Je vous* APPROUVE *d'être venu,* je suis d'accord avec vous (≠ blâmer, critiquer, désapprouver). ◆ **approbateur** n. et adj. *Ce projet n'a pas que des* APPROBATEURS, des gens qui l'approuvent. ‖ *Elle a fait un geste* APPROBATEUR, d'approbation (≠ désapprobateur). ◆ **approbation** n. f. *Il a manifesté son* APPROBATION *par un signe de tête* (= accord; ≠ condamnation, désapprobation). ◆ **désapprouver** v., **désapprobateur** n. et adj., **désapprobation** n. f. expriment des idées contraires.

approvisionnement, approvisionner → PROVISION.

approximation n. f. *Une rapide* APPROXIMATION *permet de chiffrer la dépense à un millier de francs environ,* un calcul qui donne à peu près la valeur réelle (= évaluation). ◆ **approximatif** adj. *Ce paquet a un poids* APPROXIMATIF *de 5 kilos,* il pèse à peu près 5 kilos. ◆ **approximativement** adv. *La séance durera* APPROXIMATIVEMENT *deux heures* (= environ, à peu près).

appuyer v. **1.** *Les maçons* ONT APPUYÉ *une échelle contre le mur,* ils l'ont fait reposer sur le mur. — **2.** *Jean* S'EST APPUYÉ *sur un meuble,* il s'en est servi comme soutien. — **3.** *Ne craignez rien, je vous* APPUIERAI, je vous procurerai mon aide, mon secours. — **4.** APPUYEZ *sur ce bouton!,* exercez une pression dessus (= presser). — **5.** *Il* A *beaucoup* APPUYÉ *sur cette recommandation* (= insister). ◆ **appui** n. m. (sens 1 et 2) *Le blessé* PREND APPUI *sur une canne,* il se soutient. • (sens 3) *J'ai réussi grâce à l'*APPUI *d'un ami* (= aide, soutien). ‖ *J'ai des preuves* À L'APPUI DE *mes accusations,* pour les confirmer.

âpre adj. **1.** *Cette poire n'est pas mûre, elle est* ÂPRE (= âcre). — **2.** *Une lutte* ÂPRE est violente. ◆ **âprement** adv. (sens 2) *On combattit* ÂPREMENT (= farouchement). ◆ **âpreté** n. f. (sens 2) *Ils discutent avec* ÂPRETÉ.

après prép. ou adv. **1.** *On se reposera* APRÈS *le travail,* plus tard (≠ avant). — **2.** *La gare est* APRÈS *le carrefour,* plus loin (≠ avant). — **3.** *Le chien court* APRÈS *un lièvre,* en le poursuivant. — **4.** *Dessiner* D'APRÈS *un modèle,* c'est imiter ce modèle. — **5.** D'APRÈS *lui, tout cela est faux,* selon ses paroles, de son point de vue. ▷ 754

après-demain → DEMAIN. / **après-midi** → MIDI. / **âpreté** → ÂPRE.

à propos adv. **1.** *Vous arrivez* À PROPOS, au moment qui convient. — **2.** *J'ignore tout* À PROPOS DE *cette affaire,* en ce qui concerne (= au sujet de). ◆ **à-propos** n. m. (sens 1) *Agir avec* À-PROPOS, c'est agir comme le demandent les circonstances.

apte adj. *Paul est* APTE *à cet emploi,* il est capable de l'exercer (= propre). ◆ **aptitude** n. f. *Travaillez selon vos* APTITUDES (= capacité). ◆ **inapte** adj. *C'est encore un enfant, il est* INAPTE *aux travaux de force.* ◆ **inaptitude** n. f. *Il a fait preuve d'*INAPTITUDE (= incapacité).

295 ◁ **aquarelle** n. f. Une AQUARELLE est une peinture avec des couleurs délayées dans l'eau.

434 ◁ **aquarium** n. m. *Les poissons nagent dans l'*AQUARIUM, une boîte de verre.
• R. On prononce [akwarjɔm].

aquatique adj. *Une plante* AQUATIQUE vit dans l'eau.

aqueduc n. m. Un AQUEDUC est un canal pour amener l'eau.

aquilin adj. *Un nez* AQUILIN est recourbé et assez fin.

arabesque n. f. Une ARABESQUE est une ligne sinueuse.

580 ◁ **arachide** n. f. *Marie met de l'huile d'*ARACHIDE *dans la salade,* une plante.

363 ◁ **araignée** n. f. *L'*ARAIGNÉE *tisse sa toile.*

arbitrage → ARBITRE.

arbitraire adj. *Un acte* ARBITRAIRE est accompli par quelqu'un qui ne tient pas compte de la justice, de la raison. ◆ **arbitrairement** adv. *On l'a emprisonné* ARBITRAIREMENT (= illégalement).

arbitre n. m. **1.** *L'*ARBITRE *a sifflé la mi-temps,* celui qui est responsable du déroulement régulier du match. — **2.** *Un expert a été désigné comme* ARBITRE, pour régler le désaccord. ◆ **arbitrer** v. (sens 1) *Qui* ARBITRERA *ce match?* • (sens 2) *Le directeur a essayé d'*ARBITRER *leur querelle.* ◆ **arbitrage** n. m. (sens 1 et 2) *On souhaite un* ARBITRAGE *impartial.*

arborer v. ARBORER *un drapeau,* c'est le déployer, le montrer fièrement.

366, 362 ◁ **arbre** n. m. **1.** *Un* ARBRE *a des feuilles, des branches, un tronc, des racines.* — **2.** *L'*ARBRE *de sa voiture est cassé,* l'axe transmettant le mouvement aux roues. ◆ **arbuste** ou **arbrisseau** n. m. (sens 1) *Le lilas est un* ARBUSTE, un petit arbre. ◆ **arboriculteur** n. m. (sens 1) *Nous avons acheté des petits pommiers chez un* ARBORICULTEUR, quelqu'un qui cultive des arbres.

147 ◁ **arc** n. m. **1.** *Certaines peuplades primitives chassent avec des* ARCS, des armes qui lancent des flèches. — **2.** *Un* ARC DE CERCLE est une portion de
579 ◁ cercle. — **3.** *L'*ARC *d'une voûte* est sa courbure. — **4.** *Un* ARC DE TRIOMPHE est un monument voûté. ◆ **archer** n. m. (sens 1) Un ARCHER est un tireur à l'arc. ◆ **arche** n. f. (sens 3) une ARCHE est une voûte qui relie les piles
579 ◁ d'un pont. ◆ **arcades** n. f. pl. (sens 3) *On se promène sous les* ARCADES, dans la galerie dont les piliers sont reliés par des arcs. ◆ **arc-boutant**
149 ◁ n. m. (sens 3) *Beaucoup de cathédrales ont des* ARCS-BOUTANTS, des maçonneries en forme d'arc soutenant de l'extérieur un mur. ◆ **s'arc-bouter** v. *Ils* S'ARC-BOUTENT *pour pousser la voiture,* ils exercent une forte poussée de tout le corps. ◆ **arc-en-ciel** n. m. (sens 3) *Après l'orage, un*
721 ◁ ARC-EN-CIEL *est apparu,* une bande lumineuse multicolore en forme d'arc.
• R. Noter le pluriel : des *arcs-en-ciel.*

archaïque adj. *Regarde cette voiture* ARCHAÏQUE, vieille (≠ moderne).
• **R.** On prononce [arkaik].

arche → ARC.

archéologie n. f. L'ARCHÉOLOGIE est l'étude des civilisations anciennes. ◆ **archéologique** adj. *Des fouilles* ARCHÉOLOGIQUES. ◆ **archéologue** n. *M. Durand est* ARCHÉOLOGUE, spécialiste d'archéologie.
• **R.** On prononce [arkeɔlɔʒi, arkeɔlɔg].

archer → ARC.

archet n. m. *On joue du violon avec un* ARCHET, une baguette tendue de crins pour faire vibrer les cordes. ▷ 438

archevêché, archevêque → ÉVÊQUE.

archi- indique, au début d'un mot, un degré supérieur : *archifou, archiconnu,* etc. (= très fou, très connu).

archipel n. m. Un ARCHIPEL est un groupe d'îles. ▷ 725

architecte n. m. *L'*ARCHITECTE *dessine des plans de bâtiments et en dirige l'exécution.* ◆ **architecture** n. f. **1.** *Pierre fait des études d'*ARCHITECTURE, il étudie l'art de construire. — **2.** *Ce château a une* ARCHITECTURE *imposante* (= forme). ▷ 145

archives n. f. pl. *Les historiens consultent les* ARCHIVES, les documents anciens conservés ensemble.

ardent adj. *Une lutte* ARDENTE est très vive. ◆ **ardemment** adv. *Nous souhaitons* ARDEMMENT *la paix* (= vivement). ◆ **ardeur** n. f. *Travaillons avec* ARDEUR! (= entrain, énergie).

ardoise n. f. *Les* ARDOISES *d'un toit* sont les plaques de pierre gris foncé qui le couvrent. ▷ 75

ardu adj. *Ce problème est* ARDU, très difficile.

are n. m. *Ce carré de choux mesure un* ARE, 100 mètres carrés. ▷ 795
◆ **hectare** n. m. *Ce champ mesure un* HECTARE, 100 ares ou 10 000 mètres carrés. ▷ 795
• **R.** *Are* se prononce [ar] comme *art* et *arrhes.*

arène n. f. *Les gladiateurs se battaient dans l'*ARÈNE, dans la partie centrale d'un amphithéâtre.

arête n. f. **1.** *Une* ARÊTE *de poisson lui a piqué le gosier.* — **2.** *L'*ARÊTE *d'un mur,* c'est l'angle extérieur que forment deux faces du mur. ▷ 728

argent n. m. **1.** *Un bijou d'*ARGENT est fait d'un métal précieux blanc. — **2.** *M. Dupont gagne beaucoup d'*ARGENT, des billets, des pièces servant à payer. ◆ **argenté** adj. (sens 1) *Du métal* ARGENTÉ est recouvert d'argent. ‖ *Un reflet* ARGENTÉ a l'éclat de l'argent. ◆ **argenterie** n. f. (sens 1) *Pour ce grand dîner, on avait sorti toute l'*ARGENTERIE, la vaisselle d'argent. ◆ **désargenté** adj. (sens 1) *Ce plat est* DÉSARGENTÉ. • (sens 2) *Je suis* DÉSARGENTÉ, sans argent.

argile n. f. *Un vase d'*ARGILE est fait d'une terre molle et grasse utilisée en poterie et appelée aussi *terre glaise.* ◆ **argileux** adj. *On s'enfonce dans les terrains* ARGILEUX.

argot n. m. L'ARGOT est un ensemble de mots ou d'expressions qui n'appartiennent pas à la langue courante et qu'on emploie parfois par goût du pittoresque : *un bada* (= un chapeau), *se faire la malle* (= partir). ◆ **argotique** adj. *Une expression* ARGOTIQUE appartient à l'argot.

argument n. m. *J'ai trouvé un* ARGUMENT *convaincant,* un raisonnement à l'appui d'une affirmation (= démonstration, preuve). ◆ **argumentation** n. f. *Son* ARGUMENTATION *est faible,* l'ensemble de ses arguments.

aride adj. *Un sol* ARIDE est sec et ne produit rien. ◆ **aridité** n. f. *L'*ARIDITÉ *d'un terrain* (= sécheresse).

aristocrate n. *Autrefois, les* ARISTOCRATES *jouissaient d'importants privilèges,* les nobles. ◆ **aristocratie** n. f. L'ARISTOCRATIE est l'ensemble des nobles (= noblesse). ◆ **aristocratique** adj. *M. Dupuis a une aisance* ARISTOCRATIQUE (= distingué, raffiné).

• **R.** On prononce [aristɔkrasi].

arithmétique n. f. *Un problème d'*ARITHMÉTIQUE se résout par le calcul.

armateur → ARMER.

armature n. f. *L'*ARMATURE *métallique d'une tente* est l'ensemble des éléments rigides qui la soutiennent.

762 ◁ **arme** n. f. **1.** *Avec une* ARME, *on peut tuer ou blesser;* une ARME À FEU est un fusil, un pistolet, etc.; une ARME BLANCHE est un poignard, un sabre, etc. — **2.** *Les* ARMES *d'une famille, d'une ville,* c'est leur emblème
147 ◁ (= armoiries). ◆ **armoiries** n. f. pl. est un synonyme de ARMES (sens 2). ◆ **armure** n. f. (sens 1) *Les chevaliers du Moyen Âge étaient protégés par*
147 ◁ *une* ARMURE, un équipement métallique. ◆ **armurier** n. m. (sens 1) L'ARMURIER vend ou fabrique des armes. ◆ **armurerie** n. f. (sens 1) Une ARMURERIE est un magasin où l'on vend des armes.

767, 763, 355 ◁ **armée** n. f. **1.** *L'*ARMÉE *française* est l'ensemble des soldats français. — **2.** *Une* ARMÉE *d'employés,* c'est une foule d'employés.

armer v. **1.** ARMER *des volontaires,* c'est les munir d'armes. — **2.** S'ARMER *de patience,* c'est se préparer à être très patient. — **3.** ARMER *un bateau,* c'est l'équiper, le mettre en état de naviguer. ◆ **armateur** n. m. (sens 3) Un ARMATEUR est celui qui se charge d'équiper et d'exploiter un navire. ◆ **armement** n. m. (sens 1) *Cette troupe est dotée d'un* ARMEMENT *moderne,* d'un ensemble d'armes. • (sens 3) *L'*ARMEMENT *d'un navire,* c'est son matériel et son équipage. ◆ **désarmer** v. (sens 1) *Le malfaiteur* A ÉTÉ DÉSARMÉ, dépouillé de ses armes. • (sens 3) *On* A DÉSARMÉ *ce navire,* on a retiré le matériel et l'équipage. ◆ **désarmant** adj. *Une réponse, une naïveté* DÉSARMANTE vous laisse sans réaction (= déconcertant). ◆ **désarmement** n. m. (sens 1) *La conférence a discuté du* DÉSARMEMENT, de la réduction ou de la suppression des moyens militaires. • (sens 3) *On va effectuer le* DÉSARMEMENT *des navires mis au rebut.*

armistice n. m. *Les combattants ont signé un* ARMISTICE, un accord pour cesser le combat.

294, 77, 39 ◁ **armoire** n. f. *Le linge est rangé dans une* ARMOIRE, un grand meuble.

armoiries, armure, armurerie, armurier → ARME.

arôme n. m. *L'*AROME *d'un vin, du café* est l'odeur agréable qui s'en dégage. ◆ **aromate** n. m. *Le poivre, la cannelle, le thym sont des* AROMATES, des substances végétales ayant un parfum caractéristique. ◆ **aromatique** adj. *Le laurier est une plante* AROMATIQUE. ◆ **aromatiser** v. *Cette crème* EST AROMATISÉE *à la vanille,* parfumée.

arpenter v. *Pierre* ARPENTE *sa chambre en réfléchissant,* il la parcourt en divers sens et à grands pas.

arqué adj. *Des sourcils* ARQUÉS sont recourbés.

arracher v. **1.** *Les bûcherons* ARRACHENT *un arbre* (= déraciner). — **2.** *Il m'*A ARRACHÉ *la promesse de venir,* il l'a obtenue avec peine (= soutirer). — **3.** *Je n'ai pu l'*ARRACHER *à son travail,* l'en éloigner (= séparer). ◆ **arrachage** n. m. (sens 1) *L'*ARRACHAGE *des pommes de terre se fait souvent à la machine.* ◆ **arracheur** n. m. (sens 1) *Il ment comme un* ARRACHEUR *de dents,* il fait de gros mensonges.

arranger v. **1.** ARRANGE *les meubles dans la pièce,* mets-les dans un certain ordre (= disposer). — **2.** *J'*AI ARRANGÉ *le jouet cassé,* je l'ai réparé. — **3.** ARRANGER *une affaire, une difficulté,* c'est la régler. — **4.** *Cette date ne m'*ARRANGE *pas,* elle ne me convient pas. — **5.** *Ils* SE SONT ARRANGÉS *à l'amiable,* mis d'accord. — **6.** *Je* M'ARRANGERAI *pour venir* (= se débrouiller). ◆ **arrangeant** adj. (sens 5) *La directrice est très* ARRANGEANTE, facilement d'accord (= conciliant; ≠ intraitable). ◆ **arrangement** n. m. (sens 1) *On a changé l'*ARRANGEMENT *de la salle* (= disposition). • (sens 5) *Concluons un* ARRANGEMENT (= accord, convention).

arrêter v. **1.** *L'agent* ARRÊTE *les voitures,* il les empêche d'avancer. ‖ *Les voitures* S'ARRÊTENT (= stopper). — **2.** *L'arbitre* ARRÊTE *le combat de boxe,* il l'empêche de continuer. ‖ ARRÊTE *de pleurer!* (= cesser; ≠ continuer). — **3.** *Les policiers* ONT ARRÊTÉ *un malfaiteur,* ils se sont emparés de lui (= appréhender). — **4.** *On* A ARRÊTÉ *la date de la réunion* (= décider, fixer). ◆ **arrêt** n. m. (sens 1) *Ne pas descendre avant l'*ARRÊT *complet du train.* ‖ *J'aperçois Jean à l'*ARRÊT *de l'autobus* (= station). • (sens 2) *Il pleut* SANS ARRÊT (= continuellement). • (sens 4) *Le tribunal a rendu son* ARRÊT (= décision). ◆ **arrêté** n. m. (sens 4) *Un* ARRÊTÉ *préfectoral* est une décision du préfet. ◆ **arrestation** n. f. (sens 3) *On a annoncé l'*ARRESTATION *du coupable.*

▷ 217

arrhes n. f. pl. *On a versé des* ARRHES *au moment de la commande,* on a payé une partie du prix.

• **R.** *Arrhes* se prononce [ar] comme *are* et *art.*

arrière adv., n. m. et adj. inv. **1.** *Pierre a fait un pas* EN ARRIÈRE, il a reculé (≠ en avant). — **2.** *L'*ARRIÈRE *du bateau est trop chargé* (= derrière; ≠ avant, devant). — **3.** *Le feu* ARRIÈRE *de la voiture est cassé.*

▷ 505

• **R.** *Arrière* s'emploie au début de certains mots pour indiquer ce qui est derrière *(arrière-boutique)* ou ce qui vient après *(arrière-saison).*

arriéré **1.** adj. *Des idées* ARRIÉRÉES sont très démodées. — **2.** adj. et n. *Une personne* ARRIÉRÉE a un développement intellectuel insuffisant. — **3.** n. m. *Il a payé l'*ARRIÉRÉ, ce qui restait dû.

arrière-boutique → BOUTIQUE. / **arrière-goût** → GOÛT. / **arrière-grand-mère, arrière-grands-parents, arrière-grand-père** → GRAND-PÈRE. / **arrière-pensée** → PENSER. / **arrière-plan** → PLAN.

arriver v. **1.** *Nous* ARRIVONS *au but* (= parvenir; ≠ partir). — **2.** *Je* SUIS ARRIVÉ *à faire ce travail* (= réussir). — **3.** *Cela* ARRIVE, cela se produit. ◆ **arrivée** n. f. (sens 1) *J'attends l'*ARRIVÉE *du facteur.* ‖ *Un coureur a* 512 ◁ *abandonné à quelques kilomètres de l'*ARRIVÉE (= but; ≠ départ). ◆ **arrivage** n. m. (sens 1) *L'épicier attend un* ARRIVAGE *de légumes* (= livraison).

• **R.** *Arriver* se conjugue avec l'auxiliaire *être.*

arrogant adj. *Un ton* ARROGANT est orgueilleux et méprisant. ◆ **arrogance** n. f. *Le chef de service est plein d'*ARROGANCE.

arrondir → ROND.

298 ◁ **arrondissement** n. m. Un ARRONDISSEMENT est une division administrative d'un département ou d'une grande ville.

arroser v. ARROSE *les fleurs!*, répands de l'eau sur elles. ◆ **arrosage** 73 ◁ n. m. *Le tuyau d'*ARROSAGE *est crevé.* ◆ **arrosoir** n. m. *Cet* ARROSOIR 366 ◁ *contient 6 litres,* ce récipient destiné à arroser.

arsenal n. m. **1.** *L'*ARSENAL *de Toulon* est un lieu spécialement aménagé pour équiper les navires de guerre. — **2.** *Les policiers ont découvert tout un* ARSENAL *à son domicile,* une accumulation d'armes.

arsenic n. m. *On empoisonne les rats avec de l'*ARSENIC, un poison.

art n. m. **1.** *Ce bracelet est ciselé avec* ART, d'une manière qui le rend beau. ‖ *Les tableaux, les statues, les bijoux sont des* ŒUVRES D'ART, de belles choses. — **2.** *L'*ART *culinaire* est un ensemble de connaissances concernant la cuisine. ◆ **artiste** n. (sens 1) *Un* ARTISTE *peintre* peint des tableaux. ‖ *Un* ARTISTE *dramatique* est un acteur. ◆ **artistique** adj. *Une photographie* ARTISTIQUE est agréable à regarder. ◆ **beaux-arts** n. m. pl. (sens 1) *La peinture, la sculpture, la musique, l'architecture sont les* BEAUX-ARTS.

• **R.** V. ARE et ARRHES.

40 ◁ **artère** n. f. **1.** *Le sang qui vient du cœur circule dans les* ARTÈRES. — **2.** *Cette avenue est la principale* ARTÈRE *de la ville* (= rue, voie). ◆ **artériel** adj. (sens 1) *Mon grand-père a une maladie* ARTÉRIELLE.

367 ◁ **artichaut** n. m. *J'ai mangé des* ARTICHAUTS *à la vinaigrette,* un légume.

article n. m. **1.** *Un* ARTICLE *du Code de la route* est une division de ce texte. — **2.** *Le journal publie un* ARTICLE *important de politique étrangère,* un écrit. — **3.** *Ce magasin vend des* ARTICLES *de sport,* des objets. — **4.** *«Le», «un» sont des* ARTICLES, des mots placés devant les noms.

articuler v. **1.** *Ces noms étrangers sont difficiles à* ARTICULER, à prononcer distinctement. — **2.** *La main* S'ARTICULE *à l'avant-bras,* est unie à lui par une jointure mobile, le poignet. ◆ **articulation** n. f. (sens 1) *Pierre a un défaut d'*ARTICULATION (= prononciation). • (sens 2) *J'ai une douleur à l'*ARTICULATION *du coude* (= jointure). ◆ **articulaire** adj. (sens 2) *Des douleurs* ARTICULAIRES se manifestent aux articulations. ◆ **inarticulé** adj. (sens 1) *Des mots* INARTICULÉS sont incompréhensibles.

artifice n. m. *Un* FEU D'ARTIFICE est une série de fusées lumineuses, de feux colorés, etc.

artificiel adj. **1.** *Un lac* ARTIFICIEL est fait par l'homme (≠ naturel). — **2.** *Les personnages de ce roman sont très* ARTIFICIELS, ils ne sont pas conformes à ceux de la vie réelle (= factice). ◆ **artificiellement** adv. (sens 1) *Ces pommes sont mûries* ARTIFICIELLEMENT (≠ naturellement).

artillerie n. f. **1.** *Les canons d'une armée constituent son* ARTILLERIE. — **2.** *M. Durand a fait son service militaire dans l'*ARTILLERIE, dans les troupes chargées des canons. ◆ **artilleur** n. m. (sens 2) *M. Durand était* ARTILLEUR, soldat dans l'artillerie.

artisan n. m. *J'ai fait relier mes livres par un* ARTISAN, quelqu'un qui travaille de ses mains pour son propre compte. ◆ **artisanal** adj. *La poterie* ARTISANALE *est plus recherchée que la poterie industrielle.*

artiste, artistique → ART.

as n. m. **1.** L'AS d'un jeu de cartes porte un seul signe. — **2.** Aux dés, l'AS est la face à un seul point. — **3.** Fam. *Paul est un* AS *en mécanique,* il est très fort dans ce domaine.

ascendant **1.** adj. *Un mouvement* ASCENDANT est un mouvement de bas en haut. — **2.** n. m. pl. Les ASCENDANTS sont les parents et les ancêtres (≠ descendants). — **3.** n. m. *Jean a de l'*ASCENDANT *sur ses camarades,* de l'influence. ◆ **ascendance** n. f. (sens 2) *Jean a une* ASCENDANCE *bretonne,* ses ascendants étaient bretons. ◆ **ascenseur** n. m. (sens 1) Un ASCENSEUR transporte les personnes d'un étage à l'autre d'un immeuble. ◆ **ascension** n. f. (sens 1) *Nous avons fait une* ASCENSION *en haute montagne* (= escalade, course).

asile n. m. **1.** *Dans un* ASILE, *on accueille des vieillards sans ressources.* (= hospice). — **2.** *Le fugitif cherchait un* ASILE, un lieu pour être à l'abri du danger (= refuge).

aspect n. m. *Cet homme a un* ASPECT *négligé* (= allure, air).

asperge n. f. *Nous avons mangé des* ASPERGES, un légume.

asperger v. *Une voiture m'*A ASPERGÉ, a projeté de l'eau sur moi.

aspérité n. f. *On s'écorche les doigts aux* ASPÉRITÉS *du rocher,* aux parties pointues.

asphalte n. m. *Les trottoirs sont recouverts d'*ASPHALTE (= bitume). ▷ 152

asphyxie n. f. *Les mineurs accidentés sont morts par* ASPHYXIE, parce qu'ils ne pouvaient pas respirer. ◆ **asphyxier** v. *Deux personnes sont mortes* ASPHYXIÉES *par une fuite de gaz.*

aspirant n. m. Un ASPIRANT est un élève officier. ▷ 355

aspirer v. **1.** ASPIRER *l'air,* c'est l'attirer, et spécialement le faire pénétrer dans la poitrine. — **2.** ASPIRER *au calme, à la célébrité,* c'est en avoir un désir profond. ◆ **aspirateur** n. m. (sens 1) Un ASPIRATEUR est un appareil de nettoyage qui aspire les poussières. ◆ **aspiré** adj. Un « h » ASPIRÉ empêche les élisions et les liaisons au début d'un mot, comme dans : *le hérisson* [ləerisɔ̃], *les haltes* [lealt] (≠ muet). ▷ 78

assagir → SAGE.

assaillir v. *Il* A ÉTÉ ASSAILLI *par deux individus masqués,* attaqué soudain. ◆ **assaillant** n. *Les* ASSAILLANTS *ont subi de lourdes pertes* (= attaquant). ◆ **assaut** n. m. **1.** *Nos troupes ont repoussé un* ASSAUT, une vive attaque d'ensemble. — **2.** *Deux personnes* FONT ASSAUT D'*amabilité* quand chacune s'efforce d'être plus aimable que l'autre.
• **R.** Conj. nº 23.

assainir, assainissement → SAIN.

assaisonner v. ASSAISONNER *la nourriture,* c'est lui donner du goût en ajoutant du sel, des épices, etc. ◆ **assaisonnement** n. m. *Cette cuisine est riche en* ASSAISONNEMENTS (= condiment).

assassin n. m. *Celui qui tue un être humain volontairement est un* ASSASSIN (= meurtrier, criminel). ◆ **assassinat** n. m. *Ce sauvage* ASSASSINAT *est une vengeance* (= crime). ◆ **assassiner** v. *Ce dictateur a fait* ASSASSINER *ses adversaires* (= massacrer, tuer).

assaut → ASSAILLIR. / **assécher** → SEC.

assembler v. **1.** *Nicolas* ASSEMBLE *les pièces de son jeu de construction,* il les réunit en les adaptant les unes aux autres. — **2.** *La foule* S'EST ASSEMBLÉE *sur la place,* elle s'est réunie, groupée. ◆ **assemblage** n. m. (sens 1) *Un moteur est un* ASSEMBLAGE *de nombreuses pièces.* ◆ **assemblée** n. f. (sens 2) *L'orateur s'adresse à l'*ASSEMBLÉE (= foule, auditoire). ◆ **rassembler** v. *Il faudrait* RASSEMBLER *tous ces papiers* (= réunir, assembler). ◆ **rassemblement** n. m. (sens 2) *L'accident a provoqué un* RASSEMBLEMENT, des gens se sont groupés (= attroupement).

assener v. ASSENER UN COUP, c'est frapper violemment.
• **R.** On prononce [asene].

assentiment n. m. *Tu as mon* ASSENTIMENT (= consentement, accord).

s'asseoir v. *Jean* S'ASSOIT *sur une chaise,* il y pose ses fesses (≠ se lever). ◆ **se rasseoir** v. *Vous pouvez vous* RASSEOIR.
• **R.** Conj. nº 44.

assez adv. **1.** *J'ai* ASSEZ *mangé,* en quantité suffisante (= suffisamment). — **2.** *Je suis* ASSEZ *surpris,* plus qu'un peu et moins que beaucoup (= passablement).

assidu adj. *Un travail* ASSIDU est fait de manière régulière. ◆ **assiduité** n. f. *Il travaille avec* ASSIDUITÉ (= persévérance, régularité). ◆ **assidûment** adv. *Je m'occupe* ASSIDÛMENT *de cela* (= sans relâche).

assiégeant, assiéger → SIÈGE.

78 ◁ **assiette** n. f. *Nous mangeons dans des* ASSIETTES *de porcelaine.* ◆ **assiettée** n. f. *M. Dupont a avalé une* ASSIETTÉE *de potage.*

assimiler v. **1.** *On peut* ASSIMILER *un vélomoteur à une bicyclette,* le ranger dans une même catégorie. — **2.** ASSIMILER *un aliment,* c'est bien le digérer. — **3.** ASSIMILER *ce qu'on apprend,* c'est bien le comprendre et le retenir. — **4.** *Pierre* S'EST *bien* ASSIMILÉ *au groupe,* mêlé, intégré. ◆ **assimilation** n. f. (sens 2) *L'*ASSIMILATION *des aliments se fait dans l'estomac et dans l'intestin.* • (sens 4) *L'*ASSIMILATION *des travailleurs immigrés est un problème national.*

assises n. f. pl. *La* COUR D'ASSISES est un tribunal qui juge les crimes.

assister v. **1.** *J'*AI ASSISTÉ *à la réunion,* j'y ai été présent. — **2.** *La Croix-Rouge* ASSISTE *les sinistrés* (= secourir). — **3.** *Le maire* EST ASSISTÉ *de ses adjoints* (= aider, seconder). ◆ **assistant** n. (sens 1) *Les* ASSISTANTS *ont longuement applaudi.* • (sens 2) *Les* ASSISTANTES SOCIALES *aident les gens qui en ont besoin.* • (sens 3) *Le médecin était accompagné de ses* ASSISTANTS. ◆ **assistance** n. f. (sens 1) *L'*ASSISTANCE *à cette séance est obligatoire.* ‖ *Il parle devant une nombreuse assistance* (= public). • (sens 2) *On a créé une organisation d'*ASSISTANCE *aux réfugiés.*

associer v. *M. Dupont* A ASSOCIÉ *son fils à la direction de l'usine,* il lui a donné un rôle, il l'a fait participer. ◆ **association** n. f. *La commune possède une* ASSOCIATION *sportive* (= groupe, union). ◆ **associé** n. *Il lui faut l'accord de son* ASSOCIÉ, celui qui travaille avec lui. ◆ **dissocier** v. *Des disputes* ONT DISSOCIÉ *le groupe,* fait cesser l'association.

assoifer → SOIF. / **assombrir** → SOMBRE.

assommer v. **1.** *Pierre* A ÉTÉ ASSOMMÉ *par la chute d'une branche,* étourdi par un coup sur la tête. — **2.** Fam. *Il nous* ASSOMME *avec ses discours* (= ennuyer). ◆ **assommant** adj. (sens 2) *Ce roman est* ASSOMMANT (= ennuyeux).

assortir v. *Voilà un bouquet de fleurs bien* ASSORTIES, qui vont bien ensemble. ◆ **assortiment** n. m. *On nous a présenté un* ASSORTIMENT *de hors-d'œuvre,* un ensemble varié.

s'assoupir v. *Grand-père* S'ASSOUPIT *après les repas,* il s'endort doucement. ◆ **assoupissement** n. m. *L'accident est dû à l'*ASSOUPISSEMENT *du conducteur* (= somnolence).

assouplir, assouplissement → SOUPLE. / **assourdir** → SOURD.

assouvir v. *As-tu* ASSOUVI *ta faim?,* es-tu rassasié? (= calmer, satisfaire).

assujettir v. **1.** *Nous* SOMMES ASSUJETTIS *à l'impôt,* soumis. — **2.** *Le couvercle* EST *mal* ASSUJETTI, il est mal fixé.

assurer v. **1.** *Je vous* ASSURE *que je n'exagère pas* (= affirmer, garantir). — **2.** *Il faut* ASSURER *votre maison contre l'incendie,* la garantir par contrat contre ce risque. — **3.** *Le bateau* ASSURE *la liaison entre l'île et le continent,* il la réalise avec régularité. ◆ **assurance** n. f. **1.** (sens 1) *Nous avons l'*ASSURANCE *de sa participation* (= garantie). — **2.** (sens 2) *Adressez-vous à une compagnie d'*ASSURANCES. — **3.** *Le président parle avec* ASSURANCE, confiance en soi (= aisance, aplomb). ◆ **assuré** adj. *Jean a une voix* ASSURÉE (= ferme, décidé). ◆ **assurément** adv. (sens 1) *Il viendra* ASSURÉMENT (= certainement, sûrement).

astérisque n. m. Un ASTÉRISQUE est un signe en forme d'étoile dans un texte écrit (*).

asthme n. m. *M. Durand a une crise d'*ASTHME, un accès de suffocation. ◆ **asthmatique** adj. *M. Durand est* ASTHMATIQUE.

asticot n. m. *On pêche souvent avec des* ASTICOTS *comme appât,* des vers.

astiquer v. ASTIQUE *tes chaussures!,* fais-les briller en frottant.

astre n. m. *Les étoiles, les planètes sont des* ASTRES. ◆ **astrologie** n. f. L'ASTROLOGIE prétend deviner l'avenir en étudiant la position des astres. ◆ **astrologique** adj. *Il croit aux prédictions* ASTROLOGIQUES. ◆ **astronaute** n. *Les* ASTRONAUTES *ont débarqué sur la Lune* (= cosmonaute). ◆ **astronautique** n. f. *L'*ASTRONAUTIQUE *fait des progrès rapides,* la science des voyages dans l'espace. ◆ **astronome** n. *Les* ASTRONOMES *ont découvert une nouvelle étoile.* ◆ **astronomie** n. f. L'ASTRONOMIE est l'étude scientifique de l'univers. ◆ **astronomique** adj. **1.** *Une lunette* ASTRONOMIQUE. — **2.** Fam. *Une quantité* ASTRONOMIQUE est très grande.

astreindre v. *Elle* EST ASTREINTE *à un régime sévère,* obligée, forcée. ◆ **astreignant** adj. *Son travail est* ASTREIGNANT, lui laisse peu de loisirs. • **R.** Conj. nº 55.

astrologie, astrologique, astronaute, astronautique, astronome, astronomie, astronomique → ASTRE.

astuce n. f. **1.** *J'ai trouvé une* ASTUCE *pour résoudre ce problème,* une manière ingénieuse d'agir (= truc). — **2.** Fam. *Il fait tout le temps des* ASTUCES, des plaisanteries. ◆ **astucieux** adj. (sens 1) *Voilà un procédé* ASTUCIEUX! (= ingénieux).

asymétrique → SYMÉTRIQUE.

291 ◁ **atelier** n. m. *Le menuisier travaille dans son* ATELIER, son lieu de travail.

athée n. et adj. *Les* ATHÉES *ne croient pas à l'existence de Dieu* (= incroyant).

athlète n. *Un coureur à pied, un lanceur de poids, un haltérophile sont des* ATHLÈTES. ◆ **athlétique** adj. *Un déménageur* ATHLÉTIQUE est puissamment musclé. ◆ **athlétisme** n. m. L'ATHLÉTISME est la pratique des sports individuels.

atlas n. m. Un ATLAS est un recueil de cartes géographiques.

atmosphère n. f. **1.** *La planète Mars a une* ATMOSPHÈRE, une couche de gaz qui l'entoure. — **2.** *Il règne ici une* ATMOSPHÈRE *de sympathie* (= ambiance, climat). ◆ **atmosphérique** adj. (sens 1) *La pression* ATMOSPHÉRIQUE *est le poids de l'air.*

atome n. m. L'ATOME est la plus petite particule de matière. ◆ **atomique** adj. *Une pile* ATOMIQUE utilise l'énergie des atomes.

atomiseur n. m. *Elle se laque les cheveux avec un* ATOMISEUR, un récipient (bombe) contenant un produit à vaporiser.

atone adj. *Un regard* ATONE est sans énergie (= terne, éteint).

atout n. m. **1.** ATOUT *trèfle!,* le trèfle est la couleur de carte choisie comme la plus forte. — **2.** *Sa connaissance de l'anglais est un bon* ATOUT, un bon moyen de réussir.

âtre n. m. *Le feu brûle dans l'*ÂTRE (= cheminée, foyer).

atroce adj. *Une douleur* ATROCE est très cruelle. ◆ **atrocement** adv. *Le blessé souffre* ATROCEMENT (= terriblement). ◆ **atrocité** n. f. *Ce film montre les* ATROCITÉS *de la guerre* (= horreur).

s'attabler → TABLE.

attacher v. **1.** *Le chien* EST ATTACHÉ *à sa niche par une chaîne* (= lier, enchaîner; ≠ libérer). — **2.** ATTACHEZ *vos ceintures!* (= boucler, agrafer). — **3.** *Elle* S'EST ATTACHÉE *à ce chien perdu,* elle l'a pris en affection. — **4.** ATTACHER *de l'importance à une chose,* c'est la juger importante. ◆ **attachant** adj. (sens 3) *Une personne* ATTACHANTE est sympathique, aimable. ◆ **attache** n. f. (sens 1) *On peut réunir des feuilles avec une* ATTACHE (= agrafe). • (sens 3) *Avoir des* ATTACHES *avec quelqu'un,* c'est lui être lié par la parenté ou l'amitié. ◆ **attachement** n. m. (sens 3) *Il proclame son* ATTACHEMENT *à la liberté* (= amour). ◆ **détacher** v. **1.** (sens 1) *Le chien hurle, il faut le* DÉTACHER (= délier). • (sens 2) *Pierre* DÉTACHE *ses lacets et enlève ses chaussures* (= dénouer). • (sens 3) *Sa femme* S'EST DÉTACHÉE *de lui,* elle a cessé de l'aimer. — **2.** *Des arbres* SE DÉTACHENT *sur l'horizon,* ils apparaissent nettement (= se découper). — **3.** *Ce fonctionnaire* A ÉTÉ DÉTACHÉ *en province,* ses supérieurs l'y ont envoyé. ◆ **détachement** n. m. **1.** (sens 3) *Jean m'a regardé avec* DÉTACHEMENT (= indifférence). — **2.** *Le général a envoyé un* DÉTACHEMENT *pour surveiller l'ennemi,* un groupe de soldats. ◆ **rattacher** v. **1.** (sens 1) RATTACHE *le chien!* — **2.** *Cette commune* EST RATTACHÉE *à la ville voisine,* elle en dépend. ◆ **rattachement** n. m. *Le* RATTACHEMENT *de la Corse à la France date de 1768.*

▷ 293

attaquer v. **1.** *L'ennemi nous* A ATTAQUÉS *par surprise,* il s'est élancé contre nous. — **2.** *Ce journal* ATTAQUE *le gouvernement* (ou S'ATTAQUE *au gouvernement*), il le critique. — **3.** ATTAQUER *un travail* (ou S'ATTAQUER *à un travail*), c'est l'entreprendre. ◆ **attaquant** n. m. (sens 1) *Repoussons les* ATTAQUANTS! (= assaillant, agresseur). ◆ **attaque** n. f. (sens 1) *L'infanterie a lancé de violentes* ATTAQUES (= assaut). • (sens 2) *L'orateur a répondu aux* ATTAQUES *de ses adversaires.* ◆ **contre-attaquer** v. (sens 1 et 2) *Nos troupes se sont d'abord repliées, puis* ONT CONTRE-ATTAQUÉ. ◆ **contre-attaque** n. f. (sens 1 et 2) *La* CONTRE-ATTAQUE *a été victorieuse* (= riposte). ◆ **inattaquable** adj. (sens 2) *Sa réputation est* INATTAQUABLE (= irréprochable).

s'attarder → TARD.

atteindre v. **1.** *Jean essaie d'*ATTEINDRE *les bonbons sur l'étagère,* de parvenir à les toucher (= attraper). — **2.** *Le soldat* A ÉTÉ ATTEINT *d'une balle à l'épaule,* blessé. ◆ **atteinte** n. f. (sens 1) *Une chose* HORS D'ATTEINTE ne peut pas être touchée (= hors de portée). • (sens 2) PORTER ATTEINTE *à la réputation de quelqu'un,* c'est nuire à cette réputation.
• **R.** Conj. nº 55.

atteler v. *Le cultivateur* AVAIT ATTELÉ *ses bœufs,* il les avait attachés à la charrue. ◆ **attelage** n. m. *L'*ATTELAGE *était fatigué,* les animaux attelés. ◆ **dételer** v. DÉTELLE *les chevaux!,* détache-les de la voiture.
• **R.** Conj. nº 6.

▷ 584

attendre v. **1.** ATTENDEZ *un instant!* (= patienter). — **2.** *Je vous* ATTENDRAI *à la gare,* je serai là pour vous accueillir. — **3.** *On* ATTEND *beaucoup de ces recherches* (= espérer). — **4.** *On* S'ATTEND *à des encombrements sur les routes* (= prévoir). ◆ **attente** n. f. (sens 1 et 2) *Ces heures d'*ATTENTE *paraissent interminables.* • (sens 3 et 4) *Le résultat répond à l'*ATTENTE *de tous* (= espoir, prévision). ◆ **inattendu** adj. (sens 4) *Un événement* INATTENDU est imprévu.
• **R.** Conj. nº 50.

attendrir v. *Ses paroles* ONT ATTENDRI *les auditeurs* (= émouvoir, apitoyer). ◆ **attendrissant** adj. *Voilà un spectacle* ATTENDRISSANT (= émouvant). ◆ **attendrissement** n. m. *Plusieurs personnes pleuraient d'*ATTENDRISSEMENT (= émotion).

attentat n. m. *Le président a échappé à un* ATTENTAT, on a essayé de l'assassiner (= agression).

attente → ATTENDRE.

attention n. f. **1.** *Chacun écoute avec* ATTENTION, concentration d'esprit. ‖ FAITES ATTENTION *à l'obstacle* (= prendre garde). — **2.** (au plur.) *Il a des* ATTENTIONS *pour moi,* il est aimable avec moi (= prévenances, égards). ◆ **attentif** adj. (sens 1) *Les spectateurs sont* ATTENTIFS (≠ distrait). ◆ **attentivement** adv. (sens 1) *Lisez* ATTENTIVEMENT *la notice.* ◆ **attentionné** adj. (sens 2) *Une infirmière* ATTENTIONNÉE est prévenante, empressée. ◆ **inattention** n. f. (sens 1) *J'ai commis cette erreur par* INATTENTION (= distraction, étourderie). ◆ **inattentif** adj. (sens 1) *Paul est un élève* INATTENTIF (= distrait).

atténuer v. *L'emballage* A ATTÉNUÉ *la violence du choc,* l'a rendue moins forte (= adoucir; ≠ aggraver). ◆ **atténuant** adj. *Les* CIRCONSTANCES ATTÉNUANTES *diminuent la responsabilité d'un coupable.* ◆ **atténuation** n. f. *On annonce une* ATTÉNUATION *du froid* (≠ augmentation).

atterrer v. *Je* SUIS ATTERRÉ *par cette nouvelle* (= accabler, abattre).

atterrir, atterrissage → TERRE.

attester v. *Ce fait* EST ATTESTÉ *par de nombreuses preuves* (= certifier, prouver). ◆ **attestation** n. f. *On lui a remis une* ATTESTATION *de bonne conduite* (= certificat).

attirail n. m. *M. Durand range son* ATTIRAIL *de pêcheur,* les objets qu'il utilise pour la pêche.

attirer v. **1.** *L'aimant* ATTIRE *le fer,* il le fait venir à lui (≠ éloigner, repousser). — **2.** *Jean* EST ATTIRÉ *par la musique classique,* elle lui plaît. ◆ **attirant** adj. (sens 2) *Son projet est* ATTIRANT (= attrayant). ◆ **attirance** n. f. (sens 2) *Jacques éprouve de l'*ATTIRANCE *pour Marie,* elle lui plaît. ◆ **attraction** n. f. (sens 1) *Le satellite a échappé à l'*ATTRACTION *terrestre,* à la force qui l'attire. • (sens 2) *Les* ATTRACTIONS *d'une fête foraine sont les tirs, les manèges.* ◆ **attrait** n. m. (sens 2) *L'*ATTRAIT *de l'aventure est grand chez les jeunes* (= attirance). ◆ **attrayant** adj. (sens 2) *Cette lecture est* ATTRAYANTE (= intéressant, amusant).

attiser v. ATTISE *le feu!,* fais-le brûler plus vivement (= aviver).

attitude n. f. **1.** *Georges a une* ATTITUDE *nonchalante,* une manière de se tenir (= maintien). — **2.** *Mon adversaire a eu une* ATTITUDE *conciliante,* une manière de se conduire.

attraction, attrait → ATTIRER.

attraper v. **1.** *Paul* ATTRAPE *des papillons* (= prendre). — **2.** *Tu* AS ÉTÉ *bien* ATTRAPÉ, surpris ou trompé. — **3.** *J'*AI ATTRAPÉ *la grippe,* cette maladie m'a atteint (= prendre). — **4.** Fam. *Les élèves peu soigneux se font* ATTRAPER (= réprimander). ◆ **attrape** n. f. (sens 2) Une ATTRAPE est une petite farce.

attrayant → ATTIRER.

attribuer v. **1.** *Le premier prix* A ÉTÉ ATTRIBUÉ *à M. Durand* (= donner, décerner). — **2.** *On* ATTRIBUE *ce tableau à Rembrandt,* on suppose qu'il en est l'auteur. ◆ **attribution** n. f. **1.** (sens 1) *Le gouvernement a décidé l'*ATTRIBUTION *de secours aux sinistrés.* — **2.** (au plur.) *Les* ATTRIBUTIONS *de quelqu'un,* c'est ce qu'il est chargé de faire (= fonctions).

attribut adj. et n. m. *Dans « le chat est noir », l'adjectif « noir » est attribut,* il est relié au nom par le verbe « être ».

attribution → ATTRIBUER. / **attrister** → TRISTE. / **attroupement, attrouper** → TROUPE. / **au** → À.

aubaine n. f. *Il m'a offert une place dans sa voiture : j'ai profité de l'*AUBAINE, de cette chance inattendue.

aube n. f. *Nous nous lèverons dès l'*AUBE, au début du jour.

aubépine n. f. *L'*AUBÉPINE *est en fleurs,* un arbuste épineux.

auberge n. f. *Nous avons dîné dans une petite* AUBERGE, un hôtel-restaurant à la campagne. ◆ **aubergiste** n. *L'*AUBERGISTE *accueille ses clients.*

aubergine n. f. *Nous avons mangé des* AUBERGINES *farcies,* un légume violet.

aubergiste → AUBERGE.

aucun adj. et pron. **1.** *Il n'y a* AUCUN *risque,* pas un seul. — **2.** AUCUN *d'entre eux n'est au courant* (= nul).

audace n. f. *Ce défi est plein d'*AUDACE, d'une grande hardiesse. ◆ **audacieux** adj. *Il a fait un pari* AUDACIEUX (= risqué).

audience n. f. *J'ai obtenu une* AUDIENCE *du président,* un entretien.

auditeur n. *Les* AUDITEURS *de la radio* sont ceux qui écoutent. ◆ **auditoire** n. m. *L'*AUDITOIRE *applaudit,* l'ensemble des auditeurs.

auge n. f. *Le cochon mange dans son* AUGE, un grand récipient. ▷ 151, 361

augmenter v. **1.** *Vous* AUGMENTEZ *vos chances en prenant plusieurs billets de loterie* (= accroître; ≠ diminuer). — **2.** *On va* AUGMENTER *l'essence,* la rendre plus chère. ‖ *L'essence va* AUGMENTER, devenir plus chère. ◆ **augmentation** n. f. (sens 1) *On note une* AUGMENTATION *de la circulation* (= accroissement). • (sens 2) *M. Dupont a demandé une* AUGMENTATION *à son patron,* une hausse de salaire.

augure n. m. *Il est de bonne humeur, c'est* DE BON AUGURE, c'est bon signe.

125 ◁ **aujourd'hui** adv. **1.** *C'est* AUJOURD'HUI *lundi*, le jour où nous sommes. — **2.** *L'homme est* AUJOURD'HUI *capable d'aller sur la Lune*, à notre époque.

aumône n. f. *Faire l'*AUMÔNE *à quelqu'un*, c'est lui donner un petit secours pour l'aider.

aumônier n. m. Un AUMÔNIER est un prêtre exerçant son ministère dans un établissement public (lycée, hôpital, prison, etc.).

754 ◁ **auparavant** adv. *Je vais venir, mais* AUPARAVANT *j'ai quelques affaires à régler*, d'abord, avant cela.

auprès de prép. **1.** *Je reste* AUPRÈS DE *vous*, à côté de vous. — **2.** *Cet appartement paraît luxueux* AUPRÈS DU *précédent*, en comparaison.

auquel → LEQUEL.

auréole n. f. Une AURÉOLE est un cercle lumineux que les artistes mettent souvent autour de la tête des saints.

33 ◁ **auriculaire** n. m. L'AURICULAIRE est le petit doigt de la main.

aurore n. f. *Je me suis levé à l'*AURORE, au lever du soleil (= aube).

ausculter v. *Le médecin* AUSCULTE *ses malades*, il écoute les bruits de la respiration ou du cœur.

aussi adv. **1.** *Cette voiture est* AUSSI *chère que l'autre*, elle est d'un prix égal. — **2.** *Il part et moi* AUSSI, je pars comme lui. — **3.** *J'étais loin*, AUSSI *j'ai mal entendu*, c'est pourquoi.

aussitôt adv. **1.** *Il a approché une allumette :* AUSSITÔT *tout s'est enflammé*, tout de suite, immédiatement. — **2.** *Je vous rejoindrai* AUSSITÔT QUE *je le pourrai* (= dès que).

austère adj. *Un savant* AUSTÈRE ne rit pas, il est grave. ◆ **austérité** n. f. *Cette existence solitaire est pleine* D'AUSTÉRITÉ.

austral adj. *L'Argentine est dans l'hémisphère* AUSTRAL (= sud; ≠ boréal).

autant adv. **1.** *Cette voiture coûte* AUTANT *que l'autre*, elle est d'un prix égal. — **2.** *Je suis* D'AUTANT PLUS *heureux* QUE *je ne m'y attendais pas*, encore plus heureux.

148 ◁ **autel** n. m. *Le calice est sur l'*AUTEL, sur la table où l'on dit la messe.
• **R.** *Autel* se prononce [otɛl] comme *hôtel.*

auteur n. m. **1.** *On a arrêté l'*AUTEUR *de l'attentat*, celui qui l'a commis (= responsable). — **2.** *Alexandre Dumas est l'*AUTEUR *des « Trois Mousquetaires »*, il a écrit ce livre.

authentique adj. *Une chose* AUTHENTIQUE n'est pas une imitation, une reproduction. ◆ **authentiquement** adv. *Ces meubles sont* AUTHENTIQUEMENT *anciens.* ◆ **authenticité** n. f. *On discute sur l'*AUTHENTICITÉ *de ces documents.*

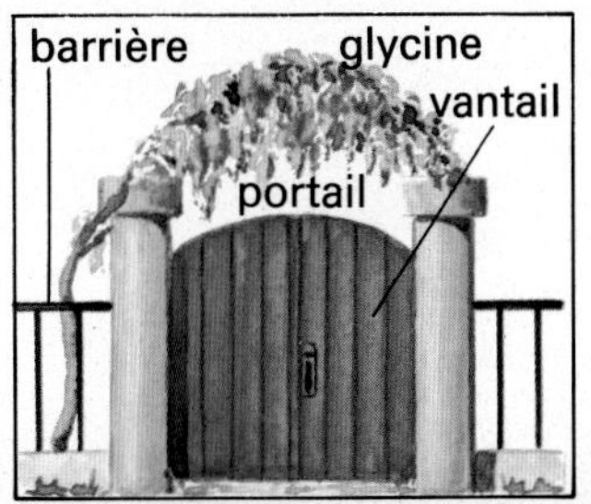
barrière
glycine
vantail
portail

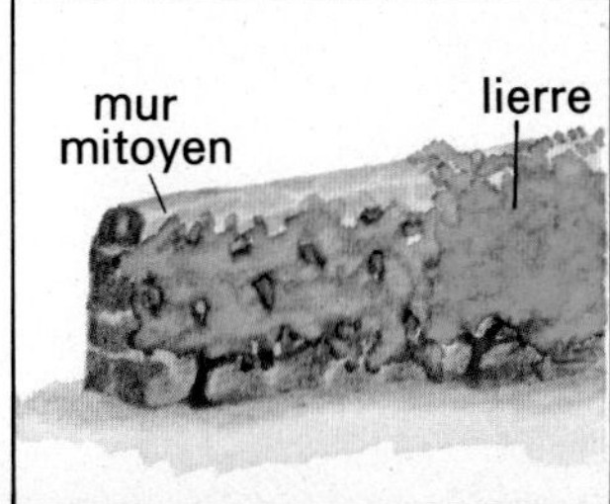
mur mitoyen
lierre

haie de troènes

saule pleureur
vigne vierge
corde à nœuds
tonnelle
allée
anneaux
portique
bordure
balançoire
tuyau d'arrosage
tondeuse à gazon
pelouse
jet d'eau
nénuphars

cytise

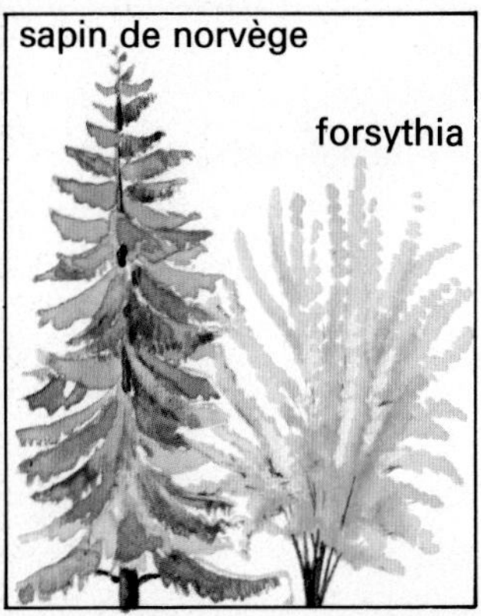
sapin de norvège
forsythia

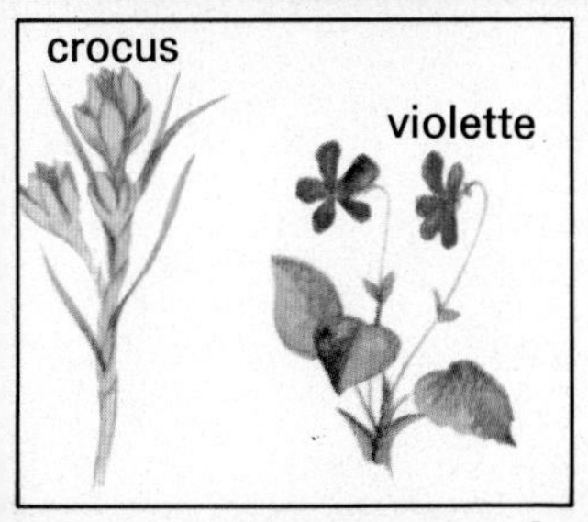
crocus
violette

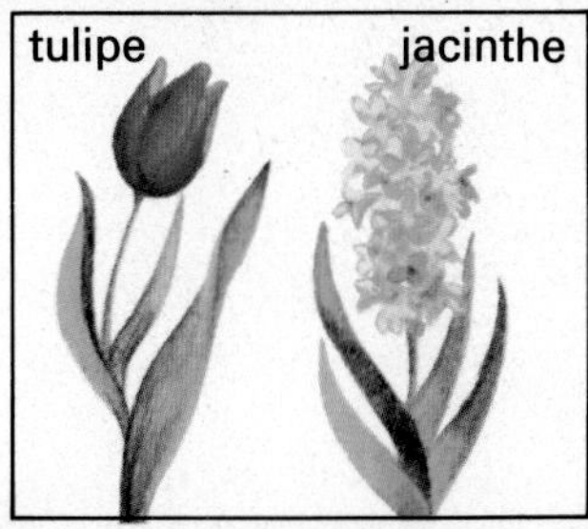
tulipe
jacinthe

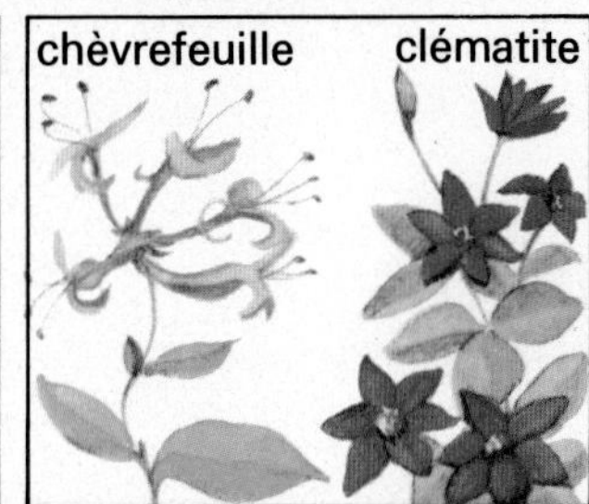
chèvrefeuille
clématite

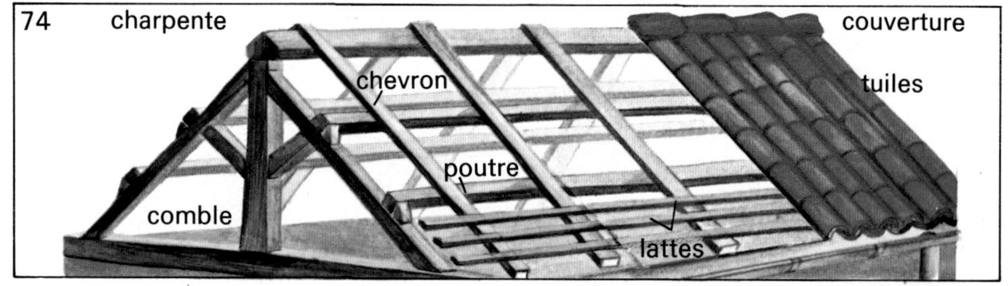
charpente
couverture
chevron
tuiles
poutre
comble
lattes

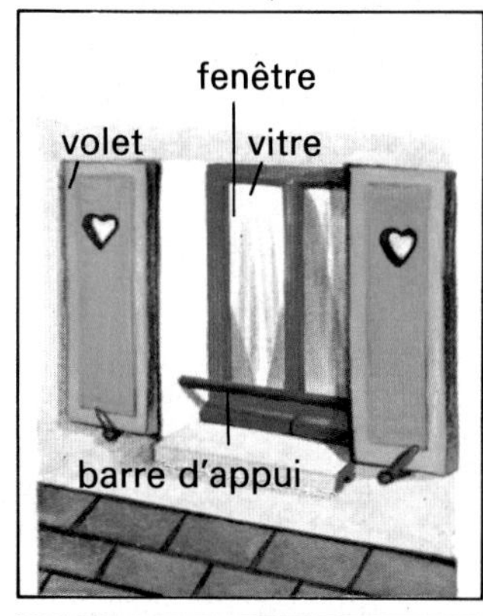
fenêtre
volet
vitre
barre d'appui

antenne de télévision
lucarne
persiennes
porte vitrée
banc
dallage
grille

auvent
sonnette
poignée
perron

loquet
pêne
verrou
targette

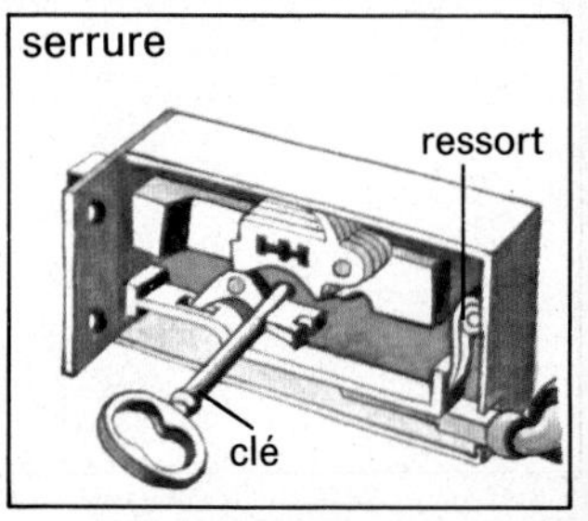
serrure
ressort
clé

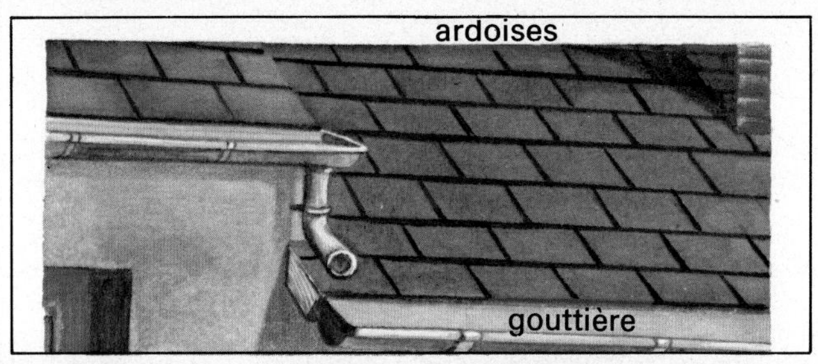
ardoises
gouttière

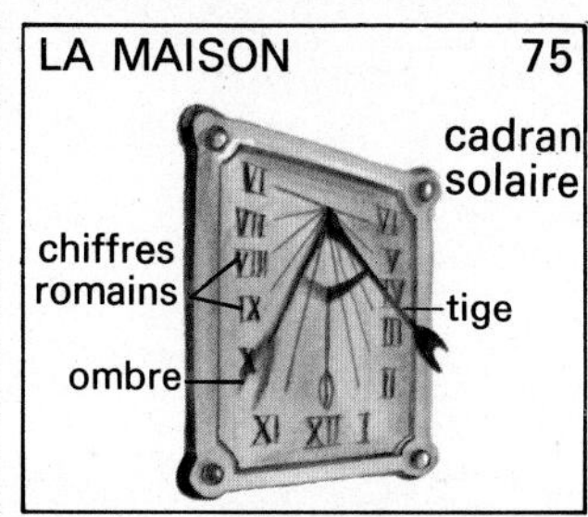
cadran solaire
chiffres romains
tige
ombre

cheminée
faîte
girouette
toit
pignon
balustrade
œil-de-bœuf
terrasse
mansardes
store
jardinières
lanterne
garage
façade
pilier
seuil
soupirail de la cave
boîte à lettres
pelouse (gazon)
dalles

porte-fenêtre
rambarde
balcon

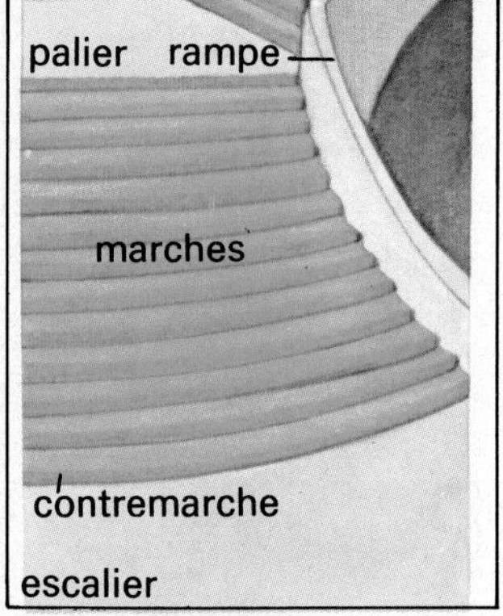
palier
rampe
marches
contremarche
escalier

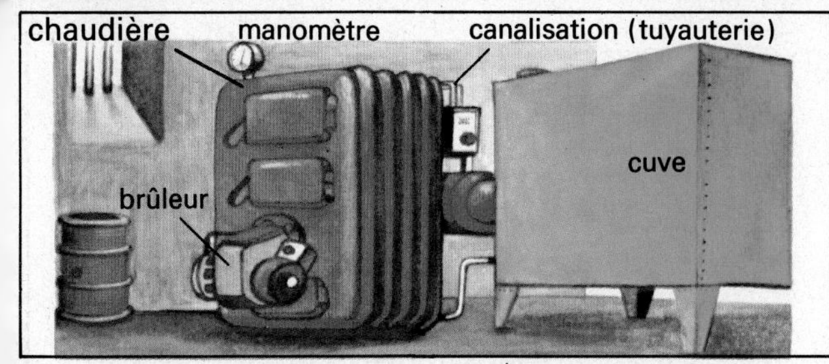
chaudière
manomètre
canalisation (tuyauterie)
cuve
brûleur

niche
chaîne
jatte (écuelle)
chien

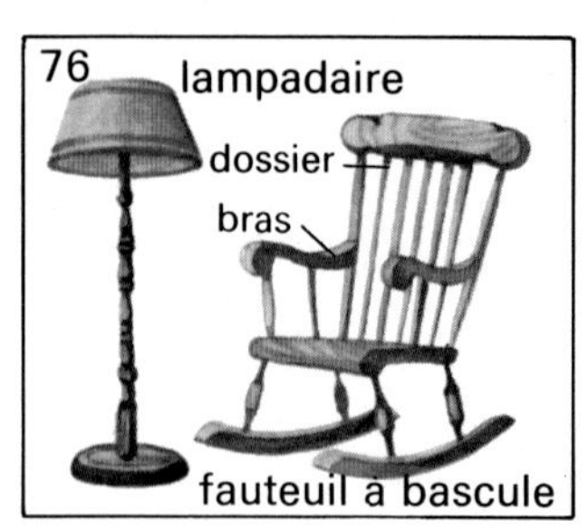
lampadaire
dossier
bras
fauteuil à bascule

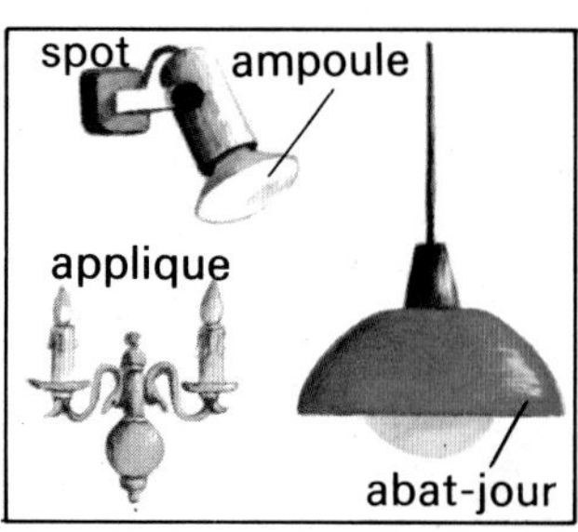
spot
ampoule
applique
abat-jour

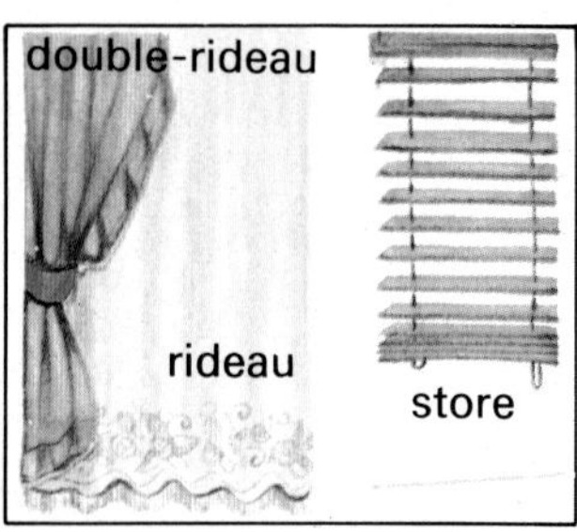
double-rideau
rideau
store

table
chaise
set de table
nappe
pieds
barreaux

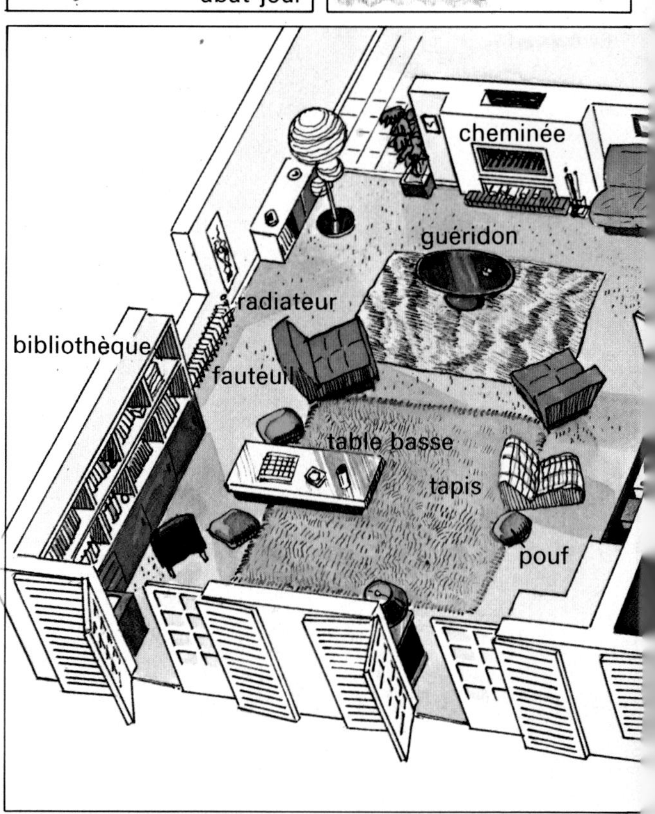
cheminée
guéridon
radiateur
bibliothèque
fauteuil
table basse
tapis
pouf

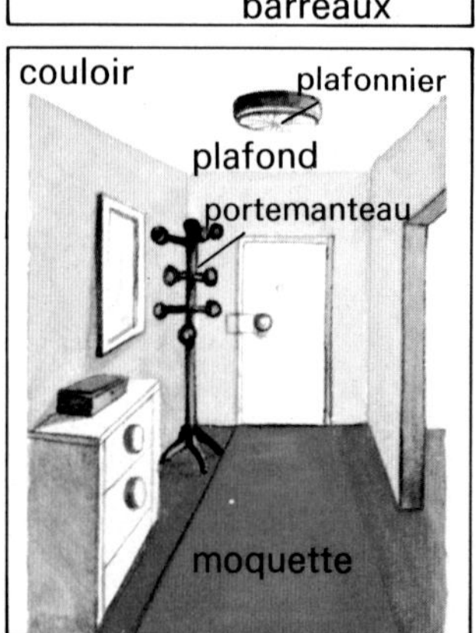
couloir
plafonnier
plafond
portemanteau
moquette

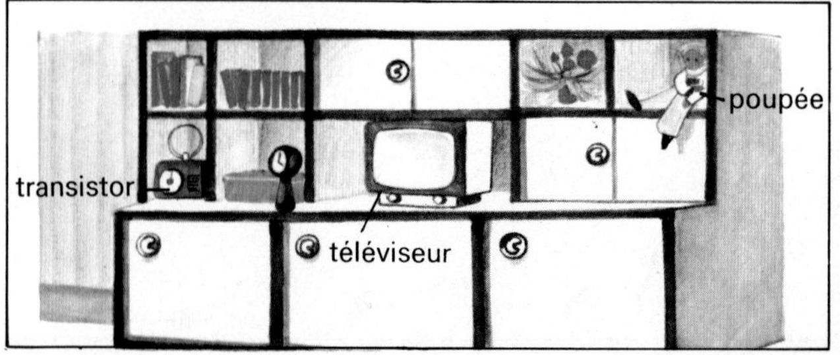
poupée
transistor
téléviseur

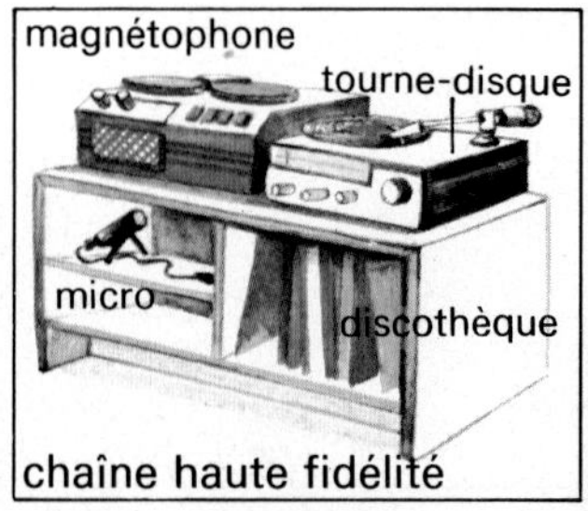
magnétophone
tourne-disque
micro
discothèque
chaîne haute fidélité

commode
tiroir

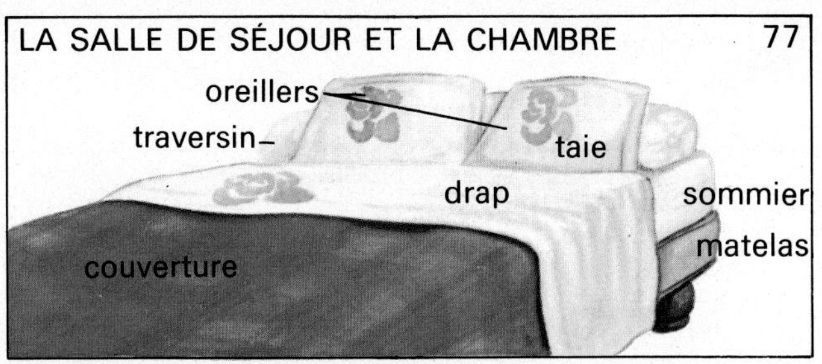
oreillers
traversin
taie
drap
sommier
matelas
couverture

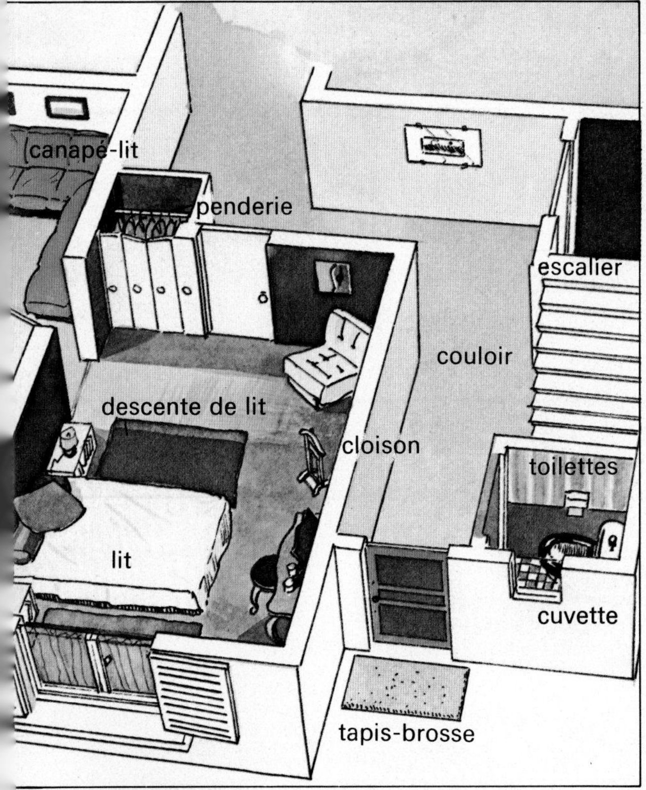
canapé-lit
penderie
escalier
couloir
descente de lit
cloison
toilettes
lit
cuvette
tapis-brosse

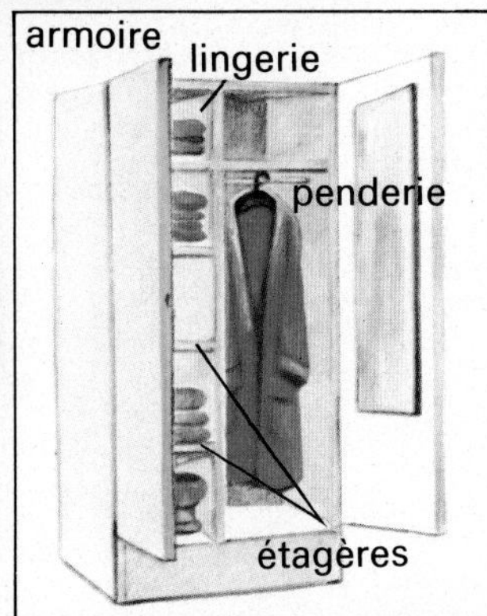
armoire
lingerie
penderie
étagères

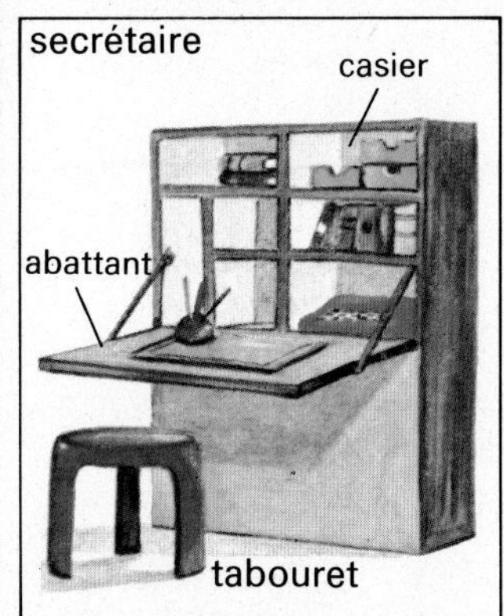
secrétaire
casier
abattant
tabouret

coffre à jouets

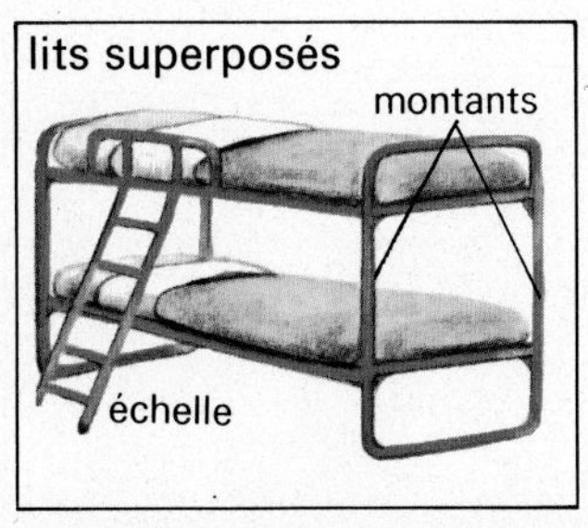
lits superposés
montants
échelle

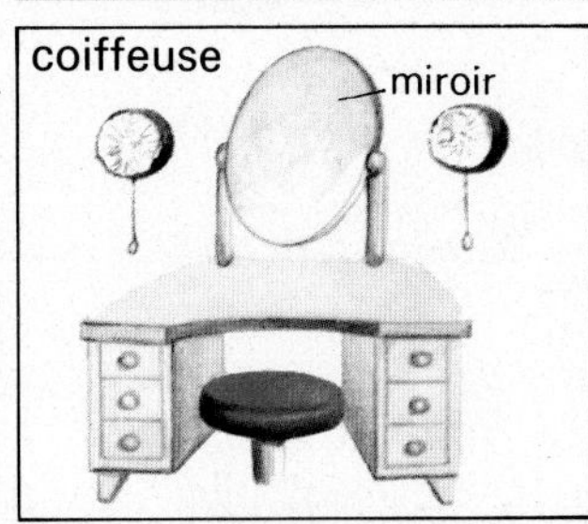
coiffeuse
miroir

couvercle
poêle
batterie de casseroles

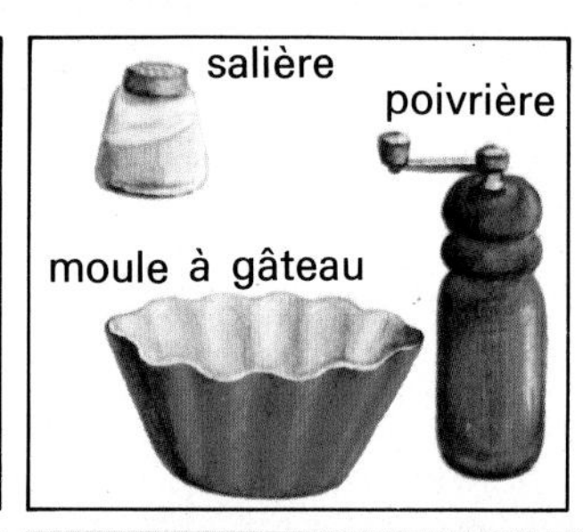
salière
poivrière
moule à gâteau

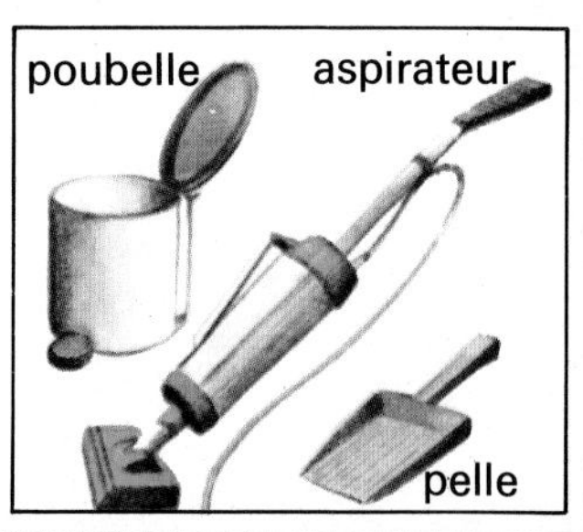
poubelle
aspirateur
pelle

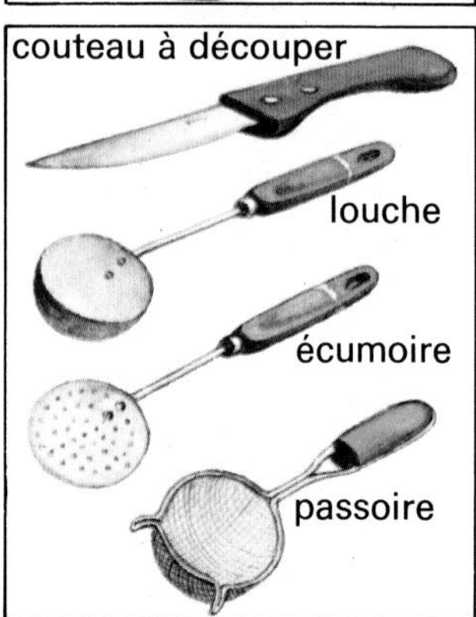
couteau à découper
louche
écumoire
passoire

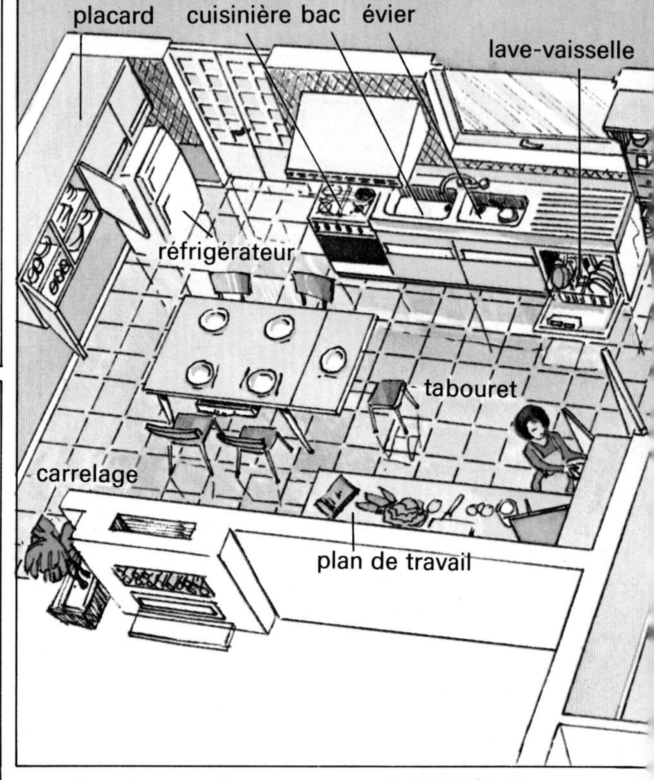
placard
cuisinière
bac
évier
lave-vaisselle
réfrigérateur
tabouret
carrelage
plan de travail

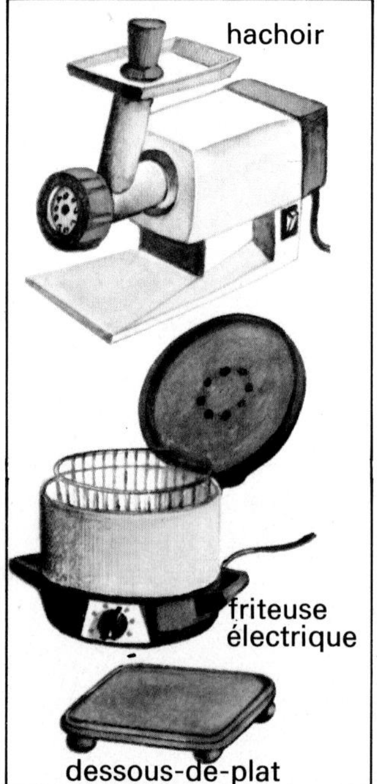
hachoir
friteuse électrique
dessous-de-plat

couverts à salade
saladier
cafetière
soupière
couteau
fourchette
verre à pied
plat
assiette
cuiller

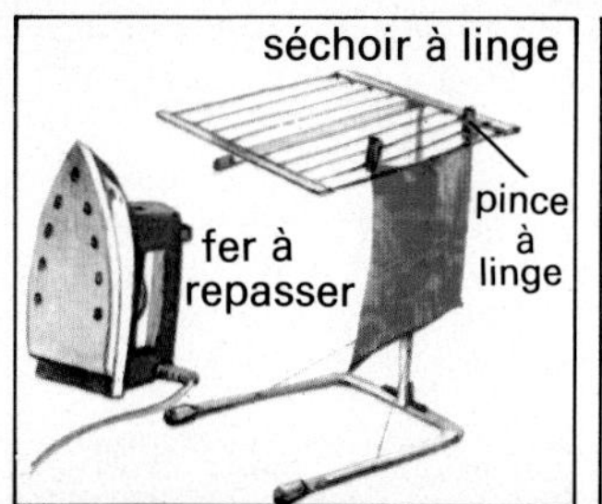
séchoir à linge
pince à linge
fer à repasser

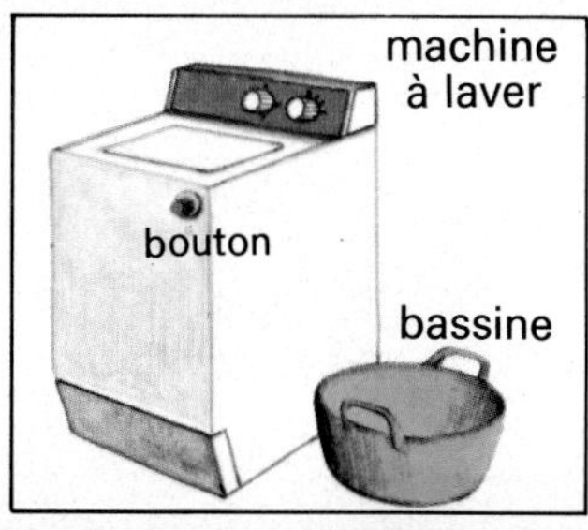
machine à laver
bouton
bassine

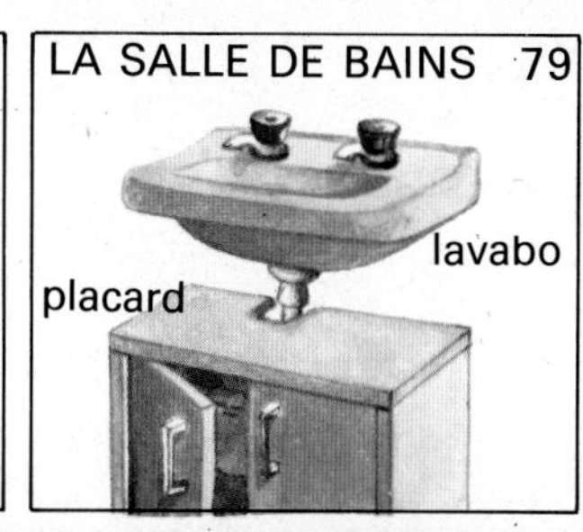
lavabo
placard

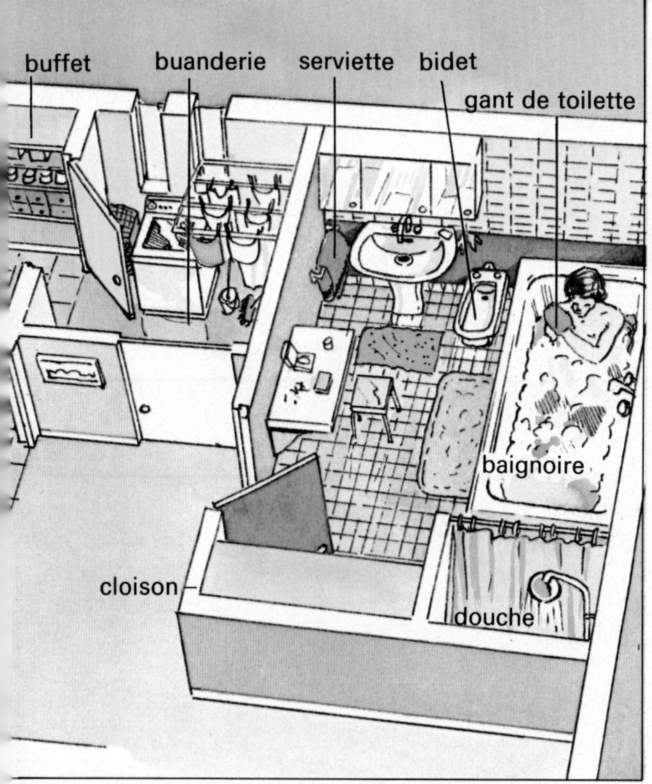
buffet
buanderie
serviette
bidet
gant de toilette
baignoire
cloison
douche

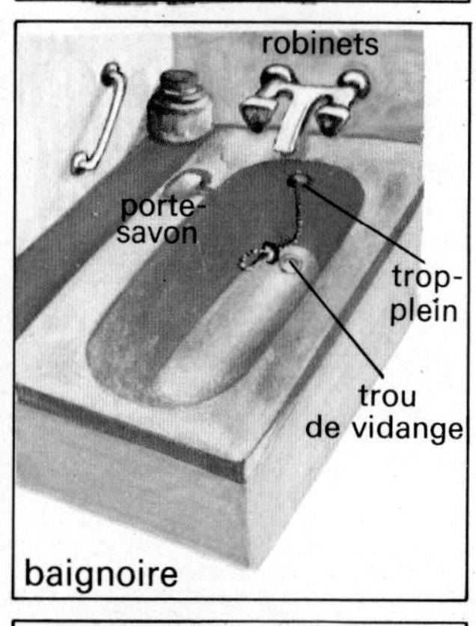
robinets
porte-savon
trop-plein
trou de vidange
baignoire

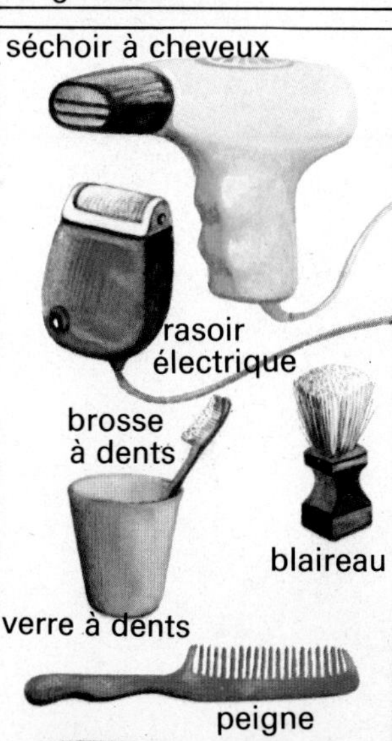
séchoir à cheveux
rasoir électrique
brosse à dents
blaireau
verre à dents
peigne
brosse à cheveux
lime à ongles

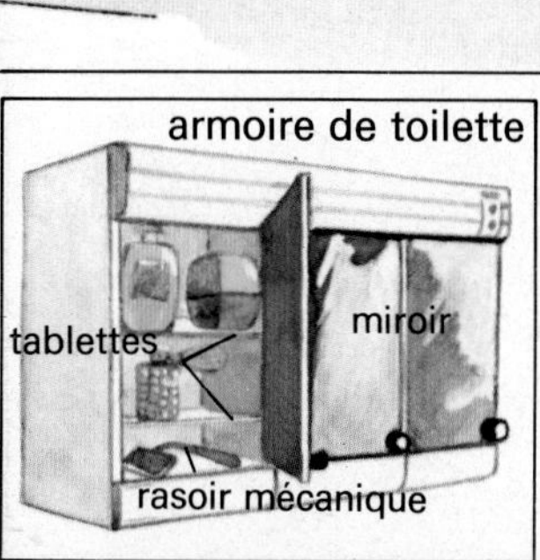
armoire de toilette
miroir
tablettes
rasoir mécanique

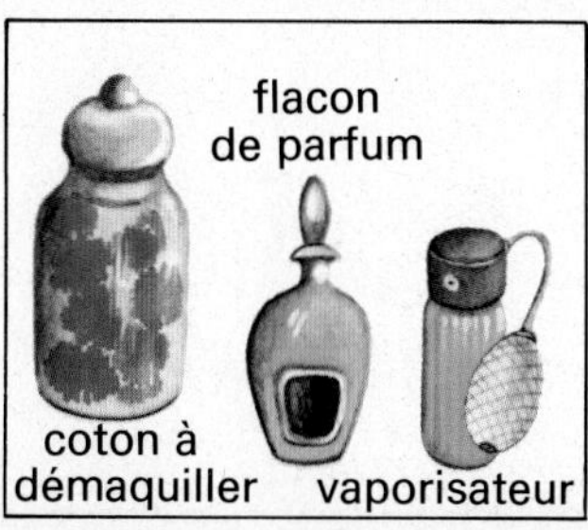
flacon de parfum
coton à démaquiller
vaporisateur

hortensia

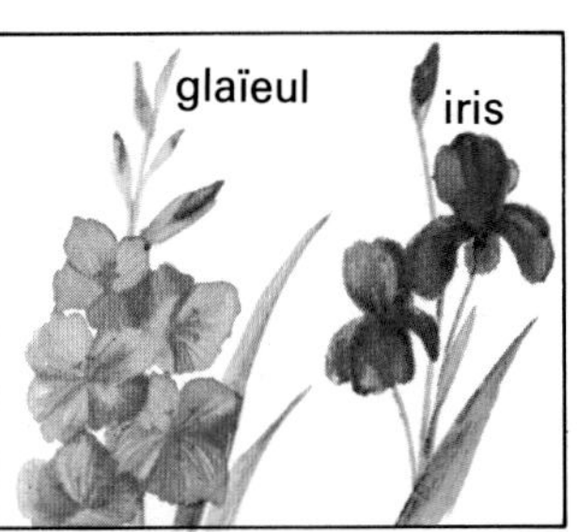
glaïeul
iris

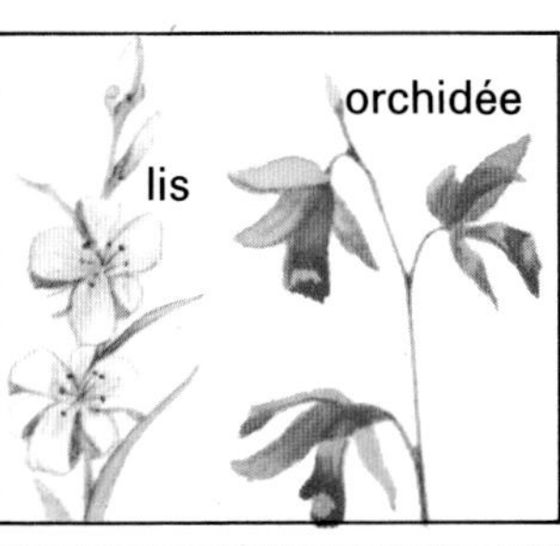
orchidée
lis

lilas
rose
pavot

massif de fleurs
corbeille-
d'argent
lupin
tortue
reine-marguerite
chrysanthèmes
gravier
œillets
de poète
œillets d'Inde
fleurs de lin

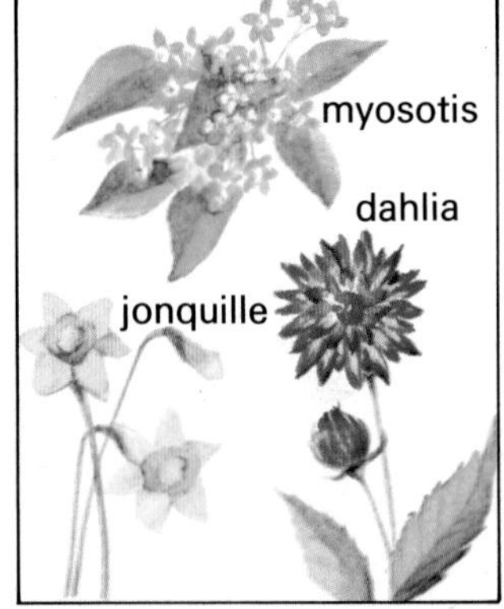
myosotis
dahlia
jonquille

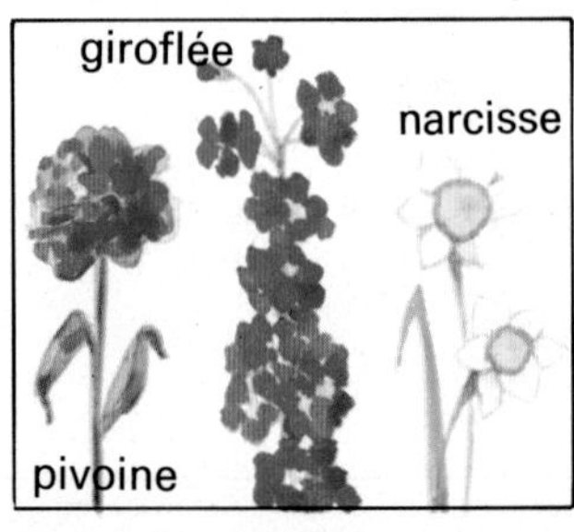
giroflée
narcisse
pivoine

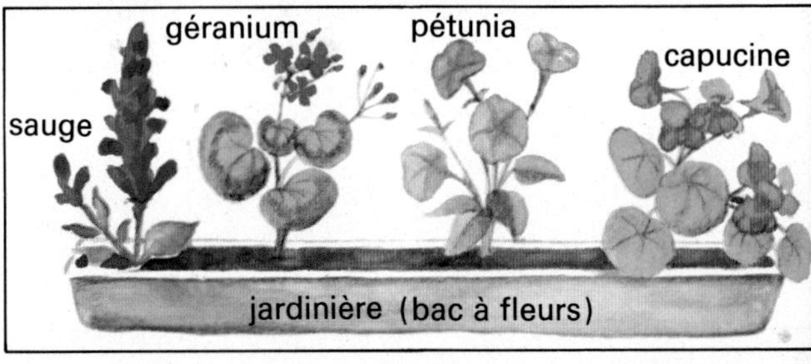
géranium
pétunia
capucine
sauge
jardinière (bac à fleurs)

auto-, au début d'un mot, indique souvent une action faite sur soi-même ou de soi-même : une AUTOCRITIQUE est une critique de ses propres actes, une enveloppe AUTOCOLLANTE se colle d'elle-même, sans qu'on la mouille.

auto ou **automobile** n. f. *L'*AUTO *est au garage* (= voiture). ◆ **automobile** adj. *Nous avons fait un rallye* AUTOMOBILE. ◆ **automobiliste** n. *M. Dupont est un* AUTOMOBILISTE *expérimenté* (= conducteur, chauffeur). ◆ **autobus** n. m. Un AUTOBUS assure un service régulier de transport en commun dans une ville. ◆ **autocar** n. m. Un AUTOCAR est destiné aux transports collectifs hors des villes. ◆ **autoroute** n. f. *Nous sommes allés à Lyon par l'*AUTOROUTE, une route sans croisement et à deux sens de circulation séparés. ◆ **auto-stop** n. m. *Des jeunes gens font de l'*AUTO-STOP *au bord de la route,* ils font signe aux automobilistes de les prendre à leur bord. ◆ **auto-stoppeur** n. *M. Dupont a embarqué les* AUTO-STOPPEURS.

▷ 505
▷ 217
▷ 506
▷ 507, 582

autographe n. m. *L'écrivain distribue des* AUTOGRAPHES, des signatures.

automate n. m. *Il marchait comme un* AUTOMATE, une machine qui imite les mouvements d'un être vivant. ◆ **automatique** adj. *L'emballage de ce produit est* AUTOMATIQUE, il se fait grâce à une machine. ◆ **automatiquement** adv. *Ce tourne-disque s'arrête* AUTOMATIQUEMENT.

automne n. m. *Les feuilles tombent, c'est l'*AUTOMNE. ▷ 125

automobile, automobiliste → AUTO. / **automoteur** → MOTEUR.

autonome adj. *Un territoire* AUTONOME s'administre librement. ◆ **autonomie** n. f. *Certaines régions réclament leur* AUTONOMIE.

autopsie n. f. *Pour déterminer les causes de la mort, on procède à l'*AUTOPSIE *du cadavre,* à l'examen médical.

autorail n. m. Un AUTORAIL est un véhicule circulant sur rails et muni d'un moteur à huile lourde. ▷ 508

autoriser v. *Le médecin* A AUTORISÉ *le malade à se lever,* il lui en a donné la permission (= permettre; ≠ interdire). ◆ **autorisation** n. f. *Vous devez demander une* AUTORISATION *d'absence.*

autorité n. f. **1.** *Ces employés sont sous l'*AUTORITÉ *d'un chef de service,* soumis à ses ordres. — **2.** *Pierre a de l'*AUTORITÉ *sur ses camarades* (= influence, poids). — **3.** (au plur.) *Les* AUTORITÉS sont les représentants *de l'État.* ◆ **autoritaire** adj. (sens 1) *Une personne* AUTORITAIRE impose avec force son autorité.

autoroute, auto-stop, auto-stoppeur → AUTO.

autour de prép. **1.** *Marie a une écharpe* AUTOUR DU *cou,* qui entoure son cou. — **2.** *Il a* AUTOUR DE *cinquante ans* (= environ). ◆ **autour** adv. (sens 1) *Le paquet s'est ouvert, mets une ficelle* AUTOUR.

autre adj. ou pron. *Montre-moi ton* AUTRE *main.* ‖ *Ce n'est pas le même, c'est un* AUTRE. ‖ *Il faut agir d'une* AUTRE *façon* (= différent). ◆ **autrement** adv. **1.** *Il faut s'y prendre* AUTREMENT (= différemment). — **2.** *Dépêchez-vous,* AUTREMENT *vous serez en retard* (= sinon).

754 ◁ **autrefois** adv. AUTREFOIS, *Paris s'appelait Lutèce,* il y a longtemps.

autrement → AUTRE.

581 ◁ **autruche** n. f. *L'*AUTRUCHE *court très vite,* un très grand oiseau.

autrui pron. *Ne convoite pas le bien d'*AUTRUI, celui des autres.

74 ◁ **auvent** n. m. *Un* AUVENT *nous protège du soleil,* un petit toit au-dessus d'une porte.

aux → À.

auxiliaire **1.** n. *Sa secrétaire est pour lui une* AUXILIAIRE *précieuse* (= aide, assistant). — **2.** n. m. *Les verbes «être» et «avoir» sont des* AUXILIAIRES *de conjugaison.* ◆ **auxiliaire** adj. (sens 1) *Des troupes* AUXILIAIRES *sont venues à notre secours.*

aval n. m. *Rouen est* EN AVAL DE *Paris sur la Seine,* plus loin de la source. ‖ *Le bateau va vers l'*AVAL (≠ amont).

652 ◁ **avalanche** n. f. *Une* AVALANCHE *a emporté le chalet,* une masse de neige qui s'est détachée du flanc d'une montagne.

avaler v. **1.** *J'*AI AVALÉ *un verre d'eau pour me désaltérer.* — **2.** Fam. *Tu ne me feras pas* AVALER *cette blague* (= croire).

avancer v. **1.** AVANCEZ *cette chaise!,* déplacez-la vers l'avant. ‖ *La troupe* AVANCE ou S'AVANCE (= approcher; ≠ reculer). — **2.** *M. Durand* A AVANCÉ *en grade,* atteint un grade plus élevé (= monter). — **3.** *As-tu* AVANCÉ *ton travail?* l'as-tu fait progresser? ‖ *Le travail n'*AVANCE *pas* (= s'accomplir). — **4.** *J'*AI AVANCÉ *mon départ,* je l'ai effectué plus tôt que prévu (≠ reculer, retarder). — **5.** *Cette montre* AVANCE *de cinq minutes : elle marque midi un quart et il n'est que midi dix* (≠ retarder). — **6.** *Je peux vous* AVANCER *de l'argent* (= prêter). ◆ **avance** n. f. **1.** (sens 1) *On n'a pu s'opposer à l'*AVANCE *de l'armée* (= progression; ≠ retard). • (sens 5) *Tu es en* AVANCE *d'une heure,* tu arrives une heure plus tôt que prévu (≠ retard). ‖ *J'ai su sa décision longtemps* À L'AVANCE, avant le moment fixé. • (sens 6) *Pouvez-vous me faire une* AVANCE *de cent francs?* (= prêt). — **2.** (au plur.) *M. Martin nous a fait des* AVANCES, il a cherché à entrer en relations avec nous. ◆ **avancement** n. m. (sens 2) *M. Durand a eu de l'*AVANCEMENT, il a monté en grade. • (sens 3) *Où en est l'*AVANCEMENT *de ton travail?* (= progrès, progression).

754 ◁ **avant** prép., adv., n. m. et adj. inv. **1.** *Il est arrivé* AVANT *moi,* plus tôt (≠ après). ‖ *Réfléchissez* AVANT D'*agir.* ‖ *Rentrons* AVANT QU'*il ne fasse*
727, 505 ◁ *nuit.* — **2.** *Il est tombé* EN AVANT. — **3.** *Les vagues fouettent l'*AVANT *du bateau.* — **4.** *La roue* AVANT *de ma bicyclette est voilée* (≠ arrière).

• **R.** *Avant* s'emploie au début de certains mots pour indiquer ce qui est devant *(avant-bras)* ou ce qui se passe avant *(avant-hier).*

avantage n. m. **1.** *Ce métier présente l'*AVANTAGE *d'une vie en plein air* (= agrément, intérêt; ≠ inconvénient). — **2.** *Ce concurrent a pris l'*AVANTAGE *sur son adversaire,* il lui a été supérieur (= le dessus). ◆ **avantager** v. (sens 2) *L'équipe adverse* A ÉTÉ AVANTAGÉE, on lui a donné un avantage. ◆ **avantageux** adj. (sens 1) *Il a fait un échange*

AVANTAGEUX (= intéressant, profitable). ◆ **avantageusement** adv. *Les livres ont remplacé* AVANTAGEUSEMENT *les parchemins.* ◆ **désavantage** n. m. *La discussion a tourné à son* DÉSAVANTAGE, il a eu le dessous. ◆ **désavantageux** adj. *Il se plaint que le partage soit* DÉSAVANTAGEUX *pour lui* (= défavorable). ◆ **désavantager** v. *Notre équipe* A ÉTÉ DÉSAVANTAGÉE *par la blessure d'un joueur* (= défavoriser, handicaper).

avant-bras, avant-dernier, avant-hier, avant-veille → BRAS, DERNIER, HIER, VEILLE.

avant-propos n. m. *L'auteur a expliqué ses intentions dans l'*AVANT-PROPOS (= introduction, préface).

avare adj. et n. **1.** *Cet homme n'est pas seulement économe, il est* AVARE, il aime amasser de l'argent et le conserver. ‖ *C'est un vieil* AVARE. — **2.** *M. Dupont est* AVARE DE *ses paroles,* il parle peu. ◆ **avarice** n. f. (sens 1) *Par* AVARICE, *il se prive même du nécessaire.*

avarie n. f. *La tempête a causé des* AVARIES *au bateau,* elle l'a endommagé. ◆ **avarié** adj. *Des fruits* AVARIÉS sont abîmés, pourris.

avec prép. **1.** *Paul se promène* AVEC *un ami,* en sa compagnie. — **2.** AVEC *quoi fait-on la bière?,* au moyen de quoi? — **3.** *M. Dupont conduit* AVEC *prudence,* d'une manière prudente.

avenant adj. *Il a un air* AVENANT (= aimable, accueillant).

avènement n. m. *À son* AVÈNEMENT, *Henri IV avait trente-six ans,* à son arrivée au pouvoir.

avenir n. m. **1.** *Il est difficile de prévoir l'*AVENIR, ce qui arrivera (= futur). — **2.** *Ce garçon songe à son* AVENIR, à sa situation future. — **3.** À L'AVENIR, *soyez plus prudents,* désormais, dorénavant. ▷ 754

aventure n. f. **1.** *Je me suis perdu : quelle* AVENTURE!, quel événement important et imprévu! — **2.** *Les explorateurs ont le goût de l'*AVENTURE, des entreprises qui comportent des risques. ◆ **s'aventurer** v. (sens 2) *Peu de bateaux* SE SONT AVENTURÉS *en mer par ce mauvais temps,* se sont risqués. ◆ **aventureux** adj. (sens 2) *Ce projet est* AVENTUREUX, peu sûr (= risqué). ◆ **aventurier** n. (sens 2) *Certains soldats mercenaires sont des* AVENTURIERS, des gens qui ont le goût des entreprises audacieuses, même malhonnêtes. ◆ **mésaventure** n. f. (sens 1) *Tomber en panne la nuit est une* MÉSAVENTURE (= malchance, accident).

avenue n. f. Une AVENUE est une large rue plantée d'arbres. ▷ 217

averse n. f. *Une* AVERSE *nous a surpris,* une pluie soudaine et courte.

aversion n. f. *Marie a de l'*AVERSION *pour M*[me] *Dubois,* elle ne l'aime pas du tout (= antipathie, répulsion).

avertir v. *Il faut l'*AVERTIR *du danger,* le prévenir, l'informer. ◆ **avertissement** n. m. *Il a eu tort de ne pas tenir compte de mes* AVERTISSEMENTS (= avis, mise en garde). ◆ **avertisseur** n. m. *Un* AVERTISSEUR *de voiture* est un appareil sonore pour avertir (= Klaxon).

aveu → AVOUER.

aveugle adj. et n. **1.** *Ce musicien est* AVEUGLE, il est privé de la vue. — **2.** *Il est* AVEUGLE *sur les défauts de ses enfants,* il ne les remarque pas. — **3.** *Il a en moi une confiance* AVEUGLE (= total, inébranlable). ◆ **aveugler** v. (sens 1) *Le soleil m'*AVEUGLE, il m'empêche de voir (= éblouir). ◆ **aveuglement** n. m. (sens 2) *Certains s'obstinent par* AVEUGLEMENT *dans l'erreur,* par manque total de jugement. ◆ **aveuglément** adv. (sens 2) *Obéir* AVEUGLÉMENT, c'est obéir sans réfléchir, sans discuter. ◆ **à l'aveuglette** adv. (sens 1) *Nous avancions* À L'AVEUGLETTE *dans la nuit,* sans voir où nous allions (= à tâtons).

aviateur, aviation → AVION.

avide adj. *Je suis* AVIDE *de connaître la vérité,* je le désire avec passion. ◆ **avidement** adv. *J'ai lu* AVIDEMENT *ce roman passionnant.* ◆ **avidité** n. f. *M. Durand est d'une* AVIDITÉ *insatiable en affaires* (= cupidité).

avilir → VIL. / **aviné** → VIN.

766, 511, 219 ◁ **avion** n. m. *Un* AVION *de transport s'est écrasé au sol.* ◆ **aviation** n. f. **1.** *L'*AVIATION *a commencé vers 1900,* la navigation aérienne. — **2.** *Une partie de l'*AVIATION *ennemie a été détruite,* des avions. ◆ **aviateur** n. Un AVIATEUR est celui qui pilote un avion. ◆ **porte-avions** n. m. inv. *La* 764 ◁ *piste d'envol de ce* PORTE-AVIONS *mesure 80 mètres de long,* de ce navire de guerre.

437 ◁ **aviron** n. m. *Les rameurs tirent sur les* AVIRONS (= rame).

avis n. m. **1.** *Je vous donne mon* AVIS *sur cette question* (= opinion, point de vue). — **2.** *On a affiché un* AVIS *à la population,* une note d'information (= avertissement) ◆ **aviser** v. **1.** (sens 2) *Il ne m'*A *pas* AVISÉ *de sa décision* (= informer). — **2.** *Je ne* M'ÉTAIS *pas* AVISÉ *de ce détail,* je ne l'avais pas remarqué. — **3.** *Ne* VOUS AVISEZ *pas de le contredire,* ne vous y risquez pas. ◆ **préavis** n. m. (sens 2) *Il est parti sans* PRÉAVIS, sans avertir personne.

avocat n. *Un* AVOCAT *est chargé de défendre l'accusé dans un procès.*

364 ◁ **avoine** n. f. *Les chevaux mangent de l'*AVOINE, une céréale.

avoir v. **1.** *J'*AI *un stylo* (= posséder). — **2.** AVOIR *du courage,* AVOIR *faim,* c'est être courageux, être affamé. — **3.** *Ce couloir* A *10 mètres de long* (= mesurer). — **4.** *Jean* A *onze ans,* c'est son âge. — **5.** *J'*AI *quelque chose* À *faire,* je dois le faire. — **6.** IL Y A *des gens dehors,* des gens sont là. ‖ IL Y A *longtemps,* cela fait longtemps. ◆ **avoir** n. m. (sens 1) *Je te confie tout mon* AVOIR, tout ce que je possède (= bien).

• **R.** *Avoir* sert d'auxiliaire de conjugaison : *j'*AI *vu.* ‖ Conj. p. 12.

avoisinant → VOISIN.

avorter v. **1.** *Une femme qui* AVORTE ne met pas vivant au monde l'enfant formé en elle. — **2.** *Un projet qui* AVORTE échoue avant sa réalisation. ◆ **avortement** n. m. (sens 1) *Une loi sur l'*AVORTEMENT *a été votée.*

avouer v. AVOUE *tes torts!* (= reconnaître; ≠ nier). ◆ **aveu** n. m. *Le juge a entendu les* AVEUX *de l'accusé,* ce qu'il a avoué. ◆ **inavouable** adj. *Un acte* INAVOUABLE est un acte honteux, déshonorant.

avril n. m. *Cette année, Pâques tombe au mois d'*AVRIL. ▷ 125

axe n. m. **1.** *L'*AXE *d'une roue* est la ligne ou la tige centrale autour de laquelle elle peut tourner. — **2.** *L'*AXE *d'une rue* est la ligne qui passe au milieu de cette rue.

azote n. m. *L'air est formé d'oxygène et d'*AZOTE, un gaz.

azur n. m. L'AZUR est le bleu du ciel.

220 ◁ **baba** n. m. *Nous avons savouré un* BABA, un gâteau arrosé de rhum.

babiller v. *Bébé* BABILLE *dans son berceau* (= gazouiller). ◆ **babillage** n. m. *Elles perdent leur temps en* BABILLAGES (= bavardage).

babines n. f. pl. *Inquiet, le chien retrousse ses* BABINES, ses lèvres.

babiole n. f. **1.** *Offrons-lui une* BABIOLE, un petit objet sans valeur. — **2.** *Tu t'inquiètes pour des* BABIOLES, des choses sans importance.

727 ◁ **bâbord** n. m. *Le bateau a tourné à* BÂBORD, à sa gauche (≠ tribord).

289, 80, 78 ◁ **1. bac** n. m. **1.** *La viande est conservée dans un* BAC *de matière plastique* (= récipient). — **2.** *On passe le fleuve sur un* BAC, un bateau qui peut contenir des voitures.

2. bac ou **baccalauréat** n. m. *On passe l'examen du* BACCALAURÉAT *à la fin des études secondaires.* ◆ **bachelier** n. *Ma sœur a obtenu son baccalauréat, la voilà* BACHELIÈRE.

222 ◁ **bâche** n. f. *On a recouvert la voiture d'une* BÂCHE, d'une toile imperméable.

bachelier → BAC 2.

bacille n. m. *La tuberculose est provoquée par un* BACILLE, un microbe.

bâcler v. Fam. *Ce travail* EST BÂCLÉ, on l'a fait trop rapidement.

bactérie n. f. *Sa maladie est causée par des* BACTÉRIES (= microbe).

badaud n. m. *L'accident a attiré une foule de* BADAUDS (= curieux).

badge n. m. *Pour se reconnaître, les enfants de la colonie portent un* BADGE *sur leur blouson* (= insigne).

badigeon n. m. *Le peintre a passé une couche de* BADIGEON *sur la façade.* ◆ **badigeonner** v. *Le pêcheur* BADIGEONNE *son bateau de goudron.*

badiner v. *Le professeur ne* BADINE *pas sur l'exactitude,* il n'accepte aucun retard (= plaisanter). ◆ **badinage** n. m. *Le* BADINAGE *a assez duré, passons aux choses sérieuses* (= plaisanterie).

bafouer v. **1.** *Nous* AVONS ÉTÉ BAFOUÉS, tournés en ridicule. — **2.** *On* A BAFOUÉ *le règlement,* on s'en est moqué (≠ respecter).

bafouiller v. Fam. *Jean* A BAFOUILLÉ *quelques excuses,* il les a dites de manière peu distincte (= bredouiller). ◆ **bafouillage** n. m. *Ton* BAFOUILLAGE *est incompréhensible.*

bagage n. m. **1.** *Nous avons entassé les* BAGAGES *dans la voiture,* les sacs, les valises, les paquets. — **2.** *Cet homme a un important* BAGAGE *scientifique* (= connaissances). ◆ **porte-bagages** n. m. inv. (sens 1) *Marie s'est assise sur le* PORTE-BAGAGES *de mon vélo.* ▷ 510 ▷ 512

bagarre n. f. *Au cours du bal, une* BAGARRE *a éclaté,* des gens se sont battus (= rixe). ◆ **se bagarrer** v. Fam. *Les manifestants* SE SONT BAGARRÉS *avec la police* (= se battre, lutter). ◆ **bagarreur** adj. et n. Fam. *Paul est très* BAGARREUR (= batailleur).

bagatelle n. f. *Ils se sont fâchés pour une* BAGATELLE, pour une chose sans importance (= futilité).

bagne n. m. *Certains condamnés étaient envoyés au* BAGNE, une sorte de prison (= pénitencier). ◆ **bagnard** n. m. *Un* BAGNARD *était un forçat.*

bagout ou **bagou** n. m. Fam. *Pour être un bon vendeur, il faut avoir du* BAGOUT, parler avec facilité (= avoir la langue bien pendue).

bague n. f. *Elle a une grosse* BAGUE *au doigt,* un bijou (= anneau). ▷ 220

baguette n. f. **1.** *Jean m'a frappé avec une* BAGUETTE, un bâton mince. — **2.** *Va chez le boulanger acheter une* BAGUETTE, un pain long et mince. ▷ 438 ▷ 220

bah! interj. exprime l'indifférence : BAH! *Tout s'arrangera.*

bahut n. m. *L'antiquaire nous a vendu un* BAHUT *breton,* un buffet bas. ▷ 224

baie n. f. **1.** *Les mûres, les groseilles sont des* BAIES, de petits fruits à pépins. — **2.** *Le soleil entre à flots par la* BAIE *vitrée,* la grande fenêtre. — **3.** *Ici la côte se creuse, formant une* BAIE, un petit golfe (= anse). ▷ 145 ▷ 724

baigner v. **1.** *Nous* NOUS SOMMES BAIGNÉS *dans la rivière,* nous nous sommes plongés dans l'eau. — **2.** *Jean a le visage* BAIGNÉ *de sueur* (= mouiller, inonder). — **3.** *Les cornichons* BAIGNENT *dans le vinaigre* (= tremper). ◆ **baignade** n. f. (sens 1) *C'est l'heure de la* BAIGNADE, de se baigner. || *Dans la rivière, on a aménagé une* BAIGNADE, un endroit pour se baigner. ◆ **baigneur** n. (sens 1) *Le beau temps a attiré sur la plage une foule de* BAIGNEURS. ◆ **baignoire** n. f. **1.** (sens 1) *En faisant sa toilette, il a fait déborder la* BAIGNOIRE. — **2.** Au théâtre, une BAIGNOIRE est une sorte de loge. ◆ **bain** n. m. **1.** (sens 1) *J'ai pris un* BAIN, je me suis baigné. — **2.** *Jeanne prend un* BAIN DE SOLEIL *sur la terrasse,* elle se fait bronzer. || *Le président prend un* BAIN DE FOULE, il se mêle à la foule. ◆ **bain-marie** n. m. (sens 3) *Des entremets cuisent au* BAIN-MARIE, dans un récipient qui baigne dans une casserole d'eau bouillante. ◆ **balnéaire** adj. (sens 1) *Ses belles plages font de cette ville une station* BALNÉAIRE *réputée.* ▷ 437 ▷ 722 ▷ 79/440

bail n. m. *J'ai signé le* BAIL *de l'appartement,* le contrat fixant le prix et la durée de la location.

• **R.** Le pluriel est *baux,* qui se prononce [bo] comme *beau.*

bâiller v. *Jeanne* BÂILLE *de fatigue,* elle ouvre la bouche toute grande. ◆ **bâillement** n. m. *Jean a étouffé un* BÂILLEMENT *derrière la main.*

bâillon n. m. *Le gangster a mis un* BÂILLON *à sa victime,* un bandeau sur la bouche. ◆ **bâillonner** v. *Le caissier a été retrouvé* BÂILLONNÉ.

bain, bain-marie → BAIGNER.

baïonnette n. f. *On met une* BAÏONNETTE *au bout d'un fusil de guerre,* un long couteau.

baiser n. m. *Donner un* BAISER *à quelqu'un,* c'est l'embrasser. ◆ **baiser** v. *Ce vieux monsieur* BAISE *la main des dames pour les saluer.*

baisse, baisser → BAS 1.

bajoues n. f. pl. *Cette vieille dame a des* BAJOUES, ses joues pendent.

bal n. m. *Marie et Pierre sont allés au* BAL, ils sont allés danser.
• **R.** *Bal* se prononce [bal] comme *balle.*

balade n. f. Fam. *Il est parti en* BALADE, en promenade. ◆ **se balader** v. Fam. *Allons* NOUS BALADER, nous promener.

balafre n. f. *Il s'est fait une* BALAFRE *en se rasant,* une longue entaille. ◆ **balafré** adj. *Un visage* BALAFRÉ est marqué d'une longue cicatrice.

balai → BALAYER.

223, 222 ◁ **balance** n. f. *L'épicier m'a pesé un kilo d'oranges sur sa* BALANCE.

balancer v. **1.** *Le vent* BALANCE *la cime des arbres,* il la fait bouger d'un côté et de l'autre. — **2.** *Les enfants* SE BALANCENT *dans le jardin,* jouent à la balançoire. ◆ **balancement** n. m. (sens 1) *Le* BALANCEMENT *du bateau m'a donné le mal de mer* (= mouvement, oscillation). ◆ **balançoire** n. f. (sens 2) *Les enfants jouent à la* BALANÇOIRE, sur un siège qui les fait monter et descendre. ◆ **balancier** n. m. (sens 1) *Le* BALANCIER *de l'horloge est immobile, elle est arrêtée.*
437, 73 ◁
220 ◁

balayer v. **1.** *Le concierge* BALAIE *l'escalier,* il le nettoie avec un balai. — **2.** *Le vent* BALAIE *les nuages,* il les pousse devant lui (= chasser). ◆ **balai** n. m. (sens 1) *Donne un coup de* BALAI *dans la cuisine!* ◆ **balayage** n. m. (sens 1) *Le* BALAYAGE *de la chambre est terminé.* ◆ **balayeur** n. (sens 1) *Les* BALAYEURS *municipaux ramassent les feuilles mortes.* ◆ **balayette** n. f. (sens 1) Une BALAYETTE est un petit balai. ◆ **balayure** n. f. (sens 1) *On ramasse les* BALAYURES *avec une pelle,* les saletés.
652, 223 ◁
• **R.** *Balai* se prononce [balɛ] comme *ballet.*

balbutier v. *L'homme, embarrassé,* A BALBUTIÉ *une excuse,* il l'a prononcée confusément (= bredouiller).
• **R.** On prononce [balbysje].

75 ◁ **balcon** n. m. **1.** *Les gens étaient sur leur* BALCON *pour voir passer le*
440 ◁ *défilé.* — **2.** *Les places de* BALCON *dans un théâtre sont situées en hauteur.*

584 ◁ **baleine** n. f. **1.** *Une* BALEINE *peut peser 150 tonnes,* un animal marin. — **2.** *Les* BALEINES *du parapluie* sont les tiges de fer qui tendent le tissu.
584 ◁ ◆ **baleinier** n. m. (sens 1) Les BALEINIERS sont des bateaux équipés pour la pêche à la baleine. ◆ **baleinière** n. f. *À bord du paquebot, il y a plusieurs* BALEINIÈRES (= canot, chaloupe).

727, 511 ◁ **balise** n. f. *Ce rocher isolé est signalé aux navigateurs par une* BALISE, un repère visible de loin. ◆ **baliser** v. *La piste d'atterrissage* EST BALISÉE, signalée par des balises. ◆ **balisage** n. m. *Le* BALISAGE *des routes est réalisé par des panneaux.*

balivernes n. f. pl. *Ne le crois pas, il raconte des* BALIVERNES, des choses sans intérêt (= sornettes, sottises).

ballant adj. *Il reste immobile, les bras* BALLANTS, ses bras pendent.

ballast n. m. **1.** *La voie ferrée est posée sur le* BALLAST, des pierres cassées. — **2.** *Le sous-marin ouvre ses* BALLASTS *pour plonger,* ses compartiments de remplissage. ▷ 509 ▷ 764

balle n. f. **1.** *La* BALLE *de tennis a frôlé le filet.* — **2.** *M. Durand a tiré une* BALLE *de carabine,* un projectile. ◆ **ballon** n. m. **1.** (sens 1) *Un* BALLON *de football est rond, un* BALLON *de rugby est ovale.* — **2.** *Autrefois on faisait des voyages en* BALLON, au moyen d'un appareil gonflé d'un gaz léger. ◆ **ballonné** adj. *Le malade a le ventre* BALLONNÉ, gonflé. ◆ **ballot** n. m. *Voilà un* BALLOT *de linge sale* (= paquet). ▷ 35 ▷ 763 ▷ 35 ▷ 577

• **R.** V. BAL.

ballet n. m. *L'Opéra donne un spectacle de* BALLET, de danse. ◆ **ballerine** n. f. *Marie voudrait être* BALLERINE, danseuse de ballet.

• **R.** V. BALAI.

ballon, ballonné, ballot → BALLE.

ballottage n. m. *L'élection a abouti à un* BALLOTTAGE, aucun candidat n'a eu assez de voix pour être élu.

ballotter v. *Le canot* EST BALLOTTÉ *par les vagues,* secoué en tous sens.

balnéaire → BAIGNER.

balourd adj. *Pierre est* BALOURD, il manque de finesse (= lourd).

balustrade n. f. *Le promeneur s'appuie à la* BALUSTRADE *du pont* (= parapet). ▷ 75

bambin n. m. Un BAMBIN est un petit enfant.

bambou n. m. *Ma canne à pêche est en* BAMBOU, une sorte de bois.

ban n. m. **1.** *Il y a eu un* BAN *en l'honneur du chanteur,* on a applaudi en cadence. — **2.** (au plur.) *Les* BANS *de mariage sont publiés,* une affiche annonce le mariage à la mairie.

• **R.** V. BANC.

banal adj. *Ce roman raconte une histoire* BANALE, sans originalité (= commun, ordinaire; ≠ nouveau, remarquable). ◆ **banalisé** adj. *Ces policiers circulent dans des voitures* BANALISÉES, que rien ne permet de reconnaître. ◆ **banalité** n. f. *La conversation n'a été qu'un échange de* BANALITÉS, de propos sans intérêt (= platitude).

banane n. f. *Mange ta* BANANE!, un fruit allongé à grosse peau jaune. ◆ **bananier** n. m. **1.** *La banane est le fruit du* BANANIER. — **2.** *Les bananes sont transportées dans des navires appelés* BANANIERS. ▷ 580 ▷ 580 ▷ 726

banc n. m. **1.** *Asseyons-nous sur un* BANC *du parc!,* un siège allongé. — **2.** *Un* BANC *de sable barre l'entrée du port à marée basse,* une masse de sable accumulé. — **3.** *Les sardines se déplacent par* BANCS, elles se groupent par milliers. ▷ 74, 219 ▷ 721

• **R.** *Banc* se prononce [bɑ̃] comme *ban.*

bancaire → BANQUE.

bancal adj. *Une table* BANCALE a des pieds de longueurs inégales.

38 ◁ **bande** n. f. **1.** *Une* BANDE *de tissu* est mince et allongée (= ruban, lanière). — **2.** *On peut enregistrer de la musique sur une* BANDE MAGNÉTIQUE. — **3.** Une BANDE DESSINÉE est une suite de dessins illustrant une histoire. — **4.** *Une* BANDE *de loups a attaqué des moutons* (= groupe). ◆ **bandeau** n. m. (sens 1) *Ses cheveux sont tenus par un* BANDEAU, une sorte de ruban. ◆ **bander** v. **1.** (sens 1) BANDER *une cheville,* c'est l'entourer d'une bande de tissu. — **2.** BANDER *un arc,* c'est le tendre.
38 ◁ ◆ **bandage** n. m. (sens 1) *Le* BANDAGE *s'est desserré, la cheville n'est plus*
512, 361 ◁ *maintenue* (= pansement). ◆ **banderole** n. f. (sens 1) *Des* BANDEROLLES *sont tendues dans les rues pendant les fêtes,* des bandes de tissu avec des inscriptions.

bandit n. m. *Le caissier a été attaqué par deux* BANDITS (= malfaiteur).

37 ◁ **bandoulière** n. f. *Jean porte un sac* EN BANDOULIÈRE, avec une courroie passant sur une épaule et barrant le corps en biais.

banlieue n. f. *J'habite en* BANLIEUE, dans une commune près d'une grande ville. ◆ **banlieusard** n. m. *Beaucoup de* BANLIEUSARDS *viennent travailler en ville,* des habitants de la banlieue.

438, 147 ◁ **bannière** n. f. *La société sportive défile,* BANNIÈRE *en tête* (= drapeau).

bannir v. *Le congrès* A BANNI *le recours à la violence* (= rejeter; ≠ permettre).

banque n. f. *Les* BANQUES *font le commerce de l'argent.* ◆ **bancaire** adj. *J'ai payé mes achats avec un chèque* BANCAIRE, un chèque que le commerçant pourra toucher dans une banque. ◆ **banquier** n. m. *Ce* BANQUIER *est un homme très riche.*

banquet n. m. *Après la cérémonie, un* BANQUET *réunira les invités,* un grand repas (= festin).

508 ◁ **banquette** n. f. *Cette voiture a une* BANQUETTE *à l'avant,* un siège pour plusieurs personnes.

banquier → BANQUE.

banquise n. f. *Près des pôles, les navires sont parfois prisonniers de la*
584 ◁ BANQUISE, de la mer gelée.

580 ◁ **baobab** n. m. Le BAOBAB est un grand arbre d'Afrique au tronc énorme.

baptiser v. **1.** *Le prêtre verse l'eau sur le front de celui qu'il* BAPTISE, à qui il administre le baptême. — **2.** *Comment as-tu* BAPTISÉ *ton chien?,* quel
148 ◁ nom lui as-tu donné? ◆ **baptême** n. m. (sens 1) *Au moment du* BAPTÊME, *l'enfant reçoit son prénom,* le sacrement par lequel on devient chrétien. ◆ **débaptiser** v. (sens 2) *On* A DÉBAPTISÉ *cette rue,* on a changé son nom.
• **R.** On ne prononce pas le *p :* [batize, batɛm].

362 ◁ **baquet** n. m. *L'eau de la gouttière tombe dans un* BAQUET, un récipient.

bar n. m. **1.** *Allons boire un verre dans un* BAR (= café). — **2.** *L'ivrogne a passé son après-midi devant le* BAR, devant le comptoir où l'on sert des boissons. ◆ **barman** n. m. *Le* BARMAN *sert les consommations* (= garçon).
• **R.** *Bar* se prononce [bar] comme *barre.*

baragouiner v. *John* BARAGOUINE *le français,* il le parle mal.

baraque n. f. *Les outils de jardin sont rangés dans une* BARAQUE, une petite cabane en planches. ◆ **baraquement** n. m. *Les réfugiés étaient logés dans des* BARAQUEMENTS, des constructions provisoires. ▷ 436

barbare 1. adj. et n. *Ce chef d'État* BARBARE *a fait fusiller des innocents* (= cruel, féroce). — **2.** adj. *Cette notice est pleine de mots* BARBARES (= incorrect). ◆ **barbarie** n. f. (sens 1) *Cette exécution est un acte de* BARBARIE (= cruauté, férocité). ◆ **barbarisme** n. m. (sens 2) *En écrivant «je chanta» au lieu de «je chantai» tu as fait un* BARBARISME, une grosse faute.

barbe n. f. *Mon frère ne se rase plus, il se laisse pousser la* BARBE. ◆ **barbiche** n. f. *Le menton de la chèvre est orné d'une* BARBICHE, d'une touffe de poils. ◆ **barbier** n. m. *Autrefois les hommes se faisaient raser chez le* BARBIER. ◆ **barbu** n. et adj. *Pierre est* BARBU, il a une barbe. ◆ **imberbe** adj. *Être* IMBERBE, c'est ne pas avoir de barbe. ▷ 33

barbecue n. m. *On a fait griller des saucisses au* BARBECUE, sur un petit fourneau fonctionnant en plein air au charbon de bois.

• **R.** On prononce [barbəkju].

barbelé adj. *Le fil de fer* BARBELÉ *est hérissé de pointes.* ▷ 763

barbiche, barbier → BARBE.

barboter v. *Les canards* BARBOTENT *dans la mare,* s'agitent dans l'eau.

barbouiller v. **1.** *Son visage* EST BARBOUILLÉ *de chocolat,* il en est sali. — **2.** *Avoir le cœur* BARBOUILLÉ, c'est avoir mal au cœur. ◆ **barbouillage** n. m. (sens 1) *Ce n'est pas un dessin, c'est du* BARBOUILLAGE! ◆ **débarbouiller** v. (sens 1) *Va* TE DÉBARBOUILLER (= se laver).

barbu → BARBE.

barder v. **1.** BARDER *une volaille,* c'est l'entourer d'une barde. — **2.** *Ce général a la poitrine* BARDÉE *de décorations* (= couvrir). ◆ **barde** n. f. (sens 1) *Le boucher met une* BARDE *autour du rôti,* une tranche de lard.

barème n. m. *Pour calculer ses prix, le commerçant consulte son* BARÈME, une liste de calculs tout faits.

baril n. m. *Le* BARIL *de poudre va exploser,* le petit tonneau.

bariolé adj. *Marie a une robe* BARIOLÉE, avec des dessins de couleurs vives et variées.

barman → BAR.

baromètre n. m. *Les navigateurs surveillent le* BAROMÈTRE, un appareil servant à prévoir le temps.

baron n. m., **baronne** n. f. BARON, *duc, comte sont des titres de noblesse.* ‖ *La femme d'un baron est une* BARONNE.

baroque adj. **1.** *Une sculpture, un tableau de style* BAROQUE se caractérisent par une surabondance d'ornements. — **2.** *Pierre a des idées* BAROQUES, qui choquent par leur étrangeté (= bizarre, extravagant).

721, 437 ◁ **barque** n. f. *Pour se promener sur le lac, on peut louer des* BARQUES, des petits bateaux à rames. ◆ **barquette** n. f. *Des* BARQUETTES *aux fraises* sont des petits gâteaux en forme de barque.

barrage → BARRIÈRE.

barre n. f. **1.** *Une* BARRE *de fer* est un morceau de fer allongé. — **2.** *Une* BARRE *de mesure* est en musique un trait vertical séparant deux mesures. — **3.** *Le témoin est appelé à la* BARRE, il se présente devant les juges. — **4.** *Les bateaux ne peuvent franchir la* BARRE, la ligne de hautes vagues près 765, 726 ◁ du rivage. — **5.** *Le capitaine tient la* BARRE *du bateau,* il le dirige en 76 ◁ actionnant le gouvernail. ◆ **barreau** n. m. (sens 1) *Un* BARREAU *de l'échelle est cassé,* une petite barre. • (sens 3) *Entrer au* BARREAU, c'est devenir avocat. ◆ **barrer** v. (sens 2) *Son devoir est plein de mots* BARRÉS, rayés d'un trait. • (sens 5) *Pierre* BARRE *un voilier,* il tient la barre. ◆ **barreur** n. m. (sens 5) *Le bateau a gagné la course grâce à son excellent* BARREUR.

barrette n. f. *Marie retient ses cheveux à l'aide d'une* BARRETTE, une petite pince allongée.

barreur → BARRE. / **barrer** → BARRE et BARRIÈRE.

508, 73 ◁ **barrière** n. f. *Les* BARRIÈRES *du passage à niveau empêchent les voitures de passer,* elles barrent la route. ◆ **barrer** v. *Pendant les travaux, la rue* EST BARRÉE (= boucher; ≠ ouvrir). ◆ **barrage** n. m. **1.** *Les policiers ont installé un* BARRAGE *sur la route,* ils l'ont barrée. — **2.** *On a construit un* 651 ◁ BARRAGE *sur le fleuve,* un grand mur pour retenir l'eau. ◆ **barricade** n. f. *Les manifestants élèvent une* BARRICADE, ils entassent des objets pour barrer le passage. ◆ **barricader** v. BARRICADER *une porte,* c'est la fermer solidement.

579 ◁ **barrique** n. f. *M. Durand a acheté une* BARRIQUE *de vin* (= tonneau).

barrir v. *L'éléphant* BARRIT, il crie. ◆ **barrissement** n. m. Le BARRISSEMENT est le cri de l'éléphant.

baryton n. m. *Ce chanteur est un* BARYTON, sa voix se situe entre celles du ténor et de la basse.

76 ◁ **1. bas** adj. **1.** *Dans le salon, il y a une table* BASSE (≠ haut). — **2.** *Chut! il dort, parlez* À VOIX BASSE!, doucement (≠ fort). — **3.** *Il a acheté sa voiture* À BAS PRIX, peu cher (≠ élevé). — **4.** *M*[me] *Dupont a un enfant* EN BAS ÂGE, très jeune. — **5.** *La manière dont il s'est vengé est* BASSE (= méprisable, infâme, odieux; ≠ noble). ◆ **bas** n. m. (sens 1) *Signez au* BAS *de la page,* dans la partie inférieure (≠ haut). ◆ **bas** adv. **1.** (sens 1) *Le temps est orageux, les hirondelles volent* BAS (≠ haut). — **2.** *Le malade est au plus* BAS, en mauvais état. — **3.** *La chatte a* MIS BAS *cette nuit,* elle a eu ses petits. — **4.** À BAS *la dictature!,* il faut la renverser (≠ vive). ◆ **basse** n. f. *Ce chanteur est une* BASSE, il a une voix grave. ◆ **bassement** adv. (sens 5) *En se vengeant ainsi, il s'est conduit* BASSEMENT, très mal. ◆ **bassesse** n. f. (sens 5) *En le dénonçant, tu as commis une* BASSESSE, un acte infâme. ◆ **basset** n. m. (sens 1) Le BASSET est un chien bas sur pattes. ◆ **baisser** v. (sens 1) BAISSE *la vitre de la voiture!,* mets-la plus bas (= abaisser; ≠ relever). ‖ *La mer* BAISSE (= descendre; ≠ monter). ‖ *Il*

S'EST BAISSÉ *pour ramasser son crayon* (≠ se lever). • (sens 2) BAISSE *le son du poste de radio!*, mets-le moins fort (= diminuer). • (sens 3) *Le prix des légumes a baissé* (= diminuer; ≠ s'élever). ‖ *Sa vue* BAISSE (= s'affaiblir). • (sens 5) *Pierre* BAISSE *dans mon estime*, je l'estime moins qu'avant. ◆ **baisse** n. f. (sens 3) *Il faut profiter de la* BAISSE *des prix pour acheter* (= diminution; ≠ hausse). ◆ **abaisser** v. (sens 1) *On* A ABAISSÉ *le mur du jardin* (= baisser; ≠ surélever). • (sens 5) *Je ne* M'ABAISSERAI *pas à le supplier*, je ne manquerai pas de dignité (= s'avilir). ◆ **abaissement** n. m. (sens 2) *On note un* ABAISSEMENT *de la température* (= diminution). ◆ **rabaisser** v. (sens 5) *Mon frère cherche à me* RABAISSER (= abaisser, déprécier). ◆ **rabais** n. m. (sens 3) *Le vendeur m'a fait un* RABAIS, un prix plus bas (= remise).

2. bas n. m. *Ma sœur a retiré ses* BAS *en Nylon : elle a les jambes nues.*

basalte n. m. Le BASALTE est une roche volcanique qui forme parfois des colonnes appelées *orgues* BASALTIQUES.

basané adj. *Ces paysans ont la peau* BASANÉE, brune, bronzée.

bas-côté → CÔTÉ.

bascule n. f. **1.** *Papa se balance sur son fauteuil* À BASCULE, qui oscille d'avant en arrière. — **2.** *On pèse des camions sur cette* BASCULE, une balance pour peser de gros objets. ◆ **basculer** v. (sens 1) *La voiture* A BASCULÉ *dans le fossé*, elle s'est renversée (= culbuter). ▷ 76 ▷ 361

base n. f. **1.** *La* BASE *de la montagne* est sa partie inférieure (≠ sommet). — **2.** *La* BASE *du triangle* est le côté opposé au sommet. — **3.** *Après l'exercice, les militaires sont rentrés à leur* BASE, là où ils sont installés. — **4.** *Les dirigeants des syndicats ont consulté la* BASE, l'ensemble des adhérents. — **5.** *Ce projet est à la* BASE *de notre désaccord* (= origine). ◆ **baser** v. (sens 3) *Des troupes* SONT BASÉES *dans la ville*, elles y ont leur base. • (sens 5) *Son raisonnement* EST BASÉ *sur une erreur* (= établir).

bas-fond → FOND.

basilique n. f. *L'église du Sacré-Cœur, à Paris, est une* BASILIQUE, elle a reçu ce titre du pape.

basket-ball ou **basket** n. m. *Jean est grand, il joue bien au* BASKET-BALL, un sport de ballon. ▷ 35
• **R.** On prononce [baskɛtbol, baskɛt].

bas-relief → RELIEF. / **basse** → BAS 1.

basse-cour n. f. *On élève les poules et les canards dans la* BASSE-COUR. ▷ 362

bassement, bassesse, basset → BAS 1.

bassin n. m. **1.** *Dans le parc, il y a un* BASSIN *plein de poissons rouges* (= pièce d'eau). — **2.** *M. Dupont a mis son bateau dans le* BASSIN, dans la partie la plus abritée du port. — **3.** Le BASSIN parisien est une vaste région en forme de cuvette. — **4.** *Un* BASSIN *houiller* est une région contenant des gisements de houille. — **5.** *Dans l'accident, il a eu une fracture du* BASSIN, des os de la base du tronc. ◆ **bassine** n. f. *Elle lave son linge dans une* BASSINE, un récipient en métal ou en matière plastique. ▷ 73, 219 ▷ 727 ▷ 40 ▷ 79

726 ◁ **bastingage** n. m. *Jean s'est accoudé au* BASTINGAGE, à la paroi qui borde le pont du bateau.

bastion n. m. *Les fortifications comportaient des parties en saillie appelées* BASTIONS.

361 ◁ **bât** n. m. *L'âne porte deux gros ballots fixés à un* BÂT, une sorte de selle.

bataille, batailler, batailleur → BATTRE.

bataillon n. m. *Un* BATAILLON *est commandé par un commandant,* une unité militaire.

bâtard **1.** adj. et n. *Un chien* BÂTARD n'est pas de race pure. — **2.** n. m.
220 ◁ *Le boulanger vend des* BÂTARDS, une sorte de pain.

761, 726 ◁ **bateau** n. m. *Dans le port il y a toutes sortes de* BATEAUX : des barques, des navires, des voiliers, des paquebots, etc. ◆ **batelier** n. *Les* BATELIERS *ont amarré leurs péniches devant l'écluse* (= marinier).

bâti → BÂTIR.

batifoler v. *Les chiots* BATIFOLENT *dans le jardin* (= jouer, folâtrer).

bâtir v. **1.** *Le maçon* BÂTIT *une maison* (= construire). — **2.** *La couturière* BÂTIT *une jupe,* elle assemble les morceaux de tissu. ◆ **bâti** adj. *M. Dupont est un homme* BIEN BÂTI, solide et bien fait. ◆ **bâtiment** n. m.
145 ◁ **1.** (sens 1) *Ce groupe d'immeubles comprend six* BÂTIMENTS (= construction). ‖ *Les maçons, les couvreurs, les peintres, les menuisiers sont des ouvriers du* BÂTIMENT, qui travaillent dans l'industrie de la construction.
764 ◁ — **2.** *Un* BÂTIMENT *de guerre* est un navire de guerre. ◆ **bâtisse** n. f. (sens 1) *Ils habitent une grande* BÂTISSE, une grande maison sans caractère.

bâton n. m. **1.** *Le voyageur marchait en s'appuyant sur un* BÂTON *taillé dans une branche,* un bout de bois. — **2.** *Un* BÂTON *de craie, de rouge à lèvres* a la forme allongée d'un bâton. ◆ **bâtonnet** n. m. (sens 2) *Pendant la leçon de calcul, les petits comptent des* BÂTONNETS, des petits bâtons.

434 ◁ **batracien** n. m. *La grenouille, le crapaud sont des* BATRACIENS.

battage, battant, battement → BATTRE.

505 ◁ **batterie** n. f. **1.** *La voiture ne démarre pas, la* BATTERIE *est à plat,* les
439 ◁ accus. — **2.** *Jean joue de la* BATTERIE *dans un orchestre de jazz,* d'un instrument de percussion. ◆ **batteur** n. m. (sens 2) *Jean est le* BATTEUR *de l'orchestre.*

batteur → BATTERIE et BATTRE.

battre v. **1.** *Le chien hurle parce que quelqu'un l'*A BATTU, lui a donné des coups (= frapper). ‖ *Cet enfant* SE BAT *souvent avec ses camarades.* — **2.** *Je l'*AI BATTU *aux échecs,* j'ai gagné la partie (= vaincre). — **3.** *Marie* BAT *des blancs d'œufs en neige* (= fouetter). — **4.** *Ferme la porte : elle* BAT (= taper). — **5.** *Les promeneurs* ONT BATTU *la forêt en tous sens* (= parcourir, explorer). — **6.** *L'armée* A BATTU EN RETRAITE, elle a reculé. ◆ **bataille** n. f. (sens 1) *Les deux armées se sont livré* BATAILLE, elles se sont battues. ◆ **batailler** v. (sens 1) *Les syndicats* ONT *longtemps*

BATAILLÉ *pour obtenir ce droit* (= combattre). ◆ **batailleur** adj. (sens 1) *Une fille* BATAILLEUSE aime se battre (= bagarreur). ◆ **battage** n. m. (sens 3) *Après la moisson, le* BATTAGE *du blé commence,* on bat le blé pour en récolter les grains. ◆ **batteur** n. m. (sens 3) *La cuisinière bat la crème avec un* BATTEUR *électrique.* ◆ **batteuse** n. f. (sens 3) *Les agriculteurs ont loué une* BATTEUSE, une machine qui bat le blé. ◆ **battant** n. m. (sens 4) *Le* BATTANT *de la cloche* est sa partie mobile. ◆ **battant** adj. (sens 1) *Une pluie* BATTANTE est une forte pluie. ◆ **battement** n. m. **1.** (sens 4) *Écoute les* BATTEMENTS *de mon cœur.* — **2.** *Il y a cinq minutes de* BATTEMENT *entre les séances,* d'intervalle. ◆ **battu** adj. **1.** *Le sol de cette ferme est en terre* BATTUE, en terre durcie. — **2.** *Des yeux* BATTUS sont des yeux cernés par la fatigue. ◆ **battue** n. f. (sens 5) *Les chasseurs organisent une* BATTUE, ils parcourent la forêt pour rabattre le gibier. ◆ **imbattable** adj. (sens 2) *Ce coureur est* IMBATTABLE, on ne peut pas le battre.

▷ 148

● **R.** Conj. nº 56.

baudet n. m. On appelle parfois un âne un BAUDET.

baudruche n. f. *Les enfants gonflent des ballons de* BAUDRUCHE, de caoutchouc très fin.

baume n. m. *On a soigné sa brûlure avec un* BAUME, une pommade.

bavard adj. et n. *Marie est* BAVARDE, elle parle trop. ◆ **bavarder** v. *En attendant la sortie des écoliers, les mères* BAVARDENT (= causer). ◆ **bavardage** n. m. *Ne perdez pas votre temps en* BAVARDAGES (= parlote).

bave n. f. *Le chien a sali le parquet avec sa* BAVE, avec la salive qui coule de sa gueule. ◆ **baver** v. *Les bébés* BAVENT. ◆ **baveux** adj. *Une omelette* BAVEUSE est un peu liquide à l'intérieur. ◆ **bavoir** n. m. *Bébé porte un* BAVOIR, une petite serviette. ◆ **bavure** n. f. *Ce coloriage est plein de* BAVURES, les couleurs dépassent le contour du dessin.

bazar n. m. Les BAZARS sont des magasins où l'on vend un peu de tout.

béant adj. *Un sac* BÉANT est largement ouvert.

béat adj. *Il sourit d'un air* BÉAT, à la fois satisfait et un peu niais. ◆ **béatement** adv. *Quand on le complimente, il sourit* BÉATEMENT. ◆ **béatitude** n. f. *Son visage rayonnait de* BÉATITUDE (= satisfaction).

beau adj. **1.** *Jean a fait un* BEAU *dessin* (≠ laid). — **2.** *Nous avons vu un* BEAU *match à la télé* (= réussi). — **3.** *Ce n'est pas* BEAU *de mentir!* (= bien). — **4.** *Mon grand-père a laissé un* BEL *héritage* (= gros, considérable). — **5.** *En voilà une* BELLE *excuse!* (= mauvaise). — **6.** *Cette aventure lui arriva un* BEAU *matin,* un certain matin, alors qu'il ne s'y attendait pas. ◆ **beau** n. m. (sens 1) *Le chien* FAIT LE BEAU, il se dresse sur ses pattes de derrière. ◆ **beau** adv. *Il* A BEAU *pleuvoir, je sors,* bien qu'il pleuve. ◆ **de plus belle** adv. *Il pleure* DE PLUS BELLE, plus fort qu'avant. ◆ **beauté** n. f. (sens 1) *Je suis émerveillé par la* BEAUTÉ *de ce paysage* (≠ laideur). ‖ *Cette femme est une* BEAUTÉ. ◆ **embellir** v. (sens 1) *Le papier peint* EMBELLIT *la pièce,* la rend plus belle. ‖ *Cette enfant* EMBELLIT, elle devient plus belle.

● **R.** L'adjectif *beau* devient *bel* devant une voyelle ou un « h » muet : *un bel homme.* ‖ V. BAIL.

beaucoup adv. **1.** *Il mange* BEAUCOUP, en grande quantité. ‖ *Il a* BEAUCOUP *d'amis,* un grand nombre d'amis (≠ peu). — **2.** *Son frère est* DE BEAUCOUP *le plus âgé* (= de loin; ≠ de peu).

beau-fils n. m., **belle-fille** n. f. **1.** *Mon* BEAU-FILS *est le mari de ma fille*
547 ◁ (= gendre). ‖ *Ma* BELLE-FILLE *est la femme de mon fils* (= bru). — **2.** *Cette dame a un* BEAU-FILS, *une* BELLE-FILLE, un enfant que son mari a eu d'un précédent mariage. ◆ **beau-frère** n. m., **belle-sœur** n. f. **1.** *Les sœurs de ma femme sont mes* BELLES-SŒURS. — **2.** *L'épouse de mon frère est ma* BELLE-SŒUR. ◆ **beau-père** n. m., **belle-mère** n. f., **beaux-parents**
547 ◁ n. m. pl. **1.** *Mon* BEAU-PÈRE, *ma* BELLE-MÈRE *sont les parents de mon conjoint; ce sont mes* BEAUX-PARENTS. — **2.** *Le* BEAU-PÈRE *de Pierre est le second mari de sa mère.* ‖ *La* BELLE-MÈRE *de Jacques est la seconde femme de son père.*

beauté → BEAU. / **beaux-arts** → ART.

bébé n. m. *La maman promène son* BÉBÉ, son petit enfant.

bec n. m. **1.** *Les oiseaux ont un* BEC *dur et pointu.* — **2.** *J'ai tordu le* BEC *de ma plume,* son extrémité. ◆ **becquée** n. f. (sens 1) *L'oiseau donne la* BECQUÉE *aux oisillons,* il leur met de la nourriture dans le bec.

bécasse n. f. *Le chasseur a abattu une* BÉCASSE, un oiseau à long bec.

bec-de-lièvre n. m. *Cet enfant a un* BEC-DE-LIÈVRE, sa lèvre supérieure est fendue.

366 ◁ **bêche** n. f. *Le jardinier retourne la terre avec une* BÊCHE. ◆ **bêcher** v. BÊCHER *son jardin,* c'est en retourner la terre avec une bêche.

becquée → BEC.

bedonnant adj. *Un homme* BEDONNANT a un gros ventre (= ventru).

bée adj. f. *Les enfants contemplent* BOUCHE BÉE *ce spectacle,* ils ont la bouche ouverte d'étonnement.

beffroi n. m. *Il y a une horloge sur le* BEFFROI *de l'hôtel de ville,* sur la tour qui le surmonte.

bégayer v. *Quand il est intimidé, André* BÉGAIE, il parle avec difficulté, en répétant des syllabes. ◆ **bégaiement** n. m. *Son* BÉGAIEMENT *est pénible.* ◆ **bègue** adj. et n. *André est* BÈGUE, il bégaie.

bégonia n. m. *Le balcon est garni de pots de* BÉGONIAS, plante à fleurs.

bègue → BÉGAYER.

296 ◁ **beige** adj. *Le sable est de couleur* BEIGE, brun clair.

beignet n. m. Un BEIGNET, c'est de la pâte cuite dans la friture.

bel → BEAU.

bêler v. *Le mouton* BÊLE, il pousse son cri. ◆ **bêlement** n. m. *On entend les* BÊLEMENTS *de la brebis,* ses cris.

656 ◁ **belette** n. f. La BELETTE est un petit animal au corps allongé.

361 ◁ **bélier** n. m. Le BÉLIER est un mouton mâle.

belle → BEAU. / **belle-fille, belle-mère, belle-sœur** → BEAU-FILS.

belligérant n. m. *Un armistice a été signé entre les* BELLIGÉRANTS, ceux qui étaient en guerre.

belliqueux adj. *Un homme* BELLIQUEUX aime les querelles (≠ pacifique).

belote n. f. *Sais-tu jouer à la* BELOTE?, un jeu de cartes.

bémol n. m. Le BÉMOL abaisse une note de musique d'un demi-ton. ▷ 438

bénédiction → BÉNIR.

bénéfice n. m. *En vendant 10 F un objet qui a coûté 6 F, on fait un* BÉNÉFICE *de 4 F,* on gagne 4 F (= profit; ≠ perte). ◆ **bénéficier** v. *L'acheteur* BÉNÉFICIE *d'une réduction sur le prix,* il en profite.

benêt adj. et n. m. *Ce garçon est un* BENÊT (= niais, nigaud).

bénévole adj. *Un travail* BÉNÉVOLE est volontaire et non payé.

bénin adj. *Une maladie* BÉNIGNE est sans gravité.

bénir v. **1.** *Le pape* BÉNIT *la foule,* il appelle sur elle la protection de Dieu. — **2.** *Je* BÉNIS *cette rencontre,* j'en suis très heureux (≠ maudire). ◆ **bénit** adj. (sens 1) *L'eau* BÉNITE est de l'eau consacrée par une cérémonie religieuse. ◆ **bénédiction** n. f. (sens 1) *Le prêtre donne sa* BÉNÉDICTION *aux mariés,* il les bénit. ◆ **bénitier** n. m. (sens 1) Un BÉNITIER est un petit bassin contenant de l'eau bénite. ▷ 148

• **R.** Ne pas confondre *bénit,* adjectif et *béni,* participe passé.

benjamin n. *Nicole est la* BENJAMINE *du groupe,* la plus jeune (≠ aîné).

benne n. f. *Le camion transporte du sable dans sa* BENNE, dans la grande caisse qu'il a à l'arrière. ▷ 151, 217

béquille n. f. *Depuis sa chute, il marche avec des* BÉQUILLES, des sortes de bâtons sur lesquels il s'appuie.

bercail n. m. *Jean est revenu au* BERCAIL, chez lui.

bercer v. BERCER *un enfant,* c'est le balancer doucement. ◆ **berceau** n. m. *Le nouveau-né est dans un* BERCEAU, un lit que l'on peut balancer. ◆ **berceuse** n. f. *La maman chante une* BERCEUSE, une chanson pour endormir les enfants.

béret n. m. *Les marins sont coiffés d'un* BÉRET *à pompon rouge.* ▷ 37, 765

berge n. f. *Le pêcheur est installé sur la* BERGE, sur le bord de la rivière. ▷ 152, 721

berger n. *La* BERGÈRE *garde ses chèvres.* ◆ **bergerie** n. f. *Les moutons sont enfermés dans la* BERGERIE, dans un local de la ferme. ▷ 364

berlingot n. m. **1.** *Les enfants se partagent un paquet de* BERLINGOTS, une sorte de bonbon. — **2.** *Mme Dupont a acheté un* BERLINGOT *de lait,* du lait dans une boîte de carton.

berlue n. f. *C'est bien ton frère qui arrive, je n'*AI *pas* LA BERLUE?, mes yeux ne me trompent pas?

bermuda n. m. Un BERMUDA est un short s'arrêtant aux genoux.

berne n. f. *Les drapeaux sont* EN BERNE, enroulés en signe de deuil.

berner v. *Ce marchand nous* A BERNÉS, trompés.

besogne n. f. *On l'emploie à toutes sortes de* BESOGNES (= travail, tâche).

besoin n. m. **1.** *Il a* BESOIN *de repos,* le repos lui est nécessaire. — **2.** *Ce pauvre homme est dans le* BESOIN, il est très pauvre (= misère). — **3.** *Les bébés font leurs* BESOINS *dans leurs couches* (= excréments).

bête 1. n. f. *Ce taureau est une belle* BÊTE (= animal). — **2.** adj. *Cette fille est* BÊTE, elle n'est pas intelligente (= sot, stupide). ◆ **bestiaux** n. m. pl. (sens 1) *Dans un marché aux* BESTIAUX, *on vend des bœufs, des moutons, des porcs.* ◆ **bétail** n. m. (sens 1) Le BÉTAIL est l'ensemble des bestiaux. ◆ **bestial** adj. (sens 1) *Cet homme a un visage* BESTIAL, il ressemble à une bête. ◆ **bestiole** n. f. (sens 1) *Il y a une* BESTIOLE *sur le rideau,* une petite bête. ◆ **bêtise** n. f. (sens 2) *Paul a montré sa* BÊTISE (= stupidité). ‖ *Les enfants ont fait des* BÊTISES (= sottise). ◆ **bêtement** adv. (sens 2) *Cet accident est arrivé* BÊTEMENT, à cause d'une bêtise.

361 ◁

152, 150 ◁ **béton** n. m. *Ce mur est en* BÉTON, en un mélange de ciment, de gravier, de sable et d'eau.

367, 365 ◁ **betterave** n. f. *Dans cette région, on cultive la* BETTERAVE *à sucre,* une plante dont la racine fournit du sucre.

beugler v. *La vache* BEUGLE *sans arrêt,* elle crie (= mugir). ◆ **beuglement** n. m. *Les* BEUGLEMENTS *du taureau* (= mugissement).

222 ◁ **beurre** n. m. *On fait du* BEURRE *avec la crème du lait.* ◆ **beurrer** v. BEURRER *un moule à gâteau,* c'est l'enduire de beurre. ◆ **beurrier** n. m. *Le beurre est servi à table dans un* BEURRIER, un récipient spécial.

bévue n. f. Une BÉVUE est une grosse erreur.

biais n. m. **1.** *Jean a traversé la route* EN BIAIS, en oblique, en diagonale. — **2.** *Il a trouvé un* BIAIS *pour ne pas répondre à ma question,* un moyen habile. ◆ **biaiser** v. (sens 2) *Quand on lui pose une question précise, il* BIAISE *toujours,* il ne répond jamais directement.

bibelot n. m. *L'étagère est garnie de* BIBELOTS, de petits objets décoratifs.

biberon n. m. *Mme Dupont nourrit son bébé au* BIBERON, en se servant d'un flacon muni d'une tétine.

bible n. f. **1.** *Le christianisme est fondé sur la* BIBLE, un recueil de textes religieux (= Écriture sainte). — **2.** *Ce vieux livre de cuisine est ma* BIBLE, j'applique soigneusement les indications qu'il me donne. ◆ **biblique** adj. (sens 1) *Moïse est un personnage* BIBLIQUE, de la Bible.

bibliothèque n. f. **1.** *Jean se constitue une* BIBLIOTHÈQUE, une collection de livres. — **2.** *J'emprunte des livres à la* BIBLIOTHÈQUE *municipale,* un organisme qui prête des livres. — **3.** *On range les livres dans une* BIBLIOTHÈQUE, un meuble spécial. ◆ **bibliothécaire** n. (sens 2) *La* BIBLIOTHÉCAIRE *s'occupe du classement et du prêt des livres par la bibliothèque.*

76 ◁

biblique → BIBLE.

40 ◁ **biceps** n. m. *L'athlète plie son avant-bras pour gonfler ses* BICEPS.

biche n. f. La BICHE est la femelle du cerf.

bichonner v. *Il* BICHONNE *sa voiture,* il est aux petits soins pour elle.

bicoque n. f. *Ils se sont acheté une* BICOQUE *à la campagne,* une petite maison sans grande valeur.

bicyclette → CYCLE.

bidon n. m. *L'huile pour moteur est vendue en* BIDONS, dans des récipients fermés par un bouchon. ◆ **bidonville** n. m. *Des malheureux vivent dans des* BIDONVILLES, des quartiers de cabanes en matériaux divers (planches, plaques de tôle, etc.).

bielle n. f. *Dans un moteur, le va-et-vient des pistons est transformé en mouvement rotatif par des* BIELLES, des barres métalliques mobiles. ▷ 505

bien adv. **1.** *Il a* BIEN *chanté* (≠ mal). — **2.** *J'aime* BIEN *les gâteaux* (= beaucoup). — **3.** *Je suis* BIEN *content* (= très). — **4.** *J'ai* BIEN *essayé d'entrer, mais la porte était fermée* (= vraiment). ◆ **bien** adj. inv. **1.** *Elle est* BIEN, elle est belle. — **2.** *Un homme* BIEN est un homme estimable (= sérieux). — **3.** *Nous sommes* BIEN, dans des conditions confortables. ◆ **bien** n. m. **1.** *Il ne distingue pas le* BIEN *du mal,* ce qui est conforme à la morale. — **2.** *Ce médicament m'a fait du* BIEN, il m'a soulagé. — **3.** *Cet homme possède des* BIENS, de la fortune et des propriétés. ◆ **bien-être** n. m. **1.** *Après le bain on éprouve une sensation de* BIEN-ÊTRE, on se sent bien (≠ malaise). — **2.** *Vivre dans le* BIEN-ÊTRE, c'est vivre dans l'aisance et le confort. ◆ **bien que** conj. *Elle sort sans parapluie* BIEN QUE *le ciel soit menaçant* (= quoique). ◆ **bien du, de la, des** adj. indéfinis BIEN DES *gens m'approuvent.* ‖ *Ça m'a donné* BIEN DU *mal* (= beaucoup de; ≠ peu de).

bien-aimé → AIMER.

bienfait n. m. *Je ressens les* BIENFAITS *de ce médicament,* je sens qu'il m'a fait du bien. ◆ **bienfaisant** adj. *À la sécheresse a succédé une pluie* BIENFAISANTE, qui a fait du bien. ◆ **bienfaisance** n. f. *Une œuvre de* BIENFAISANCE a pour but de soulager des misères. ◆ **bienfaiteur** n. *Elle a été sa* BIENFAITRICE, elle l'a aidé à sortir de la misère.

bienheureux → HEUREUX.

bienséant adj. *Il serait* BIENSÉANT *de vous excuser de votre absence,* convenable, poli, bien élevé (≠ malséant). ◆ **bienséance** n. f. *La* BIENSÉANCE *interdit ici les mots grossiers,* la bonne éducation.

bientôt adv. *Nous serons* BIENTÔT *prêts,* dans peu de temps. ▷ 754

bienveillant adj. *Des paroles* BIENVEILLANTES indiquent qu'on est bien disposé envers quelqu'un. ◆ **bienveillance** n. f. *Son père est d'une grande* BIENVEILLANCE (= compréhension, indulgence; ≠ malveillance).

bienvenu adj. *Cette somme d'argent est* BIENVENUE, elle vient à point. ◆ **bienvenue** n. f. *Mme Durand a souhaité la* BIENVENUE *à ses invités,* les a accueillis avec des paroles aimables.

1. bière n. f. *Nous buvons de la* BIÈRE, une boisson fermentée faite avec de l'orge et du houblon.

2. bière n. f. *On a mis le mort en* BIÈRE, dans un cercueil.

biffer v. BIFFER *un mot dans une phrase,* c'est le rayer.

bifteck n. m. *Pierre mange un* BIFTECK, une tranche de bœuf grillée.

bifurquer v. **1.** *Ici, la route* BIFURQUE, elle se divise en deux branches. — **2.** *La voiture* A BIFURQUÉ *au carrefour,* elle a changé de direction. ◆ **bifurcation** n. f. (sens 1) *Prenez à gauche à la* BIFURCATION!, à l'endroit où la route bifurque (= croisement, embranchement).

bigamie → MONOGAMIE.

bigarré adj. *Une étoffe* BIGARRÉE a des couleurs vives et contrastées (= bariolé). ◆ **bigarrure** n. f. *Sa robe a des* BIGARRURES.

bigorneau n. m. *Sur la plage, les enfants ramassent des coquilles de* BIGORNEAU, un petit animal marin ressemblant à un escargot. 722 ◁

bigoudi n. m. *Pour friser une mèche de cheveux, on l'enroule mouillée sur un* BIGOUDI, des petits rouleaux.

220 ◁ **bijou** n. m. **1.** *Cette femme aime porter des* BIJOUX, des colliers, des bagues, etc. — **2.** *Ce meuble est un vrai* BIJOU, il est finement travaillé. 220 ◁ ◆ **bijouterie** n. f. (sens 1) *Jeanne regarde la vitrine d'une* BIJOUTERIE, d'un magasin où l'on vend des bijoux. ◆ **bijoutier** n. (sens 1) *La* BIJOUTIÈRE *vient de fermer son magasin.*

bilan n. m. **1.** *Le commerçant fait son* BILAN *annuel,* il fait ses comptes de l'année. — **2.** *Le* BILAN *d'une journée de travail,* c'est son résultat; *le* BILAN *d'un accident,* ce sont ses conséquences.

bilatéral → LATÉRAL.

bile n. f. **1.** *Le foie sécrète la* BILE, un suc digestif verdâtre et amer. — **2.** Fam. *Jean se fait de la* BILE, du souci. ◆ **biliaire** adj. (sens 1) *La* 40 ◁ VÉSICULE BILIAIRE est une petite poche qui contient la bile. ◆ **bilieux** adj. et n. (sens 2) *Une personne* BILIEUSE s'inquiète facilement (= anxieux).

bilingue adj. *Une secrétaire* BILINGUE parle deux langues.

436, 295 ◁ **bille** n. f. **1.** *Ces garçons jouent aux* BILLES, avec de petites boules. — **2.** *Le camion transporte des* BILLES *de bois,* des grands morceaux de troncs 436 ◁ d'arbres. ◆ **billard** n. m. (sens 1) *Nous avons joué au* BILLARD, un jeu où l'on pousse des billes avec un bâton. ◆ **billot** n. m. (sens 2) *Pour fendre une bûche, on la pose sur un* BILLOT, un gros morceau de bois.

221 ◁ **billet** n. m. **1.** *J'ai payé mes achats avec un* BILLET *de 100 F* (= billet de banque). — **2.** *Le voyageur montre son* BILLET *de chemin de fer au contrôleur* (= ticket).

billot → BILLE. / **bimensuel** → MOIS. / **bimoteur** → MOTEUR.

biner v. *Le jardinier* BINE *les haricots,* il retourne la terre en surface 366 ◁ autour des pieds. ◆ **binette** n. f. *Pour biner on se sert d'une* BINETTE.

biniou n. m. *Les Bretons dansent au son du* BINIOU, une sorte de cornemuse.

biographie n. f. *La* BIOGRAPHIE *d'un écrivain* est l'histoire de sa vie.

biologie n. f. *Jacques se passionne pour la* BIOLOGIE, l'étude scientifique des êtres vivants.

bipède adj. et n. *L'homme est un* BIPÈDE, il a deux pieds.

1. bis adv. *Ma maison porte le numéro 6* BIS *car la maison voisine porte déjà le numéro 6.* ◆ **bis** interj. *Les spectateurs crient :* « BIS! BIS! », ils veulent que l'artiste fasse son numéro une deuxième fois.
- **R.** On prononce [bis].

2. bis adj. *Jean aime le pain* BIS, un pain de couleur grise.
- **R.** On prononce [bi, biz].

biscornu adj. **1.** *Un objet* BISCORNU a une forme étrange, irrégulière. — **2.** *Une idée* BISCORNUE est bizarre.

biscotte n. f. *À la place du pain, elle achète des* BISCOTTES, des tranches de pain brioché séchées.

biscuit n. m. *Marie grignote des* BISCUITS, des gâteaux secs.

bise n. f. *La* BISE *souffle du nord,* un vent glacé.

biseau n. m. *Cette glace est taillée* EN BISEAU, le bord est coupé en oblique. ◆ **biseauté** adj. *Cette glace est* BISEAUTÉE.

bison n. m. *L'Amérique du Nord avait autrefois d'immenses troupeaux de* BISONS, de grands bœufs sauvages. ▷ 583

bissectrice n. f. *La* BISSECTRICE *d'un angle* partage celui-ci en deux parties égales. ▷ 348

bissextile adj. *Tous les quatre ans, l'année est* BISSEXTILE, elle dure 366 jours et février a 29 jours au lieu de 28.

bistouri n. m. *Le chirurgien opère avec un* BISTOURI, un petit couteau.

bistre adj. inv. *La moquette est* BISTRE, d'un brun jaunâtre.

bitume n. m. *Les trottoirs sont revêtus de* BITUME (= goudron, asphalte).

bivouac n. m. *Les alpinistes installent un* BIVOUAC *au pied de la montagne,* un campement pour la nuit. ◆ **bivouaquer** v. *Nous* BIVOUAQUERONS *à 2000 mètres d'altitude* (= camper).

bizarre adj. *Une idée* BIZARRE, *un objet* BIZARRE surprennent, étonnent (= étrange, curieux, extravagant; ≠ ordinaire). ◆ **bizarrerie** n. f. *Les* BIZARRERIES *de l'orthographe française sont nombreuses.*

blafard adj. *Une lumière* BLAFARDE est pâle et triste.

1. blague n. f. *Mon père prend sa pipe et sa* BLAGUE À TABAC, un petit sac contenant du tabac.

2. blague n. f. Fam. **1.** *Il passe son temps à dire des* BLAGUES, des plaisanteries. — **2.** *On m'a fait une* BLAGUE, une farce. — **3.** *Il a fait une grosse* BLAGUE, une grosse bêtise. ◆ **blaguer** v. (sens 1) *Tu as dis ça pour* BLAGUER (= plaisanter).

blaireau n. m. **1.** Le BLAIREAU est un petit animal sauvage. — **2.** *On fait mousser le savon à barbe avec un* BLAIREAU, un gros pinceau. ▷ 79

blâme n. m. *On lui a infligé un* BLÂME, on l'a réprimandé pour une faute qu'il avait commise. ◆ **blâmer** v. *Il nous a* BLÂMÉS *d'avoir menti* (= désapprouver, critiquer).

289 ◁ **blanc** adj. **1.** *La neige est* BLANCHE. — **2.** *Les Européens sont de race* BLANCHE. — **3.** *Tu m'accuses à tort, je suis* BLANC COMME NEIGE, je suis innocent. — **4.** *Un examen* BLANC ne compte pas. — **5.** *Une nuit* BLANCHE est une nuit sans sommeil. ◆ **blanc** n. m. (sens 1) *Ma boîte de gouache contient un gros tube de* BLANC, de peinture blanche. ‖ *Elle est vêtue de* BLANC, de vêtements blancs. ‖ *Quand on écrit, on laisse des* BLANCS *entre les mots* (= espace). ‖ *Le* BLANC *d'œuf, le* BLANC *de l'œil* sont de couleur blanche. • (sens 4) *Dans mon fusil il y a une cartouche* À BLANC, sans projectile. • (sens 2) *L'Europe est habitée par des* BLANCS, des gens de race blanche. ◆ **blanchâtre** adj. (sens 1) *À force d'être lavé, son blue-jean a pris une teinte* BLANCHÂTRE, vaguement blanche. ◆ **blancheur** n. f. (sens 1) *Nous étions éblouis par la* BLANCHEUR *de la neige.* ◆ **blanchir** v. (sens 1) *Le peintre* BLANCHIT *la façade de la maison,* il y met de la peinture blanche. ‖ *Quand on vieillit, les cheveux* BLANCHISSENT, ils deviennent blancs. • (sens 3) *L'accusé* A ÉTÉ BLANCHI, on a démontré son innocence. ◆ **blanchissage** n. m. (sens 1) *Cette lessive est très bonne pour le* BLANCHISSAGE *du linge* (= lavage). ◆ **blanchisserie** n. f. (sens 1) *Elle donne son linge à laver et à repasser dans une* BLANCHISSERIE (= laverie). ◆ **blanchisseur** n. (sens 1) *La* BLANCHISSEUSE *est en train de repasser les draps de ses clients.*

blasé adj. *J'ai lu tellement de romans policiers que j'en suis* BLASÉ, ils ne m'intéressent plus.

blason n. m. *Les villes, les pays, les familles nobles ont chacun leur*
147 ◁ BLASON, un dessin qui leur est particulier (= armoiries).

blasphème n. m. *Il a proféré des* BLASPHÈMES, dit des paroles qui offensent la religion. ◆ **blasphémer** v. *La colère le fait* BLASPHÉMER, lui fait dire des blasphèmes.

364 ◁ **blé** n. m. *Avec les grains de* BLÉ *transformés en farine, on fait le pain.*

blême adj. *Après l'accident, son visage était* BLÊME (= pâle, livide). ◆ **blêmir** v. *Il* BLÊMIT *de rage,* il devint blême.

blesser v. **1.** *D'un coup de patte, le lion* A BLESSÉ *le dompteur,* il lui a déchiré la chair. — **2.** *J'*AI ÉTÉ BLESSÉ *par tes paroles désagréables,* j'ai été vexé (= froisser, peiner, offenser). ◆ **blessure** n. f. (sens 1) *Une plaie, une fracture, une morsure, une brûlure sont des* BLESSURES. • (sens 2) *Je n'ai pas oublié cette* BLESSURE *d'amour-propre.* ◆ **blessant** adj. (sens 2) *Il m'a dit des paroles* BLESSANTES (= vexant). ◆ **blessé** n. (sens 1)
39 ◁ *L'accident a fait un mort et deux* BLESSÉS.

blet adj. *Une poire* BLETTE est trop mûre, molle.

721, 289 ◁ **bleu** adj. **1.** *Un ciel sans nuages est* BLEU. — **2.** *J'ai eu une* PEUR BLEUE, très peur. ◆ **bleu** n. m. (sens 1) **1.** *Le* BLEU *va très bien à votre teint.* — **2.** *En me cognant, je me suis fait un* BLEU, une marque bleue sur la peau.
289 ◁ — **3.** *Le mécanicien porte un* BLEU *de travail,* un vêtement en toile bleue. ◆ **bleuâtre** adj. (sens 1) *Il porte un pantalon délavé,* BLEUÂTRE, vaguement bleu. ◆ **bleuté** adj. (sens 1) *Le pied de cette lampe est* BLEUTÉ, légèrement coloré de bleu. ◆ **bleuir** v. (sens 1) *Ses mains* SONT BLEUIES *par le froid,* elles sont devenues bleues. ◆ **bleuet** n. m. (sens 1) *Au bord*
363 ◁ *du champ de blé, elle a cueilli un bouquet de* BLEUETS, de fleurs bleues.

blinder v. *Une porte* BLINDÉE est doublée d'acier pour résister aux chocs. ◆ **blindé** n. m. *Un groupe de* BLINDÉS *a attaqué l'ennemi* (= char, tank). ◆ **blindage** n. m. *Le* BLINDAGE *du char a résisté aux obus.*

blizzard n. m. Le BLIZZARD est un vent violent, souvent accompagné de neige.

bloc n. m. **1.** *D'énormes* BLOCS *de pierre se sont détachés de la falaise* (= masse). — **2.** *Les pays de l'Est forment un* BLOC, un groupe uni (= union). — **3.** *Les élèves ont refusé* EN BLOC *le projet de leur camarade,* ils l'ont tous refusé. — **4.** *Serrez cette vis* À BLOC!, le plus possible (= à fond). ▷ 151, 584

blocage, blocus → BLOQUER.

blond adj. et n. *Martine a les cheveux* BLONDS *comme les blés* (= clair; ≠ noir). ‖ *C'est une* BLONDE (≠ brun).

bloquer v. **1.** *L'autoroute* EST BLOQUÉE *par un accident,* les voitures ne peuvent plus avancer (= boucher). — **2.** *L'automobiliste* A BLOQUÉ *le frein à main,* serré à fond. — **3.** *Le gouvernement a décidé de* BLOQUER *les prix,* de les empêcher de monter. — **4.** *Le goal* A BLOQUÉ *le ballon* (= arrêter). ◆ **blocage** n. m. (sens 3) *Le* BLOCAGE *des prix s'accompagne du* BLOCAGE *des salaires.* ◆ **blocus** n. m. (sens 1) *Les ennemis ont fait le* BLOCUS *de la ville,* on ne peut plus y rentrer ni en sortir (= siège). ◆ **débloquer** v. (sens 2) *Peux-tu* DÉBLOQUER *cette vis?,* réussir à la desserrer.

se blottir v. *L'enfant apeuré* SE BLOTTIT *dans les bras de sa mère,* il se serre contre elle (= se pelotonner).

blouse n. f. *Pour ne pas salir leurs vêtements, beaucoup de travailleurs portent une* BLOUSE, un long vêtement de toile (= tablier). ▷ 37

blouson n. m. *Hiver comme été, il porte un* BLOUSON, une veste courte. ▷ 37, 765

blue-jean → JEAN.

bluff n. m. *Cette publicité pour un produit qui nettoie tout seul est du* BLUFF, elle trompe les gens en exagérant. ◆ **bluffer** v. *Il* BLUFFE *quand il affirme savoir plonger,* il ne sait pas (= se vanter).
• **R.** On prononce [blœf, blœfe].

boa n. m. Le BOA est un gros serpent d'Amérique. ▷ 434

bobine n. f. *Le fil à coudre, les films sont enroulés sur des* BOBINES, des cylindres spéciaux. ▷ 296

bobo n. m. *Jean a un* BOBO *au doigt,* une petite blessure sans gravité.

bocage n. m. *La Bretagne est une région de* BOCAGE, les champs sont fermés par des haies.

bocal n. m. **1.** *Certaines conserves de légumes, de fruits sont en* BOCAUX, dans des récipients de verre. — **2.** *Un poisson rouge tourne dans son* BOCAL, dans son aquarium en forme de globe.

bœuf n. m. *On élève les* BŒUFS *pour se nourrir de leur viande.* ◆ **bovin** adj. *Des yeux* BOVINS sont inexpressifs comme ceux d'un bœuf. ◆ **bovins** n. m. pl. *Les vaches, les taureaux, les bisons sont des* BOVINS. ▷ 361, 583
• **R.** Le pluriel *bœufs* se prononce [bø].

bohème n. m. et adj. *Mener une vie de* BOHÈME, c'est ne jamais rester longtemps au même endroit. ◆ **bohémien** n. *Un groupe de* BOHÉMIENS *campe à l'entrée de la ville* (= nomade, gitan, romanichel).

boire v. **1.** *Quand j'ai soif, je* BOIS *de l'eau* (= avaler). — **2.** *Cet homme* BOIT, il absorbe trop d'alcool (= s'enivrer). — **3.** *La terre* A BU *l'eau de pluie,* elle l'a absorbée. — **4.** *Jean* BOIT LES PAROLES *de son père,* il les écoute avec admiration. ◆ **boisson** n. f. (sens 1) *Le jus de fruits est une* BOISSON, un liquide que l'on peut boire. ◆ **buvable** adj. (sens 1) *Ce médicament existe en ampoules* BUVABLES, que l'on peut boire. ◆ **buveur** n. (sens 1) *C'est un* BUVEUR *de bière,* il aime en boire. ◆ **buvard** adj. et
293 ◁ n. m. (sens 3) *Le (papier)* BUVARD *boit l'encre.* ◆ **buvette** n. f. (sens 1) *À l'entrée de la plage il y a une* BUVETTE, un petit débit de boissons. ◆ **imbuvable** adj. **1.** (sens 1) *Ce vin est* IMBUVABLE (= mauvais, infect). — **2.** Fam. *Nos voisins sont* IMBUVABLES, insupportables.
• **R.** Conj. n° 75.

365 ◁ **bois** n. m. **1.** *Ici, la route traverse un* BOIS, un groupement d'arbres plus
583 ◁ petit qu'une forêt. — **2.** *Cette vieille armoire est en* BOIS *de pommier.* —
656, 584 ◁ **3.** *Les* BOIS *du cerf* sont ses cornes. ◆ **boisé** adj. (sens 1) *Les Landes sont une région* BOISÉE, couverte de bois. ◆ **boiserie** n. f. (sens 2) *Les murs de la salle sont revêtus de* BOISERIES, de panneaux décoratifs en bois. ◆ **bosquet** n. m. (sens 1) *Le champ est bordé par un* BOSQUET, un petit groupe d'arbres. ◆ **déboiser** v. (sens 1) *On* A DÉBOISÉ *une partie de la forêt,* on a coupé des arbres. ◆ **reboiser** v. (sens 1) *On* A REBOISÉ *cette région,* replanté des arbres. ◆ **sous-bois** n. m. (sens 1) *Nous nous*
655 ◁ *promenons dans un* SOUS-BOIS, sous les arbres d'un bois.

boisson → BOIRE.

295, 289 ◁ **boîte** n. f. **1.** *Une* BOÎTE *à outils* est un récipient dans lequel on met les outils. — **2.** *On m'a offert une* BOÎTE *de chocolats,* des chocolats contenus dans une boîte. — **3.** *Une* BOÎTE *de nuit* est un cabaret. ◆ **boîtier** n. m.
220 ◁ (sens 1) *Le mécanisme de la montre est enfermé dans un* BOÎTIER *d'acier.*
• **R.** *Boîte* se prononce [bwat] comme [*je*] *boite* (de *boiter*).

boiter v. *Sa blessure au genou le fait* BOITER, il marche en penchant d'un côté. ◆ **boiteux** adj. et n. **1.** *Après son accident, Pierre est resté* BOITEUX, il boite. — **2.** *Une explication* BOITEUSE ne tient pas debout.

boîtier → BOÎTE.

bol n. m. **1.** *Verse le lait dans un* BOL, un petit récipient rond. — **2.** *J'ai bu un* BOL *de café,* le café contenu dans un bol.

656 ◁ **bolet** n. m. *Nous avons mangé une omelette aux* BOLETS, de très bons champignons (= cèpe).

bolide n. m. *Cette voiture est un vrai* BOLIDE, elle est très rapide.

bombe n. f. *Les avions ont lâché des* BOMBES, des engins de guerre qui explosent. ◆ **bombarder** v. *Les avions* ONT BOMBARDÉ *un pont,* l'ont détruit avec des bombes. ◆ **bombardement** n. m. *Le* BOMBARDEMENT *a détruit un quartier de la ville.* ◆ **bombardier** n. m. *Les bombes sont*
767 ◁ *transportées par des* BOMBARDIERS, des avions spéciaux.

bombé adj. *La route est* BOMBÉE, elle est renflée, arrondie au milieu.

bon adj. **1.** *Ce gâteau est* BON, il a un goût agréable (≠ mauvais). — **2.** *Un* BON *acteur* est un acteur qui joue bien. || *Une* BONNE *voiture* est une voiture de qualité. — **3.** *Ce meuble est* BON MARCHÉ, il n'est pas cher. — **4.** *La gare est à une* BONNE *distance d'ici,* elle est loin (= grand). — **5.** *Ce médicament est* BON POUR *le foie,* il soigne le foie. — **6.** *Ce ticket est* BON À *jeter,* il est sans valeur. — **7.** *Cet homme est* BON (= généreux, bienveillant; ≠ méchant). || *C'est une* BONNE *fille,* elle est bien gentille (= brave). ◆ **bon** n. m. **1.** (sens 5) *Cette solution* A DU BON, des avantages. — **2.** *Un* BON *de réduction sur un paquet de lessive* est un papier donnant droit à une réduction. ◆ **bon** adv. (sens 1) **1.** *Aujourd'hui il* FAIT BON, le temps est doux. — **2.** *Les roses* SENTENT BON, elles ont une odeur agréable. — **3.** TIENS BON!, résiste. ◆ **bon!** interj. *Ah* BON! *je suis rassuré.* ◆ **bonne** n. f. *Nous avons engagé une* BONNE, une employée logée qui fait les travaux ménagers. ◆ **bonté** n. f. (sens 7) *La* BONTÉ *de cet homme se lit dans ses yeux* (= générosité, bienveillance). || *Auriez-vous la* BONTÉ *de m'aider?* (= obligeance, gentillesse). ◆ **bonifier** v. (sens 1) *En vieillissant, le vin* SE BONIFIE, il devient meilleur (= s'améliorer).

• **R.** *Bon* se prononce [bɔ̃] comme *bond.*

bonbon n. m. *Annie suce un* BONBON, une friandise à base de sucre. ▷ 221

bonbonne n. f. *J'ai acheté une* BONBONNE *de vin,* une très grosse bouteille.

bond n. m. **1.** *Le kangourou avance par* BONDS (= saut). — **2.** *Les prix ont fait un* BOND, ils ont brusquement augmenté. ◆ **bondir** v. (sens 1) *Le chat* BONDIT *sur le bouchon,* il saute. ◆ **rebondir** v. **1.** (sens 1) *La balle* REBONDIT, elle fait un nouveau bond après avoir heurté un obstacle. — **2.** (sens 2) *La discussion* REBONDIT, elle reprend sur un autre sujet. ◆ **rebond** n. m. (sens 1) *Attention au* REBOND *de la balle!* ◆ **rebondissement** n. m. (sens 2) *L'enquête connaît un* REBONDISSEMENT (= développement). ◆ **rebondi** adj. *Des joues* REBONDIES sont bien rondes.

• **R.** V. BON.

bonde n. f. *On remplit le tonneau par la* BONDE, par un trou rond. ▷ 579

bondé adj. *Le train est* BONDÉ, il est rempli de voyageurs.

bondir → BOND.

bonheur n. m. *Je vous souhaite beaucoup de* BONHEUR, d'être heureux (≠ malheur). ◆ **porte-bonheur** n. m. inv. *Jean a trouvé un trèfle à quatre feuilles, il dit que c'est un* PORTE-BONHEUR, que ça lui portera chance.

bonhomme n. m., **bonne femme** n. f. **1.** Fam. *M. Duval est un drôle de* BONHOMME, d'homme. || *C'est une sale* BONNE FEMME, une femme désagréable. — **2.** *Les enfants ont fabriqué un* BONHOMME *de neige.* ▷ 652

• **R.** Remarquer le pluriel *bonshommes* [bɔ̃zɔm].

bonifier → BON.

bonjour n. m. *Quand je rencontre quelqu'un dans la journée, je lui dis* BONJOUR (= salut; ≠ au revoir). ◆ **bonsoir** n. m. *Si je rencontre ou si je quitte quelqu'un le soir, je lui dis* BONSOIR.

bonne → BON.

653, 652 ◁ **bonnet** n. m. *Marie porte un* BONNET *de laine qui lui cache les oreilles.* ◆ **bonneterie** n. f. *Les chaussettes, les bonnets, les tricots sont des articles de* BONNETERIE.

bonsoir → BONJOUR. / **bonté** → BON.

bord n. m. **1.** *Ton verre est trop près du* BORD *de la table, il va tomber* (= côté). — **2.** *Jean était* AU BORD DES *larmes,* sur le point de pleurer. — **3.** *Nous sommes montés* À BORD *du bateau,* nous avons embarqué. ◆ **border** v. **1.** (sens 1) *La route* EST BORDÉE *d'arbres,* les arbres sont alignés au bord de la route. — **2.** BORDE *le lit!,* rentre les draps et les
73 ◁ couvertures sous le matelas. ◆ **bordure** n. f. (sens 1) *Une* BORDURE *de fleurs entoure la plate-bande,* des fleurs la bordent. ‖ *Une maison* EN BORDURE DE *mer* est bâtie au bord de la mer. ◆ **déborder** v. (sens 1) *L'eau* DÉBORDE, *l'évier* DÉBORDE, l'eau passe par-dessus le bord. ◆ **rebord** n. m. (sens 1) *Il s'est assis sur le* REBORD *de la fenêtre* (= bord).

bordée n. f. Fam. *Il a crié une* BORDÉE *de jurons,* une suite de jurons.

border, bordure → BORD.

boréal adj. *L'hémisphère* BORÉAL est la moitié de la Terre située au nord de l'équateur (≠ austral).

borgne adj. et n. Un BORGNE est celui qui ne voit que d'un œil. ◆ **éborgner** v. *Tu vas m'*ÉBORGNER *avec ta baguette!,* me crever un œil.

506 ◁ **borne** n. f. **1.** *Chaque kilomètre de route est marqué par une* BORNE, un bloc de ciment. — **2.** (au plur.) *Il dépasse les* BORNES *de la politesse* (= limite). ◆ **borner** v. (sens 1) BORNER *un champ,* c'est mettre des repères qui en fixent les limites. • (sens 2) BORNONS-NOUS *à étudier la première question du problème* (= se limiter). ◆ **borné** adj. (sens 2) *Un individu* BORNÉ a une intelligence faible (= bouché, obtus).

bosquet → BOIS.

577 ◁ **bosse** n. f. **1.** *Le dos du chameau a deux* BOSSES (= protubérance). — **2.** *La route est pleine de* BOSSES, de parties bombées. — **3.** *En tombant, il s'est fait une* BOSSE *au front,* son front a enflé. — **4.** Fam. *Jean a la* BOSSE *des maths,* il est très bon en cette matière. ◆ **bosselé** adj. (sens 2) *Une casserole* BOSSELÉE est pleine de bosses. ◆ **bossu** n. et adj. (sens 1) *Cet homme est* BOSSU, il a une bosse dans le dos.

botanique n. f. *Jean étudie la* BOTANIQUE, la science des végétaux.

365 ◁ **botte** n. f. **1.** *Mme Durand a acheté une* BOTTE *de poireaux,* des poireaux
584, 37 ◁ liés ensemble. — **2.** *Jean a des* BOTTES *de cuir,* des chaussures montantes couvrant la jambe. — **3.** *Porter une* BOTTE, en escrime, c'est donner un coup de la pointe du fleuret. ◆ **botté** adj. (sens 2) *Être* BOTTÉ, c'est porter des bottes. ◆ **bottillon** n. m. (sens 2) *Marie a des* BOTTILLONS *fourrés,* des petites bottes.

361 ◁ **bouc** n. m. **1.** Le BOUC est le mâle de la chèvre. — **2.** *M. Durand a un* BOUC *au menton,* une petite barbe.

bouche n. f. **1.** *La maman met une cuillerée de bouillie dans la* BOUCHE *de son bébé.* — **2.** *Sur le trottoir, il y a une* BOUCHE *d'égout,* un trou communiquant avec les égouts. ◆ **bouchée** n. f. **1.** (sens 1) *Il refuse de manger une* BOUCHÉE *de viande,* un morceau. — **2.** *Une* BOUCHÉE *au chocolat* est un bonbon fourré au chocolat. ▷ 33 ▷ 217

1. boucher v. **1.** *Le cantonnier* BOUCHE *les trous du chemin,* il les remplit (= combler). — **2.** BOUCHE *la bouteille!,* ferme-la. — **3.** *Le lavabo* EST BOUCHÉ, l'eau ne coule plus (= obstruer). — **4.** *Cet immeuble nous* BOUCHE *la vue,* il nous empêche de voir au loin (= cacher). ◆ **bouchon** n. m. (sens 2) *Ces bouteilles de vin sont bouchées avec des* BOUCHONS *de liège.* • (sens 3) *Il y a un* BOUCHON *sur l'autoroute,* une accumulation de voitures bloquant la circulation (= embouteillage). ◆ **déboucher** v. **1.** (sens 2 et 3) *Mon nez* EST DÉBOUCHÉ, l'air passe à nouveau dans mes narines. — **2.** *Cette rue* DÉBOUCHE *sur une grande place,* y aboutit. ◆ **débouché** n. m. *Cette usine cherche de nouveaux* DÉBOUCHÉS, des endroits pour vendre ses produits. ◆ **reboucher** v. (sens 1 et 2) REBOUCHE *la bouteille!* ▷ 579, 649 ▷ 506

2. boucher n. Le BOUCHER vend *du bœuf, du veau et du mouton.* ◆ **boucherie** n. f. **1.** *Le lundi, la* BOUCHERIE *est fermée,* le magasin du boucher. — **2.** *Cette bataille fut une* BOUCHERIE (= tuerie, massacre). ▷ 222 ▷ 217

bouchon → BOUCHER 1.

boucle n. f. **1.** *La plupart des ceintures s'attachent à l'aide d'une* BOUCLE. — **2.** *Marie a de belles* BOUCLES, ses cheveux ne sont pas raides. — **3.** *Jeanne a des* BOUCLES D'OREILLES, une sorte de bijou. ◆ **boucler** v. **1.** (sens 1) *M. Durand* A BOUCLÉ *ses valises* (= fermer). • (sens 2) *Marie a les cheveux* BOUCLÉS (= frisé; ≠ plat). — **2.** *Les policiers* ONT BOUCLÉ *le quartier pour rechercher les voleurs* (= encercler). ▷ 649 ▷ 220

bouclier n. m. *Autrefois, les guerriers tenaient un* BOUCLIER, une plaque pour se protéger. ▷ 147

bouddhisme n. m. Le BOUDDHISME est une religion de l'Asie orientale, fondée par Bouddha.

bouder v. *Elle* BOUDE *dans son coin,* elle est fâchée et refuse de parler. ◆ **boudeur** adj. et n. *Elle a un air* BOUDEUR (= renfrogné, grognon).

boudin n. m. **1.** *Le charcutier fait du* BOUDIN *en mettant du sang de cochon dans un boyau.* — **2.** *Le bateau pneumatique est composé de deux* BOUDINS *gonflables,* de deux longs cylindres gonflables.

boue n. f. *Attention, tu marches dans la* BOUE!, dans la terre détrempée par la pluie. ◆ **boueux** adj. *N'entre pas ici avec tes chaussures* BOUEUSES, salies par la boue. ◆ **boueux** ou **éboueur** n. m. *Les* ÉBOUEURS *vident les poubelles dans leur camion,* les employés chargés de la propreté des rues. ▷ 217
• **R.** *Boue* se prononce [bu] comme *bout* et [*il*] *bout* (de *bouillir*).

bouée n. f. **1.** *L'entrée du port est signalée par une* BOUÉE, un objet flottant. — **2.** *Les naufragés se cramponnaient à leur* BOUÉE *de sauvetage,* une sorte d'anneau flottant. ▷ 727 ▷ 723

boueux → BOUE.

bouffant adj. *Cette robe a des manches* BOUFFANTES (≠ collant).

bouffée n. f. *Une* BOUFFÉE *d'air frais entre dans la pièce* (= souffle).

bouffi adj. *Henri a le visage* BOUFFI (= gros, gonflé; ≠ maigre).

bouffon adj. et n. *Il aime faire le* BOUFFON *en société,* il veut faire rire les autres (= clown). ◆ **bouffonnerie** n. f. *Le chansonnier dit des* BOUFFONNERIES, de grosses plaisanteries.

bougeoir → BOUGIE.

bouger v. *Je prends une photo, ne* BOUGE *pas!* (= remuer, déplacer).

bougie n. f. **1.** *Pendant les pannes d'électricité, on s'éclaire à l'aide de* BOUGIES, de cylindres de cire ou de paraffine munis d'une mèche qu'on allume. — **2.** *Les* BOUGIES *d'un moteur produisent des étincelles qui font exploser le mélange d'essence et d'air.* ◆ **bougeoir** n. m. (sens 1) Un BOUGEOIR est un support pour bougie.

505 ◁
224 ◁

bougon adj. et n. *Il m'a répondu d'un air* BOUGON, peu aimable. ◆ **bougonner** v. *Mécontent, il s'est mis à* BOUGONNER, à marmonner des paroles de protestation (= grogner, ronchonner).

bouillabaisse n. f. *À Marseille, j'ai mangé une* BOUILLABAISSE, une soupe de poissons.

bouillant → BOUILLIR.

bouillie n. f. *Bébé mange sa* BOUILLIE, un aliment à demi liquide fait de farine et de lait.

bouillir v. **1.** *À 100 degrés, l'eau* BOUT, il s'y forme de grosses bulles. — **2.** *Mme Dupont fait* BOUILLIR *des légumes,* elle les fait cuire dans de l'eau bouillante. — **3.** *Je* BOUILLAIS *de colère,* j'avais du mal à contenir ma colère. ◆ **bouillant** adj. (sens 1) *De l'eau* BOUILLANTE est en train de bouillir. ‖ *J'aime boire mon café* BOUILLANT, très chaud. • (sens 3) *Un garçon* BOUILLANT est vif, emporté. ◆ **bouilloire** n. f. (sens 1) *Fais chauffer de l'eau dans la* BOUILLOIRE. ◆ **bouillon** n. m. (sens 2) *Du* BOUILLON *de légumes,* c'est le jus de cuisson de légumes. • (sens 1) *Ma sauce doit bouillir à gros* BOUILLONS, en faisant de grosses bulles. ◆ **bouillonner** v. (sens 1) *Le torrent* BOUILLONNE, fait des bulles. ◆ **bouillotte** n. f. (sens 1) *Pour chauffer son lit, il y met une* BOUILLOTTE, un récipient plein d'eau bouillante. ◆ **court-bouillon** n. m. (sens 2) *Nous avons mangé un* COURT-BOUILLON *de poisson,* du poisson cuit dans du bouillon. ◆ **ébouillanter** v. (sens 1) *On* ÉBOUILLANTE *des légumes en les plongeant quelques instants dans l'eau bouillante.* ‖ *Jean* S'EST ÉBOUILLANTÉ *la main,* il s'est brûlé avec du liquide bouillant. ◆ **ébullition** n. f. (sens 1) *Dix minutes d'*ÉBULLITION *suffisent,* il suffit de faire bouillir dix minutes.

• **R.** *Bouillir,* conj. n° 31. ‖ V. BOUE.

220 ◁ **boulanger** n. Le BOULANGER fabrique et vend le pain. ◆ **boulangerie** n. f. La BOULANGERIE est la boutique du boulanger.

578, 436 ◁ **boule** n. f. *Une* BOULE *de neige* a la forme d'une sphère. ◆ **boulette** n. f. *Ils se lancent des* BOULETTES *de papier,* des petites boules. ◆ **boulier** n. m. *Jean apprend à compter avec un* BOULIER, un appareil formé de

tringles sur lesquelles glissent des boules. ◆ **boulet** n. m. *Autrefois, les canons lançaient des* BOULETS, des projectiles en forme de grosse boule. ◆ **boulot** adj. *C'est une femme* BOULOTTE, petite et grosse.
• **R.** *Boulot* se prononce [bulo] comme *bouleau.*

bouleau n. m. Le BOULEAU est un arbre à l'écorce blanche. ▷ 654
• **R.** V. BOULOT.

bouledogue n. m. *La villa est gardée par un* BOULEDOGUE, un gros chien.

boulet, boulette → BOULE.

boulevard n. m. *La ville est entourée d'un* BOULEVARD, une rue très large (= avenue). ▷ 217

bouleverser v. **1.** *Je* SUIS BOULEVERSÉ *par cette histoire,* très ému (= retourner). — **2.** *Tu* AS BOULEVERSÉ *ma chambre,* tu y as mis du désordre (= déranger). ◆ **bouleversant** adj. (sens 1) *Il vient d'apprendre la nouvelle* BOULEVERSANTE *de l'accident.* ◆ **bouleversement** n. m. (sens 2) *La guerre a causé un* BOULEVERSEMENT *économique* (= désordre).

boulier → BOULE.

boulon n. m. *Ces deux pièces sont assemblées à l'aide d'un* BOULON, d'une tige de métal sur laquelle se visse un écrou. ▷ 289

boulot → BOULE.

bouquet n. m. **1.** *Jean a offert un* BOUQUET *de fleurs à Marie,* des fleurs réunies ensemble. — **2.** *Ce vin a du* BOUQUET, du parfum.

bouquin n. m. Fam. *Pierre lit un* BOUQUIN, un livre. ◆ **bouquiniste** n. Un BOUQUINISTE est un marchand de livres d'occasion.

bourbier n. m. *Ce chemin est un véritable* BOURBIER, il est plein de boue. ◆ **bourbeux** adj. *Une eau* BOURBEUSE est boueuse. ◆ **s'embourber** v. *Dans un chemin forestier, la voiture* S'EST EMBOURBÉE, elle s'est immobilisée dans la boue (= s'enliser).

bourdon n. m. Un BOURDON est une grosse abeille velue. ◆ **bourdonner** v. *Beaucoup d'insectes* BOURDONNENT *en volant,* font un bruit sourd. ◆ **bourdonnement** n. m. *On entend le* BOURDONNEMENT *des hannetons.*

bourg n. m. *Les habitants des hameaux vont faire leurs courses au* BOURG, dans le gros village. ◆ **bourgade** n. f. *Mon oncle habite une* BOURGADE, un petit bourg (= village).

bourgeois n. **1.** *Autrefois le* BOURGEOIS *était celui qui habitait la ville* (≠ noble et paysan). — **2.** *Les banquiers, les industriels sont des grands* BOURGEOIS; *les commerçants, les employés sont des petits* BOURGEOIS (≠ ouvrier et paysan). ◆ **bourgeois** adj. (sens 2) *Ils habitent un quartier* BOURGEOIS (= riche; ≠ populaire). ◆ **bourgeoisie** n. f. (sens 2) *La Révolution française de 1789 a donné le pouvoir à la* BOURGEOISIE. ◆ **s'embourgeoiser** (sens 2) *Les Durand* SE SONT EMBOURGEOISÉS, ils sont devenus plus riches.

bourgeon n. m. *Au printemps, les* BOURGEONS *grossissent et s'ouvrent, donnant les feuilles et les fleurs.* ◆ **bourgeonner** v. *Les arbres* BOURGEONNENT, les bourgeons se forment. ▷ 655

bourrade n. f. *On m'a poussé d'une* BOURRADE, d'un coup brusque.

bourrasque n. f. *La tente a été arrachée par une* BOURRASQUE, un coup de vent bref mais violent.

bourre n. f. *Ce coussin est rempli de* BOURRE, de poils ou de déchets de laine et de tissu. ◆ **bourrer** v. BOURRER *une pipe,* c'est la remplir. ‖ *Le train* EST BOURRÉ *de voyageurs,* il est bondé. ◆ **rembourrer** v. *Les sièges de la voiture* SONT *bien* REMBOURRÉS, ils sont remplis de bourre.

bourreau n. m. **1.** *Le* BOURREAU *exécute les condamnés à mort.* — **2.** *On a arrêté un* BOURREAU *d'enfants,* une personne qui martyrisait les enfants.

bourrée n. f. La BOURRÉE est une danse d'Auvergne.

bourrelet n. m. *On a mis un* BOURRELET *au bas de la porte,* une bande de feutre, de papier, de caoutchouc qui empêche l'air de passer.

bourrer → BOURRE.

bourrique n. f. ou **bourricot** n. m. Fam. *Michel est têtu comme une* BOURRIQUE, comme un âne.

bourru adj. *C'est un homme sympathique, malgré son air* BOURRU, peu aimable (= renfrogné, dur).

bourse n. f. **1.** *Autrefois, on mettait son argent dans une* BOURSE, un petit sac de cuir. — **2.** *Mon frère a une* BOURSE *d'études,* l'État lui verse de l'argent pour l'aider à payer ses études. — **3.** *C'est à la* BOURSE *que les financiers achètent et vendent leurs valeurs mobilières : actions, titres, etc.* ◆ **boursier** adj. (sens 2) *Jean est un élève* BOURSIER. • (sens 3) *M. Dupont a fait une transaction* BOURSIÈRE, une vente ou un achat en Bourse. ◆ **débourser** v. (sens 1) *J'*AI DÉBOURSÉ *mille francs* (= dépenser). ◆ **rembourser** v. (sens 1) *On m'*A REMBOURSÉ *le billet que je n'avais pas utilisé,* on m'a rendu l'argent que j'avais donné pour le payer. ‖ *Je vais* REMBOURSER *mon frère,* lui rendre l'argent qu'il m'a prêté. ◆ **remboursement** n. m. (sens 1) *Le* REMBOURSEMENT *du prêt se fera en douze mois.*

boursoufler v. *Jean a le visage* BOURSOUFLÉ (= enflé, gonflé).

bousculer v. **1.** *En courant, il* A BOUSCULÉ *son petit frère,* il l'a heurté violemment. — **2.** *Cet enfant est sensible, il ne faut pas le* BOUSCULER, lui parler rudement. — **3.** *J'*AI ÉTÉ BOUSCULÉ *ces jours-ci,* j'ai eu trop de travail. ◆ **bousculade** n. f. (sens 1) *Une brève* BOUSCULADE *a eu lieu entre les policiers et les manifestants,* ils se sont heurtés.

bouse n. f. *Le chemin est plein de* BOUSES *de vache,* d'excréments.

764 ◁ **boussole** n. f. *Les marins se dirigent avec une* BOUSSOLE, *dont l'aiguille aimantée indique le nord.*

bout n. m. **1.** *Attends-moi au* BOUT *de la rue!,* à son extrémité (≠ milieu et début). — **2.** *J'arrive au* BOUT *de mon travail,* à la fin. — **3.** *Un* BOUT DE *pain,* c'est un morceau de pain, *un* BOUT DE *bois,* c'est un morceau de bois. — **4.** *Je suis* À BOUT, je suis excédé. — **5.** AU BOUT DE *deux jours, il est parti,* après deux jours.

• **R.** V. BOUE.

boutade n. f. *Ne vous fâchez pas : ce que je vous dis est une* BOUTADE, ce n'est pas sérieux (= plaisanterie).

boute-en-train n. m. inv. *Jacqueline est un* BOUTE-EN-TRAIN, elle met de la gaieté partout où elle est.

bouteille n. f. **1.** *On a mis le vin en* BOUTEILLES, dans des récipients de verre ayant un goulot. — **2.** *Nous avons bu une* BOUTEILLE *de bière,* le contenu de la bouteille. — **3.** *Achète une* BOUTEILLE *de gaz,* du gaz dans un récipient métallique. ▷ 579 ▷ 38, 290

boutique n. f. *La* BOUTIQUE *du fleuriste,* c'est son magasin. ◆ **arrière-boutique** n. f. *L'épicier est allé dans son* ARRIÈRE-BOUTIQUE, la pièce qui est derrière sa boutique. ▷ 217

bouton n. m. **1.** *Les fleurs sont en* BOUTON, elles ne sont pas ouvertes. — **2.** *Jacques a un* BOUTON *sur le nez,* une petite enflure. — **3.** *Mon manteau est fermé par quatre* BOUTONS *dorés.* — **4.** *Je tourne les* BOUTONS *du poste de radio pour le régler.* ◆ **boutonner** v. (sens 3) BOUTONNE *ton manteau!,* ferme-le. ◆ **boutonneux** adj. (sens 2) *Un visage* BOUTONNEUX est plein de boutons. ◆ **boutonnière** n. f. (sens 3) *La couturière a fait les* BOUTONNIÈRES *de ma veste,* les fentes dans lesquelles passent les boutons. ◆ **déboutonner** v. (sens 3) *J'*AI DÉBOUTONNÉ *ma veste* (= ouvrir). ▷ 296/79

bouture n. f. *Mes* BOUTURES *de géranium ont pris,* les pousses mises en terre pour qu'elles prennent racine.

bouvreuil n. m. *Le* BOUVREUIL *s'est posé sur la branche,* un petit oiseau.

bovin → BŒUF.

box n. m. **1.** *Il cherche à louer un* BOX *pour sa voiture,* un garage particulier. — **2.** *Le* BOX *des accusés* est la partie de la salle du tribunal où se tient l'accusé pendant le procès.

• **R.** Notez le pluriel : des *boxes.* ‖ V. BOXE.

boxe n. f. *La* BOXE *est un sport de combat,* les deux adversaires se battent avec des gants aux poings. ◆ **boxer** v. *Il* BOXE *dans la catégorie poids lourd.* ◆ **boxeur** n. m. *Après le combat, les deux* BOXEURS *se serrent la main.*

• **R.** *Boxe* se prononce [bɔks] comme *box.*

boyau n. m. **1.** *Ma raquette de tennis a des cordes en* BOYAU *de chat,* en intestin de chat. — **2.** *Le coureur cycliste vient de crever un de ses* BOYAUX, un pneu de vélo. — **3.** *Ce couloir est un vrai* BOYAU, il est étroit. ▷ 512

boycotter v. BOYCOTTER *un commerçant,* c'est refuser d'acheter chez lui.

bracelet n. m. *Elle a un* BRACELET *en or,* un anneau autour du poignet. ▷ 220

braconner v. BRACONNER, c'est chasser ou pêcher sans en avoir le droit. ◆ **braconnage** n. m. *Le* BRACONNAGE *est puni par la loi.* ◆ **braconnier** n. m. *Le garde-chasse arrête le* BRACONNIER, celui qui braconne.

brader v. *Il* A BRADÉ *ses livres,* il les a vendus à bas prix (= liquider). ◆ **braderie** n. f. *Les commerçants organisent deux jours de* BRADERIE.

braguette n. f. *Les pantalons d'homme ont une* BRAGUETTE, une ouverture sur le devant.

brailler v. Fam. *Un ivrogne* BRAILLAIT *une chanson,* il la chantait très fort (= hurler). ◆ **braillard** adj. et n. *Un enfant* BRAILLARD crie beaucoup.

braire v. *L'âne* BRAIT, il pousse son cri. ◆ **braiment** n. m. *On entend les* BRAIMENTS *de l'âne.*
- **R.** Conj. n° 79.

braise n. f. *On grille la viande sur la* BRAISE, sur des charbons brûlant sans flamme. ◆ **braisé** adj. *Du bœuf* BRAISÉ a été cuit doucement.

bramer v. *Le cerf et le daim* BRAMENT, ils poussent leur cri.

brancard n. m. **1.** *On transporte un blessé étendu sur un* BRANCARD, une sorte de lit de toile tendue entre deux morceaux de bois (= civière). — 363 ◁ **2.** *On attelle le cheval entre les* BRANCARDS *de la charrette,* entre les deux pièces de bois qui la prolongent. ◆ **brancardier** n. m. (sens 1) *Les deux* BRANCARDIERS *mettent la civière dans l'ambulance.*

654 ◁ **branche** n. f. **1.** *Les* BRANCHES *des arbres portent les feuilles, les fleurs et les fruits.* — **2.** *Ici, l'autoroute se divise en deux* BRANCHES *correspondant à deux directions différentes.* ◆ **branchages** n. m. pl. (sens 1) *On a brûlé un tas de* BRANCHAGES, de branches coupées. ◆ **embranchement** n. m. (sens 2) *À l'*EMBRANCHEMENT *des deux routes, tu tournes à droite* (= croisement, carrefour).

brancher v. BRANCHER *un appareil électrique,* c'est le raccorder sur l'installation électrique pour le faire fonctionner. ◆ **branchement** n. m. *Faire le* BRANCHEMENT *d'une canalisation d'eau,* c'est la raccorder à une autre canalisation. ◆ **débrancher** v. DÉBRANCHE *la télévision!,* enlève sa prise de courant de la prise murale.

728 ◁ **branchies** n. f. pl. *Les poissons respirent avec leurs* BRANCHIES.

brandir v. *Il* BRANDIT *un bâton dans ma direction,* il l'agite en l'air.

branler v. *La table* BRANLE, elle n'est pas stable. ◆ **branlant** adj. *Une dent* BRANLANTE est une dent qui bouge. ◆ **branle** n. m. *Pour chercher ce document, il a* MIS EN BRANLE *tous les employés du bureau,* il les a obligés à courir de tous côtés. ◆ **branle-bas** n. m. inv. *La veille du départ en vacances, la maison est en* BRANLE-BAS, il y règne une grande agitation.

braquer v. **1.** *Il* BRAQUE *ses jumelles sur nous,* il les dirige vers nous pour nous regarder. — **2.** BRAQUE *à droite!,* dirige les roues du véhicule vers la droite pour tourner. — **3.** *Il* EST BRAQUÉ *contre ce projet,* il s'y oppose résolument. ◆ **braquage** (sens 2) *Cette voiture a un faible rayon de* BRAQUAGE, elle tourne en décrivant un cercle assez petit.

33, 40 ◁ **bras** n. m. **1.** *La maman tient son bébé dans ses* BRAS. — **2.** *Il tapait* À TOUR DE BRAS, À BRAS RACCOURCIS, avec violence. — **3.** *Le policier saisit le malfaiteur* À BRAS-LE-CORPS, par le milieu du corps. — **4.** *On a besoin de* 38, 76 ◁ BRAS, d'aides, de travailleurs. — **5.** *Un* BRAS *du fauteuil est cassé,* un 725 ◁ accoudoir. — **6.** *Il a traversé le* BRAS *de mer en barque,* une partie de mer serrée entre deux terres. ◆ **brassée** n. f. (sens 1) *Marie a ramassé une* BRASSÉE *de fleurs,* autant que ses deux bras peuvent en tenir. ◆ **brassard**

n. m. (sens 1) *Les membres du service d'ordre portent un* BRASSARD, un morceau de tissu entourant le bras. ◆ **avant-bras** n. m. (sens 1) L'AVANT-BRAS est la partie qui va du poignet au coude. ▷ 33

brasier n. m. *La maison n'était plus qu'un immense* BRASIER, elle était entièrement en feu. ▷ 761

brassard → BRAS.

brasse n. f. **1.** *Mon petit frère nage la* BRASSE, une nage à plat sur le ventre. — **2.** *Nous sommes à dix* BRASSES *du rivage,* à une distance du rivage qu'on peut parcourir en dix mouvements de brasse.

brassée → BRAS.

brasser v. **1.** BRASSER *le linge dans l'eau de lessive,* c'est le remuer. — **2.** BRASSER *la bière,* c'est préparer le mélange de malt et d'eau pour la fabriquer. — **3.** *Cet industriel* BRASSE *beaucoup d'argent,* il lui passe beaucoup d'argent entre les mains. ◆ **brasseur** n. m. (sens 2) Le BRASSEUR fabrique de la bière. ◆ **brasserie** n. f. **1.** (sens 2) *La bière est fabriquée dans des* BRASSERIES. — **2.** *Allons déjeuner dans une* BRASSERIE, dans une sorte de restaurant.

brassière n. f. Une BRASSIÈRE est un vêtement à manches pour les bébés.

brave adj. et n. **1.** *C'est un* BRAVE *homme,* il est bon, honnête, serviable. — **2.** *C'est un homme* BRAVE (= courageux; ≠ lâche). ◆ **bravement** adv. (sens 2) *Il défend* BRAVEMENT *son petit frère* (= courageusement). ◆ **braver** v. (sens 2) BRAVER *un danger,* c'est l'affronter sans peur. ‖ BRAVER *quelqu'un,* c'est s'opposer hardiment à lui (= défier, provoquer). ◆ **bravoure** n. f. (sens 2) *Nos troupes ont fait preuve de* BRAVOURE, elles se sont montrées braves (= courage). ◆ **bravade** n. f. (sens 2) *Il s'approcha du taureau par* BRAVADE, pour paraître brave.

bravo n. m. et interj. *Des* BRAVOS *montent de la salle,* les spectateurs enthousiastes crient «bravo!». ‖ BRAVO, *Jean, tu as gagné!*

bravoure → BRAVE.

break n. m. *Pour transporter son matériel, il a acheté un* BREAK, une voiture dont l'arrière s'ouvre par une grande porte.
- **R.** On prononce [brɛk].

brebis n. f. *La* BREBIS *est suivie de ses agneaux,* la femelle du mouton. ▷ 361

brèche n. f. *Les ouvriers font une* BRÈCHE *dans le mur,* ils démolissent une partie du mur (= ouverture, trou). ◆ **ébrécher** v. *L'assiette* EST ÉBRÉCHÉE, il y a une petite cassure sur le bord.

bréchet n. m. *Les oiseaux ont sur la poitrine un os appelé le* BRÉCHET.

bredouille adj. *Le pêcheur est rentré* BREDOUILLE, il n'a rien pêché.

bredouiller v. *L'acteur, saisi par le trac, s'est mis à* BREDOUILLER, à parler d'une façon incompréhensible (= bafouiller). ◆ **bredouillement** n. m. *La récitation du poème s'acheva en* BREDOUILLEMENT (= bafouillage).

bref adj. *Faites-nous un* BREF *exposé des faits* (= court). ◆ **brièvement** adv. *Répondez* BRIÈVEMENT, en peu de mots (≠ longuement). ◆ **brièveté** n. f. *Excusez la* BRIÈVETÉ *de notre visite* (≠ longueur, durée).

breloque n. f. *Elle porte un bracelet plein de* BRELOQUES, de petits bijoux qui y sont pendus.

bretelle n. f. **1.** *La* BRETELLE *d'un fusil* est une courroie qui sert à le porter. — **2.** (au plur.) *Son pantalon tient avec des* BRETELLES, des bandes passant sur les épaules. — **3.** *On entre sur l'autoroute par une* BRETELLE, par un tronçon de raccordement.

507, 511 ◁

breuvage n. m. Un BREUVAGE est une boisson au goût bizarre.

brevet n. m. **1.** *Jean a passé un* BREVET *de pilotage,* un examen. — **2.** *Un* BREVET *d'invention* est un papier officiel garantissant que personne n'a le droit de copier une invention. ◆ **breveter** v. (sens 2) BREVETER *une invention,* c'est la protéger par un brevet.

bribe n. f. *On ne saisit que des* BRIBES *de conversation,* des petits bouts (= fragment).

bric-à-brac n. m. inv. *Le brocanteur a étalé son* BRIC-À-BRAC, un ensemble d'objets de toutes sortes.

bricoler v. **1.** *Mon frère adore* BRICOLER, faire des petits travaux manuels chez lui. — **2.** BRICOLER *un appareil,* c'est le transformer ou le réparer soi-même. ◆ **bricolage** n. m. (sens 1) *Le* BRICOLAGE *est un passe-temps agréable.* ◆ **bricoleur** n. et adj. (sens 1) *Être* BRICOLEUR, c'est aimer bricoler. ◆ **bricole** n. f. Fam. *C'est une* BRICOLE, une chose sans importance ou sans valeur (= babiole, bagatelle).

289 ◁

437 ◁

bride n. f. **1.** *Le cavalier retient son cheval en tirant sur la* BRIDE, la courroie attachée au mors. — **2.** *La* BRIDE *d'un torchon* est le petit anneau de tissu qui sert à l'accrocher. ◆ **brider** v. **1.** (sens 1) BRIDER *un cheval,* c'est lui mettre sa bride. — **2.** *Ce vêtement me* BRIDE, il me serre. ◆ **bridé** adj. *Les Asiatiques ont les yeux* BRIDÉS, leurs paupières sont étirées sur les côtés. ◆ **débridé** adj. *Ce romancier fait preuve d'une imagination* DÉBRIDÉE, sans contrainte.

bridge n. m. **1.** *Les Durand et les Dupont font un* BRIDGE, une sorte de jeu de cartes. — **2.** *Le dentiste m'a fait un* BRIDGE, un appareil fixe pour remplacer des dents absentes.

brièvement, brièveté → BREF.

brigade n. f. *Une* BRIGADE *de gendarmerie* est un groupe de gendarmes. ◆ **brigadier** n. m. *Un gendarme qui commande une brigade a le grade de* BRIGADIER.

355 ◁

brigand n. m. *Autrefois, les* BRIGANDS *attaquaient les voyageurs* (= bandit). ◆ **brigandage** n. m. *Ils furent emprisonnés pour* BRIGANDAGE.

briguer v. BRIGUER *un emploi,* c'est chercher à l'obtenir (= solliciter).

briller v. **1.** *Le ciel est clair, le soleil* BRILLE, il émet une lumière éclatante. — **2.** *Ce meuble* BRILLE *comme un miroir,* sa surface lisse réfléchit la lumière. — **3.** *Il* A BRILLÉ *à son examen,* il a réussi remarquablement. ◆ **brillant** adj. (sens 1 et 2) *La peinture de la salle de* *bains est* BRILLANTE (≠ mat, terne). • (sens 3) *Jean a fait un exposé* BRILLANT (= remarquable). ◆ **brillant** n. m. (sens 2) *Elle porte un* BRILLANT *au doigt,* un diamant. ◆ **brillamment** adv. (sens 3) *Jean a réussi* BRILLAMMENT.

brimer v. *Dans cette pension, les enfants* SONT BRIMÉS, ils sont maltraités (= persécuter). ◆ **brimade** n. f. *Il devait subir les* BRIMADES *d'un chef,* les vexations inutiles et injustes (= tracasserie).

brin n. m. **1.** *Un* BRIN *d'herbe, de muguet* est une tige fine et allongée. — **2.** *Une ficelle est formée de plusieurs* BRINS (= filament). — **3.** *Je prendrais bien* UN BRIN DE *café,* un tout petit peu. ◆ **brindille** n. f. (sens 1) *On allume le feu avec des* BRINDILLES, de toutes petites branches.

brio n. m. *Le pianiste joue avec* BRIO, il joue brillamment (= virtuosité).

brioche n. f. *Le boulanger fait des* BRIOCHES, des pâtisseries légères en forme de boule surmontée d'une autre boule plus petite. ▷ 220

brique n. f. *Le maçon construit une cloison avec des* BRIQUES, des matériaux de terre cuite rouge. ◆ **briqueterie** n. f. *Les briques sont fabriquées dans des* BRIQUETERIES. ▷ 150

briquet n. m. *Il allume sa cigarette avec son* BRIQUET, un appareil qui produit une flamme.

briqueterie → BRIQUE. / **bris, brisant** → BRISER.

brise n. f. *Une* BRISE *agréable souffle de la mer,* un vent léger.
• **R.** Ne pas confondre la *brise* et la *bise.*

briser v. **1.** *Le choc* A BRISÉ *le vase,* il l'a cassé. — **2.** *Son accident au bras* A BRISÉ *sa carrière de pianiste,* sa carrière a été interrompue définitivement. — **3.** *Les vagues* SE BRISENT *sur les rochers,* leur sommet se recourbe puis s'écroule (= déferler). ◆ **brisé** adj. *Une* LIGNE BRISÉE *forme des zigzags* (≠ droite). ◆ **bris** n. m. (sens 1) *Il y a eu* BRIS *de vitrines,* des vitrines ont été brisées. ◆ **brisant** n. m. (sens 3) *Près de cette côte, il y a des* BRISANTS, des rochers sur lesquels les vagues se brisent. ◆ **brise-glace** n. m. inv. (sens 1) *Les* BRISE-GLACE *ouvrent un chemin aux bateaux dans la banquise.* ▷ 725 ▷ 584

bristol n. m. *Les cartes de visite sont en* BRISTOL, en papier fort et lisse.

broc n. m. Un BROC est un récipient muni d'un bec évasé et d'une anse.
• **R.** On prononce [bro].

brocanteur n. m. *J'ai vendu ces vieux meubles à un* BROCANTEUR, à un commerçant qui achète et vend des objets d'occasion. ▷ 224

broche n. f. **1.** *Elle a orné le col de sa veste d'une* BROCHE, d'un petit bijou qu'on épingle sur un vêtement. — **2.** *Ce poulet est cuit à la* BROCHE, on l'a traversé d'une tige de fer et fait tourner près du feu. ◆ **brochette** n. f. (sens 2) *On a mangé des* BROCHETTES, des petits morceaux de viande rôtis sur une tige de fer. ◆ **embrocher** v. (sens 2) EMBROCHER *un poulet,* c'est le traverser d'une broche. ▷ 220

brocher v. BROCHER *un livre,* c'est en assembler les feuilles par des fils et les coller dans une couverture légère (≠ relier). ◆ **brochure** n. f. *Lisez cette* BROCHURE, ce petit livre broché.

721 ◁ **brochet** n. m. Le BROCHET est un poisson d'eau douce très vorace.

brochette → BROCHE. / **brochure** → BROCHER.

763 ◁ **brodequin** n. m. *Les militaires portent des* BRODEQUINS, des grosses chaussures montantes.

296 ◁ **broder** v. *Un mouchoir* BRODÉ est orné de motifs exécutés avec une aiguille et du fil. ◆ **broderie** n. f. *Marie fait de la* BRODERIE, elle brode.

40 ◁ **bronche** n. f. *L'air est amené aux poumons par les* BRONCHES, deux gros conduits qui partent du fond de la bouche. ◆ **bronchite** n. f. *Jean tousse, il a une* BRONCHITE, une maladie des bronches.

bronze n. m. *Une statue de* BRONZE est d'un métal brun fait d'un alliage de cuivre et d'étain. ◆ **bronzer** v. *Mon visage est* BRONZÉ *par le soleil* (= brunir). ◆ **bronzage** n. m. *Elle revient de vacances avec un magnifique* BRONZAGE, elle est bien bronzée.

79, 289 ◁ **brosse** n. f. *Les* BROSSES *à dents, à cheveux, à habits sont faites de poils montés sur un support.* ◆ **brosser** v. **1.** BROSSER *ses chaussures,* c'est les nettoyer avec une brosse. — **2.** BROSSER UN TABLEAU *de la situation politique,* c'est la décrire.

brou n. m. *Ce meuble est teinté au* BROU DE NOIX, avec un liquide brun qu'on retire de l'enveloppe verte de la noix.

150, 366 ◁ **brouette** n. f. *Le jardinier transporte de la terre dans sa* BROUETTE, un petit chariot à une roue que l'on pousse devant soi.

brouhaha n. m. *On entend de loin le* BROUHAHA *des conversations,* le bruit confus des voix.

brouillard n. m. *Un* BROUILLARD *épais recouvre toute la région,* des gouttelettes d'eau en suspension dans l'air empêchent de voir (= brume).

brouiller v. **1.** *Le temps* SE BROUILLE, des nuages apparaissent (= se gâter). — **2.** *Ma vue* SE BROUILLE, je vois trouble. — **3.** *Les deux amis* SE SONT BROUILLÉS, ils se sont fâchés (≠ se réconcilier). ◆ **brouille** n. f. (sens 3) *Leur* BROUILLE *n'a pas duré* (= dispute).

brouillon n. m. *Voici le* BROUILLON *de ma lettre,* le premier texte destiné à être corrigé et recopié. ◆ **brouillon** adj. et n. *Elle est* BROUILLONNE, elle est désordonnée.

broussaille n. f. **1.** *Le jardin est envahi de* BROUSSAILLES, de touffes de plantes épineuses. — **2.** *Des cheveux* EN BROUSSAILLE sont mal peignés.

brousse n. f. *Dans les zones tropicales sèches, la forêt est remplacée par la* BROUSSE, une étendue couverte de buissons épars et de petits arbres.

brouter v. **1.** *Les vaches* BROUTENT *l'herbe,* elles la coupent avec leurs dents pour la manger. — **2.** *L'embrayage de ma voiture* BROUTE, il fonctionne par à-coups.

broyer v. **1.** BROYER *des pierres,* c'est les écraser pour les réduire en petits morceaux. — **2.** BROYER DU NOIR, c'est être triste.

547 ◁ **bru** n. f. *Il n'aime pas sa* BRU, la femme de son fils (= belle-fille).

bruine n. f. *Il tombe de la* BRUINE, une pluie fine. ◆ **bruiner** v. *Il* BRUINE, la bruine tombe.

bruissement n. m. *Le* BRUISSEMENT *des feuilles* est le bruit léger qu'elles font quand le vent les agite.

bruit n. m. **1.** *J'entends le* BRUIT *d'un avion* (= son). — **2.** *Qui a fait courir ce* BRUIT?, cette nouvelle peu sûre (= rumeur). ◆ **bruitage** n. m. (sens 1) *Réaliser le* BRUITAGE *d'une émission de radio,* c'est produire artificiellement les bruits qui accompagnent l'action. ◆ **bruyant** adj. (sens 1) *Nos voisins sont* BRUYANTS, ils font du bruit. ◆ **bruyamment** adv. (sens 1) *Il rit* BRUYAMMENT, très fort. ◆ **ébruiter** v. (sens 2) *N'*ÉBRUITEZ *pas la nouvelle,* ne la faites pas connaître (= répandre, divulguer).

brûlant, brûlé → BRÛLER.

à brûle-pourpoint adv. *On m'a interrogé* À BRÛLE-POURPOINT, de façon inattendue et brusque.

brûler v. **1.** *Le jardinier* BRÛLE *des herbes sèches,* il en fait un feu. — **2.** *La forêt* BRÛLE (= flamber). — **3.** *Un invité* A BRÛLÉ *la nappe avec une cigarette,* il y a fait un trou. — **4.** *Je* ME SUIS BRÛLÉ *le doigt,* j'ai senti une vive douleur au contact d'une flamme ou d'un objet très chaud. — **5.** *Ces projecteurs* BRÛLENT *beaucoup d'électricité,* ils en consomment. — **6.** *La voiture* A BRÛLÉ *le feu rouge,* elle ne s'est pas arrêtée. — **7.** *Il* BRÛLE *de partir,* il est impatient de partir. ◆ **brûlant** adj. (sens 4) *Une soupe* BRÛLANTE est très chaude. ◆ **brûlé** n. m. (sens 1, 2 et 3) *On sent une odeur de* BRÛLÉ, de quelque chose qui a brûlé. ◆ **brûlure** n. f. (sens 3 et 4) *J'ai une* BRÛLURE *à la main,* je me suis brûlé la main et j'en porte la marque. ◆ **brûleur** n. m. (sens 2) *Les* BRÛLEURS *d'une cuisinière à gaz* sont les parties percées de petits trous où le gaz brûle. ▷ 75

brume n. f. *Le navire est dans la* BRUME (= brouillard). ◆ **brumeux** adj. *Le temps est* BRUMEUX, il y a de la brume.

brun adj. et n. *Mario a les cheveux* BRUNS (= foncé, noir). ‖ *C'est un* BRUN (≠ blond). ◆ **brunir** v. *Son visage* A BRUNI *au soleil* (= bronzer).

brusque adj. **1.** *Cet homme a des manières un peu* BRUSQUES, il a un caractère vif (= rude, brutal; ≠ doux). — **2.** *Il fit un mouvement* BRUSQUE, soudain et vif. ‖ *Un changement* BRUSQUE *de température* (= subit, brutal). ◆ **brusquer** v. (sens 1) *Ne* BRUSQUEZ *pas cet élève,* ne le traitez pas durement (= malmener, bousculer). • (sens 2) *Il* A BRUSQUÉ *son départ,* il est parti plus tôt que prévu (= précipiter, hâter). ◆ **brusquement** adv. (sens 2) *Le train s'arrêta* BRUSQUEMENT (= subitement, brutalement). ◆ **brusquerie** n. f. (sens 1) *Traiter quelqu'un avec* BRUSQUERIE, c'est le traiter rudement.

brut adj. **1.** Une *matière* BRUTE, comme le *pétrole* BRUT, le *sucre* BRUT, n'a pas encore subi de transformations (≠ raffiné). — **2.** *Le poids* BRUT *d'un paquet* c'est celui de la marchandise et de l'emballage (≠ net). ▷ 581

brutal **1.** adj. et n. *Il est* BRUTAL *avec ses enfants,* il ne maîtrise pas ses mouvements de colère et ses gestes brusques (= dur, violent). — **2.** adj. *Un événement* BRUTAL est inattendu et provoque une forte émotion (= brusque). ◆ **brutalement** adv. (sens 1) *Il a fermé la porte*

BRUTALEMENT (= violemment). • (sens 2) *Il s'est retrouvé* BRUTALEMENT *dans la misère* (= brusquement, subitement). ◆ **brutaliser** v. (sens 1) BRUTALISER *un animal,* c'est le maltraiter. ◆ **brutalité** n. f. (sens 1) *Il s'est plaint des* BRUTALITÉS *des policiers* (= violence). ◆ **brute** n. f. (sens 1) *Tu es une* BRUTE!, tu es violent, brutal.

bruyamment, bruyant → BRUIT.

654 ◁ **bruyère** n. f. **1.** *Les landes bretonnes sont couvertes de* BRUYÈRES, de plantes à petites fleurs violettes ou roses. — **2.** *Une pipe de* BRUYÈRE est taillée dans la racine de certaines bruyères.

655 ◁ **bûche** n. f. *Une* BÛCHE *flambe dans la cheminée,* un gros morceau de bois. ◆ **bûcher** n. m. *Le* BÛCHER *de Jeanne d'Arc* est la pile de bois sur
655 ◁ laquelle elle fut brûlée. ◆ **bûcheron** n. *Le* BÛCHERON *abat les arbres.*

budget n. m. *Le* BUDGET *de la famille* est l'ensemble de ses dépenses et de ses recettes.

buée n. f. *Il y a de la* BUÉE *sur les vitres,* une couche de fines gouttelettes d'eau s'est déposée sur les vitres froides.

79 ◁ **buffet** n. m. **1.** *Un* BUFFET *de salle à manger* est un meuble où on range la vaisselle. — **2.** *Les invités se pressent autour du* BUFFET, des tables où sont
508 ◁ disposés les mets et les boissons. — **3.** *J'ai déjeuné au* BUFFET *de la gare* (= restaurant).

581 ◁ **buffle** n. m. Le BUFFLE est une sorte de bœuf.

582 ◁ **building** n. m. *Il y a des* BUILDINGS *au centre de la ville,* des immeubles modernes très hauts.
• **R.** On prononce [bilding].

buis n. m. *Les allées du jardin ont des bordures de* BUIS, un arbrisseau qui ne perd jamais ses feuilles.

buisson n. m. *Les enfants se sont cachés derrière un* BUISSON, une touffe d'arbustes (= fourré, bosquet). ◆ **buissonnière** adj. *Jean* A FAIT L'ÉCOLE BUISSONNIÈRE, il est allé se promener au lieu d'aller en classe.

bulbe n. m. *Lorsqu'on met en terre un* BULBE *de tulipe, il se forme une fleur* (= oignon).

152 ◁ **bulldozer** n. m. *Pour niveler un terrain, on utilise des* BULLDOZERS, des gros engins à chenilles munis d'une lame d'acier sur l'avant.
• **R.** On prononce [byldɔzɛr] ou [byldozœr].

bulle n. f. *Quand on verse de l'eau gazeuse dans un verre, il se forme des* BULLES, des petites boules remplies de gaz qui montent à la surface.

bulletin n. m. **1.** *Le jour des élections, les gens déposent leur* BULLETIN *de vote dans l'urne,* un papier sur lequel est inscrit le nom du candidat choisi. — **2.** *La radio diffuse le* BULLETIN *de la météorologie,* les informations périodiques sur le temps. — **3.** *Jean a de mauvaises notes sur son* BULLETIN, le papier qu'il rapporte de l'école.

bungalow n. m. *Nous avons loué un* BUNGALOW *dans un camp de vacances,* une petite habitation très simple.
• **R.** On prononce [bɛ̃galo].

bureau n. m. **1.** *Je suis installé à mon* BUREAU, devant ma table à écrire. — **2.** *Le directeur est dans son* BUREAU, dans la pièce où se trouve son bureau. — **3.** *Allez au* BUREAU *de poste,* dans le lieu où sont installés les services de la poste. — **4.** *C'est un employé de* BUREAU, il travaille dans un service administratif. — **5.** *Un* BUREAU DE TABAC est une boutique où l'on vend du tabac. — **6.** *On a élu le* BUREAU *de l'assemblée,* les personnes qui vont la diriger. ◆ **buraliste** n. (sens 5) *J'achète des timbres à la* BURALISTE, à la commerçante qui tient un bureau de tabac. ▷ 292 ▷ 768 ▷ 293

burette n. f. **1.** *Pour graisser ma machine à coudre, j'utilise une* BURETTE, une petite boîte pour l'huile de graissage. — **2.** *L'eau et le vin utilisés pour la messe sont dans des* BURETTES, des petites fioles.

burin n. m. Le BURIN est un ciseau d'acier pour entailler ou couper la pierre ou les métaux. ◆ **buriner** v. *Le vent et la mer* ONT BURINÉ *le visage du marin,* l'ont marqué de profondes rides. ▷ 150, 291

burlesque adj. *Il m'est arrivé une aventure* BURLESQUE, à la fois extravagante et comique.

burnous n. m. *Bébé est enveloppé dans son* BURNOUS, une grande cape de laine à capuchon, comme en portent les Arabes. ▷ 577

buse n. f. La BUSE est un oiseau de proie. ▷ 650

busqué adj. *Un nez* BUSQUÉ est un nez courbe.

buste n. m. **1.** Le BUSTE est la partie du corps qui va de la tête à la taille (= tronc, torse). — **2.** *Au musée, j'ai vu un* BUSTE *de Jules César,* une sculpture représentant sa tête et une partie de sa poitrine. ▷ 224

but n. m. **1.** *Paris est le* BUT *de notre voyage,* le point que nous voulons atteindre (= objectif). — **2.** *Son* BUT *est de te faire peur,* il essaie de te faire peur (= intention, dessein). — **3.** *Le ballon est entré dans les* BUTS, dans le cadre où il doit pénétrer pour que l'équipe marque un point. — **4.** *Notre équipe a marqué un* BUT, un point. ◆ **de but en blanc** adv. DE BUT EN BLANC, *il a décidé de partir,* soudain, sans l'avoir laissé prévoir. ▷ 35, 652

butane n. m. *Cette cuisinière fonctionne au* BUTANE, un gaz vendu en grosses bouteilles de métal.

buter v. **1.** *J'*AI BUTÉ *contre une pierre,* je l'ai heurtée (= trébucher). — **2.** BUTER *sur une difficulté,* c'est ne pas savoir la résoudre. — **3.** *Il* SE BUTE *souvent,* il s'entête (= s'obstiner). ◆ **butoir** n. m. (sens 1) *Le train s'arrête au ras du* BUTOIR, de l'obstacle placé à l'extrémité de la voie ferrée. ▷ 509

butin n. m. *Les voleurs ont caché leur* BUTIN, ce qu'ils ont volé. ◆ **butiner** v. *L'abeille* BUTINE, elle récolte le pollen des fleurs.

butoir → BUTER.

butte n. f. **1.** *Sur cette* BUTTE, *on découvre tout le village,* sur cette élévation de terrain (= monticule, colline). — **2.** *Être* EN BUTTE AUX *moqueries,* c'est y être exposé.

buvable, buvard, buvette, buveur → BOIRE.

c', ça → CE.

çà adv. *Les habits sont dispersés* ÇÀ ET LÀ, n'importe où, en désordre.

cabale n. f. *Monter une* CABALE *contre quelqu'un,* c'est organiser en secret un complot contre lui.

cabalistique adj. *Des signes* CABALISTIQUES sont mystérieux, difficiles à comprendre (= secret).

765 ◁ **caban** n. m. Un CABAN est une longue veste.

367 ◁ **cabane** n. f. **1.** *On range les outils dans une* CABANE *au fond du jardin,* une petite maison (= baraque). — **2.** *On élève les lapins dans des* CABANES À LAPINS (= clapier).

cabaret n. m. *On va ce soir dans un* CABARET *pour voir un spectacle de chants et de danses.*

222 ◁ **cabas** n. m. *M*[me] *Durand fait son marché avec un* CABAS, un grand sac à provisions.

764 ◁ **cabestan** n. m. *Un* CABESTAN *sert à tirer de lourdes charges* (= treuil).

768 ◁ 722 ◁ 511 ◁ **cabine** n. f. **1.** *Dans la rue, on peut téléphoner d'une* CABINE *(téléphonique).* — **2.** *Sur la plage, on se déshabille dans une* CABINE. — **3.** *À bord d'un navire, les voyageurs dorment dans leur* CABINE. — **4.** *Dans un avion, les passagers ne peuvent pas aller dans la* CABINE *du pilote.*

38 ◁ **cabinet** n. m. **1.** *Pierre se lave dans le* CABINET DE TOILETTE (= salle de bains). — **2.** (au plur.) *Jean est allé aux* CABINETS (= w.-c., toilettes). — **3.** *Un médecin reçoit ses clients dans son* CABINET (= bureau). — **4.** *Le* CABINET *a été renversé par l'Assemblée* (= ministère, gouvernement).

652, 150 ◁ **câble** n. m. **1.** *Le bateau est attaché au quai par des* CÂBLES *d'acier* (= cordage). — **2.** *Des* CÂBLES *sous-marins servent aux liaisons téléphoniques entre l'Europe et l'Amérique.*

caboche n. f. Fam. *Il a reçu un coup sur la* CABOCHE (= tête). ◆ **cabochard** adj. et n. Fam. *Pierre est un garçon très* CABOCHARD (= entêté; ≠ docile).

cabosser v. *Il* A CABOSSÉ *sa voiture contre un arbre,* il l'a abîmée.

cabot n. m. Fam. *Ce sale* CABOT *est encore en train d'aboyer* (= chien).

cabotage n. m. *Quand un navire de commerce fait du* CABOTAGE, *il ne s'éloigne pas beaucoup des côtes* (≠ navigation au long cours). ◆ **caboteur** n. m. Un CABOTEUR est un bateau qui fait du cabotage.

cabotin adj. et n. *À quatre ans, Marie était très* CABOTINE, elle cherchait à se faire remarquer en faisant des manières (= comédien). ◆ **cabotinage** n. m. *Ton* CABOTINAGE *m'agace* (≠ spontanéité).

se cabrer v. *Le cheval* S'EST CABRÉ *devant la barrière,* il s'est dressé sur ses pattes de derrière.

cabri n. m. *La chèvre est suivie de ses* CABRIS, ses petits (= chevreau). ▷ 361

cabriole n. f. *Les enfants font des* CABRIOLES *sur la plage,* ils sautent, se roulent par terre (= galipette).

caca n. m. Fam. *Bébé a fait* CACA *dans son pot,* il a fait ses besoins.

cacahouète ou **cacahuète** n. f. *Jean s'est acheté un paquet de* CACAHOUÈTES *grillées,* de graines d'arachide. ▷ 580

cacao n. m. **1.** Le CACAO est une graine qui sert à fabriquer le chocolat. — **2.** *J'ai bu ce matin une tasse de* CACAO (= chocolat).

cachalot n. m. *Un* CACHALOT *pèse plusieurs tonnes,* une sorte de baleine. ▷ 584

cache-cache → CACHER.

cachemire n. m. *Pierre porte une belle écharpe en* CACHEMIRE, en tissu de poil de chèvre du Cachemire.

cache-nez n. m. inv. *Il fait froid, prends ton* CACHE-NEZ! (= écharpe).

cacher v. **1.** *Pierre* A CACHÉ *mon stylo,* il l'a mis dans un endroit secret (= dissimuler). ‖ *Jacques* S'EST CACHÉ *derrière l'armoire.* — **2.** *Ce mur nous* CACHE *la mer,* il nous empêche de la voir (= masquer). — **3.** *M. Dupont cherche à* CACHER *son inquiétude,* à ne pas la montrer (≠ exprimer, avouer). ◆ **cache-cache** n. m. inv. (sens 1) *Les enfants ont passé l'après-midi à jouer à* CACHE-CACHE. ◆ **cachette** n. f. (sens 1) *Il a mis son argent dans une* CACHETTE. • (sens 3) *Il agit* EN CACHETTE, secrètement (≠ ouvertement). ◆ **cachottier** adj. et n. (sens 3) *Marie est très* CACHOTTIÈRE, elle ne dit pas ce qu'elle pense.

cachet n. m. **1.** *Cette lettre porte le* CACHET *de la poste,* la date et le lieu de départ imprimés sur l'enveloppe. — **2.** *Les acteurs, les musiciens ne reçoivent pas un salaire mais un* CACHET (= rétribution). — **3.** *Un* CACHET *d'aspirine* est un médicament (= comprimé). ▷ 768

cacheter v. *Il faut* CACHETER *une lettre avant de la mettre à la poste,* il faut la fermer en la collant. ◆ **décacheter** v. *Peux-tu me* DÉCACHETER *cette lettre?* (= ouvrir).

• **R.** Conj. n° 8.

cachette → CACHER.

cachot n. m. *Le prisonnier a été mis au* CACHOT, dans une cellule obscure et étroite.

cachottier → CACHER.

cachou n. m. *Pierre aime bien les* CACHOUS, des petits bonbons.

cacophonie n. f. *Cette* CACOPHONIE *nous casse les oreilles* (= tintamarre).

577 ◁ **cactus** n. m. *M*^me *Durand cultive des* CACTUS *sur son balcon,* une sorte de plante verte et piquante.

c.-à-d. → C'EST-À-DIRE.

cadastre n. m. *On peut consulter le* CADASTRE *à la mairie,* le registre qui contient les plans des propriétés de la commune.

cadavre n. m. *On a retiré plusieurs* CADAVRES *de la voiture accidentée* (= mort). ◆ **cadavérique** adj. *Il a un teint* CADAVÉRIQUE, aussi pâle que celui d'un mort.

cadeau n. m. *À Noël, mon père m'a fait* CADEAU *d'une montre,* il me l'a offerte (= présent).

cadenas n. m. *Un* CADENAS *sert à fermer une porte qui n'a pas de serrure, à attacher une chaîne, etc.*

cadence n. f. **1.** *Accélérez la* CADENCE!, agissez plus rapidement (= rythme). — **2.** *Les soldats marchent* EN CADENCE (= régulièrement). ◆ **cadencé** adj. *Marchez au pas* CADENCÉ!, en posant tous le pied ensemble.

cadet **1.** adj. et n. *Jean est le* CADET *de la famille,* le plus jeune des enfants (= benjamin; ≠ aîné). — **2.** n. *Ma cousine Jeanne est ma* CADETTE *de deux ans,* elle a deux ans de moins que moi.

220 ◁ **cadran** n. m. **1.** *Le* CADRAN *d'une horloge,* c'est la surface sur laquelle se
75 ◁ déplacent les aiguilles. — **2.** *Un* CADRAN SOLAIRE *indique l'heure grâce à une tige dont l'ombre tourne avec le soleil.*

cadre n. m. **1.** *Le* CADRE *de ce tableau est en bois doré* (= bordure, encadrement). — **2.** *Cela n'entre pas* DANS LE CADRE DE *mon travail,* cela n'a pas de rapport avec lui (= limites). — **3.** *M. Durand fait partie des* CADRES *de son entreprise,* de ceux qui ont des fonctions de direction (≠ employé). ◆ **cadrer** v. (sens 2) *Ton récit ne* CADRE *pas avec ce que je sais* (= concorder). ◆ **encadrer** v. (sens 1) ENCADRER *un tableau,* c'est le mettre dans un cadre. • (sens 3) *Les officiers* ENCADRENT *les soldats* (= commander). ◆ **encadrement** n. m. (sens 1) *L'*ENCADREMENT *d'une photo,* c'est son cadre. • (sens 3) *L'*ENCADREMENT *d'un régiment,* c'est l'ensemble des officiers.

caduc adj. *Le chêne a des feuilles* CADUQUES, qui tombent chaque année.

cafard n. m. **1.** *Il y a des* CAFARDS *dans la cuisine,* des petits insectes (= blatte). — **2.** *Marie a le* CAFARD, elle est triste. ◆ **cafardeux** adj. (sens 2) *Marie est* CAFARDEUSE (= triste, mélancolique).

580 ◁ **café** n. m. **1.** *M*^me *Durand a acheté un paquet de* CAFÉ, de graines grillées que l'on moud pour faire une boisson appelée elle aussi CAFÉ : *J'ai bu une*
218 ◁ *tasse de* CAFÉ. — **2.** *M. Dupont est entré dans un* CAFÉ, dans un lieu où l'on peut consommer des boissons diverses. ◆ **cafetière** (sens 1) Une
78 ◁ CAFETIÈRE est un appareil pour faire le café (boisson).

cage n. f. **1.** *Les lions vont et viennent dans leur* CAGE, une loge garnie de barreaux. — **2.** *La* CAGE *de l'escalier* est l'espace où il est disposé. ▷ 433, 435

cageot n. m. *On transporte les fruits et les légumes dans des* CAGEOTS, de petites caisses. ▷ 223

cagnotte n. f. *Marie a mis de l'argent dans une* CAGNOTTE (= tirelire).

cagoule n. f. **1.** *Les gangsters portaient une* CAGOULE, une sorte de masque. — **2.** *Il fait froid, mets ta* CAGOULE! (= passe-montagne). ▷ 653

cahier n. m. *Pierre a écrit son devoir sur son* CAHIER *de brouillon.* ▷ 295
• **R.** *Cahier* se prononce [kaje] comme *cailler.*

cahin-caha adv. *On est revenu* CAHIN-CAHA, péniblement.

cahot n. m. *J'ai été réveillé par les* CAHOTS *de la voiture* (= secousse). ◆ **cahoteux** adj. *Cette route est* CAHOTEUSE (= cahotant). ◆ **cahotant** adj. *Cette vieille voiture est* CAHOTANTE.
• **R.** *Cahot* se prononce [kao] comme *chaos.*

caille n. f. *M. Durand a tué une* CAILLE *à la chasse,* un petit oiseau.

cailler v. *Le lait* A CAILLÉ (S'EST CAILLÉ), il est devenu presque solide. ◆ **caillot** n. m. *Un* CAILLOT *de sang,* c'est du sang solidifié.

caillou n. m. *Jacques s'amuse à lancer des* CAILLOUX *dans l'eau,* de petites pierres. ◆ **caillouteux** adj. *Le chemin est* CAILLOUTEUX, parsemé de cailloux.

caïman n. m. *L'explorateur a été dévoré par des* CAÏMANS (= crocodile). ▷ 434

caisse n. f. **1.** *Nous avons mis les livres dans des* CAISSES, dans de grandes boîtes en bois (= coffre). — **2.** *L'épicier compte le contenu de sa* CAISSE, du tiroir où il met l'argent qu'il reçoit. — **3.** *M. Durand est passé à la* CAISSE *de sa banque,* au bureau où se font les paiements (= guichet). — **4.** *Jean joue de la* GROSSE CAISSE, une sorte de tambour. ◆ **caissette** n. f. ou **caisson** n. m. (sens 1) *Une* CAISSETTE (*un* CAISSON) est une petite caisse. ◆ **caissier** n. (sens 2 et 3) *La* CAISSIÈRE *d'un magasin reçoit l'argent.* ◆ **encaisser** v. **1.** (sens 2 et 3) *Le boulanger* ENCAISSE *le prix du pain,* il met l'argent dans sa caisse (= toucher). — **2.** *La rivière* EST ENCAISSÉE, sa vallée est très étroite. ▷ 223 ▷ 221 ▷ 439 ▷ 223

cajoler v. *La maman* CAJOLE *son bébé,* elle est très affectueuse avec lui.

cake n. m. *Au dessert, nous avons mangé du* CAKE, une sorte de gâteau aux raisins secs et aux fruits confits.
• **R.** On prononce [kɛk].

calamité n. f. *La guerre est une* CALAMITÉ, un grand malheur.

calcaire n. m. et adj. *La craie est une roche* CALCAIRE : *c'est du* CALCAIRE. ‖ *Une eau* CALCAIRE *contient du* CALCAIRE *dissous.*

calciner v. *Le rôti* A ÉTÉ CALCINÉ, complètement brûlé (= carboniser).

calcium n. m. *Le* CALCIUM *est un composant essentiel de nos os.* ◆ **décalcifier** v. *Pierre* EST DÉCALCIFIÉ, ses os manquent de calcium.
• **R.** *Calcium* se prononce [kalsjɔm].

calcul n. m. **1.** *2 + 2 = 4, voilà un* CALCUL *simple* (= opération). ‖ *Marie est bonne en* CALCUL (= arithmétique). — **2.** *Faire un mauvais* CALCUL, c'est faire une mauvaise prévision. ◆ **calculer** v. (sens 1) *Peux-tu* CALCULER *la surface de ce carré?*, la déterminer par un calcul • (sens 2) *Pierre* CALCULE *toujours ses paroles,* il les prévoit, les arrange d'avance.

293 ◁ ◆ **calculateur** n. m. ou **calculatrice** n. f. (sens 1) Une CALCULATRICE est une machine qui fait automatiquement des calculs. ◆ **incalculable** adj. (sens 1) *Les étoiles sont* INCALCULABLES (= innombrable). • (sens 2) *Cette décision est d'une portée* INCALCULABLE (= imprévisible).

cale n. f. **1.** *La table est branlante : mets une* CALE *sous un pied,* un objet qui l'empêche de bouger. — **2.** *On met les marchandises dans la* CALE *du navire,* dans l'espace qui est sous le pont. ◆ **caler** v. **1.** (sens 1) CALE *la voiture avec une pierre!* (= immobiliser). — **2.** *Le moteur* A CALÉ, il s'est arrêté. ◆ **cale-pied** n. m. (sens 1) *Le coureur cycliste resserre ses* CALE-PIEDS, les instruments qui fixent ses pieds aux pédales.

726 ◁ 512 ◁

caleçon n. m. *Où est passé mon* CALEÇON *de bain?* (= slip).

calembour n. m. *Il a fait un mauvais* CALEMBOUR, un jeu de mots.

292, 125 ◁ **calendrier** n. m. *Si tu ne sais pas la date, regarde sur le* CALENDRIER.

cale-pied → CALE.

calepin n. m. *Jean écrit ses rendez-vous sur son* CALEPIN, un petit carnet.

caler → CALE.

calfeutrer v. *On* A CALFEUTRÉ *la porte,* bouché les fentes pour empêcher l'air de passer.

763 ◁ **calibre** n. m. *Le* CALIBRE *de ce revolver est de 8 millimètres,* le diamètre intérieur du canon.

149 ◁ **calice** n. m. **1.** *Le prêtre verse le vin de messe dans le* CALICE, une sorte de vase. — **2.** *Le* CALICE *d'une fleur,* c'est son enveloppe extérieure qui s'épanouit au moment de la floraison.

calife n. m. Un CALIFE était, chez les musulmans, une sorte de roi.

à califourchon adv. *Pierre est assis* À CALIFOURCHON *sur une branche,* une jambe de chaque côté (= à cheval).

câlin adj. *Marie est très* CÂLINE, elle aime les caresses. ◆ **câliner** v. *La mère* CÂLINE *son enfant* (= cajoler).

calleux adj. *Mon grand-père a les mains* CALLEUSES, rugueuses (≠ lisse).

calme adj. **1.** *Nous habitons dans une rue* CALME (= tranquille; ≠ animé). — **2.** *Nos voisins sont des gens* CALMES (= paisible; ≠ nerveux, agité). ◆ **calme** n. m. (sens 1) *J'aime le* CALME *de la forêt* (≠ bruit). • (sens 2) *Il m'a répondu avec beaucoup de* CALME (≠ nervosité). ◆ **calmement** adv. (sens 2) *Il parle toujours* CALMEMENT. ◆ **calmer** v. (sens 1 et 2) *Ce médicament* CALME *la douleur* (= apaiser; ≠ exciter). ‖ CALMEZ-VOUS *et nous pourrons discuter* (≠ énerver). ◆ **calmant** n. m. (sens 2) *Si tu as mal à la tête, prends un* CALMANT. ◆ **accalmie** n. f. (sens 1) *Après une* ACCALMIE, *la tempête a repris,* un calme momentané.

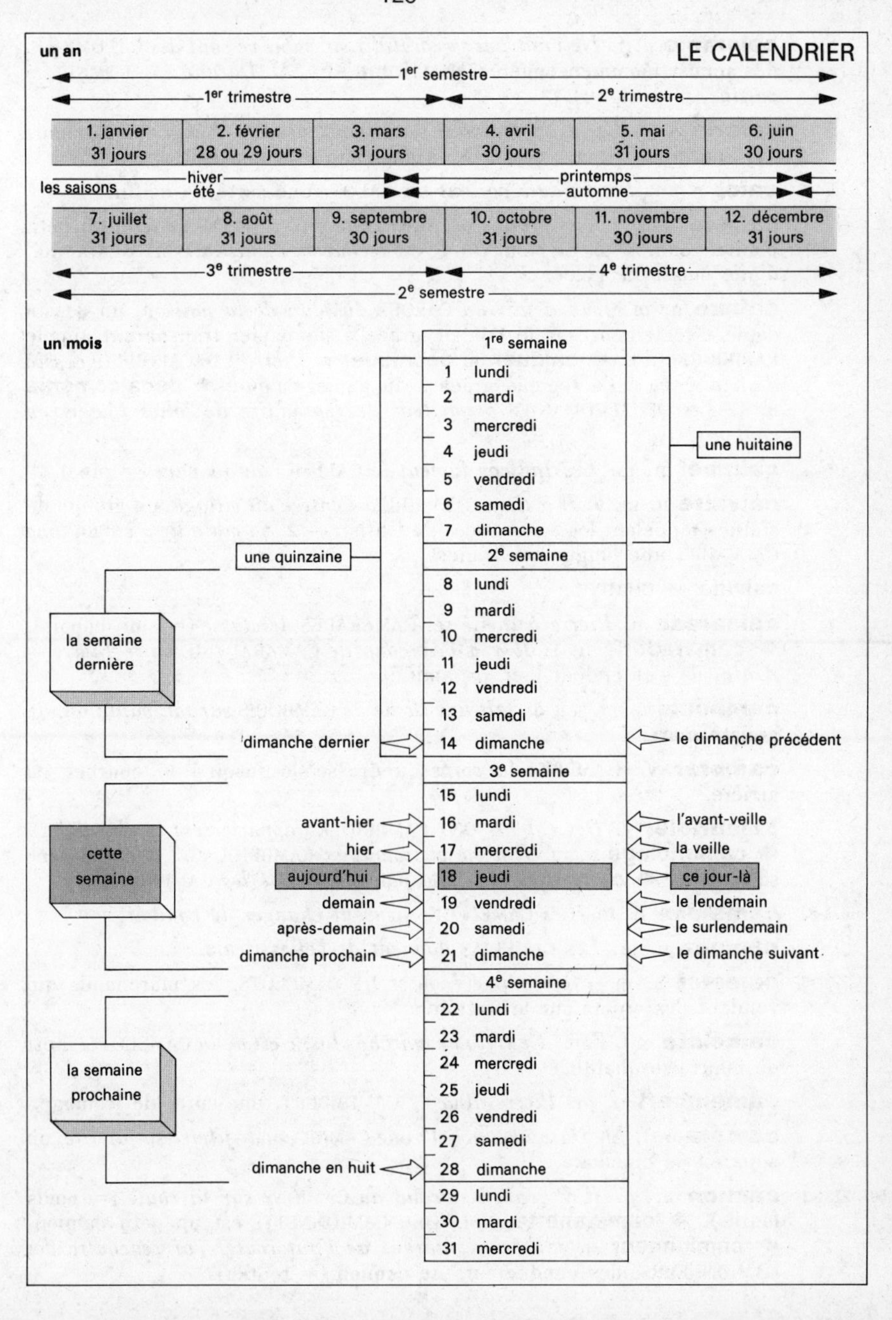
un an
LE CALENDRIER
1er semestre
1er trimestre
2e trimestre
1. janvier 31 jours
2. février 28 ou 29 jours
3. mars 31 jours
4. avril 30 jours
5. mai 31 jours
6. juin 30 jours
les saisons
hiver
été
printemps
automne
7. juillet 31 jours
8. août 31 jours
9. septembre 30 jours
10. octobre 31 jours
11. novembre 30 jours
12. décembre 31 jours
3e trimestre
4e trimestre
2e semestre
un mois
1re semaine
1 lundi
2 mardi
3 mercredi
4 jeudi
5 vendredi
6 samedi
7 dimanche
une huitaine
une quinzaine
2e semaine
8 lundi
9 mardi
10 mercredi
11 jeudi
12 vendredi
13 samedi
14 dimanche
la semaine dernière
dimanche dernier
le dimanche précédent
3e semaine
15 lundi
16 mardi
17 mercredi
18 jeudi
19 vendredi
20 samedi
21 dimanche
cette semaine
avant-hier
hier
aujourd'hui
demain
après-demain
dimanche prochain
l'avant-veille
la veille
ce jour-là
le lendemain
le surlendemain
le dimanche suivant
4e semaine
22 lundi
23 mardi
24 mercredi
25 jeudi
26 vendredi
27 samedi
28 dimanche
la semaine prochaine
dimanche en huit
29 lundi
30 mardi
31 mercredi

calomnie n. f. *Ne crois pas ce qu'il dit sur moi, ce sont des* CALOMNIES, des accusations mensongères. ◆ **calomnier** v. *M. Durand* A CALOMNIÉ *ses voisins* (= dénigrer).

calorie n. f. *Les aliments nous fournissent des* CALORIES, des éléments qui apportent à notre corps de la chaleur et de l'énergie.

767 ◁ **calot** n. m. *Les soldats portent un* CALOT, une sorte de coiffure.

calotte n. f. **1.** *Les prêtres portaient une* CALOTTE *sur la tête,* un petit bonnet rond. — **2.** *Le mont Blanc est recouvert d'une* CALOTTE GLACIAIRE, d'une masse de glace.

calque n. m. *Jean a fait un* CALQUE *du plan de la maison,* un dessin copié directement sur le modèle grâce à du papier transparent appelé PAPIER-CALQUE. ◆ **calquer** ou **décalquer** v. *Pierre* A DÉCALQUÉ *le dessin d'un oiseau,* il l'a recopié grâce à du papier-calque. ◆ **décalcomanie** n. f. *Les* DÉCALCOMANIES *permettent de reproduire de jolies images en couleurs.*

calumet n. m. *Les Indiens fument le* CALUMET *de la paix* (= pipe).

calvaire n. m. **1.** *Il y a un* CALVAIRE *à l'entrée du village,* un groupe de statues rappelant les souffrances du Christ. — **2.** *Sa maladie a été un long* CALVAIRE, une longue souffrance.

calvitie → CHAUVE.

camarade n. *Pierre a invité ses* CAMARADES *de classe* (= ami, copain). ◆ **camaraderie** n. f. *Il y a beaucoup de* CAMARADERIE *entre Pierre et Alain,* ils s'entendent bien (= amitié).

cambouis n. m. *Tu as fait une tache de* CAMBOUIS *sur ton pantalon,* de graisse noire.

cambrer v. CAMBREZ *le corps!,* redressez-le jusqu'à le courber en arrière.

cambrioler v. *Des voleurs* ONT CAMBRIOLÉ *l'appartement* (= dévaliser). ◆ **cambriolage** n. m. *Il a été victime d'un* CAMBRIOLAGE, d'un vol dans sa maison. ◆ **cambrioleur** n. *La police a arrêté les* CAMBRIOLEURS.

434 ◁ **caméléon** n. m. *Les* CAMÉLÉONS *peuvent changer de couleur.*

camélia n. m. *Les* CAMÉLIAS *donnent de belles fleurs.*

223 ◁ **camelot** n. m. *Pierre aime écouter les* CAMELOTS, les marchands qui vendent des objets sur le trottoir.

camelote n. f. Fam. *Ce stylo ne marche plus, c'est de la* CAMELOTE, il est de mauvaise qualité.

camembert n. m. *Pierre aime le* CAMEMBERT, une sorte de fromage.

caméra n. f. *M. Durand a acheté une* CAMÉRA *pour filmer sa famille,* un appareil de cinéma.

77, 507, 223 ◁ **camion** n. m. *Il y avait beaucoup de* CAMIONS *sur la route* (= poids lourds). ◆ **camionnette** n. f. Une CAMIONNETTE est un petit camion. ◆ **camionneur** n. m. *Au restaurant de l'autoroute, j'ai rencontré des* CAMIONNEURS, des conducteurs de camion (= routier).

camisole n. f. *Autrefois, on attachait les fous furieux avec une* CAMISOLE DE FORCE, une chemise sans manches se fermant par-derrière.

camomille n. f. *Marie boit une tisane de* CAMOMILLE, faite avec les fleurs de cette plante. ▷ 38

camoufler v. *Les chasseurs* SE CAMOUFLENT *sous des branchages* (= cacher). ◆ **camouflage** n. m. *Les soldats ont un bon* CAMOUFLAGE. ▷ 763

camp n. m. **1.** *Les soldats ont installé un* CAMP, des tentes, des baraques. — **2.** *Nous avons passé nos vacances dans un* CAMP *au bord de la mer,* un terrain de camping. — **3.** *La classe est divisée en deux* CAMPS, en deux partis opposés (= clan). ◆ **camper** v. **1.** (sens 1 et 2) *Nous* AVONS CAMPÉ *au bord de la mer,* fait du camping. — **2.** *Paul* S'EST CAMPÉ *devant la porte,* s'y est installé avec assurance. ◆ **campement** n. m. est un synonyme de *camp* aux sens 1 et 2. ◆ **camping** n. m. (sens 2) *Pendant les vacances nous avons fait du* CAMPING, dormi sous la tente. ‖ *Nous étions dans un* CAMPING *au bord de la mer,* un terrain réservé aux campeurs. ◆ **campeur** n. (sens 2) *Des* CAMPEURS *ont mis leur tente près de la rivière.*

• **R.** *Camp* se prononce [kɑ̃] comme *quand.*

campagne n. f. **1.** *La* CAMPAGNE *est jolie au printemps,* les champs, les prés, les bois (≠ ville). — **2.** *Napoléon a fait de nombreuses* CAMPAGNES, des expéditions militaires. — **3.** *La* CAMPAGNE *électorale a commencé,* les candidats aux élections se font connaître. ◆ **campagnard** n. m. (sens 1) *Les* CAMPAGNARDS *vont à la foire* (= paysan; ≠ citadin). ▷ 361 à 368

campement, camper, campeur, camping → CAMP.

canadienne n. f. *Il fait très froid, prends ta* CANADIENNE!, une grosse veste doublée de fourrure.

canaille n. f. *Cet homme est une* CANAILLE, une personne malhonnête.

canal n. m. **1.** *Le* CANAL *de Bourgogne relie la Seine et le Rhône,* une voie d'eau navigable. — **2.** *Des* CANAUX *d'irrigation servent à amener de l'eau aux cultures.* ◆ **canaliser** v. (sens 1) *On* A CANALISÉ *la rivière,* on l'a rendue navigable. ◆ **canalisation** n. f. (sens 1) *La* CANALISATION *de la Moselle est terminée.* • (sens 2) *La* CANALISATION *est bouchée,* le tuyau dans lequel coule un liquide. ▷ 218 ▷ 75, 151

canapé n. m. *Assieds-toi sur ce* CANAPÉ!, ce fauteuil à plusieurs places. ▷ 77

canard n. m. *Les* CANARDS *domestiques volent moins bien que les* CANARDS *sauvages.* ◆ **cane** n. f. La CANE est la femelle du canard. ◆ **caneton** n. m. Le CANETON est le petit du canard. ▷ 362

• **R.** *Cane* se prononce [kan] comme *canne.*

canarder v. Fam. *L'ennemi nous* A CANARDÉS, il nous a tiré dessus.

canari n. m. *Le* CANARI *chante dans sa cage,* un petit oiseau jaune.

cancan n. m. *N'écoute pas ces* CANCANS!, ces bavardages malveillants (= commérages).

cancer n. m. *M. Durand est mort d'un* CANCER *du foie* (= tumeur). ◆ **cancéreux** adj. *M. Durand était* CANCÉREUX, il avait un cancer. ◆ **cancérigène** adj. *Le tabac est* CANCÉRIGÈNE, il provoque le cancer.

cancre n. m. Fam. *Pierre est un* CANCRE, un très mauvais élève.

candeur n. f. *Marie m'a regardé avec* CANDEUR, un air naïf et innocent. ◆ **candide** adj. *Marie a un regard* CANDIDE, plein de candeur.

candi adj. m. inv. *Jean aime le* SUCRE CANDI (= cristallisé).

candidat n. *M. Durand est* CANDIDAT *aux élections,* il se présente. ‖ *Marie est* CANDIDATE *au baccalauréat.* ◆ **candidature** n. f. *M. Durand a posé sa* CANDIDATURE *à un emploi.*

candide → CANDEUR. / **cane, caneton** → CANARD.

canette n. f. *Au café, j'ai bu une* CANETTE *de bière,* une petite bouteille.

296 ◁ **canevas** n. m. **1.** *On fait de la tapisserie sur un* CANEVAS, une toile spéciale. — **2.** *Le* CANEVAS *d'un roman,* c'est son plan.

caniche n. m. Un CANICHE est un chien à poil frisé.

canicule n. f. *On se rappelle la* CANICULE *de l'été dernier,* la forte chaleur.

292 ◁ **canif** n. m. *Voilà un* CANIF *pour tailler tes crayons,* un petit couteau.

canin adj. *La race* CANINE, c'est la race des chiens.

canine n. f. *Le chat a des* CANINES *très pointues,* les dents qui se trouvent entre les incisives et les molaires.

218 ◁ **caniveau** n. m. *J'ai glissé dans le* CANIVEAU, la rigole qui longe le trottoir.

canne n. f. **1.** *Mon grand-père marche avec une* CANNE, un bâton pour s'appuyer. — **2.** La CANNE À SUCRE est une plante tropicale qui ressemble
721 ◁ au bambou. — **3.** Une CANNE À PÊCHE est constituée par des bambous emboîtés.
• **R.** V. CANE.

cannelé → CANNELURE.

cannelle n. f. *On se sert de la* CANNELLE *pour parfumer les gâteaux.*

cannelure n. f. *Les* CANNELURES *d'une colonne* sont des rainures verticales et parallèles. ◆ **cannelé** adj. *Ce temple a des colonnes* CANNELÉES (≠ lisse).

cannibale n. *L'explorateur a été mangé par des* CANNIBALES, des gens qui mangent de la chair humaine (= anthropophage).

721 ◁ **canoë** n. m. *Pierre a descendu la rivière en* CANOË, une sorte de barque.

765, 762 ◁ **canon** n. m. **1.** *Les* CANONS *ont bombardé les positions ennemies,* les
763 ◁ pièces d'artillerie. — **2.** *Le* CANON *d'une arme à feu,* c'est le tube cylindrique par où sort la balle ou l'obus. ◆ **canonner** v. (sens 1) *Le bateau* A CANONNÉ *le port* (= bombarder). ◆ **canonnade** n. f. (sens 1) *À dix kilomètres, on entendait la* CANONNADE, les coups de canon.

583 ◁ **cañon** n. m. Un CAÑON est une vallée très profonde aux versants abrupts.
• **R.** On prononce [kanjɔn].

canoniser v. *L'Église* A CANONISÉ *Jeanne d'Arc en 1920,* a déclaré que c'était une sainte. ◆ **canonisation** n. f. *La* CANONISATION *d'un saint est décidée à Rome.*

canonnade, canonner → CANON.

canot n. m. *Monte dans le* CANOT *et prends les rames!,* le petit bateau. ◆ **canoter** v. *Nous* AVONS CANOTÉ *sur le lac,* nous nous sommes promenés en canot. ◆ **canotage** n. m. *J'aime le* CANOTAGE.

▷ 726, 727

▷ 437

cantal n. m. Le CANTAL est un fromage d'Auvergne.

cantate n. f. Une CANTATE est un morceau de musique chantée.

cantatrice n. f. Une CANTATRICE est une chanteuse d'opéra.

cantine n. f. **1.** *Pierre déjeune tous les midis à la* CANTINE *du lycée.* — **2.** *Mets tes affaires dans la* CANTINE! (= coffre, malle).

cantique n. m. *À l'église, on chante des* CANTIQUES.

canton n. m. *Il y a plusieurs* CANTONS *dans un département et plusieurs communes dans un* CANTON (= division administrative). ◆ **cantonal** adj. *Aux élections* CANTONALES, *on élit les conseillers généraux.*

▷ 298

cantonade n. f. *Parler* À LA CANTONADE, c'est parler fort et pour toute l'assistance.

cantonal → CANTON.

cantonner v. *Les soldats* ONT ÉTÉ CANTONNÉS *dans l'école,* on les y a installés provisoirement. ◆ **cantonnement** n. m. *L'école a servi de* CANTONNEMENT *aux soldats.*

cantonnier n. m. *Le métier du* CANTONNIER *est d'entretenir les routes.*

caoutchouc n. m. *Les pneus de la voiture sont en* CAOUTCHOUC, en une matière résistante et élastique.

• **R.** Le *c* final de *caoutchouc* ne se prononce pas : [kautʃu].

cap n. m. **1.** *Le bateau est passé au large d'un* CAP, d'une pointe de terre. — **2.** *Le bateau* A MIS LE CAP *sur l'Amérique,* il se dirige vers l'Amérique.

▷ 724

• **R.** *Cap* se prononce [kap] comme *cape.*

capable adj. **1.** *Pierre est* CAPABLE *de faire ce problème,* il peut le faire (= apte à). — **2.** *M. Durand est un homme* CAPABLE (= compétent). ◆ **capacité** n. f. **1.** (sens 2) *M. Durand a de grandes* CAPACITÉS (= intelligence). — **2.** *La* CAPACITÉ *de cette bouteille est de 1 litre* (= contenance). ◆ **incapable 1.** (sens 1) adj. *Pierre est* INCAPABLE *de mentir* (≠ capable). — **2.** adj. et n. (sens 2) *Cet homme est un* INCAPABLE (= bon à rien). ◆ **incapacité** n. f. (sens 1) *Jean est dans l'*INCAPACITÉ *de travailler* (= impossibilité). • (sens 2) *Il a montré son* INCAPACITÉ (= incompétence).

cape n. f. Une CAPE est une sorte de manteau sans manches.

• **R.** V. CAP.

capharnaüm n. m. *Ce magasin est un vrai* CAPHARNAÜM, un lieu plein d'objets en désordre.

• **R.** On prononce [kafarnaɔm].

767, 765, 355 ◁ **capitaine** n. m. **1.** *Le lieutenant a été promu* CAPITAINE, un officier. — **2.** *Le* CAPITAINE *du bateau a donné l'ordre de lever l'ancre,* celui qui commande.

1. capital adj. **1.** *Il a parlé d'une question* CAPITALE (= essentiel; ≠ secondaire). — **2.** *L'assassin a été condamné à la* PEINE CAPITALE, à mort.

2. capital n. m. *M. Durand a placé des* CAPITAUX *dans une entreprise,* de l'argent qui lui rapporte des intérêts. ◆ **capitalisme** n. m. Le CAPITALISME est un système économique dans lequel les capitaux, les usines appartiennent à des particuliers et non à l'État (≠ socialisme ou communisme). ◆ **capitaliste** adj. et n. *Les États-Unis sont un pays* CAPITALISTE. || *M. Durand est un* CAPITALISTE.

capitale n. f. **1.** *Paris est la* CAPITALE *de la France.* — **2.** *Écrivez votre nom en* CAPITALES, en lettres majuscules.

capitalisme, capitaliste → CAPITAL 2.

capitonner v. *On* A CAPITONNÉ *le fauteuil du salon* (= rembourrer).

capituler v. *Les soldats ont dû* CAPITULER, cesser de résister (= se rendre). ◆ **capitulation** n. f. *La* CAPITULATION *de l'ennemi.*

767, 763, 355 ◁ **caporal** n. m. *À vos ordres, mon* CAPORAL!, un sous-officier.

505 ◁ **capot** n. m. *Soulève le* CAPOT *de l'auto, je voudrais regarder le moteur.*

capote n. f. **1.** *La* CAPOTE *d'un soldat,* c'est son manteau d'uniforme. — **2.** *Certaines voitures ont une* CAPOTE, une toiture pliante. ◆ **décapotable**
506 ◁ adj. (sens 2) *Il a acheté une voiture* DÉCAPOTABLE, munie d'une capote que l'on peut relever.

capoter v. *La voiture* A CAPOTÉ *dans un virage,* elle s'est retournée.

caprice n. m. *Marie veut toujours qu'on cède à ses* CAPRICES, ses exigences, ses fantaisies. ◆ **capricieux** adj. *Marie est* CAPRICIEUSE.

capsule n. f. **1.** *La bouteille est bouchée avec une* CAPSULE, une sorte de bouchon. — **2.** *Les astronautes sont restés dans la* CAPSULE SPATIALE, la partie habitable de la fusée. ◆ **décapsuler** v. (sens 1) *Voilà un instrument pour* DÉCAPSULER *la bouteille* (= déboucher).

capter v. **1.** CAPTER *une émission de radio,* c'est la recevoir. — **2.** CAPTER *une source,* c'est recueillir ses eaux. — **3.** CAPTER *l'attention de quelqu'un,* c'est la retenir.

captif → CAPTIVITÉ.

captiver v. *Pierre* EST CAPTIVÉ *par son livre,* très intéressé. ◆ **captivant** adj. *J'ai vu un film* CAPTIVANT (= passionnant).

captivité n. f. *Il a passé cinq ans en* CAPTIVITÉ, comme prisonnier de guerre. ◆ **captif** n. Les CAPTIFS étaient des prisonniers de guerre.

capturer v. *Les chasseurs* ONT CAPTURÉ *un lion,* ils l'ont pris vivant. ◆ **capture** n. f. *Les chasseurs ont ramené leur* CAPTURE (= prise).

capuchon n. m. **1.** *Le* CAPUCHON *d'un manteau,* c'est la partie qui peut se rabattre sur la tête. — **2.** *Où est le* CAPUCHON *de mon stylo?,* la partie qui protège la plume. ◆ **capuche** n. f. est un équivalent de *capuchon* au sens 1. ▷ 36 ▷ 292

capucine n. f. Les CAPUCINES sont des plantes à fleurs. ▷ 80

caqueter v. *Les poules* CAQUETTENT *dans le poulailler* (= glousser).
• R. Conj. n° 8.

1. car conj. *Il ne viendra pas,* CAR *il est malade* (= parce que).

2. car n. m. *Nous avons fait une excursion en* CAR (= autocar). ▷ 506

carabine n. f. *Jean sait tirer à la* CARABINE, un fusil léger. ▷ 436

caracoler v. *Le cheval s'est mis à* CARACOLER, à faire des petits sauts.

caractère n. m. **1.** *Écrivez votre nom en gros* CARACTÈRES, en lettres d'imprimerie. — **2.** *Le* CARACTÈRE *d'une personne,* c'est sa manière de se comporter (= tempérament). ‖ *Marie a mauvais* CARACTÈRE, elle se fâche facilement. — **3.** *M. Durand a du* CARACTÈRE, c'est un homme énergique. — **4.** *Cette maladie a les* CARACTÈRES *d'une grippe,* elle en présente les signes distinctifs (= apparence). ◆ **caractériser** v. (sens 4) *La grippe* EST CARACTÉRISÉE *par une forte fièvre,* la fièvre en est un signe distinctif. ◆ **caractéristique** adj. et n. f. (sens 4) *Les courbatures sont un signe* CARACTÉRISTIQUE *de la grippe* (= particulier, distinctif). ‖ *Quelles sont les* CARACTÉRISTIQUES *de cette voiture?* (= particularité). ▷ 290

carafe n. f. *Apporte une* CARAFE *d'eau sur la table!,* une sorte de bouteille.

carambolage n. m. *Il y a eu un* CARAMBOLAGE *sur l'autoroute,* un accident dans lequel plusieurs voitures se sont heurtées.

caramel n. m. *Marie mange un* CARAMEL, une sorte de bonbon.

carapace n. f. *Les tortues ont le corps recouvert d'une* CARAPACE, une enveloppe dure qui les protège.

caravane n. f. **1.** *Une* CARAVANE *de voitures a traversé le Sahara,* des voitures voyageant ensemble. — **2.** *Ils passent leurs vacances en* CARAVANE, dans une roulotte tirée par une automobile. ▷ 512, 577 ▷ 507

caravelle n. f. *Le bateau de Christophe Colomb était une* CARAVELLE.

carbone n. m. **1.** *Le charbon est constitué par du* CARBONE. — **2.** *Un* (PAPIER) CARBONE *permet d'obtenir le double d'un texte tapé à la machine.* ◆ **carbonique** adj. (sens 1) *Si on fait brûler un corps, il se dégage du* GAZ CARBONIQUE. ◆ **carboniser** v. (sens 1) *Le rôti* A ÉTÉ CARBONISÉ, brûlé complètement, réduit à l'état de charbon. ▷ 293

carburant n. m. *Le moteur des automobiles fonctionne grâce à du* CARBURANT (= essence). ◆ **carburateur** n. m. *Le* CARBURATEUR *est bouché,* l'appareil qui alimente le moteur en carburant. ▷ 510

carcasse n. f. *On a mangé tout le poulet, il ne reste que la* CARCASSE, les os du corps. ▷ 222

cardiaque adj. **1.** *Les nerfs* CARDIAQUES, ce sont les nerfs du cœur. — **2.** *M. Durand est* CARDIAQUE, il a une maladie de cœur.

517 ◁ **1. cardinal** adj. **1.** *1, 20, 100 sont des* NOMBRES CARDINAUX (≠ ordinal).
728 ◁ — **2.** *Le nord, le sud, l'est et l'ouest sont les quatre* POINTS CARDINAUX.

2. cardinal n. m. *Le pape est élu par les* CARDINAUX.

carême n. m. *Les catholiques jeûnaient pendant le* CARÊME, la période qui va de Mardi gras à Pâques. ◆ **mi-carême** n. f. *Le jeudi de la* MI-CARÊME, *les enfants se sont déguisés.*

carence n. f. *Pierre souffre d'une* CARENCE *de vitamines* (= insuffisance).

caresse n. f. *Jean m'a fait une* CARESSE *sur la joue,* il me l'a touchée gentiment. ◆ **caresser** v. *Les chats aiment qu'on les* CARESSE.

cargaison n. f. *Le navire transporte une* CARGAISON *de charbon* (= chargement).

726 ◁ **cargo** n. m. Un CARGO est un navire qui ne transporte que des marchandises.

caricature n. f. *Pierre a fait une* CARICATURE *de son professeur,* un dessin ressemblant mais comique.

carie n. f. *Le dentiste m'a soigné une* CARIE, une dent malade. ◆ **carié** adj. *Pierre a plusieurs dents* CARIÉES (= gâté).

carillon n. m. *Le* CARILLON *sonne huit heures,* une sorte d'horloge. ◆ **carillonner** v. *Les cloches de l'église* CARILLONNENT (= sonner).

767, 437 ◁ **carlingue** n. f. *La* CARLINGUE *d'un avion,* c'est la partie où se trouvent le pilote et les passagers.

carmin n. m. Le CARMIN est un rouge très vif.

carnage n. m. *La bataille s'est terminée par un* CARNAGE (= massacre).

carnassier → CARNIVORE.

carnaval n. m. *Les fêtes du* CARNAVAL *se terminent le Mardi gras.*

295 ◁ **carnet** n. m. **1.** *Jean note ses rendez-vous sur son* CARNET, un petit cahier de poche (= calepin). — **2.** *Pierre a acheté un* CARNET *de tickets de métro,* un ensemble de tickets réunis.

carnivore adj. et n. *L'homme, le tigre, le chat sont des* CARNIVORES, ils mangent de la viande. ◆ **carnassier** adj. et n. m. *Le tigre et le chat sont des* CARNASSIERS, ils se nourrissent de la chair d'autres animaux.

carotide n. f. *Il s'est suicidé en se coupant la* CAROTIDE, l'artère du cou.

367 ◁ **carotte** n. f. *Nous avons mangé ce midi des* CAROTTES *râpées.*

721 ◁ **carpe** n. f. La CARPE est un poisson d'eau douce.

carpette n. f. *Essuie-toi les pieds sur la* CARPETTE!, le petit tapis.

147 ◁ **carquois** n. m. *L'archer a tiré une flèche de son* CARQUOIS, son étui.

348 ◁ **carré** n. m. **1.** *Calculez la surface de ce* CARRÉ, figure qui a quatre côtés égaux et quatre angles droits. — **2.** *4 est le* CARRÉ *de 2* (2 × 2), *9 est le* CARRÉ *de 3* (3 × 3). — **3.** *M. Durand cultive son* CARRÉ *de choux,* une surface plantée (en choux). ◆ **carré** adj. (sens 1) *La salle à manger est* CARRÉE, elle a la forme d'un carré. • (sens 2) *Cette salle est un carré de*
795 ◁ *2 mètres sur 2, elle mesure 4* MÈTRES CARRÉS.

carreau n. m. **1.** *Il y a un* CARREAU *cassé, téléphone au vitrier* (= vitre). — **2.** *Le sol de la salle de bains est en* CARREAUX *de faïence,* des petites dalles. — **3.** *Jean a un veston à* CARREAUX, à petits dessins carrés. — **4.** *Je joue l'as de* CARREAU, une des couleurs aux cartes. ◆ **carreler** v. (sens 2) *M. Durand a fait* CARRELER *la cuisine,* recouvrir le sol de carreaux. ◆ **carrelage** n. m. (sens 2) *J'ai lavé le* CARRELAGE, les carreaux.
• **R.** *Carreler,* conj. nº 6.
▷ 289 ▷ 436 ▷ 78

carrefour n. m. *Il y a un feu rouge au* CARREFOUR (= croisement). ▷ 217

carrelage, carreler → CARREAU.

carrément adv. *Dis-moi* CARRÉMENT *ce que tu penses* (= nettement).

carrière n. f. **1.** *Dans une* CARRIÈRE, *on extrait des pierres, du sable.* — **2.** *Jean ne sait pas quelle* CARRIÈRE *il choisira* (= profession). ◆ **carrier** n. m. (sens 1) Un CARRIER travaille dans une carrière.

carriole n. f. Une CARRIOLE est une petite charrette. ▷ 363

carrossable adj. *Arrête! le chemin n'est plus* CARROSSABLE, la voiture ne peut pas y passer.

carrosse n. m. *Autrefois, les riches roulaient en* CARROSSE, dans de luxueuses voitures à cheval.

carrosserie n. f. *Il a abîmé la* CARROSSERIE *dans un accident,* les tôles de la voiture. ◆ **carrossier** n. m. *Le* CARROSSIER *a réparé la voiture.* ▷ 290

carrure n. f. *Pierre a une* CARRURE *d'athlète,* il a le dos large et les épaules musclées.

cartable n. m. *As-tu mis tes livres et tes cahiers dans ton* CARTABLE? (= serviette, sacoche). ▷ 295

carte n. f. **1.** *Hier nous avons joué aux* CARTES. ‖ *L'as est la* CARTE *la plus forte.* — **2.** *Montrez-moi votre* CARTE D'IDENTITÉ, le document prouvant qui vous êtes. ‖ *La* CARTE GRISE *d'une voiture,* c'est le document où est inscrit le nom du propriétaire. — **3.** *La* CARTE *de France ressemble à un hexagone,* sa représentation géographique. — **4.** *M. Durand a laissé sa* CARTE DE VISITE, un petit carton portant son nom et son adresse. — **5.** *Pendant les vacances, écris-nous une* CARTE POSTALE, un carton illustré sur une face. ◆ **cartographie** n. f. (sens 3) La CARTOGRAPHIE est l'art de dessiner des cartes de géographie. ◆ **cartomancienne** n. f. (sens 1) Une CARTOMANCIENNE est une femme qui prétend lire l'avenir grâce à un jeu de cartes. ◆ **porte-cartes** n. m. inv. (sens 2) *Dans son* PORTE-CARTES, *il a sa carte d'identité, son permis de conduire, etc.*
▷ 436 ▷ 294

cartilage n. m. *L'oreille est faite de* CARTILAGE, d'une sorte d'os assez mou. ◆ **cartilagineux** adj. *La raie est un poisson* CARTILAGINEUX, elle n'a pas d'arêtes mais des cartilages.

cartographie, cartomancienne → CARTE.

carton n. m. **1.** *La couverture de ce livre est en* CARTON, en une sorte de papier très épais. — **2.** *Jean range sa collection de cailloux dans un* CARTON *à chaussures* (= boîte). ◆ **cartonné** adj. (sens 1) *Les livres* CARTONNÉS *sont plus solides,* reliés en carton.

763, 361 ◁ **cartouche** n. f. **1.** *Les soldats n'avaient plus de* CARTOUCHES (= munition, balle). — **2.** *Jean s'est acheté un stylo à* CARTOUCHE, où l'encre est contenue dans un petit réservoir en plastique. ◆ **cartouchière** n. f.
361 ◁ (sens 1) *Le chasseur a sorti deux cartouches de sa* CARTOUCHIÈRE (= étui).

cas n. m. **1.** *Il a neigé en mai : c'est un* CAS *assez rare,* cela arrive rarement (= événement, circonstance). — **2.** *Ne faire aucun* CAS *de quelque chose,* c'est ne lui accorder aucune importance. — **3.** *Je ne sais pas qui a fait ça,* EN TOUT CAS, *ce n'est pas moi* (= de toute façon). — **4.** EN CAS DE *malheur, prévenez-moi,* si un malheur arrive. — **5.** AU CAS OÙ *vous passeriez par ici, venez me voir* (= si).

casanier adj. *Marie est très* CASANIÈRE, elle aime rester à la maison.

casaque n. f. *Le jockey a une* CASAQUE *rouge* (= veste).

649 ◁ **cascade** n. f. *Le torrent fait une* CASCADE *de 10 mètres,* il tombe de cette hauteur (= chute d'eau).

cascadeur n. m. *Pour cette scène dangereuse, l'acteur principal du film a été remplacé par un* CASCADEUR, un acrobate professionnel.

case n. f. **1.** *Ces villageois africains vivent dans des* CASES (= hutte). — **2.**
436 ◁ *Un échiquier a 64* CASES, petits carrés. — **3.** *Ce tiroir est divisé en trois* CASES (= compartiment). ◆ **casier** n. m. **1.** (sens 3) Un meuble divisé
292, 77 ◁ en cases est un CASIER. ‖ *Dans un* CASIER *à bouteilles,* chaque bouteille occupe une case. — **2.** Le CASIER JUDICIAIRE est la liste des condamnations en justice prononcées contre quelqu'un.

caser v. Fam. *Je ne pourrai pas* CASER *tous ces livres dans mon cartable* (= placer, mettre).

762 ◁ **caserne** n. f. *Les soldats vont à la* CASERNE, au bâtiment où ils logent.

casier → CASE.

casino n. m. *Il a perdu sa fortune au* CASINO *de Monaco,* dans un établissement où l'on joue de l'argent.

3, 147, 37 ◁ **casque** n. m. *Les soldats et les pompiers portent un* CASQUE, une coiffure rigide qui protège la tête. ◆ **casqué** adj. *Le motocycliste est* CASQUÉ.

512, 37 ◁ **casquette** n. f. *Jean porte une* CASQUETTE, une coiffure plate à visière.

casser v. **1.** *Marie* A CASSÉ *une assiette,* elle l'a réduite en morceaux (= briser). ‖ *Jean* S'EST CASSÉ *la jambe au ski* (= fracturer). — **2.** CASSER *un fonctionnaire,* c'est le destituer. — **3.** CASSER *un jugement,* c'est le déclarer nul. ◆ **cassant** adj. (sens 1) *Attention! cette branche est* CASSANTE, elle casserait facilement. ◆ **cassation** n. f. (sens 3) *On attend la* CASSATION *du jugement.* ‖ La COUR DE CASSATION est le tribunal qui peut casser des jugements. ◆ **casse** n. f. (sens 1) *Il y a eu de la* CASSE, des choses cassées. ◆ **casse-cou** n. m. inv. (sens 1) *Pierre est un* CASSE-COU (= imprudent). ◆ **casse-croûte** n. m. inv. *Pour le pique-nique, j'ai apporté un* CASSE-CROÛTE, un repas léger. ◆ **casse-noix** n. m. inv. (sens 1) *Ne casse pas les noix avec tes dents, prends un* CASSE-NOIX. ◆ **casse-tête** n. m. inv. *Ce problème de maths est un vrai* CASSE-TÊTE, il est très difficile. ◆ **cassure** n. f. (sens 1) *On voit sur ce vase la marque d'une* CASSURE, d'un endroit cassé. ◆ **incassable** adj. (sens 1) *Ces lunettes sont en plastique* INCASSABLE, très solide.

casserole n. f. *Veux-tu mettre une* CASSEROLE *d'eau sur le feu?* ▷ 78

cassette n. f. **1.** *Pierre a acheté des* CASSETTES *pour son magnétophone,* de petites bandes permettant d'enregistrer ou d'écouter de la musique. — **2.** *Autrefois on mettait ses bijoux dans une* CASSETTE, un petit coffre.

1. cassis n. m. Le CASSIS est une sorte de groseille noire dont on fait des confitures. ▷ 367
- **R.** On prononce [kasis].

2. cassis n. m. *Ralentis, le panneau annonce un* CASSIS, une rigole en travers de la route.
- **R.** On prononce [kasi].

cassoulet n. m. *Nous avons mangé un* CASSOULET, un ragoût de haricots et de viande.

cassure → CASSER.

castagnettes n. f. pl. Les CASTAGNETTES sont deux plaquettes de bois qu'on entrechoque en mesure. ▷ 439

caste n. f. *Ces gens forment une* CASTE *privilégiée,* un groupe qui se juge supérieur aux autres.

castor n. m. Le CASTOR est un petit animal à fourrure qui vit au bord des rivières. ▷ 582

cataclysme n. m. *Le tremblement de terre a provoqué un* CATACLYSME, une catastrophe naturelle.

catacombes n. f. pl. *Les premiers chrétiens enterraient leurs morts dans des* CATACOMBES, des souterrains.

catalogue n. m. *On a reçu le* CATALOGUE *des grands magasins,* la liste des articles qu'ils vendent.

cataracte n. f. *Les* CATARACTES *du Niagara ont 47 mètres de hauteur* (= chute d'eau).

catastrophe n. f. *Cinquante personnes sont mortes dans la* CATASTROPHE, un grave accident (= désastre). ◆ **catastrophique** adj. *L'incendie a été* CATASTROPHIQUE (= désastreux).

catch n. m. Le CATCH est une sorte de lutte. ◆ **catcheur** n. m. *On a vu des* CATCHEURS *hier soir à la télévision.*

catéchisme n. m. *Jean va au* CATÉCHISME, à l'instruction religieuse.

catégorie n. f. *Je connais plusieurs* CATÉGORIES *de personnes* (= sorte, espèce, genre).

catégorique adj. *Il m'a donné une réponse* CATÉGORIQUE, sans réplique (= net; ≠ équivoque, confus, évasif). ◆ **catégoriquement** adv. *Il a refusé* CATÉGORIQUEMENT.

cathédrale n. f. *Les touristes ont visité la* CATHÉDRALE, une grande et belle église. ▷ 149

catholique adj. et n. *Paul va à la messe : il est* CATHOLIQUE. ‖ *Le pape est le chef de l'Église* CATHOLIQUE. ◆ **catholicisme** n. m. Le CATHOLICISME, c'est la religion catholique.

cauchemar n. m. *Cette nuit, j'ai fait un* CAUCHEMAR, un rêve pénible.

cause n. f. **1.** *Le travail est la* CAUSE *de sa réussite* (= motif, raison; ≠ conséquence, effet, résultat). — **2.** *Je suis arrivé en retard* À CAUSE DU *brouillard,* parce qu'il y en avait. ◆ **causer** v. *C'est un imprudent qui* A CAUSÉ *l'accident,* qui en est la cause (= provoquer).

1. causer v. *Pierre est en train de* CAUSER *avec Marie* (= parler). ◆ **causerie** n. f. Une CAUSERIE est une conversation familière. ◆ **causette** n. f. *Pierre et Marie* FONT LA CAUSETTE, ils bavardent.

2. causer → CAUSE.

cauteleux adj. *Mme Durand a des manières* CAUTELEUSES (= hypocrite).

caution n. f. *M. Dupont a versé une* CAUTION *à son propriétaire,* une somme d'argent pour garantir qu'il paiera son loyer.

cavalcade n. f. Une CAVALCADE, c'est la course bruyante de plusieurs personnes.

1. cavalier n. **1.** *Un* CAVALIER *a lancé son cheval au galop,* une personne qui va à cheval. — **2.** *Il s'est incliné devant sa* CAVALIÈRE, la femme avec qui il danse. ◆ **cavalerie** n. f. (sens 1) La CAVALERIE était formée des troupes à cheval.

2. cavalier adj. *Pierre m'a regardé d'un air* CAVALIER, un peu insolent. ◆ **cavalièrement** adv. *Il m'a répondu* CAVALIÈREMENT (≠ respectueusement.

74 ◁ **cave** n. f. *M. Durand est descendu chercher du vin à la* CAVE, dans la partie souterraine de la maison.

caveau n. m. Dans un cimetière, un CAVEAU est une construction qui sert de sépulture.

caverne n. f. *Pierre est entré dans une* CAVERNE *pour se protéger de la pluie,* un creux dans le rocher (= grotte).

caverneux adj. *Mon père a une voix* CAVERNEUSE, grave et sourde.

caviar n. m. Le CAVIAR est formé d'œufs d'esturgeon (sorte de poisson).

cavité n. f. *La mer a creusé des* CAVITÉS *dans la falaise,* des trous.

ce, cet, cette, ces adj. démonstratifs, servent à montrer quelqu'un ou quelque chose : CE *livre,* CET *animal,* CETTE *femme,* CES *enfants.* Ils peuvent être accompagnés de -CI et de -LÀ : CE *livre*-CI *est plus proche que* CE *livre*-LÀ. ◆ **ce, c', ceci, cela, ça, celui, celle(s), ceux** pron. démonstratifs servent à montrer : C'*est bien.* CE (CECI, CELA) *n'est pas bien.* ÇA *va? Je n'ai pas de livre, je prends* CELUI *de Pierre.* CELUI (CELLE, CEUX)-CI *est plus près que* CELUI-LÀ.

• **R.** Ne pas confondre *ce* et *se* [sə]. ‖ *Cet* et *cette* se prononcent [sɛt] comme *sept.* ‖ *Ces* se prononce [se] comme *ses* et *c'est.* ‖ *Celle* se prononce [sɛl] comme *sel* et *selle.*

cécité n. f. *Ce pauvre homme est frappé de* CÉCITÉ, il est aveugle.

céder v. **1.** *Il m'*A CÉDÉ *sa place* (= laisser). — **2.** *Pierre* A CÉDÉ *à sa sœur,* il a fait ce qu'elle voulait. — **3.** *Il était trop lourd, et la branche* A CÉDÉ, elle n'a pas résisté (= casser).

cédille n. f. *On met une* CÉDILLE *sous un c (ç) devant a, u, o pour indiquer le son* [s].

cèdre n. m. Le CÈDRE est un très grand arbre.

ceinture n. f. **1.** *Resserre ta* CEINTURE, *ton pantalon tombe.* — **2.** *On avait de l'eau jusqu'*À LA CEINTURE (= taille). ◆ **ceinturon** n. m. (sens 1) Un CEINTURON est une grosse ceinture. ◆ **ceinturer** v. (sens 2) *Le lutteur* A CEINTURÉ *son adversaire,* il l'a saisi par la taille. ▷ 34, 36 ▷ 763

cela → CE. / **célébration** → CÉLÉBRER.

célèbre adj. *Victor Hugo est un écrivain* CÉLÈBRE, très connu. ◆ **célébrité** n. f. *Cet artiste jouit d'une grande* CÉLÉBRITÉ (= renom).

célébrer v. **1.** *On* A CÉLÉBRÉ *l'anniversaire de la victoire,* on l'a fêté par une cérémonie. — **2.** *Le prêtre* CÉLÈBRE *la messe,* il la dit. ◆ **célébration** n. f. (sens 1 et 2) *La* CÉLÉBRATION *d'un mariage, de la messe.*

célébrité → CÉLÈBRE.

céleri n. m. *Nous avons mangé à midi une salade de* CÉLERI, un légume. ▷ 367

céleste → CIEL.

célibataire adj. et n. *M. Dubois est* CÉLIBATAIRE, il n'est pas marié. ◆ **célibat** n. m. *Le mariage met fin au* CÉLIBAT.

celle → CE.

cellier n. m. *On conserve les provisions dans le* CELLIER, un local.

cellule n. f. **1.** *Le prisonnier a été enfermé dans une* CELLULE, une petite pièce. — **2.** *Les gâteaux de cire des abeilles sont divisés en* CELLULES, en petites cavités. — **3.** *La matière vivante est formée de* CELLULES, d'éléments très petits. ◆ **cellulite** n. f. (sens 3) *Mme Durand a de la* CELLULITE, des cellules de graisse sous la peau. ◆ **cellulose** n. f. (sens 3) *Les cellules des végétaux forment la* CELLULOSE.

celui → CE.

cendre n. f. La CENDRE, c'est ce qui reste d'un corps qu'on a fait brûler. ◆ **cendrier** n. m. *Éteins ta cigarette dans le* CENDRIER, le récipient destiné aux cendres et aux mégots.

censé adj. *Nul n'est* CENSÉ *ignorer la loi,* on suppose que nul ne l'ignore.
• **R.** *Censé* se prononce [sɑ̃se] comme *sensé.*

censeur n. m. **1.** *Le* CENSEUR *du lycée a réuni les élèves,* la personne qui fait régner l'ordre et la discipline. — **2.** Les CENSEURS sont des gens chargés par certains gouvernements d'examiner les livres, les films, etc. ◆ **censure** n. f. (sens 2) *Le livre est passé devant la commission de* CENSURE. ◆ **censurer** v. (sens 2) *Ce film* A ÉTÉ CENSURÉ (= interdire).

cent adj. *1877, c'était il y a* CENT *ans.* ‖ *10 × 10 = 100.* ◆ **centaine** n. f. **1.** *Dans 821, 8 est le chiffre des* CENTAINES. — **2.** *J'ai une* CENTAINE *de francs dans ma poche,* environ cent francs. ◆ **centenaire 1.** adj. et n. *Jean a un grand-père* CENTENAIRE, qui a cent ans ou plus. — **2.** n. m. *On a fêté le* CENTENAIRE *de notre école,* le centième anniversaire. ◆ **centième** adj. et n. *10 est la* CENTIÈME *partie* (*le* CENTIÈME) *de 100.* ◆ **centi-,** placé ▷ 517 ▷ 517 ▷ 517

795 ◁ devant une unité, la divise par 100 : CENTIGRAMME, CENTILITRE, CENTIMÈTRE. ◆ **centime** n. m. *J'ai donné une pièce de 1 franc, j'ai reçu 5 pièces de 20* CENTIMES. ◆ **centuple** n. m. *1 000 est le* CENTUPLE *de 10.*
517 ◁ ◆ **centupler** v. *Il* A CENTUPLÉ *sa fortune,* multiplié par 100. ◆ **pourcentage** n. m. *Voilà 100 élèves dont 40 sont blonds : le* POURCENTAGE *de blonds est de 40 pour cent* (40 %).

• **R.** *Cent* se prononce [sɑ̃] comme *sans, sang,* [*je*] *sens* et [*il*] *sent* (de *sentir*). ‖ *Cent* reste invariable s'il est suivi d'un autre nombre *(deux cent dix),* mais prend un *s* s'il ne l'est pas (*deux cents hommes* [døsɑ̃zɔm]).

centigramme, centilitre, centimètre → GRAMME, LITRE, MÈTRE.

centre n. m. **1.** *Jean s'est placé au* CENTRE *du cercle,* au milieu. — **2.** *Lyon est un* CENTRE *industriel,* une ville importante. — **3.** Le CENTRE est un parti politique entre la gauche et la droite. ◆ **central** adj. (sens 1) *Le*
34 ◁ *Massif* CENTRAL *se trouve au centre de la France.* ◆ **centrale** n. f. (sens 1) *Une* CENTRALE *électrique produit du courant et l'envoie dans toutes les directions.* ◆ **centraliser** v. (sens 2) *On* A CENTRALISÉ *l'Administration,* on l'a groupée dans un grand centre. ◆ **centriste** adj. (sens 3) *Une politique* CENTRISTE n'est ni de gauche ni de droite. ◆ **décentraliser** v. (sens 2) *Il faut* DÉCENTRALISER *l'industrie,* ne pas la laisser seulement dans les grands centres. ◆ **excentrique** adj. **1.** (sens 1) *Nous habitons un quartier* EXCENTRIQUE, loin du centre. — **2.** *Pierre est un garçon* EXCENTRIQUE, il ne fait rien comme tout le monde (= original).

centuple, centupler → CENT.

578 ◁ **cep** n. m. Un CEP est un pied de vigne.
• **R.** *Cep* se prononce [sɛp] comme *cèpe.*

656 ◁ **cèpe** n. m. Le CÈPE est un champignon comestible (= bolet).
• **R.** V. CEP.

cependant conj. marque une opposition plus forte que *mais* (= pourtant, toutefois).

437 ◁ **céramique** n. f. *Les potiers font de la* CÉRAMIQUE, des poteries, des terres cuites, des faïences.

cerceau n. m. *Les enfants font rouler leur* CERCEAU *dans le jardin,* un cercle servant à jouer.

348 ◁ **cercle** n. m. **1.** *Tracez un* CERCLE *avec votre compas* (= rond). ‖ *On place des* CERCLES *métalliques autour des tonneaux.* — **2.** *Jean s'est inscrit à un* CERCLE *d'échecs,* un lieu où se réunissent des joueurs d'échecs. ◆ **circulaire** adj. (sens 1) *Une piste* CIRCULAIRE a la forme d'un cercle. ◆ **encercler** v. (sens 1) *Les soldats* ONT ÉTÉ ENCERCLÉS *par l'ennemi,* entourés de toutes parts (= cerner).

cercueil n. m. *Le* CERCUEIL *a été descendu dans la tombe,* la caisse renfermant le cadavre.

364 ◁ **céréale** n. f. *Le blé, l'avoine, l'orge, le maïs, le riz sont des* CÉRÉALES.

cérébral → CERVEAU.

cérémonie n. f. **1.** *La* CÉRÉMONIE *du mariage aura lieu samedi,* l'acte solennel. — **2.** *Jean m'a reçu avec* CÉRÉMONIE, une politesse excessive. ◆ **cérémonieux** adj. (sens 2) *Il est* CÉRÉMONIEUX, *même avec ses amis,* trop poli (solennel; ≠ naturel, simple).

cerf n. m. *Les chasseurs ont tué un* CERF, un grand animal sauvage.
• **R.** *Cerf* se prononce [sɛr] comme *serre* et *sert* (de *servir*).

cerfeuil n. m. *Marie met du* CERFEUIL *dans la salade,* une plante aromatique. ▷ 367

cerf-volant n. m. *Jean s'amuse à faire voler son* CERF-VOLANT. ▷ 723
• **R.** Le *f* ne se prononce pas : [sɛrvɔlɑ̃]. ‖ Au pluriel : des *cerfs-volants.*

cerise n. f. *Nous cueillerons les* CERISES *en juin.* ◆ **cerisier** n. m. *M. Dupont a des* CERISIERS *dans son verger.* ▷ 367

cerne n. m. *Jean doit être fatigué, il a des* CERNES *autour des yeux,* des cercles bleuâtres. ◆ **cerné** adj. *Jean a les yeux* CERNÉS.

cerner v. *Les gangsters* ÉTAIENT CERNÉS *par la police* (= encercler).

certain adj. **1.** *Ils menaient par 5 à 0 : la victoire était* CERTAINE (= sûr, assuré; ≠ douteux). — **2.** *Jean est* CERTAIN *de ce qu'il dit* (= sûr, convaincu). — **3.** adj. indéfini *Connaissez-vous un* CERTAIN *Dupont?,* quelqu'un nommé Dupont. ‖ *Il a montré un* CERTAIN *courage,* du courage. ◆ **certains** pron. indéfini (sens 3) CERTAINS *pensent que tu as raison,* quelques-uns. ◆ **certainement** adv. (sens 1) *Il viendra* CERTAINEMENT (= sûrement, assurément). ◆ **certes** adv. (sens 1) sert à renforcer ce qu'on dit : *Tu viendras?* — CERTES! (= bien sûr, assurément). ◆ **certifier** v. (sens 1) *Il m'*A CERTIFIÉ *qu'il viendrait,* il me l'a affirmé d'une manière certaine. ◆ **certificat** n. m. (sens 1) Un CERTIFICAT est un document officiel qui certifie quelque chose. ◆ **certitude** n. f. (sens 1) *Cela n'est pas une* CERTITUDE, une chose certaine. • (sens 2) *J'ai la* CERTITUDE *qu'il viendra,* j'en suis certain. ◆ **incertain** adj. (sens 1) *Le résultat est* INCERTAIN (= douteux). • (sens 2) *Jean est* INCERTAIN (= hésitant). ◆ **incertitude** n. f. (sens 1 et 2) *L'*INCERTITUDE *du résultat m'inquiète.*

cerveau n. m. *Le* CERVEAU *est logé dans le crâne,* l'organe de la pensée. ▷ 40 ◆ **cervelet** n. m. Le CERVELET est un petit organe à l'arrière du cerveau. ▷ 40 ◆ **cervelle** n. f. *On a mangé de la* CERVELLE *de mouton* (= cerveau d'un animal). ◆ **cérébral** adj. *L'activité* CÉRÉBRALE, c'est l'activité du cerveau. ◆ **écervelé** adj. et n. *Marie est (une)* ÉCERVELÉE, elle ne réfléchit pas (= étourdi).

ces → CE.

cesser v. *Jean n'*A *pas* CESSÉ *de travailler depuis ce matin* (= arrêter). ◆ **cesse** n. f. *Il rit* SANS CESSE (= continuellement). ◆ **cessez-le-feu** n. m. inv. Un CESSEZ-LE-FEU, c'est l'arrêt des combats. ◆ **incessant** adj. *Il fait des efforts* INCESSANTS *pour réussir,* qui n'arrêtent pas (= continuel).

c'est-à-dire adv. sert à expliquer ce qu'on vient de dire.
• **R.** *C'est-à-dire* s'abrège *c.-à-d.*

cet → CE.

584 ◁ **cétacé** n. m. *La baleine, le cachalot, le dauphin sont des* CÉTACÉS.

cette, ceux → CE.

581 ◁ **chacal** n. m. *Les* CHACALS *se nourrissent de cadavres,* une sorte de chien sauvage.

chacun → CHAQUE.

chagrin n. m. *Pierre est triste, il a du* CHAGRIN (= peine, tristesse; ≠ joie). ◆ **chagriner** v. *Cette nouvelle m'*A *beaucoup* CHAGRINÉ (= peiner).

chahuter v. *Les élèves* ONT CHAHUTÉ *leur professeur,* ils ont fait du bruit en classe. ◆ **chahut** n. m. *Quel* CHAHUT *dans cette classe!* (= vacarme). ◆ **chahuteur** adj. et n. *Les (élèves)* CHAHUTEURS *ont été punis.*

75 ◁ 290 ◁ **chaîne** n. f. **1.** *Le chien est attaché avec une* CHAÎNE, une suite d'anneaux métalliques entrelacés. — **2.** *Dans cette usine, on travaille* À LA CHAÎNE, chacun fait une seule opération, toujours la même. — **3.** *Les Pyrénées sont*
652 ◁ *une* CHAÎNE DE MONTAGNES, une suite de montagnes. — **4.** *Il y a un film à la télévision sur la deuxième* CHAÎNE (= ensemble de programmes). ◆ **enchaîner** v. **1.** (sens 1) *On* A ENCHAÎNÉ *le chien,* attaché avec une chaîne. — **2.** *Les événements* S'ENCHAÎNENT *logiquement* (= se suivre). ◆ **enchaînement** n. m. *Il y a eu un* ENCHAÎNEMENT *de circonstances* (= suite, succession).

• **R.** *Chaîne* se prononce [ʃɛn] comme *chêne.*

chair n. f. **1.** *Le lion, le tigre se nourrissent de* CHAIR (= viande). — **2.** *Les pêches ont une* CHAIR *parfumée,* la partie tendre sous la peau. — **3.** Dans le langage religieux, la CHAIR, c'est le corps par opposition à l'âme. ◆ **charnel** adj. (sens 3) *L'amour* CHARNEL *s'oppose à l'amour spirituel.* ◆ **charnu** adj. (sens 2) *La poire est un fruit* CHARNU, qui a beaucoup de chair. ◆ **décharné** adj. (sens 1) *Ma grand-mère a les doigts* DÉCHARNÉS, sans chair (= très maigre).

• **R.** *Chair* se prononce [ʃɛr] comme *chaire* et *cher.*

chaire n. f. *Le curé a fait un sermon du haut de sa* CHAIRE, une tribune.

• **R.** V. CHAIR.

76 ◁ **chaise** n. f. *Prends une* CHAISE *et assieds-toi!* (= siège).

chaland n. m. Un CHALAND est une petite péniche.

châle n. m. *Mets un* CHÂLE *sur tes épaules,* une grande pièce d'étoffe.

650 ◁ **chalet** n. m. *Les Durand ont loué un* CHALET *pour les sports d'hiver,* une petite maison en montagne.

chaleur, chaleureusement, chaleureux → CHAUD.

764, 728 ◁ **chaloupe** n. f. *Les* CHALOUPES DE SAUVETAGE *d'un navire* sont de grands canots que l'on tient prêts en cas de naufrage.

290 ◁ **chalumeau** n. m. *M. Durand a fait une soudure au* CHALUMEAU, avec un appareil à flamme très chaude.

728 ◁ **chalut** n. m. *Les pêcheurs ont jeté leur* CHALUT, une sorte de grand filet.
728 ◁ ◆ **chalutier** n. m. Un CHALUTIER est un bateau de pêche.

chamarrer v. *Le général avait un costume* CHAMARRÉ *de décorations,* orné abondamment.

chambranle n. m. *Le* CHAMBRANLE *d'une porte,* c'est la bordure fixe où elle vient se loger.

chambre n. f. **1.** *Pierre est monté dans sa* CHAMBRE *se mettre au lit.* — **2.** *Les élections à la* CHAMBRE DES DÉPUTÉS *vont bientôt avoir lieu* (= Assemblée nationale). — **3.** *L'accusé est passé devant la* CHAMBRE *d'accusation* (= tribunal). — **4.** *La* CHAMBRE À AIR *de mon vélo est dégonflée,* le tube rempli d'air à l'intérieur du pneu. ◆ **chambrée** n. f. (sens 1) Une CHAMBRÉE est une chambre où couchent des soldats. ▷ 77 ▷ 505

chameau n. m. *Il est sobre comme un* CHAMEAU, un animal du désert. ▷ 577

chamois n. m. *Il est agile comme un* CHAMOIS, un animal de la montagne. ▷ 651

champ n. m. **1.** *Le paysan est en train de labourer son* CHAMP (= terrain cultivé). — **2.** (au plur.) *Nous sommes allés nous promener dans* LES CHAMPS, la campagne. — **3.** *Un* CHAMP DE BATAILLE, *un* CHAMP DE COURSES, *un* CHAMP DE FOIRE sont de vastes espaces de terrain. — **4.** *Cette entreprise a élargi son* CHAMP *d'action,* le domaine où elle agit. ◆ **champêtre** adj. (sens 2) *Jean aime la vie* CHAMPÊTRE, à la campagne (= rural, rustique). ▷ 364 ▷ 361

• **R.** *Champ* se prononce [ʃɑ̃] comme *chant.*

champagne n. m. *On a débouché une bouteille de* CHAMPAGNE, d'un vin blanc pétillant très apprécié.

champêtre → CHAMP.

champignon n. m. *En automne on ramasse des* CHAMPIGNONS, *mais attention aux* CHAMPIGNONS *vénéneux!* ▷ 656

champion adj. et n. *L'équipe de Marseille est* CHAMPIONNE *de France de football,* elle est la meilleure. ◆ **championnat** n. m. *Marseille a gagné le* CHAMPIONNAT (= compétition).

chance n. f. **1.** *Marie a de la* CHANCE, *elle a encore gagné,* elle est favorisée par le hasard (= veine). — **2.** *Il y a peu de* CHANCES *qu'il vienne demain,* cela est peu probable (= probabilité). ◆ **malchance** n. f. (sens 1) *Il a eu un accident, quelle* MALCHANCE! (= malheur, déveine).

chanceler v. *Jean a reçu un coup et* A CHANCELÉ, il a failli tomber.

chandail n. m. *Il s'est acheté trois* CHANDAILS, des tricots de laine (= pull-over). ▷ 36

chandelle n. f. *Autrefois on s'éclairait avec des* CHANDELLES, des bougies.

changer v. **1.** *Le temps va* CHANGER, devenir différent. — **2.** *Cette nouvelle coiffure la* CHANGE, la rend différente. — **3.** *Marie* A CHANGÉ DE *robe,* elle en a mis une nouvelle. — **4.** *Pierre* A CHANGÉ DE *place* AVEC *moi,* nous avons échangé nos places. — **5.** *M. Durand* A CHANGÉ *des francs en lires,* il a donné une certaine monnaie et reçu une monnaie différente.

◆ **change** n. m. (sens 5) *Un bureau de* CHANGE est un endroit où l'on change de l'argent. • (sens 4) *Perdre* AU CHANGE, c'est faire un échange désavantageux. ◆ **changement** n. m. (sens 1) *Il va y avoir un* CHAN-
505 ◁ GEMENT *de temps.* • (sens 3) *Le* CHANGEMENT DE VITESSE *d'une voiture permet de choisir une nouvelle vitesse.* ◆ **échanger** v. (sens 4) *Pierre* A ÉCHANGÉ *des timbres contre des billes,* il a donné des timbres et a reçu des billes (= troquer). ◆ **échange** n. m. (sens 4) *Pierre et Jean ont fait un* ÉCHANGE *de timbres.* ◆ **rechange** n. m. (sens 3) *La voiture a une roue* DE RECHANGE, qui permet d'en changer en cas de crevaison.

chanson n. f. *Je connais l'air et les paroles de cette* CHANSON. ◆ **chansonnette** n. f. Une CHANSONNETTE est une petite chanson. ◆ **chansonnier** n. m. Un CHANSONNIER chante des chansons satiriques.

chant n. m. *Marie apprend le* CHANT, l'art de chanter. ‖ *J'aime écouter le* CHANT *des oiseaux,* les oiseaux chanter. ◆ **chanter** v. *Marie nous* A CHANTÉ *une très jolie chanson.* ◆ **chantant** adj. *Les gens du Midi ont un accent* CHANTANT (= musical). ◆ **chanteur** n. *J'ai entendu cette* CHANTEUSE *à la radio.* ◆ **chantonner** v. *Il* CHANTONNE *en travaillant, il chante à mi-voix* (= fredonner).

• **R.** V. CHAMP.

chantage n. m. *M. Durand a été victime d'un* CHANTAGE, quelqu'un l'a forcé à verser de l'argent en le menaçant d'un scandale. ◆ **chanter** v. *Quelqu'un* A FAIT CHANTER *M. Durand.* ◆ **chanteur** n. m. Un MAÎTRE CHANTEUR est un homme qui fait du chantage.

chantant → CHANT. / **chanter, chanteur** → CHANT et CHANTAGE.

151 ◁ **chantier** n. m. *Le* CHANTIER *est interdit au public,* l'endroit où des ouvriers travaillent à la construction d'un immeuble.

chantonner → CHANT.

chanvre n. m. *Le* CHANVRE *sert à fabriquer des cordes,* une plante.

chaos n. m. *Le* CHAOS *règne dans le pays,* un grand désordre. ◆ **chaotique** adj. *Il y a sur la table un entassement* CHAOTIQUE *de livres* (= confus).

• **R.** *Chaos* se prononce [kao] comme *cahot.*

chapeau n. m. *Il a gardé son* CHAPEAU *sur la tête* (= coiffure).

chapelet n. m. *Elle récitait ses prières en faisant glisser entre ses doigts les grains d'un* CHAPELET, un objet de piété.

149 ◁ **chapelle** n. f. Une CHAPELLE est une petite église, *ou bien,* dans une grande église, un coin pourvu d'un petit autel.

chapelure n. f. La CHAPELURE est formée de miettes de pain sec.

149 ◁ **chapiteau** n. m. **1.** *La partie supérieure d'une colonne s'appelle un*
433 ◁ CHAPITEAU. — **2.** *Le* CHAPITEAU *d'un cirque* est la tente sous laquelle a lieu le spectacle.

chapitre n. m. *Ce livre contient quinze* CHAPITRES (= partie).

chapitrer v. CHAPITRER *quelqu'un,* c'est le réprimander.

chapon n. m. Un CHAPON est un poulet bien gras.

chaque adj. indéfini indique que quelque chose ou quelqu'un est considéré à part : CHAQUE *objet,* CHAQUE *personne* (= tout). ◆ **chacun** pron. indéfini CHACUN *des enfants a eu un cadeau,* chaque enfant, tous les enfants.

char n. m. **1.** *Les Romains aimaient les courses de* CHARS, de voitures à deux roues tirées par des chevaux. — **2.** Un CHAR (D'ASSAUT) est un engin de guerre qui roule sur des chenilles (= tank). — **3.** *Les* CHARS *du carnaval défilent,* les voitures décorées. ◆ **chariot** n. m. Un CHARIOT est une petite voiture à quatre roues pour transporter des colis. ◆ **charrette** n. f. Une CHARRETTE est une voiture légère tirée par un cheval. ◆ **charretier** n. m. *Le* CHARRETIER *conduit sa charrette.* ◆ **charrier** v. *Le paysan* CHARRIE *du fumier sur une charrette* (= transporter).
● **R.** *Chariot* n'a qu'un *r, charrette* en a deux.

▷ 762
▷ 38, 219
▷ 363

charabia n. m. Fam. *Je ne comprends rien à ton* CHARABIA, à ton langage obscur (= jargon).

charade n. f. *« Mon premier miaule, mon second est devant le port, mon tout est une devinette », as-tu trouvé la solution de cette* CHARADE?

charbon n. m. *Pour le chauffage, le* CHARBON *est souvent remplacé par le mazout ou l'électricité* (= houille). ◆ **charbonnier** n. m. Un CHARBONNIER est un marchand de charbon.

charcutier n. *Va chez le* CHARCUTIER *acheter du jambon et du saucisson.* ◆ **charcuterie** n. f. **1.** La CHARCUTERIE est la boutique du charcutier. — **2.** *Va acheter de la* CHARCUTERIE, des aliments à base de viande de porc.

▷ 222

chardon n. m. Un CHARDON est une plante à feuilles piquantes.

▷ 651

chardonneret n. m. Le CHARDONNERET est un petit oiseau chanteur.

charge n. f. **1.** *Il porte une lourde* CHARGE *sur son dos* (= fardeau, poids). — **2.** *M. Durand a de grosses* CHARGES *familiales,* des obligations coûteuses. — **3.** *Pierre s'est bien acquitté de sa* CHARGE, de ce qu'il devait faire (= fonction). — **4.** *Il y a de lourdes* CHARGES *contre l'accusé* (= accusation). — **5.** *La bataille s'est terminée par une* CHARGE *de cavalerie,* une attaque violente. — **6.** *Chaque cartouche a une* CHARGE *de poudre et une* CHARGE *de plomb.* ◆ **charger** v. (sens 1) *La voiture* EST *trop* CHARGÉE, le poids de sa charge est trop lourd. ‖ *Aide-moi à* CHARGER *la voiture,* à y mettre des charges. ● (sens 3) *Jean m'*A CHARGÉ *d'acheter ce livre,* il m'a dit de le faire. ‖ *Ne vous inquiétez pas, je* ME CHARGE *de tout* (= s'occuper). ● (sens 5) *La police* A CHARGÉ *les manifestants* (= attaquer). ● (sens 6) *Attention, ce pistolet* EST CHARGÉ, il contient une charge. ◆ **chargement** n. m. (sens 1) *Il faut faire le* CHARGEMENT *de la voiture,* la charger. ◆ **chargeur** n. m. (sens 6) Un CHARGEUR contient plusieurs cartouches. ◆ **décharge** n. f. (sens 1) *Une* DÉCHARGE *publique* est un endroit où l'on décharge des ordures. ● (sens 4) *Un témoin* À DÉCHARGE *est*

▷ 150
▷ 763

venu innocenter l'accusé. • (sens 6) *Il a reçu une* DÉCHARGE *de plomb,* un coup tiré avec une arme à feu. ◆ **décharger** v. (sens 1) *On* A DÉCHARGÉ *le bateau* (≠ charger). • (sens 3) *Il m'*A DÉCHARGÉ *de ce travail,* il m'en a enlevé la charge. • (sens 6) *Il* A DÉCHARGÉ *son revolver,* il en a enlevé la charge, *ou bien* il a lâché la charge en tirant. ◆ **déchargement** n. m. (sens 1) *Commençons le* DÉCHARGEMENT *du camion,* à le décharger. ◆ **recharger** v. (sens 1 et 6) RECHARGER *une voiture, un fusil,* c'est les charger de nouveau. ◆ **recharge** n. f. (sens 6) *Achète-moi une* RECHARGE *de briquet.* ◆ **surcharger** v. (sens 1) *Ce camion* EST SURCHARGÉ, trop chargé. • (sens 3) *Je* SUIS SURCHARGÉ *de travail* (= accabler).

chariot → CHAR.

charité n. f. **1.** La CHARITÉ, c'est l'amour pour les autres. — **2.** *Un mendiant m'a demandé* LA CHARITÉ, une aumône. ◆ **charitable** adj. *Marie est très* CHARITABLE (= bon, compatissant).

charivari n. m. Un CHARIVARI, ce sont des bruits forts et désagréables.

charlatan n. m. *M. Durand a été trompé par un* CHARLATAN (= escroc).

1. charme n. m. *Marie est une fille pleine de* CHARME, elle est séduisante, elle plaît aux autres. ◆ **charmant** adj. *M. Dubois est un homme* CHARMANT, très aimable. ◆ **charmer** v. *Le film d'hier soir nous* A CHARMÉS (= plaire). ◆ **charmeur** adj. *Elle a un sourire* CHARMEUR.

654 ◁ **2. charme** n. m. Le CHARME est une sorte d'arbre. ◆ **charmille** n. f. Une CHARMILLE est une allée bordée de charmes.

charnel → CHAIR.

charnière n. f. *Les portes de la voiture sont attachées à la carrosserie par des* CHARNIÈRES, des parties mobiles.

charnu → CHAIR.

charogne n. f. *Cette* CHAROGNE *répand une odeur infecte,* le cadavre d'un animal en train de pourrir.

74 ◁ **charpente** n. f. La CHARPENTE est l'ensemble des pièces de bois soutenant un toit. ◆ **charpentier** n. m. Un CHARPENTIER fabrique et pose des charpentes.

charpie n. f. *Le chien a mis la couverture* EN CHARPIE, il l'a déchirée.

charretier, charrette, charrier → CHAR.

364 ◁ **charrue** n. f. *Le paysan laboure avec une* CHARRUE *tirée par un tracteur.*

charte n. f. *L'historien étudie les* CHARTES, des documents anciens.

charter n. m. Un CHARTER est un avion à tarif réduit.
• **R.** On prononce [ʃartɛr].

296 ◁ **chas** n. m. *Le* CHAS *d'une aiguille,* c'est le trou par où passe le fil.
• **R.** V. CHAT.

CHEZ L'ARCHITECTE 145
ET LE GÉOMÈTRE

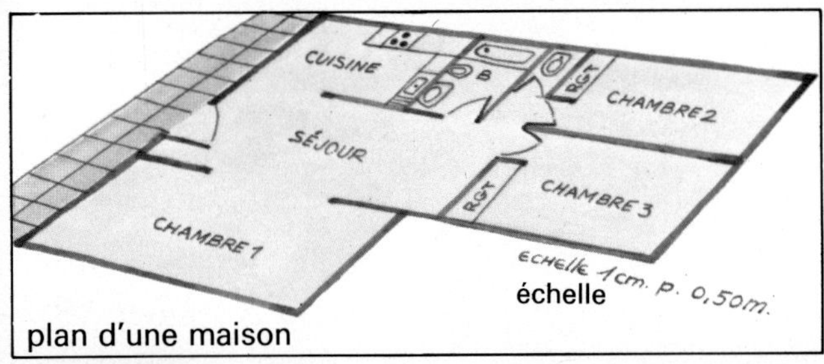

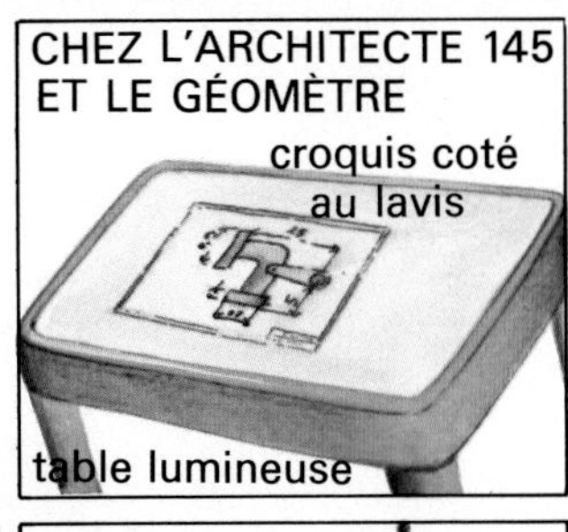

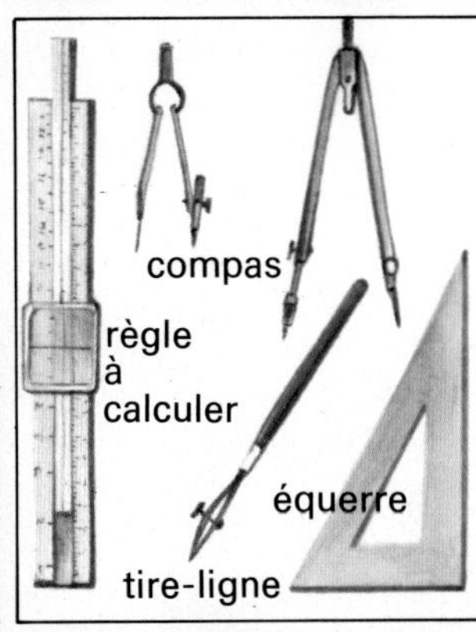

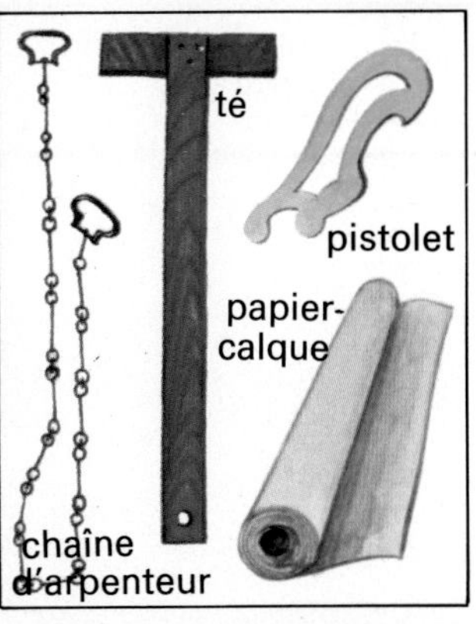

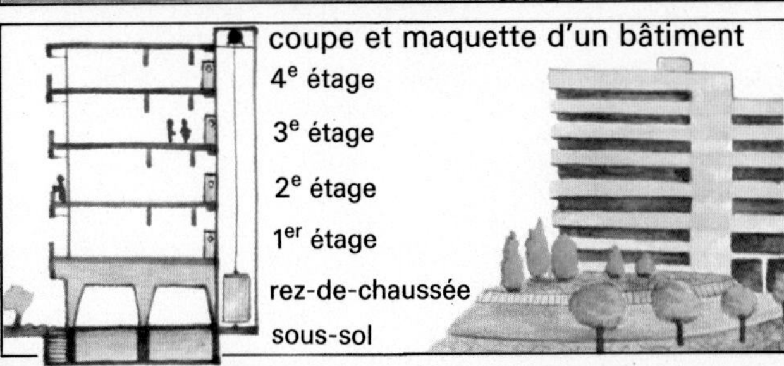

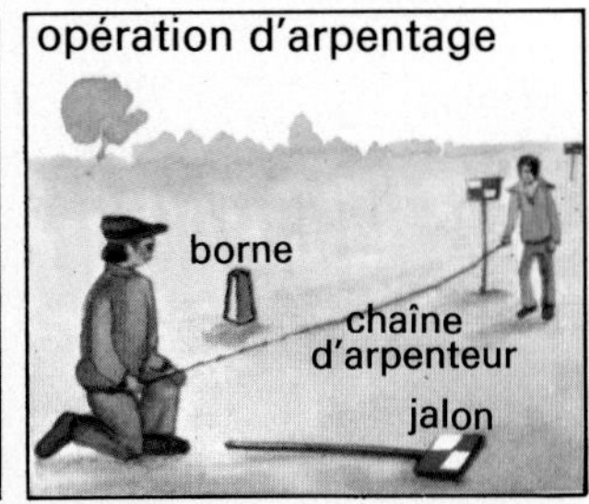

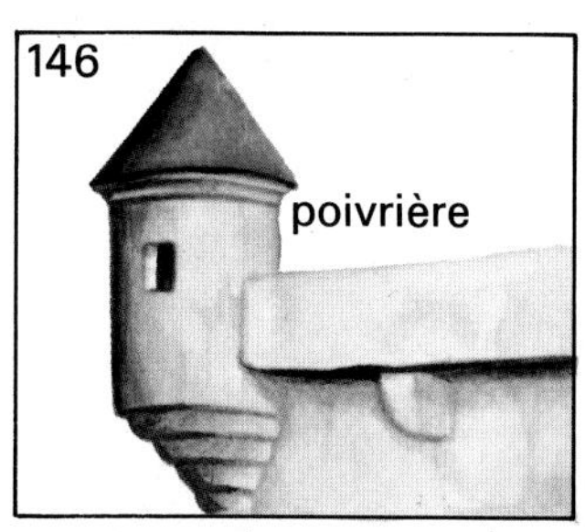
poivrière

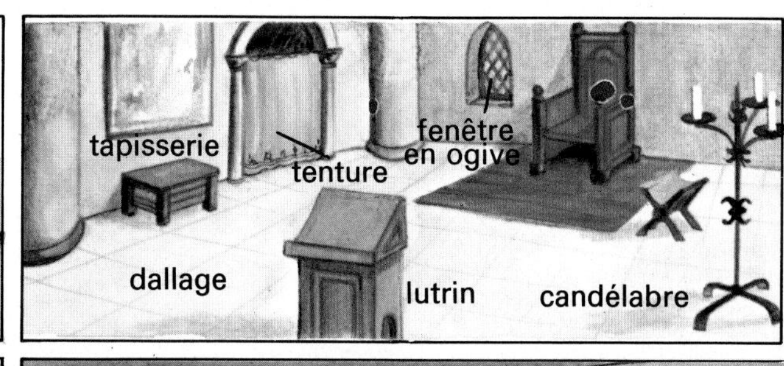
tapisserie
tenture
fenêtre
en ogive
dallage
lutrin
candélabre

porte
herse
pont-levis

tour d'angle
cour
d'honneur

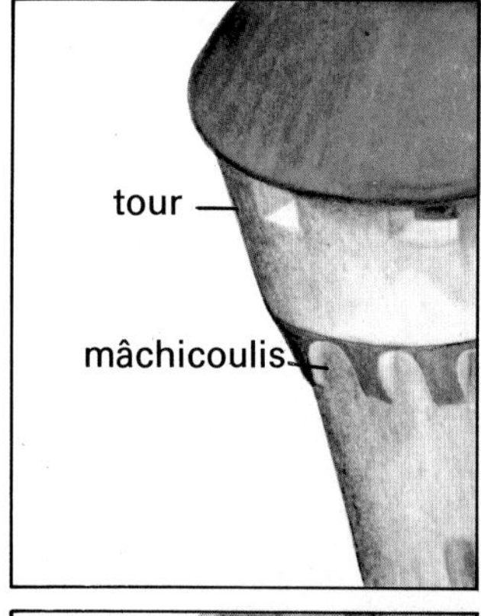
tour
mâchicoulis

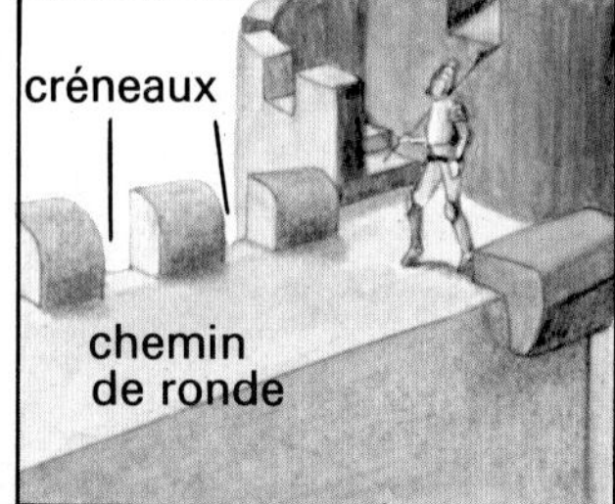
créneaux
chemin
de ronde

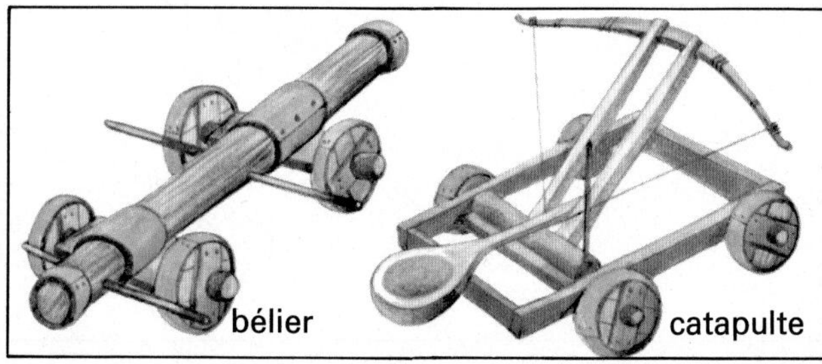
bélier
catapulte

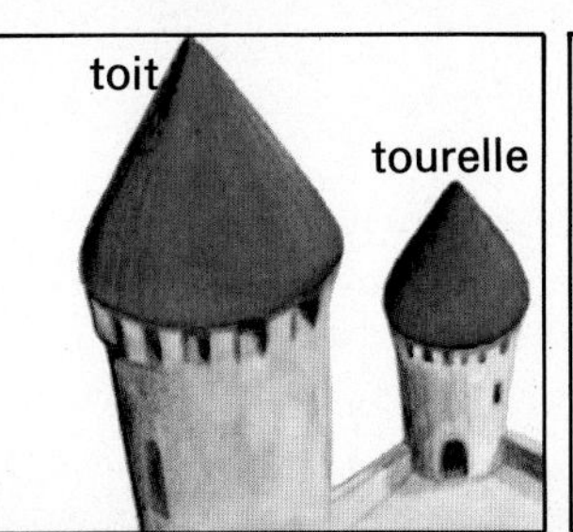
toit
tourelle

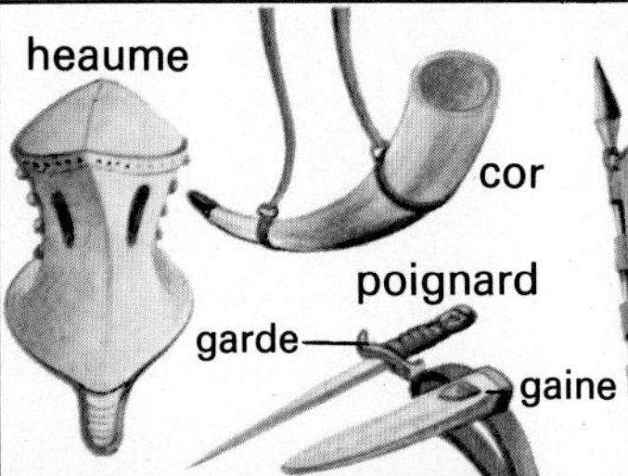
heaume
cor
poignard
garde
gaine

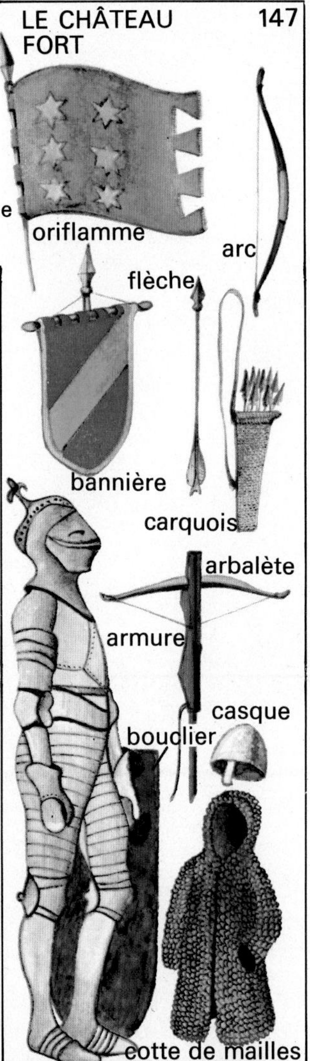
oriflamme
arc
flèche
bannière
carquois
arbalète
armure
casque
bouclier
cotte de mailles

échauguette
donjon
muraille
d'enceinte
tour
de guet
douves
fossé

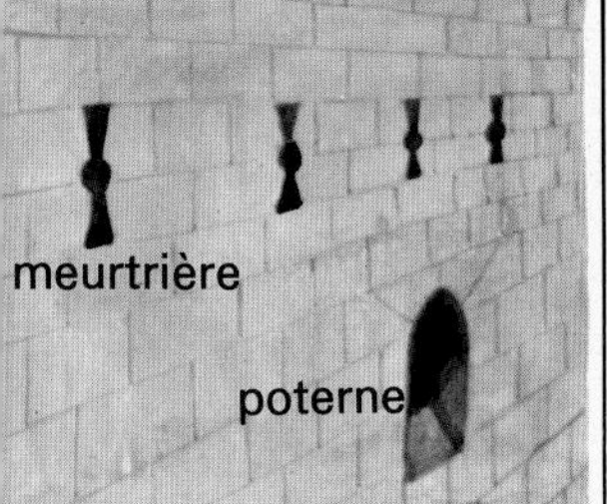
meurtrière
poterne

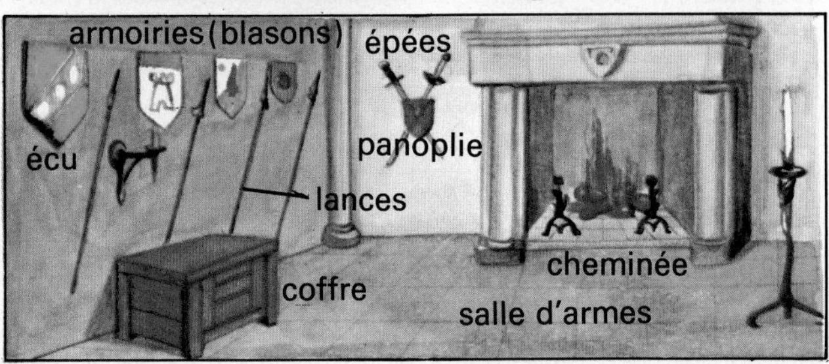
armoiries (blasons)
épées
écu
panoplie
lances
cheminée
coffre
salle d'armes

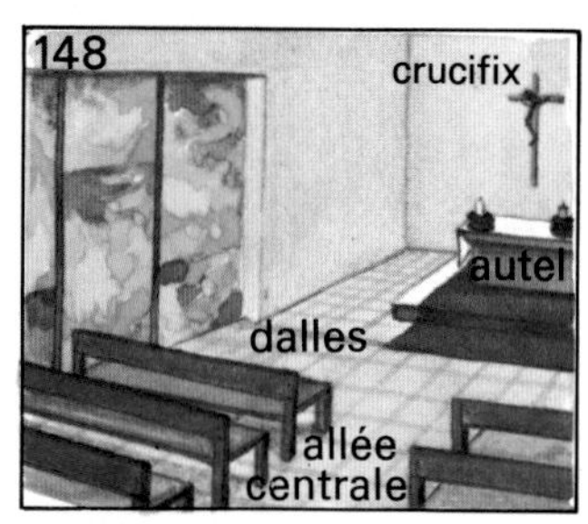
crucifix
autel
dalles
allée centrale

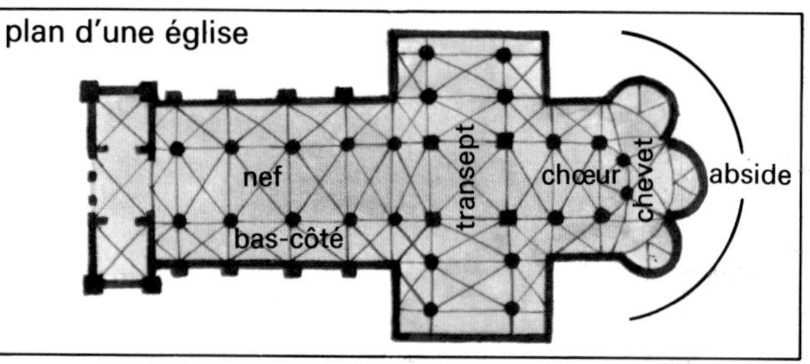
plan d'une église
nef
bas-côté
transept
chœur
chevet
abside

le baptême
parrain
marraine
prêtre
baptisé
fonts baptismaux

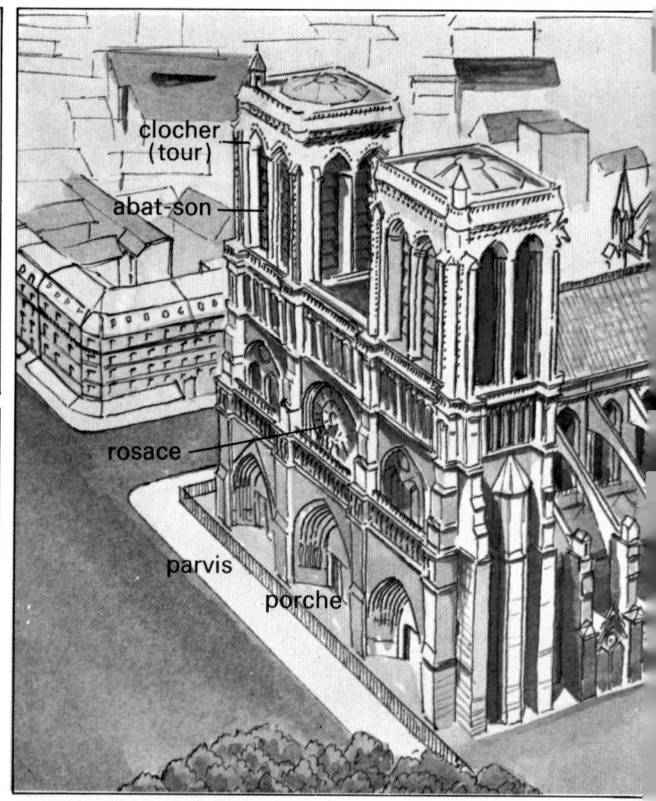
clocher (tour)
abat-son
rosace
parvis
porche

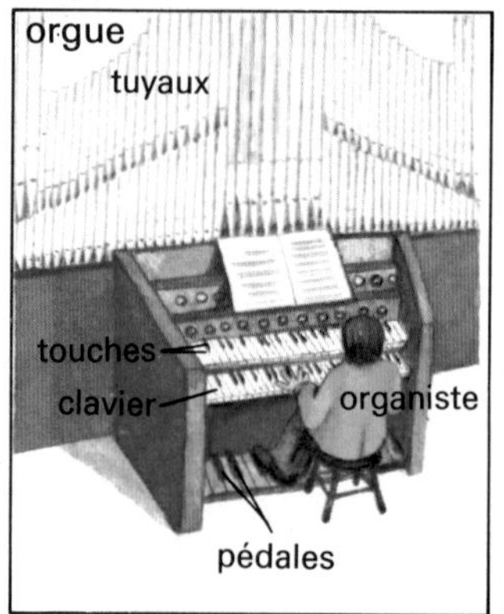
orgue
tuyaux
touches
clavier
organiste
pédales

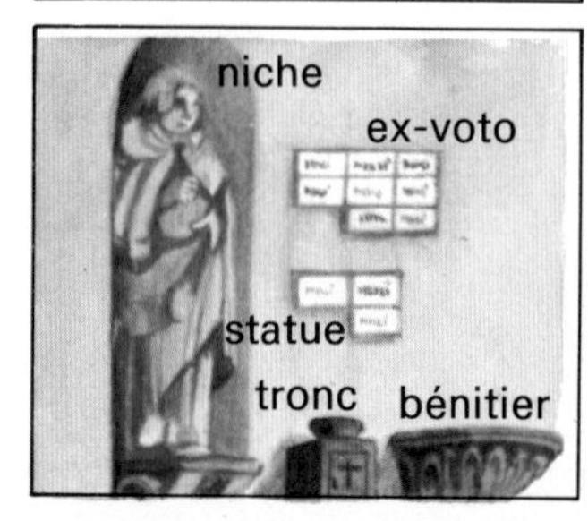
niche
ex-voto
statue
tronc
bénitier

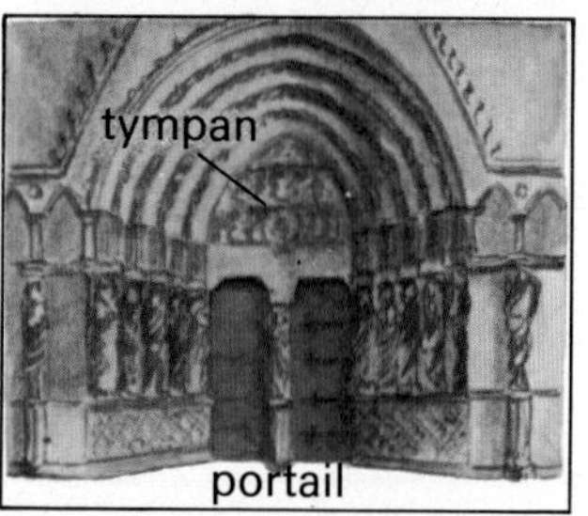
tympan
portail

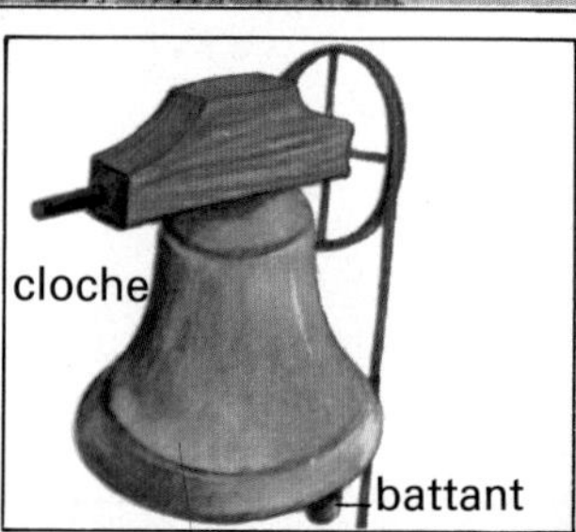
cloche
battant

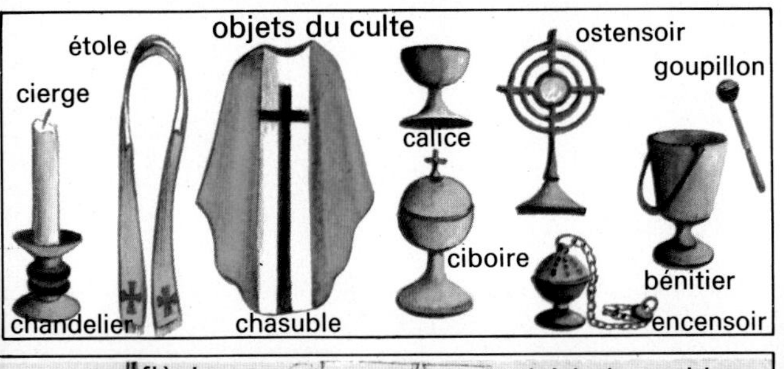
objets du culte
étole
cierge
chandelier
chasuble
calice
ciboire
ostensoir
goupillon
bénitier
encensoir

chapiteau
colonne

flèche
cathédrale gothique
transept
arcs-boutants
contreforts
porte latérale

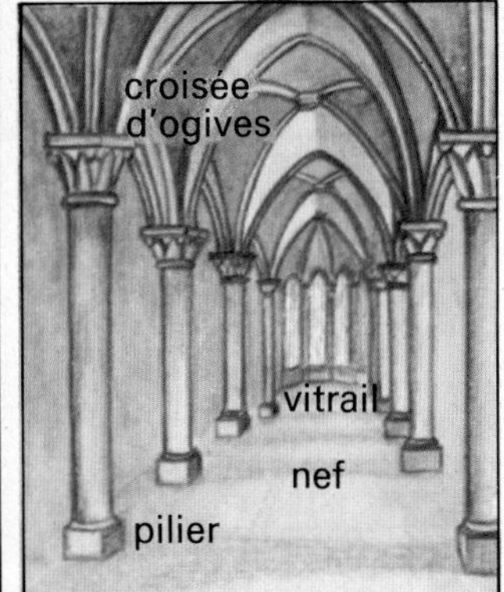
croisée d'ogives
vitrail
nef
pilier

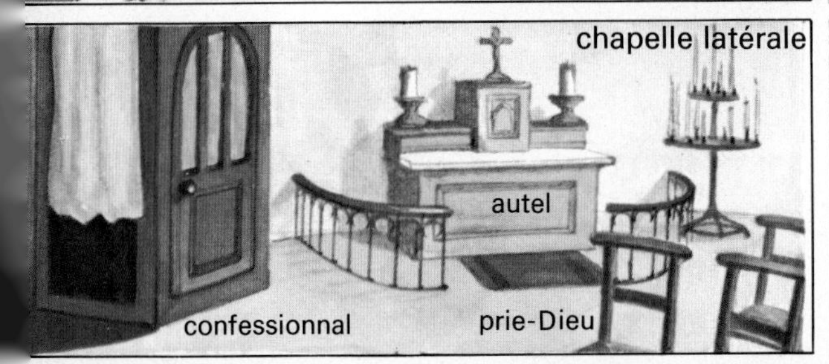
chapelle latérale
autel
confessionnal
prie-Dieu

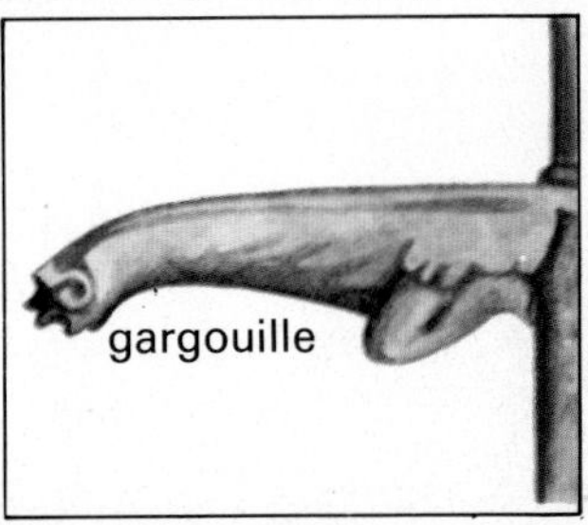
gargouille

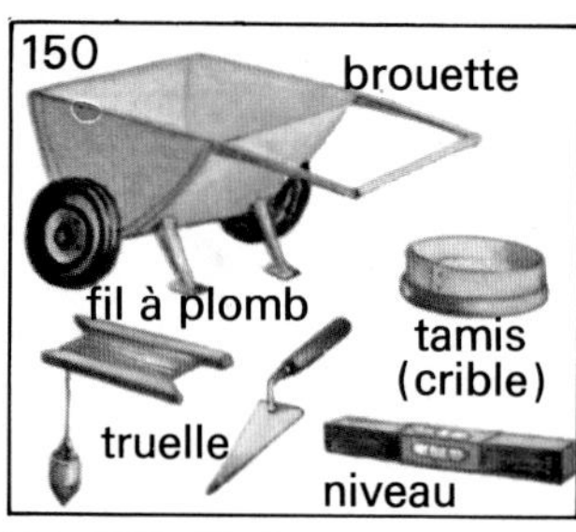
brouette
fil à plomb
tamis
(crible)
truelle
niveau

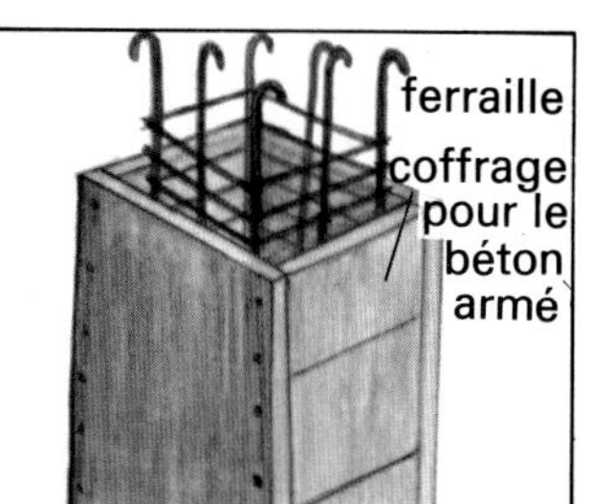
ferraille
coffrage
pour le
béton
armé

bétonnières

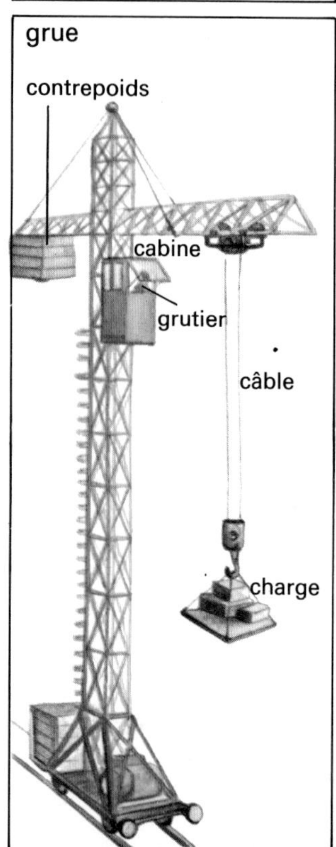
grue
contrepoids
cabine
grutier
câble
charge

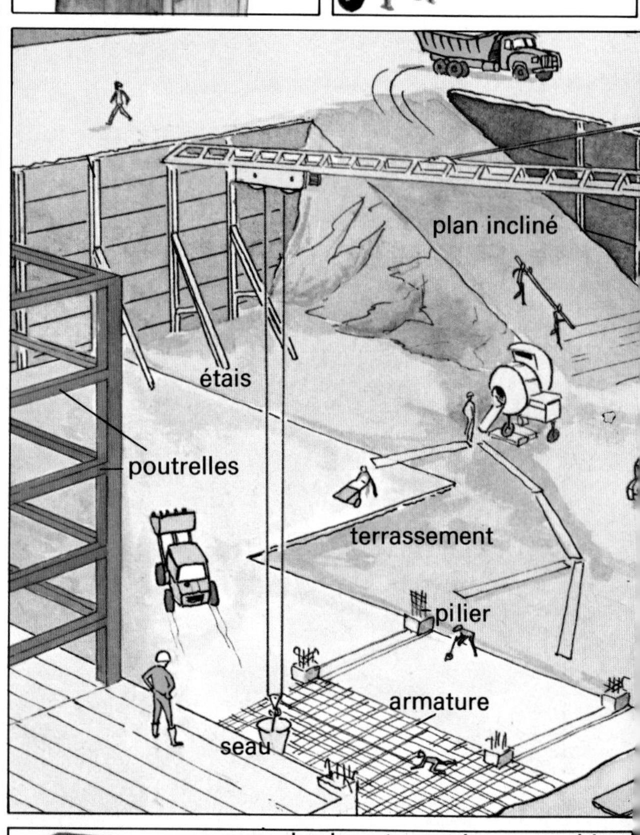
plan incliné
étais
poutrelles
terrassement
pilier
armature
seau

marteau-piqueur
compresseur

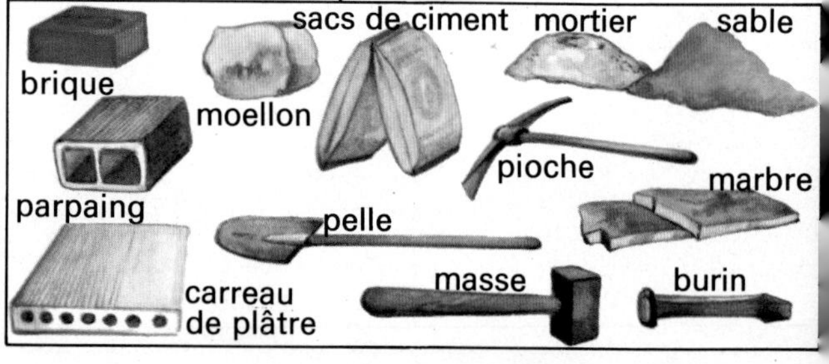
brique
moellon
sacs de ciment
mortier
sable
parpaing
pioche
marbre
pelle
carreau
de plâtre
masse
burin

maçon
briques
truelle

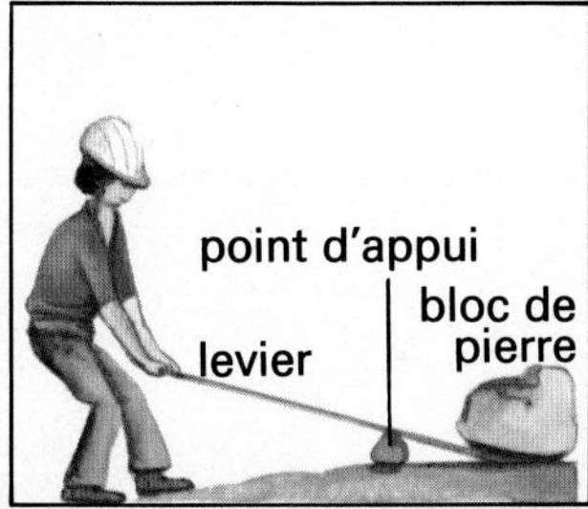
point d'appui
bloc de pierre
levier

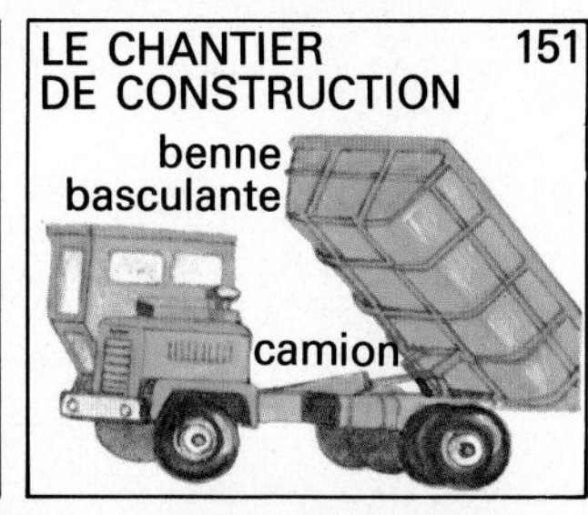
benne basculante
camion

treuil
baraques
pelleteuse
excavation
planches

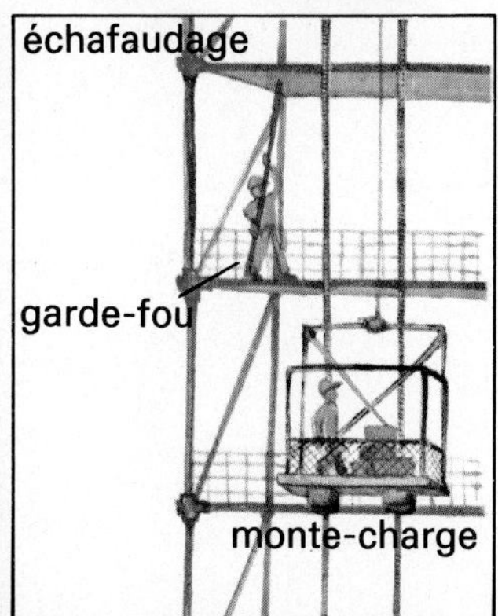
échafaudage
garde-fou
monte-charge

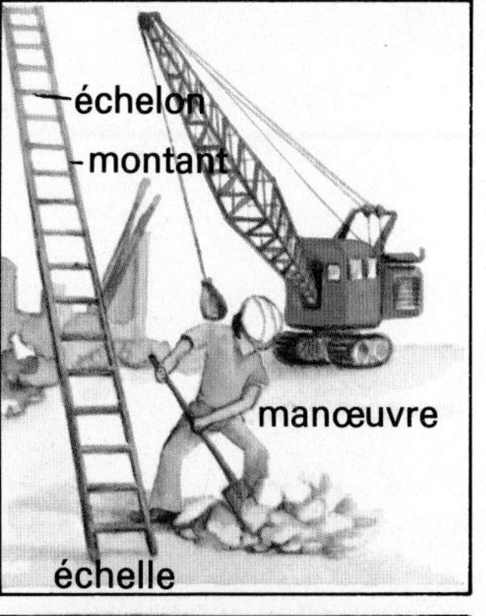
échelon
montant
manœuvre
échelle

taloche
plâtrier
auge

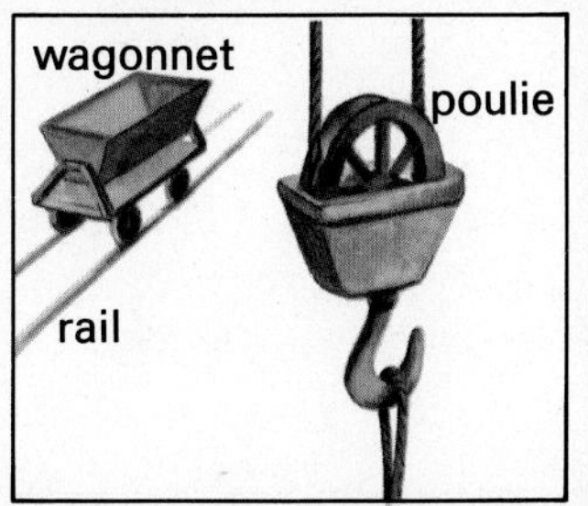
wagonnet
poulie
rail

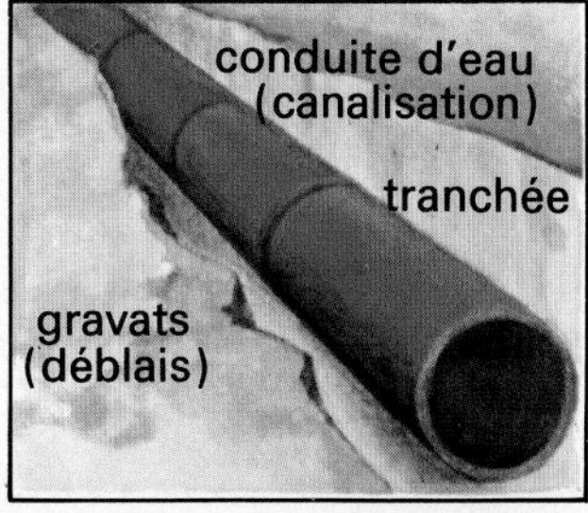
conduite d'eau (canalisation)
tranchée
gravats (déblais)

LES TRAVAUX PUBLICS

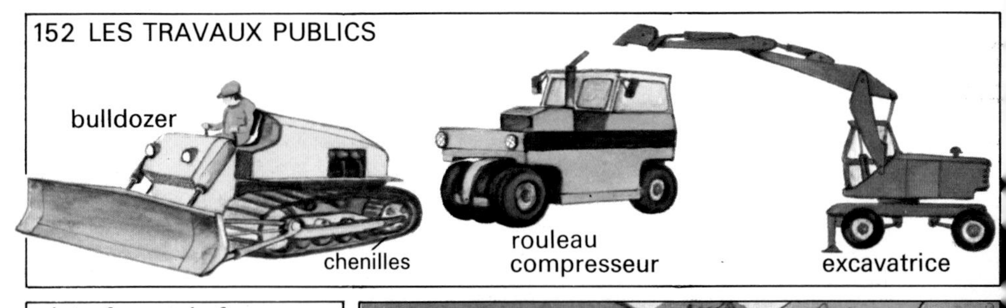

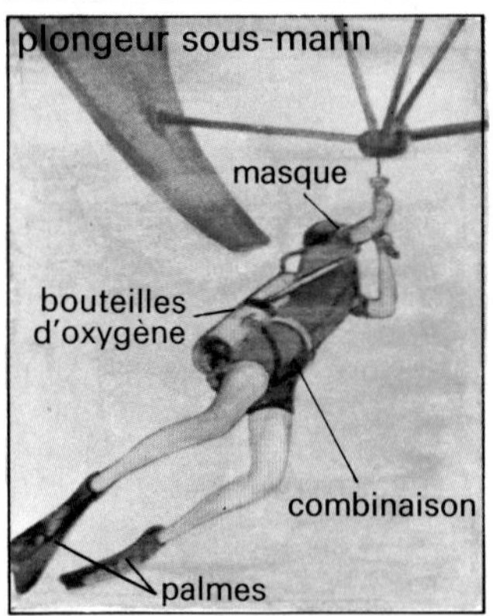

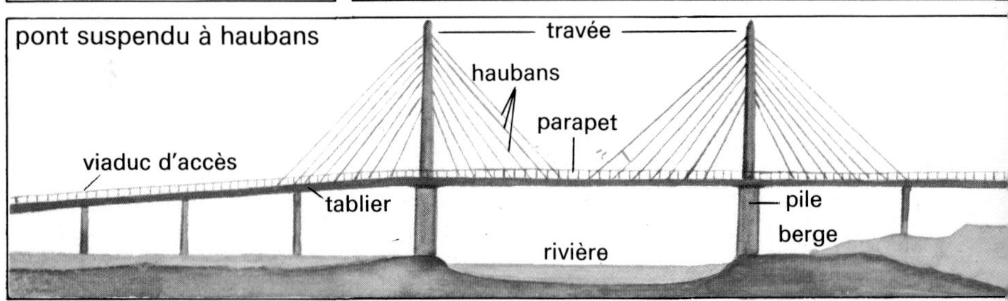

chasser v. **1.** *M. Durand va* CHASSER *tous les dimanches,* essayer de tuer du gibier. — **2.** *Pierre* CHASSE *les papillons,* les poursuit pour s'en emparer. — **3.** *Cet employé malhonnête* A ÉTÉ CHASSÉ *de son poste* (= renvoyer). ◆ **chasse** n. f. **1.** (sens 1) *Pierre accompagne son père à la* CHASSE. • (sens 2) *Les policiers ont donné la* CHASSE *aux gangsters,* les ont pourchassés. — **2.** *Une* CHASSE D'EAU *sert à évacuer les excréments de la cuvette des w.-c.* ◆ **chasseur** n. m. **1.** (sens 1) *Les* CHASSEURS *ont rapporté beaucoup de gibier.* — **2.** Les CHASSEURS ALPINS sont des fantassins armés d'un fusil. — **3.** Un CHASSEUR est un avion de guerre léger et rapide. ▷ 766
◆ **chasse-neige** n. m. inv. *Un* CHASSE-NEIGE *sert à écarter la neige sur les côtés de la route.* ◆ **pourchasser** v. (sens 2) *La police* POURCHASSE *les voleurs* (= poursuivre). ▷ 652

châssis n. m. **1.** *Le* CHÂSSIS *de la voiture a été tordu dans l'accident,* l'armature rigide qui supporte la carrosserie. — **2.** *Le* CHÂSSIS *d'une porte, d'une fenêtre,* c'est le cadre qui le maintient.

chaste adj. *Une personne* CHASTE s'abstient des plaisirs sexuels. ◆ **chasteté** n. f. *Les prêtres catholiques font vœu de* CHASTETÉ.

chasuble n. f. *La* CHASUBLE *d'un prêtre,* c'est le manteau qu'il met pour dire la messe. ▷ 149

chat n. m., **chatte** n. f. *Le* CHAT *miaule devant la porte.* ‖ *La* CHATTE *attend des petits.* ◆ **chaton** n. m. **1.** Un CHATON est un petit chat. — **2.** *Au printemps, les saules ont des* CHATONS, des bourgeons doux comme une queue de chat. ▷ 362 ▷ 655

• **R.** *Chat* se prononce [ʃa] comme *chas.*

châtaigne n. f. *Nous avons mangé des* CHÂTAIGNES *grillées* (= marron). ▷ 655
◆ **châtaignier** n. m. Les CHÂTAIGNIERS sont de beaux et grands arbres. ▷ 655
◆ **châtain** adj. m. *Marie a les cheveux* CHÂTAINS, brun clair.

château n. m. **1.** *Il y a un* CHÂTEAU FORT *sur la colline,* une fortification du Moyen Âge. — **2.** *Nous sommes allés visiter le* CHÂTEAU *de Versailles* (= palais). — **3.** *Le* CHÂTEAU D'EAU *se trouve à l'entrée du village,* le réservoir qui alimente le village. ◆ **châtelain** n. (sens 1) *Autrefois, les* CHÂTELAINS *habitaient les châteaux.* ▷ 147 ▷ 218

châtier v. se disait autrefois pour *punir.* ◆ **châtiment** n. m. *Il a reçu le* CHÂTIMENT *de ses fautes* (= punition).

chaton → CHAT.

chatouiller v. *Jean* CHATOUILLE *sa sœur,* il la fait rire en la touchant à certains endroits sensibles. ◆ **chatouillement** ou **chatouillis** n. m. *Je sens des* CHATOUILLEMENTS *sous la plante des pieds.* ◆ **chatouilleux** adj. *Marie est très* CHATOUILLEUSE, très sensible quand on la chatouille.

châtrer v. *Le bœuf est un taureau* CHÂTRÉ, privé de ses organes sexuels.

chaud adj. **1.** *Attention! l'eau est* CHAUDE (= presque brûlant; ≠ tiède, froid, glacé). — **2.** *La dispute a été* CHAUDE (= vif, ardent). ◆ **chaud** n. m. (sens 1) *Jean aime à rester* AU CHAUD *dans son lit.* ‖ *Il fait* CHAUD *aujourd'hui.* ‖ *J'*AI *très* CHAUD. ◆ **chaudement** adv. (sens 1) *Il neige, habille-toi* CHAUDEMENT. • (sens 2) *On l'a* CHAUDEMENT *applaudi*

(= vivement). ◆ **chaleur** n. f. (sens 1) *En août, la* CHALEUR *était étouffante,* la température élevée. • (sens 2) *Jean m'a approuvé avec* CHALEUR (= ardeur, empressement). ◆ **chaleureux** adj. (sens 2) *Nous avons reçu un accueil* CHALEUREUX (≠ froid). ◆ **chaleureusement** adv. (sens 2) *Ils m'ont reçu* CHALEUREUSEMENT (≠ froidement). ◆ **chaudière** n. f. (sens 1) *Nous nous chauffons avec une* CHAUDIÈRE *à mazout,* un appareil qui produit de la chaleur. ◆ **chaudron** n. m. Un CHAUDRON est un récipient qui sert à faire chauffer de l'eau. ◆ **chauffer** v. (sens 1) *On* CHAUFFE *la maison au gaz,* on la rend chaude. ‖ *L'eau* CHAUFFE *sur le feu,* elle devient chaude (≠ refroidir). ‖ *Le chat* SE CHAUFFE *au soleil.* ◆ **chauffage** n. m. (sens 1) *Il fait froid, mets le* CHAUFFAGE *en marche,* l'appareil pour chauffer la maison. ◆ **chauffe-eau** n. m. inv. (sens 1) *Un* CHAUFFE-EAU *sert à produire de l'eau chaude.* ◆ **échauder** v. (sens 1) *Il* S'EST ÉCHAUDÉ *avec de l'eau bouillante* (= brûler). ◆ **échauffer** v. (sens 1) *Cette course m'*A ÉCHAUFFÉ, m'a donné chaud. ◆ **échauffement** n. m. (sens 1) *On commence le cours de gymnastique par des mouvements d'*ÉCHAUFFEMENT. ◆ **réchauffer** v. (sens 1) *Veux-tu* RÉCHAUFFER *le café?,* le chauffer de nouveau. ◆ **réchauffement** n. m. (sens 1) *Il y a eu un* RÉCHAUFFEMENT *de la température.* ◆ **réchaud** n. m. (sens 1) Un RÉCHAUD est un petit fourneau portatif. ◆ **surchauffer** v. (sens 1) *Cette maison* EST SURCHAUFFÉE, trop chauffée.

75 ◁

• **R.** *Chaud* se prononce [ʃo] comme *chaux.*

chauffeur n. m. *M. Durand est un très bon* CHAUFFEUR, il conduit bien les autos. ◆ **chauffard** n. m. Un CHAUFFARD est un mauvais chauffeur.

chaume n. m. *Après la moisson, il ne reste que les* CHAUMES *dans les champs* (= paille). ◆ **chaumière** n. f. Une CHAUMIÈRE est une petite maison couverte de chaume.

506, 217, 152 ◁ **chaussée** n. f. *Attention, la* CHAUSSÉE *est glissante,* la partie de la route où l'on roule.

chausser v. **1.** *Pierre est en train de* SE CHAUSSER, de mettre ses chaussures. — **2.** *Marie a de grands pieds, elle* CHAUSSE *du 40,* c'est la taille de ses chaussures. ◆ **chaussette** n. f. *Veux-tu mettre des socquettes ou des* CHAUSSETTES? ◆ **chausson** n. m. **1.** (sens 1) *À la maison, j'aime me promener en* CHAUSSONS (= pantoufle). — **2.** *Un* CHAUSSON *aux pommes,* c'est une pâtisserie renfermant de la compote de pommes. ◆ **chaussure** n. f. *Les souliers, les sandales, les bottes sont différentes sortes de* CHAUSSURES. ◆ **déchausser** v. (sens 1) DÉCHAUSSE-TOI *avant d'entrer,* enlève tes chaussures.

36 ◁ 220 ◁ 653, 649 ◁

chauve adj. *À trente ans, M. Durand était déjà* CHAUVE, il n'avait plus de cheveux. ◆ **calvitie** n. f. *La* CALVITIE *de M. Durand.*

• **R.** *Calvitie* se prononce [kalvisi].

363 ◁ **chauve-souris** n. f. Une CHAUVE-SOURIS est une petite bête nocturne possédant un corps de souris et de grandes ailes sans plumes.

• **R.** Noter le pluriel : des *chauves-souris.*

chauvin adj. et n. *Les gens* CHAUVINS *ont une admiration exagérée et partiale pour leur pays.* ◆ **chauvinisme** n. m. Le CHAUVINISME est l'attitude des gens chauvins.

chaux n. f. *La* CHAUX *est une matière blanche utilisée dans la construction.*
• **R.** V. CHAUD.

chavirer v. *Le bateau* A CHAVIRÉ : *Jean est tombé à l'eau* (= se retourner).

chef n. m. Un CHEF est celui qui commande, c'est un dirigeant, un responsable, un patron : *un* CHEF *d'État, un* CHEF *d'entreprise, un* CHEF *de bande.* ◆ **cheftaine** n. f. Une CHEFTAINE est responsable d'un groupe de jeunes scouts. ▷ 439, 509

chef-d'œuvre n. m. *Ce tableau est un* CHEF-D'ŒUVRE, il est parfait.
• **R.** Noter la prononciation [ʃɛdœvr] et le pluriel : des *chefs-d'œuvre.*

chef-lieu n. m. Le CHEF-LIEU est la ville principale d'un département ou d'un canton.
• **R.** Noter le pluriel : des *chefs-lieux.*

cheftaine → CHEF.

chemin n. m. **1.** *Un* CHEMIN *traverse la forêt,* une petite route. — **2.** *La ligne droite est le plus court* CHEMIN *d'un point à un autre* (= parcours, trajet). — **3.** Le CHEMIN DE FER est le moyen de transport utilisant la voie ferrée. ◆ **cheminer** v. (sens 1) se disait autrefois pour *marcher.* ◆ **chemineau** n. m. (sens 1) On appelait CHEMINEAUX des mendiants qui erraient sur les chemins. ◆ **cheminot** n. m. (sens 3) Un CHEMINOT est un employé de la S. N. C. F. (Société nationale des chemins de fer français). ◆ **acheminer** v. (sens 2) *La poste* ACHEMINE *le courrier,* le conduit vers son lieu de destination. ‖ *Nous* NOUS ACHEMINONS *vers la maison,* nous y allons. ▷ 507, 654 ▷ 582 ▷ 508
• **R.** Ne pas confondre *cheminot* et *chemineau* [ʃəmino].

cheminée n. f. **1.** *Nous avons fait du feu dans la* CHEMINÉE (= foyer). — **2.** *Du clocher on voit toutes les* CHEMINÉES *du village,* les conduits de fumée. ▷ 76, 147 ▷ 75, 727

cheminer, cheminot → CHEMIN.

chemise n. f. **1.** *Sous son veston, il porte une* CHEMISE *et une cravate.* — **2.** *Les papiers sont rangés dans une* CHEMISE *jaune* (= dossier). ◆ **chemisette** n. f. (sens 1) Une CHEMISETTE est une chemise à manches courtes. ◆ **chemisier** n. m. (sens 1) Un CHEMISIER est une chemise de femme (= corsage). ▷ 37 ▷ 292

chenal n. m. *Les* CHENAUX *du port se sont ensablés,* les passages permettant la navigation.

chenapan n. m. *Espèce de* CHENAPAN, *tu vas recevoir une gifle!* (= vaurien, voyou).

chêne n. m. *Près du village, il y a une forêt de* CHÊNES. ▷ 654
• **R.** V. CHAÎNE.

chenille n. f. **1.** *Cette* CHENILLE *deviendra un beau papillon* (= larve). — **2.** *Les tanks roulent sur des* CHENILLES, des bandes métalliques articulées. ▷ 294, 366 ▷ 152, 762

cheptel n. m. *Le* CHEPTEL *de la ferme se compose de quarante vaches, vingt porcs et cinq chevaux,* l'ensemble des bestiaux.

768 ◁ **chèque** n. m. *Je n'ai pas d'argent sur moi, je vais vous signer un* CHÈQUE, un écrit ordonnant à ma banque de vous payer. ◆ **chéquier** n. m. *M. Dupont a sorti son* CHÉQUIER *pour payer ses achats,* son carnet de chèques.

cher adj. **1.** *Jean est mon ami le plus* CHER, celui que j'aime le plus. — **2.** *Bonjour,* CHER *monsieur* est une formule de politesse. — **3.** *Ce costume est trop* CHER *pour moi,* il coûte trop d'argent (≠ bon marché). ◆ **chérir** v. (sens 1) *Pierre* CHÉRIT *ses parents,* il les aime beaucoup. ◆ **cherté** n. f. (sens 3) *On se plaint de la* CHERTÉ *de la vie,* qu'elle est trop chère (= coût).
• **R.** *Cher, chère* se prononcent [ʃɛr] comme *chair* et *chaire.*

chercher v. *Jean* CHERCHE *partout son stylo,* il essaie de le trouver. ‖ *Je* CHERCHE *à comprendre, mais je n'y arrive pas* (= essayer de, s'efforcer de). ◆ **chercheur** n. **1.** Un CHERCHEUR est une personne dont le métier est de faire des recherches scientifiques. — **2.** *Ce roman raconte une histoire de* CHERCHEUR D'OR. ◆ **rechercher** v. *Ces bandits* SONT RECHERCHÉS *par la police,* cherchés avec soin. ◆ **recherche** n. f. **1.** *Il est* À LA RECHERCHE DE *son stylo,* il le cherche avec soin. — **2.** *Il fait des* RECHERCHES *en physique,* des travaux pour trouver quelque chose de nouveau. — **3.** *Marie s'habille avec* RECHERCHE, avec beaucoup de soin (≠ simplicité).

chérir, cherté → CHER.

chétif adj. *À dix ans, Marie était* CHÉTIVE (= maigre, faible; ≠ robuste).

368 ◁ **cheval** n. m. **1.** *Dimanche nous avons vu une course de* CHEVAUX. ‖ *Pierre sait monter à* CHEVAL. — **2.** *Il s'est assis* À CHEVAL SUR *la chaise,* une jambe d'un côté, une jambe de l'autre (= à califourchon). — **3.** (au plur.) *Il s'est acheté une* QUATRE-CHEVAUX, une auto d'une puissance de quatre chevaux-vapeur. ◆ **chevalin** adj. (sens 1) *La race* CHEVALINE, c'est la race des chevaux. ◆ **chevaucher** v. (sens 2) *Les tuiles du toit* SE CHEVAUCHENT, se recouvrent en partie l'une l'autre. ◆ **chevauchée** n. f. (sens 1) Une CHEVAUCHÉE est une longue promenade à cheval. ◆ **cheval-vapeur** n. m. (sens 3) *La puissance des autos se mesure en* CHEVAUX-VAPEUR. (On écrit souvent *CV.*)

chevalerie n. f. Au Moyen Âge, la CHEVALERIE était la classe sociale des gens assez riches pour se payer un cheval et une armure en vue de faire la guerre. ◆ **chevalier** n. m. Les CHEVALIERS étaient des seigneurs qui juraient de défendre les faibles et les opprimés. ◆ **chevaleresque** adj. *Sa conduite a été très* CHEVALERESQUE (= noble, généreux).

chevalet n. m. *Le peintre s'est mis devant son* CHEVALET, le tréteau qui soutient sa toile.

chevalier → CHEVALERIE. / **chevalin, cheval-vapeur, chevauchée, chevaucher** → CHEVAL. / **chevelu, chevelure** → CHEVEU.

chevet n. m. **1.** *Le* CHEVET *d'un lit,* c'est la partie où l'on pose la tête. — **2.** *Le* CHEVET *d'une église,* c'est la partie qui est derrière le chœur. ▷ 148

cheveu n. m. *Marie a de beaux* CHEVEUX *blonds qui tombent jusqu'aux épaules.* ◆ **chevelu** adj. *Pierre est très* CHEVELU, il a beaucoup de cheveux. ◆ **chevelure** n. f. *Marie peigne sa* CHEVELURE, l'ensemble de ses cheveux. ◆ **échevelé** adj. *Marie a couru, elle est toute* ÉCHEVELÉE, ses cheveux sont en désordre. ▷ 33

cheville n. f. **1.** *Les pieds de la table sont fixés par des* CHEVILLES, de petites tiges de bois. — **2.** *Pierre s'est cassé la* CHEVILLE, l'articulation entre le pied et la jambe. ▷ 33

chèvre n. f. *Ce fromage est fait avec du lait de* CHÈVRE, un animal domestique. ◆ **chevreau** n. m. Le CHEVREAU est le petit de la chèvre (= cabri). ◆ **chevreuil** n. m. Un CHEVREUIL est un animal sauvage de la famille des chèvres. ◆ **chevrotant** adj. *Mon grand-père a une voix* CHEVROTANTE, tremblotante comme le bêlement d'une chèvre. ▷ 361, 650 ▷ 361 ▷ 656

chèvrefeuille n. m. *Le* CHÈVREFEUILLE *a des fleurs parfumées.* ▷ 73

chevreuil, chevrotant → CHÈVRE.

chewing-gum n. m. *Il mâche sans arrêt un* CHEWING-GUM. ▷ 221
- **R.** On prononce [ʃwingɔm].

chez prép. indique un lieu : *Je suis* CHEZ *moi,* dans ma maison. ‖ *Il y a* CHEZ *lui une grande bonté,* dans son caractère.

chic adj. inv. Fam. **1.** *Marie a une robe très* CHIC (= élégant). — **2.** *Pierre est un garçon très* CHIC (= aimable, sympathique). ◆ **chic 1.** n. m. (sens 1) *Pierre a beaucoup de* CHIC *dans son costume neuf* (= élégance). — **2.** interj. (sens 2) CHIC! *nous partons en vacances,* nous sommes contents.
- **R.** *Chic* se prononce [ʃik] comme *chique.*

chicane n. f. **1.** *Les policiers ont établi des* CHICANES *sur la route,* des barrages. — **2.** CHICANE se disait pour *dispute, querelle.* ◆ **chicaner** v. (sens 2) *Il m'*A CHICANÉ *sur mon retard,* il m'a cherché querelle.

1. chiche adj. m. Un POIS CHICHE est un gros pois gris.

2. chiche! interj. fam. exprime le défi : CHICHE *que je saute!*

chicorée n. f. **1.** La CHICORÉE frisée est une sorte de salade. — **2.** La CHICORÉE est une boisson ressemblant au café. ▷ 366

chien n. m., **chienne** n. f. *M. Durand est allé chasser avec son* CHIEN. ‖ *La* CHIENNE *aboie quand on approche de ses petits.* ◆ **chiot** n. m. Un CHIOT est un jeune chien. ▷ 75, 364, 584

chiendent n. m. Le CHIENDENT est une mauvaise herbe.

chiffon n. m. *Mme Durand essuie les meubles avec un* CHIFFON, un morceau de tissu sans valeur. ◆ **chiffe** n. f. *Pierre est mou comme une* CHIFFE, un vieux chiffon. ◆ **chiffonner** v. *Marie* A CHIFFONNÉ *ses habits* (= froisser). ◆ **chiffonnier** n. m. *Le* CHIFFONNIER *récupère, pour les revendre, les papiers et les chiffons.*

517, 75 ◁ **chiffre** n. m. **1.** *1, 5 sont des* CHIFFRES *arabes, I, V, des* CHIFFRES *romains,* des signes représentant les nombres. — **2.** *Ses dépenses atteignent un* CHIFFRE *élevé* (= montant, valeur). — **3.** *Le* CHIFFRE *d'un message secret,* c'est le code qui permet de le comprendre. ◆ **chiffrer** v. (sens 2) *Votre dépense* SE CHIFFRE *à 1 000 F* (= atteindre, se monter à). • (sens 3) *L'espion a envoyé un message* CHIFFRÉ, noté à l'aide d'un code secret. ◆ **déchiffrer** v. (sens 3) *Champollion* A DÉCHIFFRÉ *l'écriture égyptienne,* a réussi à en comprendre les signes. ◆ **indéchiffrable** adj. (sens 3) *Son écriture est* INDÉCHIFFRABLE.

chignole n. f. Une CHIGNOLE est un outil servant à percer des trous.

chignon n. m. *Mme Dupont porte un* CHIGNON, ses cheveux sont noués derrière la tête.

chimère n. f. *Ce projet est une* CHIMÈRE, une idée irréalisable. ◆ **chimérique** adj. *Il a toujours des idées* CHIMÉRIQUES (= fou).

chimie n. f. La CHIMIE est la science des corps naturels, de la matière. ◆ **chimique** adj. *L'analyse* CHIMIQUE *de l'eau montre qu'elle est formée d'oxygène et d'hydrogène.* ◆ **chimiste** n. *Pierre est* CHIMISTE, c'est son métier.

580 ◁ **chimpanzé** n. m. Le CHIMPANZÉ est un grand singe d'Afrique.

chiot → CHIEN.

chiper v. Fam. *Marie m'*A CHIPÉ *mon stylo* (= prendre, voler).

chipie n. f. Fam. *Annie est une* CHIPIE, elle est désagréable, prétentieuse.

chips n. f. pl. Les CHIPS sont des rondelles de pommes de terre frites.

chique → CHIQUER.

chiquenaude n. f. *D'une* CHIQUENAUDE, *il a relevé sa casquette,* d'un léger coup de doigt (= pichenette).

chiquer v. *Le tabac à* CHIQUER est un tabac spécial destiné à être mâché. ◆ **chique** n. f. *Il mâchait une* CHIQUE *et crachait de temps en temps,* un morceau de tabac.
• **R.** V. CHIC.

chiromancienne n. f. *Une* CHIROMANCIENNE *lui a lu les lignes de la main et lui a prédit beaucoup de bonheur* (= diseuse de bonne aventure).
• **R.** On prononce [kiromɑ̃sjɛn].

39 ◁ **chirurgie** n. f. La CHIRURGIE est la partie de la médecine qui s'occupe des opérations. ◆ **chirurgical** adj. *Pierre a subi une opération* CHIRURGICALE. ◆ **chirurgien** n. m. *Le* CHIRURGIEN *m'a opéré de l'appendicite.*

chlorophylle n. f. *La couleur verte des végétaux est due à la* CHLOROPHYLLE *qu'ils contiennent,* une substance.
• **R.** On prononce [klɔrɔfil].

choc n. m. **1.** *Le vase a reçu un* CHOC *et s'est cassé* (= coup). — **2.** *Quand j'ai vu l'accident, ça m'a fait un* CHOC, une grosse émotion. ◆ **choquer** v. (sens 1) *Les deux voitures* SE SONT CHOQUÉES *violemment* (= heurter). • (sens 2) *J'*AI ÉTÉ *très* CHOQUÉ *par son attitude* (= scandaliser).

◆ **choquant** adj. (sens 2) *Il m'a dit des paroles* CHOQUANTES (= blessant). ◆ **entrechoquer** v. (sens 1) *Ils* ONT ENTRECHOQUÉ *leurs verres,* ils les ont choqués l'un contre l'autre.

chocolat n. m. **1.** Le CHOCOLAT est un mélange de cacao et de sucre. — **2.** *Veux-tu une tasse de* CHOCOLAT? (= cacao). ▷ 221

chœur n. m. **1.** *Plusieurs personnes qui chantent ensemble forment un* CHŒUR. — **2.** *Ils ont répondu tous* EN CHŒUR, ensemble. — **3.** *Nous nous promenons dans le* CHŒUR *de l'église,* la partie où se trouve le maître-autel. — **4.** *Un* ENFANT DE CHŒUR *assiste le prêtre pendant la messe.* ◆ **chorale** n. f. (sens 1) *La* CHORALE *du lycée répète un chant,* un groupe de chanteurs. ◆ **chorus** n. m. (sens 2) *Tout le monde* A FAIT CHORUS, a exprimé à haute voix le même avis. ◆ **choriste** n. (sens 1) *Notre chorale comprend cinquante* CHORISTES (= chanteur). ▷ 148 ▷ 294

• **R.** *Chœur* se prononce [kœr] comme *cœur.* ‖ *Chorale, chorus, choriste* se prononcent [kɔral, kɔrys, kɔrist].

choir → CHUTE.

choisir v. *Marie* A CHOISI *une robe verte,* l'a prise de préférence à d'autres. ◆ **choix** n. m. *Je n'approuve pas ton* CHOIX, ce que tu as choisi. ‖ *Il y a un grand* CHOIX *de cravates,* un ensemble où l'on peut choisir. ‖ *Je n'*AI *pas* EU LE CHOIX, la possibilité de choisir.

choléra n. m. Le CHOLÉRA est une maladie grave et contagieuse.

• **R.** On prononce [kɔlera].

chômer v. *Les ouvriers* CHÔMENT *à cause de la crise économique,* manquent de travail. ◆ **chômage** n. m. *Le père de Pierre est en* CHÔMAGE, il a perdu son travail. ◆ **chômeur** n. *Le nombre des* CHÔMEURS *a augmenté.*

chope n. f. *M. Durand a bu une* CHOPE *de bière,* un grand verre. ▷ 224

choquant, choquer → CHOC. / **chorale** → CHŒUR.

chorégraphie n. f. La CHORÉGRAPHIE est l'art de composer des danses et des ballets.

choriste, chorus → CHŒUR.

chose n. f. **1.** *Quelle est cette* CHOSE *qui traîne par terre?,* cet objet (= machin, truc). — **2.** *Il m'est arrivé une* CHOSE *bizarre,* un événement.

• **R.** *Chose* est un mot vague qui peut remplacer d'autres noms concrets (sens 1) ou abstraits (sens 2).

chou n. m. **1.** *Pierre aime beaucoup la soupe aux* CHOUX, un légume. — **2.** Un CHOU À LA CRÈME est un gâteau arrondi rempli de crème. ◆ **choucroute** n. f. (sens 1) La CHOUCROUTE est un plat composé de chou fermenté et de charcuterie. ◆ **chou-fleur** n. m. (sens 1) Le CHOU-FLEUR est une variété de chou. ▷ 367 ▷ 221 ▷ 367

• **R.** Noter le pluriel : des *choux-fleurs.*

chouette n. f. La CHOUETTE est un oiseau rapace nocturne. ▷ 367

choyer v. *Pierre* EST CHOYÉ *par ses grands-parents,* ils l'entourent de soins affectueux (= dorloter).

chrétien n. et adj. *Les catholiques et les protestants sont des* CHRÉTIENS. ‖ *L'ère* CHRÉTIENNE *commence à la naissance du Christ.* ◆ **chrétienté** n. f. La CHRÉTIENTÉ est l'ensemble des chrétiens. ◆ **christianisme** n. m. Le CHRISTIANISME est la religion chrétienne.

chrome n. m. Le CHROME est un métal dur et brillant. ◆ **chromé** adj. *Les pare-chocs de la voiture sont* CHROMÉS, recouverts de chrome.

1. chronique n. f. *M. Durand lit la* CHRONIQUE *sportive de son journal,* les articles sur le sport. ◆ **chroniqueur** n. m. *Le* CHRONIQUEUR *théâtral d'un journal écrit des articles sur le théâtre.*

2. chronique adj. *Une maladie* CHRONIQUE est une maladie qui dure longtemps sans guérir (≠ aigu).

chronologie n. f. *Je vais vous raconter la* CHRONOLOGIE *des événements,* l'ordre dans lequel ils se sont produits. ◆ **chronologique** adj. *1700, 1800, 1900 : ces trois dates sont dans l'ordre* CHRONOLOGIQUE.

chronomètre n. m. Un CHRONOMÈTRE est une montre d'une grande précision. ◆ **chronométrer** v. *On* A CHRONOMÉTRÉ *les coureurs,* on a mesuré le temps qu'ils ont mis.

80 ◁ **chrysanthème** n. m. *Il a mis sur la tombe un bouquet de* CHRYSANTHÈMES, une fleur.

chuchoter v. *Pierre m'*A CHUCHOTÉ *quelques mots à l'oreille* (= murmurer). ◆ **chuchotement** n. m. *On entend des* CHUCHOTEMENTS *dans le fond de la classe,* des bruits de voix assourdis.

chut! interj. sert à demander le silence : CHUT! *il dort.*

512 ◁ **chute** n. f. **1.** *Il a fait une* CHUTE *de trois mètres,* il est tombé. — **2.** *Il y a eu des* CHUTES DE *neige dans les Alpes,* de la neige est tombée. — **3.** *1793 est la date de la* CHUTE *de la royauté* (= renversement). — **4.** *Une cascade,*
582 ◁ *une cataracte sont des* CHUTES D'EAU. ◆ **choir** v. se disait pour *tomber.*

ci adv. sert à indiquer quelque chose de proche (≠ là), mais ne s'emploie qu'avec un trait d'union, après les démonstratifs *(celui-ci)* ou avant quelques adverbes *(ci-contre, ci-dessus, ci-dessous)* et quelques participes *(ci-joint, ci-gît).* [V. ces mots.]

763, 436 ◁ **cible** n. f. *Il a placé sa flèche au centre de la* CIBLE, du but qu'il visait.

367 ◁ **ciboule, ciboulette** n. f. La CIBOULE et la CIBOULETTE sont des plantes à goût d'oignon (= fines herbes).

cicatrice n. f. *Depuis son opération, il lui reste une* CICATRICE, une marque sur la peau. ◆ **cicatriser** v. *La blessure* A CICATRISÉ, elle a guéri et il ne reste qu'une cicatrice.

cidre n. m. Le CIDRE est fait de jus de pomme fermenté.

721 ◁ **ciel** n. m. **1.** *Il fait beau, le* CIEL *est bleu.* — **2.** *C'est le* CIEL *qui l'envoie,* la Providence. — **3.** *Son âme est allée au* CIEL, vers Dieu (≠ enfer). ◆ **céleste** adj. (sens 1) *Pierre regarde la voûte* CÉLESTE, le ciel. • (sens 2) *La puissance* CÉLESTE, c'est la puissance divine.

• **R.** Au sens 1, le pluriel est *ciels* ou *cieux;* au sens 2, il est toujours *cieux.*

cierge n. m. *Un* CIERGE *brûle devant l'autel,* une grande bougie. ▷ 149

cigale n. f. La CIGALE est un petit insecte au cri perçant.

cigare n. m. *M. Durand fume un gros* CIGARE, des feuilles de tabac roulées. ◆ **cigarette** n. f. *Veux-tu une* CIGARETTE?, du tabac haché enveloppé dans du papier.

ci-gît → GÉSIR.

cigogne n. f. *Il n'y a plus beaucoup de* CIGOGNES *en Alsace.* ▷ 435

cil n. m. Les CILS sont des poils qui protègent l'œil. ▷ 33

cime n. f. *Regarde l'oiseau sur la* CIME *de l'arbre,* le sommet.

ciment n. m. *Le maçon fait tenir les briques avec du* CIMENT, une pâte faite d'argile et de chaux, qui durcit en séchant. ◆ **cimenter** v. *On* A CIMENTÉ *le sol de la grange,* on l'a recouvert de ciment. ◆ **cimenterie** n. f. Une CIMENTERIE est une fabrique de ciment. ▷ 150

cimetière n. m. *L'enterrement s'est terminé au* CIMETIÈRE. ▷ 219

cinéma n. m. **1.** *Le* CINÉMA *a été inventé par les frères Lumière,* l'art de réaliser des films. — **2.** *Un nouveau* CINÉMA *s'est ouvert dans la rue,* une salle où l'on projette des films. ◆ **cinéaste** n. (sens 1) Un CINÉASTE est un réalisateur de films. ▷ 440 ▷ 218

cingler v. *Il m'*A CINGLÉ *les jambes avec sa ceinture,* il me les a frappées d'un coup vif (= fouetter).

cinq adj. *La main a* CINQ *doigts.* ‖ *3 + 2 = 5.* ◆ **cinquième** adj. et n. *2 est la* CINQUIÈME *partie* (*le* CINQUIÈME) *de 10.* ‖ *Il est arrivé* CINQUIÈME. ▷ 517 ▷ 517

cinquante adj. CINQUANTE *est la moitié de cent.* ◆ **cinquantaine** n. f. **1.** *Il y avait une* CINQUANTAINE *de personnes,* environ cinquante. — **2.** *M. Durand approche de la* CINQUANTAINE, de cinquante ans. ◆ **cinquantième** adj. et n. *Le* CINQUANTIÈME *de 100 est 2.* ‖ *Il est arrivé (le)* CINQUANTIÈME. ▷ 517 ▷ 517

cinquième → CINQ.

cintre n. m. *Mets ta veste sur un* CINTRE!, un objet servant de porte-manteau. ▷ 37

cirage → CIRE.

circoncision n. f. La CIRCONCISION est une petite opération constituant un rite des religions musulmane et juive.

circonférence n. f. *La* CIRCONFÉRENCE *d'un cercle* est sa limite extérieure, son périmètre. ▷ 348

circonflexe adj. *Le «a» de «pâte» porte un* ACCENT CIRCONFLEXE.

circonscription n. f. *La commune, le canton, le département sont des* CIRCONSCRIPTIONS, des divisions administratives.

circonspect adj. *Mme Durand est une femme* CIRCONSPECTE (= prudent). ◆ **circonspection** n. f. *Il marche avec* CIRCONSPECTION.

circonstance n. f. *En raison des* CIRCONSTANCES, *la séance n'aura pas lieu,* des faits qui se sont produits (= situation). ◆ **circonstanciel** adj. Un COMPLÉMENT CIRCONSTANCIEL indique les circonstances (temps, lieu, manière, etc.) d'une action.

circuit n. m. **1.** *Nous avons fait un* CIRCUIT *en autocar,* un parcours qui nous a ramenés à notre point de départ. — **2.** *Un* CIRCUIT *électrique,* c'est l'ensemble des fils où passe le courant. ◆ **court-circuit** n. m. (sens 2) *Il se produit un* COURT-CIRCUIT *quand deux fils électriques se touchent.*

• **R.** Noter le pluriel : des *courts-circuits.*

1. circulaire → CERCLE.

2. circulaire n. f. Une CIRCULAIRE est une lettre adressée à plusieurs personnes pour les informer de quelque chose.

circuler v. *Les piétons* CIRCULENT *dans les rues* (= se déplacer). ‖ *Le sang* CIRCULE *à travers le corps.* ◆ **circulation** n. f. *La* CIRCULATION *des voitures a beaucoup augmenté.* ◆ **circulatoire** adj. *L'appareil* CIRCULATOIRE, ce sont les veines et les artères.

cire n. f. *La* CIRE, *produite par les abeilles, sert à fabriquer la* CIRE *à parquet, le cirage, etc.* ◆ **cirage** n. m. *Le* CIRAGE *sert à entretenir les objets de cuir.* ◆ **cirer** v. **1.** *On* A CIRÉ *le parquet,* recouvert de cire. — **2.** AS-*tu* CIRÉ *tes chaussures?,* mis du cirage. ◆ **ciré** n. m. Un CIRÉ est un vêtement enduit d'une cire qui le rend imperméable. ◆ **cireuse** n. f. Une CIREUSE est un appareil pour cirer les parquets. ◆ **cireux** adj. *Pierre a le teint* CIREUX, jaune comme de la cire.

• **R.** *Cire* se prononce [sir] comme *sire.*

433 ◁ **cirque** n. m. *Au* CIRQUE, *nous avons vu des clowns, des acrobates.*

291 ◁ 296 ◁ **ciseau** n. m. **1.** Un CISEAU est une lame d'acier servant à tailler le bois, le métal ou la pierre. — **2.** (au plur.) *Voilà des* CISEAUX *pour découper du papier.* ◆ **cisailles** n. f. pl. (sens 2) Les CISAILLES sont de gros ciseaux servant à couper le carton, le métal, les pousses des plantes. ◆ **cisailler** v. (sens 2) *Les fils de fer* ONT ÉTÉ CISAILLÉS (= couper). ◆ **ciseler** v. (sens 1) CISELER *un métal,* c'est le sculpter à l'aide d'un ciseau.

citation → CITER.

cité n. f. **1.** *Autrefois une grande ville s'appelait une* CITÉ. — **2.** *Dans l'Antiquité, une* CITÉ *était un État.* — **3.** *Il habite dans une* CITÉ *ouvrière,* un groupe d'immeubles de logement. ◆ **citadelle** n. f. (sens 1) *Autrefois certaines villes étaient protégées par une* CITADELLE (= forteresse). ◆ **citadin** n. (sens 1) Un CITADIN est un habitant des villes (≠ campagnard). ◆ **citoyen** n. (sens 2) *M. Durand est* CITOYEN *français,* il dépend de l'État français. ◆ **concitoyen** n. (sens 2) *M. Durand est mon* CONCITOYEN, il est citoyen du même État que moi.

citer v. *Il m'*A CITÉ *une phrase de Victor Hugo,* il me l'a rapportée avec précision. ◆ **citation** n. f. *Il a mis dans son devoir une* CITATION *de Molière,* une phrase citée.

citerne n. f. Une CITERNE est un grand réservoir destiné à contenir des liquides (de l'eau, du mazout, etc.).

citoyen → CITÉ.

citron n. m. Le CITRON est un fruit jaune à goût acide. ◆ **citronnade** n. f. Une CITRONNADE est faite de jus de citron, de sucre et d'eau. ◆ **citronnier** n. m. Le CITRONNIER est un arbre des pays chauds. ▷ 578

citrouille n. f. *Nous avons mangé une soupe à la* CITROUILLE, un légume.

civet n. m. *Marie a fait un* CIVET *de lièvre,* un lièvre cuit au vin.

civière n. f. *On a transporté le blessé sur une* CIVIÈRE (= brancard). ▷ 37

civil adj. **1.** *Les droits* CIVILS, ce sont les droits des citoyens. ‖ *Une guerre* CIVILE est une guerre entre les citoyens d'un pays. — **2.** *Le mariage* CIVIL *a lieu à la mairie* (≠ religieux). ◆ **civil** n. m. *Le soldat s'était habillé* EN CIVIL, comme tout le monde (≠ en uniforme).

civilisation n. f. Une CIVILISATION, c'est la manière de vivre des gens d'une société, ainsi que l'ensemble des progrès scientifiques, techniques, culturels de cette société. ◆ **civiliser** v. *Les Romains* ONT ÉTÉ CIVILISÉS *par les Grecs,* ceux-ci leur ont apporté leur civilisation.

civique adj. *Les devoirs* CIVIQUES sont les devoirs du citoyen envers l'État.

clair adj. **1.** *Mon bureau est très* CLAIR (= lumineux; ≠ sombre). — **2.** *Pierre porte un costume* CLAIR (≠ foncé). — **3.** *L'eau de cette source est très* CLAIRE (= transparent; ≠ trouble). — **4.** *Cette phrase est* CLAIRE, facile à comprendre (≠ obscur). ◆ **clair** adv. (sens 1) *Il fait* CLAIR, il y a de la lumière (≠ sombre). ◆ **clair** n. m. (sens 1) Le CLAIR DE LUNE est la lumière de la lune. • (sens 4) *On va* TIRER *cette affaire* AU CLAIR, essayer de la comprendre. ◆ **clairement** adv. (sens 4) *Expliquez-vous plus* CLAIREMENT. ◆ **claire-voie** n. f. (sens 1) *Un volet* À CLAIRE-VOIE laisse passer la lumière. ◆ **clarifier** v. (sens 4) *Cela va* CLARIFIER *la situation* (= éclaircir). ◆ **clarté** n. f. (sens 1) *La lampe répand sa* CLARTÉ (= lumière). • (sens 4) *Il m'a tout expliqué avec* CLARTÉ (= netteté; ≠ confusion). ◆ **éclaircir** v. (sens 1) *Le ciel* S'EST ÉCLAIRCI, il est devenu plus lumineux (≠ assombrir). • (sens 4) *Nous allons* ÉCLAIRCIR *ce problème,* le rendre plus compréhensible. ◆ **éclaircie** n. f. (sens 1) Une ÉCLAIRCIE est le moment où le ciel s'éclaircit pendant une pluie. ◆ **éclaircissement** n. m. (sens 4) *Il ne comprenait pas, il m'a demandé des* ÉCLAIRCISSEMENTS (= explication). ◆ **éclairer** v. (sens 1) *Cette lampe n'*ÉCLAIRE *pas bien,* elle donne peu de lumière. • (sens 4) *Maintenant, tout* S'ÉCLAIRE, devient clair. ◆ **éclairage** n. m. (sens 1) *Nous avons eu une panne d'*ÉCLAIRAGE, de lumière. ▷ 39, 510

• **R.** *Clair* se prononce [klɛr] comme *clerc.*

clairière n. f. Dans une forêt, une CLAIRIÈRE est un endroit sans arbres. ▷ 656

clairon n. m. *Les soldats sont réveillés par le son du* CLAIRON. ▷ 438

clairsemé adj. *M. Durand a les cheveux* CLAIRSEMÉS, peu abondants (≠ touffu, dense, dru).

clairvoyant adj. *M*[me] *Dupont est une femme* CLAIRVOYANTE, prudente et intelligente.

clameur n. f. *Une* CLAMEUR *vient de la rue,* de grands cris.

clan n. m. *La classe est divisée en deux* CLANS, en deux groupes opposés.

clandestin adj. *On a trouvé dans le bateau un passager* CLANDESTIN, qui avait embarqué illégalement. ◆ **clandestinement** adv. *Il a passé la frontière* CLANDESTINEMENT (= en cachette). ◆ **clandestinité** n. f. *Pendant la guerre, les résistants étaient dans la* CLANDESTINITÉ, ils se cachaient.

clapier n. m. *Un* CLAPIER *sert à loger des lapins.*

clapotis ou **clapotement** n. m. *Écoute le* CLAPOTIS *des vagues!*, le bruit qu'elles font en bougeant.

claque n. f. *Pierre a reçu une paire de* CLAQUES (= gifle).

claquer v. **1.** *Il y a un volet qui* CLAQUE, qui fait un bruit sec. — **2.** *Il* A CLAQUÉ *la porte en partant,* refermé brutalement. — **3.** *Le coureur* S'EST CLAQUÉ *un muscle,* il l'a déchiré en faisant un mouvement trop violent. ◆ **claquage** n. m. (sens 3) *Le coureur s'est fait un* CLAQUAGE. ◆ **claquement** n. m. (sens 1) *J'entends un* CLAQUEMENT *de portières,* un bruit.

clarifier → CLAIR.

438 ◁ **clarinette** n. f. *Pierre apprend à jouer de la* CLARINETTE, d'un instrument de musique à vent.

clarté → CLAIR.

classe n. f. **1.** *La société est divisée en* CLASSES, en catégories de personnes ayant des intérêts communs. — **2.** *M. Durand voyage en première* CLASSE, dans des compartiments de première catégorie. — **3.** *Pierre va* EN CLASSE, à l'école. — **4.** *Les élèves ont décoré la* CLASSE, la salle de leur école. — **5.** *Le professeur* FAIT LA CLASSE, il enseigne.

classer v. **1.** *Veux-tu m'aider à* CLASSER *mes timbres?,* à les mettre en ordre (= ranger). — **2.** *Jean* S'EST CLASSÉ *premier en français,* il a obtenu le premier rang. ◆ **classement** n. m. (sens 1) *J'ai fait le* CLASSEMENT *de mes livres.* • (sens 2) *Jean a obtenu un bon* CLASSEMENT. ◆ **classeur**
292 ◁ n. m. (sens 1) *Un* CLASSEUR *sert à ranger des papiers.* ◆ **déclasser** v. (sens 1) *Qui* A DÉCLASSÉ *mes papiers?* (= déranger). ◆ **reclasser** v. (sens 1) *Il faut* RECLASSER *les livres.*

classique adj. **1.** *Racine est un écrivain* CLASSIQUE, un de ceux que l'on considère souvent comme des modèles. — **2.** *Il m'a donné tous les arguments* CLASSIQUES (= habituel).

clause n. f. *Il a fait ajouter une* CLAUSE *à son contrat,* une disposition particulière.

439 ◁ **clavecin** n. m. Le CLAVECIN est un instrument de musique ancien.

293, 148 ◁ **clavier** n. m. *Marie s'assoit devant le* CLAVIER *de son piano,* l'ensemble des touches.

74 ◁ **clef** ou **clé** n. f. **1.** *Je ne peux pas ouvrir, j'ai perdu la* CLEF *de la porte*
505, 289 ◁ *d'entrée.* — **2.** *Une* CLEF À MOLETTE, *une* CLEF ANGLAISE *servent à desserrer les écrous.* — **3.** *Pierre a trouvé la* CLEF *du mystère,* l'explication. ◆ **porte-clefs** n. m. inv. (sens 1) *Toutes mes clefs sont attachées à mon* PORTE-CLEFS.

clément adj. *Le juge s'est montré* CLÉMENT *envers l'accusé* (= indulgent; ≠ sévère). ◆ **clémence** n. f. *Il a fait preuve d'une grande* CLÉMENCE.

clémentine n. f. La CLÉMENTINE est une sorte de mandarine.

clerc n. m. *Mon cousin est* CLERC DE NOTAIRE (= employé).
• R. V. CLAIR.

clergé n. m. *Les prêtres, les évêques, les moines forment le* CLERGÉ.

cliché n. m. **1.** *J'ai fait de beaux* CLICHÉS *pendant les vacances* (= photo). — **2.** *Son discours était plein de* CLICHÉS, d'expressions banales.

client n. *La boutique était pleine de* CLIENTES, de personnes venues pour acheter. ◆ **clientèle** n. f. *Ce médecin a une nombreuse* CLIENTÈLE, beaucoup de gens viennent le voir. ▷ 220

cligner v. *Le soleil me fait* CLIGNER *les yeux,* les fermer et les ouvrir rapidement. ◆ **clin d'œil** n. m. **1.** *Marie m'a fait un* CLIN D'ŒIL, un signe rapide. — **2.** *On a fait cela* EN UN CLIN D'ŒIL, très vite. ◆ **clignoter** v. *Le feu orange* CLIGNOTE *au carrefour,* il s'allume et s'éteint. ◆ **clignotant** n. m. *Le* CLIGNOTANT *d'une voiture* est un signal qui clignote quand on change de direction. ▷ 505

climat n. m. *La Norvège a un* CLIMAT *froid et humide,* il y fait froid et il pleut souvent. ◆ **climatique** adj. *Il y a ici de bonnes conditions* CLIMATIQUES, le climat est agréable. ◆ **climatiser** v. CLIMATISER *une salle,* c'est faire que la température y soit agréable. ◆ **climatisation** n. f. *L'appareil de* CLIMATISATION *est en panne.* ◆ **acclimater** v. ACCLIMATER *un animal,* c'est l'habituer à un nouveau climat. ◆ **acclimatation** n. f. *Au jardin d'*ACCLIMATATION, *on peut voir des animaux du monde entier.*

clin d'œil → CLIGNER.

clinique n. f. *Il a été opéré dans une* CLINIQUE *privée,* un petit hôpital.

clinquant adj. *Des bijoux* CLINQUANTS sont brillants mais sans valeur.

cliquetis n. m. *On entend le* CLIQUETIS *d'une machine à écrire,* une suite de bruits secs.

cloaque n. m. *Après la pluie, la rue était un* CLOAQUE, un lieu boueux.

clochard n. m. Un CLOCHARD est une personne misérable qui n'a pas de domicile et couche dans la rue.

cloche n. f. **1.** *D'ici on entend sonner les* CLOCHES *de l'église.* — **2.** *On met les melons sous une* CLOCHE *pour les protéger du froid,* un abri en verre. ◆ **clocher** n. m. (sens 1) *Les cloches sont en haut du* CLOCHER. ◆ **clochette** n. f. (sens 1) Une CLOCHETTE est une petite cloche. ▷ 148 ▷ 148

à cloche-pied adv. *Marcher* À CLOCHE-PIED, c'est avancer en sautant sur un pied.

clocher, clochette → CLOCHE.

cloison n. f. *Les pièces de l'appartement sont séparées par des* CLOISONS, des murs intérieurs. ▷ 77, 79

cloître n. m. Un CLOÎTRE est une galerie couverte qui entoure la cour d'un couvent.

cloque n. f. *Il s'est brûlé et il a une* CLOQUE *à la main* (= ampoule).

435, 368 ◁ **clôture** n. f. **1.** *Le champ est entouré d'une* CLÔTURE, de quelque chose qui le ferme (mur, palissade, haie). — **2.** *Il est arrivé après la* CLÔTURE *du débat* (= fin). ◆ **clore** v. se disait autrefois pour *fermer.* ◆ **clôturer** v. (sens 2) *On* A CLÔTURÉ *la séance à 8 heures* (= terminer). ◆ **enclore** v. (sens 1) *Le paysan* A ENCLOS *son champ,* il l'a entouré d'une clôture.
435, 368 ◁ ◆ **enclos** ou **clos** n. m. (sens 1) *Les vaches sont dans l'*ENCLOS, le terrain enclos.
• **R.** *Clore, enclore,* conj. n° 81.

368, 289 ◁ **clou** n. m. **1.** *Il a planté un* CLOU *dans le mur pour accrocher un tableau* (= pointe). — **2.** *Pierre a un* CLOU *au cou* (= furoncle). — **3.** *Les lions ont été le* CLOU DU SPECTACLE, le moment le plus réussi. ◆ **clouer** v. (sens 1) *M. Durand* A CLOUÉ *une affiche au mur,* fixé avec des clous. ◆ **clouté** adj. (sens 1) *Les piétons doivent traverser au* PASSAGE CLOUTÉ, à l'endroit de la rue qui est délimité par de gros clous. ◆ **déclouer** v. (sens 1) *Pour ouvrir cette caisse, il faut la* DÉCLOUER, enlever les clous.

433 ◁ **clown** n. m. *Au cirque, Pierre aime beaucoup les* CLOWNS, les artistes qui font rire. ◆ **clownerie** n. f. *Tout le monde rit de ses* CLOWNERIES, de ses manières de clown.
• **R.** *Clown* se prononce [klun].

club n. m. *Pierre s'est inscrit à un* CLUB *sportif* (= association).
• **R.** On prononce [klœb].

co-, au début d'un mot, indique une association : COHABITER *avec quelqu'un,* c'est habiter dans le même logement, etc.

coaguler v. *Le sang* SE COAGULE *à l'air libre* (= se solidifier).

coalition n. f. *Napoléon a été vaincu par la* COALITION *de ses ennemis* (= alliance, réunion). ◆ **coaliser** v. *Tout le monde* S'EST COALISÉ *contre moi* (= liguer, unir).

coasser v. *Les grenouilles* COASSENT, poussent leur cri.
• **R.** Ne pas confondre *coasser* et *croasser.*

cobaye n. m. Le COBAYE est un petit animal qui sert souvent à des expériences scientifiques (= cochon d'Inde).

435 ◁ **cobra** n. m. Le COBRA est un grand serpent très venimeux.

cocagne n. f. *Le pays de* COCAGNE est un pays imaginaire où l'on a tout ce qu'on veut.

766 ◁ **cocarde** n. f. *Il a une* COCARDE *à la boutonnière,* un insigne rond.

cocasse adj. *J'ai fait un rêve* COCASSE (= très drôle).

366 ◁ **coccinelle** n. f. Les COCCINELLES sont de petits insectes généralement rouge et noir (= bête à bon Dieu).

1. cocher v. *Il* A COCHÉ *mon nom sur la liste,* marqué d'un trait.

2. cocher n. m. Les COCHERS conduisaient les voitures à cheval. ◆ **coche** n. m. Un COCHE était une grande diligence. ◆ **cochère** adj. f. Une PORTE COCHÈRE est assez grande pour laisser passer une voiture.

cochon n. m. **1.** *Ce paysan élève des* COCHONS (= porc). — **2.** Le COCHON D'INDE est le nom usuel du *cobaye.* — **3.** n. (au fém. COCHONNE) *Tu as fait des taches partout, tu es un* COCHON! (= malpropre). ◆ **cochonnerie** n. f. (sens 3) *Le chien a fait des* COCHONNERIES *par terre* (= saleté). ▷ 361

cocker n. m. Le COCKER est une race de chiens.

coco → COCOTIER.

cocon n. m. *Les chenilles des vers à soie s'entourent d'un* COCON, d'une enveloppe de fils de soie. ▷ 294

cocotier n. m. Les COCOTIERS sont de grands palmiers des régions chaudes. ◆ **coco** n. m. La NOIX DE COCO est le fruit du cocotier. ▷ 580 ▷ 580

cocotte n. f. **1.** *Pierre s'amuse à faire des* COCOTTES *en papier,* à plier du papier en forme de poule. — **2.** *M*[me] *Durand a fait un ragoût dans une* COCOTTE, une petite marmite.

code n. m. **1.** Un CODE est un recueil de lois : *le* CODE *civil, le* CODE *de la route.* — **2.** *Il a écrit un message en* CODE, en langage secret. — **3.** *De nuit, quand on croise une autre voiture, il faut se mettre en* CODE (= feux de croisement; ≠ phares).

coéquipier → ÉQUIPE.

cœur n. m. **1.** *Le* CŒUR *envoie le sang dans tout notre corps.* — **2.** *Il habite au* CŒUR *de Paris* (= centre). — **3.** *Pierre a* MAL AU CŒUR, il a des nausées. — **4.** *Marie a le* CŒUR *sensible,* elle est facilement émue. — **5.** *Jean a* BON CŒUR, il est généreux. — **6.** *Il a fait cela* DE BON CŒUR, avec plaisir, volontiers. — **7.** *Il sait sa leçon* PAR CŒUR, il peut la réciter de mémoire. — **8.** *Pierre a joué la dame de* CŒUR, une des couleurs aux cartes. ◆ **à contrecœur** adv. (sens 6) *Il est parti* À CONTRECŒUR, malgré lui. ◆ **écœurer** v. (sens 3) *Cette odeur m'*ÉCŒURE, me fait mal au cœur (= dégoûter). ▷ 40 ▷ 436

• **R.** V. CHŒUR.

coffre n. m. *Pierre met ses jouets dans un* COFFRE, une grande caisse. ◆ **coffre-fort** n. m. *Les* COFFRES-FORTS *de la banque ont été dévalisés,* les coffres en métal. ◆ **coffret** n. m. *Elle met ses bijoux dans un* COFFRET (= boîte). ▷ 77, 147 ▷ 292

cognac n. m. Le COGNAC est une eau-de-vie fabriquée en Charente.

cognée n. f. Une COGNÉE est une hache de bûcheron. ▷ 655

cogner v. *Il* COGNE *de toutes ses forces contre la porte* (= frapper).

cohabiter → HABITER.

cohérent adj. *Son raisonnement est très* COHÉRENT (= logique). ◆ **incohérent** adj. *Il prononçait des paroles* INCOHÉRENTES, sans lien entre elles. ◆ **incohérence** n. f. *L'*INCOHÉRENCE *d'un discours d'ivrogne.*

cohorte n. f. *J'ai vu passer une* COHORTE *de gamins,* un grand nombre (= troupe).

cohue n. f. *Il y avait la* COHUE *dans le métro,* une foule en désordre (= bousculade).

coiffer v. **1.** *Pierre* EST COIFFÉ *d'un drôle de chapeau,* il l'a sur la tête. — **2.** *Marie* SE COIFFE *devant la glace,* elle arrange ses cheveux (= se peigner). ◆ **coiffe** n. f. (sens 1) *Certaines paysannes bretonnes portent encore des* COIFFES, des sortes de bonnets. ◆ **coiffeur** n. (sens 2) *Pierre est allé chez le* COIFFEUR *se faire couper les cheveux.* ◆ **coiffure** n. f. (sens 1) *Les chapeaux, les bérets, les casquettes sont des* COIFFURES. • (sens 2) *Donne un coup de peigne dans ta* COIFFURE, les cheveux. ◆ **décoiffer** v. (sens 2) *Le vent l'*A DÉCOIFFÉ (= dépeigner). ◆ **recoiffer** v. (sens 2) RECOIFFE-TOI *avant de sortir.*

coin n. m. **1.** *On a mis la table dans un* COIN *de la pièce,* dans l'angle formé par deux murs. — **2.** *On s'est retrouvé au* COIN *d'une rue,* au croisement de deux rues. — **3.** *Nous avons passé nos vacances dans un* COIN *tranquille* (= endroit). ◆ **encoignure** n. f. (sens 1) Une ENCOIGNURE est un coin étroit formé par deux murs. ◆ **recoin** n. m. (sens 3) *Le chat s'est réfugié dans un* RECOIN, un coin caché.

• **R.** *Coin* se prononce [kwɛ̃] comme *coing.*

coincer v. *La porte* EST COINCÉE, *on ne peut plus l'ouvrir* (= bloquer).

coïncider v. *Son arrivée* A COÏNCIDÉ *avec mon départ,* elle a eu lieu au même moment (= concorder). ◆ **coïncidence** n. f. *Vous ici! quelle* COÏNCIDENCE!, rencontre de circonstances (= hasard).

coing n. m. Le COING est un fruit jaune ressemblant à une poire.

• **R.** V. COIN.

765, 36 ◁ 651, 512 ◁ 33 ◁ **col** n. m. **1.** COL était autrefois synonyme de *cou.* — **2.** *Le* COL *de ta chemise est sale,* la partie qui entoure le cou. — **3.** Un COL est un passage qui permet de franchir une montagne. ◆ **cou** n. m. (sens 1) *Mets cette écharpe autour de ton* COU. ◆ **collet** n. m. (sens 1) Un COLLET est un nœud coulant pour capturer les lapins en les étranglant. ◆ **collier** n. m. 220 ◁ (sens 1) *Marie a un* COLLIER *de perles,* un bijou qui se met au cou. ‖ 368 ◁ *Ce chien perdu n'a pas de* COLLIER, de courroie autour du cou. ◆ **décolleté** adj. (sens 1) *Mme Durand porte une robe* DÉCOLLETÉE, qui découvre le cou 368 ◁ et les épaules. ◆ **encolure** n. f. (sens 1) *Il caressait l'*ENCOLURE *de son cheval,* la région du cou. • (sens 2) *L'*ENCOLURE *de cette chemise est trop petite pour moi,* la largeur du col. ◆ **torticolis** n. m. (sens 1) *Pierre souffre d'un* TORTICOLIS, d'une douleur au cou.

• **R.** V. COLLE et COUDRE.

colère n. f. *Quand il se met en* COLÈRE, *il devient tout rouge et il crie* (= fureur). ◆ **coléreux** adj. *M. Durand est très* COLÉREUX, il se met souvent en colère (= irritable, irascible).

colimaçon n. m. **1.** Un COLIMAÇON est un petit escargot. — **2.** *Un escalier* EN COLIMAÇON monte en tournant (= en spirale).

728 ◁ **colin** n. m. Le COLIN est un poisson de mer.

colin-maillard n. m. *Les enfants jouent à* COLIN-MAILLARD, l'un d'eux, les yeux bandés, essaie d'attraper les autres.

colique n. f. *Pierre a la* COLIQUE, mal au ventre (= diarrhée).

colis n. m. *Le facteur a apporté un* COLIS (= paquet).

collaborer v. *Il* A COLLABORÉ *avec un ami pour écrire ce livre,* ils ont travaillé ensemble. ◆ **collaboration** n. f. *Je vous remercie de votre* COLLABORATION (= participation). ◆ **collaborateur** n. *Ce journal a de nombreux* COLLABORATEURS, des personnes qui y travaillent.

collage, collant → COLLE.

collation n. f. *À quatre heures, les enfants font la* COLLATION, ils mangent un petit repas.

colle n. f. **1.** La COLLE est une matière gluante qui permet de faire adhérer entre eux des objets. — **2.** Fam. *Pierre m'a posé une* COLLE, une question difficile. ◆ **coller** v. (sens 1) *Des affiches* SONT COLLÉES *sur les murs,* fixées avec de la colle. • (sens 2) *Il s'est fait* COLLER *à son examen,* il a échoué. ◆ **collant 1.** adj. (sens 1) *Il a réparé son stylo avec du papier* COLLANT. — **2.** n. m. Un COLLANT est un sous-vêtement qui réunit en une seule pièce une culotte et des bas. ◆ **collage** n. m. (sens 1) *À l'école maternelle, on fait des* COLLAGES, on colle des images. ◆ **colleur** n. m. (sens 1) *Le* COLLEUR D'AFFICHES *est tombé de son échelle.* ◆ **décoller** v. (sens 1) *Le timbre* S'EST DÉCOLLÉ, il s'est détaché. ◆ **recoller** v. (sens 1) *On* A RECOLLÉ *les morceaux de l'assiette.* ▷ 36

• **R.** *Colle* se prononce [kɔl] comme *col.*

collecte n. f. *On a fait une* COLLECTE *pour les aveugles,* on a recueilli de l'argent pour eux.

collectif adj. *Ce livre est le résultat d'un travail* COLLECTIF, fait par un groupe (≠ individuel). ◆ **collectivement** adv. *Nous avons agi* COLLECTIVEMENT (= ensemble). ◆ **collectivité** n. f. Une COLLECTIVITÉ est un groupe de personnes qui ont des intérêts communs. ◆ **collectivisme** n. m. Le COLLECTIVISME, c'est la mise en commun des propriétés individuelles (= communisme).

collection n. f. *Pierre fait* COLLECTION *de timbres,* il les recherche pour les réunir et les classer. ◆ **collectionner** v. *Marie* COLLECTIONNE *les papillons,* elle en fait collection. ◆ **collectionneur** n. *M. Durand est* COLLECTIONNEUR *de tableaux.*

collectivement, collectivisme, collectivité → COLLECTIF.

collège n. m. *Pierre est élève d'un* COLLÈGE *d'enseignement technique,* un établissement scolaire. ◆ **collégien** n. *Pierre est un* COLLÉGIEN.

collègue n. *M. Durand et M. Dupont sont des* COLLÈGUES, ils travaillent au même endroit.

coller, colleur → COLLE. / **collet, collier** → COL.

colline n. f. *Nous sommes montés sur la* COLLINE *pour voir le paysage.* ▷ 365

collision n. f. *Il y a eu une* COLLISION *sur l'autoroute,* un choc entre des voitures (= accident).

colloque n. m. Un COLLOQUE est une réunion de personnes qui discutent d'un sujet scientifique.

colmater v. *On* A COLMATÉ *la fuite d'eau* (= boucher).

colombe n. f. La COLOMBE est un pigeon blanc.

colon → COLONIE.

763, 355 ◁ **colonel** n. m. *Le* COLONEL *commande un régiment.*

colonie n. f. **1.** *Autrefois, la France avait des* COLONIES, des territoires étrangers sous sa domination. — **2.** *Pierre est parti en* COLONIE DE VACANCES, dans un établissement avec d'autres enfants. ◆ **colon** n. m. (sens 1) *Les* COLONS *français ont quitté l'Algérie après l'indépendance.* ◆ **colonial** adj. (sens 1) *Le thé, le chocolat sont des produits* COLONIAUX, ils venaient des colonies. ◆ **colonialisme** n. m. (sens 1) Le COLONIALISME était une doctrine favorable à la conquête des colonies. ◆ **coloniser** v. (sens 1) *L'Algérie* A ÉTÉ COLONISÉE *par la France,* transformée en colonie. ◆ **décoloniser** v. (sens 1) *L'Afrique* EST *aujourd'hui* DÉCOLONISÉE, il n'y a plus de colonies.

149 ◁ **colonne** n. f. **1.** *Les temples grecs sont soutenus par des* COLONNES, des supports verticaux. — **2.** *Une* COLONNE *de soldats a traversé la ville,* des soldats disposés les uns derrière les autres. — **3.** *Les pages des journaux sont partagées en* COLONNES, en parties disposées verticalement. ◆ **colonnade** n. f. (sens 1) Une COLONNADE est une rangée de colonnes.

colorant, colorer, colorier, coloris → COULEUR.

colosse n. m. *M. Dupont est un* COLOSSE, il est très grand et très fort. ◆ **colossal** adj. *Il est d'une force* COLOSSALE (= énorme).

colporter v. COLPORTER *une nouvelle,* c'est la répandre.

365 ◁ **colza** n. m. *Le* COLZA *a des fleurs jaunes; on en tire de l'huile.*

coma n. m. *Le malade est tombé dans le* COMA, il a perdu connaissance.

combattre v. **1.** *Les soldats* ONT COMBATTU *avec courage* (= se battre). — **2.** *Les pompiers* COMBATTENT *l'incendie,* ils luttent contre lui. ◆ **combat** n. m. (sens 1) *Le* COMBAT *a été bref mais acharné* (= lutte, bataille). ◆ **combattant** n. (sens 1) *On a séparé les* COMBATTANTS, ceux qui se battaient. ◆ **combatif** adj. *Pierre est un garçon* COMBATIF, il aime la lutte.

• **R.** Conj. n° 56. ‖ *Combatif* n'a qu'un *t*, *combattre* en a 2.

combien adv. sert à interroger au sujet d'une quantité, d'un nombre, d'un prix : COMBIEN *sont-ils?* ‖ COMBIEN *ça coûte?*

152 ◁ **combinaison** n. f. **1.** *Il a trouvé une* COMBINAISON *astucieuse pour réussir* (= moyen, arrangement). — **2.** *Le motocycliste a une* COMBINAISON *de cuir,* un vêtement qui lui couvre tout le corps. ◆ **combiner** v. (sens 1) *C'est Pierre qui* A COMBINÉ *ce mauvais coup* (= arranger, préparer).

74 ◁ **comble** n. m. **1.** *Ce qu'il vient de dire, c'est le* COMBLE *de la bêtise,* c'est très bête. — **2.** (au plur.) *Il habite dans les* COMBLES, dans un logement situé sous le toit. ◆ **comble** adj. (sens 1) *La salle est* COMBLE, très pleine. ◆ **combler** v. (sens 1) **1.** *On* A COMBLÉ *le trou,* rempli entièrement (= boucher). — **2.** *Ces résultats m'*ONT COMBLÉ, entièrement satisfait.

combustible adj. et n. m. *Le bois est* COMBUSTIBLE, *c'est un bon* COMBUSTIBLE, il brûle bien. ◆ **combustion** n. f. *La* COMBUSTION *des corps produit de la fumée et de la cendre.* ◆ **incombustible** adj. *Cette matière est* INCOMBUSTIBLE, elle ne peut pas brûler.

comédie n. f. **1.** *On est allé au théâtre voir une* COMÉDIE, une pièce drôle. — **2.** Fam. *Quand on ne lui cède pas, Pierre fait une* COMÉDIE, il est désagréable. ◆ **comédien** n. (sens 1) Un COMÉDIEN est un acteur de théâtre, de cinéma ou de télévision. ◆ **comique** adj. (sens 1) *Nous avons vu un film* COMIQUE (= drôle; ≠ tragique). ▷ 440

comestible adj. *Ce champignon est* COMESTIBLE, il est bon à manger. ▷ 656

comète n. f. Une COMÈTE est un astre formant une traînée lumineuse.

comique → COMÉDIE.

comité n. m. *L'association sportive a élu son* COMITÉ, les gens qui prennent les décisions.

commander v. **1.** *Un général* COMMANDE *une armée,* il en est le chef. — **2.** *Il m'*A COMMANDÉ *de sortir* (= ordonner). — **3.** *Pierre* A COMMANDÉ *un livre au libraire,* il lui a demandé de le lui fournir. — **4.** *Cette manette* COMMANDE *tout l'éclairage,* elle le fait fonctionner. ◆ **commandant** n. m. (sens 1) *Un* COMMANDANT *commande un bataillon.* ◆ **commande** n. f. (sens 3) *Le boucher a livré les* COMMANDES, les marchandises demandées. • (sens 4) *Appuie sur la* COMMANDE *de démarrage* (= mécanisme). ◆ **commandement** n. m. (sens 1 et 2) *Je n'obéirai pas à ce* COMMANDEMENT (= ordre). ◆ **décommander** v. (sens 3) *M. Durand* A DÉCOMMANDÉ *le repas,* il a annulé la commande. ◆ **télécommander** v. (sens 4) *Pierre* TÉLÉCOMMANDE *son train électrique,* il le commande à distance (= téléguider). ▷ 355

commanditer v. *Qui* COMMANDITE *ce journal?,* qui fournit l'argent?

commando n. m. *Un* COMMANDO *de parachutistes s'est emparé du fort,* un petit groupe (de soldats).

comme conj. et adv. indique la comparaison : *Il parle* COMME *il écrit* (= de même que); la manière : COMME *on dit* (= ainsi que); la cause : COMME *il ne vient pas, je m'en vais* (= puisque); la qualité : *Il travaille* COMME *manœuvre* (= en tant que); l'exclamation : COMME *il est beau!* (= que).

commémorer v. *On* A COMMÉMORÉ *la victoire,* on en a rappelé le souvenir par une cérémonie. ◆ **commémoratif** adj. *Un monument* COMMÉMORATIF *a été construit sur la place.*

commencer v. *J'*AI COMMENCÉ *mon travail,* j'en ai fait le début (≠ achever). ‖ *L'année* COMMENCE *le 1er janvier* (= débuter; ≠ finir). ◆ **commencement** n. m. *C'est le* COMMENCEMENT *du printemps* (= début; ≠ fin). ◆ **recommencer** v. *La classe* RECOMMENCE *à deux heures* (= reprendre).

comment adv. sert à interroger sur la manière : COMMENT *as-tu fait?*

commenter v. *Pierre* COMMENTE *tout ce que je dis,* il fait des remarques. ◆ **commentaire** n. m. *Cet événement se passe de* COMMENTAIRES (= remarque, explication).

commérage → COMMÈRE.

commerce n. m. **1.** *M. Durand fait du* COMMERCE, il achète et vend des marchandises. — **2.** *Mme Dupont a acheté un petit* COMMERCE (= boutique). ◆ **commerçant** n. *Il y a beaucoup de* COMMERÇANTS *dans cette rue.* ◆ **commercial** adj. *Il dirige une entreprise* COMMERCIALE. ◆ **commercialiser** v. *Cette voiture n'*EST *pas encore* COMMERCIALISÉE, mise en vente.

commère n. f. Une COMMÈRE est une femme curieuse et bavarde. ◆ **commérages** n. m. pl. *Ne croyez pas cela, ce sont des* COMMÉRAGES (= bavardages, ragots).

commettre v. *Pierre* A COMMIS *une grosse erreur,* il l'a faite.
• **R.** Conj. n° 57.

768 ◁ **commis** n. m. **1.** *Mon cousin est* COMMIS *de bureau,* petit employé. — **2.** Un COMMIS VOYAGEUR va chez les clients proposer les marchandises.

commissaire n. m. **1.** *Le* COMMISSAIRE (DE POLICE) *dirige les agents de police du quartier.* — **2.** *Le* COMMISSAIRE-PRISEUR *dirige la vente aux enchères.* ◆ **commissariat** n. m. (sens 1) *On l'a arrêté et conduit au* COMMISSARIAT, au bureau du commissaire de police.

commission n. f. **1.** *On m'a chargé d'une* COMMISSION *pour vous,* de vous transmettre quelque chose (un objet ou une nouvelle). — **2.** *Mme Durand est partie faire les* COMMISSIONS (= achat, course). — **3.** *Le gouvernement a désigné une* COMMISSION *d'enquête,* des gens chargés d'enquêter sur une question. — **4.** *Il touche une* COMMISSION *sur les ventes,* une somme d'argent proportionnelle au prix. ◆ **commissionnaire** n. (sens 1) *Un* COMMISSIONNAIRE *a apporté un colis.*

77 ◁ **1. commode** n. f. *Ton linge est dans le tiroir de la* COMMODE, une sorte de meuble à tiroirs.

2. commode adj. **1.** *Ce problème n'est pas* COMMODE (= facile). — **2.** *Voilà un outil très* COMMODE, bien adapté (= pratique). — **3.** *Son père* N'EST PAS COMMODE, il est sévère. ◆ **commodité** n. f. (sens 2) *Cet appartement a toutes les* COMMODITÉS, il est bien adapté, confortable. ◆ **commodément** adv. (sens 2) *Asseyez-vous* COMMODÉMENT (= confortablement). ◆ **incommode** ou **malcommode** adj. (sens 2) *Cet escalier est vraiment* MALCOMMODE! ◆ **incommoder** v. (sens 2) *Je* SUIS INCOMMODÉ *par la chaleur* (= gêner). ◆ **incommodité** n. f. (sens 2) *Cette maison est d'une grande* INCOMMODITÉ (≠ confort).

commotion n. f. *L'annonce de la nouvelle lui a causé une* COMMOTION, une grosse émotion (= choc).

commun adj. **1.** *L'intérêt* COMMUN, c'est celui de tout le monde (= collectif; ≠ particulier). — **2.** *Les deux chambres ont une salle de bains* COMMUNE (≠ particulier). — **3.** *Ils ont mis leurs affaires* EN COMMUN, à la disposition de tous. — **4.** *Il est d'une force peu* COMMUNE (= habituel, courant). — **5.** *Pierre a des manières* COMMUNES (= vulgaire). — **6.** *Les*

NOMS COMMUNS *ne prennent pas de majuscule* (≠ nom propre). ◆ **communauté** n. f. (sens 1) *Il a agi pour le bien de la* COMMUNAUTÉ, de tout le monde (= collectivité). ◆ **communautaire** adj. (sens 3) *Ils mènent une vie* COMMUNAUTAIRE, en commun.

commune n. f. *Une* COMMUNE *est dirigée par le maire et le conseil municipal.* ◆ **communal** adj. *Les élections* COMMUNALES *viennent d'avoir lieu* (= municipal). ▷ 298

communicatif, communication → COMMUNIQUER.

communion n. f. **1.** *Nous sommes en* COMMUNION *d'idées,* nous nous entendons très bien. — **2.** La COMMUNION est un sacrement de l'Église catholique (= eucharistie). ◆ **communier** v. (sens 2) *Il* COMMUNIE *tous les dimanches.* ◆ **communiant** n. (sens 2) *Les* COMMUNIANTS *reçoivent l'hostie avec ferveur.* ◆ **excommunier** v. (sens 1) *Certains rois* FURENT EXCOMMUNIÉS *par le pape,* rejetés de l'Église catholique. ◆ **excommunication** n. f. (sens 1) *Il a été frappé d'*EXCOMMUNICATION, excommunié.

communiquer v. **1.** *Pierre m'*A COMMUNIQUÉ *ses projets,* il me les a fait connaître (= transmettre). — **2.** *Cette chambre* COMMUNIQUE *avec la salle de bains,* elle est reliée par un passage. ◆ **communiqué** n. m. (sens 1) *La presse a publié le* COMMUNIQUÉ *du gouvernement,* l'avis au public. ◆ **communication** n. f. (sens 1) *Il a une* COMMUNICATION *à nous faire,* un message à nous transmettre. • (sens 2) *Une route est une voie de* COMMUNICATION, de passage. ◆ **communicatif** adj. **1.** (sens 1) *Pierre est peu* COMMUNICATIF, il parle peu. — **2.** *Le rire est* COMMUNICATIF (= contagieux).

communisme n. m. Le COMMUNISME est une doctrine qui veut mettre les richesses en commun. ◆ **communiste** adj. et n. *Il y a cent députés* COMMUNISTES *à l'Assemblée nationale.* ‖ *Les* COMMUNISTES *sont opposés au capitalisme.*

compact adj. *Dans le métro, la foule était* COMPACTE (= serré, dense).

compagnie n. f. **1.** *Jean aime la* COMPAGNIE *de Marie,* il aime être avec elle (= présence). ‖ *Pierre est parti* EN COMPAGNIE DE *ses amis* (= avec). — **2.** *Il travaille dans une* COMPAGNIE *d'assurances* (= société). — **3.** Une COMPAGNIE est une troupe commandée par un capitaine. ◆ **compagnon** n. m. (sens 1) *Il est allé en vacances avec ses* COMPAGNONS *de travail,* ceux qui travaillent avec lui (= camarade). ◆ **compagne** n. f. (sens 1) *Marie joue avec ses* COMPAGNES (= amie).

comparable, comparaison → COMPARER.

comparaître v. *L'accusé* A COMPARU *devant le juge,* il a dû se présenter.
• **R.** Conj. nº 64.

comparer v. COMPARER *des choses ou des êtres,* c'est examiner leurs ressemblances et leurs différences. ‖ *On* COMPARE *parfois la vie à un voyage,* on dit qu'elle lui ressemble. ◆ **comparaison** n. f. *La* COMPARAISON *de ces deux restaurants est favorable au premier.* ◆ **comparable** adj. *Ces deux métiers ne sont pas* COMPARABLES, ils sont très différents. ◆ **comparatif** n. m. *«Meilleur» est le* COMPARATIF *de supériorité de «bon».* ◆ **incomparable** adj. *Marie est d'une beauté* INCOMPARABLE (= inégalable).

compartiment n. m. **1.** *Ce meuble est divisé en* COMPARTIMENTS, en parties séparées (= case). — **2.** *Il y avait six personnes dans le* COMPARTIMENT, une partie d'un wagon.

508 ◁

145 ◁

compas n. m. *Tracez un cercle avec votre* COMPAS.

compassion n. f. *Il m'a regardé avec* COMPASSION (= pitié). ◆ **compatir** v. *Je* COMPATIS *à votre douleur,* je la partage.

compatible adj. *Ces deux projets ne sont pas* COMPATIBLES, ils ne peuvent exister ensemble. ◆ **incompatible** adj. *Ils ont des idées* INCOMPATIBLES, qui ne peuvent s'accorder (= contraire).

compatir → COMPASSION. / **compatriote** → PATRIE.

compenser v. COMPENSER *un inconvénient,* c'est l'équilibrer par un avantage. ◆ **compensation** n. f. *Il a reçu un cadeau en* COMPENSATION *de ses peines* (= dédommagement).

compère n. m. *Le prestidigitateur a fait un signe à son* COMPÈRE (= complice).

compétent adj. *M. Durand est très* COMPÉTENT *sur cette question,* il est capable de s'en occuper. ◆ **compétence** n. f. *Ce travail n'est pas de ma* COMPÉTENCE, je suis incapable de le faire (= domaine). ◆ **incompétent** adj. *Elle est* INCOMPÉTENTE *en musique,* elle n'y connaît rien. ◆ **incompétence** n. f. *Il a été renvoyé de son travail pour* INCOMPÉTENCE (= incapacité).

compétition n. f. *Nous avons assisté à une* COMPÉTITION *sportive,* à une épreuve, un match.

complainte n. f. Une COMPLAINTE est un chant triste.

complaisant adj. *Marie est une fille* COMPLAISANTE, elle cherche à faire plaisir (= serviable). ◆ **complaisance** n. f. *Auriez-vous la* COMPLAISANCE *de m'ouvrir la porte?* (= amabilité).

1. complet adj. **1.** *Ce jeu de cartes n'est pas* COMPLET, il manque des cartes (= entier). — **2.** *Ils ont abouti à un succès* COMPLET (= total). — **3.** *L'autobus est* COMPLET, il n'y a plus de place (= plein). ◆ **complètement** adv. (sens 1 et 2) *Tu es* COMPLÈTEMENT *fou!* (= totalement). ◆ **compléter** v. (sens 1 et 2) *Pierre veut* COMPLÉTER *sa collection,* la rendre complète. ◆ **complément** n. m. (sens 1 et 2) *Il faut maintenant payer le* COMPLÉMENT, la somme pour compléter le prix. ‖ *Les* COMPLÉMENTS *complètent le sens de la phrase.* ◆ **incomplet** adj. (sens 1 et 2) *Votre devoir est* INCOMPLET (≠ complet).

2. complet n. m. Un COMPLET est un costume d'homme dont la veste et le pantalon sont du même tissu.

complexe, complication → COMPLIQUÉ.

complice n. et adj. *Le voleur a dénoncé ses* COMPLICES, ceux qui ont agi avec lui. ◆ **complicité** n. f. *Il a été arrêté pour* COMPLICITÉ *de meurtre,* pour y avoir participé avec d'autres.

compliment n. m. *Le professeur a fait des* COMPLIMENTS *à Paul,* il lui a dit que c'était bien (= félicitations).

compliqué adj. *Cette histoire est très* COMPLIQUÉE, difficile à comprendre (≠ simple). ◆ **compliquer** v. *L'affaire* SE COMPLIQUE, elle devient compliquée (= s'embrouiller). ◆ **complication** n. f. *Je n'aime pas les* COMPLICATIONS, les choses compliquées. ◆ **complexe** adj. est un équivalent savant de *compliqué.*

complot n. m. *On a découvert un* COMPLOT *contre le président,* des manœuvres secrètes pour le renverser. ◆ **comploter** v. *Qu'est-ce que vous* AVEZ COMPLOTÉ *ensemble?,* préparé secrètement.

comporter v. **1.** *Ce logement* COMPORTE *trois pièces,* il se compose de trois pièces. — **2.** *Pierre* S'EST *mal* COMPORTÉ (= se conduire). ◆ **comportement** n. m. (sens 2) *Jean a eu un* COMPORTEMENT *bizarre* (= conduite).

composer v. **1.** *Marie* A COMPOSÉ *un joli bouquet,* elle l'a fait en assemblant des fleurs. — **2.** *Un quatuor* EST COMPOSÉ *de quatre instruments,* il est formé. — **3.** *Beethoven* A COMPOSÉ *neuf symphonies* (= écrire). ◆ **composition** n. f. **1.** (sens 1 et 2) *Quelle est la* COMPOSITION *de cette sauce?,* de quels éléments est-elle formée? — **2.** *Demain nous avons une* COMPOSITION *de géographie,* un examen écrit. ◆ **compositeur** n. m. (sens 3) *Mozart est un grand* COMPOSITEUR (= musicien). ◆ **décomposer** v. **1.** (sens 1 et 2) DÉCOMPOSER *quelque chose,* c'est séparer les parties qui le forment. — **2.** *La viande* SE DÉCOMPOSE *à la chaleur,* elle pourrit. ◆ **décomposition** n. f. *Le cadavre était en* DÉCOMPOSITION, en train de pourrir.

compote n. f. *On a mangé une* COMPOTE *de pommes,* des pommes cuites avec du sucre. ◆ **compotier** n. m. Un COMPOTIER est un plat à fruits.

comprendre v. **1.** *Je n'*AI *pas* COMPRIS *ses explications,* leur sens m'échappe (= saisir). — **2.** *J'ai des amis qui me* COMPRENNENT, qui acceptent ce que je fais. — **3.** *Ce livre* COMPREND *trois parties* (= être formé, se composer). ◆ **compréhensible** adj. (sens 1) *Parlez d'une manière* COMPRÉHENSIBLE, pour qu'on vous comprenne. ◆ **compréhensif** adj. (sens 2) *Sa mère est* COMPRÉHENSIVE, elle comprend les motifs de ses actes. ◆ **compréhension** n. f. (sens 1) *Ce livre est d'une* COMPRÉHENSION *difficile,* il est difficile à comprendre. • (sens 2) *Mon père m'a parlé avec* COMPRÉHENSION (= bienveillance). ◆ **incompréhensible** adj. (sens 1) *Il dit des choses* INCOMPRÉHENSIBLES, impossibles à comprendre. ◆ **incompréhension** n. f. (sens 2) *Leur dispute est due à une* INCOMPRÉHENSION.
• **R.** Conj. n° 54.

compresse n. f. *On a mis une* COMPRESSE *sur sa blessure,* une sorte de pansement.

comprimer v. *On peut* COMPRIMER *les gaz mais non les liquides,* diminuer leur volume. ◆ **comprimé** n. m. *Jean a pris un* COMPRIMÉ *d'aspirine,* un médicament fait de poudre comprimée. ◆ **compression** n. f. *Il y a eu une* COMPRESSION *de personnel,* une diminution du nombre des employés. ◆ **compressible** adj. *Les gaz sont* COMPRESSIBLES. ◆ **incompressible** adj. *Nos dépenses sont incompressibles,* on ne peut pas les réduire.

▷ 39

compromettre v. *Il* S'EST COMPROMIS *dans une affaire malhonnête* (= se déshonorer).
• **R.** Conj. nº 57.

compromis n. m. *Les adversaires ont accepté un* COMPROMIS (= arrangement, accord, transaction).

compter v. **1.** *Marie sait* COMPTER, énumérer les chiffres. ‖ *Jean* COMPTE *son argent,* calcule combien il en a. — **2.** *Il* COMPTE *arriver demain,* il en a l'intention. — **3.** *Vous pouvez* COMPTER SUR *moi,* me faire confiance. — **4.** *Ce qu'il a fait ne* COMPTE *pas,* n'a pas d'importance. ◆ **compte** n. m. **1.** (sens 1) *Le commerçant fait ses* COMPTES, calcule ses recettes et ses dépenses. — **2.** *M. Durand a un* COMPTE *en banque,* une provision d'argent à la banque. — **3.** *Il ne* S'EST RENDU COMPTE DE *rien* (= s'apercevoir). — **4.** *Je n'ai pas de* COMPTES *à vous rendre,* d'explications à vous donner. — **5.** *Il m'a fait un* COMPTE RENDU *de son voyage* (= récit). ◆ **comptant** adv. *Payer* COMPTANT, c'est payer tout de suite (≠ à crédit). ◆ **comptable** n. m. (sens 1) *Le métier du* COMPTABLE *consiste à tenir une comptabilité.* ◆ **comptabilité** n. f. (sens 1) *La* COMPTABILITÉ *d'un commerçant,* c'est l'ensemble de ses comptes. ◆ **compte-gouttes** n. m. inv. (sens 1) *Un*
39 ◁ COMPTE-GOUTTES *sert à mesurer la dose d'un médicament.* ◆ **compteur**
506, 505 ◁ n. m. (sens 1) Un COMPTEUR est un appareil qui sert à mesurer quelque chose.
• **R.** *Compter* se prononce [kɔ̃te] comme *comté* et *conter.* ‖ *Compte* se prononce [kɔ̃t] comme *comte* et *conte.* ‖ *Comptant* se prononce [kɔ̃tɑ̃] comme *content.*

220 ◁ **comptoir** n. m. *Le* COMPTOIR *d'un café,* c'est une table haute et étroite où l'on sert des consommations.

comte n. m., **comtesse** n. f. Les COMTES étaient des nobles inférieurs aux ducs. ◆ **comté** n. m. Un COMTÉ était un territoire possédé par un comte. ◆ **vicomte** n. m., **vicomtesse** n. f. Le VICOMTE était un noble inférieur au comte.
• **R.** V. COMPTE.

concasser v. CONCASSER *des cailloux,* c'est les réduire en petits morceaux (= broyer).

concave adj. *Un miroir* CONCAVE est creux (≠ convexe).

concentrer v. **1.** *Beaucoup de gens* SONT CONCENTRÉS *à Paris* (= rassembler). — **2.** *Jean* SE CONCENTRE *sur son problème,* il y réfléchit profondément. ◆ **concentration** n. f. (sens 1) *Dans un* CAMP DE CONCENTRATION, *on rassemble des prisonniers dans des conditions affreuses.* • (sens 2) *Ce travail demande beaucoup de* CONCENTRATION (= attention). ◆ **concentré** **1.** adj. *Du lait* CONCENTRÉ est débarrassé d'une partie de son eau. — **2.** n. m. *Le* CONCENTRÉ *de tomate* est de l'extrait de tomate.

concentrique adj. *Deux cercles sont* CONCENTRIQUES *quand ils ont le même centre.*

conception → CONCEVOIR.

concerner v. *Ce que vous dites ne me* CONCERNE *pas,* ne s'applique pas à moi (= intéresser).

concert n. m. **1.** *Les musiciens ont donné un* CONCERT, une séance de musique. — **2.** *Ils ont agi* DE CONCERT, en s'étant mis d'accord (= ensemble). ◆ **se concerter** v. (sens 2) *Les deux hommes* SE SONT CONCERTÉS, se sont mis d'accord. ◆ **concerto** n. m. (sens 1) Un CONCERTO est un morceau de musique joué par des instruments différents.

concession n. f. *Pour arriver à un accord, ils se sont fait des* CONCESSIONS, ils ont abandonné certaines exigences.

concevoir v. *Pierre* A CONÇU *un projet magnifique,* il l'a formé dans son esprit (= imaginer). ◆ **conception** n. f. *Je ne suis pas d'accord avec vos* CONCEPTIONS (= idée). ◆ **inconcevable** adj. *Voilà une idée* INCONCEVABLE (= inimaginable). ◆ **préconçu** adj. *Jean a des idées* PRÉCONÇUES, des préjugés.

• **R.** Conj. nº 34.

concierge n. La personne qui garde un immeuble est un(e) CONCIERGE.

concile n. m. Un CONCILE est une assemblée d'évêques.

conciliabule n. m. *Les deux hommes ont tenu un* CONCILIABULE, ils ont parlé en secret.

concilier v. *On ne peut pas* CONCILIER *des théories aussi opposées,* les mettre en accord. ◆ **conciliation** n. f. *On a cherché tous les moyens de* CONCILIATION (= arrangement). ◆ **inconciliable** adj. *Ces deux idées sont* INCONCILIABLES (= opposé). ◆ **réconcilier** v. *Pierre et Jean* SE SONT RÉCONCILIÉS, remis d'accord (≠ se fâcher). ◆ **réconciliation** n. f. *La* RÉCONCILIATION *de deux adversaires* (≠ brouille).

concis adj. *Jean a un style* CONCIS, il s'exprime en peu de mots.

concitoyen → CITÉ.

conclave n. m. Le CONCLAVE est l'assemblée de cardinaux qui élit le pape.

conclure v. **1.** *Les deux pays* ONT CONCLU *la paix,* ils l'ont décidée (= signer). — **2.** *Il faut* CONCLURE *votre discours,* le terminer. ◆ **conclusion** n. f. (sens 1) *On est parvenu à la* CONCLUSION *d'un accord.* • (sens 2) *La* CONCLUSION *de ce devoir est mal écrite* (= fin; ≠ introduction).

• **R.** Conj. nº 68.

concombre n. m. *J'ai mangé une salade de* CONCOMBRES, un légume. ▷ 367

concorde n. f. *La* CONCORDE *ne règne pas entre eux,* la bonne entente (= accord, entente, harmonie). ◆ **concorder** v. *Leurs idées ne* CONCORDENT *pas,* ne sont pas en accord. ◆ **discorde** n. f. *Il est venu apporter la* DISCORDE (= désaccord, dispute). ◆ **discordant** adj. *On entend des voix* DISCORDANTES, qui ne s'accordent pas.

concours n. m. **1.** *Pierre a été reçu premier au* CONCOURS, à une épreuve où les candidats sont classés. — **2.** *Il a réussi avec le* CONCOURS *de son frère* (= aide, appui).

concret adj. *« Table » est un nom* CONCRET, il désigne une chose qu'on peut toucher (≠ abstrait).

concurrent n. *Il a battu tous ses* CONCURRENTS, ceux qui participaient à la même épreuve (= rival). ◆ **concurrence** n. f. *Il y a entre eux une vive* CONCURRENCE (= rivalité).

condamner v. **1.** *L'accusé* A ÉTÉ CONDAMNÉ *à la prison,* jugé et déclaré coupable (≠ acquitter). — **2.** *Il faut* CONDAMNER *ces actes barbares* (= désapprouver). — **3.** *On* A CONDAMNÉ *cette porte* (= boucher). ◆ **condamnable** adj. (sens 2) *Son attitude est* CONDAMNABLE (= blâmable). ◆ **condamnation** n. f. (sens 1) *Le tribunal a prononcé une lourde* CONDAMNATION (= peine).

condenser v. CONDENSER *un corps,* c'est le réduire à un plus petit volume.

condiment n. m. *Le sel, le poivre sont des* CONDIMENTS, ils donnent du goût à la nourriture (= assaisonnement).

condisciple n. m. Un CONDISCIPLE est un compagnon d'études.

condition n. f. **1.** *Jean est dans de bonnes* CONDITIONS *de travail,* des circonstances lui permettant de travailler. — **2.** *Quelles sont vos* CONDITIONS? (= exigence). — **3.** *Vous partirez* À CONDITION D'*avoir fini,* si vous avez fini. — **4.** *Ses parents étaient d'une* CONDITION *modeste,* d'une situation sociale. ◆ **conditionnel** n. m. (sens 3) Le CONDITIONNEL est un mode du verbe qu'on emploie quand l'action dépend d'une condition. ◆ **inconditionnel** adj. (sens 2) *Ils lui ont donné leur appui* INCONDITIONNEL, sans condition.

12 ◁

condoléances n. f. pl. *Il m'a offert ses* CONDOLÉANCES, il m'a dit qu'il prenait part à ma douleur.

435 ◁ **condor** n. m. Le CONDOR est une sorte de vautour.

conduire v. **1.** *Mme Durand* CONDUIT *son fils à la gare,* elle l'y accompagne (= emmener). — **2.** *Cette route* CONDUIT *à la plage* (= mener). — **3.** *M. Dupont* CONDUIT *bien,* il sait bien diriger les voitures. — **4.** *Pierre* S'EST *mal* CONDUIT *à l'école,* il a mal agi (= se tenir, se comporter). ◆ **conducteur** n. (sens 3) *Il est interdit de parler au* CONDUCTEUR *de l'autobus.* ◆ **conduite** n. f. **1.** (sens 3) *Pierre prend des leçons de* CONDUITE, il apprend à conduire. • (sens 4) *Sa bonne* CONDUITE *a été récompensée* (= tenue, comportement). — **2.** *Une* CONDUITE *d'eau a éclaté* (= canalisation). ◆ **conduit** n. m. Un CONDUIT est un tuyau où circule un liquide, un gaz. ◆ **inconduite** n. f. (sens 4) *Son* INCONDUITE *a fait scandale,* sa mauvaise conduite (= immoralité). ◆ **reconduire** v. (sens 1) *Il m'*A RECONDUIT *jusqu'à la porte* (= raccompagner).
• **R.** Conj. n° 70.

151 ◁

348 ◁ **cône** n. m. Un CÔNE est un corps de sommet pointu et de base circulaire. ◆ **conique** adj. *Les pommes de pin ont une forme* CONIQUE (= pointu).

confection n. f. **1.** *La* CONFECTION *de ce gâteau est difficile* (= fabrication). — **2.** *M. Durand travaille dans la* CONFECTION, l'industrie du vêtement.

confédéral, confédération → FÉDÉRATION.

conférence n. f. *M. Durand a fait une* CONFÉRENCE *sur ses voyages,* il les a racontés (= discours). ◆ **conférencier** n. *N'interrompez pas le* CONFÉRENCIER!, celui qui parle.

confesser v. **1.** *Je* CONFESSE *que j'ai tort,* je l'avoue. — **2.** SE CONFESSER, c'est avouer ses péchés à un prêtre. ◆ **confession** n. f. (sens 2) *La* CONFESSION *fait partie du sacrement de pénitence,* l'aveu de ses péchés. ◆ **confessionnal** n. m. (sens 2) Un CONFESSIONNAL est une sorte de cabine dans laquelle on se confesse. ◆ **confesseur** n. m. (sens 2) *Il a avoué ses fautes à son* CONFESSEUR (= prêtre). ▷ 149

confetti n. m. *Au carnaval, on lance des* CONFETTIS, de toutes petites rondelles de papier.

confiance n. f. *J'ai* CONFIANCE *en lui,* je sais qu'il ne me trompera pas (≠ méfiance). ◆ **confiant** adj. *Pierre est un garçon* CONFIANT, il fait confiance aux autres.

confier v. **1.** *M. Durand m'*A CONFIÉ *une lettre pour toi,* il me l'a donnée pour que je te la remette. — **2.** *Pierre* S'EST CONFIÉ *à moi,* il m'a fait des confidences. ◆ **confidence** n. f. (sens 2) *Faire des* CONFIDENCES *à un ami,* c'est lui dire des choses secrètes et intimes. ◆ **confident** n. (sens 2) *Marie est la* CONFIDENTE *de Jeanne,* son amie intime.

configuration n. f. est un équivalent savant de *forme.*

confiné adj. *On respire ici un air* CONFINÉ (= vicié).

confins n. m. pl. *Ce village se trouve aux* CONFINS *de la Bretagne,* dans sa partie la plus éloignée.

confire v. *On* CONFIT *les fruits en les imprégnant de sucre.* ◆ **confiserie** n. f. *Dans une* CONFISERIE, *on trouve des bonbons, des chocolats, des fruits confits* (choses appelées elles aussi CONFISERIES ou sucreries). ◆ **confiseur** n. m. *Ce* CONFISEUR *fait de très bons chocolats.* ◆ **confiture** n. f. *Veux-tu de la* CONFITURE *sur ton pain?,* des fruits cuits avec du sucre.
• **R.** Conj. n° 72.

confirmation n. f. **1.** *Il m'a donné la* CONFIRMATION *de cette nouvelle,* il m'a affirmé qu'elle était exacte. — **2.** La CONFIRMATION est un sacrement de l'Église catholique. ◆ **confirmer** v. (sens 1) *Peux-tu me* CONFIRMER *que tu viendras?,* me l'assurer de nouveau (= certifier).

confiserie, confiseur → CONFIRE.

confisquer v. *Le surveillant lui* A CONFISQUÉ *sa balle,* il la lui a prise pour le punir.

confiture → CONFIRE.

conflit n. m. Un CONFLIT est une opposition d'intérêts entre des personnes ou des pays.

confluent n. m. *Lyon est au* CONFLUENT *du Rhône et de la Saône,* à l'endroit où ces deux cours d'eau se rejoignent. ▷ 721

confondre v. **1.** *Tu* CONFONDS *les noms de ces deux personnes,* tu les prends l'un pour l'autre (= mélanger). — **2.** *Il* ÉTAIT CONFONDU *d'avoir fait cette erreur,* très troublé. ◆ **confus** adj. (sens 1) *Il m'a donné des explications* CONFUSES (= embrouillé; ≠ clair, précis). • (sens 2) *Pierre était* CONFUS *d'avoir fait une erreur* (= honteux). ◆ **confusion** n. f. (sens 1) *Pierre a fait une* CONFUSION *de dates* (= erreur). • (sens 2) *Marie était rouge de* CONFUSION (= honte).
• **R.** Conj. n° 51.

conforme adj. *Ma décision est* CONFORME *au règlement,* elle est en accord avec lui. ◆ **conformer** v. *Il* S'EST CONFORMÉ *à l'avis de ses chefs* (= se soumettre). ◆ **conformément** adv. *Il a agi* CONFORMÉMENT *à la loi* (≠ contrairement). ◆ **conformiste** adj. et n. *M. Durand est très* CONFORMISTE, il se conforme à l'avis général (≠ original). ◆ **conformité** n. f. *Ses actes sont en* CONFORMITÉ *avec ses idées,* en accord.

confort n. m. *Notre appartement a tout le* CONFORT, tout ce qui rend la vie agréable. ◆ **confortable** adj. *Ce fauteuil est très* CONFORTABLE, on y est très bien. ◆ **confortablement** adv. *Il s'est installé* CONFORTABLEMENT (= à l'aise). ◆ **inconfortable** adj. *Cette maison est* INCONFORTABLE (= malcommode).

confrère n. m. *Le médecin a rencontré des* CONFRÈRES, d'autres médecins. ◆ **confrérie** n. f. Une CONFRÉRIE regroupe des gens ayant les mêmes activités.

confronter v. *On* A CONFRONTÉ *les témoins de l'accident,* on les a mis en présence pour vérifier leurs déclarations. ◆ **confrontation** n. f. *La* CONFRONTATION *de leurs idées est intéressante* (= comparaison).

confus, confusion → CONFONDRE.

congé n. m. **1.** *M. Durand est en* CONGÉ, il ne travaille pas (= vacances). — **2.** *Pierre* A PRIS CONGÉ DE *ses amis,* il leur a dit au revoir. — **3.** *Donner son* CONGÉ *à quelqu'un,* c'est le renvoyer. ◆ **congédier** v. (sens 3) *Plusieurs employés* ONT ÉTÉ CONGÉDIÉS, on les a mis dehors (= renvoyer).

congélateur, congeler → GELER.

congénital adj. *Jean a une maladie* CONGÉNITALE, il l'avait en naissant.

congestion n. f. *M. Dupont est mort d'une* CONGESTION *cérébrale,* d'un afflux de sang dans le cerveau. ◆ **congestionner** v. *La chaleur lui* CONGESTIONNE *le visage,* le rend rouge.

congratuler v. se dit quelquefois pour *féliciter.*

724 ◁ **congre** n. m. Un CONGRE est un poisson ressemblant à un serpent.

congrégation n. f. Une CONGRÉGATION est une association de prêtres ou de religieux.

congrès n. m. **1.** *M. Durand a assisté à un* CONGRÈS *de savants,* une réunion de savants pour parler de leur science. — **2.** *Aux États-Unis, le* CONGRÈS *vote les lois* (= assemblée législative). ◆ **congressiste** n. (sens 1) *Les* CONGRESSISTES *ont applaudi l'orateur,* les participants au congrès.

conifère n. m. *Le pin, le sapin, le cyprès sont des* CONIFÈRES. ▷ 583

conique → CÔNE.

conjecture n. f. *Je me perds en* CONJECTURES, en suppositions.
• **R.** Ne pas confondre *conjecture* et *conjoncture.*

conjoint n. est un équivalent savant de *époux.* ◆ **conjugal** adj. *L'amour* CONJUGAL, c'est l'amour qu'ont les époux l'un pour l'autre.

conjonction n. f. *«Car», «et», «ou» sont des* CONJONCTIONS *de coordination; «si», «puisque» sont des* CONJONCTIONS *de subordination,* des mots grammaticaux.

conjoncture n. f. *La* CONJONCTURE *économique est peu favorable* (= situation).
• **R.** V. CONJECTURE.

conjuguer v. **1.** *Peux-tu* CONJUGUER *le verbe aimer?,* en réciter les formes. — **2.** *Pierre et Jean* ONT CONJUGUÉ *leurs efforts,* ils les ont mis ensemble (= unir). ◆ **conjugaison** n. f. (sens 1) *La* CONJUGAISON *du verbe «aller» est irrégulière.* ▷ 12 à 20

conjuration n. f. Une CONJURATION est un complot. ◆ **conjuré** n. *La police a arrêté les* CONJURÉS (= conspirateur).

conjurer v. **1.** *Je te* CONJURE *de venir,* je t'en prie très vivement (= supplier). — **2.** *Il a récité une prière pour* CONJURER *le mauvais sort* (= écarter).

connaître v. **1.** *Pierre ne* CONNAÎT *pas ce mot,* il n'en sait pas le sens. — **2.** CONNAIS-*tu Lyon?,* y es-tu allé? — **3.** *Je* CONNAIS *M. Durand,* j'ai des relations avec lui. — **4.** *Ce film* CONNAÎT *un grand succès* (= avoir). ◆ **connaissance** n. f. **1.** (sens 1 et 2) *Jean a une bonne* CONNAISSANCE *de l'anglais,* il le connaît bien. • (sens 3) *M. Durand est une ancienne* CONNAISSANCE (= relation). — **2.** *Pierre a perdu* CONNAISSANCE, il s'est évanoui. ◆ **connaisseur** n. m. (sens 1) *Il est* CONNAISSEUR *en vins,* il les connaît bien. ◆ **connu** adj. (sens 3) *Cet écrivain est très* CONNU (= célèbre). ◆ **inconnu** adj. et n. (sens 1 et 2) *Ce mot m'est* INCONNU, je ne le connais pas. • (sens 3) *Un* INCONNU *m'a abordé dans la rue,* un homme que je ne connais pas.
• **R.** Conj. nº 64.

connivence n. f. *Pierre et Paul sont de* CONNIVENCE, ils s'entendent secrètement.

conquérir v. *Napoléon* AVAIT CONQUIS *une partie de l'Europe,* il s'en était emparé (= soumettre). ◆ **conquérant** n. m. *Napoléon fut un grand* CONQUÉRANT. ◆ **conquête** n. f. *Napoléon n'a pas conservé ses* CONQUÊTES, ce qu'il avait conquis. ◆ **reconquérir** v. *Cette région a été perdue, puis* RECONQUISE.
• **R.** Conj. nº 21.

consacrer v. **1.** CONSACRER *quelqu'un ou quelque chose,* c'est lui donner un caractère sacré, religieux. — **2.** *Il* A CONSACRÉ *sa vie à la science* (= employer). ◆ **consécration** n. f. (sens 1) *La* CONSÉCRATION *de l'église a été suivie d'une fête.*

conscience n. f. **1.** *Pierre n'a pas la* CONSCIENCE *tranquille,* il a le sentiment d'avoir fait le mal. — **2.** *Jean travaille avec* CONSCIENCE, en s'appliquant le plus possible. — **3.** *Le choc lui a fait perdre* CONSCIENCE, il s'est évanoui (= connaissance). — **4.** *Il n'avait pas* CONSCIENCE *de ma présence,* il ne s'en apercevait pas. ◆ **consciencieux** adj. (sens 2) *Marie est une élève* CONSCIENCIEUSE (= appliqué). ◆ **consciencieusement** adv. (sens 2) *Il travaille* CONSCIENCIEUSEMENT (= sérieusement). ◆ **conscient** adj. (sens 3 et 4) *M. Durand est* CONSCIENT *de ses responsabilités,* il les connaît. ◆ **consciemment** adv. (sens 3 et 4) *Il a fait cela* CONSCIEMMENT. ◆ **inconscience** n. f. (sens 3 et 4) *Conduire aussi vite, c'est de l'*INCONSCIENCE!, c'est agir sans réflexion (= folie). ◆ **inconscient** adj. (sens 3 et 4) *Le malade était* INCONSCIENT, sans connaissance, évanoui. ◆ **inconsciemment** adv. (sens 3 et 4) *Il a fait un geste* INCONSCIEMMENT, sans s'en apercevoir.

conscrit n. m. Un CONSCRIT est un jeune homme qui part au service militaire.

consécration → CONSACRER.

consécutif adj. *Il a plu pendant trois jours* CONSÉCUTIFS (= de suite).

conseil n. m. **1.** *Jean m'a donné un bon* CONSEIL (= avis). — **2.** Un CONSEIL est une assemblée de personnes qui donnent leur avis, qui délibèrent. ◆ **conseiller** v. (sens 1) *Il m'*A CONSEILLÉ *de travailler* (= recommander, suggérer). ◆ **conseiller** n. (sens 1) *Mon frère est mon* CONSEILLER, il me donne des conseils. • (sens 2) *M. Durand est* CONSEILLER *municipal,* il fait partie du conseil. ◆ **déconseiller** v. (sens 1) *Jean m'*A DÉCONSEILLÉ *de partir,* il m'a conseillé de ne pas partir.

298 ◁

consentir v. *Jean* CONSENT *à venir,* il veut bien venir (= accepter; ≠ refuser). ◆ **consentement** n. m. *Il ne veut pas partir sans le* CONSENTEMENT *de son père* (= accord, approbation).

• **R.** Conj. nº 19.

conséquent **1.** adj. *M. Durand est un homme* CONSÉQUENT, il agit avec logique. — **2.** adv. *Paul est malade,* PAR CONSÉQUENT *il n'ira pas en classe* (= donc). ◆ **conséquence** n. f. (sens 2) *L'orage a eu de graves* CONSÉQUENCES (= suite, résultat; ≠ cause). ◆ **inconséquent** adj. (sens 1) *Jean a eu une conduite* INCONSÉQUENTE, il a agi à la légère (= incohérent). ◆ **inconséquence** n. f. (sens 1) *Il a agi avec* INCONSÉQUENCE (= légèreté).

conservateur, conservation → CONSERVER.

conservatoire n. m. *Dans un* CONSERVATOIRE, *on apprend la musique, la danse ou le théâtre.*

conserver v. **1.** *Il* A CONSERVÉ *l'espoir de réussir* (= garder; ≠ perdre). — **2.** *On* CONSERVE *les aliments au réfrigérateur,* on les garde en bon état. ◆ **conservateur** **1.** n. m. (sens 2) *Le* CONSERVATEUR *d'un musée est chargé de le garder en bon état.* — **2.** adj. et n. Un CONSERVATEUR est partisan de maintenir l'ordre existant. ‖ *M. Durand a des opinions* CONSERVATRICES, de droite (= réactionnaire). ◆ **conservation** n. f. (sens 2) *Le froid permet la* CONSERVATION *des aliments.* ◆ **conserve** n. f. (sens 2) *On a ouvert une boîte de* CONSERVE *de légumes,* des légumes conservés en boîte.

considérable adj. *J'ai fait des dépenses* CONSIDÉRABLES, importantes.

considérer v. **1.** *Pierre me* CONSIDÉRAIT *avec attention* (= examiner, regarder). — **2.** *Je* CONSIDÈRE *Pierre comme mon meilleur ami,* je le juge ainsi. ◆ **considération** n. f. (sens 1) *Son avis* A ÉTÉ PRIS EN CONSIDÉRATION, examiné attentivement. • (sens 2) *Il jouit de la* CONSIDÉRATION *de ses supérieurs,* il est bien jugé par eux (= estime). ◆ **déconsidérer** v. (sens 2) *Par ses injures, il* S'EST DÉCONSIDÉRÉ, il a perdu l'estime des gens.

consigne n. f. **1.** *Dans les gares, on peut laisser ses bagages à la* CONSIGNE, un endroit où on les garde. — **2.** *Les ouvriers doivent respecter les* CONSIGNES *de sécurité,* ce qu'on leur dit de faire pour leur sécurité (= instructions). — **3.** Une CONSIGNE est une punition scolaire. ◆ **consigner** v. **1.** (sens 3) *Cinq élèves* ONT ÉTÉ CONSIGNÉS, punis par une privation de sortie. — **2.** *Cette bouteille* EST CONSIGNÉE, elle sera remboursée quand on la rendra vide. ▷ 508

consistant adj. *Cette pâte est très* CONSISTANTE, elle est presque solide. ◆ **consistance** n. f. *La boue a une* CONSISTANCE *molle.* ◆ **inconsistant** adj. *Ta sauce est* INCONSISTANTE, trop liquide.

consister v. **1.** *Son travail* CONSISTE À *relier des livres,* c'est le but de son travail (= avoir pour objet de). — **2.** *Son appartement* CONSISTE EN *deux pièces et une cuisine* (= être composé de).

consoler v. *Jean pleurait, et sa mère l'*A CONSOLÉ, a essayé de le calmer. ◆ **consolation** n. f. *Il lui a dit quelques mots de* CONSOLATION, pour le consoler (= apaisement, réconfort). ◆ **consolateur** adj. *Il m'a dit des paroles* CONSOLATRICES (= réconfortant). ◆ **inconsolable** adj. *Depuis la mort de son père, il est* INCONSOLABLE.

consolider → SOLIDE.

consommer v. *Les Chinois* CONSOMMENT *beaucoup de riz,* l'utilisent comme aliment. ‖ *Cette voiture* CONSOMME *trop d'essence.* ◆ **consommation** n. f. **1.** *La* CONSOMMATION *de viande a augmenté.* — **2.** *Il a pris une* CONSOMMATION *dans un café* (= boisson). ◆ **consommateur** n. **1.** *Il faut satisfaire les besoins des* CONSOMMATEURS (= acheteur). — **2.** *Il y avait cinq* CONSOMMATEURS *dans le café,* des personnes en train de boire.

consonne n. f. *Le mot «parti» contient trois* CONSONNES *(«p», «r», «t») et deux voyelles.* ▷ 6

conspirer v. *Ils* CONSPIRAIENT *contre l'État,* ils faisaient des projets secrets pour le renverser (= comploter). ◆ **conspiration** n. f. *La police a découvert une* CONSPIRATION (= complot). ◆ **conspirateur** n. *Les* CONSPIRATEURS *ont été arrêtés.*

conspuer v. *La foule* A CONSPUÉ *l'orateur* (= injurier; ≠ applaudir).

constance n. f. **1.** *Ce mouvement se répète avec* CONSTANCE, sans changer (= régularité). — **2.** *Pierre travaille avec* CONSTANCE (= persévérance). ◆ **constant** adj. (sens 1) *Dans cette pièce, la chaleur est* CONSTANTE, elle ne varie pas. ◆ **constamment** adv. (sens 1) *Jean est* CONSTAMMENT *fatigué* (= sans arrêt). ◆ **inconstance** n. f. (sens 2) *Il se plaint de l'*INCONSTANCE *de ses amis* (= infidélité). ◆ **inconstant** adj. (sens 2) *M. Durand est un mari* INCONSTANT (= infidèle).

constater v. *J'*AI CONSTATÉ *une erreur dans ton calcul,* j'ai vu qu'il y en avait une (= remarquer). ◆ **constatation** n. f. *Il m'a communiqué ses* CONSTATATIONS (= observation). ◆ **constat** n. m. *Après l'accident, on a établi un* CONSTAT, un acte constatant les faits.

constellation n. f. *La Grande Ourse est une* CONSTELLATION, un groupe d'étoiles.

consterner v. *Après son échec à l'examen, il* ÉTAIT CONSTERNÉ, très triste (= affliger). ◆ **consternation** n. f. *Après la défaite, la* CONSTERNATION *était générale* (= désolation).

constiper v. *Pierre* EST CONSTIPÉ, il n'a pas envie d'aller aux w.-c. ◆ **constipation** n. f. *Il prend un médicament contre la* CONSTIPATION.

constitution n. f. **1.** *La* CONSTITUTION *d'un pays* est l'ensemble des lois qui définissent son régime politique. — **2.** *Pierre a une solide* CONSTITUTION, il est fort, bien bâti (= tempérament). — **3.** *La* CONSTITUTION *de notre association a eu lieu en mars* (= formation). ◆ **constituer** v. (sens 3) *Le Premier ministre* A CONSTITUÉ *le gouvernement* (= former, organiser). • (sens 2) *Pierre* EST *bien* CONSTITUÉ, bien bâti. ◆ **constituant** adj. et n. (sens 3) *L'oxygène et l'azote sont les* CONSTITUANTS *de l'air,* les éléments qui la forment. • (sens 1) *Une assemblée* CONSTITUANTE est chargée d'établir la constitution d'un pays. ◆ **constitutionnel** adj. (sens 1) *Le Conseil* CONSTITUTIONNEL *veille au respect de la Constitution.* ◆ **reconstituer** v. (sens 3) *L'association* S'EST RECONSTITUÉE (= reformer).

construire v. *M. Durand a fait* CONSTRUIRE *une maison* (= bâtir; ≠ démolir). ◆ **construction** n. f. **1.** *La* CONSTRUCTION *du pont est finie.* — **2.** *Il y a de nouvelles* CONSTRUCTIONS *dans la rue* (= bâtiment). ◆ **reconstruire** v. *Après la guerre, il a fallu* RECONSTRUIRE (= rebâtir). ◆ **reconstruction** n. f. *La* RECONSTRUCTION *du quartier a duré cinq ans.* • **R.** Conj. nº 70.

consul n. m. **1.** *Les* CONSULS *gouvernaient la Rome antique.* — **2.** *Un* CONSUL *représente son pays dans un pays étranger.* ◆ **consulat** n. m. (sens 1) *Le* CONSULAT *durait un an,* la charge de consul. • (sens 2) *Il est allé au* CONSULAT *de France,* au bureau du consul.

consulter v. **1.** *Jean ne m'*A *pas* CONSULTÉ *avant de partir,* il ne m'a pas demandé mon avis. — **2.** *Si tu ne sais pas le sens d'un mot,* CONSULTE *le dictionnaire!,* regarde dedans pour te renseigner. ◆ **consultation** n. f. (sens 1) *Le médecin donne des* CONSULTATIONS *le matin,* il reçoit les malades et les examine.

consumer v. *La cigarette* SE CONSUME *dans le cendrier,* elle brûle et disparaît.

contact n. m. **1.** *Le* CONTACT *du fourneau est brûlant,* le fait de le toucher. — **2.** *Il a mis le* CONTACT *et démarré,* établi le circuit électrique.

contagieux adj. *La rougeole, la tuberculose sont des maladies* CONTAGIEUSES, elles s'attrapent facilement. ◆ **contagion** n. f. *Pour éviter la* CONTAGION, *il ne faut pas s'approcher du malade.*

contaminer v. *Cette eau* EST CONTAMINÉE, capable de donner des maladies (= infecter).

conte n. m. *Perrault a écrit de nombreux* CONTES, des récits d'aventures merveilleuses. ◆ **conter** v. se disait autrefois pour *raconter.* ◆ **conteur** n. *M. Dupont est un bon* CONTEUR, il raconte bien. ◆ **raconter** v. *Pierre m'*A RACONTÉ *son voyage,* il m'en a fait le récit. ◆ **racontar** n. m. *N'écoutez pas ces* RACONTARS (= bavardage).
- **R.** V. COMPTE.

contempler v. *Il* CONTEMPLAIT *le paysage avec admiration* (= regarder). ◆ **contemplation** n. f. *Il était en* CONTEMPLATION *devant le paysage.*

contemporain adj. et n. *Racine et Molière étaient* CONTEMPORAINS, ils vivaient à la même époque.

contenir v. **1.** *Cette bouteille* CONTIENT *1 litre,* on peut y mettre 1 litre. — **2.** *Cette bouteille* CONTIENT *du vin,* il y a du vin dedans. — **3.** *Il n'a pas pu* SE CONTENIR, retenir ses sentiments (= se dominer). ◆ **contenance** n. f. (sens 1) *La* CONTENANCE *de cette bouteille est de 1 litre* (= capacité). • (sens 3) *La* CONTENANCE *d'une personne,* c'est la manière dont elle se tient. ‖ *Perdre* CONTENANCE, c'est se troubler, être embarrassé. ◆ **contenu** n. m. (sens 2) *Le* CONTENU *de cette bouteille est du vin.* ◆ **décontenancer** v. (sens 3) *Sa réponse m'*A DÉCONTENANCÉ, elle m'a beaucoup surpris (= déconcerter).
- **R.** *Contenir,* conj. nº 22.

content adj. *M. Durand est* CONTENT *de sa voiture* (= satisfait). ◆ **contenter** v. *Il* SE CONTENTE *de peu* (= satisfaire). ◆ **contentement** n. m. *Son* CONTENTEMENT *était visible* (= satisfaction, joie). ◆ **mécontent** adj. *Marie est* MÉCONTENTE *de partir* (= fâché). ◆ **mécontenter** v. *Ses paroles* ONT MÉCONTENTÉ *tout le monde* (= déplaire). ◆ **mécontentement** n. m. *J'ai de nombreux sujets de* MÉCONTENTEMENT (= contrariété).
- **R.** V. COMPTANT.

contenu → CONTENIR. / **conter** → CONTE.

contester v. *Pierre* CONTESTE *ce que je dis,* il refuse de l'admettre (= discuter; ≠ approuver). ◆ **contestation** n. f. *Tout le monde a accepté sans* CONTESTATION, sans discuter (= opposition). ◆ **contestable** adj. *Ce qu'il dit est* CONTESTABLE (= discutable, douteux). ◆ **incontestable** adj. *C'est un fait* INCONTESTABLE (= certain).

conteur → CONTE.

contigu adj. *La cuisine et la salle à manger sont* CONTIGUËS, elles se touchent (= voisin).

continent n. m. *L'Europe, l'Asie, l'Amérique, l'Afrique, l'Australie et l'Antarctique sont les six* CONTINENTS. ◆ **continental** adj. *Le climat* CONTINENTAL est le climat de l'intérieur des continents.

contingent n. m. *Les jeunes gens qui partent chaque année au service militaire forment le* CONTINGENT.

continuer v. *Pierre* A CONTINUÉ *à parler pendant deux heures,* il ne s'est pas arrêté. ◆ **continu** adj. *Il travaille de façon* CONTINUE, sans s'interrompre. ◆ **continuel** adj. *Pierre a de* CONTINUELLES *disputes avec sa sœur* (= perpétuel). ◆ **continuellement** adv. *Jean ment* CONTINUELLEMENT (= sans arrêt). ◆ **discontinuer** v. *Les ennemis attaquaient sans* DISCONTINUER (= s'arrêter). ◆ **discontinu** adj. *Une ligne formée de parties séparées est* DISCONTINUE (≠ continu).

506 ◁

contorsion n. f. *Les* CONTORSIONS *du clown faisaient rire tout le monde,* ses mouvements acrobatiques.

contour n. m. *Le* CONTOUR *du tapis est plus foncé que son centre,* la ligne qui l'entoure (= bord, bordure). ◆ **contourner** v. *La rivière* CONTOURNE *la ville,* elle ne passe pas à travers.

contracter v. **1.** *Pierre* CONTRACTE *ses muscles,* il les raidit, les raccourcit (≠ relâcher). — **2.** *M. Durand* A CONTRACTÉ *une assurance contre le vol,* il s'est engagé par contrat (= prendre). — **3.** *Marie* A CONTRACTÉ *la rougeole* (= attraper). ◆ **contraction** n. f. (sens 1) *J'ai des* CONTRACTIONS *dans les jambes,* des muscles qui se contractent. ◆ **contrat** n. m. (sens 2) *M. Durand et M. Dupont ont signé un* CONTRAT, un accord qui les lie. ◆ **décontracter** v. (sens 1) *Les muscles de son visage* SE SONT DÉCONTRACTÉS (= détendre, relâcher).

contractuel n. *Une* CONTRACTUELLE *met des contraventions aux voitures en stationnement interdit,* une auxiliaire de police.

contradiction, contradictoire → CONTREDIRE.

contraindre v. *Il m'*A CONTRAINT *à venir* (= obliger, forcer). ◆ **contrainte** n. f. *Il est parti sous la* CONTRAINTE, on l'y a forcé.
- **R.** Conj. nº 55.

contraire adj. *Ce qu'il a fait est* CONTRAIRE *au règlement,* en opposition avec lui. ◆ **contraire** n. m. **1.** *«Beau» et «laid» sont des* CONTRAIRES, des mots de sens opposé. — **2.** AU CONTRAIRE indique une opposition. ◆ **contrairement** adv. *Il a agi* CONTRAIREMENT *à mes ordres,* de manière opposée (≠ conformément).

contrarier v. *Pierre ne cesse de me* CONTRARIER (= mécontenter, fâcher). ◆ **contrariété** n. f. *Il a éprouvé une grosse* CONTRARIÉTÉ (≠ satisfaction).

contraste n. m. *Il y a un fort* CONTRASTE *entre ces couleurs* (= opposition; ≠ ressemblance). ◆ **contraster** v. *Son calme* CONTRASTAIT *avec mon impatience* (= s'opposer).

contrat → CONTRACTER.

contravention n. f. *M. Durand a eu une* CONTRAVENTION *pour stationnement interdit* (= amende).

contre 1. prép. indique : l'opposition : *Il est* CONTRE *le changement* (≠ pour); le contact : *Il s'est serré* CONTRE *moi;* l'échange : *Il m'a donné des billes* CONTRE *des timbres.* — **2.** adv. PAR CONTRE indique une opposition entre deux phrases. — **3.** Employé comme préfixe, CONTRE- forme de nombreux mots composés exprimant une opposition.

contre-attaque, contre-attaquer → ATTAQUER.

contrebalancer v. *Ces inconvénients* SONT CONTREBALANCÉS *par de nombreux avantages* (= compenser).

contrebande n. f. La CONTREBANDE est un commerce illégal entre deux pays. ◆ **contrebandier** n. m. *Des* CONTREBANDIERS *ont été arrêtés par les douaniers.*

en contrebas adv. *La maison est* EN CONTREBAS *de la colline* (= en dessous).

contrebasse n. f. *Pierre joue de la* CONTREBASSE, sorte de gros violon. ▷ 439

contrecarrer v. *Jean* A CONTRECARRÉ *mes plans,* il s'y est opposé (≠ favoriser).

à contrecœur → CŒUR.

contrecoup n. m. *L'usine a subi les* CONTRECOUPS *de la crise,* ses conséquences, ses effets.

contredire v. **1.** *Jean me* CONTREDIT *sans arrêt,* il dit le contraire de ce que je dis. — **2.** *Ces deux phrases* SE CONTREDISENT, elles sont incompatibles. ◆ **contradiction** n. f. (sens 1) *Jean a l'esprit de* CONTRADICTION, il contredit les autres. • (sens 2) *Il y a des* CONTRADICTIONS *dans son raisonnement,* des idées qui se contredisent. ◆ **contradictoire** adj. (sens 2) *Il subit des influences* CONTRADICTOIRES (= opposé).
• **R.** Conj. nº 72, sauf le participe passé *(contredit).*

contrée n. f. s'emploie parfois comme équivalent de *région.*

contrefaire v. *L'escroc* AVAIT CONTREFAIT *des signatures,* imité frauduleusement. ◆ **contrefaçon** n. f. *La* CONTREFAÇON *des billets de banque est punie par la loi* (= imitation).
• **R.** Conj. nº 76.

contrefort n. m. *Les* CONTREFORTS *de la terrasse se sont écroulés,* les murs qui la soutenaient. ▷ 149

contre-jour → JOUR.

contremaître n. m. *Une équipe d'ouvriers est dirigée par un* CONTREMAÎTRE.

contrepartie n. f. *Il m'a fait un cadeau* EN CONTREPARTIE *de mon aide* (= en échange).

contre-pied n. m. *Pierre* A PRIS LE CONTRE-PIED *de ce que j'ai dit,* il a dit le contraire.

contre-plaqué n. m. Le CONTRE-PLAQUÉ est un bois formé de minces plaques collées.

contrepoids → POIDS. / **contrepoison** → POISON. / **contresens** → SENS.

contretemps n. m. Un CONTRETEMPS est un événement fâcheux qui vient s'opposer à une action.

contribution n. f. **1.** *Sa* CONTRIBUTION *a été très précieuse* (= participation). — **2.** (au plur.) *On paie chaque année ses* CONTRIBUTIONS *directes* (= impôts). ◆ **contribuer** v. (sens 1) *Pierre* A CONTRIBUÉ *à la réussite de notre projet,* il y a aidé (= collaborer). ◆ **contribuable** n. (sens 2) Un CONTRIBUABLE est une personne qui paie des impôts.

contrôler v. *La police* CONTRÔLAIT *les papiers des passants* (= vérifier). ◆ **contrôle** n. m. *Il y a un* CONTRÔLE *sévère à l'entrée de la salle* (= surveillance). ◆ **contrôleur** n. *Le* CONTRÔLEUR *est venu poinçonner les billets,* l'employé chargé du contrôle.

509 ◁

contrordre → ORDRE.

controverse n. f. *Une* CONTROVERSE *a opposé les deux savants* (= discussion).

contumace n. f. *Il a été condamné par* CONTUMACE, il n'était pas présent au tribunal.

contusion n. f. *Pierre est tombé de l'arbre mais n'a eu que quelques* CONTUSIONS (= meurtrissure).

convaincre v. *Les paroles de Jean m'*ONT CONVAINCU, j'ai reconnu qu'il avait raison (= persuader). ◆ **conviction** n. f. *J'ai la* CONVICTION *qu'il viendra* (= certitude).
• **R.** Conj. n° 85.

convalescence n. f. *Le médecin lui a donné quinze jours de* CONVALESCENCE, de repos après sa maladie. ◆ **convalescent** adj. et n. *Pierre est encore* CONVALESCENT, il est guéri mais encore faible.

convenir v. **1.** *Nous* AVONS CONVENU *de nous rencontrer,* nous nous sommes mis d'accord pour le faire (= décider). — **2.** *Il ne veut pas* CONVENIR *de son erreur,* la reconnaître. — **3.** *Ta proposition me* CONVIENT (= plaire). — **4.** IL CONVIENT DE *partir tout de suite* (= il faut). ◆ **convenable** adj. (sens 4) *Ce que tu dis n'est pas* CONVENABLE, comme il faut (= correct). ◆ **convenablement** adv. (sens 4) *Il est habillé* CONVENABLEMENT (= correctement). ◆ **convenance** n. f. (sens 3) *J'ai trouvé cette maison à ma* CONVENANCE, à mon goût. • (sens 4) [au plur.] *Cela est contraire aux* CONVENANCES, à ce qu'il faut faire. ◆ **convention** n. f. (sens 1) *Les deux partis ont signé une* CONVENTION (= accord). ◆ **inconvenant** adj. (sens 4) *Il a dit des mots* INCONVENANTS, contraires aux convenances. ◆ **inconvenance** n. f. (sens 4) *On lui a reproché son* INCONVENANCE (= impolitesse).
• **R.** Conj. n° 22.

converger v. *Leurs opinions* CONVERGENT, aboutissent au même résultat (= se rencontrer). ◆ **convergent** adj. *Deux lignes* CONVERGENTES *se rencontrent.* ◆ **diverger** v. *Les deux routes* DIVERGENT *ici,* s'éloignent l'une de l'autre. ◆ **divergent** adj. *Ils ont des opinions* DIVERGENTES (= éloigné; ≠ semblable).

conversation n. f. *Pierre et Jean ont eu une longue* CONVERSATION, ils ont parlé ensemble (= entretien).

convertir v. **1.** *Jean* S'EST CONVERTI *au christianisme,* il est devenu chrétien. — **2.** *Il* A CONVERTI *ses francs en monnaie étrangère* (= changer). ◆ **conversion** n. f. (sens 1) *Sa* CONVERSION *au catholicisme date d'un an.*

convexe adj. *Un miroir* CONVEXE est bombé (≠ concave).

conviction → CONVAINCRE.

convier v. *On nous* A CONVIÉS *à un mariage* (= inviter). ◆ **convive** n. *Il y avait dix* CONVIVES *à ce repas,* dix personnes invitées.

convocation → CONVOQUER.

convoi n. m. Un CONVOI est un ensemble de véhicules qui voyagent ensemble. ◆ **convoyer** v. CONVOYER *des navires,* c'est les accompagner pour les protéger.

convoiter v. *Il ne faut pas* CONVOITER *le bien d'autrui,* le désirer. ◆ **convoitise** n. f. *Ses yeux brillent de* CONVOITISE (= avidité).

convoquer v. *Le directeur* A CONVOQUÉ *Paul dans son bureau,* il l'a fait venir. ◆ **convocation** n. f. *J'ai reçu une* CONVOCATION *à l'examen,* une lettre me disant d'y aller.

convoyer → CONVOI.

convulsion n. f. *Le malade est agité de* CONVULSIONS, de mouvements violents et involontaires. ◆ **convulsif** adj. *Pierre a eu un geste* CONVULSIF.

coopérer v. *Pierre et Jean* ONT COOPÉRÉ *pour cet exposé,* ils y ont travaillé ensemble (= collaborer). ◆ **coopération** n. f. *Il m'a offert sa* COOPÉRATION (= aide). ◆ **coopératif** adj. *Jean s'est montré* COOPÉRATIF, prêt à aider. ◆ **coopérative** n. f. Une COOPÉRATIVE est une association de gens qui se réunissent pour acheter ou vendre.

coordonner v. *Ils* ONT COORDONNÉ *leurs efforts,* ils les ont mis ensemble, ils les ont combinés pour réussir. ◆ **coordination** n. f. *«Et» est une conjonction de* COORDINATION, servant à unir.

copain n. m., **copine** n. f. Fam. *Jean et ses* COPAINS, *Marie et ses* COPINES *sont allés au cinéma* (= ami).

copeau n. m. *Le rabot détache des* COPEAUX *de la planche,* de petits morceaux de bois.

copie n. f. **1.** *Ce tableau est une* COPIE, une reproduction d'un autre tableau (= imitation; ≠ original). — **2.** *Le professeur corrige les* COPIES *des élèves* (= devoir). — **3.** *Pierre a acheté des* COPIES, des feuilles de papier. ◆ **copier** v. (sens 1) *Jean* A COPIÉ *dix pages de musique,* il les a reproduites exactement. ‖ *Paul* COPIE *sur son voisin,* il écrit la même chose que lui. ◆ **polycopie** n. f. (sens 1) La POLYCOPIE permet de reproduire un texte en beaucoup d'exemplaires. ◆ **polycopier** v. (sens 1) *Le professeur a fait* POLYCOPIER *le texte du devoir.* ◆ **recopier** v. (sens 1) *Pierre* A RECOPIÉ *son devoir,* il l'a copié au propre.

copieux adj. *Nous avons fait un repas* COPIEUX (= abondant; ≠ maigre).

copine → COPAIN. / **copropriétaire, copropriété** → PROPRIÉTÉ.

coq n. m. *Ce matin j'ai entendu le chant du* COQ, du mâle de la poule. ▷ 362
• **R.** V. COQUE.

coque n. f. **1.** *Nous avons mangé des œufs* À LA COQUE, cuits dans leur coquille. — **2.** *La* COQUE *d'un navire ou d'un avion,* c'est sa partie extérieure. ◆ **coquetier** n. m. (sens 1) *Un* COQUETIER *sert à manger les œufs à la coque.* ◆ **coquille** n. f. (sens 1) *Les œufs, les noix, les escargots, les coquillages ont une* COQUILLE, une enveloppe dure. ◆ **coquillage** n. m. (sens 1) *Les huîtres, les moules sont des* COQUILLAGES. ▷ 726, 727 ▷ 728
• **R.** *Coque* se prononce [kɔk] comme *coq.*

363 ◁ **coquelicot** n. m. Le COQUELICOT est une fleur rouge.

coqueluche n. f. *Pierre tousse, il a la* COQUELUCHE.

coquet adj. *Marie est très* COQUETTE, elle cherche à plaire par son élégance. ◆ **coquetterie** n. f. *Marie s'habille avec* COQUETTERIE.

coquetier, coquillage, coquille → COQUE.

coquin adj. et n. **1.** *Marie est très* COQUINE (= taquin, espiègle). — **2.** *Ne l'écoutez pas, c'est un* COQUIN, un homme malhonnête.

438, 147 ◁ **cor** n. m. **1.** Le COR est un instrument de musique à vent. — **2.** *Pierre souffre d'un* COR *au pied* (= durillon).
• **R.** *Cor* se prononce [kɔr] comme *corps.*

724 ◁ **corail** n. m. **1.** Les CORAUX sont des animaux à squelette calcaire vivant dans les mers chaudes. — **2.** *Marie a un bracelet en* CORAIL, fait d'une pierre rouge qui est le squelette du corail (sens 1).

corbeau n. m. Le CORBEAU est un grand oiseau noir.

293 ◁ **corbeille** n. f. *Ils ont apporté une* CORBEILLE *de fleurs,* un grand panier.

corbillard n. m. Le CORBILLARD est la voiture servant à transporter les morts au cimetière.

649, 295, 73 ◁ 438 ◁ **corde** n. f. **1.** *M. Durand attache les bagages avec une* CORDE, une grosse ficelle. — **2.** *La guitare et le violon sont des instruments à* CORDES, le son y est produit par la vibration d'un fil. ◆ **cordage** n. m. (sens 1) *Le bateau est relié au quai par des* CORDAGES *d'acier,* de grosses cordes (= câble). 366 ◁ ◆ **cordeau** n. m. (sens 1) *Le jardinier aligne ses semis avec un* CORDEAU, 649 ◁ une petite corde. ◆ **cordée** n. f. (sens 1) Une CORDÉE est un groupe d'alpinistes reliés les uns aux autres par une corde. ◆ **cordelette** n. f. (sens 1) *On a fermé le colis avec une* CORDELETTE (= ficelle). ◆ **cordon** n. m. **1.** (sens 1) *Pierre ferme le rideau en tirant sur le* CORDON, une petite corde. — **2.** *Un* CORDON *de soldats barrait la route* (= rangée). ◆ **encorder** v. (sens 1) *Les alpinistes* S'ENCORDENT *avant de partir,* forment une cordée.

cordial adj. *Nous avons reçu chez eux un accueil* CORDIAL, sympathique, chaleureux. ◆ **cordialement** adv. *Il m'a parlé* CORDIALEMENT. ◆ **cordialité** n. f. *Ce sont des gens d'une grande* CORDIALITÉ (≠ froideur).

cordon → CORDE.

cordonnier n. m. *Pierre a apporté ses chaussures chez le* CORDONNIER *pour les faire ressemeler.*

coriace adj. *Cette viande est* CORIACE, très dure.

722 ◁ **cormoran** n. m. Le CORMORAN est un oiseau de mer.

651, 368 ◁ **corne** n. f. **1.** *Les chèvres, les bœufs, les cerfs ont des* CORNES *sur la tête.* — **2.** *Pierre s'est acheté un peigne en* CORNE, fait avec la matière qui forme les cornes (sens 1) et les sabots de certains animaux. ◆ **cornu** adj. (sens 1) *Il a dessiné un diable* CORNU, avec des cornes sur la tête. ◆ **racornir** v. (sens 2) *Le cuir de mes chaussures* S'EST RACORNI, est devenu dur comme de la corne.

cornée n. f. La CORNÉE est la partie transparente du globe de l'œil.

corneille n. f. La CORNEILLE est un oiseau noir.

cornemuse n. f. *Ils dansent au son de la* CORNEMUSE, une sorte de biniou. ▷ 439

1. corner v. *L'automobiliste* A CORNÉ (= klaxonner).

2. corner n. m. *Au football, il y a* CORNER *quand un joueur envoie le ballon derrière sa ligne de but.*
• **R.** On prononce [kɔrnɛr].

cornet n. m. **1.** *Pierre joue du* CORNET *à pistons,* une sorte de trompette. — **2.** *Jean a acheté un* CORNET *de frites,* des frites enveloppées dans du papier roulé en cône. ▷ 223

corniche n. f. *La* CORNICHE *d'un bâtiment,* c'est la partie en saillie située au sommet.

cornichon n. m. Les CORNICHONS sont des petits concombres qu'on fait mariner dans du vinaigre. ▷ 367

cornu → CORNE.

cornue n. f. *Le chimiste fait chauffer un liquide dans une* CORNUE, une sorte de récipient.

corolle n. f. *Les pétales d'une fleur forment sa* COROLLE.

corps n. m. **1.** *La tête, le tronc, les bras et les jambes forment le* CORPS. — **2.** *Une étoile est un* CORPS *céleste,* un objet matériel. — **3.** *Le bois est un* CORPS *solide, l'eau est un* CORPS *liquide, l'air est un* CORPS *gazeux.* — **4.** *Le* CORPS *médical* est l'ensemble des médecins, *le* CORPS *électoral,* l'ensemble des électeurs. — **5.** *Dans quel* CORPS DE TROUPES *a-t-il fait son service militaire?* (= régiment). ◆ **corporation** n. f. (sens 4) Une CORPORATION est un ensemble de gens du même métier. ◆ **corporatif** adj. (sens 4) *Les commerçants défendent leurs intérêts* CORPORATIFS, ceux du métier de commerçant. ◆ **corporel** adj. (sens 1) *Les punitions* CORPORELLES *sont interdites,* celles qui frappent le corps. ◆ **corpulent** adj. (sens 1) *M. Dupont est un homme* CORPULENT, il a un gros corps (≠ maigre). ◆ **corpulence** n. f. (sens 1) *Pierre et Paul ont la même* CORPULENCE, la même grosseur de corps. ◆ **corpuscule** n. m. (sens 2) Un CORPUSCULE est un très petit corps. ◆ **incorporer** v. (sens 2 et 3) *Il faut* INCORPORER *les œufs à la farine,* les mélanger pour qu'ils ne fassent plus qu'un seul corps. • (sens 5) INCORPORER *des soldats,* c'est les faire entrer dans un corps de troupes. ▷ 33, 40
• **R.** *Corps* se prononce [kɔr] comme *cor.*

correct, correctement, correcteur, correctif, correction → CORRIGER.

correspondre v. **1.** *Ce qu'il a dit* CORRESPOND *à la vérité,* y est conforme (≠ s'opposer). — **2.** *Ces deux chambres* CORRESPONDENT, on va directement de l'une à l'autre (= communiquer). — **3.** *Ils* ONT CORRESPONDU *pendant dix ans,* échangé des lettres (= s'écrire). ◆ **correspondance** n. f. (sens 1) *Leurs idées sont en* CORRESPONDANCE (= accord). • (sens 2) *Ce train assure la* CORRESPONDANCE *entre les deux villes,* le moyen d'aller de l'une à l'autre (= communication). • (sens 3) *Pierre reçoit une grosse* CORRESPONDANCE, beaucoup de lettres.

◆ **correspondant** n. (sens 3) *Marie a une* CORRESPONDANTE *anglaise,* une amie à qui elle écrit.
• **R.** Conj. nº 51.

corridor n. m. Un CORRIDOR est un couloir, un passage.

corriger v. **1.** *Le professeur* CORRIGE *les devoirs,* il relève les fautes. ‖ *Jean* CORRIGE *les fautes de son devoir,* il les supprime. — **2.** *Pierre* A ÉTÉ CORRIGÉ *par son père* (= battre). ◆ **correct** adj. (sens 1) *Ce que tu as dit n'est pas* CORRECT, tu as fait une faute (= juste; ≠ inexact). ◆ **correctement** adv. (sens 1) *Jean écrit* CORRECTEMENT. ◆ **correcteur** n. m. (sens 1) *Les* CORRECTEURS *recherchent et suppriment les fautes dans un texte.* ◆ **correction** n. f. (sens 1) *Le professeur a fini la* CORRECTION *des devoirs,* il a fini de les corriger. ‖ *Il a marqué les* CORRECTIONS *à l'encre rouge,* les fautes corrigées. ‖ *Jean s'exprime avec* CORRECTION, sans fautes. • (sens 2) *Pierre a reçu une* CORRECTION, des coups (= râclée). ◆ **correctif** adj. (sens 1) *La gymnastique* CORRECTIVE *vise à corriger les défauts corporels.* ◆ **incorrect** adj. (sens 1) *Cette phrase est* INCORRECTE, elle contient des fautes. ‖ *Jean a été* INCORRECT (= malpoli). ◆ **incorrection** n. f. (sens 1) *Il y a plusieurs* INCORRECTIONS *dans ce devoir* (= faute). ◆ **incorrigible** adj. (sens 1) *Jean est* INCORRIGIBLE, il ne corrige pas ses défauts.

corrompre v. CORROMPRE *quelqu'un,* c'est le faire agir malhonnêtement en échange d'argent, de cadeaux. ◆ **corruption** n. f. *La* CORRUPTION *de fonctionnaire est un délit.* ◆ **incorruptible** adj. *M. Dupont est un homme* INCORRUPTIBLE, très honnête.
• **R.** Conj. nº 53.

corsage n. m. Un CORSAGE est un vêtement de femme couvrant le buste (= chemisier).

corsaire n. m. *Les* CORSAIRES *attaquaient les navires marchands des pays ennemis du leur.*

corser v. **1.** *L'affaire* SE CORSE, elle devient plus compliquée. — **2.** *Une sauce* CORSÉE est une sauce d'un goût assez fort.

corset n. m. Un CORSET est un sous-vêtement rigide qui maintient le buste et le ventre.

cortège n. m. Un CORTÈGE est un groupe de personnes qui marchent ensemble dans la rue.

corvée n. f. **1.** *Ce travail est une* CORVÉE, il est pénible ou désagréable, mais il doit être fait. — **2.** La CORVÉE était autrefois un travail que les paysans devaient faire pour les seigneurs.

cosaque n. m. Les COSAQUES étaient des cavaliers de l'armée russe.

cosmétique n. m. Les COSMÉTIQUES sont des produits de beauté pour les cheveux.

cosmique, cosmonaute → COSMOS.

cosmopolite adj. *Paris est une ville* COSMOPOLITE, on y rencontre beaucoup d'étrangers.

cosmos n. m. *La fusée est partie pour le* COSMOS, l'espace situé au-delà de l'atmosphère terrestre. ◆ **cosmique** adj. *La navigation* COSMIQUE *est devenue possible* (= spatial, interplanétaire). ◆ **cosmonaute** n. *Il y avait deux* COSMONAUTES *dans le vaisseau spatial* (= astronaute).

cosse n. f. *Les graines des haricots et des pois sont enveloppées dans une* COSSE. ◆ **écosser** v. *Marie* ÉCOSSE *des petits pois,* elle sépare les cosses et les graines (= éplucher). ▷ 366

cossu adj. *Il habite une maison* COSSUE (= riche).

costaud adj. Fam. *Pierre est* COSTAUD (= fort).

costume n. m. **1.** *Jean a mis un* COSTUME *de cow-boy,* il s'est habillé comme un cow-boy (= habit). — **2.** *M. Durand s'est acheté un* COSTUME, une veste et un pantalon. ◆ **costumé** adj. (sens 1) *Un bal* COSTUMÉ est un bal où tout le monde est déguisé. ▷ 36

cote n. f. **1.** *La* COTE *de quelqu'un ou de quelque chose,* c'est l'estimation de sa valeur. — **2.** *Recopie ce dessin en respectant les* COTES, les dimensions qui sont indiquées. ◆ **coté** adj. (sens 1) *Ce vin est très* COTÉ, il a une grande valeur (= estimé). • (sens 2) *Sur un croquis* COTÉ, *les dimensions de chaque partie sont indiquées.* ▷ 145 ▷ 145

• **R.** *Cote* se prononce [kɔt] comme *cotte.*

côte n. f. **1.** *Pierre s'est cassé une* CÔTE, un des os de la poitrine. — **2.** *Il était essoufflé en arrivant au haut de la* CÔTE (= pente, montée). — **3.** *Cette route longe la* CÔTE, le bord de la mer (= rivage). — **4.** *Paul et Jean marchent* CÔTE À CÔTE, l'un à côté de l'autre. ◆ **coteau** n. m. (sens 2) Un COTEAU est le versant d'une colline. ◆ **côtelette** n. f. (sens 1) *J'ai mangé une* CÔTELETTE *de mouton,* un morceau de viande de la région des côtes. ◆ **côtier** adj. (sens 3) *La navigation* CÔTIÈRE *se fait près des côtes.* ◆ **entrecôte** n. f. (sens 1) Une ENTRECÔTE est un morceau de viande de bœuf dans la région des côtes. ▷ 40 ▷ 725

côté n. m. **1.** *Jean a une douleur au* CÔTÉ *droit,* dans la partie droite de la poitrine. — **2.** *Le* CÔTÉ *gauche de la voiture est abîmé* (= partie). — **3.** *Écris sur l'autre* CÔTÉ *de la feuille* (= face). — **4.** *Un triangle a trois* CÔTÉS, *un carré a quatre* CÔTÉS, lignes qui le constituent. — **5.** *Pierre a de bons et de mauvais* CÔTÉS, aspects de son caractère. — **6.** *Il est parti* DE CE CÔTÉ, dans cette direction. — **7.** *Jean est assis* À CÔTÉ DE *moi* (= près de). ◆ **bas-côté** n. m. (sens 2) *La voiture est arrêtée sur le* BAS-CÔTÉ, la partie unie qui longe la route. ▷ 348 ▷ 152, 506

coteau, côtelette, côtier → CÔTE.

cotiser v. *Ils* SE SONT COTISÉS *pour m'acheter un cadeau,* chacun a versé de l'argent pour cela. ◆ **cotisation** n. f. *J'ai versé ma* COTISATION *à l'association sportive,* l'argent pour en faire partie.

coton n. m. **1.** *Pierre a une chemise en* COTON, d'une étoffe faite avec cette plante. — **2.** *Il a mis un* COTON *sur sa blessure,* un morceau d'ouate. ◆ **cotonnade** n. f. (sens 1) Une COTONNADE est un tissu de coton. ▷ 583 ▷ 79

147 ◁ **cotte** n. f. *Les soldats du Moyen Âge portaient une* COTTE DE MAILLES, un vêtement de fils d'acier.
• **R.** V. COTE.

cou → COL.

couard adj. se disait autrefois pour *peureux.*

coucher v. **1.** *Marie* SE COUCHE *tous les soirs à 9 heures,* elle va au lit pour dormir (≠ lever). ‖ *Nous* AVONS COUCHÉ *sous la tente* (= dormir). — **2.** *Le soleil va* SE COUCHER, disparaître à l'horizon (≠ se lever). — **3.** COUCHER *un objet,* c'est l'étendre sur une surface horizontale (≠ dresser). ◆ **coucher** n. m. (sens 2) *Il y a eu un beau* COUCHER *de soleil* (≠ lever). ◆ **couchage** n. m. (sens 1) Un SAC DE COUCHAGE est un sac garni de duvet, dans lequel on peut coucher. ◆ **couchant** n. m. (sens 2) Le COUCHANT est la direction où le soleil se couche (= ouest; ≠ levant). ◆ **couche** n. f. **1.** (sens 1) COUCHE se disait autrefois pour *lit.* • (sens 3) *On a mis deux* COUCHES *de peinture sur le mur,* de la peinture étendue régulièrement (= épaisseur). — **2.** *Le bébé a sali sa* COUCHE, le linge qui entoure ses fesses. ◆ **couchette** n. f. (sens 1) Une COUCHETTE est un petit lit dans un train, un bateau. ◆ **découcher** v. (sens 1) *Pierre* A DÉCOUCHÉ *la nuit dernière,* il n'a pas dormi chez lui. ◆ **recoucher** v. (sens 1) RECOUCHE-TOI, *il est 5 heures du matin,* retourne au lit.

couci-couça adv. Fam. *Mon grand-père va* COUCI-COUÇA, ni bien ni mal (= passablement).

coucou n. m. **1.** Le COUCOU est un oiseau qui doit son nom à son cri : [kuku]. — **2.** Un COUCOU est une pendule qui sonne en faisant [kuku]. — **3.** *Marie a cueilli des* COUCOUS, une fleur jaune.

33 ◁ **coude** n. m. **1.** *Jean s'est cogné le* COUDE, l'articulation du bras. — **2.** *La*
721 ◁ *rivière fait un* COUDE, un angle aigu comme un coude replié. ◆ **coudé** adj. (sens 2) *Un tuyau* COUDÉ forme un angle. ◆ **coudée** n. f. (sens 1) La COUDÉE est une ancienne mesure d'environ 50 centimètres (du coude au bout des doigts). ◆ **coudoyer** v. *Ici, on* COUDOIE *beaucoup d'étrangers,* on est mêlé à eux. ◆ **s'accouder** v. (sens 1) *Marie* S'ACCOUDE *à la fenêtre,* elle s'y appuie sur les coudes.

296 ◁ **coudre** v. *Marie* A COUSU *elle-même sa robe,* elle l'a assemblée avec du fil
296 ◁ et une aiguille. ◆ **couture** n. f. **1.** *Anne apprend la* COUTURE, à coudre. — **2.** *Elle a fait une* COUTURE *à mon pantalon,* une suite de points cousus. ◆ **couturier** n. m. *Un* COUTURIER *fait des vêtements féminins de luxe.*
296 ◁ ◆ **couturière** n. f. *Une* COUTURIÈRE *fait de la couture.* ◆ **découdre** v. *Ma robe* EST DÉCOUSUE, le fil s'est défait. ◆ **recoudre** v. *Peux-tu me* RECOUDRE *ce bouton qui s'est décousu?*
• **R.** Conj. n° 59. ‖ [*Je*] *couds,* [*il*] *coud* se prononcent [ku] comme *cou, coup* et *coût.*

coudrier n. m. et *noisetier* sont synonymes.

couenne n. f. *Pierre n'aime pas la* COUENNE, la peau du jambon.

couler v. **1.** *Pierre s'est coupé, son sang* COULE, il se répand au-dehors (= s'écouler). ‖ *La Seine* COULE *à travers Paris,* ses eaux s'y déplacent. —

2. *Le maçon* A COULÉ *du ciment,* il l'a versé à l'état liquide. — **3.** *Un sous-marin* A COULÉ *le bateau,* il l'a envoyé au fond. ‖ *Le nageur* A COULÉ (= sombrer). — **4.** *Le chat* S'EST COULÉ *derrière l'escalier* (= se glisser). ◆ **coulant** adj. (sens 4) Un NŒUD COULANT est un nœud dans lequel une ficelle peut glisser. ◆ **coulée** n. f. (sens 1) *Une* COULÉE *de lave,* c'est de la lave liquide qui coule hors du volcan. ▷ 581

couleur n. f. **1.** *Violet, indigo, bleu, vert, jaune, orange, rouge, voilà les 7* COULEURS *de l'arc-en-ciel.* ‖ *Nous avons vu un film en* COULEURS (≠ en noir et blanc). — **2.** *Le cœur, le carreau, le pique et le trèfle sont les quatre* COULEURS *aux cartes.* ◆ **colorer** v. (sens 1) *Les cerises commencent à* SE COLORER, à devenir rouges (= se teinter). ◆ **colorant** n. m. (sens 1) *Les* COLORANTS *servent à colorer les tissus, les liquides, etc.* ◆ **colorier** v. (sens 1) *Pierre* A COLORIÉ *ses dessins avec ses crayons de couleur.* ◆ **coloris** n. m. (sens 1) *J'aime le* COLORIS *de ta chemise,* la jolie couleur. ◆ **décolorer** v. (sens 1) *Le soleil* A DÉCOLORÉ *les rideaux,* leur a fait perdre leur couleur. ◆ **incolore** adj. (sens 1) *L'eau est* INCOLORE, sans couleur (≠ teinté). ◆ **multicolore** adj. (sens 1) *Jean a une chemise* MULTICOLORE, de plusieurs couleurs. ◆ **tricolore** adj. (sens 1) *Le drapeau français est* TRICOLORE. ▷ 721

couleuvre n. f. La COULEUVRE est un serpent inoffensif. ▷ 435

coulisse n. f. **1.** *Le placard a des portes à* COULISSE, qui glissent sur une rainure. — **2.** *Les acteurs sont repartis dans les* COULISSES, dans la partie du théâtre que la salle ne voit pas (≠ scène). ◆ **coulisser** v. (sens 1) *Ce tiroir* COULISSE *bien* (= glisser). ▷ 291, 439 ▷ 440

couloir n. m. *Toutes les portes donnent sur le* COULOIR *qui traverse l'appartement.* ▷ 38, 77, 508

coup n. m. **1.** *Donner des* COUPS *de marteau,* c'est frapper avec un marteau. — **2.** *Donner un* COUP DE *brosse,* c'est brosser, *un* COUP DE *balai,* c'est balayer, *un* COUP DE *sifflet,* c'est siffler. — **3.** Un COUP DE FEU est le bruit d'une arme à feu, un COUP DE SOLEIL, une brûlure causée par le soleil, un COUP DE VENT, un souffle brusque de vent. — **4.** *Il réussit à tous les* COUPS, chaque fois qu'il agit (= fois). — **5.** *Il prépare un mauvais* COUP, une mauvaise action. — **6.** Un COUP D'ÉTAT est une action pour renverser le gouvernement. — **7.** *Quand j'ai appris la nouvelle, ça m'a fait un* COUP, une émotion. — **8.** *Il m'a jeté un* COUP D'ŒIL *furieux,* un regard rapide. — **9.** TOUT À COUP (TOUT D'UN COUP) *il s'est mis en colère* (= soudain, brusquement).

• **R.** V. COUDRE.

coupable adj. *Pierre est* COUPABLE *de négligence,* il a commis cette faute (≠ innocent). ◆ **culpabilité** n. f. *L'enquête a établi la* CULPABILITÉ *de l'accusé* (≠ innocence).

1. coupe → COUPER.

2. coupe n. f. **1.** *Nous avons bu une* COUPE *de champagne,* un verre large et peu profond. — **2.** Une COUPE est une compétition sportive récompensée par un vase. ▷ 221, 224

couper v. **1.** *Ce rasoir* COUPE *bien,* il a une lame tranchante. — **2.** *Pierre* A COUPÉ *du pain,* il l'a séparé en tranches. — **3.** *Jean* S'EST COUPÉ *avec des ciseaux,* il s'est fait une entaille, une coupure. — **4.** *L'eau* A ÉTÉ COUPÉE *pendant deux heures* (= interrompre). — **5.** *Nous* AVONS COUPÉ *par la forêt,* pris un chemin plus court. — **6.** *Ces deux routes* SE COUPENT *après le village* (= se rejoindre, se croiser). ◆ **coupe** n. f. **1.** (sens 2) *Jean s'est fait faire une* COUPE *de cheveux,* il les a fait couper. — **2.** *La* COUPE *d'un objet,* c'est un dessin qui en représente l'intérieur comme s'il était coupé par le milieu. ◆ **coupe-papier** n. m. (sens 1) *Prends un* COUPE-PAPIER *pour ouvrir l'enveloppe!* ◆ **coupon** n. m. (sens 2) *Un* COUPON *de tissu* est ce qui reste d'une pièce de tissu qu'on a coupée. ◆ **coupure** n. f. **1.** (sens 3) *Jean s'est fait une* COUPURE *au doigt,* il s'est coupé (= entaille). • (sens 4) *Il y a eu une* COUPURE *de courant* (= interruption). — **2.** *J'ai payé en* COUPURES *de cent francs,* en billets. ◆ **découper** v. **1.** (sens 2) *Mme Durand* A DÉCOUPÉ *le rôti,* elle l'a coupé en morceaux. — **2.** *Le clocher* SE DÉCOUPE *sur le ciel,* il apparaît bien détaché. ◆ **découpage** n. m. (sens 2) *Marie aime les* DÉCOUPAGES, les images à découper. ◆ **entrecouper** v. (sens 4) *Son discours* ÉTAIT ENTRECOUPÉ *par les applaudissements* (= interrompre). ◆ **recouper** v. (sens 2) *Peux-tu me* RECOUPER *un morceau de pain?,* m'en couper un autre. • (sens 6) *Ce que tu me dis* RECOUPE *ce que je sais déjà* (= rejoindre, coïncider avec). ◆ **recoupement** n. m. (sens 6) *Par* RECOUPEMENTS, *on a pu savoir la vérité,* en vérifiant si les faits coïncidaient.

145 ◁ 292 ◁ 296 ◁

couple n. m. **1.** *Un homme et une femme forment un* COUPLE. — **2.** *Pierre élève un* COUPLE *de souris blanches,* un mâle et une femelle. ◆ **accoupler** v. (sens 2) *Les animaux* S'ACCOUPLENT *pour se reproduire,* le mâle et la femelle s'unissent.

couplet n. m. *Cette chanson a dix* COUPLETS, dix parties séparées par un refrain (= strophe).

coupole n. f. *Les Invalides ont une belle* COUPOLE, un toit en forme de demi-sphère.

coupon, coupure → COUPER.

762, 362, 295 ◁

cour n. f. **1.** *Les enfants jouent dans la* COUR *de l'école.* — **2.** *Ce procès a été jugé par la* COUR *d'appel* (= tribunal). — **3.** *La* COUR *des rois de France se trouvait à Versailles,* leur résidence, leur gouvernement, les nobles qui recherchaient des faveurs. — **4.** *Ce jeune homme* FAIT LA COUR *à Marie,* il cherche à lui plaire. ◆ **courtisan** n. m. (sens 3) Les COURTISANS étaient des nobles qui vivaient à la cour des rois. ◆ **courtiser** v. (sens 4) *Marie* EST COURTISÉE *par plusieurs jeunes gens,* ils lui font la cour.
• **R.** V. COURIR.

courage n. m. **1.** *Il faut du* COURAGE *pour faire de l'alpinisme,* ne pas avoir peur du danger (= bravoure; ≠ lâcheté). — **2.** *Pierre travaille avec* COURAGE (= ardeur; ≠ indolence, mollesse). ◆ **courageux** adj. *Pierre est un garçon* COURAGEUX (= énergique; ≠ paresseux). ◆ **courageusement** adv. *Il travaille* COURAGEUSEMENT (= résolument). ◆ **décourager** v. (sens 2) *Jean* EST DÉCOURAGÉ *par les difficultés* (= démoraliser).

◆ **découragement** n. m. (sens 2) *Jean a renoncé par* DÉCOURAGEMENT (≠ énergie). ◆ **encourager** v. (sens 2) *Pierre m'*A ENCOURAGÉ *à continuer ce travail* (= exhorter). ◆ **encouragement** n. m. (sens 2) *Je vous remercie de vos* ENCOURAGEMENTS (= soutien).

courant adj. **1.** *Cette automobile est un modèle* COURANT (= ordinaire; ≠ rare). — **2.** *Notre maison de campagne n'a pas l'eau* COURANTE, l'eau qui arrive aux robinets par les tuyaux. ◆ **courant** n. m. **1.** (sens 2) *Il y a beaucoup de* COURANT *dans cette rivière,* le mouvement de l'eau y est très rapide. — **2.** *Il y a eu une coupure de* COURANT, l'électricité a été coupée. — **3.** *Pierre arrivera dans le* COURANT *de la semaine* (= au cours de). ◆ **au courant** adv. *Je ne suis pas* AU COURANT *de cette affaire,* je ne suis pas renseigné. ◆ **couramment** adv. **1.** (sens 1) *Cela arrive* COURAMMENT (= habituellement; ≠ rarement). — **2.** *Il parle l'anglais* COURAMMENT (= facilement, bien).

courbature n. f. *J'ai des* COURBATURES *dans le dos,* des douleurs musculaires.

courbe adj. *Jean a tracé des lignes* COURBES *sur son cahier* (≠ droit). ◆ **courbe** n. f. *La route fait une* COURBE, elle cesse d'être droite. ▷ 348 ◆ **courber** v. *Le vent* COURBE *les roseaux,* il les fait plier (= incliner). ‖ *Pierre* S'EST COURBÉ *pour ramasser son crayon,* il s'est incliné en avant. ◆ **courbette** n. f. *Faire des* COURBETTES, c'est se courber devant quelqu'un, par respect. ◆ **courbure** n. f. *La* COURBURE *d'un objet* est sa partie courbe. ◆ **recourber** v. *Il s'appuie sur un bâton* RECOURBÉ, courbé à son extrémité.

coureur → COURIR.

courge n. f. Une COURGE est une sorte de citrouille. ◆ **courgette** n. f. *Nous avons mangé des* COURGETTES *farcies,* de petites courges.

courir v. **1.** *Pierre s'est mis à* COURIR *pour rattraper ses amis,* à aller vite. — **2.** *Deux cents coureurs* ONT COURU *le Tour de France,* ont participé à cette course. — **3.** *Mme Durand* A COURU *les magasins,* elle est allée de l'un à l'autre pour faire ses courses. — **4.** *Le bruit* COURT *que des élections vont avoir lieu* (= se propager). — **5.** COURIR *un danger,* c'est y être exposé; COURIR *sa chance,* c'est la tenter. ◆ **coureur** n. m. (sens 2) *Dix* COUREURS ▷ 512 *ont pris le départ du 100 mètres.* ◆ **course** n. f. (sens 1) *Il est parti au pas de* COURSE, en courant. • (sens 2) *Qui a gagné la* COURSE?, la compétition ▷ 34, 512 sportive (à pied, à cheval, à vélo, en auto). • (sens 3) *Mme Durand est allée faire des* COURSES (= achats, commissions). ◆ **accourir** v. (sens 1) *Les gens* ACCOURAIENT *vers le lieu de l'accident,* venaient en courant.

• **R.** Conj. nº 29. ‖ [*Je*] *cours,* [*il*] *court* se prononcent [kur] comme *cour, court* et *cours.*

couronne n. f. **1.** Une COURONNE est un objet circulaire (fait de métal, de fleurs, de feuilles) que l'on met sur sa tête en signe de distinction. — **2.** *Une* COURONNE *mortuaire* est un grand cercle de fleurs qu'on apporte à un enterrement. ◆ **couronner** v. **1.** (sens 1) *Les rois de France* ÉTAIENT COURONNÉS, ils recevaient une couronne, signe de leur dignité. — **2.** *Ce livre* A ÉTÉ COURONNÉ *par le jury,* il a reçu un prix. ◆ **couronnement** n. m. (sens 1) *Ce tableau représente le* COURONNEMENT *du roi.*

courrier n. m. **1.** *Le facteur a apporté le* COURRIER, les lettres, les paquets, les journaux. — **2.** Un COURRIER était un homme qui portait des lettres, des messages.

649 ◁ **courroie** n. f. *On a attaché la valise avec des* COURROIES *de cuir* (= bande).

courroux n. m. se disait autrefois pour *colère.* ◆ **courroucer** v. se disait pour *mettre en colère.*

cours n. m. **1.** *Le* COURS *d'un fleuve,* c'est le trajet qu'il suit, ainsi que l'écoulement de ses eaux. — **2.** *Un fleuve, une rivière, un ruisseau sont des* COURS D'EAU. — **3.** *Le professeur fait un* COURS *de français,* il l'enseigne (= leçon). — **4.** *Le* COURS *du blé a monté,* son prix actuel. — **5.** *Je n'ai pas suivi le* COURS *des événements,* comment ils se sont déroulés. — **6.** AU COURS DE *l'année passée, Pierre est allé en Allemagne* (= pendant).
• **R.** V. COURIR.

course → COURIR.

court adj. **1.** *Pierre a les cheveux* COURTS, leur longueur est faible (≠ long). — **2.** *En hiver les jours sont* COURTS (= bref; ≠ long). ◆ **court** adv. **1.** (sens 1) *Ses cheveux sont coupés* COURT. — **2.** *Je suis* À COURT D'*argent,* je n'en ai pas assez. ◆ **écourter** v. (sens 2) *Jean a dû* ÉCOURTER *son voyage,* le rendre plus court (≠ prolonger). ◆ **raccourcir** v. (sens 1) *Marie* A RACCOURCI *sa robe,* elle l'a rendue plus courte (≠ allonger). • (sens 2) *Les jours* RACCOURCISSENT, ils deviennent plus courts (≠ rallonger). ◆ **raccourci** n. m. (sens 1) *Nous avons pris un* RACCOURCI, un chemin plus court.
• **R.** V. COURIR.

court-bouillon → BOUILLON. / **court-circuit** → CIRCUIT. / **courtisan, courtiser** → COUR.

courtois adj. *M. Durand est un homme* COURTOIS, aimable et poli (≠ grossier). ◆ **courtoisie** n. f. *Il m'a répondu avec* COURTOISIE.

couscous n. m. Le COUSCOUS est un plat arabe fait de semoule de blé et de viande.

547 ◁ **cousin** n. m., **cousine** n. f. *Pierre est mon* COUSIN, *Marie est ma* COUSINE, ce sont les enfants de mon oncle et de ma tante.

coussin n. m. *Les* COUSSINS *de la voiture sont rembourrés et confortables.*

coût → COÛTER.

289, 78 ◁ **couteau** n. m. *Prête-moi ton* COUTEAU *pour tailler mon crayon.* ◆ **coutelas** n. m. *Le boucher aiguise son* COUTELAS, un grand couteau. ◆ **coutelier** n. m. *Le* COUTELIER *fabrique et vend des couteaux.* ◆ **coutellerie** n. f. Une COUTELLERIE est la boutique d'un coutelier.

coûter v. **1.** *Combien* COÛTE *ce livre?,* quel est son prix? ‖ *Il* COÛTE *dix francs* (= valoir). — **2.** *Ce travail m'*A COÛTÉ *de la peine,* il a été une cause de peine. — **3.** *Pierre veut partir* COÛTE QUE COÛTE, à tout prix (= absolument). ◆ **coût** n. m. (sens 1) *Le* COÛT *de la vie a encore augmenté,* le prix des choses. ◆ **coûteux** adj. (sens 1) *Ils ont passé des vacances* COÛTEUSES (= cher).
• **R.** V. COUDRE.

coutume n. f. *Chaque peuple a ses* COUTUMES, ses manières de vivre, d'agir (= usage, habitude). ◆ **accoutumer** v. *Je ne* SUIS *pas* ACCOUTUMÉ *à ta nouvelle coiffure* (= habituer). ◆ **inaccoutumé** adj. *Il est arrivé à une heure* INACCOUTUMÉE (= anormal; ≠ habituel).

couture, couturier, couturière → COUDRE. / **couvée** → COUVER.

couvent n. m. *Les moines et les religieuses vivent dans des* COUVENTS (= monastère).

couver v. **1.** *La poule* COUVE *ses œufs,* elle reste dessus jusqu'à ce qu'ils éclosent. — **2.** *Le feu* COUVE *sous la cendre,* il n'est pas éteint. — **3.** *Pierre* COUVE *une grippe,* il est sur le point de l'avoir. ◆ **couvée** n. f. (sens 1) *Ces poussins sont de la même* COUVÉE, ils ont été couvés en même temps. ◆ **couveuse** n. f. (sens 1) Une COUVEUSE est un appareil où l'on fait éclore des œufs.

couvrir v. **1.** *Les ouvriers* ONT COUVERT *la maison,* ils ont mis le toit dessus. — **2.** *Veux-tu* COUVRIR *la casserole?,* mettre le couvercle dessus. — **3.** *Pierre* A COUVERT *ses cahiers,* leur a mis une couverture. — **4.** *La table* EST COUVERTE *de livres,* il y en a beaucoup dessus. — **5.** *M. Durand* EST COUVERT *de dettes,* il en a beaucoup. — **6.** *Le ciel* SE COUVRE, il est caché par de nombreux nuages. — **7.** *Il fait froid,* COUVRE-TOI *bien,* habille-toi de manière à avoir chaud. — **8.** *L'armée* COUVRE *les frontières* (= protéger). — **9.** *M. Durand* A COUVERT *ses employés,* il les a défendus. — **10.** *Le coureur* A COUVERT *la distance en deux heures,* il l'a parcourue. ◆ **couvercle** n. m. (sens 2) *Où est le* COUVERCLE *de la boîte?,* l'objet destiné à la couvrir. ◆ **couvert** n. m. **1.** (sens 1) *Ils se sont mis à* COUVERT, dans un endroit couvert. — **2.** *Le couteau, la cuiller et la fourchette sont des* COUVERTS. ‖ *Veux-tu mettre le* COUVERT?, préparer la table pour le repas. ◆ **couverture** n. f. (sens 3) *La* COUVERTURE *de ce livre est déchirée,* ce qui le recouvre. • (sens 7) *Il fait froid, on a mis deux* COUVERTURES *de laine sur le lit.* ◆ **couvreur** n. m. (sens 1) Le COUVREUR est un ouvrier qui fait et répare les toitures. ◆ **découvrir** v. **1.** (sens 1 et 2) DÉCOUVRIR *quelque chose,* c'est en ôter le couvercle ou la couverture. • (sens 6) *Le ciel* SE DÉCOUVRE, les nuages s'en vont. • (sens 7) *Il fait froid, ne* TE DÉCOUVRE *pas,* n'enlève pas tes habits. — **2.** *Christophe Colomb* A DÉCOUVERT *l'Amérique,* il a été le premier à en révéler l'existence. ◆ **découverte** n. f. *Ce savant a fait une grande* DÉCOUVERTE *scientifique,* il a découvert (sens 2) quelque chose. ◆ **recouvrir** v. (sens 1, 2 et 3) *Il faut* RECOUVRIR *cette casserole,* remettre le couvercle. • (sens 4) *Le sol* EST RECOUVERT *de feuilles mortes,* entièrement couvert.

▷ 78 ▷ 78 ▷ 221 ▷ 77

• **R.** Conj. nº 16.

cow-boy n. m. *On a vu un film de* COW-BOYS, racontant les aventures des pionniers du Far-West. ▷ 583

• **R.** On prononce [kobɔj].

coyote n. m. Le COYOTE est une sorte de loup.

crabe n. m. *Pierre aime les pinces de* CRABE *avec de la mayonnaise,* un petit animal du bord de la mer. ▷ 722

crac → CRAQUER.

cracher v. **1.** *Pierre* A CRACHÉ *un morceau de viande,* il l'a rejeté par la bouche. — **2.** *Il est défendu de* CRACHER *par terre,* de projeter des crachats. ◆ **crachat** n. m. (sens 2) Un CRACHAT, c'est de la salive rejetée en une fois par la bouche.

crachin n. m. Le CRACHIN est une pluie très fine.

295 ◁ **craie** n. f. La CRAIE est une roche blanche et tendre dont on fait des bâtons pour écrire au tableau.

craindre v. *Jean* CRAINT *son père,* il en a peur. ◆ **crainte** n. f. *N'ayez aucune* CRAINTE, *ce n'est pas dangereux.* ◆ **craintif** adj. *Marie est une fille* CRAINTIVE (= peureux; ≠ audacieux). ◆ **craintivement** adv. *Il m'a regardé* CRAINTIVEMENT.
• **R.** Conj. n° 55.

cramoisi adj. *Pierre a honte, il a le visage* CRAMOISI, très rouge.

crampe n. f. Une CRAMPE est une contraction douloureuse d'un muscle.

649 ◁ **crampon** n. m. *Les footballeurs ont des chaussures à* CRAMPONS, munies de pièces qui s'accrochent au sol et les empêchent de glisser. ◆ **cramponner** v. *Marie* SE CRAMPONNE *à mon bras,* elle s'y accroche.

cran n. m. **1.** *Les* CRANS *d'une ceinture* sont les trous qui servent d'arrêt pour la serrer ou la desserrer. — **2.** *Le* CRAN D'ARRÊT *d'une arme* est une encoche qui sert à maintenir fixe une pièce mobile. — **3.** Fam. *Pierre a du* CRAN, du courage, de l'audace.

40 ◁ **crâne** n. m. *M. Dupont a le* CRÂNE *chauve* (= tête). ◆ **crânien** adj. *Le cerveau est contenu dans la boîte* CRÂNIENNE.

crâner v. Fam. *Arrête de* CRÂNER, de prendre des airs supérieurs. ◆ **crâneur** adj. et n. *Marie est une* CRÂNEUSE (= prétentieux).

crânien → CRÂNE.

434 ◁ **crapaud** n. m. Un CRAPAUD est une sorte de grosse grenouille.

crapule n. f. *Cet homme est une* CRAPULE, il est très malhonnête.

craquer v. **1.** *Pierre* A CRAQUÉ *son pantalon,* il l'a déchiré. — **2.** *Le parquet* CRAQUE, il produit un bruit sec. — **3.** *La branche* A CRAQUÉ, elle s'est cassée avec un bruit sec. ◆ **crac!** interj. indique un bruit sec. ◆ **craquement** n. m. (sens 2 et 3) *On entend le* CRAQUEMENT *d'une poutre.*

crasse n. f. **1.** *Jean a les mains couvertes de* CRASSE, d'une couche de saleté. — **2.** Fam. *Paul m'a fait une* CRASSE, il m'a joué un mauvais tour. ◆ **crasseux** adj. (sens 1) *Ta chemise est* CRASSEUSE, très sale. ◆ **décrasser** v. (sens 1) *Va te* DÉCRASSER *la figure* (= laver). ◆ **encrasser** v. (sens 1) *Le moteur* S'EST ENCRASSÉ, des saletés s'y sont accumulées.

cratère n. m. *Le* CRATÈRE *d'un volcan* est l'ouverture évasée par où sortent les laves.

437 ◁ **cravache** n. f. Une CRAVACHE est une baguette avec laquelle les cavaliers stimulent leur cheval.

cravate n. f. Une CRAVATE est une bande d'étoffe que les hommes nouent autour du col de leur chemise.

crawl n. m. *Pierre nage bien le* CRAWL, une nage.
• **R.** On prononce [krol].

crayon n. m. *Jean écrit au* CRAYON *sur son cahier de brouillon.* ▷ 292 ◆ **crayonner** v. *Ne* CRAYONNE *pas sur le mur!,* ne fais pas des traits de crayon.

créancier n. *M. Durand est mon* CRÉANCIER, je lui dois de l'argent (≠ débiteur).

créateur, création, créature → CRÉER.

crécelle n. f. *Mme Dupont a une voix de* CRÉCELLE, aiguë et désagréable comme le bruit de cet instrument.

crèche n. f. **1.** *Une* CRÈCHE *représente la naissance de Jésus-Christ dans une étable.* — **2.** *Mme Dubois amène tous les matins son bébé à la* CRÈCHE, dans un établissement qui le garde pendant qu'elle travaille.

crédit n. m. **1.** *M. Durand a acheté son appartement à* CRÉDIT, il a obtenu un délai pour le payer. — **2.** *Il a épuisé ses* CRÉDITS, l'argent mis à sa disposition. — **3.** *Il a un grand* CRÉDIT *auprès du directeur* (= influence).

crédule, crédulité → CROIRE.

créer v. *M. Durand* A CRÉÉ *une usine de chaussures,* il a fait qu'elle existe (= fonder, réaliser). ◆ **créateur** n. *Qui est le* CRÉATEUR *de cette œuvre?* (= auteur). ◆ **création** n. f. *La Bible raconte la* CRÉATION *du monde par Dieu.* ◆ **créature** n. f. *Les explorateurs ont marché trois jours sans rencontrer une* CRÉATURE *humaine,* un être humain.

crémaillère n. f. **1.** Une CRÉMAILLÈRE est une tige de métal qui servait à suspendre une marmite dans une cheminée. — **2.** *Les Durand* ONT PENDU LA CRÉMAILLÈRE, ils ont fait une fête pour leur installation dans un nouveau logement. ▷ 224

crématoire adj. *Un four* CRÉMATOIRE *sert à brûler les corps des morts.*

crème n. f. **1.** *La* CRÈME *est tirée du lait et sert à faire le beurre et le fromage.* — **2.** *Pierre aime bien les* CRÈMES *glacées,* les glaces faites de lait et d'œufs (= entremets). — **3.** *Mme Durand a acheté une* CRÈME *de beauté,* un produit pour les soins de la peau. ◆ **crémeux** adj. (sens 1) *Ce lait est bien* CRÉMEUX, il contient beaucoup de crème. ◆ **crémerie** n. f. (sens 1) La CRÉMERIE est la boutique du crémier. ◆ **crémier** n. (sens 1) *Le* CRÉMIER *vend du lait, de la crème, des œufs.* ◆ **écrémer** v. (sens 1) *Va acheter du lait* ÉCRÉMÉ, dont on a retiré la crème. ▷ 368 ▷ 222 ▷ 368

créneau n. m. **1.** *Les murs des châteaux forts avaient des* CRÉNEAUX, des échancrures rectangulaires. — **2.** *M. Durand a fait un* CRÉNEAU, il a garé sa voiture entre deux autres voitures. ▷ 146

créole **1.** n. Dans les colonies des Antilles, un CRÉOLE était un Européen né dans le pays (≠ indigène). — **2.** n. m. Les CRÉOLES sont des langues parlées aux Antilles.

1. crêpe n. f. Une CRÊPE est une galette très mince faite à la poêle. ◆ **crêperie** n. f. *Nous avons mangé dans une* CRÊPERIE *bretonne,* un restaurant qui fait des crêpes.

2. crêpe n. m. **1.** Le CRÊPE est un tissu léger d'aspect ondulé. — **2.** *Pierre est en deuil, il porte un* CRÊPE *à sa boutonnière,* un morceau de crêpe noir.

crépiter v. *Le feu* CRÉPITE *dans la cheminée,* fait des petits bruits secs.

crépu adj. *Paul a les cheveux* CRÉPUS, frisés en toutes petites vagues.

crépuscule n. m. Le CRÉPUSCULE est le moment où le soleil se couche et où la lumière baisse (≠ aube).

721 ◁ **cresson** n. m. Le CRESSON est une sorte de salade qui pousse dans l'eau.

362 ◁ **crête** n. f. **1.** *Le coq redresse fièrement sa* CRÊTE, le morceau de chair rouge qui est au sommet de sa tête. — **2.** *Le soleil disparaît derrière la* CRÊTE *de la montagne,* le sommet.

crétin n. *Quel* CRÉTIN, *ce type!* (= idiot, imbécile).

creuser → CREUX.

creuset n. m. Un CREUSET est un récipient servant à fondre les métaux.

creux adj. **1.** *Cette boule est* CREUSE, vide à l'intérieur (≠ plein). — **2.** *Une assiette* CREUSE *peut contenir des liquides* (≠ plat). — **3.** *Il n'a dit que des paroles* CREUSES, sans intérêt. ◆ **creux** n. m. (sens 1) *Il y a un* CREUX *dans le rocher* (= trou; ≠ bosse). • (sens 2) *Le* CREUX *de la main,* c'est la partie enfoncée de la paume. ◆ **creuser** v. **1.** (sens 1) *Le chien* CREUSE *le sol pour cacher son os,* il y fait un trou. — **2.** *Il* S'EST CREUSÉ *la tête pour trouver la solution,* il a beaucoup réfléchi.

crevaison, crevant → CREVER.

649 ◁ **crevasse** n. f. *L'alpiniste est tombé dans une* CREVASSE, une fente profonde dans le glacier.

crever v. **1.** *Pierre* A CREVÉ *son ballon contre une pierre pointue,* il y a fait un trou (= percer, déchirer). ‖ *Le pneu* A CREVÉ, a été percé. — **2.** Fam. *Cette longue marche nous* A CREVÉS, nous a épuisés. — **3.** *Le cheval* A CREVÉ, il est mort. — **4.** CREVER *de faim,* c'est avoir très faim. ◆ **crevant** adj. (sens 2) Fam. *Ce travail est* CREVANT (= très fatigant). ◆ **crevaison**
506 ◁ n. f. (sens 1) *La* CREVAISON *d'un pneu nous a retardés.*

722 ◁ **crevette** n. f. *À la mer, les enfants pêchent des* CREVETTES *avec un filet.*

cri n. m. **1.** *J'ai entendu un grand* CRI, un éclat de voix très fort. — **2.** *L'aboiement est le* CRI *du chien, le miaulement est le* CRI *du chat.* ◆ **criant** adj. *Il y a là une injustice* CRIANTE, qui fait protester (= choquant). ◆ **criard** adj. (sens 1) *Sa voix* CRIARDE *fait mal aux oreilles.* ◆ **crier** v. (sens 1 et 2) *Veux-tu arrêter de* CRIER?, de pousser des cris (= hurler). ‖ *Il m'*A CRIÉ *des injures,* dit très fort.

150 ◁ **crible** n. m. Un CRIBLE est un récipient percé de trous et servant à trier les grains, le sable. ◆ **cribler** v. *La couverture* EST CRIBLÉE *de trous,* il y en a beaucoup.

506, 505 ◁ **cric** n. m. Un CRIC est un appareil qui sert à soulever de lourdes charges.
• **R.** *Cric* se prononce [krik] comme *crique.*

crier → CRI.

crime n. m. **1.** *L'accusé a commis un* CRIME, il a tué quelqu'un (= meurtre). — **2.** *Je suis en retard, ce n'est pas un* CRIME, une faute grave. ◆ **criminel** adj. et n. (sens 1) *La police a arrêté le* CRIMINEL (= assassin). ‖ *On pense qu'il s'agit d'un incendie* CRIMINEL.

crin n. m. Le CRIN, ce sont les longs poils qui forment la queue et la crinière du cheval. ◆ **crinière** n. f. *Les chevaux, les lions ont une* CRINIÈRE, des crins sur le cou. ▷ 368

crique n. f. *Le bateau s'est arrêté dans une* CRIQUE, une petite baie. ▷ 725
• **R.** V. CRIC.

criquet n. m. Le CRIQUET est un genre de sauterelle. ▷ 577

crise n. f. **1.** *Jean a une* CRISE *de foie,* il a très mal au foie. — **2.** *La* CRISE *économique s'est aggravée,* les difficultés de l'économie. ◆ **critique** adj. (sens 2) *Pierre est dans une situation* CRITIQUE (= difficile, grave).

crisper v. **1.** *Paul* CRISPE *les poings,* il les serre fortement (= contracter). — **2.** *Sa paresse me* CRISPE (= irriter, énerver, impatienter).

crisser v. *Le sable* CRISSE *sous les dents,* fait un bruit grinçant.

cristal n. m. **1.** *Certaines roches sont formées de* CRISTAUX, d'éléments aux formes géométriques. — **2.** Le CRISTAL est un verre très transparent qui rend un son clair quand on le choque. ◆ **cristallin** adj. (sens 1) *Le granite est une roche* CRISTALLINE, formée de cristaux. • (sens 2) *Marie a une voix* CRISTALLINE (= pure). ◆ **cristallin** n. m. Le CRISTALLIN est une partie transparente de l'œil. ◆ **cristalliser** v. (sens 1) *Le sucre* CRISTALLISÉ est formé de petits cristaux. ▷ 650, 653

1. critique → CRISE.

2. critique n. f. **1.** La CRITIQUE est l'art de juger les œuvres littéraires ou artistiques. — **2.** *Il m'a fait de sévères* CRITIQUES *sur ma conduite* (= reproche; ≠ louange). ◆ **critique** n. m. (sens 1) *M. Dubois est un* CRITIQUE *de cinéma,* il écrit des articles jugeant les films. ◆ **critiquer** v. (sens 2) *L'opposition* A CRITIQUÉ *le gouvernement* (= blâmer; ≠ approuver).

croasser v. *Les corbeaux* CROASSENT, poussent leur cri.
• **R.** Ne pas confondre *croasser* et *coasser.*

croc n. m. *Le chien montre ses* CROCS, ses dents pointues.
• **R.** Le *c* final ne se prononce pas : [kro].

croc-en-jambe ou **croche-pied** n. m. *Pierre m'a fait un* CROCHE-PIED, il a accroché une de mes jambes pour me faire tomber.
• **R.** *Croc-en-jambe* se prononce [krɔkɑ̃ʒɑ̃b]. ‖ Attention au pluriel : des *crocs-en-jambe,* des *croche-pieds.*

croche n. f. Une CROCHE est une note de musique qui dure peu. ▷ 438

crochet n. m. **1.** Un CROCHET est une pièce de métal pointue et recourbée servant à suspendre, à accrocher quelque chose. — **2.** *Marie fait de la dentelle au* CROCHET, avec une aiguille recourbée. — **3.** *Nous avons fait un* CROCHET *pour venir vous voir* (= détour). — **4.** *On a mis un mot entre* CROCHETS, sortes de parenthèses : [...]. ◆ **crocheter** v. (sens 1) CROCHETER *une serrure,* c'est l'ouvrir avec un crochet. ◆ **crochu** adj. (sens 1) *Les aigles ont le bec* CROCHU (= recourbé). ▷ 289 ▷ 296

580 ◁ **crocodile** n. m. Le CROCODILE est un reptile vivant dans les fleuves des pays chauds.

73 ◁ **crocus** n. m. *Les* CROCUS *fleurissent au printemps.*

croire v. **1.** *Pierre m'*A CRU, il a pensé que je disais la vérité. ‖ *Il* A CRU À *mes paroles,* il a pensé qu'elles étaient vraies. — **2.** *Je* CROIS *que Pierre est parti,* je le pense, mais ce n'est pas sûr. — **3.** *Marie* CROIT *en Dieu,* elle pense qu'il existe. — **4.** *Jean* SE CROIT *beau,* il pense qu'il l'est. ◆ **croyable** adj. (sens 1) *Cette histoire n'est pas* CROYABLE, on ne peut y croire. ◆ **croyant** adj. (sens 3) *Marie est* CROYANTE, elle croit en Dieu. ◆ **croyance** n. f. (sens 3) *Il faut respecter les* CROYANCES *des autres* (= conviction). ◆ **crédule** adj. (sens 1) *Pierre est* CRÉDULE, il croit tout ce qu'on lui dit. ◆ **crédulité** n. f. (sens 1) *On s'est moqué de sa* CRÉDULITÉ (= naïveté). ◆ **incroyable** adj. (sens 1) *Ce que tu me racontes est* INCROYABLE (= invraisemblable). ◆ **incroyant** n. (sens 3) *Un* INCROYANT *ne croit pas en Dieu* (= athée). ◆ **incrédule** adj. (sens 1) *Il m'a regardé d'un air* INCRÉDULE, sans me croire.
• **R.** Conj. n° 74. ‖ Attention : *je crois qu'il* VIENT (indicatif), mais *je* NE *crois* PAS *qu'il* VIENNE (subjonctif). ‖ [*Je*] *crois,* [*il*] *croit* se prononcent [krwa] comme [*je*] *croîs,* [*il*] *croît* (de *croître*) et comme *croix.* ‖ V. aussi CRU 1.

croisade n. f. Au Moyen Âge, les CROISADES furent des expéditions guerrières menées en Palestine par les chrétiens contre les musulmans.

croiser v. **1.** *Il* A CROISÉ *les mains sur sa poitrine,* il les a mises l'une sur l'autre. — **2.** *J'*AI CROISÉ *Paul dans l'escalier* (= rencontrer). — **3.** *Ce chemin* CROISE *la grande route dans deux kilomètres* (= couper, rencontrer). — **4.** *Le bateau* CROISE *au large des côtes de Bretagne* (= naviguer). ◆ **croisement** n. m. (sens 3) *Il y a eu un accident au* CROISEMENT, à l'endroit où les deux routes se croisent (= carrefour). • (sens 2) *Deux voitures qui se croisent doivent se mettre en* FEUX DE
506 ◁ CROISEMENT (= code). ◆ **croiseur** n. m. (sens 4) Un CROISEUR est un navire de guerre. ◆ **croisière** n. f. (sens 4) *Les Durand ont fait une* CROISIÈRE *aux Antilles,* un voyage par bateau. ◆ **entrecroiser** v. (sens 1) *Les fils de ce tissu* SONT ENTRECROISÉS, ils sont croisés dans tous les sens.

croissance → CROÎTRE.

croissant n. m. **1.** *Un* CROISSANT *de lune brille dans le ciel,* la lune, dont une petite partie seulement est visible. — **2.** *Pierre mange deux*
220 ◁ CROISSANTS *à son petit déjeuner,* des petits gâteaux recourbés.

croître v. *Son insolence ne cesse de* CROÎTRE (= augmenter, grandir). ◆ **croissance** n. f. *L'économie est en pleine* CROISSANCE (= développement). ◆ **accroître** v. *M. Durand* A ACCRU *sa fortune,* il l'a augmentée. ◆ **accroissement** n. m. *Il y a un* ACCROISSEMENT *du nombre des naissances* (= progression). ◆ **décroître** v. *Les jours commencent à* DÉCROÎTRE *à la fin juin* (= diminuer). ◆ **décroissance** n. f. *On observe une* DÉCROISSANCE *de l'épidémie* (= diminution, déclin).
• **R.** Conj. n° 66. ‖ V. CROIRE et CRU 1.

croix n. f. **1.** *Jean fait des* CROIX *sur son cahier,* des figures faites de deux lignes qui se coupent, le plus souvent à angle droit. — **2.** *Jésus-Christ est mort sur la* CROIX, sur un poteau ayant une traverse horizontale. — **3.** *M. Durand a reçu la* CROIX *de guerre,* une décoration en forme de croix. ▷ 763
● **R.** V. CROIRE.

croque-monsieur n. m. inv. Un CROQUE-MONSIEUR est un sandwich chaud au jambon et au fromage.

croque-mort n. m. Fam. *Les* CROQUE-MORTS *transportent le cercueil,* les employés des pompes funèbres.

croquer v. **1.** *Pierre* CROQUE *des bonbons,* il les mange en les broyant avec ses dents. — **2.** *Ce biscuit* CROQUE *sous la dent,* fait un bruit sec (= craquer).

croquet n. m. Le CROQUET est un jeu où l'on pousse une boule avec un long maillet. ▷ 436

croquette n. f. Une CROQUETTE est une boulette de viande.

croquis n. m. *Jean a fait un* CROQUIS *du paysage,* un dessin rapide. ▷ 145

cross n. m. *Pierre a gagné le* CROSS, une course à pied à travers la campagne.
● **R.** V. CROSSE.

crosse n. f. **1.** *La* CROSSE *d'une arme à feu* est la partie opposée au canon. — **2.** *La* CROSSE *d'un évêque* est un long bâton recourbé. ▷ 763
● **R.** *Crosse* se prononce [krɔs] comme *cross.*

crotale n. m. Le CROTALE est un serpent très venimeux, appelé aussi *serpent à sonnettes.*

crotte n. f. **1.** *Le chien a fait une* CROTTE *devant la porte* (= excrément, saleté). — **2.** *Pierre aime les* CROTTES DE CHOCOLAT (= bonbon au chocolat). ◆ **crotter** v. (sens 1) *Ton pantalon est tout* CROTTÉ, couvert de boue. ◆ **crottin** n. m. (sens 1) Le CROTTIN est l'excrément du cheval. ◆ **décrotter** v. (sens 1) DÉCROTTE-TOI *les pieds avant d'entrer!* (= essuyer, nettoyer). ▷ 221

crouler v. *Jean* CROULE *sous le poids de son sac,* il est très lourdement chargé (= être accablé).

croupe n. f. **1.** *Jean est assis sur la* CROUPE *du cheval,* sur l'arrière de son corps. — **2.** *Nous sommes montés sur une* CROUPE, sur une colline arrondie. ◆ **croupion** n. m. (sens 1) Le CROUPION est la partie arrière du corps des oiseaux.

croupir v. **1.** *L'eau de cette mare est en train de* CROUPIR, elle reste sans bouger et devient mauvaise. — **2.** *Cette famille* CROUPIT *dans la misère,* elle y reste sans pouvoir en sortir.

croustiller v. *La croûte de ce pain* CROUSTILLE, craque sous la dent. ◆ **croustillant** adj. *Ces petits gâteaux sont* CROUSTILLANTS.

croûte n. f. **1.** *La* CROÛTE *de ce pain est toute dorée,* la partie extérieure qui est dure (≠ mie). ‖ *Ne mange pas la* CROÛTE *du fromage.* — **2.** *Jean a des* CROÛTES *sur la figure,* des plaques sèches recouvrant des plaies. — **3.** Fam. *Ce peintre ne fait que des* CROÛTES, des tableaux sans valeur. ◆ **croûton** n. m. (sens 1) Un CROÛTON est un morceau de pain contenant surtout de la croûte.

croyable, croyance, croyant → CROIRE.

1. cru adj. *Pierre aime la viande* CRUE (≠ cuit). ◆ **crudités** n. f. pl. *Au hors-d'œuvre, il y avait des* CRUDITÉS, des légumes crus.

• **R.** *Cru* se prononce [kry] comme *cru* (de *croire*), comme *crû* (de *croître*) et comme *crue.*

2. cru n. m. *Ce vin est un grand* CRU, il est renommé.

• **R.** V. CRU 1.

cruauté → CRUEL.

cruche n. f. **1.** *Mets une* CRUCHE *d'eau sur la table!,* un récipient ayant un bec et une anse. — **2.** Fam. *Marie est une* CRUCHE, une sotte.

crucifier v. *Jésus-Christ* A ÉTÉ CRUCIFIÉ, mis à mort sur une croix.

148 ◁ ◆ **crucifix** n. m. Un CRUCIFIX est un objet de piété représentant le supplice de Jésus-Christ sur la croix.

crudités → CRU 1.

721 ◁ **crue** n. f. *La rivière est en* CRUE, ses eaux sont très hautes.

• **R.** V. CRU 1.

cruel adj. *Pierre est* CRUEL *avec les animaux,* il aime les faire souffrir. ◆ **cruellement** adv. *On l'a traité* CRUELLEMENT (= méchamment). ◆ **cruauté** n. f. *Cet homme est d'une grande* CRUAUTÉ (= férocité).

crustacés n. m. pl. *Les crabes, les crevettes, les homards, les langoustes*
722 ◁ *sont des* CRUSTACÉS.

crypte n. f. *Il y a une* CRYPTE *sous cette église,* une partie souterraine.

348 ◁ **cube** n. m. **1.** *Calculez le volume de ce* CUBE, de ce corps dont les six faces sont des carrés. — **2.** *8 est le* CUBE *de 2* (2 × 2 × 2), *27 est le* CUBE *de 3* (3 × 3 × 3). ◆ **cubique** adj. (sens 1) *Cette chambre est* CUBIQUE, elle a la forme d'un cube.

cueillir v. *Marie* A CUEILLI *des fleurs* (= ramasser). ◆ **cueillette** n. f. *Les*
578 ◁ *paysans font la* CUEILLETTE *des pommes* (= récolte).

• **R.** Conj. nº 24.

78 ◁ **cuiller** ou **cuillère** n. f. *On mange de la soupe, mets des* CUILLERS *sur la table.* ◆ **cuillerée** n. f. *Donne-moi une* CUILLERÉE *de sauce,* le contenu d'une cuiller.

761 ◁ **cuir** n. m. **1.** *Jean a une veste de* CUIR, faite avec la peau d'un animal. — **2.** *Pierre a une blessure au* CUIR CHEVELU, à la peau du crâne.

• **R.** V. CUIRE.

cuirasse n. f. **1.** *Les guerriers grecs portaient une* CUIRASSE, une armure leur couvrant la poitrine. — **2.** *Les navires de guerre et les chars d'assaut sont recouverts d'une* CUIRASSE *métallique* (= blindage). ◆ **cuirassé** n. m. (sens 2) Un CUIRASSÉ est un navire de guerre blindé. ◆ **cuirassier** n. m. (sens 1) Les CUIRASSIERS étaient des soldats à cheval portant une cuirasse. ▷ 440

cuire v. **1.** *On* CUIT (*on* FAIT CUIRE) *un gâteau en le mettant au four.* ‖ *La soupe* CUIT *sur le fourneau.* — **2.** *Le dos me* CUIT (= brûler). ◆ **cuisson** n. f. (sens 1) *La* CUISSON *du rôti est presque terminée.* ◆ **cuit** adj. (sens 1) *J'aime la viande bien* CUITE (≠ cru).
• **R.** Conj. nº 70. ‖ *Cuire* se prononce [kɥir] comme *cuir.*

cuisine n. f. **1.** *Les Dupont mangent dans la* CUISINE, dans la pièce où l'on prépare les repas. — **2.** *Mme Durand fait bien la* CUISINE, elle sait préparer les aliments. ◆ **cuisiner** v. (sens 2) *Mme Durand* CUISINE *bien,* elle fait bien la cuisine. ◆ **cuisinier 1.** n. (sens 2) *Mme Durand est bonne* CUISINIÈRE, elle fait bien la cuisine. — **2.** n. f. *Mme Durand a une* CUISINIÈRE *électrique,* un fourneau servant à faire la cuisine. ◆ **culinaire** adj. (sens 2) *L'art* CULINAIRE, c'est l'art de bien faire la cuisine. ▷ 79 ▷ 36 ▷ 78

cuisse n. f. *Nous avions de l'eau jusqu'aux* CUISSES, au-dessus du genou. ▷ 33, 368

cuisson, cuit → CUIRE.

cuivre n. m. *Le fil électrique est en* CUIVRE, en un métal rougeâtre.

cul n. m. *Il est resté le* CUL *sur sa chaise,* le derrière.
• **R.** On prononce [ky]. ‖ Ce mot est grossier.

culbute n. f. *Les enfants font des* CULBUTES *sur le lit,* ils se roulent la tête en bas. ◆ **culbuter** v. *Il* A ÉTÉ CULBUTÉ *par une auto* (= renverser).

cul-de-sac n. m. *M. Durand est sorti du* CUL-DE-SAC *en marche arrière,* de la voie sans issue (= impasse).
• **R.** On prononce [kydsak]. ‖ Noter le pluriel : des *culs-de-sac.*

culinaire → CUISINE.

culminant adj. *Le mont Blanc est le* POINT CULMINANT *des Alpes,* le plus haut sommet.

culot n. m. Fam. *Tu as du* CULOT *de me dire ça* (= effronterie, toupet).

culotte n. f. **1.** *Pierre a des* CULOTTES *courtes,* un vêtement masculin de la taille aux genoux. ‖ *Jean porte une* CULOTTE *de golf.* — **2.** *Marie s'est acheté des* CULOTTES, des sous-vêtements qui couvrent le bas du tronc (= slip). ▷ 512

culpabilité → COUPABLE.

culte n. m. **1.** *Le* CULTE *des saints,* c'est l'hommage religieux qui leur est rendu. — **2.** *Pierre a le* CULTE *de la vérité,* il y est très attaché (= amour). ▷ 149

cultiver v. **1.** *Les paysans* CULTIVENT *la terre,* ils la travaillent pour faire pousser des plantes. — **2.** *Ce paysan* CULTIVE *du blé,* il le fait pousser. — **3.** *Pierre lit beaucoup pour* SE CULTIVER, pour enrichir son esprit et acquérir des connaissances. ◆ **cultivable** adj. (sens 1) *Cette terre n'est pas* CULTIVABLE, rien ne peut y pousser. ◆ **cultivateur** n. (sens 1 et 2)

365 ◁ *M. Dubois est un riche* CULTIVATEUR (= agriculteur, paysan). ◆ **culture** n. f. **1.** (sens 1 et 2) *M. Dubois fait la* CULTURE *du blé,* il le cultive. ‖ *Il y a* 583, 578 ◁ *de riches* CULTURES *dans cette région,* des terres cultivées. • (sens 3) *C'est un homme d'une grande* CULTURE, il a beaucoup de connaissances en littérature, en art, etc. ‖ *La* CULTURE *d'une société,* c'est sa civilisation. — **2.** *Jean fait de la* CULTURE PHYSIQUE *tous les matins,* des exercices pour fortifier son corps (= gymnastique). ◆ **culturel** adj. (sens 3) *Le ministère des Affaires* CULTURELLES *s'occupe de la littérature et des arts.* ◆ **inculte** adj. (sens 1) *Cette terre est* INCULTE, elle n'est pas cultivée. • (sens 3) *Pierre ne lit jamais, il est* INCULTE (= ignorant).

cumuler v. *M. Durand* CUMULE *plusieurs fonctions,* il les exerce en même temps.

cupide adj. *M. Dupont est un homme* CUPIDE, il est avide d'argent. ◆ **cupidité** n. f. *Il se conduit avec* CUPIDITÉ (= rapacité).

cure n. f. **1.** *M*[me] *Durand a fait une* CURE *dans une station thermale,* elle y a suivi un traitement médical. — **2.** *Je lui ai donné des conseils, mais il* N'EN A CURE, il ne s'en soucie pas. — **3.** La CURE est la maison du curé. ◆ **curé** n. m. (sens 3) *Le* CURÉ *a célébré la messe,* le prêtre catholique. ◆ **curiste** n. (sens 1) Un CURISTE est une personne qui fait une cure dans une station thermale. ◆ **incurable** adj. (sens 1) *Il est atteint d'une maladie* INCURABLE, qu'on ne peut guérir.

curer v. *Jean* SE CURE *les ongles,* il les nettoie. ◆ **cure-dents** n. m. inv. Un CURE-DENTS est un petit bâton pour se curer les dents.

curieux adj. **1.** *Anne est très* CURIEUSE, elle veut savoir ce qui ne la regarde pas (= indiscret). — **2.** *Je serais* CURIEUX *de savoir où il est parti,* je voudrais le savoir. — **3.** *Il m'est arrivé une* CURIEUSE *aventure* (= bizarre, étonnant). ◆ **curieux** n. m. (sens 1 et 2) *L'accident attire des* CURIEUX, des gens venus regarder. ◆ **curiosité** n. f. (sens 1 et 2) *Jean a été puni de sa* CURIOSITÉ (= indiscrétion). • (sens 3) *Ce monument est une* CURIOSITÉ, une chose intéressante, étonnante.

curiste → CURE.

cuve n. f. **1.** Une CUVE est un grand récipient dans lequel on fait 75 ◁ fermenter le raisin. — **2.** *La* CUVE *à mazout est presque vide* (= réservoir). ◆ **cuvée** n. f. (sens 1) Une CUVÉE est la quantité de vin contenue dans une cuve. ◆ **cuvette** n. f. *Pierre a mis de l'eau dans la* CUVETTE *pour faire sa toilette.*

651 ◁ **cyclamen** n. m. Le CYCLAMEN est une plante à belles fleurs.

cycle n. m. **1.** *Le* CYCLE *des saisons dure un an,* elles se succèdent pendant un an, puis cela recommence. — **2.** *Un marchand de* CYCLES *vend des bicyclettes, des vélomoteurs, des motos.* ◆ **cyclique** adj. (sens 1) *Une crise économique est* CYCLIQUE *quand elle se reproduit périodiquement.* ◆ **cyclable** adj. (sens 2) *Une piste* CYCLABLE est une voie réservée aux cyclistes. ◆ **cyclisme** n. m. (sens 2) *Le* CYCLISME *est un sport très populaire en France,* le sport de la bicyclette. ◆ **cycliste** adj. et n. 512 ◁ (sens 2) *Le Tour de France est une course* CYCLISTE, de bicyclettes. ‖ *Un* CYCLISTE *a été renversé par une auto,* une personne à bicyclette.

◆ **cyclo-cross** n. m. (sens 2) *Nous avons vu une course de* CYCLO-CROSS, de bicyclettes en terrain difficile. ◆ **cyclomoteur** n. m. (sens 2) *Mon frère va au lycée à* CYCLOMOTEUR (= vélomoteur). ◆ **bicyclette** n. f. (sens 2) *Jean pédale sur sa* BICYCLETTE (= vélo). ▷ 512

cyclone n. m. *Cette région a été ravagée par un* CYCLONE, une tempête très violente (= ouragan).

cygne n. m. *Des* CYGNES *nagent dans le bassin du jardin public.*
• R. *Cygne* se prononce [siɲ] comme *signe.*

cylindre n. m. **1.** Un CYLINDRE est un corps qui a la forme d'un rouleau. ▷ 348 — **2.** Les CYLINDRES sont des organes importants du moteur d'une voiture. ▷ 505 ◆ **cylindrique** adj. (sens 1) *Cette boîte a une forme* CYLINDRIQUE. ◆ **cylindrée** n. f. (sens 2) *La* CYLINDRÉE *d'une voiture* c'est le volume de ses cylindres.

cymbale n. f. Les CYMBALES sont deux disques de métal qu'on fait résonner en les frappant l'un contre l'autre. ▷ 439

cynique adj. *M. Durand est un homme* CYNIQUE, il cherche à choquer les autres. ◆ **cynisme** n. m. *Son* CYNISME *nous a indignés,* son caractère cynique.

cyprès n. m. *Le cimetière est entouré d'une rangée de* CYPRÈS. ▷ 579

292 ◁ **dactylo** n. f. *Jacqueline est* DACTYLO, son métier est d'écrire des textes à la machine. ◆ **dactylographie** n. f. *Jacqueline a appris la* DACTYLOGRAPHIE, à taper à la machine. ◆ **dactylographier** v. *Il faut deux heures pour* DACTYLOGRAPHIER *toutes ces lettres* (= taper).

dada n. m. *M. Durand nous a encore parlé de rugby, c'est son* DADA, le sujet qu'il préfère.

dadais n. m. *Comment s'appelle ce grand* DADAIS?, ce jeune homme à l'air sot (= nigaud).

dague n. f. Une DAGUE est une sorte de poignard.

80 ◁ **dahlia** n. m. *Mme Dupont a acheté un bouquet de* DAHLIAS, une fleur.

daigner → DÉDAIGNER.

daim n. m. *Jean a une veste de* DAIM, faite avec la peau de cet animal.

148, 75 ◁ **dalle** n. f. *Le sol de la cuisine est fait de* DALLES, de plaques de pierre.
74 ◁ ◆ **dallage** n. m. *Le* DALLAGE *de la cuisine est en marbre,* les dalles. ◆ **daller** v. *On a fait* DALLER *la cuisine.*

dame n. f. **1.** *Comment s'appelle cette* DAME?, cette femme mariée. — **2.** *Jean a joué la* DAME *de pique,* une carte représentant une reine. —
436 ◁ **3.** *Jean et Marie font une partie de* DAMES, un jeu. — **4.** interj. insiste sur ce qu'on veut dire : *Tu es content?* — DAME *oui!* ◆ **damer** v. **1.** (sens 3) *Jean m'*A DAMÉ LE PION, il m'a surpassé. — **2.** *La piste de ski* EST *bien* DAMÉE, la neige est bien tassée. ◆ **damier** n. m. (sens 3) *On joue aux*
436 ◁ *dames sur un* DAMIER, un tableau carré divisé en cent cases noires et blanches. ◆ **madame** n. f. (sens 1) *La mère de Jean s'appelle* MADAME *Dupont.* ‖ *Bonjour* MESDAMES!

damner v. *Les chrétiens croient que les méchants* SERONT DAMNÉS, condamnés par Dieu à l'enfer. ◆ **damnation** n. f. *Les chrétiens croient à la* DAMNATION (= enfer).

- **R.** On prononce [dane, danasjɔ̃].

se dandiner v. *Les canards avancent en* SE DANDINANT, en balançant le corps.

danger n. m. *Le brouillard fait courir un grand* DANGER *aux automobilistes* (= risque). ◆ **dangereux** adj. *Les routes verglacées sont* DANGEREUSES (= périlleux; ≠ sûr). ◆ **dangereusement** adv. *Il est* DANGEREUSEMENT *blessé* (= gravement).

dans prép. indique le lieu : *Il est entré* DANS *la maison* (= à l'intérieur); le temps : *Il viendra* DANS *huit jours* (= d'ici). ◆ **dedans 1.** adv. *Mon manteau est dans l'armoire? — Oui, je l'ai mis* DEDANS (≠ dehors). — **2.** n. m. *On a repeint le* DEDANS *de la maison* (= intérieur; ≠ extérieur).
• **R.** *Dans* se prononce [dɑ̃] comme *dent.*

danser v. *Pierre ne sait pas* DANSER *la valse,* faire les pas de cette danse dans le rythme de la musique. ◆ **danse** n. f. *Marie apprend des* DANSES *folkloriques.* ◆ **danseur** n. *Marie est bonne* DANSEUSE.
• **R.** V. DENSE.

dard n. m. *Les abeilles, les guêpes, les scorpions ont un* DARD, un organe qui leur sert à piquer (= aiguillon). ▷ 577

darder v. *Il* A DARDÉ *sur moi un regard méchant* (= lancer).

dare-dare adv. Fam. *Déjà 8 heures! Il faut partir* DARE-DARE, très vite, en se dépêchant.

dartre n. f. *Certaines maladies provoquent des* DARTRES, des plaques rouges sur la peau.

date n. f. *Sa lettre porte la* DATE *du jeudi 15 septembre 1977.* ◆ **dater** v. **1.** *N'oublie pas de* DATER *ta lettre!,* d'indiquer le jour, le mois, l'année. — **2.** *Cette église* DATE DU *Moyen Âge,* a été construite à cette époque (= remonter à).
• **R.** V. DATTE.

datte n. f. *Marie aime beaucoup les* DATTES, un fruit des pays chauds. ▷ 577
◆ **dattier** n. m. Les DATTIERS sont des sortes de palmiers. ▷ 577
• **R.** *Datte* se prononce [dat] comme *date* et [*je*] *date* (de *dater*).

dauphin n. m. **1.** *On dit que les* DAUPHINS *sont très intelligents,* de grands animaux marins. — **2.** Le DAUPHIN était le fils aîné du roi de France.

daurade ou **dorade** n. f. *Les pêcheurs ont ramené des* DAURADES, des poissons à reflets dorés. ▷ 728

davantage adv. *J'en veux* DAVANTAGE, plus. ‖ *Je ne resterai pas* DAVANTAGE, plus longtemps.

1. de prép. joue un rôle grammatical très important et a des sens variés : *Il vient* DE *Paris* (origine); *Le livre* DE *Pierre* (appartenance); *Je meurs* DE *faim* (cause); *Un tas* DE *sable* (matière); *Frapper* DU *poing* (moyen); etc.
• **R.** Devant une voyelle ou un « h » aspiré, *de* devient *d' : Le livre* D'*Annie.* ‖ *De* devient *du* devant *le : Il souffre* DU *foie;* et *des* devant *les : Il vient* DES *États-Unis.*

2. de, du, de la, des articles s'emploient devant les noms qu'on ne peut pas compter : *Veux-tu* DU *vin ou* DE LA *bière?*

dé n. m. **1.** *Pierre et Jean jouent aux* DÉS, avec des petits cubes marqués de points. — **2.** *M*[me] *Durand coud avec un* DÉ, un petit étui pour protéger son doigt qui pousse l'aiguille. ▷ 436 ▷ 296

débâcle n. f. *La retraite des soldats s'est transformée en* DÉBÂCLE, en fuite désordonnée (= déroute).

déballage, déballer → EMBALLER.

débandade n. f. *Quand l'ennemi a attaqué, ce fut la* DÉBANDADE, tout le monde s'est enfui.

débaptiser → BAPTISER. / **débarbouiller** → BARBOUILLER. / **débarcadère, débarquement, débarquer** → EMBARQUER. / **débarras, débarrasser** → EMBARRASSER.

débattre v. **1.** *Le vendeur et l'acheteur* ONT DÉBATTU *du prix de la maison* (= discuter). — **2.** *Quand on l'a attrapé, il* S'EST DÉBATTU, il a lutté pour se dégager. ◆ **débat** n. m. (sens 1) *Sur quoi porte le* DÉBAT? (= discussion). • **R.** Conj. nº 56.

débauche n. f. *M. Duval vit dans la* DÉBAUCHE, il se conduit mal (= vice). ◆ **débauché** n. et adj. *M. Duval est un* DÉBAUCHÉ.

débile adj. et n. **1.** *Paul est un enfant* DÉBILE, en mauvaise santé (= faible). — **2.** *Un* DÉBILE *(mental)* est une personne dont l'intelligence ne s'est pas développée. ◆ **débilitant** adj. (sens 1) *Ce climat est* DÉBILITANT, il affaiblit.

débit n. m. **1.** *Le* DÉBIT *du Rhône est plus important que celui de la Seine,* la quantité d'eau qui s'écoule. — **2.** *Pierre parle avec un* DÉBIT *rapide,* la vitesse de sa parole. — **3.** *Un* DÉBIT *de tabac* est un magasin où l'on vend du tabac. ◆ **débiter** v. (sens 1) *Ce robinet* DÉBITE *dix litres en une minute,* laisse s'écouler. • (sens 2) *Pierre* DÉBITE *sa poésie d'une voix monotone,* il la dit.

débiteur n. *J'ai prêté de l'argent à Marie, elle est ma* DÉBITRICE, elle me doit de l'argent (≠ créancier).

déblayer v. *Après l'avalanche, on* A DÉBLAYÉ *la route,* on a enlevé les matériaux qui l'obstruaient. ◆ **déblais** n. m. pl. *Un camion est venu charger les* DÉBLAIS, la terre, les débris. ◆ **remblayer** v. REMBLAYER *un fossé,* c'est le boucher avec de la terre, des matériaux.

217, 151 ◁

débloquer → BLOQUER.

déboires n. m. pl. *M. Dupont se plaint de ses* DÉBOIRES (= déceptions, ennuis; ≠ satisfactions, succès).

déboiser → BOIS. / **déboîter** → EMBOÎTER.

débonnaire adj. *M. Dubois est un homme* DÉBONNAIRE, il est doux et bienveillant (≠ sévère).

déborder → BORD. / **débouché, déboucher** → BOUCHER 1.

débouler v. Fam. *Pierre* A DÉBOULÉ *l'escalier,* il est descendu très vite.

débourser → BOURSE.

debout adv. *Quand le président est entré, tout le monde s'est mis* DEBOUT, s'est levé (≠ assis et couché).

déboutonner → BOUTON.

débraillé adj. *Tu ne peux pas sortir dans cette tenue* DÉBRAILLÉE, avec ces vêtements en désordre.

débrancher → BRANCHER. / **débrayage, débrayer** → EMBRAYER. / **débridé** → BRIDE.

débris n. m. pl. *Ramasse les* DÉBRIS *de la bouteille,* les morceaux cassés.

débrouiller v. **1.** *La police a réussi à* DÉBROUILLER *le mystère* (= démêler, éclaircir). — **2.** *Jean* S'EST DÉBROUILLÉ *pour arriver le premier,* il a agi habilement (= s'arranger). ◆ **débrouillard** adj. et n. (sens 2) *Jean est* DÉBROUILLARD (= adroit, habile, astucieux). ◆ **embrouiller** v. (sens 1) *Marie* A EMBROUILLÉ *les fils de son tricot* (= emmêler).

débuter v. **1.** *L'année* DÉBUTE *le 1er janvier* (= commencer; ≠ finir). — **2.** *Quand il* A DÉBUTÉ, *son salaire n'était pas gros,* commencé à travailler. ◆ **début** n. m. (sens 1) *Le* DÉBUT *de ce livre n'est pas intéressant* (= commencement; ≠ fin). ◆ **débutant** n. (sens 2) *Il fait beaucoup d'erreurs, c'est un* DÉBUTANT (= novice).

déca-, placé devant un nom de mesure, la multiplie par 10 *(décamètre).*

deçà adv. *Nous sommes restés* EN DEÇÀ DE *la rivière,* de ce côté (≠ au-delà).

décacheter → CACHETER.

décadence n. f. *Il dit que nous sommes dans un siècle de* DÉCADENCE, où tout va de plus en plus mal.

décagramme → GRAMME. / **décalcifier** → CALCIUM. / **décalcomanie** → CALQUE.

décaler v. *Le début du travail* A ÉTÉ DÉCALÉ *d'une demi-heure* (= déplacer). ◆ **décalage** n. m. *Il y a un* DÉCALAGE *d'une heure entre Paris et Athènes,* on change d'heure (= écart, différence).

décalitre → LITRE. / **décalquer** → CALQUE. / **décamètre** → MÈTRE.

décamper v. *Les bandits* ONT DÉCAMPÉ *avant l'arrivée de la police,* ils se sont enfuis en vitesse.

décanter v. *Pour* DÉCANTER *un liquide, on laisse les impuretés se déposer au fond du récipient.*

décaper v. *On* A DÉCAPÉ *le parquet,* on l'a frotté pour le nettoyer.

décapiter v. *Louis XVI* A ÉTÉ DÉCAPITÉ, on lui a coupé la tête.

décapotable → CAPOTE. / **décapsuler** → CAPSULE. / **décéder** → DÉCÈS.

déceler v. *On n'a pas réussi à* DÉCELER *la cause de l'incendie* (= découvrir, trouver).
• **R.** Conj. n° 5.

décembre n. m. *Le 25* DÉCEMBRE, *c'est Noël.* ▷ 125

décent adj. *Ta tenue n'est pas* DÉCENTE, elle choque les convenances, la pudeur (= convenable; ≠ incorrect). ◆ **décence** n. f. *Cette affiche est contraire à la* DÉCENCE, elle est inconvenante. ◆ **décemment** adv. *Habille-toi* DÉCEMMENT *pour sortir.* ◆ **indécent** adj. *Votre conversation est* INDÉCENTE (= inconvenant).

décentraliser → CENTRE. / **déception** → DÉCEVOIR.

décerner v. *On lui* A DÉCERNÉ *le premier prix* (= accorder).

décès n. m. *On ne connaît pas les causes de son* DÉCÈS (= mort). ◆ **décéder** v. *M. Dupuis* EST DÉCÉDÉ *depuis deux ans* (= mourir).

décevoir v. *Jean m'*A DÉÇU, *quand il n'a pas tenu sa promesse,* il n'a pas fait ce que j'espérais. ◆ **décevant** adj. *Ce livre est* DÉCEVANT. ◆ **déception** n. f. *Son échec lui a causé une grande* DÉCEPTION (= désillusion; ≠ satisfaction).
• **R.** Conj. nº 34. ‖ *Déception* se prononce [desɛpsjɔ̃].

déchaîner v. *Cette remarque insolente* A DÉCHAÎNÉ *sa colère,* l'a fait éclater avec violence.

déchanter v. *On comptait sur lui, mais il a fallu* DÉCHANTER, cesser d'espérer.

décharge, déchargement, décharger → CHARGE. / **décharné** → CHAIR. / **déchausser** → CHAUSSER. / **déchéance** → DÉCHOIR.

déchet n. m. *Va jeter tous ces* DÉCHETS *à la poubelle!,* ces morceaux sans valeur (= restes, ordures).

déchiffrer → CHIFFRE.

déchiqueter v. *Le chien* A DÉCHIQUETÉ *un coussin,* il l'a déchiré en petits morceaux.
• **R.** Conj. nº 8.

déchirer v. **1.** *Qui* A DÉCHIRÉ *les pages de ce livre?,* mis en morceaux. — **2.** *La nouvelle de sa mort m'*A DÉCHIRÉ *le cœur,* m'a causé une vive douleur. ◆ **déchirant** adj. (sens 2) *Le blessé poussait des cris* DÉCHIRANTS (= douloureux). ◆ **déchirement** n. m. (sens 2) *Ce spectacle m'a causé un véritable* DÉCHIREMENT, une grande peine. ◆ **déchirure** n. f. (sens 1) *Marie a fait une* DÉCHIRURE *à sa robe,* elle a déchiré le tissu (= accroc).

déchoir v. *Le coupable* A ÉTÉ DÉCHU *de ses fonctions,* on les lui a retirées (= dégrader). ◆ **déchéance** n. f. *L'alcoolisme entraîne une* DÉCHÉANCE *physique et morale* (= abaissement, dégradation).
• **R.** Conj. nº 49.

déci-, placé devant un nom de mesure, la divise par 10 *(décimètre).*

décider v. **1.** *Nous* AVONS DÉCIDÉ *de partir demain,* nous avons pris cette résolution (= choisir; ≠ hésiter). — **2.** *Il hésitait, mais je l'*AI DÉCIDÉ *à finir ce travail* (= convaincre, pousser). ◆ **décidé** adj. (sens 1) *Jean est un garçon* DÉCIDÉ, il n'hésite pas avant d'agir (= hardi; ≠ indécis). ◆ **décidément** adv. DÉCIDÉMENT, *tu n'as pas de chance* (= en définitive). ◆ **décisif** adj. (sens 1) *Le moment* DÉCISIF *est venu,* où il faut choisir (= déterminant). ◆ **décision** n. f. (sens 1) *Quelle* DÉCISION *as-tu prise?,* qu'as-tu décidé? (= résolution, choix). ‖ *Il a montré beaucoup de* DÉCISION (= fermeté; ≠ hésitation). ◆ **indécis** adj. (sens 1) *Pierre ne sait pas quoi faire, il reste* INDÉCIS (= hésitant). ◆ **indécision** n. f. (sens 1) *Tes paroles ont mis fin à mon* INDÉCISION (= hésitation).

décigramme → GRAMME. / **décilitre** → LITRE.

décimal adj. *Dans le système* DÉCIMAL, *chaque unité vaut dix fois l'unité inférieure.* ◆ **décimale** n. f. *4,75 est un nombre à deux* DÉCIMALES, à deux chiffres après la virgule.

décimer v. *La guerre* A DÉCIMÉ *la population de ce village,* a fait beaucoup de morts.

décimètre → MÈTRE. / **décisif, décision** → DÉCIDER.

déclamer v. *Cette actrice* DÉCLAME *trop,* elle parle avec trop de solennité. ◆ **déclamatoire** adj. *Il parle d'un ton* DÉCLAMATOIRE (= pompeux).

déclarer v. **1.** *M. Durand* A DÉCLARÉ *qu'il partait demain,* il nous l'a fait savoir (= annoncer). — **2.** *Tous les ans, on* DÉCLARE *ses revenus au percepteur,* on les fait connaître officiellement. — **3.** *Une épidémie de grippe* S'EST DÉCLARÉE, elle a commencé (= éclater). ◆ **déclaration** n. f. (sens 1) *As-tu entendu les* DÉCLARATIONS *du ministre?,* ce qu'il a dit. • (sens 2) *M. Dupont a fait sa* DÉCLARATION *d'impôts.*

déclasser → CLASSER.

déclencher v. *Son discours* A DÉCLENCHÉ *les protestations des auditeurs* (= causer, provoquer).

déclic n. m. **1.** *Pour ouvrir la boîte, appuie sur le* DÉCLIC (= mécanisme). — **2.** *La porte s'est fermée avec un* DÉCLIC, un bruit sec.

décliner v. **1.** *Le jour commence à* DÉCLINER, il approche de sa fin. — **2.** *Jacques* A DÉCLINÉ *mon invitation* (= refuser). ◆ **déclin** n. m. (sens 1) *Le soleil est dans son* DÉCLIN, il baisse.

déclivité n. f. *Après le virage, il y a une forte* DÉCLIVITÉ (= pente).

déclouer → CLOU.

décocher v. DÉCOCHER *une flèche,* c'est la lancer.

décoiffer → COIFFER.

décollage n. m. *Il est interdit de fumer pendant le* DÉCOLLAGE, pendant que l'avion quitte le sol. ◆ **décoller** v. *L'avion* DÉCOLLE *à 10 heures* (= s'envoler; ≠ atterrir). ▷ 510

décoller → COLLER et DÉCOLLAGE. / **décolleté** → COL. / **décoloniser** → COLONIE. / **décolorer** → COULEUR.

décombres n. m. pl. *Après l'incendie, on a recherché les blessés dans les* DÉCOMBRES (= ruines). ▷ 761

décommander → COMMANDER. / **décomposer, décomposition** → COMPOSER.

déconcerter v. *Sa réponse nous* A DÉCONCERTÉS, beaucoup surpris (= dérouter, embarrasser).

déconfit adj. *Jean était tout* DÉCONFIT *d'avoir perdu,* très déçu (≠ triomphant). ◆ **déconfiture** n. f. *Notre équipe a perdu 10 à 0 : quelle* DÉCONFITURE! (= échec).

déconseiller → CONSEIL. / **déconsidérer** → CONSIDÉRER. / **décontenancer** → CONTENIR. / **décontracter** → CONTRACTER.

déconvenue n. f. *Malgré sa* DÉCONVENUE, *il a gardé le sourire* (= déception).

décorer v. **1.** *Pour Noël, on* A DÉCORÉ *la salle à manger,* on y a mis des objets pour l'embellir (= orner). — **2.** *M. Dupont* EST DÉCORÉ *de la Légion d'honneur,* il a reçu cette distinction honorifique. ◆ **décor** n. m. (sens 1) 440 ◁ *Au deuxième acte de la pièce, les* DÉCORS *changent,* les accessoires qui représentent le lieu de l'action. ◆ **décoration** n. f. (sens 1) *Que faut-il acheter pour la* DÉCORATION *de la salle?* (= ornement). • (sens 2) *La* 763 ◁ *Légion d'honneur, la croix de guerre sont des* DÉCORATIONS. ◆ **décorateur** n. (sens 1) *Le métier du* DÉCORATEUR *consiste à décorer les appartements ou à faire des décors de théâtre.* ◆ **décoratif** adj. (sens 1) *Ce lustre est très* DÉCORATIF, il fait un bel effet.

décortiquer v. DÉCORTIQUER *des noix, des noisettes,* c'est en extraire la partie qui se mange.

découcher → COUCHER. / **découdre** → COUDRE.

découler v. *Son échec* DÉCOULE *d'un manque de travail,* il en est la conséquence (= provenir).

découpage, découper → COUPER. / **découragement, décourager** → COURAGE. / **découverte, découvrir** → COUVRIR. / **décrasser** → CRASSE.

décret n. m. *Un* DÉCRET *a changé les programmes scolaires,* une décision du gouvernement. ◆ **décréter** v. *Il* A DÉCRÉTÉ *qu'il partirait demain* (= décider).

décrier v. *C'est à tort que tu* DÉCRIES *cette voiture,* que tu en dis du mal.

décrire v. **1.** *Peux-tu me* DÉCRIRE *ta maison?,* me dire comment elle est (= dépeindre). — **2.** *Le soleil* DÉCRIT *une courbe dans le ciel,* il la suit (= tracer). ◆ **description** n. f. (sens 1) *Le professeur nous a demandé une* DESCRIPTION *écrite de notre maison.* ◆ **indescriptible** adj. (sens 1) *Il y a ici un fouillis* INDESCRIPTIBLE, impossible à décrire.
• **R.** Conj. n° 71.

décrocher → ACCROCHER. / **décroissance, décroître** → CROÎTRE. / **décrotter** → CROTTE. / **déçu** → DÉCEVOIR.

décupler v. *Le prix du café* A DÉCUPLÉ, a été multiplié par dix.

dédaigner v. *Il ne faut pas* DÉDAIGNER *ces gens, ils sont gentils* (= mépriser; ≠ estimer). ◆ **dédain** n. m. *Pierre a répondu avec* DÉDAIN (= arrogance, mépris; ≠ respect). ◆ **dédaigneux** adj. *Pourquoi prends-tu cet air* DÉDAIGNEUX? (= fier, hautain). ◆ **daigner** v. *Il n'*A *pas* DAIGNÉ *nous dire merci,* il n'a pas voulu le faire, par dédain.

dédale n. m. *Nous nous sommes perdus dans un* DÉDALE *de petites rues* (= labyrinthe).

dedans → DANS.

dédicacer v. *Le poète m'*A DÉDICACÉ *son livre,* il a écrit quelques mots pour moi sur la première page. ◆ **dédicace** n. f. *L'écrivain a écrit une phrase de* DÉDICACE. ◆ **dédier** v. *Ce romancier* A DÉDIÉ *son premier livre à sa femme,* il a fait imprimer « À ma femme » sur la première page.

se dédire → DIRE. / **dédommagement, dédommager** → DOMMAGE. / **dédoubler** → DOUBLER.

NGERIE
boucherie
store
magasin (boutique)

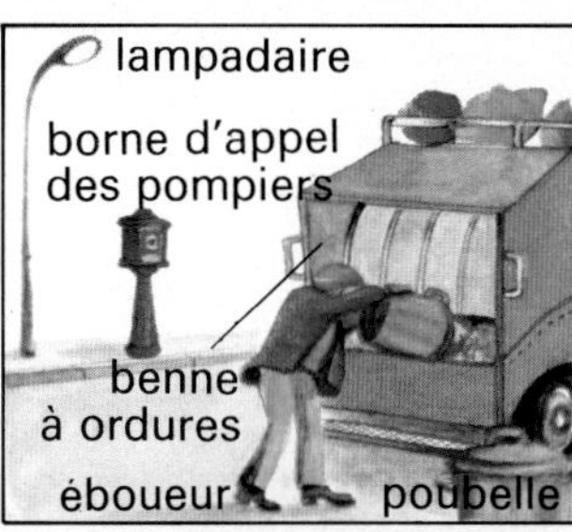
lampadaire
borne d'appel des pompiers
benne à ordures
éboueur
poubelle

sens interdit
autobus (bus)
20 GARE
arrêt d'autobus

immeuble
3e étage
2e étage
1er étage
rez-de-chaussée
TABAC
CAFE PMU
vitrine
motocyclette
passage pour piétons
trottoir
bouche d'égout

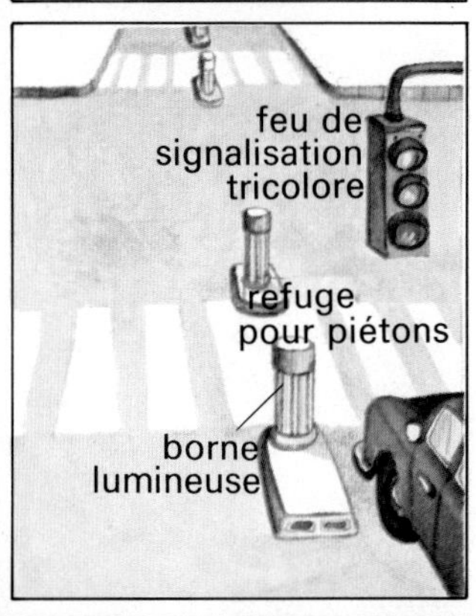
feu de signalisation tricolore
refuge pour piétons
borne lumineuse

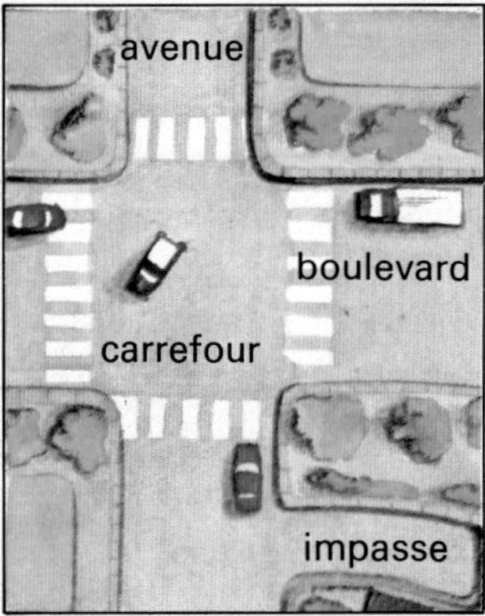
avenue
boulevard
carrefour
impasse

rond-point
chaussée
bouche de métro

JOURNAUX
affiches
kiosque à journaux

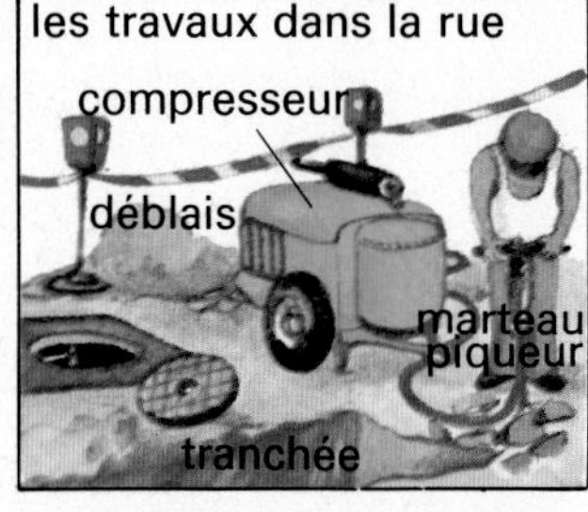
les travaux dans la rue
compresseur
déblais
marteau piqueur
tranchée

esplanade
mairie (hôtel de ville)

immeuble
tour

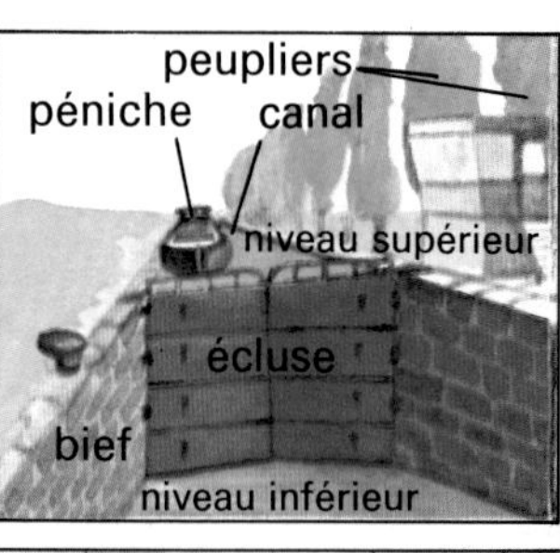
peupliers
péniche
canal
niveau supérieur
écluse
bief
niveau inférieur

CAFÉ
parcmètre
terrasse
caniveau
chaussée

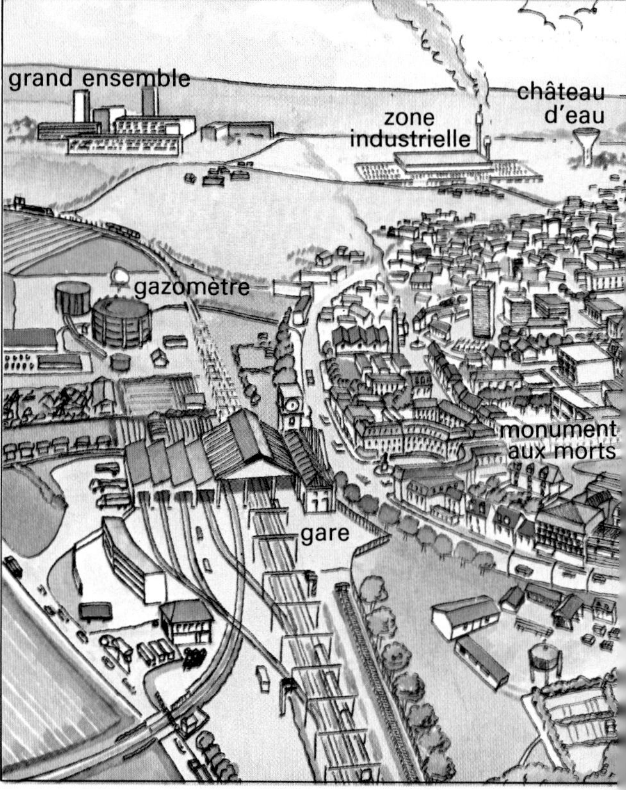
grand ensemble
zone
industrielle
château
d'eau
gazomètre
monument
aux morts
gare

REXO
CINEMA
queue
(file d'attente)

arroseuse-balayeuse
nettoyage des rues

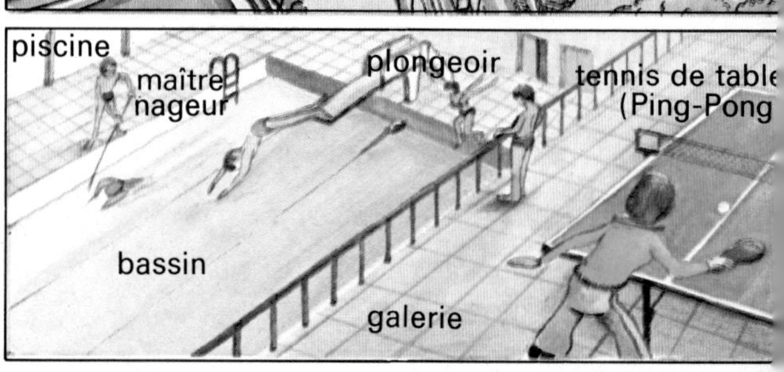
piscine
maître
nageur
plongeoir
tennis de table
(Ping-Pong)
bassin
galerie

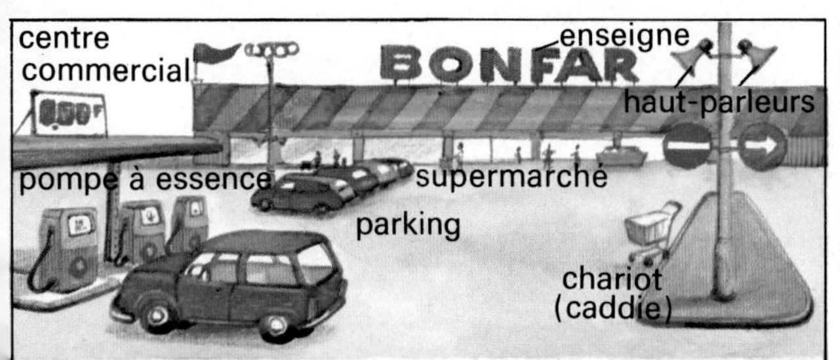
centre commercial
enseigne
BONFAR
haut-parleurs
pompe à essence
supermarché
parking
chariot (caddie)

aéroclub
hangars
piste
manche à air
avion de tourisme

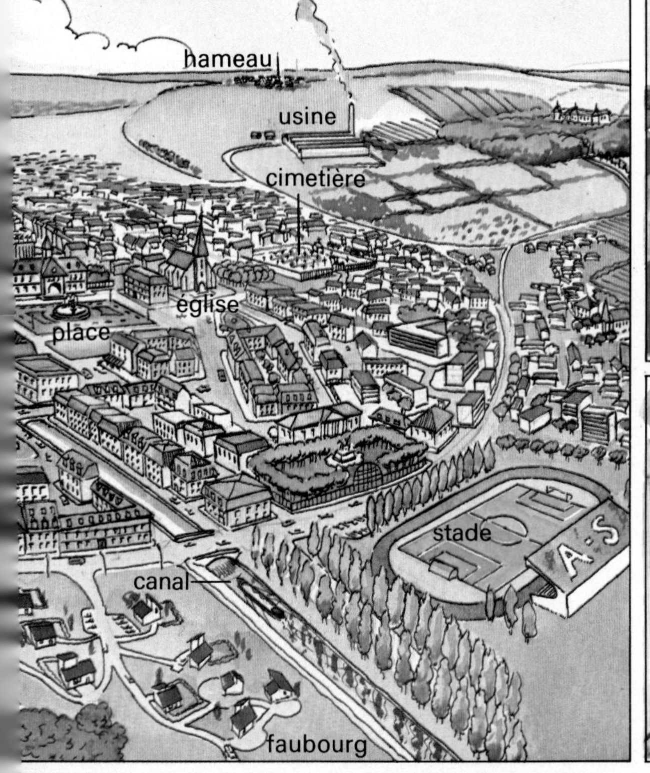
hameau
usine
cimetière
église
place
stade
canal
faubourg

jardin public (square)
kiosque à musique
bassin
banc public

tramway
rail
ransports urbains

ensemble résidentiel
maisons individuelles (pavillons)

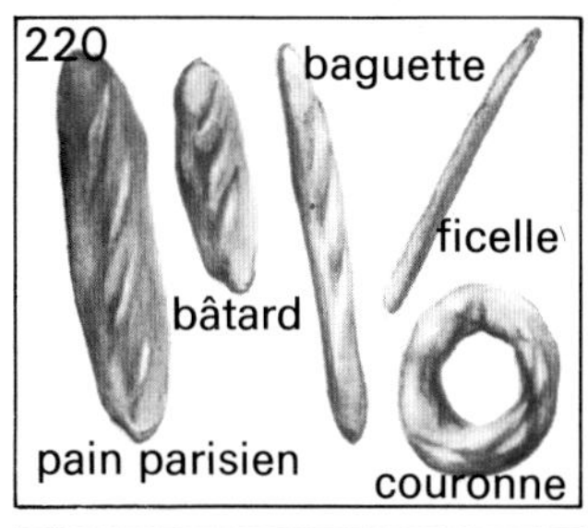
baguette
ficelle
bâtard
pain parisien
couronne

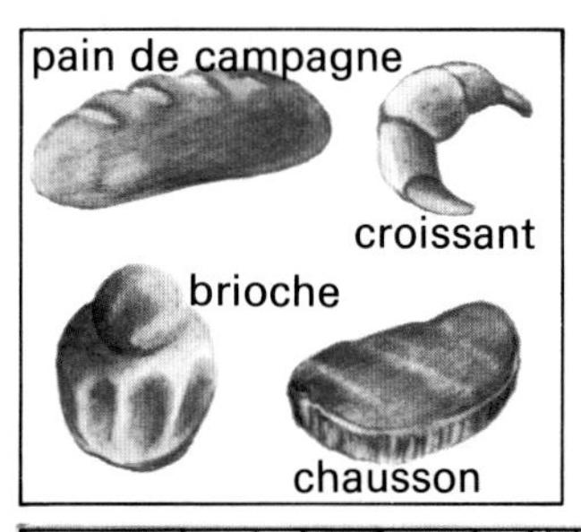
pain de campagne
croissant
brioche
chausson

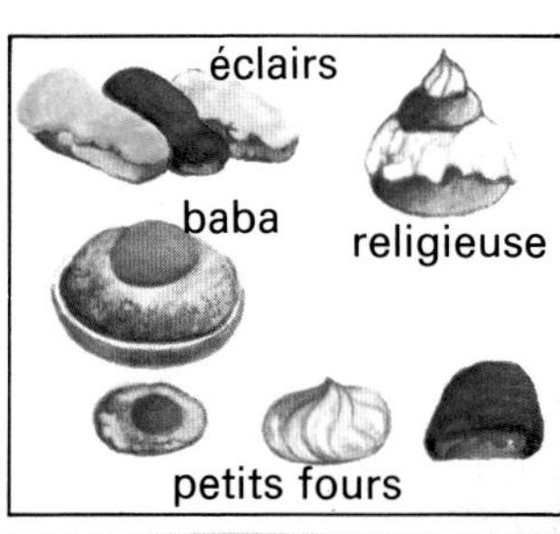
éclairs
baba
religieuse
petits fours

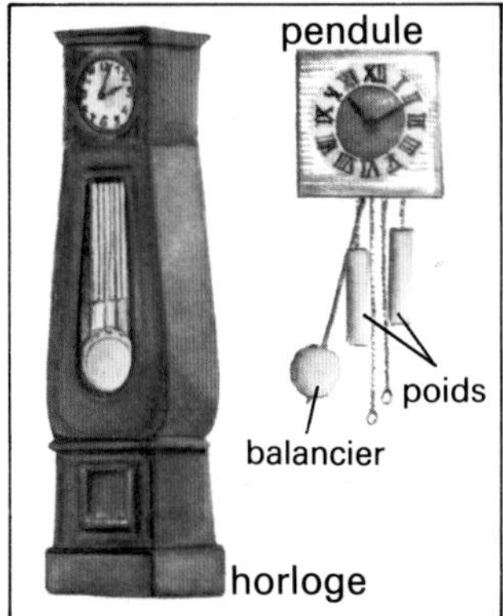
pendule
poids
balancier
horloge

BOULANGER-PATISSIE
enseigne
HORLOGERIE-BIJOUTERIE
cliente
comptoir

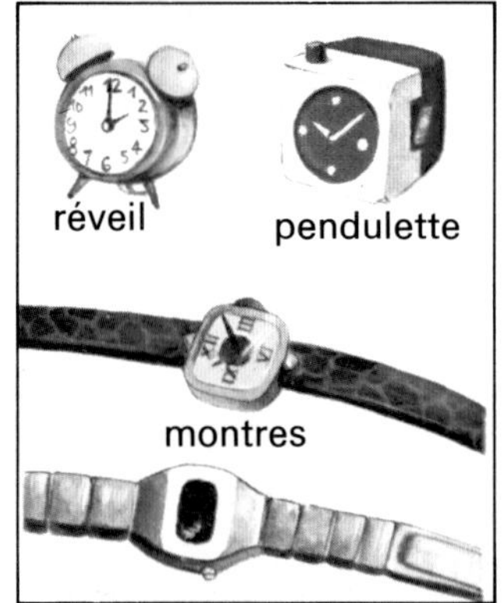
réveil
pendulette
montres

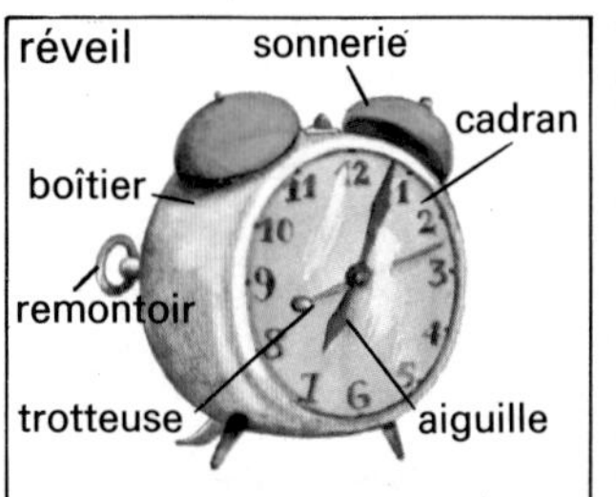
réveil
sonnerie
cadran
boîtier
remontoir
trotteuse
aiguille

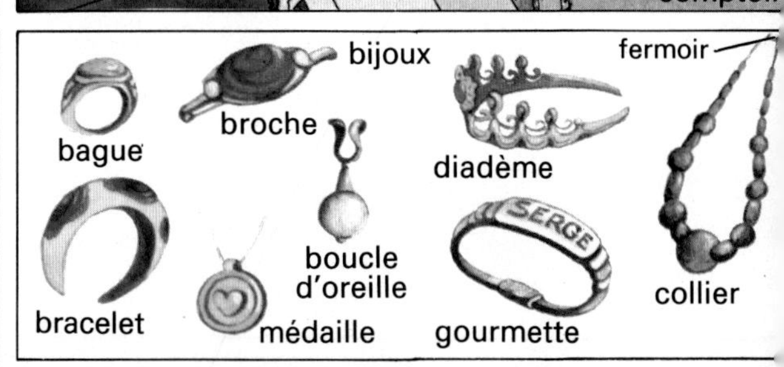
bijoux
fermoir
broche
bague
diadème
SERGE
boucle
d'oreille
bracelet
médaille
gourmette
collier

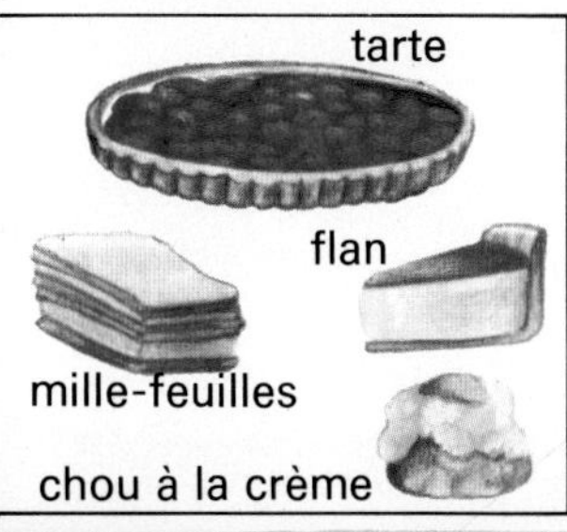
tarte
flan
mille-feuilles
chou à la crème

coupe de glace
esquimau
cornet

bonbon
tablette de chewing-gum
crotte de chocolat
marron glacé

QUINCAILLERIE GENERALE
CONFISEUR-GLACIER
vitrine
étalage
LIBRAIRIE - PAPETERIE - JOURNAUX
présentoir
vendeuse

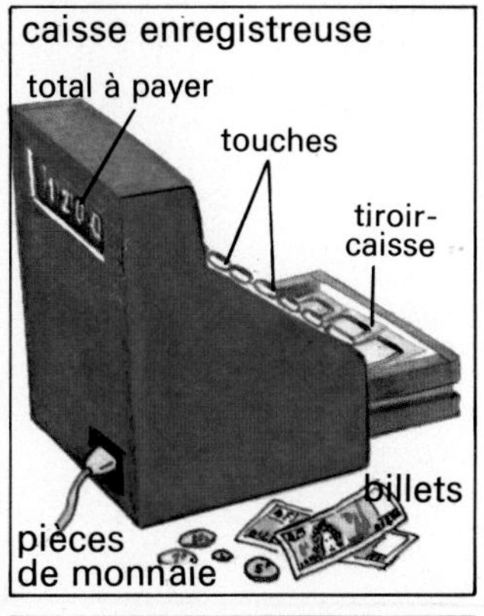
caisse enregistreuse
total à payer
touches
tiroir-caisse
billets
pièces de monnaie

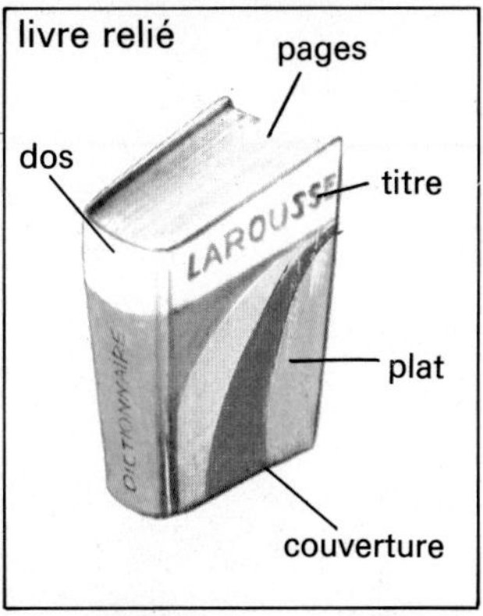
livre relié
pages
dos
titre
LAROUSSE
DICTIONNAIRE
plat
couverture

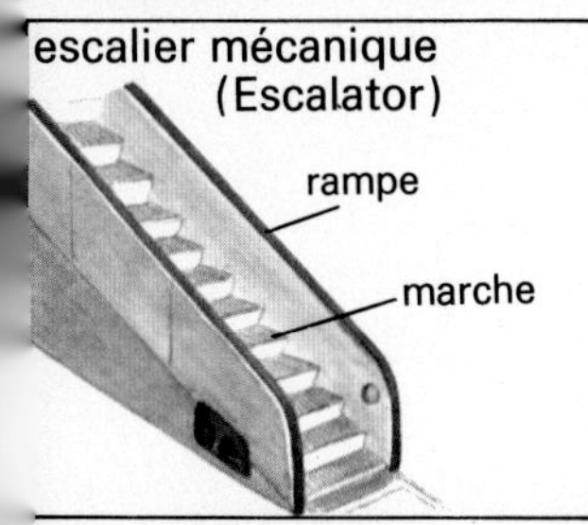
escalier mécanique (Escalator)
rampe
marche

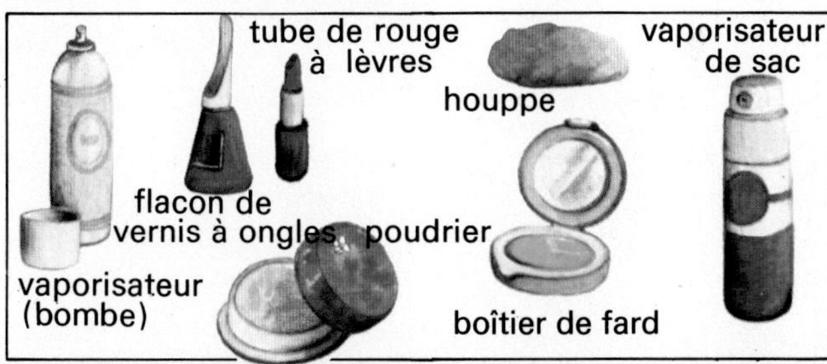
tube de rouge à lèvres
houppe
vaporisateur de sac
flacon de vernis à ongles
poudrier
vaporisateur (bombe)
boîtier de fard

boucher
carcasses
rôtis
étal

charcutier
saucisses
saucissons
pâtés
abats

balance électrique

fruits et légumes

marché
couvert
(halles)
fourgon
poissonnerie
bâche
marchands
de fruits
et légumes

ménagères
panier
sac
cabas
poussette

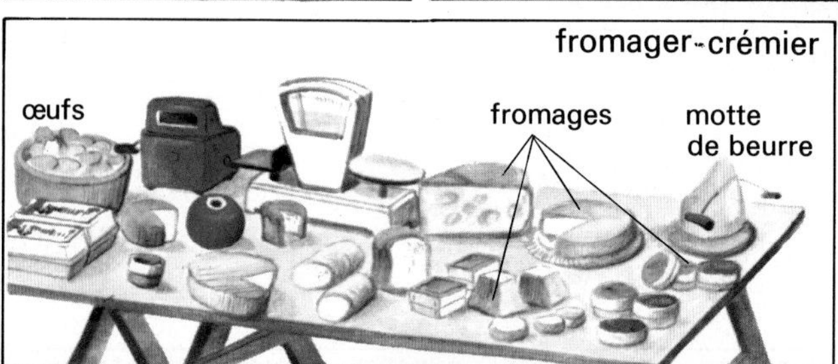
fromager-crémier
œufs
fromages
motte
de beurre

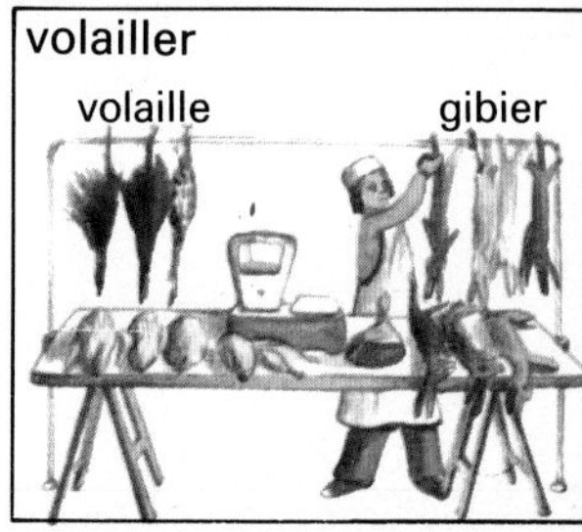
volailler
volaille
gibier

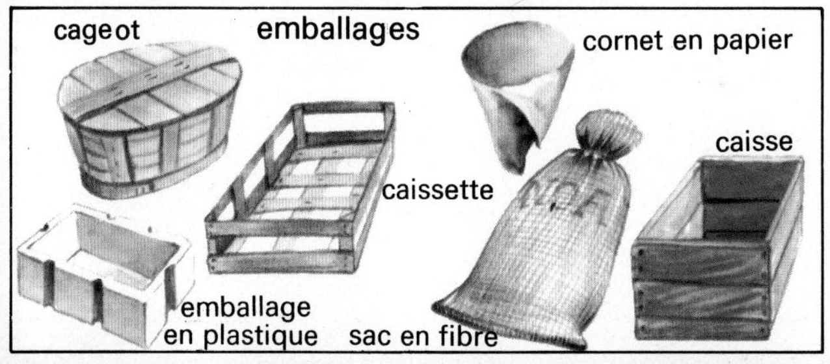
cageot
emballages
cornet en papier
caisse
caissette
emballage en plastique
sac en fibre

6,50F
Le kilo
780F
étiquettes

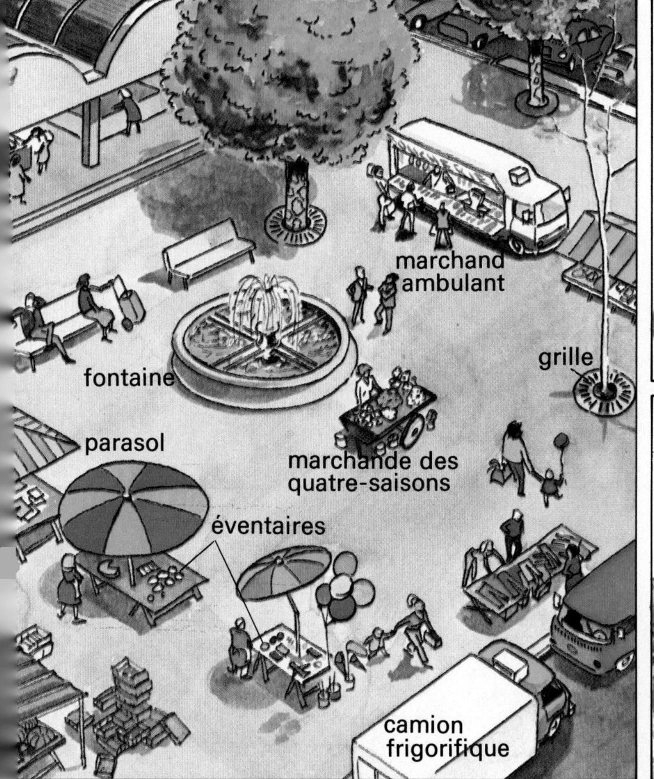
marchand ambulant
fontaine
grille
parasol
marchande des quatre-saisons
éventaires
camion frigorifique

camelot
objets de pacotille

marchand de couleurs (droguiste)
balais
lessives
brosses
savons

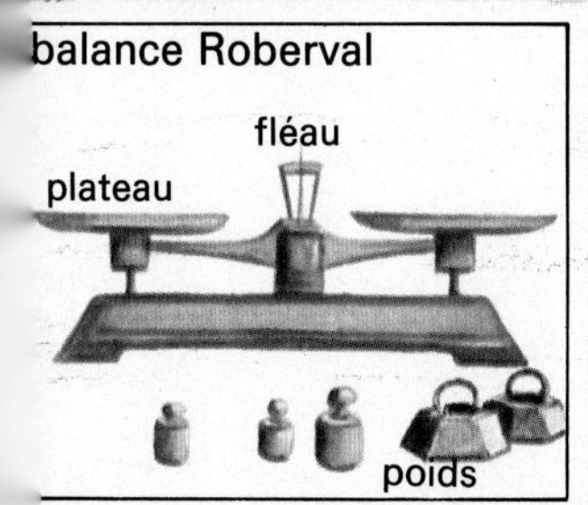
balance Roberval
fléau
plateau
poids

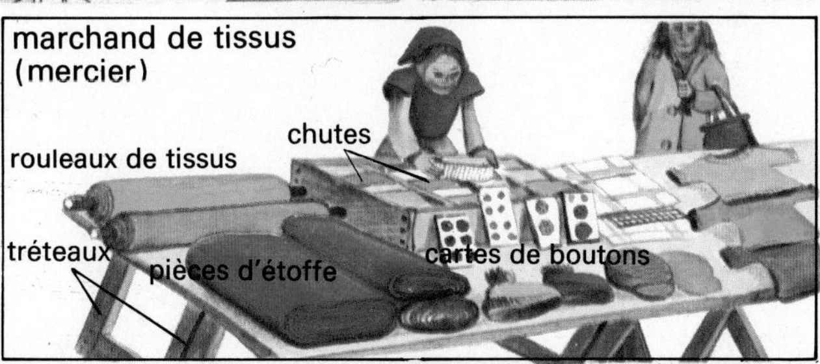
marchand de tissus (mercier)
chutes
rouleaux de tissus
tréteaux
pièces d'étoffe
cartes de boutons

LE BROCANTEUR

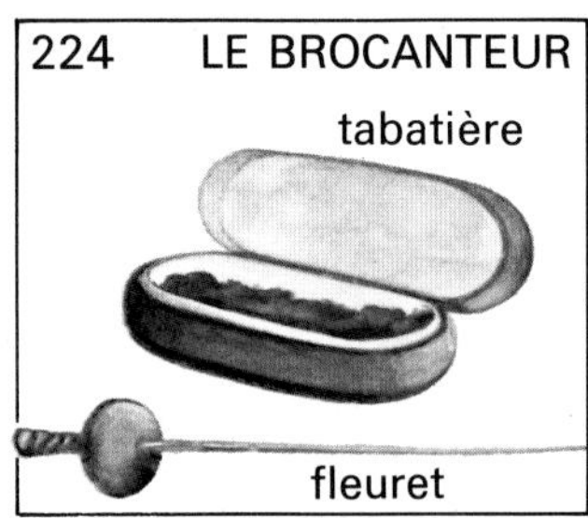

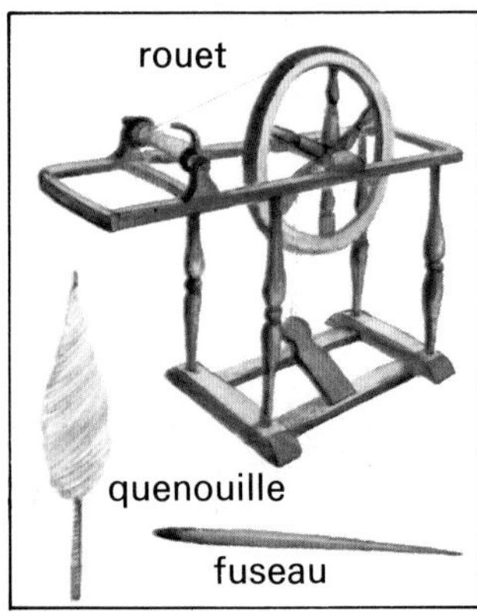

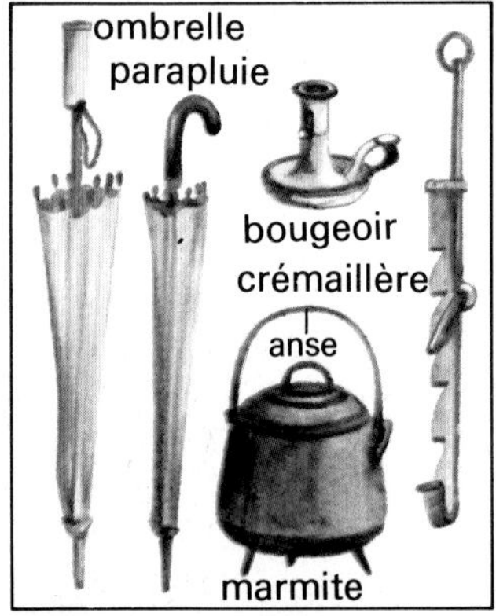

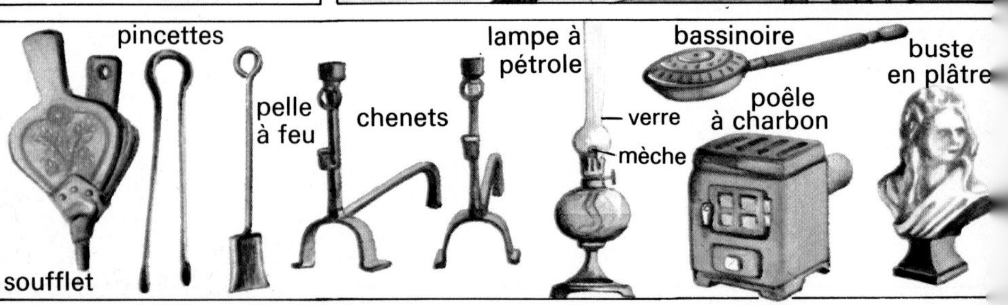

déduire v. **1.** *Sachant que tu étais parti hier, j'en* AI DÉDUIT *que tu serais ici aujourd'hui* (= conclure). — **2.** *Quand on* DÉDUIT *7 de 15, on trouve 8* (= soustraire). ◆ **déduction** n. f. (sens 1) *Tes* DÉDUCTIONS *ne sont pas justes* (= raisonnement, conclusion). • (sens 2) *Il faut faire la* DÉDUCTION *des acomptes déjà versés* (= soustraction).

• **R.** Conj. nº 70.

déesse → DIEU.

défaillance n. f. *À la fin de l'étape, le coureur a eu une* DÉFAILLANCE, il n'avait plus de force. ◆ **défaillir** v. *Il* A DÉFAILLI, *quand on lui a annoncé la nouvelle,* il s'est évanoui.

• **R.** *Défaillir,* conj. nº 30.

défaire → FAIRE.

défaite n. f. *Le match s'est terminé par la* DÉFAITE *de notre équipe,* elle a perdu (≠ victoire). ◆ **défaitiste** adj. et n. *Ne sois pas* DÉFAITISTE, *on a des chances de gagner!* (= pessimiste).

défaut n. m. **1.** *La curiosité est un vilain* DÉFAUT, c'est mal (≠ qualité). — **2.** *Ce tissu a des* DÉFAUTS, il est mal fait (= imperfection). — **3.** *Les forces lui* ONT FAIT DÉFAUT, lui ont manqué. — **4.** À DÉFAUT DE *vin, je boirai de la bière,* puisqu'il n'y a pas de vin (= faute de). ◆ **défectueux** adj. (sens 2) *Cet appareil est* DÉFECTUEUX, il a des défauts.

défaveur, défavorable, défavoriser → FAVEUR.

défection n. f. *Il nous a promis son aide, puis il a fait* DÉFECTION, il nous a abandonnés.

défectueux → DÉFAUT.

défendre v. **1.** *Quand Paul m'a attaqué, Jean m'*A DÉFENDU, il m'a aidé, protégé, secouru. — **2.** *Mon père m'*A DÉFENDU *de sortir* (= interdire; ≠ autoriser, permettre). ◆ **défense** n. f. **1.** (sens 1) *Jean a pris ma* DÉFENSE. • (sens 2) DÉFENSE *de marcher sur les pelouses!,* il ne faut pas marcher (= interdiction). — **2.** *Les* DÉFENSES *de l'éléphant peuvent atteindre 3 mètres de long,* des sortes de dents. ◆ **défenseur** n. m. (sens 1) *Les* DÉFENSEURS *ont repoussé les assaillants.* ◆ **défensif** adj. (sens 1) *Une arme* DÉFENSIVE *sert à se défendre* (≠ offensif). ◆ **défensive** n. f. (sens 1) *L'ennemi est resté sur la* DÉFENSIVE (≠ offensive).

▷ 581

• **R.** Conj. nº 50.

déférence n. f. *Il nous a reçus avec* DÉFÉRENCE (= respect; ≠ insolence).

déferler v. *Les vagues* DÉFERLENT *sur la plage,* elles retombent en roulant avec force (= se briser).

défi, défiance → DÉFIER.

déficit n. m. *Ce commerçant a fait un* DÉFICIT *de 1 000 francs,* il a fait de mauvaises affaires (≠ bénéfice).

défier v. **1.** *Jean m'*A DÉFIÉ *de courir aussi vite que lui,* il m'a dit que j'en étais incapable. — **2.** *Je* ME DÉFIE *de Jacques,* je n'ai pas confiance en lui (= se méfier; ≠ se fier). ◆ **défi** n. m. (sens 1) *Jean m'a lancé un* DÉFI, il m'a défié. ◆ **défiance** n. f. (sens 2) *Les paroles de Jacques ont éveillé ma* DÉFIANCE (= méfiance; ≠ confiance).

défigurer → FIGURE.

défilé n. m. **1.** *Nous avons assisté au* DÉFILÉ *du 14-Juillet,* les soldats ont défilé. — **2.** *La rivière traverse la montagne par un* DÉFILÉ, un passage étroit (= gorge). ◆ **défiler** v. (sens 1) *Les manifestants* DÉFILENT *sur les boulevards,* ils marchent en rangs.

définir v. *Pierre n'arrivait pas à* DÉFINIR *ce qu'il ressentait,* à le dire avec précision (= expliquer). ◆ **défini** adj. **1.** *Ce travail n'est pas bien* DÉFINI (= précis). — **2.** *«Le» est un article* DÉFINI. ◆ **définition** n. f. *«Poil qui pousse sur la tête de l'homme» est la* DÉFINITION *de «cheveu»,* l'explication de son sens. ◆ **indéfini** adj. **1.** *Il restera absent un temps* INDÉFINI, qu'on ne peut préciser. — **2.** *«Un» est un article* INDÉFINI. ◆ **indéfiniment** adv. *Tu ne peux rester là* INDÉFINIMENT, un temps indéfini.

définitif adj. *Mon refus est* DÉFINITIF (= irrévocable; ≠ provisoire). ◆ **en définitive** adv. EN DÉFINITIVE, *tu as gagné* (= finalement). ◆ **définitivement** adv. *Il est parti* DÉFINITIVEMENT, pour toujours.

définition → DÉFINIR.

déflagration n. f. *Tout le quartier a entendu la* DÉFLAGRATION, une explosion violente.

défoncer v. *Les cambrioleurs* ONT DÉFONCÉ *la porte,* ils l'ont cassée en l'enfonçant.

déformation, déformer → FORME. / **défrayer** → FRAIS 2. / **défricher** → FRICHE. / **défriser** → FRISER.

défroque n. f. *Il avait mis une vieille* DÉFROQUE *pour se déguiser,* des vêtements usés.

défroqué → FROC.

défunt adj. et n. se disait pour *mort.*

dégager v. **1.** *Il me serrait si fort que je n'arrivais plus à* ME DÉGAGER (= se libérer). — **2.** *Voulez-vous* DÉGAGER *le passage?,* cesser de l'encombrer. — **3.** *La voiture* DÉGAGE *une épaisse fumée,* elle la laisse échapper. — **4.** *Le ciel* S'EST DÉGAGÉ, les nuages sont partis. — **5.** *Le gardien de but* A DÉGAGÉ, il a envoyé la balle au loin. ◆ **dégagement** n. m. (sens 2) *Le* DÉGAGEMENT *de la route a duré toute la journée.* • (sens 5) *Le joueur a fait un long* DÉGAGEMENT *vers l'avant,* il a dégagé.

dégainer → GAINE. / **dégarnir** → GARNIR.

dégât n. m. *L'incendie a fait des* DÉGÂTS *importants* (= destruction, dommage).

dégel, dégeler → GEL.

dégénérer v. *Sa grippe* A DÉGÉNÉRÉ *en bronchite,* elle s'est transformée en quelque chose de pire.

dégivrer → GIVRE. / **dégonfler** → GONFLER.

dégouliner v. *La pluie* DÉGOULINE *sur le mur,* coule dessus.

dégourdir → GOURD.

dégoût n. m. *Pierre a un véritable* DÉGOÛT *pour le lait,* il le déteste (= aversion, répugnance). ◆ **dégoûtant** adj. *Va te laver les mains, elles sont* DÉGOÛTANTES!, très sales. ◆ **dégoûter** v. *Cette viande est pourrie, ça me* DÉGOÛTE (= écœurer).

dégrader v. **1.** *La neige* A DÉGRADÉ *la route* (= abîmer, détériorer). — **2.** *Il* S'EST DÉGRADÉ *en mentant ainsi,* il a perdu sa dignité. — **3.** DÉGRADER *un officier,* c'est lui retirer son grade. — **4.** *Jean a peint un paysage en* DÉGRADANT *les couleurs,* en les affaiblissant peu à peu. ◆ **dégradation** n. f. (sens 1) *Ce monument a subi des* DÉGRADATIONS (= dégât). ◆ **dégradé** n. m. (sens 4) *Ce* DÉGRADÉ *de couleurs est très joli.*

dégrafer → AGRAFE. / **dégraisser** → GRAISSE.

degré n. m. **1.** *Sa maladie a atteint un* DEGRÉ *alarmant* (= point, niveau). — **2.** *L'eau bout à 100* DEGRÉS. ‖ *Ce vin fait 12* DEGRÉS, unités de mesure.

dégressif adj. *Si vous achetez plus de 100 kilos, vous aurez un tarif* DÉGRESSIF, qui diminuera.

dégringoler v. Fam. **1.** *Jean* A DÉGRINGOLÉ *du haut de l'échelle,* il est tombé. — **2.** *Pierre* A DÉGRINGOLÉ *l'escalier,* il l'a descendu très vite. ◆ **dégringolade** n. f. *Quelle* DÉGRINGOLADE *quand la branche a cassé!* (= chûte).

dégriser → GRIS 2. / **dégrossir** → GROS. / **déguenillé** → GUENILLES.

déguerpir v. *Quand ils ont entendu du bruit, les bandits* ONT DÉGUERPI, ils se sont sauvés très vite (= détaler, filer).

déguiser v. *À Mardi gras, les enfants* SE SONT DÉGUISÉS, ils ont mis des habits fantaisistes, des masques (= se travestir). ◆ **déguisement** n. m. *Avec ce* DÉGUISEMENT, *on ne te reconnaît pas.*

déguster v. *M. Durand* DÉGUSTE *lentement son vin,* il le boit avec plaisir (= savourer). ◆ **dégustation** n. f. *Le marchand nous a offert une* DÉGUSTATION *gratuite.*

dehors 1. adv. *Entrez, ne restez pas* DEHORS, à l'extérieur (≠ dedans). — **2.** n. m. pl. *Sous des* DEHORS *sévères, M. Dupont est bienveillant* (= apparences).

déjà adv. **1.** *Tu as* DÉJÀ *fini?,* dès maintenant (≠ pas encore). — **2.** *Je t'ai* DÉJÀ *dit mon opinion* (= auparavant; ≠ jamais).

déjeuner n. m. **1.** *Nous avons fait un bon* DÉJEUNER *au restaurant,* un repas de midi. — **2.** *Au* PETIT DÉJEUNER, *Pierre prend du café au lait,* au premier repas, le matin. ◆ **déjeuner** v. (sens 1) *M. Durand m'a invité à* DÉJEUNER. • (sens 2) *Pierre* DÉJEUNE *à 8 heures.*

déjouer v. *Jean a pu* DÉJOUER *les plans de son adversaire,* les faire échouer.

delà adv. *Le village est* AU-DELÀ DE *la rivière,* de l'autre côté, plus loin.

délabré adj. *Ce vieux château est bien* DÉLABRÉ, en très mauvais état. ◆ **délabrement** n. m. *L'alcoolisme entraîne un* DÉLABREMENT *de la santé* (= dégradation).

délacer → LACET.

délai n. m. *Vous avez un* DÉLAI *de huit jours pour payer,* un temps, une durée pour le faire.

délaisser v. *M. Durand* A DÉLAISSÉ *son travail et ses amis* (= abandonner, négliger).

délassement, délasser → LAS.

délavé adj. *Jean a un pantalon bleu* DÉLAVÉ, décoloré.

délayer v. *Mme Durand* DÉLAYE *la farine dans de l'eau pour faire la pâte* (= mélanger).

se délecter v. *Je* ME SUIS DÉLECTÉ *en lisant ce livre,* j'ai éprouvé un grand plaisir (= se régaler).

déléguer v. *À ce congrès scientifique, M. Dubois* ÉTAIT DÉLÉGUÉ *par la France,* envoyé pour la représenter. ◆ **délégué** n. *L'assemblée a élu des* DÉLÉGUÉS (= représentant). ◆ **délégation** n. f. *Une* DÉLÉGATION *des employés a été reçue par le patron,* un groupe de délégués.

délester → LEST.

délibérer v. *L'assemblée* A DÉLIBÉRÉ *deux heures avant de prendre une décision* (= discuter). ◆ **délibération** n. f. *La* DÉLIBÉRATION *a été très animée* (= débat, discussion).

délicat adj. **1.** *La violette a un parfum* DÉLICAT, agréable et fin (≠ violent). — **2.** *Marie est de santé* DÉLICATE (= fragile; ≠ robuste). — **3.** *Nous abordons un problème* DÉLICAT (= difficile, embarrassant). — **4.** *Pierre est un garçon* DÉLICAT, il est poli, prévenant (≠ grossier). ◆ **délicatement** adv. (sens 1) *Remue ce vase* DÉLICATEMENT (= doucement). ◆ **délicatesse** n. f. (sens 4) *Pierre a beaucoup de* DÉLICATESSE (= gentillesse, tact).

délicieux adj. *Nous avons fait un repas* DÉLICIEUX, très bon (= exquis; ≠ infect). ◆ **délice** n. m. *Ce gâteau, quel* DÉLICE! (= régal).

délier → LIER. / **délimiter** → LIMITE. / **délinquant** → DÉLIT.

délire n. m. **1.** *Jean a une forte fièvre accompagnée de* DÉLIRE, il a des hallucinations. — **2.** *À la nouvelle de la victoire, ce fut du* DÉLIRE, un enthousiasme très grand. ◆ **délirer** v. (sens 1) *Le malade* DÉLIRE.

délit n. m. **1.** *Ce* DÉLIT *est puni de deux ans de prison,* cette faute contre la loi (= infraction). — **2.** *Le voleur a été pris en* FLAGRANT DÉLIT, en train de voler. ◆ **délinquant** n. *Le* DÉLINQUANT *a été traduit devant le tribunal* (= coupable).

délivrer v. **1.** *Les prisonniers* ONT ÉTÉ DÉLIVRÉS, remis en liberté (= libérer; ≠ emprisonner). — **2.** *Si tu paies la facture, fais-toi* DÉLIVRER *un reçu* (= remettre). ◆ **délivrance** n. f. (sens 1) *Après l'examen, Jean a éprouvé un sentiment de* DÉLIVRANCE (= libération, soulagement).

déloger → LOGER. / **déloyal, déloyauté** → LOYAL.

725 ◁ **delta** n. m. *Le Rhône se jette dans la mer par un* DELTA, une embouchure à plusieurs bras.

déluge n. m. **1.** *Quand l'orage a éclaté, ce fut un vrai* DÉLUGE, une très forte pluie. — **2.** *Jean a reçu un* DÉLUGE *de coups,* une grande quantité.

déluré adj. *Pierre est un garçon* DÉLURÉ, vif et adroit (≠ empoté).

démagogique adj. *Ce député fait souvent des promesses* DÉMAGOGIQUES, destinées à flatter les gens. ◆ **démagogue** n. *Ce député est un* DÉMAGOGUE, il fait des promesses abusives.

demain adv. *Nous sommes lundi, je vous verrai* DEMAIN *mardi.* ▷ 125 ◆ **après-demain** adv. *Les vacances commencent* APRÈS-DEMAIN, dans deux jours. ▷ 125 ◆ **le lendemain** n. m. *Nous nous sommes vus lundi et aussi* LE LENDEMAIN, le jour d'après. ▷ 125 ◆ **le surlendemain** n. m. *Il m'a dit de revenir* LE SURLENDEMAIN, deux jours après. ▷ 125

démancher → MANCHE.

demander v. **1.** *Jean m'*A DEMANDÉ *de lui prêter ce livre,* il m'a dit qu'il le souhaitait (= prier). — **2.** *Pierre m'*A DEMANDÉ *si je venais au cinéma,* il m'a interrogé (≠ répondre). — **3.** *Je* ME DEMANDE *ce que je vais faire,* je ne le sais pas. — **4.** *Ce travail m'*A DEMANDÉ *deux heures,* j'ai eu besoin de deux heures pour le faire. ◆ **demande** n. f. (sens 1) *Sa* DEMANDE *n'a pas été acceptée* (= réclamation, prière, requête).

démanger v. *Le dos me* DÉMANGE, j'ai envie de me gratter. ◆ **démangeaison** n. f. *L'urticaire donne des* DÉMANGEAISONS.

démanteler v. DÉMANTELER *une forteresse,* c'est démolir ses remparts.

démantibuler v. Fam. *Qui* A DÉMANTIBULÉ *cet appareil?* (= casser).

démaquiller → MAQUILLER.

démarcation n. f. *Une ligne de* DÉMARCATION sépare deux régions.

démarche n. f. **1.** *Mon grand-père a une* DÉMARCHE *lente,* une manière de marcher (= allure). — **2.** *Pour se faire rembourser, Mme Durand a fait une* DÉMARCHE *à la mairie,* elle s'est adressée à cet endroit.

démarquer → MARQUER.

démarrer v. *M. Durand n'arrive pas à faire* DÉMARRER *le moteur,* à le faire fonctionner. ◆ **démarrage** n. m. *La voiture a calé au* DÉMARRAGE, au moment du départ. ◆ **démarreur** n. m. *Le* DÉMARREUR *est cassé,* l'appareil servant à démarrer.

démasquer → MASQUE. / **démêlé, démêler** → MÊLER.

démembrer v. *Cette propriété* A ÉTÉ DÉMEMBRÉE, divisée en plusieurs parties (= morceler).

déménager v. **1.** *J'*AI DÉMÉNAGÉ, *voilà ma nouvelle adresse,* j'ai changé de logement. — **2.** *Peux-tu m'aider à* DÉMÉNAGER *ces meubles?*, à les transporter ailleurs. ◆ **déménagement** n. m. *Tous les meubles ont été mis dans le camion de* DÉMÉNAGEMENT. ◆ **déménageur** n. m. *Les* DÉMÉNAGEURS *ont vidé l'appartement.* ◆ **emménager** v. *Nous* AVONS EMMÉNAGÉ *dans un nouvel appartement,* nous y sommes entrés.

démence n. f. est un équivalent savant de *folie.* ◆ **dément** n. *Les* DÉMENTS *sont hospitalisés dans les hôpitaux psychiatriques* (= fou).

se démener v. *Quand on l'a emmené, il* S'EST DÉMENÉ *de toutes ses forces* (= s'agiter, se débattre).

dément → DÉMENCE.

démentir v. *La nouvelle de sa mort* A ÉTÉ DÉMENTIE, déclarée fausse (≠ confirmer). ◆ **démenti** n. m. *Les journaux ont publié un* DÉMENTI (= désaveu).

• **R.** Conj. n° 19.

démesuré → MESURE.

démettre v. **1.** *Jean* S'EST DÉMIS *l'épaule,* il s'est déplacé l'articulation. — **2.** *Le préfet* A ÉTÉ DÉMIS *de ses fonctions,* on les lui a retirées (= destituer, renvoyer). ◆ **démission** n. f. (sens 2) *Le directeur a donné sa* DÉMISSION, il s'est démis de ses fonctions. ◆ **démissionner** v. (sens 2) *Il* A DÉMISSIONNÉ *pour raison de santé,* il a renoncé à ses fonctions.

• **R.** *Démettre* conj. n° 57.

demeurer v. **1.** *Où* DEMEUREZ-*vous?* (= habiter). — **2.** *Il ne peut pas* DEMEURER *tranquille cinq minutes* (= rester). ◆ **demeure** n. f. **1.** (sens 1) *Ils habitent dans une vieille* DEMEURE, une belle maison. • (sens 2) *Il s'est installé* À DEMEURE *à la campagne,* il y reste. — **2.** *On l'*A MIS EN DEMEURE *de payer ses impôts,* on lui en a donné l'ordre.

517 ◁ **demi** **1.** n. *Veux-tu une pomme? — Non, une* DEMIE, une moitié. — **2.** n. m. *Il a bu un* DEMI, un verre de bière. ◆ **et demi** adj. *Jean est resté une journée* ET DEMIE, et la moitié d'une journée. ◆ **à demi** adv. *Pierre est* À DEMI *satisfait,* à moitié (≠ complètement).

• **R.** Devant un adjectif ou un nom, DEMI- (invariable) indique une moitié ou une plus petite quantité : *demi-cercle, demi-douzaine, demi-finale, demi-heure, demi-mal, demi-pension, demi-tarif.*

démission, démissionner → DÉMETTRE. / **demi-tour** → TOUR 2. / **démobilisation, démobiliser** → MOBILISER.

démocratie n. f. *Ce pays est une* DÉMOCRATIE, le peuple y exerce le pouvoir par l'intermédiaire de députés élus (≠ monarchie, dictature). ◆ **démocrate** n. *M. Durand est* DÉMOCRATE, il est pour la démocratie (≠ fasciste). ◆ **démocratique** adj. *Un régime* DÉMOCRATIQUE *est issu d'élections* DÉMOCRATIQUES (≠ totalitaire). ◆ **démocratiser** v. DÉMOCRATISER *l'enseignement,* c'est l'ouvrir également à toutes les catégories sociales.

• **R.** *Démocratie* se prononce [demɔkrasi].

démoder → MODE 1.

demoiselle n. f. **1.** *Sophie a quatorze ans, c'est déjà une* DEMOISELLE (= jeune fille). — **2.** *Sa tante est restée* DEMOISELLE, elle ne s'est pas mariée (= vieille fille). ◆ **mademoiselle** n. f. *On dit* MADEMOISELLE *à une jeune fille ou à une femme non mariée.* ‖ *Bonjour* MESDEMOISELLES!

démolir v. *On* A DÉMOLI *ces maisons pour construire une route* (= abattre, détruire; ≠ bâtir). ◆ **démolisseur** n. m. *Les* DÉMOLISSEURS *ont utilisé des bulldozers.* ◆ **démolition** n. f. *On a commencé la* DÉMOLITION *de ces vieux immeubles* (≠ construction).

démon n. m. *Jean est méchant comme un* DÉMON (= diable). ◆ **démoniaque** adj. *Il a réussi grâce à des ruses* DÉMONIAQUES, dignes d'un démon (= diabolique).

démonstrateur, démonstratif, démonstration → MONTRER. / **démontable, démontage, démonter** → MONTER. / **démontrer** → MONTRER . / **démoraliser** → MORAL.

démordre v. *Jean dit qu'il a raison, et il n'*EN DÉMORD *pas,* il ne veut pas reconnaître le contraire.
• **R.** Conj. n° 52.

démouler → MOULE 2. / **démunir** → MUNIR. / **dénaturer** → NATURE. / **dénicher** → NID. / **dénier** → NIER.

denier n. m. Le DENIER est une monnaie ancienne.

dénigrer v. *Paul* DÉNIGRE *ce que je fais,* il en dit du mal (= déprécier; ≠ vanter). ◆ **dénigrement** n. m. *Paul agit par esprit de* DÉNIGREMENT (= médisance).

déniveler, dénivellation → NIVEAU. / **dénombrement, dénombrer** → NOMBRE. / **dénommé** → NOM.

dénoncer v. *Le voleur* A DÉNONCÉ *ses complices à la police,* il les a fait connaître. ◆ **dénonciation** n. f. *La police a reçu une lettre de* DÉNONCIATION.

dénoter v. *Ses paroles* DÉNOTENT *beaucoup de bon sens* (= montrer, témoigner de).

dénouement, dénouer → NŒUD. / **dénoyauter** → NOYAU.

denrée n. f. *Le pain, la viande, les légumes sont des* DENRÉES *de consommation courante* (= aliment).

dense adj. **1.** *Dans le métro, la foule était très* DENSE (= nombreux, serré; ≠ rare). — **2.** *Le plomb est plus* DENSE *que le fer,* à volume égal, il pèse plus lourd. ◆ **densité** n. f. (sens 1) *La* DENSITÉ *du brouillard empêche la circulation* (= épaisseur). • (sens 2) *La* DENSITÉ *de l'aluminium est plus faible que celle du fer* (= poids).
• **R.** *Dense* se prononce [dɑ̃s] comme *danse.*

dent n. f. **1.** *Jean se lave les* DENTS *tous les matins et tous les soirs.* — **2.** *Attention, ne te blesse pas avec les* DENTS *de la scie!,* les parties pointues. ◆ **dentaire** adj. (sens 1) *Les soins* DENTAIRES sont les soins des dents. ◆ **denté** adj. (sens 2) *La chaîne d'une bicyclette passe sur deux roues* DENTÉES, qui ont des saillies de forme pointue. ◆ **dentelé** adj. (sens 2) *La côte de Bretagne est* DENTELÉE, elle présente des pointes et des creux (≠ rectiligne). ◆ **dentier** n. m. (sens 1) *Mon grand-père porte un* DENTIER, de fausses dents. ◆ **dentifrice** n. m. (sens 1) *Jean met du* DENTIFRICE *sur sa brosse à dents,* du savon pour les dents. ◆ **dentiste** n. (sens 1) *Quand on a mal aux dents, on va chez le* DENTISTE. ◆ **dentition** n. f. (sens 1) *Marie a une belle* DENTITION, de belles dents. ◆ **édenté** adj. (sens 1) *Une bouche* ÉDENTÉE est une bouche sans dents.
• **R.** *Dent* se prononce [dɑ̃] comme *dans.*

▷ 33, 40 ▷ 362 ▷ 512 ▷ 38

dentelle n. f. *Marie a un corsage de* DENTELLE, d'un tissu léger.

▷ 296

dentier, dentifrice, dentiste, dentition → DENT. / **dénuder** → NU.

dénué adj. *Cet incident est* DÉNUÉ *d'importance,* il n'en a pas.

dénuement n. m. *Cette famille vit dans le* DÉNUEMENT, une grande pauvreté (= misère).

dépannage, dépanner → PANNE 1. / **dépaqueter** → PAQUET.

dépareillé adj. *Jean a des gants* DÉPAREILLÉS, ils ne sont pas pareils, ils ne forment pas une paire.

déparer → PARER. / **départ** → PARTIR.

départager v. *On a rejoué une partie pour* DÉPARTAGER *les deux équipes,* désigner le vainqueur.

298 ◁ 506 ◁ **département** n. m. *M. Martin habite dans le* DÉPARTEMENT *de la Manche.* ◆ **départemental** adj. *Une route* DÉPARTEMENTALE *est moins importante qu'une route nationale.*

507 ◁ **dépasser** v. **1.** *M. Durand* A DÉPASSÉ *un camion,* il est passé devant (= doubler). — **2.** *Jacques* DÉPASSE *Pierre de dix centimètres,* il est plus grand. — **3.** *Il* A DÉPASSÉ *ses droits,* il est allé au-delà (= outrepasser). — **4.** *Ce problème me* DÉPASSE, il est trop compliqué pour moi. ◆ **dépassement** n. m. (sens 1) *Attention,* DÉPASSEMENT *dangereux!*

dépayser v. *Quand John est arrivé en France, il a été très* DÉPAYSÉ, mal à l'aise à cause du changement.

dépecer v. *Le boucher* DÉPÈCE *un bœuf,* il le coupe en morceaux.

dépêche n. f. est un équivalent ancien de *télégramme.*

dépêcher v. **1.** DÉPÊCHE-TOI, *nous sommes en retard!,* fais vite (= se presser; ≠ traîner). — **2.** *Le gouvernement* A DÉPÊCHÉ *des ambassadeurs à la conférence de la paix* (= envoyer).

dépeigner → PEIGNE.

dépeindre v. *Il nous* A DÉPEINT *la situation* (= décrire, représenter).
• **R.** Conj. nº 55.

dépendre v. **1.** *Autrefois, les pays d'Afrique du Nord* DÉPENDAIENT *de la France,* étaient sous son autorité. — **2.** *La solution de ce problème ne* DÉPEND *pas de moi,* je ne suis pas maître d'en décider. — **3.** *Viendras-tu demain?* — ÇA DÉPEND (= peut-être). — **4.** *On* A DÉPENDU *le lustre du salon* (= décrocher; ≠ pendre). ◆ **dépendance** n. f. **1.** (sens 1) *Les colonies étaient sous la* DÉPENDANCE *de la France* (= autorité, domination). — **2.** (au plur.) *Le château possède de vastes* DÉPENDANCES, des bâtiments annexes. ◆ **indépendance** n. f. (sens 1) *Les pays d'Afrique ont conquis leur* INDÉPENDANCE (= liberté, autonomie). ◆ **indépendant** adj. **1.** (sens 1) *Les pays* INDÉPENDANTS *sont représentés à l'O. N. U.* (= souverain). ‖ *Jean est très* INDÉPENDANT, il aime être libre. • (sens 2) *Cette décision est* INDÉPENDANTE *de ma volonté,* elle ne dépend pas de moi. — **2.** *Ces deux chambres sont* INDÉPENDANTES, elles ne communiquent pas. ◆ **interdépendance** n. f. (sens 2) *Il y a une* INTERDÉPENDANCE *entre ces grèves et la hausse des prix* (= relation). ◆ **interdépendant** adj. (sens 2) *Ces deux problèmes sont* INTERDÉPENDANTS (= lié).
• **R.** Conj. nº 50.

dépens n. m. pl. *Je n'aime pas qu'on s'amuse* AUX DÉPENS DE *mes amis,* à leur détriment.

dépenser v. **1.** *Les Durand* DÉPENSENT *2000 francs par mois pour la nourriture,* ils déboursent cette somme. — **2.** *Cette voiture* DÉPENSE *trop d'essence* (= consommer). — **3.** *Jean aime* SE DÉPENSER, faire des efforts, du sport. ◆ **dépense** n. f. (sens 1) *Il faudrait diminuer nos* DÉPENSES (≠ gain, revenu). • (sens 2) *Ce travail demande une grande* DÉPENSE *de temps* (= emploi, usage). ◆ **dépensier** adj. (sens 1) *Marie est trop* DÉPENSIÈRE, elle dépense trop d'argent.

dépérir v. *On n'a pas arrosé les fleurs, elles* ONT DÉPÉRI, elles se sont affaiblies, fanées (≠ s'épanouir).

se dépêtrer → S'EMPÊTRER. / **dépeuplement, dépeupler** → PEUPLE. / **dépister** → PISTE.

dépit n. m. **1.** *L'échec de ses projets lui a causé du* DÉPIT (= contrariété, déception). — **2.** *Il a réussi* EN DÉPIT DES *difficultés* (= malgré). ◆ **dépiter** v. (sens 1) *Il a l'air un peu* DÉPITÉ (= déçu).

déplacé, déplacement, déplacer → PLACE. / **déplaire, déplaisant** → PLAIRE. / **dépliant, déplier** → PLIER. / **déploiement** → DÉPLOYER.

déplorer v. *Je* DÉPLORE *d'être arrivé en retard,* je le regrette beaucoup (≠ se réjouir). ◆ **déplorable** adj. *Jean a fait une bêtise* DÉPLORABLE (= désastreux).

déployer v. **1.** *M. Durand* A DÉPLOYÉ *son journal,* il l'a déplié et étalé (= ouvrir). — **2.** *Jean* A DÉPLOYÉ *une grande activité dans son travail* (= montrer). ◆ **déploiement** n. m. (sens 1 et 2) *Il y a des agents de police partout : c'est un* DÉPLOIEMENT *de forces impressionnant* (= étalage).

dépolir → POLI. / **dépopulation** → PEUPLE.

déporter v. **1.** *Pendant la guerre, des milliers de gens* ONT ÉTÉ DÉPORTÉS *par les Allemands,* envoyés dans des camps de concentration. — **2.** *Le vent* A DÉPORTÉ *le bateau vers le nord,* l'a fait dévier de sa direction. ◆ **déportation** n. f. (sens 1) *Beaucoup de Juifs sont morts en* DÉPORTATION.

déposer v. **1.** *Jean* A DÉPOSÉ *sa valise pour se reposer,* il l'a posée quelque part. — **2.** *M. Durand* A DÉPOSÉ *de l'argent à la banque,* il l'a confié à la banque (= mettre). — **3.** *La poussière* SE DÉPOSE *sur les meubles,* elle forme une couche dessus. — **4.** *Le témoin* A DÉPOSÉ *en faveur de l'accusé,* il a fait une déposition. — **5.** DÉPOSER *un roi,* c'est le destituer. ◆ **dépositaire** n. (sens 2) *Jean est* DÉPOSITAIRE *d'un secret,* on le lui a confié. ◆ **déposition** n. f. (sens 4) *La police a recueilli les* DÉPOSITIONS, les déclarations des témoins. ◆ **dépôt** n. m. (sens 1) *Ce bâtiment est un* DÉPÔT *de marchandises,* un lieu où on les dépose. • (sens 2) *Les* DÉPÔTS *à la Caisse d'épargne ont augmenté,* l'argent déposé. • (sens 3) *Il y a un* DÉPÔT *au fond de la bouteille,* des matières qui se sont déposées. ▷ 727

déposséder → POSSÉDER.

dépotoir n. m. *Cette pièce sert de* DÉPOTOIR, on y met tout ce dont on veut se débarrasser.

dépouiller v. **1.** *Le cuisinier* DÉPOUILLE *un lapin,* il lui enlève la peau. — **2.** *Des voleurs l'*ONT DÉPOUILLÉ, ils lui ont pris son argent. — **3.** *M. Durand* DÉPOUILLE *son courrier,* il l'examine attentivement. ◆ **dépouille** n. f. (sens 1) *La* DÉPOUILLE *mortelle de quelqu'un,* c'est son cadavre. • (sens 2) [au plur.] *Les* DÉPOUILLES *d'un vaincu,* c'est ce que le vainqueur lui a pris. ◆ **dépouillement** n. m. (sens 3) *Le* DÉPOUILLEMENT *des votes a commencé,* on les compte (= examen).

dépourvu → POURVOIR. / **dépoussiérer** → POUSSIÈRE.

dépravé adj. *M. Duval est un homme* DÉPRAVÉ, sans moralité (= corrompu).

déprécier v. **1.** *La monnaie française* S'EST DÉPRÉCIÉE, elle a perdu de la valeur (= se dévaluer). — **2.** *Jean cherche à* DÉPRÉCIER *mon travail,* il en dit du mal (= discréditer; ≠ vanter).

dépression n. f. **1.** *M. Durand a eu une* DÉPRESSION *nerveuse,* une maladie dans laquelle on perd toute énergie. — **2.** *Le village est dans une* DÉPRESSION, un creux du terrain (= cuvette). ◆ **déprimer** v. (sens 1) *Ses échecs l'*ONT DÉPRIMÉ (= abattre, décourager).

754 ◁ **depuis** prép. ou conj. *Il fait beau* DEPUIS *un mois,* il y a un mois que le beau temps dure. ‖ DEPUIS QU'*il est parti, je suis triste.*

298 ◁ **député** n. m. *M. Masson est* DÉPUTÉ *de la Savoie,* les habitants de la Savoie l'ont élu à l'Assemblée nationale.

déraciner → RACINE. / **déraillement, dérailler, dérailleur** → RAIL. / **déraisonnable, déraisonner** → RAISON. / **dérangement, déranger** → RANGER.

déraper v. *La voiture* A DÉRAPÉ *sur le verglas* (= glisser). ◆ **dérapage** n. m. *L'accident est dû à un* DÉRAPAGE.

dératé n. *Jean court* COMME UN DÉRATÉ, très vite.

dérégler → RÉGLER. / **dérider** → RIDE. / **dérision, dérisoire** → RIRE.

dériver v. **1.** *Le bateau* A DÉRIVÉ *à cause d'une panne de moteur,* il s'est écarté de sa route. — **2.** *« Théâtral »* DÉRIVE *de « théâtre »,* il en vient. — **3.** DÉRIVER *une rivière,* c'est en changer le cours. ◆ **dérivatif** n. m. *Va au cinéma, ce sera un* DÉRIVATIF (= distraction). ◆ **dérivation** n. f. (sens 3) *On a construit un barrage pour la* DÉRIVATION *de la rivière.* ◆ **dérive** n. f.
766, 726, 511 ◁ (sens 1) Une DÉRIVE est un appareil placé sous un bateau ou à l'arrière d'un avion pour l'empêcher de dériver. ‖ *Le bateau s'en va* À LA DÉRIVE, il n'est plus gouverné. ◆ **dérivé** n. m. (sens 2) *« Théâtral » est un* DÉRIVÉ *de*
726 ◁ *« théâtre ».* ◆ **dériveur** n. m. (sens 1) Un DÉRIVEUR est un bateau à voiles muni d'une dérive.

dernier **1.** adj. et n. *Le 31 décembre est le* DERNIER *jour de l'année* (≠ premier). ‖ *Qui est le* DERNIER *en français?,* le plus mauvais. — **2.** adj.
125 ◁ *Marie est habillée à la* DERNIÈRE *mode,* la plus récente (≠ prochain).
754 ◁ ◆ **dernièrement** adv. (sens 2) *Cet événement a eu lieu* DERNIÈREMENT (= récemment). ◆ **avant-dernier** adj. et n. (sens 1) *Ce coureur est arrivé* AVANT-DERNIER, juste avant le dernier.

dérober v. **1.** *Il a voulu* SE DÉROBER *à ses obligations,* ne pas les accomplir (= échapper). — **2.** *On l'accuse d'*AVOIR DÉROBÉ *des fruits* (= voler).

déroulement, dérouler → ROULER.

déroute n. f. *Les attaquants ont été mis en* DÉROUTE, ils ont fui en désordre.

dérouter v. *Jean a essayé de me* DÉROUTER *avec des questions embarrassantes* (= déconcerter).

derrick n. m. Les DERRICKS sont des tours au-dessus des puits de pétrole. ▷ 152, 577

derrière prép., adv. et n. m. **1.** *Le jardin est* DERRIÈRE *la maison,* en arrière de (≠ devant). — **2.** *Je monte devant, toi, monte* DERRIÈRE, à l'arrière. — **3.** *Le* DERRIÈRE *de la maison est ensoleillé.* ‖ Fam. *Jean est tombé sur le* DERRIÈRE (= fesses).

des → DE 1 et 2 et UN.

dès prép. ou conj. *Je commencerai* DÈS *demain* (= à partir de). ‖ DÈS QUE *tu pourras, viens me voir* (= aussitôt que).

désabusé adj. *Il m'a regardé d'un air* DÉSABUSÉ, sans illusions.

désaccord → ACCORDER. / **désaffecté** → AFFECTER. / **désagréable, désagréablement** → AGRÉABLE.

désagréger v. *La pluie* DÉSAGRÈGE *les roches,* elle en sépare les parties et les détruit.

désagrément → AGRÉABLE. / **désaltérer** → ALTÉRER. / **désamorcer** → AMORCE.

désappointer v. *Jean* EST *très* DÉSAPPOINTÉ *par son échec* (= décevoir). ◆ **désappointement** n. m. *Il essaie de cacher son* DÉSAPPOINTEMENT (= déception; ≠ satisfaction).

désapprobateur, désapprobation, désapprouver → APPROUVER.

désarçonner v. **1.** *Le cheval* A DÉSARÇONNÉ *son cavalier,* il l'a jeté à terre. — **2.** *Ma question l'*A DÉSARÇONNÉ, beaucoup surpris.

désargenté → ARGENT. / **désarmant, désarmement, désarmer** → ARMER.

désarroi n. m. *La mort de son père l'a jeté dans un grand* DÉSARROI, il ne sait plus quoi faire (= détresse, angoisse).

désastre n. m. *Cette sécheresse est un* DÉSASTRE *pour les paysans,* un grand malheur (= catastrophe). ◆ **désastreux** adj. *La récolte a été* DÉSASTREUSE, très mauvaise.

désavantage, désavantager, désavantageux → AVANTAGE.

désavouer v. *Le directeur* A DÉSAVOUÉ *l'action de ses employés,* il a dit qu'il n'était pas d'accord avec eux (≠ approuver).

desceller → SCELLER.

descendre v. **1.** *Pour* DESCENDRE, *vous pouvez prendre l'ascenseur,* pour aller en bas (≠ monter). ‖ *Pierre* A DESCENDU *l'escalier en courant,* il l'a parcouru de haut en bas. — **2.** *Peux-tu* DESCENDRE *la poubelle?,* la porter en bas. — **3.** *Le sentier* DESCEND *vers la rivière,* il est en pente. — **4.** *La température* EST DESCENDUE *au-dessous de zéro,* elle a baissé. — **5.** *Jacques dit qu'il* DESCEND *de Napoléon,* que Napoléon était un de ses ancêtres. ◆ **descendance** n. f. (sens 5) *Mon grand-père a une nombreuse* DESCENDANCE, des enfants et des petits-enfants. ◆ **descendant** **1.** adj. (sens 4) *À marée* DESCENDANTE, *on ira pêcher sur la plage,* quand la mer descendra. — **2.** n. (sens 5) *Les* DESCENDANTS *se sont partagé l'héritage.* ◆ **descente** n. f. **1.** (sens 1) *L'avion a commencé sa* DESCENTE, à descendre. • (sens 3) *Il y a une* DESCENTE *après le virage,* une route en
77 ◁ pente. — **2.** Une DESCENTE DE LIT est un petit tapis placé le long d'un lit. ◆ **redescendre** v. *Il faut* REDESCENDRE *ces bouteilles à la cave.*
• **R.** Conj. nº 50. ‖ *Descendre* se conjugue tantôt avec *être,* tantôt avec *avoir.*

description → DÉCRIRE.

désemparé adj. *Depuis son échec à l'examen, il est* DÉSEMPARÉ, il ne sait plus quoi faire.

sans désemparer adv. *Malgré la pluie, ils ont continué* SANS DÉSEMPARER, sans s'arrêter.

désenchanté → ENCHANTER. / **déséquilibré, déséquilibrer** → ÉQUILIBRE.

désert adj. **1.** *Les régions polaires sont* DÉSERTES, il n'y a pas d'habitants. — **2.** *Paris est* DÉSERT *au mois d'août,* les gens ne sont pas là
577 ◁ (= dépeuplé). ◆ **désert** n. m. (sens 1) *Le Sahara est le plus grand* DÉSERT *du monde.* ◆ **désertique** adj. (sens 1) *Le Sahara est une région* DÉSERTIQUE, sans eau, ni végétation.

déserter v. *Des soldats* ONT DÉSERTÉ, ils ont quitté l'armée sans permission. ◆ **déserteur** n. m. *Les gendarmes recherchent les* DÉSERTEURS, les soldats qui ont déserté. ◆ **désertion** n. f. *Ils ont été condamnés pour* DÉSERTION.

désertique → DÉSERT. / **désespérément, désespérer, désespoir** → ESPÉRER. / **déshabiller** → HABILLER. / **déshabituer** → HABITUDE. / **désherber** → HERBE. / **déshérité, déshériter** → HÉRITER. / **déshonorer** → HONNEUR.

désigner v. **1.** *Jean m'*A DÉSIGNÉ *du doigt le gâteau qu'il voulait* (= montrer, indiquer). — **2.** *Pierre* A ÉTÉ DÉSIGNÉ *pour ce travail* (= choisir, nommer). ◆ **désignation** n. f. (sens 2) *On annonce la* DÉSIGNATION *de M. Dupont comme directeur* (= nomination).

désillusion → ILLUSION. / **désinfectant, désinfecter, désinfection** → INFECTER.

désintégrer v. *Les disputes ont fini par* DÉSINTÉGRER *l'équipe* (= détruire). ◆ **désintégration** n. f. *La* DÉSINTÉGRATION *des atomes produit l'énergie atomique,* leur fragmentation.

désintéressé, désintéressement, désintéresser → INTÉRÊT.

désinvolte adj. *Jean m'a répondu d'un ton* DÉSINVOLTE, un peu insolent. ◆ **désinvolture** n. f. *Il a agi avec* DÉSINVOLTURE (= sans-gêne).

désirer v. *M. Dupont* DÉSIRE *te parler,* il en a envie (= vouloir, souhaiter). ◆ **désir** n. m. *Sa grand-mère satisfait tous ses* DÉSIRS (= souhait, vœu). ◆ **désireux** adj. *Marie est* DÉSIREUSE *de maigrir,* elle le désire.

désobéir, désobéissance, désobéissant → OBÉIR. / **désobliger** → OBLIGER. / **désodorisant** → ODEUR. / **désœuvré, désœuvrement** → ŒUVRE.

désoler v. *Je* SUIS DÉSOLÉ *de t'annoncer la mort de M. Dupuis,* j'ai beaucoup de peine (= consterner; ≠ se réjouir). ◆ **désolation** n. f. *Cette nouvelle l'a plongé dans la* DÉSOLATION, dans une grande peine.

désopilant adj. *Il m'a raconté une histoire* DÉSOPILANTE, très drôle.

désordonné, désordre → ORDRE. / **désorganiser** → ORGANISATION. / **désorienter** → ORIENTER.

désormais adv. DÉSORMAIS *on se lèvera une heure plus tôt,* à partir de maintenant (= à l'avenir, dorénavant).

désosser → OS.

despote n. m. *Ce pays est gouverné par un* DESPOTE *sanguinaire,* un souverain injuste (= tyran). ◆ **despotisme** n. m. *Les gens se sont révoltés contre le* DESPOTISME (= dictature).

desquels, desquelles → LEQUEL. / **dessaisir** → SAISIR. / **dessaler** → SEL. / **dessèchement, dessécher** → SEC.

dessein n. m. *Dans quel* DESSEIN *as-tu fait cela?* (= but, intention).
• **R.** *Dessein* se prononce [desɛ̃] comme *dessin.*

desseller → SELLE. / **desserrer** → SERRER.

dessert n. m. *Pour le* DESSERT, *il y avait une tarte,* la fin du repas.

desserte, desservir → SERVIR.

dessiner v. **1.** *Prenez un papier et un crayon et* DESSINEZ *un cheval,* représentez-le. — **2.** *La route* DESSINE *plusieurs virages* (= former). ◆ **dessin** n. m. (sens 1) *Pierre a fait un* DESSIN *très ressemblant de la maison.* ‖ *Jean aime les* DESSINS ANIMÉS, les films faits de dessins. ◆ **dessinateur** n. (sens 1) *Mme Martin est* DESSINATRICE *dans un journal pour enfants.*
• **R.** V. DESSEIN.

▷ 145, 295
▷ 145

dessous adv., prép. et n. m. **1.** *Ton livre n'est pas sur la table, regarde* DESSOUS, sous elle (≠ dessus). — **2.** *Le grenier est* AU-DESSOUS DU *toit.* ‖ *Passe* PAR-DESSOUS *la barrière.* — **3.** *Le* DESSOUS *de mes chaussures est usé,* la partie inférieure. ‖ *Jean a eu le* DESSOUS *dans la bagarre,* il a perdu.

dessus adv., prép. et n. m. **1.** *Ce meuble n'est pas solide, ne t'appuie pas* DESSUS, sur lui (≠ dessous). — **2.** *Le commandant est* AU-DESSUS DU *capitaine,* supérieur à lui. ‖ *Saute* PAR-DESSUS *la table.* — **3.** *Les voisins du* DESSUS *sont très gentils,* de l'étage supérieur. ‖ *Notre équipe a eu le* DESSUS, elle a gagné.

destiner v. **1.** *Jean* SE DESTINE *au métier de médecin,* il a décidé qu'il fera cela dans la vie. — **2.** *Cette lettre* EST DESTINÉE *à M. Durand,* elle est pour lui (= réserver). ◆ **destin** n. m. ou **destinée** n. f. (sens 1) *Il se plaint d'avoir eu un* DESTIN *malheureux* (= vie, existence, sort). ◆ **destination** n. f. (sens 2) *Quelle est la* DESTINATION *de ce train?,* l'endroit où il va.
768 ◁ ◆ **destinataire** n. (sens 2) *Écris lisiblement le nom du* DESTINATAIRE, de la personne à qui est adressée ta lettre (≠ expéditeur).

destituer v. *Le directeur* A ÉTÉ DESTITUÉ, chassé de son poste.

destruction → DÉTRUIRE.

désuet adj. *«Choir» est un mot* DÉSUET, on ne l'emploie plus. ◆ **désuétude** n. f. *Cet usage* EST TOMBÉ EN DÉSUÉTUDE, on ne le suit plus.

désunion, désunir → UNIR. / **détachant** → TACHE. / **détachement** → ATTACHER. / **détacher** → ATTACHER et TACHE.

détail n. m. **1.** *Connais-tu les* DÉTAILS *de cette histoire?,* les points précis de son déroulement. — **2.** *Ce commerçant ne vend pas au* DÉTAIL, en petites quantités (≠ en gros). ◆ **détaillant** n. m. (sens 2) *Cet épicier est un* DÉTAILLANT (≠ grossiste). ◆ **détailler** v. (sens 1) *Jean nous a fait un récit* DÉTAILLÉ *de ses vacances,* en donnant beaucoup de détails.

détaler v. *Les lièvres* DÉTALENT *au moindre bruit,* s'enfuient à toute vitesse (= filer, déguerpir).

détartrer → TARTRE. / **détaxer** → TAXE.

détective n. m. *Un* DÉTECTIVE *a retrouvé la trace du gangster,* un homme qui fait des enquêtes policières.

déteindre → TEINDRE. / **dételer** → ATTELER. / **détendre** → TENDRE 2.

détenir v. *Ce sportif* DÉTIENT *le record du monde de saut* (= avoir).
• **R.** Conj. n° 22.

détente → TENDRE.

détenu n. *Les* DÉTENUS *pensent recevoir des visites le samedi* (= prisonnier). ◆ **détention** n. f. *Le tribunal l'a condamné à la* DÉTENTION *perpétuelle* (= emprisonnement).

détergent n. m. *On utilise les* DÉTERGENTS *pour le lavage et le nettoyage,* une sorte de lessive.

détériorer v. *Qui* A DÉTÉRIORÉ *cet appareil?* (= abîmer; ≠ réparer).

déterminer v. **1.** *On n'*A *pas* DÉTERMINÉ *les causes de l'accident,* établi exactement (= préciser). — **2.** *La pluie l'*A DÉTERMINÉ *à rester* (= décider, pousser). ◆ **détermination** n. f. (sens 2) *Jean a agi avec* DÉTERMINATION (= décision, résolution). ◆ **déterminant** **1.** adj. (sens 2) *Il a joué dans cette affaire un rôle* DÉTERMINANT, très important (= décisif). — **2.** n. m. *Les articles, les adjectifs démonstratifs et possessifs sont des* DÉTERMINANTS, ils accompagnent le nom et dépendent de lui. ◆ **indéterminé** adj. (sens 1) *La date de son départ est* INDÉTERMINÉE, pas encore précisée.

déterrer → TERRE.

détester v. *Pierre* DÉTESTE *les épinards,* il ne les aime pas du tout (≠ adorer). ◆ **détestable** adj. *Ce vin est* DÉTESTABLE, très mauvais.

détonation n. f. *As-tu entendu la* DÉTONATION?, le bruit d'explosion.

détourner v. **1.** *On* A DÉTOURNÉ *la circulation à cause d'un accident,* on a changé sa direction (= dévier). — **2.** *Pierre voulait me* DÉTOURNER *de mon travail,* me faire faire autre chose (= éloigner; ≠ pousser). — **3.** *Il* S'EST DÉTOURNÉ *pour ne pas me saluer,* il a regardé ailleurs. ◆ **détour** n. m. (sens 1) *La route fait un* DÉTOUR, elle ne va pas droit au but.

détraquer v. *Ma montre* EST DÉTRAQUÉE, *il faut la faire réparer,* elle ne marche plus.

détremper → TREMPER.

détresse n. f. **1.** *Il m'a confié sa* DÉTRESSE, qu'il est malheureux. — **2.** *L'avion est en* DÉTRESSE, dans une situation dangereuse.

détriment n. m. *Il a fait une erreur* AU DÉTRIMENT DE *Paul,* à son désavantage.

détritus n. m. pl. *Défense de jeter des* DÉTRITUS *à cet endroit* (= ordures).

détroit n. m. *Le* DÉTROIT *de Gibraltar relie l'Atlantique et la Méditerranée,* une partie de mer entre deux terres rapprochées. ▷ 725

détromper → TROMPER. / **détrôner** → TRÔNE.

détrousser v. *Autrefois, les brigands* DÉTROUSSAIENT *les voyageurs,* les attaquaient pour les voler.

détruire v. **1.** *Un tremblement de terre* A DÉTRUIT *la ville* (= ruiner, démolir; ≠ construire). — **2.** *Ce produit* DÉTRUIT *les insectes* (= tuer). ◆ **destruction** n. f. (sens 1) *Les bombes ont causé de graves* DESTRUCTIONS (= dégâts).

• **R.** Conj. nº 70.

dette n. f. *M. Dupont a des* DETTES, il doit de l'argent. ◆ **s'endetter** v. *Il* S'EST ENDETTÉ *pour acheter un appartement,* il a emprunté de l'argent.

deuil n. m. *Jean est en* DEUIL, il a perdu quelqu'un de sa famille.

deux adj. *Nous avons* DEUX *yeux et* DEUX *oreilles.* ‖ *1 + 1 = 2.* ▷ 517 ◆ **deuxième** adj. et n. *Jean est (le)* DEUXIÈME *en français.* ‖ *J'habite au* DEUXIÈME *(étage)* [= second]. ▷ 517

deux-roues → ROUE.

dévaler v. *Pierre* A DÉVALÉ *l'escalier,* il l'a descendu très vite.

dévaliser v. *Des inconnus* ONT DÉVALISÉ *l'appartement,* ils ont volé ce qu'il y avait dedans.

dévaloriser, dévaluation, dévaluer → VALOIR.

devancer v. *Ce cheval* A DEVANCÉ *tous les autres,* il est arrivé avant eux.

devant prép., adv. et n. m. **1.** *Ne reste pas* DEVANT *la porte* (= en face de; ≠ derrière). ‖ *Il est venu* AU-DEVANT DE *moi,* à ma rencontre. — **2.** *Pierre est* DEVANT, plus loin en avant. — **3.** *Le* DEVANT *de ta chemise est taché.*

devanture n. f. *Le libraire a changé sa* DEVANTURE, le contenu de sa vitrine.

dévaster v. *Une tempête* A DÉVASTÉ *cette région,* a causé de grands dégâts (= ravager).

déveine → VEINE.

développer v. **1.** *La gymnastique* DÉVELOPPE *les muscles,* les rend plus forts. — **2.** *Pierre* A DÉVELOPPÉ *ses arguments,* les a exposés en détail. — **3.** *Le photographe* DÉVELOPPE *les pellicules,* il y fait apparaître l'image photographique. ◆ **développement** n. m. (sens 1) *Ce pays a connu un grand* DÉVELOPPEMENT *économique* (= essor, croissance). • (sens 2) *Il y a dans ce livre des* DÉVELOPPEMENTS *ennuyeux,* de longs passages.

devenir v. *M. Dupont* DEVIENT *vieux,* il commence à l'être.
• **R.** Conj. n° 22.

se déverser v. *Cette rivière* SE DÉVERSE *dans la Seine* (= se jeter).

dévêtir → VÊTEMENT.

dévier v. *La circulation* EST DÉVIÉE *à cause d'un accident* (= détourner).
506 ◁ ◆ **déviation** n. f. *Les automobilistes doivent prendre la* DÉVIATION, la route déviée.

deviner v. *Comment* AS-*tu* DEVINÉ *que je viendrais?* (= trouver, découvrir). ◆ **devin** n. m. *J'ignore ce qui va se passer, je ne suis pas* DEVIN, je ne prétends pas deviner l'avenir. ◆ **devinette** n. f. *Marie m'a posé une* DEVINETTE, une question dont il faut deviner la réponse. ◆ **divination** n. f. La DIVINATION est le pouvoir de connaître l'avenir, que les devins prétendent avoir.

devis n. m. *Avant de faire réparer sa voiture, il a demandé un* DEVIS, une estimation du prix des travaux.

dévisager v. *Pourquoi me* DÉVISAGES-*tu ainsi?,* me regardes-tu avec insistance.

devise n. f. **1.** *Le mark allemand est une* DEVISE *forte,* une monnaie étrangère. — **2.** *«La liberté avant tout», telle est sa* DEVISE (= mot d'ordre, idéal).

dévisser → VIS. / **dévoiler** → VOILE 1.

devoir v. **1.** *Pierre me* DOIT *cent francs,* il a cette somme à me payer. — **2.** *Il est 8 heures, nous* DEVONS *partir,* il faut que nous partions. — **3.** *Il* DOIT *être parti,* il est probablement parti. ◆ **devoir** n. m. **1.** (sens 2) *En lui portant secours, j'ai fait mon* DEVOIR, ce que je devais faire. — **2.** *As-tu fini tes* DEVOIRS?, tes exercices scolaires. ◆ **dû** n. m. (sens 1) *Je n'ai pas eu mon* DÛ, ce qu'on me devait. ◆ **indu** adj. (sens 2) *Il est arrivé à une heure* INDUE, à laquelle il n'aurait pas dû arriver. ◆ **indûment** adv. (sens 2) *Il a gardé* INDÛMENT *mon stylo* (= à tort). ◆ **redevable** adj. (sens 1) *Jean m'est* REDEVABLE *d'une somme importante,* il me la doit. ◆ **redevance** n. f. (sens 1) *Il faut payer la* REDEVANCE *pour la télévision,* un impôt.
• **R.** Conj. n° 35. ‖ V. DOIGT.

dévorer v. **1.** *Le chien* A DÉVORÉ *le reste de poulet,* il l'a mangé très vite. — **2.** *Je* SUIS DÉVORÉ *par l'impatience,* tourmenté par ce sentiment.

dévot adj. et n. *Mme Durand est très* DÉVOTE, attachée à la religion (= pieux). ◆ **dévotion** n. f. *Mme Durand est pleine de* DÉVOTION.

se dévouer v. *M. Martin* SE DÉVOUE *toujours pour les autres,* il est très bon pour eux (= se sacrifier). ◆ **dévouement** n. m. *Quand j'étais malade, il m'a soigné avec* DÉVOUEMENT (≠ égoïsme).

dextérité n. f. *Pour faire ce travail, il faut une grande* DEXTÉRITÉ (= adresse, habileté).

diabète n. m. *M. Dupuis a du* DIABÈTE, *le sucre lui est interdit,* une maladie. ◆ **diabétique** adj. et n. *M. Dupuis est* DIABÉTIQUE.

diable n. m. **1.** *Pour les chrétiens, le* DIABLE *est l'esprit du mal et s'oppose à Dieu* (= démon). — **2.** *Cet enfant est un vrai petit* DIABLE, il est espiègle, remuant, turbulent. — **3.** *Ayez pitié de ce* PAUVRE DIABLE (= malheureux). — **4.** *Jean habite* AU DIABLE, très loin. || *Paul est paresseux* EN DIABLE, très paresseux. — **5.** interj. DIABLE! exprime la surprise. ◆ **diablement** adv. (sens 4) Fam. *La route est* DIABLEMENT *mauvaise* (= très). ◆ **diablerie** n. f. (sens 2) *Ne recommence pas tes* DIABLERIES! (= espièglerie). ◆ **diablotin** n. m. (sens 1 et 2) Un DIABLOTIN est un petit diable. ◆ **diabolique** adj. (sens 1) *La bombe atomique est une invention* DIABOLIQUE, très mauvaise (= infernal, démoniaque). ◆ **endiablé** adj. (sens 2) *Ils dansent sur un rythme* ENDIABLÉ, très rapide.

diacre n. m. *Avant de recevoir la prêtrise, on est* DIACRE.

diagnostic n. m. *Quel est le* DIAGNOSTIC *du médecin?,* quelle maladie a-t-il trouvée? ◆ **diagnostiquer** v. *Il* A DIAGNOSTIQUÉ *une bronchite.*

diagonale n. f. *Les* DIAGONALES *d'un carré se coupent en son centre,* les lignes qui joignent les sommets. ▷ 348

dialecte n. m. *Dans cette région, les paysans parlent un* DIALECTE, une langue particulière.

dialogue n. m. *M. Durand et M. Dupont ont eu un long* DIALOGUE, ils ont parlé tous les deux (= conversation).

diamant n. m. *Mme Dupont a une bague avec un* DIAMANT, une pierre précieuse très brillante. ▷ 581

diamètre n. m. *Le* DIAMÈTRE *d'un cercle* est une droite qui joint les bords en passant par le centre. ◆ **diamétralement** adv. *Leurs opinions sont* DIAMÉTRALEMENT *opposées,* tout à fait. ▷ 348

diapason n. m. Un DIAPASON est un petit instrument qui donne la note *la* pour accorder les instruments de musique. ▷ 438

diaphane adj. *La porcelaine est* DIAPHANE, elle laisse passer la lumière sans être transparente.

diaphragme n. m. *Le* DIAPHRAGME *d'un appareil photo* est l'ouverture par où passe la lumière.

diapositive n. f. *Jean nous a montré des* DIAPOSITIVES *en couleurs,* des photos qu'on projette sur un écran.

diarrhée n. f. *Pierre a la* DIARRHÉE, des selles liquides et fréquentes (= colique).

dictateur n. m. *Dans ce pays, un* DICTATEUR *a pris le pouvoir,* un homme qui gouverne seul. ◆ **dictature** n. f. *Les démocrates se sont révoltés contre la* DICTATURE, le pouvoir absolu.

dicter v. **1.** *Prenez un stylo, je vais vous* DICTER *une poésie,* vous la lire pour que vous l'écriviez. — **2.** *Le vainqueur* A DICTÉ *ses conditions au vaincu* (= imposer). ◆ **dictée** n. f. (sens 1) *Ta* DICTÉE *est pleine de fautes d'orthographe.*

dictionnaire n. m. *Si tu ne sais pas le sens d'un mot, regarde dans le* DICTIONNAIRE.

dicton n. m. *« Qui dort dîne » est un* DICTON (= proverbe, sentence).

438 ◁ **dièse** n. m. Le DIÈSE élève une note de musique d'un demi-ton.

diète n. f. *Le médecin l'a mis à la* DIÈTE *pour trois jours,* lui a ordonné de moins manger. ◆ **diététique** n. f. La DIÉTÉTIQUE est l'étude de ce qu'il faut manger pour rester en bonne santé.

dieu n. m. *Mme Dupont croit en* DIEU, en un être suprême, éternel et tout-puissant. ◆ **déesse** n. f. *Les anciens Grecs adoraient des dieux et des* DÉESSES (= divinité). ◆ **divin** adj. **1.** *Mme Dupont croit en la justice* DIVINE, de Dieu. — **2.** *Ce gâteau est* DIVIN, très bon (= merveilleux). ◆ **divinement** adv. *Marie chante* DIVINEMENT, très bien. ◆ **divinité** n. f. *Jupiter était une* DIVINITÉ *romaine,* un dieu.

diffamer v. *M. Dupont est accusé d'*AVOIR DIFFAMÉ *M. Durand,* d'avoir répandu des calomnies sur lui. ◆ **diffamation** n. f. *La* DIFFAMATION *est punie par la loi.*

différer v. **1.** *Nos opinions* DIFFÈRENT *beaucoup,* elles ne se ressemblent pas (= s'opposer; ≠ se confondre). — **2.** *Jean a dû* DIFFÉRER *son départ,* le remettre à plus tard (= retarder; ≠ avancer). ◆ **différemment** adv. (sens 1) *Depuis notre conversation, je pense* DIFFÉREMMENT (= autrement). ◆ **différence** n. f. (sens 1) *Quelle est la* DIFFÉRENCE *d'âge entre Pierre et Paul?* (= écart). ‖ *Il y a beaucoup de* DIFFÉRENCES *entre ces deux régions* (= contraste; ≠ ressemblance). ◆ **différend** n. m. (sens 1) *Ils ont eu un* DIFFÉREND *à propos de politique,* une différence d'opinion (= désaccord). ◆ **différent** adj. **1.** (sens 1) *Jeanne et Marie sont sœurs, mais elles sont très* DIFFÉRENTES (≠ semblable, pareil). — **2.** (au plur.) *M. Dubois a* DIFFÉRENTES *occupations* (= plusieurs).

• **R.** Ne pas confondre *différent, différend* et *différant* (participe de *différer*) : [diferɑ̃].

difficile adj. **1.** *Ce problème d'arithmétique est très* DIFFICILE, on a du mal à le faire (≠ facile). — **2.** *Jean a un caractère* DIFFICILE (= exigeant; ≠ agréable). ◆ **difficilement** adv. (sens 1) *Nous avons trouvé* DIFFICILEMENT *la route* (= péniblement). ◆ **difficulté** n. f. (sens 1) *Depuis son accident, il marche avec* DIFFICULTÉ (≠ facilité). ‖ *M. Dupont a des* DIFFICULTÉS *financières* (= embarras, problème).

difforme adj. *Les bossus ont le corps* DIFFORME, mal formé (≠ normal).

diffuser v. *Les journaux* ONT DIFFUSÉ *le discours du président,* ils l'ont répandu dans le public. ◆ **diffusion** n. f. *La* DIFFUSION *de cette émission aura lieu demain* (= transmission).

digérer v. *Jean a du mal à* DIGÉRER *le chocolat,* son appareil digestif le supporte mal (= assimiler). ◆ **digestion** n. f. *La* DIGESTION *des aliments dure environ deux heures,* leur transformation par l'appareil digestif. ◆ **digestif** 1. adj. *L'œsophage, l'estomac, l'intestin constituent l'appareil* DIGESTIF. — 2. n. m. *Après le repas, M. Durand a pris un* DIGESTIF, une liqueur alcoolisée. ◆ **indigeste** adj. *Cet aliment est* INDIGESTE, difficile à digérer. ◆ **indigestion** n. f. *Jean a trop mangé et il a eu une* INDIGESTION, des troubles digestifs.

digital adj. *La carte d'identité porte les empreintes* DIGITALES, des doigts.

digitale n. f. *La* DIGITALE *a des fleurs violettes et allongées.* ▷ 654

digne adj. 1. *M. Durand parle d'un air* DIGNE (= sérieux, respectable). — 2. *Jean est* DIGNE DE *passer dans la classe supérieure,* il le mérite. — 3. *Cette attitude n'est pas* DIGNE DE *toi,* conforme à ton caractère. ◆ **dignement** adv. (sens 1) *Il a répondu* DIGNEMENT (= fièrement). ◆ **dignité** n. f. 1. (sens 1) *Il a gardé son calme et sa* DIGNITÉ, son attitude fière. — 2. *M. Masson a été élevé à la* DIGNITÉ *d'ambassadeur,* à cette haute fonction. ◆ **indigne** adj. (sens 1) *Ta conduite a été* INDIGNE (= méprisable, déshonorant). • (sens 2) *Jean s'est montré* INDIGNE DE *notre confiance.* • (sens 3) *Mentir est* INDIGNE DE *toi.*

digue n. f. *Les vagues viennent se briser sur la* DIGUE, la construction qui protège le port. ◆ **endiguer** v. ENDIGUER *un fleuve,* c'est construire des digues pour l'empêcher de déborder. ▷ 721

dilapider v. *M. Martin* A DILAPIDÉ *sa fortune* (= gaspiller).

dilater v. *La chaleur* DILATE *les corps,* fait augmenter leur volume (≠ comprimer, contracter). ◆ **dilatation** n. f. *La chaleur provoque la* DILATATION *des métaux.*

diligence n. f. *Autrefois on voyageait dans des* DILIGENCES, des grandes voitures à cheval.

diluer v. *Ce sirop ne se boit pas pur, il faut le* DILUER, y ajouter de l'eau.

dimanche n. m. DIMANCHE *nous sommes allés nous promener.* ◆ **endimanché** adj. *Avec ce costume, tu as l'air* ENDIMANCHÉ, d'avoir mis des vêtements des grandes occasions. ▷ 125

dîme n. f. *Autrefois, les paysans payaient la* DÎME *aux curés,* un impôt.

dimension n. f. *Quelles sont les* DIMENSIONS *de cette salle?,* la longueur, la largeur et la hauteur (= mesure).

diminuer v. *Il faut* DIMINUER *nos dépenses,* les rendre plus faibles (= réduire; ≠ augmenter). ‖ *La température* A DIMINUÉ, elle est plus faible (= baisser). ◆ **diminution** n. f. *Il y a eu une* DIMINUTION *du nombre des accidents* (= abaissement, réduction). ◆ **diminutif** n. m. *«Maisonnette» est un* DIMINUTIF *de «maison»,* un dérivé exprimant la petitesse.

dinde n. f. 1. *À Noël nous avons mangé une* DINDE *aux marrons,* une grosse volaille. — 2. *Marie est une* DINDE, elle est sotte. ◆ **dindon** n. m. (sens 1) *Jean se rengorge comme un* DINDON, le mâle de la dinde. ▷ 362

dîner n. m. *Au* DÎNER, *nous avons mangé de la soupe et du poisson,* au repas du soir. ◆ **dîner** v. *Nous* DÎNONS *à huit heures du soir.* ◆ **dînette** n. f. *Les enfants ont fait la* DÎNETTE, un petit repas.

dinosaure n. m. Les DINOSAURES étaient d'énormes animaux d'une espèce aujourd'hui disparue.

diocèse n. m. *L'évêque a réuni les curés de son* DIOCÈSE, du territoire qu'il dirige.

diphtérie n. f. *Pierre est vacciné contre la* DIPHTÉRIE, une grave maladie.

diplomate **1.** n. m. *Les* DIPLOMATES *représentent leur pays à l'étranger.* — **2.** adj. *Jean n'est pas très* DIPLOMATE, habile dans la discussion. ◆ **diplomatie** n. f. (sens 1) *M. Duval est entré dans la* DIPLOMATIE, il est diplomate. • (sens 2) *Il a fallu beaucoup de* DIPLOMATIE *pour régler cette affaire* (= tact). ◆ **diplomatique** n. f. (sens 1) *Ces deux pays ont rompu leurs relations* DIPLOMATIQUES, d'État à État.

• **R.** *Diplomatie* se prononce [diplɔmasi].

diplôme n. m. *Pour obtenir ce poste, il faut un* DIPLÔME *d'ingénieur,* avoir réussi l'examen d'ingénieur.

dire v. **1.** *Jean nous* A DIT *qu'il viendrait demain* (= annoncer, affirmer). — **2.** *Je lui* AI DIT *de ne pas faire de bruit* (= ordonner). — **3.** ON DIRAIT QU'*il va pleuvoir,* il semble. — **4.** ÇA *ne me* DIT *rien d'aller me promener,* ça ne me tente pas. ◆ **se dédire** v. (sens 1) *Tu m'as donné ta parole, tu ne peux pas* TE DÉDIRE, revenir sur ce que tu as dit. ◆ **redire** v. (sens 1) *Il m'*A REDIT *qu'il était d'accord* (= répéter). ◆ **redite** n. f. (sens 1) *Ton devoir est plein de* REDITES (= répétition).

• **R.** Conj. n° 72, sauf au présent *(vous dites, vous redites)* et au participe *(dit, redit, dédit).*

direct adj. **1.** *Le chemin est* DIRECT *pour aller au village,* il y va en ligne droite. — **2.** *Pierre est en contact* DIRECT *avec moi,* sans intermédiaire (= immédiat). ◆ **directement** adv. (sens 1) *Je suis venu* DIRECTEMENT *ici,* sans détour. • (sens 2) *Adresse-toi* DIRECTEMENT *à lui.* ◆ **indirect** adj. (sens 1) *Il est arrivé par un trajet* INDIRECT. • (sens 2) *Le complément* INDIRECT *est rattaché au verbe par une préposition.*

diriger v. **1.** *M. Dupont* DIRIGE *une importante entreprise,* il en est le chef. — **2.** *Il* S'EST DIRIGÉ *vers la porte,* il a pris cette direction. — **3.** *Paul* A DIRIGÉ *ses regards vers moi* (= tourner). ◆ **directeur** n. (sens 1) *Si vous n'êtes pas content, adressez-vous au* DIRECTEUR, à celui qui dirige (= patron). ◆ **direction** n. f. (sens 1) *La* DIRECTION *d'un lycée est assurée par un proviseur.* • (sens 2) *Dans quelle* DIRECTION *est-il parti?,* vers où. ◆ **directives** n. f. pl. (sens 1) *Le patron a donné des* DIRECTIVES (= ordres). ◆ **dirigeant** n. (sens 1) *Les* DIRIGEANTS *du parti se sont réunis* (= chef).

discerner v. **1.** *Avec ce brouillard, on* DISCERNE *à peine les objets* (= distinguer). — **2.** *L'esprit critique permet de* DISCERNER *le vrai du faux,* juger ce qui est vrai. ◆ **discernement** n. m. (sens 2) *Dans cette affaire, tu as manqué de* DISCERNEMENT (= jugement).

disciple n. *Ce philosophe a eu de nombreux* DISCIPLES, des gens qui suivaient sa doctrine.

discipline n. f. **1.** *Les élèves doivent se soumettre à la* DISCIPLINE *du lycée,* au règlement destiné à faire régner l'ordre. — **2.** *La physique et la chimie sont des* DISCIPLINES *scientifiques,* des matières enseignées à l'école. ◆ **discipliné** adj. (sens 1) *Ces élèves sont calmes et* DISCIPLINÉS (= obéissant). ◆ **indiscipline** n. f. (sens 1) *Pierre a été puni pour* INDISCIPLINE, pour avoir causé du désordre. ◆ **indiscipliné** adj. (sens 1) *Pierre est* INDISCIPLINÉ (= indocile).

discontinu, discontinuer → CONTINUER. / **discordant, discorde** → CONCORDE. / **discothèque** → DISQUE.

discours n. m. *As-tu écouté le* DISCOURS *du président?,* ce qu'il a dit en public (= exposé, conférence, allocution).

discréditer v. *Ce mensonge l'*A DISCRÉDITÉ, on n'a plus confiance en lui.

discret adj. **1.** *Jean ne se mêle pas de mes affaires, il est* DISCRET, il montre de la retenue (≠ curieux, sans gêne). — **2.** *Marie est assez* DISCRÈTE *pour qu'on lui parle de cela,* elle sait garder un secret (≠ bavard). — **3.** *Jeanne porte une robe* DISCRÈTE, qui n'attire pas l'attention (≠ voyant). ◆ **discrètement** adv. (sens 1 et 3) *Il s'est* DISCRÈTEMENT *retiré à l'écart,* pour ne pas gêner. ◆ **discrétion** n. f. (sens 2) *Je vous demande à ce sujet une grande* DISCRÉTION, de ne rien répéter. ◆ **indiscret** adj. (sens 1) *Il a jeté un regard* INDISCRET *dans la maison* (= curieux). ◆ **indiscrètement** adv. (sens 1) *Il m'a interrogé* INDISCRÈTEMENT. ◆ **indiscrétion** n. f. (sens 2) *Pierre craint les* INDISCRÉTIONS (= bavardage).

disculper v. *L'accusé a essayé de* SE DISCULPER, de prouver son innocence.

discuter v. **1.** *Ils* ONT DISCUTÉ *de la situation économique* (= parler). — **2.** *Quand il donne un ordre, il n'aime pas qu'on* DISCUTE (= protester, contester). ◆ **discussion** n. f. (sens 1) *Nous avons eu une longue* DISCUSSION (= entretien). • (sens 2) *Avancez, et pas de* DISCUSSION! (= contestation). ◆ **indiscutable** adj. (sens 2) *Sa victoire est* INDISCUTABLE (= évident, incontestable).

disgracieux → GRÂCE. / **disjoindre** → JOINDRE.

disloquer v. *Le choc* A DISLOQUÉ *la voiture,* en a séparé les parties (= casser, démolir).

disparaître v. **1.** *Le soleil* A DISPARU *à l'horizon,* il a cessé d'être visible (≠ apparaître, se montrer). — **2.** *Il* A DISPARU *sans laisser d'adresse,* on ne sait pas où il est. — **3.** *Ma montre* A DISPARU, on me l'a volée ou je l'ai perdue. — **4.** *Ces animaux préhistoriques* ONT DISPARU, ils n'existent plus. ◆ **disparition** n. f. (sens 2) *Les journaux annoncent la* DISPARITION *d'un enfant,* son absence inexplicable. • (sens 4) *Ce médicament entraîne la* DISPARITION *des maux de tête* (= fin).

• **R.** Conj. nº 64.

disparate adj. *Jean porte des vêtements* DISPARATES, qui ne vont pas ensemble (≠ harmonieux, assorti).

disparition → DISPARAÎTRE.

dispensaire n. m. *Pierre a été examiné par le médecin du* DISPENSAIRE, de cet établissement médical.

dispenser v. **1.** *Jean* EST DISPENSÉ *de gymnastique,* il n'est pas obligé d'en faire (= exempter). — **2.** *Le professeur nous* A DISPENSÉ *des encouragements* (= distribuer). ◆ **dispense** n. f. (sens 1) *On lui a accordé une* DISPENSE, une autorisation spéciale. ◆ **indispensable** adj. (sens 1) *Je n'ai emporté que les objets* INDISPENSABLES (= obligatoire, nécessaire).

disperser v. *Le vent* A DISPERSÉ *les feuilles mortes,* les a répandues çà et là (= éparpiller; ≠ concentrer). ◆ **dispersion** n. f. *Essaie d'éviter la* DISPERSION *de tes efforts!*

disposer v. **1.** *On* A DISPOSÉ *les chaises en rond,* on les a mises de cette manière (= arranger). — **2.** *M. Durand* EST DISPOSÉ À *nous recevoir* (= décider). — **3.** *Il* SE DISPOSE À *partir,* il est sur le point de le faire (= se préparer). — **4.** *Je ne* DISPOSE *pas de beaucoup d'argent,* je ne peux pas utiliser. — **5.** *Jean* EST *mal* DISPOSÉ *à mon égard,* il a des sentiments hostiles. ◆ **disponible** adj. (sens 4) *Cette somme n'est pas* DISPONIBLE, on ne peut pas l'utiliser. ◆ **dispos** adj. *Pierre est frais et* DISPOS, en forme. ◆ **dispositif** n. m. (sens 1) *Ce* DISPOSITIF *permet de mettre en marche l'appareil,* ce mécanisme disposé pour cela (= machine). ◆ **disposition** n. f. (sens 1) *La* DISPOSITION *des pièces de cet appartement est pratique* (= répartition). • (sens 3) [au plur.] *Avant de venir, il a pris ses* DISPOSITIONS, il s'est préparé (= précautions). • (sens 4) *J'ai peu de temps à ma* DISPOSITION.

disproportionné → PROPORTION.

disputer v. **1.** *Les deux équipes* ONT DISPUTÉ *un match,* l'ont joué pour le gagner. — **2.** *Arrêtez de* VOUS DISPUTER! (= se quereller). — **3.** *Jean s'est fait* DISPUTER *pour avoir menti* (= gronder, réprimander). ◆ **dispute** n. f. (sens 2) *Quel est le sujet de votre* DISPUTE? (= querelle, bagarre).

disqualification, disqualifier → QUALIFIER.

34 ◁ **disque** n. m. **1.** *L'athlète a lancé le* DISQUE *à 63 mètres,* un plateau circulaire. — **2.** *Connais-tu le dernier* DISQUE *de ce chanteur?* (= enregistrement). ◆ **discothèque** n. f. (sens 2) *M. Dupont a une belle*
76 ◁ DISCOTHÈQUE, une collection de disques.

disséminer v. *Le général* A DISSÉMINÉ *ses troupes* (= éparpiller; ≠ concentrer).

disséquer v. *On a* DISSÉQUÉ *le cadavre pour trouver la cause du décès,* on l'a coupé en morceaux pour l'étudier.

dissidence n. f. *Des* DISSIDENCES *sont apparues dans ce parti* (= division, scission).

dissimuler v. *Pierre cherchait à* DISSIMULER *ses larmes* (= cacher; ≠ montrer).

dissiper v. **1.** *Le brouillard* S'EST DISSIPÉ, il a disparu (= se disperser). — **2.** *Les élèves* DISSIPÉS *ont été punis* (= indiscipliné, turbulent). — **3.** *M. Duval* A DISSIPÉ *sa fortune* (= gaspiller).

dissocier → ASSOCIER.

dissoudre v. 1. *Le sucre* SE DISSOUT *dans l'eau,* il fond et se mélange (= se désagréger). — 2. *Le président* A DISSOUS *l'Assemblée,* a mis fin à son existence. ◆ **dissolution** n. f. (sens 2) *Un divorce est la* DISSOLUTION *d'un mariage* (= rupture).
• R. Conj. nº 60.

dissuader v. *On l'*A DISSUADÉ *de partir,* on l'a convaincu de ne pas le faire (≠ persuader).

dissymétrique → SYMÉTRIE.

distance n. f. *Quelle est la* DISTANCE *entre Paris et Lyon? — Environ 450 kilomètres* (= éloignement). ◆ **distancer** v. *Le coureur* A DISTANCÉ *tous ses concurrents* (= devancer). ◆ **distant** adj. *Ces deux villes sont* DISTANTES *de 50 kilomètres* (= éloigné). ◆ **équidistant** adj. *Ces deux villes sont* ÉQUIDISTANTES *de Paris,* à égale distance.

distiller v. *Le cognac s'obtient en* DISTILLANT *du vin,* en le faisant bouillir dans un appareil appelé alambic. ◆ **distillation** n. f. *La* DISTILLATION *clandestine est interdite,* la fabrication d'alcool. ◆ **distillerie** n. f. *Les* DISTILLERIES *sont sévèrement contrôlées par l'État,* les fabriques d'alcool.

distinguer v. 1. *Avec ce brouillard, on* DISTINGUE *mal la côte* (= voir, discerner). — 2. *Jean ne sait pas* DISTINGUER *une panthère d'un tigre* (= reconnaître). — 3. *M. Durand* S'EST DISTINGUÉ *pendant la guerre,* il s'est fait remarquer (= s'illustrer). ◆ **distingué** adj. (sens 3) *Mme Durand est une femme* DISTINGUÉE, bien élevée, élégante. ◆ **distinct** adj. (sens 1) *Ce bruit est à peine* DISTINCT (= perceptible). • (sens 2) *Ces deux questions sont* DISTINCTES (= différent). ◆ **distinctement** adv. (sens 1) *Plus fort, je n'entends pas* DISTINCTEMENT (= clairement). ◆ **distinctif** adj. (sens 2) *Un signe* DISTINCTIF *sert à distinguer deux choses.* ◆ **distinction** n. f. (sens 2) *Tout le monde a été puni sans* DISTINCTION, sans qu'on fasse de différence. • (sens 3) *Mme Durand est pleine de* DISTINCTION, elle est distinguée. ‖ *M. Durand a obtenu des* DISTINCTIONS *honorifiques,* des marques d'honneur. ◆ **indistinct** adj. (sens 1) *Mes souvenirs à ce sujet sont* INDISTINCTS (= confus, incertain).

distraction n. f. 1. *La lecture et le cinéma sont mes* DISTRACTIONS *préférées* (= passe-temps). — 2. *Je ne vous avais pas vu, excusez ma* DISTRACTION (= étourderie, inattention). ◆ **distraire** v. (sens 1) *Si nous allions au cinéma pour* NOUS DISTRAIRE?, nous occuper agréablement. ◆ **distrait** adj. (sens 2) *Jean est très* DISTRAIT (= étourdi, rêveur; ≠ attentif). ▷ 437
• R. *Distraire,* conj. nº 79.

distribuer v. *C'est à Pierre de* DISTRIBUER *les cartes,* de les répartir entre les joueurs (= donner, partager). ◆ **distributeur** n. m. *À la gare, il y a un* DISTRIBUTEUR *de tickets,* un appareil qui en distribue. ◆ **distribution** n. f. *La* DISTRIBUTION *des prix a lieu à la fin de l'année scolaire.*

district n. m. *Le* DISTRICT *de Paris comprend plusieurs départements* (= région).

divaguer v. *Qu'est-ce que tu racontes là? Tu* DIVAGUES!, tu dis des bêtises (= dérailler).

divan n. m. *Assieds-toi sur le* DIVAN, une sorte de lit.

divergent, diverger → CONVERGER.

divers adj. **1.** *Nous avons parlé des sujets les plus* DIVERS (= varié, différent; ≠ semblable). — **2.** *Dans un journal, les* FAITS DIVERS sont les accidents, les crimes. ◆ **diversité** n. f. (sens 1) *Ils s'entendent bien malgré la* DIVERSITÉ *de leurs opinions* (= différence; ≠ ressemblance).

divertir v. *Ce livre m'*A *beaucoup* DIVERTI, m'a fait passer le temps agréablement (= amuser, délasser, distraire). ◆ **divertissement** n. m. *La pêche est mon* DIVERTISSEMENT *favori* (= distraction, passe-temps).

divin → DIEU. / **divination** → DEVINER. / **divinement, divinité** → DIEU.

diviser v. **1.** *On* A DIVISÉ *la tarte en quatre,* on a fait quatre parts (= partager). — **2.** *Si on* DIVISE *8 par 2, on obtient 4* (≠ multiplier). — **3.** *L'Assemblée* S'EST DIVISÉE *sur cette question,* il y a eu des opinions différentes. ◆ **divisible** adj. (sens 2) *Les nombres pairs sont* DIVISIBLES *par deux.* ◆ **division** n. f. **1.** (sens 1) *La* DIVISION *du travail permet de le faire plus vite* (= répartition). ‖ *Le centimètre et le décimètre sont des* DIVISIONS *du mètre,* des parties plus petites. • (sens 2) *Dans la* DIVISION *10 : 3, 10 est le* DIVIDENDE *et 3 le* DIVISEUR. • (sens 3) *Cette question a introduit la* DIVISION *dans la famille* (= désaccord). — **2.** *Une* DIVISION *d'infanterie est composée de plusieurs régiments.* — **3.** *Cette équipe joue en deuxième* DIVISION, parmi un groupe d'équipes. ◆ **indivisible** adj. (sens 1) *La République française est* INDIVISIBLE, elle forme un tout qu'on ne peut partager. ◆ **subdivision** n. f. (sens 1) *Il y a dix* SUBDIVISIONS *dans ce chapitre* (= partie).

divorce n. m. *M. Durand a demandé le* DIVORCE, la rupture de son mariage. ◆ **divorcer** v. *M. et Mme Durand* ONT DIVORCÉ, ils se sont séparés (≠ se marier).

divulguer v. *Les journaux* ONT DIVULGUÉ *la nouvelle* (= révéler; ≠ cacher).

517 ◁ **dix** adj. *Il y a* DIX *décimètres dans un mètre.* ‖ *5 + 5 =* 10. ◆ **dixième** adj.
517 ◁ et n. *Le décimètre est la* DIXIÈME *partie du mètre.* ‖ *J'habite dans le* DIXIÈME *(arrondissement), au* DIXIÈME *(étage).* ◆ **dizaine** n. f. *Il y a une*
517 ◁ DIZAINE *de personnes dans la salle,* environ dix.

do n. m. est la première note de la gamme.
• **R.** *Do* se prononce [do] comme *dos.*

docile adj. *Ce chien est très* DOCILE, il obéit facilement (= discipliné). ◆ **docilité** n. f. *Il fait ce qu'on lui dit avec* DOCILITÉ. ◆ **indocile** adj. *Cet enfant a un caractère* INDOCILE (= désobéissant).

727 ◁ **docks** n. m. pl. *Les* DOCKS *d'un port* sont des hangars où l'on stocke les marchandises. ◆ **docker** n. m. *Les* DOCKERS *se sont mis en grève,* les ouvriers qui déchargent les bateaux.

docteur n. m. **1.** *J'ai de la fièvre, appelle le* DOCTEUR! (= médecin). ‖ *Bonjour* DOCTEUR! — **2.** *M. Dubois est* DOCTEUR *en géographie,* il peut enseigner à l'université. ◆ **docte** adj. (sens 2) se disait pour *savant.* ◆ **doctoral** adj. (sens 2) *Il parle d'un ton* DOCTORAL, comme s'il faisait un cours (= pédant). ◆ **doctorat** n. m. (sens 2) Le DOCTORAT est un grade universitaire.

doctrine n. f. *Quelle est la* DOCTRINE *politique de ce parti?*, les grandes idées qui guident son action. ◆ **endoctriner** v. *Il a essayé de nous* ENDOCTRINER, de nous convertir à ses idées.

document n. m. *Pour écrire son livre, l'auteur a consulté beaucoup de* DOCUMENTS, des écrits qui l'ont renseigné. ◆ **documentaire** adj. et n. m. *Nous avons vu un* (FILM) DOCUMENTAIRE *sur les fourmis,* un film destiné à instruire. ◆ **documentation** n. f. *Les historiens rassemblent une* DOCUMENTATION *abondante,* des documents. ◆ **documenter** v. T'ES-*tu* DOCUMENTÉ *sur ce sujet?* (= se renseigner). ◆ **porte-documents** n. m. inv. *Mets ces papiers dans ton* PORTE-DOCUMENTS!

▷ 293

dodeliner v. *M. Durand* DODELINE *de la tête,* il la remue.

dodu adj. *Ce poulet est bien* DODU (= gras).

dogme n. m. *Les* DOGMES *d'une religion,* c'est ce qu'il faut croire. ◆ **dogmatique** adj. *M. Durand est* DOGMATIQUE, il affirme sans prouver.

dogue n. m. *Les* DOGUES *sont de bons chiens de garde.*

doigt n. m. **1.** *L'homme a cinq* DOIGTS *à chaque main : le pouce, l'index, le majeur, l'annulaire et l'auriculaire.* — **2.** *Il a été à* DEUX DOIGTS *de se noyer,* très près.

▷ 33

• **R.** *Doigt* se prononce [dwa] comme [*il*] *doit* (de *devoir*).

doigté n. m. *Pour réussir cette affaire, il faut du* DOIGTÉ (= adresse, habileté).

dollar n. m. Le DOLLAR est la monnaie des U. S. A.

dolmen n. m. *Les* DOLMENS *ont été élevés par les hommes préhistoriques,* des grandes tables de pierre.

domaine n. m. **1.** *Ce banquier possède un grand* DOMAINE, une propriété à la campagne. — **2.** *Le* DOMAINE *public,* c'est tout ce qui appartient à l'État. — **3.** *La chimie, ce n'est pas mon* DOMAINE, la matière dont je m'occupe (= spécialité).

dôme n. m. *L'église des Invalides est recouverte d'un* DÔME (= coupole).

domestique adj. **1.** *M. Durand est très absorbé par ses soucis* DOMESTIQUES, ceux de sa famille (= ménager). — **2.** *Le chien est un animal* DOMESTIQUE, qui vit près de l'homme (≠ sauvage). — **3.** n. *Autrefois les nobles avaient de nombreux* DOMESTIQUES, des gens pour les servir. ◆ **domestiquer** v. (sens 2) *Certains animaux ne peuvent pas* ÊTRE DOMESTIQUÉS (= apprivoiser).

domicile n. m. *Je me suis rendu à son* DOMICILE, là où il habite (= adresse). ◆ **domicilier** v. *M. Durand* EST DOMICILIÉ *à Paris,* il y habite.

dominer v. **1.** *Le coureur* A DOMINÉ *tous ses concurrents,* il a été le plus fort (= surpasser). — **2.** *Jean n'a pas pu* DOMINER *sa colère* (= contrôler, surmonter). — **3.** *Un château* DOMINE *le village,* il est placé au-dessus (= surplomber). — **4.** *Dans ce tableau, le rouge* DOMINE, c'est la couleur la plus importante (= l'emporter). ◆ **domination** n. f. (sens 1) *L'Algérie était sous la* DOMINATION *de la France* (= autorité). ◆ **dominateur** adj.

(sens 1) *M. Durand parle d'un ton* DOMINATEUR (= autoritaire). ◆ **prédominer** v. (sens 4) *Ce qui* PRÉDOMINE *dans son caractère, c'est la gentillesse,* ce qui vient en premier (= dominer).

dominical adj. *Le repos* DOMINICAL est le repos du dimanche.

436 ◁ **domino** n. m. *On joue aux* DOMINOS *avec des rectangles marqués de points.*

dommage n. m. **1.** *Tu ne peux pas venir demain? C'est* DOMMAGE! (= regrettable, fâcheux). — **2.** *L'incendie a causé de graves* DOMMAGES (= dégât, perte). ◆ **dédommager** v. (sens 2) *Après le cambriolage, l'assurance nous* A DÉDOMMAGÉS, a versé de l'argent pour réparer les dégâts (= indemniser). ◆ **dédommagement** n. m. (sens 2) *Vous avez droit à des* DÉDOMMAGEMENTS (= indemnité). ◆ **endommager** v. (sens 2) *La voiture* A ÉTÉ ENDOMMAGÉE *dans l'accident* (= abîmer).

dompter v. *On n'arrive pas à* DOMPTER *ce cheval,* à le soumettre par la
433 ◁ force (= dresser, maîtriser). ◆ **dompteur** n. m. *Au cirque, le* DOMPTEUR *a montré des lions et des tigres.* ◆ **indomptable** adj. *Il a montré un courage* INDOMPTABLE, qu'on ne peut soumettre.

don → DONNER.

donc conj. sert à conclure : *Le voilà,* DONC *nous pouvons commencer;* sert à renforcer un mot ou une phrase : *Où* DONC *habitez-vous?*

147 ◁ **donjon** n. m. *Les châteaux forts avaient un* DONJON, une haute tour.

donner v. **1.** *Pierre* A DONNÉ *un cadeau à Marie* (= remettre, offrir; ≠ recevoir et garder). — **2.** *Ce pommier* DONNE *beaucoup de fruits* (= produire, fournir). — **3.** DONNER *l'ordre,* c'est ordonner, DONNER *une réponse,* c'est répondre, DONNER *des explications,* c'est expliquer, DONNER *soif,* c'est assoiffer. — **4.** *La chambre* DONNE *sur la rue,* elle est du côté de la rue. ◆ **don** n. m. **1.** (sens 1) *Pierre m'a fait* DON *d'un bracelet,* il me l'a donné. — **2.** *Jean a des* DONS *pour la musique,* il est doué (= talent). ◆ **donné** adj. **1.** *Il faut faire ce travail en un temps* DONNÉ (= déterminé, précisé). — **2.** ÉTANT DONNÉ QU'*il pleut, on ne sort pas,* à cause de la pluie. ◆ **donneur** n. (sens 1) *M. Dupont est* DONNEUR DE SANG, il donne son sang.

• **R.** V. DONT.

dont pron. relatif remplace un nom complément précédé de *de : C'est un homme* DONT *je me souviens,* je me souviens de lui.

• **R.** *Dont* se prononce [dɔ̃] comme *don.*

doper v. *Le coureur est accusé de* S'ÊTRE DOPÉ, d'avoir pris des drogues pour être plus fort. ◆ **doping** ou **dopage** n. m. *Le* DOPING *est interdit par les règlements.*

dorade → DAURADE.

dorénavant adv. DORÉNAVANT, *essaie d'arriver à l'heure,* à partir de maintenant (= désormais).

dorer v. *Le ciel est* DORÉ *au coucher du soleil,* de la couleur de l'or. ◆ **dorure** n. f. *Dans ce château, il y a des* DORURES *partout,* des ornements dorés.

dorloter v. *Jean* EST DORLOTÉ *par sa mère* (= cajoler, choyer).

dormir v. *Cette nuit, j'*AI DORMI *huit heures,* je suis resté dans le sommeil (≠ veiller). ◆ **dormant** adj. *Une eau* DORMANTE est immobile. ◆ **dormeur** n. *Attention à ne pas réveiller les* DORMEURS!, ceux qui dorment. ◆ **dortoir** n. m. *À la caserne, les soldats couchent dans des* DORTOIRS, des grandes salles contenant des lits. ◆ **endormir** v. **1.** *Pierre* S'EST ENDORMI *à 10 heures,* il a commencé à dormir (≠ se réveiller). — **2.** *Il nous* ENDORT *avec ses discours* (= ennuyer). ◆ **rendormir** v. *Bébé* S'EST RENDORMI, il a recommencé à dormir.
• **R.** Conj. nº 18.

dorsal → DOS. / **dorure** → DORER.

doryphore n. m. *Les* DORYPHORES *détruisent les pommes de terre,* une sorte d'insecte. ▷ 363

dos n. m. **1.** *Pierre a mal au* DOS; *il s'est allongé sur le* DOS (≠ ventre). — **2.** *Écris au* DOS *de la page,* sur l'autre côté (= verso; ≠ face). ◆ **dorsal** adj. (sens 1) *Pierre a des douleurs* DORSALES, au dos. ◆ **dos-d'âne** n. m. inv. (sens 1) *Ce panneau annonce un* DOS-D'ÂNE, la route fait une bosse. ◆ **dossard** n. m. (sens 1) *Ce coureur porte le* DOSSARD *numéro 10,* un carré de tissu sur son dos. ◆ **dossier** n. m. **1.** (sens 1) *Le* DOSSIER *du fauteuil est rembourré,* la partie où on appuie le dos. — **2.** *L'avocat étudie le* DOSSIER *de son client,* les documents qui le concernent. ◆ **adosser** v. (sens 1) *Jean* S'EST ADOSSÉ *au mur,* il y a appuyé son dos. ◆ **endosser** v. **1.** (sens 1) *M. Durand* A ENDOSSÉ *son manteau,* il l'a mis sur son dos. — **2.** *Je ne peux pas* ENDOSSER *cette responsabilité,* la prendre. ▷ 33 ▷ 512 ▷ 76, 292 ▷ 293
• **R.** V. DO.

dose n. f. *À forte* DOSE, *ce médicament est mortel,* si on en prend d'un seul coup une forte quantité. ◆ **doser** v. *Il faut soigneusement* DOSER *ce médicament,* mesurer la dose à prendre.

dossard → DOS. / **dossier** → DOS.

doter v. **1.** *Jean* EST DOTÉ D'*un solide bon sens,* il l'a. — **2.** *Autrefois, les parents* DOTAIENT *leurs filles,* leur fournissaient une dot. ◆ **dot** n. f. (sens 2) *Les filles riches avaient une grosse* DOT, de l'argent, des biens qu'elles apportaient en se mariant.
• **R.** *Dot* se prononce [dɔt].

douane n. f. *En allant en Espagne, on s'est arrêté à la* DOUANE, à l'administration qui surveille les frontières. ◆ **douanier** n. m. et adj. *Les* DOUANIERS *ont fouillé nos valises,* les employés de la douane. ‖ *Les tarifs* DOUANIERS *ont augmenté.*

doubler v. **1.** *Il est interdit de* DOUBLER *en haut d'une côte,* de dépasser une autre voiture. — **2.** *Depuis cinq ans, les prix* ONT DOUBLÉ, ils ont été multipliés par deux. — **3.** *Ce manteau* EST DOUBLÉ *en fourrure,* on lui a mis une doublure. — **4.** *Ce film américain* EST DOUBLÉ *en français,* les acteurs semblent parler français. ◆ **doublage** n. m. (sens 4) *Le* DOUBLAGE *de ce film est mauvais,* le son ne correspond pas au mouvement des lèvres des acteurs. ◆ **double** adj. (sens 2) *Cette rue est à* DOUBLE *sens* (= deux; ≠ unique). ◆ **double** n. m. (sens 2) *8 est le* DOUBLE *de 4.* ‖ *As-tu un* ▷ 517

DOUBLE *de ce document?,* un deuxième exemplaire (= copie). ◆ **dou-**
517 ◁ **blement** adv. (sens 2) *Je suis* DOUBLEMENT *content,* pour deux raisons. ◆ **doublure** n. f. (sens 3) *La* DOUBLURE *de cette veste est en soie,* le tissu intérieur. ◆ **dédoubler** v. (sens 2) *La classe* A ÉTÉ DÉDOUBLÉE, on a réparti les élèves dans deux nouvelles classes. ◆ **redoubler** v. **1.** (sens 2) *Pierre* A REDOUBLÉ *(sa classe),* il l'a recommencée une nouvelle année. — **2.** *La pluie* REDOUBLE, elle devient encore plus forte. ◆ **redoublant** n. (sens 2) *Pierre est un* REDOUBLANT. ◆ **redoublement** n. m. (sens 2) *Son* REDOUBLEMENT *lui a fait perdre un an.*

douceâtre, doucement, doucereux, douceur → DOUX.

79 ◁ **douche** n. f. *Tous les matins, je prends une* DOUCHE, je m'asperge d'eau pour me laver. ◆ **doucher** v. *Jean est dans la salle de bains en train de se* DOUCHER.

doué adj. *Marie est* DOUÉE *pour les maths,* elle réussit bien dans cette matière (= fort).

douille n. f. *La poudre d'une cartouche est contenue dans une* DOUILLE.

763 ◁ **douillet** adj. **1.** *Marie est trop* DOUILLETTE, trop sensible à la douleur. — **2.** *Jean s'est couché dans son lit* DOUILLET (= doux, confortable).

douleur n. f. **1.** *Je sens une* DOULEUR *au cou,* j'ai mal. — **2.** *Il a eu la* DOULEUR *de perdre son père,* il a souffert (= chagrin, peine; ≠ bonheur). ◆ **douloureux** adj. (sens 1) *Ma jambe est* DOULOUREUSE, elle me fait mal (= sensible). • (sens 2) *Il m'a jeté un regard* DOULOUREUX, de chagrin (= triste). ◆ **endolori** adj. (sens 1) *J'ai le bras* ENDOLORI (= douloureux). ◆ **indolore** adj. (sens 1) *Cette piqûre est* INDOLORE, elle ne fait pas mal.

douter v. **1.** *Il m'a promis de venir, mais je* DOUTE *de sa parole,* je n'ai pas confiance (= se défier). — **2.** *Je* DOUTE *qu'il fasse beau demain,* je n'en suis pas certain. — **3.** *Je* ME DOUTE *qu'il est en colère,* je m'y attends (= soupçonner, deviner). ◆ **doute** n. m. (sens 2) *J'ai des* DOUTES *sur son honnêteté,* je n'en suis pas certain. ‖ *Viendras-tu demain?* — SANS AUCUN DOUTE! (= certainement). ‖ *Il n'est pas venu, il a* SANS DOUTE OUBLIÉ (= probablement, peut-être). ◆ **douteux** adj. (sens 2) *La date de son arrivée est* DOUTEUSE (≠ sûr, certain). ◆ **indubitable** adj. (sens 2) *Sa bonne foi est* INDUBITABLE (= certain).

doux adj. **1.** *La saveur de ces fruits est* DOUCE, elle est agréable (≠ amer, piquant, salé). — **2.** *Il faut faire cuire cette sauce à feu* DOUX (= faible, modéré; ≠ fort). — **3.** *Mme Durand est* DOUCE *avec les enfants* (= gentil, affectueux, tendre; ≠ dur, sévère, brutal). ◆ **douceâtre** adj. (sens 1) *Cette orange est* DOUCEÂTRE, trop douce (= fade). ◆ **doucement** adv. (sens 2) *La voiture roule* DOUCEMENT, à faible allure (≠ vite). ‖ *Parle plus* DOUCEMENT (≠ fort). ◆ **doucereux** adj. (sens 3) *Jean m'a répondu d'un ton* DOUCEREUX, trop doux, un peu sournois. ◆ **douceur** n. f. (sens 1) *Cette région est connue pour la* DOUCEUR *de son climat* (= agrément). ‖ (au plur.) *Jean m'a offert des* DOUCEURS, des choses sucrées. • (sens 2) *La voiture a démarré* EN DOUCEUR (= doucement). • (sens 3) *J'aime la* DOUCEUR *de Mme Durand* (= gentillesse, bonté). ◆ **adoucir** v. (sens 2) *Le vent* S'EST ADOUCI, il est devenu moins fort. • (sens 3) *Il* S'EST ADOUCI *pour* *me parler,* il est devenu moins dur. ◆ **adoucissement** n. m. (sens 2) *La radio annonce un* ADOUCISSEMENT *de la température.* ◆ **radoucir** v. (sens 2) *Le temps* S'EST RADOUCI. • (sens 3) *Il s'est mis en colère, puis il* S'EST RADOUCI (= calmer).

douze adj. et n. *Il y a* DOUZE *mois dans l'année.* ‖ *6 + 6* = 12. ▷ 517
◆ **douzième** adj. et n. *Décembre est le* DOUZIÈME *mois de l'année.* ‖ *Ils habitent dans le* DOUZIÈME *(arrondissement), au* DOUZIÈME *(étage).* ◆ **douzaine** n. f. *Jean a une* DOUZAINE *d'années,* environ douze ans. ▷ 517 ▷ 517

doyen n. *Ce député est le* DOYEN *de l'Assemblée,* le député le plus âgé.

draconien adj. *Votre règlement est* DRACONIEN, très sévère.

dragée n. f. *On offre des* DRAGÉES *lors de la naissance d'un enfant,* des sortes de bonbons. ▷ 39

dragon n. m. **1.** *On représente les* DRAGONS *avec des ailes, des griffes et une queue pointue,* des animaux imaginaires. — **2.** Les DRAGONS étaient des soldats à cheval.

draguer v. DRAGUER *une rivière,* c'est enlever la boue et le sable accumulés au fond.

drainer v. DRAINER *un sol trop humide,* c'est en faire partir l'eau pour l'assainir. ◆ **drainage** n. m. *Les canaux de* DRAINAGE *servent à évacuer l'eau des sols.*

drakkar n. m. Les DRAKKARS étaient les bateaux des pirates vikings.

drame n. m. **1.** *Cet accident a été un* DRAME *affreux,* un événement violent, grave (= tragédie). — **2.** *On a vu à la télé un* DRAME *de Victor Hugo,* une pièce de théâtre. ◆ **dramatique** adj. (sens 1) *La situation de ces réfugiés est* DRAMATIQUE (= angoissant, tragique; ≠ comique). • (sens 2) *Victor Hugo est un auteur* DRAMATIQUE, il a écrit des pièces de théâtre. ◆ **dramatiquement** adv. (sens 1) *Il appelait* DRAMATIQUEMENT *au secours.* ◆ **mélodrame** n. m. (sens 2) Un MÉLODRAME est une pièce de théâtre qui cherche à émouvoir les spectateurs. ◆ **mélodramatique** adj. (sens 2) *Il a pris un ton* MÉLODRAMATIQUE *pour me répondre,* pathétique mais un peu ridicule.

drap n. m. *Les* DRAPS *sont sales, il faut les changer,* les pièces de toile qui garnissent le lit. ▷ 77

drapeau n. m. *Le* DRAPEAU *français est bleu, blanc, rouge.* ▷ 509, 722

draper v. *Il* S'EST DRAPÉ *dans son manteau,* il s'est enveloppé dedans.

draperie n. f. *Des* DRAPERIES *ornent les murs de la salle des fêtes,* des étoffes formant des plis.

dresser v. **1.** *Le chien* A DRESSÉ *les oreilles,* il les a mises droites, verticales (≠ baisser). — **2.** *Les campeurs* ONT DRESSÉ *leurs tentes* (= monter, planter). — **3.** *Le professeur* A DRESSÉ *une liste des absents* (= établir). — **4.** *Ce chien* EST *bien* DRESSÉ, on l'a habitué à obéir. ◆ **dressage** n. m. (sens 4) *Le* DRESSAGE *des animaux féroces est le travail du dompteur.*

dribbler v. *Le footballeur* A DRIBBLÉ *son adversaire,* il est passé devant lui sans perdre la balle.

drogue n. f. 1. *M. Durand prend des* DROGUES *pour dormir* (= médicament). — 2. *L'opium, la cocaïne sont des* DROGUES, des produits toxiques qui détruisent la volonté (= stupéfiant). ◆ **droguer** v. (sens 2) *Les gens qui* SE DROGUENT *deviennent incapables de travailler.* ◆ **drogué** n. (sens 2) *Les* DROGUÉS *sont toujours à la recherche de leur drogue* (= toxicomane).

223 ◁ **droguiste** n. *Les* DROGUISTES *vendent des produits de toilette et d'entretien.* ◆ **droguerie** n. f. *Va à la* DROGUERIE *acheter du savon et de la lessive.*

1. droit n. m. 1. *Tu n'as pas le* DROIT *d'entrer ici, c'est privé* (= autorisation, permission). — 2. *Jacques est étudiant en* DROIT, il étudie les lois qui gouvernent la société. — 3. *Pour importer ce produit, il faut payer des* DROITS *de douane,* donner de l'argent à l'État (= taxe).

2. droit adj. 1. *La ligne* DROITE *est le plus court chemin d'un point à un autre* (= direct; ≠ courbe, arqué). — 2. *Ce mur n'est pas* DROIT, il penche (= vertical). — 3. *M. Dupont est un homme* DROIT (= honnête, juste, loyal; 33 ◁ ≠ faux, fourbe). — 4. *Pierre écrit de la main* DROITE (≠ gauche). — 5. *On* 348 ◁ *trace un* ANGLE DROIT *avec une équerre,* un angle qui n'est ni aigu, ni obtus. ◆ **droit** adv. (sens 1) *Cet ivrogne ne marche pas* DROIT, en ligne 348 ◁ droite. ◆ **droite** n. f. 1. (sens 1) *Tracez une* DROITE *sur votre cahier* (≠ courbe). • (sens 4) *Il est parti vers la* DROITE, le côté droit (≠ gauche). — 2. *M. Dupont est de* DROITE, il a des opinions politiques conservatrices (≠ gauche). ◆ **droitier** adj. (sens 4) *Pierre est* DROITIER, il écrit de la main droite (≠ gaucher). ◆ **droiture** n. f. (sens 3) *M. Dupont agit avec* DROITURE (= honnêteté, franchise, loyauté).

drôle adj. 1. *On m'a raconté une histoire* DRÔLE (= comique, amusant; ≠ triste). — 2. *Il y a une* DRÔLE *d'odeur dans la cuisine,* une odeur bizarre (= étrange; ≠ normal). — 3. Fam. *Jean a* UNE DRÔLE DE *veine,* beaucoup de veine. ◆ **drôlement** adv. (sens 2) *Il m'a regardé* DRÔLEMENT (= bizarrement). • (sens 3) Fam. *Pierre est* DRÔLEMENT *grand* (= très). ◆ **drôlerie** (sens 1) *Il nous a fait rire avec ses* DRÔLERIES (= pitrerie).

dromadaire n. m. *Les Touaregs du Sahara se déplacent sur des* 577 ◁ DROMADAIRES, des chameaux à une bosse.

dru adj. *M. Dupont a une barbe* DRUE (= serré, épais).

druide n. m. *Les* DRUIDES *coupaient le gui,* les prêtres des Gaulois.

du → DE 1 et 2. / **dû** → DEVOIR.

duc n. m. Un DUC était un noble portant le titre le plus élevé. ◆ **ducal** adj. *Un palais* DUCAL est le palais d'un duc. ◆ **duché** n. m. *La Bretagne et la Normandie étaient des* DUCHÉS, des territoires gouvernés par des ducs. ◆ **duchesse** n. f. *Une* DUCHESSE *de Bretagne s'est appelée Anne.*

duel n. m. *Autrefois, les nobles se battaient en* DUEL *pour se venger d'une injure,* un contre un.

duffel-coat n. m. *Il fait froid, mets ton* DUFFEL-COAT!, un manteau. • R. On prononce [dœfœlkot].

577 ◁ **dune** n. f. *Près de cette plage, il y a des* DUNES, des collines de sable.

dunette n. f. *La* DUNETTE *d'un navire* est la partie surélevée qui se trouve à l'arrière. ▷ 727

duo n. m. *Jeanne et Marie ont chanté un* DUO, une chanson à deux.

dupe adj. *Il veut me tromper, mais je ne suis pas* DUPE, je ne me laisse pas tromper. ◆ **duper** v. *Je ne me suis pas laissé* DUPER (= tromper). ◆ **duperie** n. f. *Il s'est laissé prendre à cette* DUPERIE (= escroquerie).

duplicité n. f. *Je me méfie de sa* DUPLICITÉ (= fourberie, hypocrisie; ≠ franchise).

duquel → LEQUEL.

dur adj. **1.** *Cette viande est* DURE, difficile à mâcher (= résistant; ≠ tendre, mou). — **2.** *Voilà un problème trop* DUR, *je ne sais pas le résoudre* (= difficile; ≠ facile, aisé). — **3.** *M. Durand est un homme* DUR (= sévère, insensible; ≠ doux, bon). — **4.** *Avoir la* TÊTE DURE, c'est être très têtu *ou* peu intelligent. ◆ **durcir** v. (sens 1) *Ce pain est vieux, il* A DURCI (≠ ramollir). • (sens 3) *Sa voix* S'EST DURCIE, elle est devenue plus sévère (≠ s'attendrir). ◆ **durcissement** n. m. (sens 1) *Le* DURCISSEMENT *de ce ciment est très rapide.* ◆ **durement** adv. (sens 3) *Il m'a répondu* DUREMENT, sans bonté (≠ doucement, gentiment). ◆ **dureté** n. f. (sens 1) *Ce bois a la* DURETÉ *de la pierre* (= résistance). • (sens 3) *Le prisonnier a été traité avec* DURETÉ (= brutalité; ≠ douceur). ◆ **durillon** n. m. (sens 1) *Jean a un* DURILLON *au gros orteil,* un endroit où la peau a durci (= cor). ◆ **endurcir** v. (sens 3) *Les malheurs l'*ONT ENDURCI, rendu plus dur.
• **R.** *Dur* se prononce [dyr] comme [*il*] *dure* (de *durer*).

durer v. *Le beau temps* DURE *depuis huit jours,* il continue à faire beau (= se prolonger). ◆ **durable** adj. *Cette douleur ne sera pas* DURABLE (= long; ≠ bref, court). ◆ **durant** prép. *Cela s'est passé* DURANT *la nuit,* pendant sa durée. ◆ **durée** n. f. *Quelle est la* DURÉE *de ce film? — Deux heures,* combien dure-t-il? (= longueur).

dureté, durillon → DUR.

duvet n. m. **1.** *Cet oreiller est plein de* DUVET, de petites plumes légères et chaudes. — **2.** *Les campeurs couchent dans leur* DUVET, un sac de couchage épais et chaud. — **3.** *Les pêches sont recouvertes de* DUVET, de petits poils doux.

dynamique adj. *Jean est un garçon* DYNAMIQUE (= actif, énergique; ≠ mou). ◆ **dynamisme** n. m. *Jean est plein de* DYNAMISME (= vitalité).

dynamite n. f. *Les soldats ont fait sauter le pont à la* DYNAMITE, un explosif puissant. ◆ **dynamiter** v. *Le pont* A ÉTÉ DYNAMITÉ, détruit par un explosif.

dynamo n. f. *La* DYNAMO *de la voiture est en panne,* l'appareil qui fournit le courant électrique.

dynastie n. f. *Louis XIV appartenait à la* DYNASTIE *des Bourbons,* à la famille de rois portant ce nom. ◆ **dynastique** adj. *Des querelles* DYNASTIQUES *opposent les membres de la famille royale.*

dysenterie n. f. *Le choléra provoque la* DYSENTERIE, une colique grave et douloureuse.

73 ◁ **eau** n. f. **1.** *L'*EAU *pure est incolore, inodore et sans saveur.* — **2.** *L'*EAU DE *Javel sert à nettoyer, l'*EAU DE *Cologne sert à se parfumer.* ◆ **eau-de-vie** n. f. (sens 2) *Dans cette région, on fabrique de l'*EAU-DE-VIE *de prune,* une boisson très alcoolisée.

• **R.** *Eau* se prononce [o] comme *au* et *aux* (articles), *haut, oh!, os* (au plur.). ‖ Noter le pluriel : des *eaux-de-vie.*

ébahir v. *La nouvelle de sa mort nous* A ÉBAHIS, beaucoup étonnés (= stupéfier). ◆ **ébahissement** n. m. *Jean écarquille les yeux d'*ÉBAHISSEMENT (= stupéfaction).

s'ébattre v. *Les chatons* S'ÉBATTENT *sur le tapis,* ils courent, sautent et jouent.

• **R.** Conj. nº 56.

ébaucher v. *Le romancier* A ÉBAUCHÉ *le plan de son ouvrage,* il lui a donné une première forme, pas encore définitive (≠ achever). ◆ **ébauche** n. f. *Ce dessin n'est qu'une* ÉBAUCHE (= esquisse).

ébène n. f. *Ce coffret à bijoux est en* ÉBÈNE, un bois noir et très dur. ◆ **ébéniste** n. m. *M. Dupuis est* ÉBÉNISTE, il fabrique des meubles précieux. ◆ **ébénisterie** n. f. *L'acajou, l'ébène, le citronnier sont des bois d'*ÉBÉNISTERIE, utilisés par l'ébéniste.

éberlué adj. *Pierre m'a regardé avec des yeux* ÉBERLUÉS, très étonnés.

éblouir v. **1.** *M. Durand* A ÉTÉ ÉBLOUI *par les phares d'une voiture* (= aveugler). — **2.** *Ce pianiste nous* A ÉBLOUIS, remplis d'admiration. ◆ **éblouissement** n. m. (sens 1) *Si on regarde le soleil en face, on a des* ÉBLOUISSEMENTS.

éborgner → BORGNE. / **éboueur** → BOUE. / **ébouillanter** → BOUILLIR.

s'ébouler v. *Ce vieux mur* S'EST ÉBOULÉ (= s'écrouler). ◆ **éboulement** n. m. *La route a été coupée par un* ÉBOULEMENT, une chute de rochers, de terre. ◆ **éboulis** n. m. *Le pied de la montagne est couvert d'*ÉBOULIS, de cailloux qui viennent d'en haut.

ébouriffer v. *Le vent m'*A ÉBOURIFFÉ *les cheveux,* il les a mis en désordre.

• **R.** Attention à l'orthographe : 1 *r* et 2 *f.*

ébranler v. **1.** *La procession* S'EST ÉBRANLÉE, elle s'est mise en marche (≠ s'arrêter). — **2.** *L'explosion* A ÉBRANLÉ *les murs,* elle les a fait trembler

(= secouer). — **3.** *Nos arguments ne l'*ONT *pas* ÉBRANLÉ, fait changer d'avis. ◆ **inébranlable** adj. (sens 3) *J'ai en lui une confiance* INÉBRANLABLE (= ferme; ≠ fragile).

ébrécher → BRÈCHE.

ébriété n. f. *M. Dupont est en état d'*ÉBRIÉTÉ, il est soûl (= ivresse).

s'ébrouer v. *Le chien* S'EST ÉBROUÉ *en sortant de l'eau,* il a secoué son corps.

ébruiter → BRUIT. / **ébullition** → BOUILLIR.

écaille n. f. **1.** *Les poissons ont le corps recouvert d'*ÉCAILLES, de petites plaques dures. — **2.** *Jean a des lunettes d'*ÉCAILLE, en carapace de tortue. ◆ **écailler** v. (sens 1) *Le poissonnier* ÉCAILLE *un poisson,* il enlève les écailles. ‖ *La peinture* S'EST ÉCAILLÉE, de petites plaques se sont détachées.

écarlate adj. *De honte, il est devenu* ÉCARLATE, très rouge.

écarquiller v. *Pourquoi* ÉCARQUILLES-*tu* LES YEUX?, les ouvres-tu très grands.

écart n. m. **1.** *Ils habitent* À L'ÉCART DE *la route,* à une certaine distance. — **2.** *Entre ces deux boutiques, il y a de grands* ÉCARTS *de prix* (= différence). — **3.** *Le cheval a fait un* ÉCART, un mouvement brusque vers le côté. ◆ **écartement** n. m. (sens 1) *L'*ÉCARTEMENT *des roues arrière de la voiture est de 1,40 mètre,* la distance qui les sépare. ◆ **écarter** v. (sens 1) ÉCARTEZ *les bras du corps!* (= séparer; ≠ rapprocher).

ecclésiastique n. m. *Les prêtres, les moines, les évêques sont des* ECCLÉSIASTIQUES, des membres du clergé.

écervelé → CERVEAU.

échafaud n. m. *Louis XVI est mort sur l'*ÉCHAFAUD, sur une estrade où on lui a coupé la tête.

échafaudage n. m. *Les maçons ont installé un* ÉCHAFAUDAGE, une construction provisoire. ▷ 151

échalas n. m. *Certaines vignes poussent sur des* ÉCHALAS (= pieu).

échalote n. f. *Mme Durand a mis des* ÉCHALOTES *dans la salade,* une plante proche de l'oignon. ▷ 367

échancré adj. *Marie a un corsage* ÉCHANCRÉ, ouvert au col. ◆ **échancrure** n. f. *L'*ÉCHANCRURE *d'un col* est son ouverture.

échange, échanger → CHANGER.

échantillon n. m. *Je voudrais un* ÉCHANTILLON *de ce tissu,* un petit morceau pour m'en faire une idée.

échapper v. **1.** *Le chien* S'EST ÉCHAPPÉ, *il faut le rattraper* (= s'enfuir, se sauver). — **2.** *M. Dupont* A ÉCHAPPÉ *à la mort,* il l'a évitée. — **3.** *La pile d'assiettes lui* A ÉCHAPPÉ *des mains,* il l'a lâchée (= glisser). — **4.** *Son nom m'*ÉCHAPPE, je n'arrive pas à m'en souvenir. ◆ **échappatoire** n. f.

(sens 1) *On ne lui a laissé aucune* ÉCHAPPATOIRE, aucun moyen de se tirer d'embarras. ◆ **échappée** n. f. (sens 1) *Le coureur a gagné l'étape après*
512 ◁ *une longue* ÉCHAPPÉE, il s'est échappé du peloton. ◆ **échappement** n. m.
505 ◁ *Les gaz du moteur sortent par le tuyau d'*ÉCHAPPEMENT.

écharde n. f. *Jean a une* ÉCHARDE *dans le doigt,* un petit morceau de bois pointu.

36 ◁ **écharpe** n. f. **1.** *Il fait froid, mets ton* ÉCHARPE!, un grand foulard. — **2.** *Pierre a le bras* EN ÉCHARPE, soutenu par une bande de tissu qui passe derrière le cou.

écharper v. *Le criminel a failli se faire* ÉCHARPER *par la foule* (= tuer).

échasse n. f. Les ÉCHASSES sont de longs bâtons servant à marcher en ayant les pieds au-dessus du sol. ◆ **échassier** n. m. *La cigogne, le héron sont des* ÉCHASSIERS, des oiseaux à longues pattes.

échauder, échauffement, échauffer → CHAUD.

échauffourée n. f. *Il a eu le bras cassé dans une* ÉCHAUFFOURÉE (= bagarre).

échéance n. f. **1.** *M. Dupont a payé avant l'*ÉCHÉANCE, le moment où il était obligé de payer. — **2.** *Jean fait des projets* À LONGUE ÉCHÉANCE, longtemps à l'avance.

échéant adj. LE CAS ÉCHÉANT, *je viendrai* (= éventuellement).

échec n. m. **1.** *Jacques a subi un* ÉCHEC *à l'examen,* il n'a pas réussi
436 ◁ (≠ succès). — **2.** (au plur.) *Paul m'a battu aux* ÉCHECS, un jeu.
436 ◁ ◆ **échiquier** n. m. (sens 2) *Un* ÉCHIQUIER *est formé de 64 cases noires et blanches,* le plateau pour jouer aux échecs. ◆ **échouer** v. **1.** (sens 1) *Son plan* A ÉCHOUÉ (= rater; ≠ réussir). — **2.** *Le navire* S'EST ÉCHOUÉ, il a touché le fond par accident.

649, 151, 77 ◁ **échelle** n. f. **1.** *Pour monter sur le toit, il faut une* ÉCHELLE. — **2.** *M. Durand s'est élevé dans l'*ÉCHELLE *sociale,* la succession de niveaux
145 ◁ que constitue la société. — **3.** *L'*ÉCHELLE *de ce dessin est le 1/100,* ce qui est dessiné est 100 fois plus petit que l'objet réel. — **4.** *Jean m'*A FAIT LA COURTE ÉCHELLE *pour sauter le mur,* je suis grimpé sur lui. ◆ **échelon**
151 ◁ n. m. (sens 1) *Attention, le deuxième* ÉCHELON *de l'échelle est cassé!* (= barreau). • (sens 2) *Ce professeur est au troisième* ÉCHELON, au troisième niveau de sa carrière. ◆ **échelonner** v. (sens 2) *Ce paiement* EST ÉCHELONNÉ *sur un an,* réparti régulièrement sur cette durée.

296 ◁ **écheveau** n. m. *Marie a embrouillé son* ÉCHEVEAU *de laine,* un fil de laine replié beaucoup de fois.

échevelé → CHEVEU. / **échiquier** → ÉCHEC.

écho n. m. **1.** *Il y a de l'*ÉCHO *dans cette salle,* le son est renvoyé par les murs. — **2.** *Il m'a donné quelques* ÉCHOS *de la réunion,* il m'a dit ce qui s'y est passé (= nouvelle, information).
• **R.** *Écho* se prononce [eko] comme *écot.*

échoppe n. f. *Le cordonnier travaille dans son* ÉCHOPPE, sa boutique.

échouer → ÉCHEC.

éclabousser v. *En passant dans la flaque d'eau, la voiture nous* A ÉCLABOUSSÉS, elle a projeté de l'eau sur nous. ◆ **éclaboussure** n. f. *Attention aux* ÉCLABOUSSURES!, aux gouttes de liquide projeté.

éclair n. m. **1.** *Jean a été rapide comme l'*ÉCLAIR, la lumière de l'orage (= foudre). — **2.** *Ses yeux ont eu un* ÉCLAIR *de joie,* un bref moment. — **3.** *Marie aime les* ÉCLAIRS *au chocolat,* un gâteau. ◆ **éclair** adj. (sens 1) *Une guerre* ÉCLAIR *dure très peu de temps.* ▷ 365 ▷ 220

éclairage, éclaircie, éclaircir, éclaircissement, éclairer → CLAIR.

éclaireur n. m. *Le capitaine a envoyé des* ÉCLAIREURS *pour observer l'ennemi,* des soldats qui précèdent les autres.

éclater v. **1.** *Si tu souffles trop, tu vas faire* ÉCLATER *le ballon,* il va se briser violemment (= exploser). — **2.** *Une guerre* A ÉCLATÉ *en Orient,* elle a commencé brusquement. — **3.** *Jean* A ÉCLATÉ DE RIRE, *Pierre* A ÉCLATÉ EN SANGLOTS, ils se sont mis soudain à rire, à pleurer bruyamment. ◆ **éclat** n. m. **1.** (sens 1) *Il a été blessé par des* ÉCLATS *de verre,* des morceaux. • (sens 3) *J'ai entendu des* ÉCLATS *de voix,* des bruits violents. — **2.** *L'*ÉCLAT *du soleil est aveuglant,* sa lumière très vive. — **3.** *La cérémonie s'est déroulée avec* ÉCLAT (= richesse, luxe). ◆ **éclatant** adj. *Ces couleurs sont* ÉCLATANTES, très vives (= violent; ≠ terne). ◆ **éclatement** n. m. (sens 1) *L'accident est dû à l'*ÉCLATEMENT *d'un pneu.*

éclipse n. f. **1.** *Une* ÉCLIPSE *de Soleil est prévue pour demain,* le Soleil disparaîtra au milieu de la journée. — **2.** *Il est revenu au pouvoir après une* ÉCLIPSE, une période d'insuccès. ◆ **éclipser** v. **1.** (sens 2) *Par sa beauté, Marie* ÉCLIPSE *ses rivales,* elle est si belle qu'on ne voit plus qu'elle. — **2.** *Jean* S'EST ÉCLIPSÉ, il est parti sans se faire remarquer.

éclopé n. *Les* ÉCLOPÉS *avaient du mal à suivre les autres,* ceux qui étaient légèrement blessés.

éclore v. **1.** *Les poussins* ÉCLOSENT *au bout de vingt jours,* ils sortent de l'œuf. — **2.** *Les fleurs* ÉCLOSENT *au printemps,* elles s'ouvrent, fleurissent. ◆ **éclosion** n. f. (sens 1) *L'*ÉCLOSION *des œufs aura lieu bientôt.* • (sens 2) *Ces fleurs sont proches de l'*ÉCLOSION.
• **R.** Conj. n° 81.

écluse n. f. *Pour remonter le canal, on utilise des* ÉCLUSES, des sortes de barrages où l'on peut changer la hauteur de l'eau. ▷ 218, 726

écœurer → CŒUR.

école n. f. *Jean va à l'*ÉCOLE *primaire,* en classe. ◆ **écolier** n. *Le soir, les* ÉCOLIERS *et les* ÉCOLIÈRES *rentrent chez eux,* les jeunes élèves. ▷ 295

écologie n. f. L'ÉCOLOGIE est l'étude scientifique du milieu naturel des êtres vivants.

éconduire v. *Quand on l'*A ÉCONDUIT, *il a protesté* (= renvoyer).
• **R.** Conj. n° 70.

économie n. f. **1.** *En passant par ici, tu feras une* ÉCONOMIE *de temps,* tu mettras moins longtemps (= gain; ≠ perte). — **2.** *Par* ÉCONOMIE, *ils ne sont pas partis en vacances,* pour dépenser moins d'argent. ‖ *Mme Durand fait des* ÉCONOMIES, elle met de l'argent de côté. — **3.** *L'*ÉCONOMIE *de ce* *pays connaît un grand développement,* la production et la consommation des produits. ◆ **économe** **1.** adj. (sens 2) *M*[me] *Durand est* ÉCONOME, elle dépense peu (≠ dépensier). — **2.** n. *L'*ÉCONOME *d'un lycée* s'occupe des dépenses et des recettes. ◆ **économique** adj. (sens 2) *Cette voiture est* ÉCONOMIQUE, elle ne dépense pas beaucoup (= avantageux; ≠ coûteux). • (sens 3) *Le développement* ÉCONOMIQUE *du pays a été arrêté par la crise.* ◆ **économiser** v. (sens 1) ÉCONOMISE *tes forces!,* ne les gaspille pas. • (sens 2) *J'*AI ÉCONOMISÉ *100 francs* (= épargner; ≠ dépenser).

655 ◁ **écorce** n. f. *Le liège est l'*ÉCORCE *d'une sorte de chêne,* ce qui enveloppe le tronc et les branches.

écorcher v. **1.** *Le cuisinier* ÉCORCHE *un lapin,* il le dépouille de sa peau. — **2.** *Pierre* S'EST ÉCORCHÉ *le genou en tombant* (= se blesser, s'égratigner). — **3.** *John* ÉCORCHE *les mots français,* il les prononce mal. ◆ **écorchure** n. f. (sens 2) *Il faut mettre un pansement sur cette* ÉCORCHURE (= égratignure).

écossais adj. *Jeanne a une jupe* ÉCOSSAISE, à rayures croisées.

écosser → COSSE.

écot n. m. *À la fin du repas, chacun a payé son* ÉCOT (= part).
• **R.** *Écot* se prononce [eko] comme *écho.*

écouler v. **1.** *Une semaine* S'EST ÉCOULÉE *depuis notre départ* (= passer). — **2.** *L'eau* S'ÉCOULE *par ce trou* (= couler). — **3.** *L'épicier* A ÉCOULÉ *toute sa marchandise* (= vendre). ◆ **écoulement** n. m. (sens 2) *La gouttière est bouchée, l'*ÉCOULEMENT *ne se fait plus,* l'eau ne coule plus.

écourter → COURT.

écouter v. **1.** ÉCOUTE *ce que j'ai à te dire!,* fais attention, prête l'oreille. — **2.** *Pourquoi ne m'*AS-*tu pas* ÉCOUTÉ?, n'as-tu pas obéi à mes conseils. ◆ **écoute** n. f. (sens 1) *Allô! ne quittez pas l'*ÉCOUTE! ◆ **écouteur** n. m.
293 ◁ (sens 1) *Passe-moi l'*ÉCOUTEUR! la partie du téléphone qui sert à écouter.

écoutille n. f. *Les* ÉCOUTILLES *d'un navire* sont des ouvertures sur le pont qui communiquent avec la cale.

écran n. m. **1.** *Quand je vais au cinéma, je n'aime pas être loin de*
440 ◁ *l'*ÉCRAN, de la surface où apparaît l'image. — **2.** *Les arbres nous font un* ÉCRAN *contre le vent* (= obstacle, protection).

écraser v. **1.** *On* ÉCRASE *le raisin pour faire le vin* (= presser, comprimer). — **2.** *Le chien s'est fait* ÉCRASER *par une voiture, il est mort* (= renverser, heurter). — **3.** *Je* SUIS ÉCRASÉ *de travail,* j'en ai beaucoup (= surcharger). — **4.** *Notre équipe* A ÉTÉ ÉCRASÉE *par 8 buts à 0* (= vaincre). ◆ **écrasant** adj. (sens 3) *Il fait une chaleur* ÉCRASANTE, très forte. ◆ **écrasement** n. m. (sens 4) *Les journaux annoncent l'*ÉCRASEMENT *de l'armée ennemie,* sa destruction complète.

écrémer → CRÈME.

écrevisse n. f. *Jean est rouge comme une* ÉCREVISSE *(cuite),* un petit animal d'eau douce.

s'écrier v. *«Ah! Ah!»* S'ÉCRIA-*t-il,* dit-il très fort.

écrin n. m. *Un* ÉCRIN *à bijoux sert à ranger des bijoux* (= coffret).

écrire v. **1.** *Prenez un stylo et* ÉCRIVEZ *la date sur votre cahier* (= marquer, noter, inscrire). — **2.** AS-*tu* ÉCRIT *à ta grand-mère?*, envoyé une lettre. — **3.** *Victor Hugo* A ÉCRIT *de nombreux poèmes,* il les a faits, rédigés. ◆ **écrit** n. m. (sens 1) *Jean a été reçu à l'*ÉCRIT *de son examen* (≠ oral). ‖ *Il m'a donné ses instructions* PAR ÉCRIT (≠ oralement). • (sens 3) *Connais-tu les* ÉCRITS *de ce poète?* (= œuvre). ◆ **écriteau** n. m. (sens 1) *Un* ÉCRITEAU *signale une maison à vendre,* un panneau portant une inscription (= pancarte). ◆ **écriture** n. f. (sens 1) *Jean a une belle* ÉCRITURE, il écrit bien. ◆ **écrivain** n. m. (sens 3) *Victor Hugo est un grand* ÉCRIVAIN (= auteur).
• **R.** Conj. n° 71.

écrou n. m. *Resserrer cet* ÉCROU!, une pièce qui se visse sur un boulon. ▷ 289

s'écrouler v. *Un mur de la maison* S'EST ÉCROULÉ, il est tombé (= s'effondrer). ◆ **écroulement** n. m. *L'*ÉCROULEMENT *du pont est dû à un tremblement de terre* (= destruction).

écru adj. *Marie a un pull en laine* ÉCRUE (= naturel).

écu n. m. **1.** L'ÉCU est une ancienne monnaie. — **2.** *Au Moyen Âge, les combattants avaient un* ÉCU (= bouclier). ▷ 147

écueil n. m. **1.** *Le bateau s'est brisé sur les* ÉCUEILS, les rochers à fleur d'eau (= récif). — **2.** *Il y a un* ÉCUEIL *à leur réconciliation* (= obstacle, difficulté). ▷ 725

écuelle n. f. *Le chien mange dans une* ÉCUELLE, un petit plat rond. ▷ 75

éculé adj. **1.** *Tes souliers sont* ÉCULÉS, très usés. — **2.** *Cette plaisanterie est* ÉCULÉE, on l'a souvent faite (≠ original).

écumer v. **1.** *M*[me] *Durand* ÉCUME *le pot-au-feu,* elle enlève l'écume qui se forme à la surface. — **2.** *Autrefois, les pirates* ÉCUMAIENT *les mers,* ils pillaient. ◆ **écume** n. f. (sens 1) *Les vagues projettent de l'*ÉCUME, de la mousse. ◆ **écumoire** n. f. (sens 1) Une ÉCUMOIRE est une sorte de passoire qui sert à écumer. ▷ 723 ▷ 78

écureuil n. m. *Jean est agile comme un* ÉCUREUIL, un petit animal. ▷ 656

écurie n. f. *Les chevaux sont rentrés à l'*ÉCURIE, leur local. ▷ 363, 368

écusson n. m. *Les militaires portent un* ÉCUSSON *sur la manche de leur uniforme,* un insigne. ▷ 763

écuyer **1.** n. m. *Au Moyen Âge, les chevaliers étaient suivis de leur* ÉCUYER, un jeune homme à leur service. — **2.** n. *Marie est bonne* ÉCUYÈRE, elle monte bien à cheval. ▷ 433

eczéma n. m. *Jean a de l'*ECZÉMA *sur le bras,* une maladie de peau.

edelweiss n. f. *On trouve des* EDELWEISS *sur les pentes des montagnes,* une fleur blanche. ▷ 651

éden n. m. *Ce jardin est un* ÉDEN, un lieu très agréable (= paradis).
• **R.** On prononce [edɛn].

édenté → DENT.

édifier v. **1.** *Cette église* A ÉTÉ ÉDIFIÉE *au Moyen Âge* (= construire). — **2.** *Il veut nous* ÉDIFIER *par sa conduite irréprochable,* nous montrer l'exemple (≠ corrompre). ◆ **édifiant** adj. (sens 2) *Voilà un spectacle* ÉDIFIANT! (= exemplaire; ≠ scandaleux). ◆ **édifice** n. m. (sens 1) *Cette ville contient de beaux* ÉDIFICES (= bâtiment).

édit n. m. se disait autrefois pour *loi.*

éditer v. *La Librairie Larousse* ÉDITE *des dictionnaires,* elle les imprime et les vend (= publier). ◆ **édition** n. f. *Dans quelle maison d'*ÉDITION *est publié ce livre?* || *Ce roman en est à sa troisième* ÉDITION, c'est la troisième fois qu'il est publié. ◆ **éditeur** n. m. *L'*ÉDITEUR *a accepté le manuscrit de M. Durand,* le directeur de la maison d'édition. ◆ **inédit** adj. **1.** *Ses poèmes sont encore* INÉDITS, ils ne sont pas édités. — **2.** *Voilà un spectacle* INÉDIT, très nouveau (= original). ◆ **rééditer** v. *On* A RÉÉDITÉ *ce roman,* on l'a de nouveau édité, car il était épuisé.

éditorial n. m. *L'*ÉDITORIAL *d'un journal* est un article important situé en première page.

édredon n. m. *Cet* ÉDREDON *est très chaud,* une sorte de gros coussin.

éducation n. f. **1.** *Le ministère de l'*ÉDUCATION *s'occupe de ce qui concerne l'instruction et la formation des gens.* — **2.** *M. Duval est un homme sans* ÉDUCATION, il est mal élevé (= politesse; ≠ grossièreté). ◆ **éducateur** n. (sens 1) *Cette revue est destinée aux* ÉDUCATEURS, aux professeurs, aux instituteurs. ◆ **éducatif** adj. (sens 1) *Un jeu* ÉDUCATIF instruit en même temps qu'il amuse (= pédagogique). ◆ **éduquer** v. (sens 2) *Jean* EST *mal* ÉDUQUÉ (= élever). ◆ **rééduquer** v. (sens 1) *Après une longue maladie, il faut* SE RÉÉDUQUER, réapprendre certains mouvements. ◆ **rééducation** n. f. (sens 1) *Depuis son accident, il suit des cours de* RÉÉDUCATION.

effacer v. **1.** *Voilà un chiffon pour* EFFACER *le tableau,* pour faire disparaître ce qui y est écrit. — **2.** *Mes souvenirs de cette histoire* SE SONT EFFACÉS, j'ai oublié (= s'estomper). — **3.** *Jean* S'EST EFFACÉ *pour me laisser passer,* il s'est mis de côté. ◆ **ineffaçable** adj. (sens 2) *J'ai un souvenir* INEFFAÇABLE *de cette journée* (= inoubliable).

effarer v. *Cette nouvelle* A EFFARÉ *tout le monde,* a beaucoup surpris (= affoler). ◆ **effarement** n. m. *Pourquoi me regardes-tu avec* EFFAREMENT? (= stupeur).

effaroucher → FAROUCHE.

effectif **1.** n. m. *L'*EFFECTIF *du lycée est de 2000 élèves,* le nombre des élèves. — **2.** adj. *Jean m'a apporté une aide* EFFECTIVE (= concret, réel). ◆ **effectivement** adv. (sens 2) *Cela s'est passé* EFFECTIVEMENT *ainsi* (= réellement).

effectuer v. *Pierre* A EFFECTUÉ *ce travail en trois heures* (= faire exécuter, accomplir).

efféminé → FEMME.

effervescence n. f. *Un crime affreux a mis la ville en* EFFERVESCENCE (= agitation; ≠ calme). ◆ **effervescent** adj. *Un comprimé* EFFERVESCENT, *plongé dans l'eau, fond en faisant des bulles.*

effet n. m. **1.** *Quel est l'*EFFET *de ce médicament? — Il fait passer le mal de tête* (= action, résultat). — **2.** *Tes paroles ont fait un mauvais* EFFET *sur l'assemblée* (= impression). — **3.** (au plur.) *Range tes* EFFETS! (= vêtements). ◆ **en effet** adv. sert à expliquer : *Jean est absent? —* EN EFFET, *il est malade.* ◆ **efficace** adj. (sens 1) *Ce médicament est* EFFICACE *contre la grippe* (= actif). ◆ **efficacement** adv. (sens 1) *Jean a agi* EFFICACEMENT. ◆ **efficacité** n. f. (sens 1) *Il travaille avec* EFFICACITÉ. ◆ **inefficace** adj. (sens 1) *Ce moyen est* INEFFICACE, il n'aura aucun effet. ◆ **inefficacité** n. f. (sens 1) *On lui a reproché son* INEFFICACITÉ.

effeuiller → FEUILLE.

effigie n. f. *Cette monnaie ancienne porte l'*EFFIGIE *de Louis XIV* (= image, portrait).

effilé, effilocher → FIL.

efflanqué adj. *Ce cheval est* EFFLANQUÉ, très maigre.

effleurer → FLEUR.

s'effondrer v. *Ce vieux pont* S'EST EFFONDRÉ *sous le poids du camion* (= s'écrouler, tomber). ◆ **effondrement** n. m. *L'*EFFONDREMENT *du toit a blessé les occupants de la maison* (= chute).

effort n. m. *Le coureur a fait de gros* EFFORTS *pour terminer l'étape,* il a employé toutes ses forces. ◆ **s'efforcer** v. EFFORCE-TOI *de ne pas te mettre en colère!* (= essayer, tâcher; ≠ renoncer).

effraction n. f. *Un vol avec* EFFRACTION *a été commis,* les voleurs ont cassé la serrure ou la porte.

effrayant, effrayer → FRAYEUR.

effréné adj. *Il s'est lancé dans une course* EFFRÉNÉE, sans frein (= déchaîné).

s'effriter v. *Cette roche* S'EFFRITE *facilement,* elle tombe en miettes.

effroi → FRAYEUR.

effronté adj. et n. *Tais-toi, petite* EFFRONTÉE! (= insolent, impoli).

effroyable → FRAYEUR.

effusion n. f. **1.** *La bagarre s'est terminée sans* EFFUSION DE SANG, sans que le sang soit répandu. — **2.** *Quelles* EFFUSIONS *quand ils se sont retrouvés!,* ils se sont embrassés (≠ froideur).

égal adj. **1.** *Coupe le gâteau en parts* ÉGALES!, semblables entre elles (= identique; ≠ différent). — **2.** *M. Durand a toujours une humeur* ÉGALE, elle ne change pas (= régulier). — **3.** *Ça m'est* ÉGAL! (= indifférent). — **4.** adj. et n. *La femme est l'*ÉGALE *de l'homme,* elle a les mêmes droits. ◆ **également** adv. **1.** (sens 1) *Le partage a été fait* ÉGALEMENT (≠ inégalement). — **2.** *Pierre vient et Jean* ÉGALEMENT (= aussi). ◆ **égaler** v. (sens 1) *Dix plus deux* ÉGALENT *douze,* sont égaux en quantité.

◆ **égaliser** v. (sens 1) *L'équipe adverse* A ÉGALISÉ, a obtenu le même nombre de points • (sens 2) *On* A ÉGALISÉ *le sol du jardin,* on l'a rendu régulier (= aplanir). ◆ **égalisation** n. f. (sens 1) *Ce but a permis l'*ÉGALISATION, d'égaliser. ◆ **égalité** n. f. (sens 1) *Les deux équipes sont à* ÉGALITÉ. • (sens 4) *Liberté,* ÉGALITÉ, *fraternité!,* tous les hommes sont égaux devant la loi. ◆ **égalitaire** adj. (sens 4) *Un régime* ÉGALITAIRE *donne les mêmes droits à tous.* ◆ **inégal** adj. (sens 1) *Le partage a été* INÉGAL (= injuste). • (sens 2) *Jean travaille de manière* INÉGALE (= variable). ◆ **inégalement** adv. (sens 1) *Pierre et Paul sont* INÉGALEMENT *attentifs.* ◆ **inégalité** n. f. (sens 1) *L'*INÉGALITÉ *des salaires est trop forte* (= différence). • (sens 2) *La marche est difficile à cause des* INÉGALITÉS *du terrain* (= irrégularité, accident).

égard n. m. **1.** *M. Durand a été gentil* À L'ÉGARD DE *Pierre* (= avec, envers). — **2.** (au plur.) *Il nous a reçus avec des* ÉGARDS (= politesse).

égarer v. **1.** *Nous* NOUS SOMMES ÉGARÉS *dans la forêt* (= se perdre). — **2.** *Il s'est laissé* ÉGARER *par la colère* (= tromper, aveugler). ◆ **égarement** n. m. (sens 2) *Dans son* ÉGAREMENT, *il ne sait plus ce qu'il fait,* son esprit est troublé (= affolement).

égayer → GAI.

églantine n. f. L'ÉGLANTINE est une rose sauvage produite par l'ÉGLANTIER.

219, 149 ◁ **église** n. f. **1.** *Dans cette ville, il y a de belles* ÉGLISES, des bâtiments servant au culte catholique. — **2.** *Le pape est le chef de l'*ÉGLISE *catholique,* de l'ensemble des catholiques.

égoïste adj. et n. *Quel* ÉGOÏSTE! *Il ne pense qu'à lui* (≠ généreux). ◆ **égoïsme** n. m. *Il a refusé de nous aider par* ÉGOÏSME.

égorger → GORGE. / **s'égosiller** → GOSIER.

217 ◁ **égout** n. m. Les ÉGOUTS sont des canalisations servant à évacuer les eaux sales. ◆ **égoutier** n. m. *Les* ÉGOUTIERS *entretiennent les égouts,* c'est leur métier. ◆ **tout-à-l'égout** n. m. inv. *Cette maison n'a pas le* TOUT-À-L'ÉGOUT, elle n'est pas reliée aux égouts.

égoutter, égouttoir → GOUTTE.

égratigner v. *En passant dans les ronces, je* ME SUIS ÉGRATIGNÉ *les jambes,* écorché légèrement (= érafler). ◆ **égratignure** n. f. *Tu saignes? — Ce n'est qu'une* ÉGRATIGNURE, une petite blessure.

égrener → GRAIN.

eh! interj. sert à attirer l'attention : EH! *viens ici!*

éhonté → HONTE.

éjecter v. *La voiture a heurté un arbre, et le conducteur* A ÉTÉ ÉJECTÉ,
767 ◁ projeté au-dehors. ◆ **éjectable** adj. *Le* SIÈGE ÉJECTABLE *d'un avion permet au pilote d'être éjecté en cas de panne.*

élaborer v. *Ils* ONT *longuement* ÉLABORÉ *leur plan,* ils l'ont préparé soigneusement (= combiner).

élaguer v. **1.** *On* A ÉLAGUÉ *les arbres de l'avenue,* on a coupé les branches inutiles. — **2.** *Ton devoir est trop long, il faut l'*ÉLAGUER, le raccourcir.

élan n. m. **1.** *Jean a pris son* ÉLAN *pour sauter,* il a fait un mouvement rapide en avant. — **2.** *Il a eu un* ÉLAN *de générosité* (= mouvement, impulsion). — **3.** *L'*ÉLAN *vit dans les pays froids,* un animal. ◆ **s'élancer** v. (sens 1) *Jean* S'EST ÉLANCÉ *pour me rattraper* (= se précipiter). ◆ **élancé** adj. *Marie a un corps* ÉLANCÉ, mince et allongé.

élargir, élargissement → LARGE.

élastique 1. adj. *Le caoutchouc est un corps* ÉLASTIQUE, qui peut se déformer et reprendre sa forme (= extensible; ≠ rigide). — **2.** n. m. *Il a fermé la boîte avec un* ÉLASTIQUE, une bande de caoutchouc. ◆ **élasticité** n. f. *Ce caoutchouc a perdu son* ÉLASTICITÉ, il n'est plus élastique.

électeur, élection, électoral → ÉLIRE.

électricité n. f. *L'*ÉLECTRICITÉ *permet de s'éclairer, de se chauffer, de faire fonctionner divers appareils.* ◆ **électricien** n. *L'*ÉLECTRICIEN *est venu réparer l'installation électrique.* ◆ **électrifier** v. *Cette ligne de chemin de fer n'*EST *pas encore* ÉLECTRIFIÉE, elle ne marche pas à l'électricité. ◆ **électrique** adj. *M*[me] *Durand a une cuisinière* ÉLECTRIQUE, qui fonctionne à l'électricité. ◆ **électriser** v. *L'orateur* A ÉLECTRISÉ *la foule,* il l'a excitée. ◆ **électrocuter** v. *Ne touche pas à ce fil, tu risques de* T'ÉLECTROCUTER, de mourir en recevant une décharge électrique. ◆ **électronique** adj. *M. Durand a une calculatrice* ÉLECTRONIQUE, qui utilise des propriétés de l'électricité. ◆ **électrophone** n. m. Un ÉLECTROPHONE est un tourne-disque qui fonctionne à l'électricité.

▷ 290

▷ 79, 761

élégant adj. *Avec sa nouvelle robe, Marie est très* ÉLÉGANTE, elle s'habille avec goût (= chic, distingué; ≠ négligé). ◆ **élégance** n. f. *Marie s'habille toujours avec* ÉLÉGANCE (= goût).

élément n. m. **1.** *Ce meuble est vendu par* ÉLÉMENTS, par morceaux que l'on doit assembler (= partie; ≠ ensemble). — **2.** (au plur.) *Jean n'a étudié que les premiers* ÉLÉMENTS *des mathématiques,* les notions les plus simples (= principes). — **3.** *Pierre est mal à l'aise, il n'est pas dans son* ÉLÉMENT, dans un milieu qu'il connaît bien. ◆ **élémentaire** adj. (sens 2) *4 + 3 = 7, voilà un calcul* ÉLÉMENTAIRE, très simple (≠ compliqué).

éléphant n. m. *Il y a des* ÉLÉPHANTS *en Afrique et en Asie du Sud.* ▷ 581

élever v. **1.** *On* A ÉLEVÉ *un mur au fond du jardin* (= dresser, construire; ≠ abattre). — **2.** *En été, la température* S'ÉLÈVE (= monter; ≠ baisser). — **3.** *Les recettes* S'ÉLÈVENT À *1 000 francs,* atteignent cette somme (= se monter). — **4.** *Le capitaine Dupont* A ÉTÉ ÉLEVÉ *au grade de commandant,* il est monté en grade. — **5.** *Jean* A ÉTÉ ÉLEVÉ *à la campagne,* il y a passé sa jeunesse (= éduquer). — **6.** *La fermière* ÉLÈVE *des poulets et des lapins,* elle les nourrit pour les manger ou les vendre. ◆ **élevage** n. m. (sens 6) *La Normandie est une région d'*ÉLEVAGE, on y élève des animaux. ◆ **élévation** n. f. (sens 2) *On note une* ÉLÉVATION *de la température* (= augmentation). ◆ **élève** n. (sens 5) *Il y a 20* ÉLÈVES *dans la classe* (= écolier). ◆ **élevé** adj. (sens 2) *Les prix sont trop* ÉLEVÉS (= haut). • (sens 5) *Jean est* BIEN ÉLEVÉ (= poli). ◆ **éleveur** n. (sens 6) *Un* ÉLEVEUR *de bétail* est un paysan qui fait de l'élevage. ◆ **surélever** v. (sens 1) *On* A SURÉLEVÉ *la maison,* augmenté sa hauteur (≠ abaisser).

▷ 294

éligible → ÉLIRE.

élimé adj. *Ton veston est* ÉLIMÉ *au coude* (= usé).

éliminer v. *La moitié des concurrents* ONT ÉTÉ ÉLIMINÉS, laissés de côté (= écarter, rejeter; ≠ admettre). ◆ **éliminatoire** adj. *Une épreuve* ÉLIMINATOIRE *sert à éliminer des candidats trop nombreux.*

élire v. *M. Dupont* A ÉTÉ ÉLU *député,* on l'a choisi par un vote. ◆ **électeur** n. *Sophie a dix-huit ans, elle devient* ÉLECTRICE, elle peut voter. ◆ **élection** n. f. *M. Durand s'est présenté aux* ÉLECTIONS *municipales,* pour être élu conseiller municipal. ◆ **électoral** adj. *La campagne* ÉLECTORALE *a commencé,* en vue des élections. ◆ **éligible** adj. *pour être* ÉLIGIBLE, *il faut être électeur,* pour pouvoir être élu. ◆ **réélire** v. *Ce député n'*A *pas* ÉTÉ RÉÉLU *aux dernières élections.*
• **R.** Conj. nº 73.

élision n. f. *Dans «l'art», il y a eu* ÉLISION *du «e» de l'article,* le «e» est remplacé par une apostrophe (= suppression).

élite n. f. **1.** *Ces gens se considèrent comme l'*ÉLITE *de la nation,* les classes supérieures. — **2.** *M. Dubois est un cavalier* D'ÉLITE, très bon.

élixir n. m. *Autrefois, les sorciers recherchaient l'*ÉLIXIR *de longue vie,* un médicament magique.

elle, elles → IL. / **élocution** → ÉLOQUENT.

éloge n. m. *Le professeur a fait l'*ÉLOGE *de Pierre,* il en a dit du bien (= compliment, louange; ≠ critique). ◆ **élogieux** adj. *Il a prononcé des paroles* ÉLOGIEUSES (= flatteur; ≠ défavorable).

éloigné, éloignement, éloigner → LOIN.

éloquent adj. *Ce député est un orateur* ÉLOQUENT, il parle bien. ◆ **éloquence** n. f. *Son* ÉLOQUENCE *a convaincu l'assemblée.* ◆ **élocution** n. f. *Paul a des difficultés d'*ÉLOCUTION, il parle difficilement.

élucider v. *On n'a pas pu* ÉLUCIDER *ce mystère* (= éclaircir, expliquer).

élucubrations n. f. pl. *Je n'ai pas pris au sérieux ses* ÉLUCUBRATIONS, ses idées bizarres.

émacié adj. *Mon grand-père a un visage* ÉMACIÉ, très maigre.

émail n. m. **1.** *Ces assiettes sont recouvertes d'*ÉMAIL, d'un vernis dur et brillant. — **2.** *L'*ÉMAIL *des dents* est une couche très dure qui les protège. ◆ **émailler** v. (sens 1) *Ce fourneau est en fonte* ÉMAILLÉE, recouverte d'émail.

40 ◁

émanciper v. *Les anciennes colonies* SE SONT ÉMANCIPÉES (= se libérer; ≠ se soumettre). ◆ **émancipation** n. f. *Les femmes luttent pour leur* ÉMANCIPATION, pour ne plus être subordonnées aux hommes.

émaner v. *Dans une démocratie, le pouvoir* ÉMANE *du peuple,* il en vient.

émarger → MARGE.

emballer v. **1.** *Avant le déménagement, on* A EMBALLÉ *la vaisselle dans des caisses* (= envelopper, empaqueter). — **2.** Fam. *Ce film m'*A EMBALLÉ, il m'a beaucoup plu (= enthousiasmer). — **3.** *Le cheval* S'EST EMBALLÉ, il est parti à toute vitesse (= s'emporter). ◆ **emballage** n. m. (sens 1) *Pour l'*EMBALLAGE, *on se sert de caisses, de cartons, etc.* ◆ **emballement** n. m.

223 ◁

(sens 2) Fam. *Jean a cédé à un* EMBALLEMENT, à un enthousiasme irréfléchi. ◆ **déballer** v. (sens 1) *Aide-moi à* DÉBALLER *les marchandises!* à les tirer de leur emballage. ◆ **déballage** n. m. (sens 1) *Qu'est-ce que c'est que ce* DÉBALLAGE?, ces objets en désordre. ◆ **remballer** v. (sens 1) *Les camelots* ONT REMBALLÉ *leur marchandise* (= ranger).

embarcadère, embarcation → EMBARQUER.

embardée n. f. *La voiture a fait une* EMBARDÉE, un dangereux changement de direction.

embarquer v. *Pour aller en Angleterre, on peut* EMBARQUER *à Calais,* monter dans un bateau ou dans un avion. ◆ **embarcadère** ou **débarcadère** n. m. *Les passagers se sont dirigés vers l'*EMBARCADÈRE, le quai d'embarquement (ou de débarquement). ◆ **embarcation** n. f. *Les barques, les canots, etc., sont des* EMBARCATIONS, des petits bateaux. ◆ **embarquement** n. m. *À destination de New York,* EMBARQUEMENT *immédiat!* ◆ **débarquer** v. *Le navire* A DÉBARQUÉ *sa cargaison,* il l'a déposée à terre. ◆ **débarquement** n. m. *Au* DÉBARQUEMENT, *la douane a fouillé nos valises.* ◆ **rembarquer** v. *Les passagers* ONT REMBARQUÉ *après une courte escale.*

▷ 583

▷ 511

embarrasser v. **1.** *Enlève tes affaires qui* EMBARRASSENT *ma table!* (= encombrer, gêner). — **2.** *Cette question m'*EMBARRASSE *beaucoup, je ne sais pas quoi répondre* (= troubler, déconcerter). ◆ **embarras** n. m. (sens 2) [au plur.] *M. Durand a des* EMBARRAS *d'argent,* il en manque (= difficultés). ‖ *Jean ne pouvait cacher son* EMBARRAS (= trouble, malaise). ‖ *Tu as l'*EMBARRAS *du choix,* le choix est difficile. ◆ **débarrasser** v. (sens 1) DÉBARRASSE *la table!*, enlève ce qui est dessus. ‖ *Il* S'EST DÉBARRASSÉ *de vieux livres sans valeur,* il les a jetés ou donnés. ◆ **débarras** n. m. (sens 1) *Jean s'en va, bon* DÉBARRAS!, on est débarrassé de lui. ‖ *Mets cette vieille chaise dans le* DÉBARRAS, une petite pièce où l'on entasse des objets.

embaucher v. *Cette entreprise* EMBAUCHE *des employés* (= engager; ≠ licencier, renvoyer). ◆ **embauche** n. f. *En ce moment, il n'y a pas d'*EMBAUCHE, de travail (≠ chômage).

embaumer v. **1.** *Les fleurs* EMBAUMENT *la pièce,* elles sentent très bon (= parfumer). — **2.** EMBAUMER *un cadavre,* c'est le remplir de produits pour le conserver.

embellir → BEAU.

embêter v. Fam. *N'*EMBÊTE *pas ta sœur!* (= ennuyer). ◆ **embêtant** adj. Fam. *Jean est* EMBÊTANT (= ennuyeux). ◆ **embêtement** n. m. Fam. *M. Dubois a beaucoup d'*EMBÊTEMENTS (= ennui).

d'emblée adv. *Il a accepté* D'EMBLÉE *ma proposition* (= tout de suite).

emblème n. m. *Le drapeau est l'*EMBLÈME *de la patrie,* c'est un objet qui représente une idée.

emboîter v. **1.** *Ces tuyaux* S'EMBOÎTENT *l'un dans l'autre,* ils s'ajustent exactement. — **2.** *Jean m'*A EMBOÎTÉ LE PAS, il s'est mis à marcher juste derrière moi. ◆ **déboîter** v. (sens 1) *Il* S'EST DÉBOÎTÉ *l'os de l'épaule,* l'os est sorti de l'articulation.

embonpoint n. m. *Depuis sa maladie, il a perdu son* EMBONPOINT, il a maigri.

• **R.** Attention à l'orthographe : *emboNpoint.*

embouché adj. *Jean est* MAL EMBOUCHÉ *aujourd'hui* (= impoli, grossier).

725 ◁ **embouchure** n. f. *L'*EMBOUCHURE *de la Seine est près du Havre,* l'endroit où elle se jette dans la mer.

embourber → BOURBIER. / **embourgeoiser** → BOURGEOIS.

embouteiller v. *L'autoroute* EST EMBOUTEILLÉE *aux portes de Paris,* les voitures n'avancent plus. ◆ **embouteillage** n. m. *Un accident a provoqué* 506 ◁ *un* EMBOUTEILLAGE (= encombrement, bouchon).

emboutir v. Fam. *Un camion* A EMBOUTI *l'arrière de la voiture,* il l'a défoncé en le heurtant.

embranchement → BRANCHE.

embraser v. *Une allumette peut suffire à* EMBRASER *une forêt* (= incendier, brûler).

embrasser v. **1.** *Jean* A EMBRASSÉ *ses parents avant de partir,* il leur a donné des baisers. — **2.** *De la montagne, on* EMBRASSE *tous les alentours,* on les voit d'un seul regard. — **3.** EMBRASSER *un métier,* c'est le choisir. ◆ **embrassade** n. f. (sens 1) *Ils se sont retrouvés avec des* EMBRASSADES, en s'embrassant.

embrasure n. f. *Entre! ne reste pas dans l'*EMBRASURE *de la porte!* (= ouverture).

embrayer v. *Après avoir changé de vitesse, il faut* EMBRAYER, remettre le moteur en communication avec les roues. ◆ **embrayage** n. m. *Cette* 505 ◁ *voiture a un* EMBRAYAGE *automatique,* il n'y a pas de pédale pour embrayer. ◆ **débrayer** v. *Pour t'arrêter,* DÉBRAYE *et freine!,* mets-toi au 505 ◁ point mort! ◆ **débrayage** n. m. *Appuie sur le* DÉBRAYAGE (ou *sur l'*EMBRAYAGE)!, sur la pédale qui est à gauche de l'accélérateur.

embrocher → BROCHE. / **embrouiller** → DÉBROUILLER.

embruns n. m. pl. *Sur le pont du bateau, on reçoit des* EMBRUNS, des gouttelettes apportées par le vent.

embryon n. m. *L'œuf contenait un* EMBRYON *de poulet,* un poussin avant sa formation complète (= fœtus).

embûches n. f. pl. se disait pour *pièges, obstacles.*

embuscade n. f. *Les soldats sont tombés dans une* EMBUSCADE, l'ennemi s'était caché pour les attendre (= guet-apens). ◆ **s'embusquer** v. *L'ennemi* S'ÉTAIT EMBUSQUÉ *derrière une maison* (= se cacher).

éméché adj. *M. Dupont a l'air* ÉMÉCHÉ, un peu ivre.

émeraude n. f. *M*[me] *Durand a un collier d'*ÉMERAUDES, de pierres précieuses vertes.

émerger v. *À marée basse, ces rochers* ÉMERGENT, ils apparaissent à la surface (≠ être immergé).

émérite adj. *M. Dubois est un professeur* ÉMÉRITE, très compétent (= éminent; ≠ apprenti).

émerveillement, émerveiller → MERVEILLE.

émettre v. **1.** *Cette station de radio* ÉMET *sur 317 mètres,* elle utilise cette longueur d'onde (= diffuser). — **2.** *La lampe* ÉMET *une faible lumière* (= produire, répandre). — **3.** *La Banque de France* A ÉMIS *de nouveaux billets,* elle les a mis en circulation. ◆ **émetteur** adj. et n. m. (sens 1) *Un (poste)* ÉMETTEUR *sert à envoyer des messages radio* (≠ récepteur). ◆ **émission** n. f. (sens 1) *L'*ÉMISSION *sur les animaux était intéressante,* le programme de radio ou de télévision.
• **R.** Conj. nº 57. ‖ V. ÉMIR.

émeute n. f. *Le gouvernement a été renversé par une* ÉMEUTE, une révolte populaire. ◆ **émeutier** n. *La police s'oppose aux* ÉMEUTIERS (= révolté).

émietter → MIETTE. / **émigrant, émigration, émigrer** → MIGRATION.

éminence n. f. **1.** *Nous sommes montés sur une* ÉMINENCE *pour voir le coucher du soleil* (= hauteur, butte, colline; ≠ creux). — **2.** *On dit* «ÉMINENCE» *à un cardinal.* ◆ **éminent** adj. (sens 1) *Il occupe un poste* ÉMINENT, très important (= élevé).

émir n. m. *L'*ÉMIR *du Koweït* est le chef de cet État arabe. ◆ **émirat** n. m. *Le Koweït est un* ÉMIRAT.
• **R.** *Émir* se prononce [emir] comme [*ils*] *émirent* (de *émettre*).

émissaire n. m. *Le roi a envoyé un* ÉMISSAIRE *à l'étranger,* quelqu'un chargé d'une mission.

émission → ÉMETTRE. / **emmagasiner** → MAGASIN. / **emmailloter** → MAILLOT. / **emmancher, emmanchure** → MANCHE. / **emmêler** → MÊLER. / **emménager** → DÉMÉNAGER.

emmener v. *Mme Durand* EMMÈNE *ses enfants à l'école* (= conduire).

emmitouffler v. *Jean* S'EST EMMITOUFFLÉ *dans son manteau,* il s'est bien enveloppé dedans.

emmurer → MUR. / **émoi, émotif, émotion** → ÉMOUVOIR.

émoulu adj. *Ce jeune docteur est* FRAIS ÉMOULU *de l'université,* il en est sorti récemment.

émousser v. **1.** *La pointe du couteau* EST ÉMOUSSÉE, elle n'est plus pointue (≠ aiguiser). — **2.** *La douleur* S'ÉMOUSSE *avec le temps* (= s'affaiblir, s'atténuer).

émoustiller v. *Le vin nous* A ÉMOUSTILLÉS, rendus gais.

émouvoir v. *À l'enterrement de M. Dupont, tout le monde* ÉTAIT ÉMU (= impressionner, toucher, bouleverser). ◆ **émoi** n. m. *L'incendie a mis tout le quartier en* ÉMOI (= agitation; ≠ calme). ◆ **émotif** adj. *Marie est une fillette* ÉMOTIVE (= sensible, impressionnable; ≠ froid). ◆ **émotion** n. f. *Il a eu une* ÉMOTION *en découvrant son appartement cambriolé* (= choc, coup).
• **R.** Conj. nº 36.

empailler → PAILLE. / **empaqueter** → PAQUET.

s'emparer v. *Le goal* S'EST EMPARÉ *du ballon,* il l'a pris vivement.

empêcher v. *Jean a voulu m'*EMPÊCHER *de partir,* s'opposer à mon départ (= défendre; ≠ permettre). ◆ **empêchement** n. m. *Je ne peux pas venir, j'ai un* EMPÊCHEMENT (= obstacle, difficulté).

empereur → EMPIRE.

empeser v. *M. Durand a un col* EMPESÉ, durci avec de l'amidon.

empester v. *Ce tas d'ordures* EMPESTE *les environs,* répand une odeur pestilentielle.

s'empêtrer v. *Il* S'EST EMPÊTRÉ *dans ses mensonges* (= s'embrouiller, s'embarrasser). ◆ **se dépêtrer** v. *Il a du mal à* SE DÉPÊTRER *de ses ennuis,* à se tirer d'embarras.

emphase n. f. *M. Dupont parle avec* EMPHASE, un ton solennel (= grandiloquence). ◆ **emphatique** adj. *Il m'a répondu d'un ton* EMPHATIQUE (= doctoral, prétentieux; ≠ simple).

empierrer → PIERRE.

empiéter v. *En faisant sa clôture, le voisin* A EMPIÉTÉ *sur notre terrain* (= déborder).

s'empiffrer v. Fam. *Arrête de* T'EMPIFFRER *de gâteaux!,* de manger goulûment (= se bourrer, se gaver).

empiler → PILE.

empire n. m. **1.** *Napoléon a constitué un vaste* EMPIRE, un ensemble de pays soumis à son autorité. — **2.** *Il m'a giflé sous l'*EMPIRE *de la colère,* il était dominé par la colère (= influence). ◆ **empereur** n. m. (sens 1) *Napoléon a été sacré* EMPEREUR *en 1804,* chef d'un empire. ◆ **impératrice** n. f. (sens 1) Une IMPÉRATRICE est la femme d'un empereur ou la souveraine d'un empire. ◆ **impérial** adj. (sens 1) *La famille* IMPÉRIALE est la famille d'un empereur. ◆ **impérialiste** adj. (sens 1) *Un pays* IMPÉRIALISTE *cherche à conquérir d'autres pays.*

empirer → PIRE.

empirique adj. *Il a trouvé la solution par des moyens* EMPIRIQUES, en tâtonnant (≠ scientifique).

emplacement → PLACE.

emplâtre n. m. *On a mis un* EMPLÂTRE *sur sa blessure,* une pommade.

emplette n. f. *Mme Dupont est allée faire quelques* EMPLETTES (= achat, commissions, courses).

emplir v. se dit parfois pour *remplir.*

emploi n. m. **1.** *Il a fait un mauvais* EMPLOI *de son argent,* il l'a mal utilisé (= usage). — **2.** *Quel est ton* EMPLOI DU TEMPS, *aujourd'hui?,* qu'est-ce que tu dois faire? (= programme). — **3.** *M. Durand a perdu son* EMPLOI (= travail, place). ◆ **employer** v. (sens 1) *M. Dubois* EMPLOIE *sa voiture pour aller travailler,* il s'en sert (= utiliser). • (sens 2) *Il* S'EST EMPLOYÉ *à me rendre service,* il y a consacré son temps. • (sens 3) *Cette usine* EMPLOIE *cent ouvriers,* ils y travaillent (= occuper). ◆ **employé** n. (sens 3) *Mme Dubois est* EMPLOYÉE *de banque,* c'est son métier. ◆ **employeur** n. m. (sens 3) *Son* EMPLOYEUR *l'a augmenté* (= patron).

empocher → POCHE. / **empoigner** → POIGNÉE. / **empoisonnement, empoisonner, empoisonneur** → POISON.

emporter v. **1.** *Les déménageurs* ONT EMPORTÉ *les meubles,* ils les ont pris et portés ailleurs (≠ apporter). — **2.** *Jean* L'A EMPORTÉ *sur Paul,* il a été victorieux. — **3.** *Mme Durand* S'EST EMPORTÉE *contre son fils,* elle s'est mise en colère. ◆ **emportement** n. m. (sens 3) *Mme Durand a parlé avec* EMPORTEMENT (= colère; ≠ calme). ◆ **remporter** v. (sens 1) REMPORTE *les livres que tu m'as prêtés* (= reprendre). • (sens 2) *Nous* AVONS REMPORTÉ *la victoire,* nous avons gagné.

empoté adj. et n. Fam. *Jean est (un)* EMPOTÉ (= maladroit; ≠ dégourdi).

empourprer → POURPRE.

empreint adj. *Son visage est* EMPREINT *d'une grande tristesse* (= marqué). ◆ **empreinte** n. f. **1.** *Il y a des* EMPREINTES *de pas sur la neige* (= trace, marque). — **2.** *Chacun a des* EMPREINTES DIGITALES *différentes,* les lignes au bout des doigts.
• **R.** V. EMPRUNTER.

empressement, s'empresser → PRESSER. / **emprisonnement, emprisonner** → PRISON.

emprunter v. **1.** *Jean m'*A EMPRUNTÉ *dix francs,* je les lui ai prêtés. — **2.** *On est prié d'*EMPRUNTER *le passage souterrain,* de le prendre. ◆ **emprunt** n. m. (sens 1) *M. Durand a dû faire un* EMPRUNT *pour payer sa voiture,* des dettes. • (sens 2) *Cet écrivain écrit sous un nom d'*EMPRUNT, ce n'est pas son vrai nom. ◆ **emprunteur** n. (sens 1) *L'*EMPRUNTEUR *n'a pas pu rembourser ses dettes* (≠ prêteur).
• **R.** Ne pas confondre *emprunt* et *empreint.*

émulation n. f. *Il y a de l'*ÉMULATION *entre Pierre et Paul,* chacun cherche à faire mieux que l'autre.

en 1. prép. indique le lieu : *Je suis* EN *France;* le temps : *Nous sommes* EN *décembre;* l'état : *Il s'est mis* EN *colère;* la matière : *Une table* EN *bois.* — **2.** adv. indique l'origine : *J'*EN *viens,* je viens de là. — **3.** pron. pers. remplace un nom complément : *As-tu reçu des livres? — Oui, j'*EN *ai reçu.*

encadrement, encadrer → CADRE. / **encaisser** → CAISSE.

encastrer v. *On* A ENCASTRÉ *le poste de télévision dans le mur,* on l'a mis dans un creux du mur fait juste à sa taille.

encaustique n. f. *Mme Durand fait briller le parquet avec de l'*ENCAUSTIQUE, une sorte de cire.

1. enceinte n. f. *Cette ville est entourée d'une* ENCEINTE *fortifiée,* d'une muraille qui en fait le tour. ▷ 147

2. enceinte adj. f. *Mme Dupont est* ENCEINTE *de six mois,* elle aura un bébé dans trois mois.

encens n. m. *Jean aime l'odeur de l'*ENCENS, une sorte de résine qui répand un parfum en brûlant. ◆ **encensoir** n. m. *On fait brûler de l'encens dans un* ENCENSOIR, un récipient. ▷ 149

encercler → CERCLE. / **enchaînement, enchaîner** → CHAÎNE.

enchanter v. **1.** *On pensait autrefois que les magiciens* ENCHANTAIENT *les gens* (= ensorceler, envoûter). — **2.** *Ce film m'*A ENCHANTÉ, il m'a beaucoup plu (= ravir). ◆ **enchantement** n. m. (sens 1) *L'orage s'est arrêté soudain comme par* ENCHANTEMENT (= magie). • (sens 2) *Ce spectacle est un* ENCHANTEMENT, il est très beau. ◆ **enchanteur** n. et adj. (sens 1) *Connais-tu l'histoire de l'*ENCHANTEUR *Merlin?* (= magicien). • (sens 2) *Marie a une voix* ENCHANTERESSE (= merveilleux). ◆ **désenchanté** adj. (sens 2) *Jean m'a regardé d'un air* DÉSENCHANTÉ (= déçu, désappointé).

enchère n. f. *La maison a été vendue aux* ENCHÈRES, on l'a vendue en public, au plus offrant. ◆ **surenchère** n. f. *M. Dupont a fait de la* SURENCHÈRE, il a offert un prix plus élevé que quelqu'un d'autre.

enchevêtrer v. *Les idées* S'ENCHEVÊTRENT *dans ma tête* (= se mélanger, s'embrouiller).

enclin adj. *Je suis* ENCLIN À *te donner raison,* je penche vers cela (= porté à).

enclore, enclos → CLÔTURE.

291 ◁ **enclume** n. f. *Le forgeron pose le fer rouge sur son* ENCLUME *pour le forger,* une masse de métal.

encoche n. f. *Jean taille des* ENCOCHES *sur un bâton avec son canif,* des petites entailles.

encoignure → COIN. / **encolure** → COL.

encombrer v. *Le couloir* EST ENCOMBRÉ *par des colis,* on ne peut pas passer (= embarrasser). ◆ **encombrement** n. m. *Un* ENCOMBREMENT *a bloqué la circulation* (= embouteillage). ◆ **sans encombre** adv. *Le voyage s'est terminé* SANS ENCOMBRE, sans ennui.

à l'encontre de prép. *Son projet va* À L'ENCONTRE DE *mes habitudes* (= à l'opposé de, contre).

encorder → CORDE.

encore adv. **1.** *J'ai* ENCORE *faim,* ma faim continue (= jusqu'à présent). — **2.** *J'ai* ENCORE *perdu* (= de nouveau). — **3.** *Tu es têtu, mais il est* ENCORE PLUS *têtu que toi.*

encouragement, encourager → COURAGE.

encourir v. *Jean* A ENCOURU *les reproches de son père,* il s'y est exposé.
• **R.** Conj. n° 29.

encrasser → CRASSE.

encre n. f. *Prête-moi de l'*ENCRE *pour remplir mon stylo!,* un liquide qui sert à écrire. ◆ **encrier** n. m. *Jean a renversé un* ENCRIER *sur le tapis,* un récipient contenant de l'encre.
• **R.** *Encre* se prononce [ɑ̃kr] comme *ancre.*

encyclopédie n. f. *M. Durand a acheté une* ENCYCLOPÉDIE *en 20 volumes,* un ouvrage qui traite de tous les sujets. ◆ **encyclopédique** adj. *M. Durand a des connaissances* ENCYCLOPÉDIQUES, très étendues dans tous les domaines.

endetter → DETTE. / **endiablé** → DIABLE. / **endiguer** → DIGUE. / **endimanché** → DIMANCHE.

endive n. f. *Nous avons mangé une salade d'*ENDIVES, une plante blanche. ▷ 366

endoctriner → DOCTRINE. / **endolori** → DOULEUR. / **endommager** → DOMMAGE. / **endormir** → DORMIR. / **endosser** → DOS.

endroit n. m. **1.** *À quel* ENDROIT *as-tu mis mon stylo?* (= lieu, place, emplacement). — **2.** *Remets tes chaussettes à l'*ENDROIT!, dans le bon sens (≠ envers).

enduire v. *Pour bronzer, Marie* S'EST ENDUIT *la peau de crème* (= recouvrir). ◆ **enduit** n. m. *Le mur est protégé de l'humidité par un* ENDUIT, un produit (ciment, plâtre, etc.) appliqué dessus.
• R. Conj. nº 70.

endurance n. f. *Son* ENDURANCE *nous a étonnés,* sa capacité à résister à la fatigue (= résistance). ◆ **endurant** adj. *Ce coureur est très* ENDURANT. ◆ **endurer** v. *Il* A ENDURÉ *beaucoup de malheurs,* il les a subis, supportés.

endurcir → DUR.

énergie n. f. **1.** *Jean fait le ménage avec* ÉNERGIE, en faisant des efforts (= force, vigueur; ≠ mollesse, indolence). — **2.** *Le charbon, le pétrole sont des sources d'*ÉNERGIE, ils servent à faire fonctionner des machines. ◆ **énergique** adj. (sens 1) *Mme Dupont est une femme* ÉNERGIQUE (= actif; ≠ paresseux). ◆ **énergiquement** adv. (sens 1) *Il a protesté* ÉNERGIQUEMENT (= fermement).

énergumène n. m. *Qui est cet* ÉNERGUMÈNE?, cet individu bizarre.

énervement, énerver → NERF.

enfant n. **1.** *Jean et Marie sont encore des* ENFANTS, ils ont moins de quatorze ans environ (≠ adolescent et adulte). — **2.** *M. et Mme Durand ont trois* ENFANTS, fils ou filles (≠ parents). — **3.** *Il m'a souri d'un air* BON ENFANT (= gentil). ◆ **enfance** n. f. (sens 1) *M. Dupont a passé son* ENFANCE *à Paris,* les premières années de sa vie. ◆ **enfantillage** n. m. (sens 1) *Tu as dépassé l'âge des* ENFANTILLAGES, de te conduire comme un enfant (= frivolité). ◆ **enfantin** adj. **1.** (sens 1) *Jeannot est dans la classe* ENFANTINE, celle des jeunes enfants. — **2.** *Ce problème est* ENFANTIN, très facile (= élémentaire). ◆ **infanticide** n. m. (sens 1) *Cet homme est accusé d'*INFANTICIDE, d'avoir tué un enfant. ◆ **infantile** adj. (sens 1) *Jacques a un esprit* INFANTILE (= enfantin, puéril). ▷ 547

enfer n. m. **1.** *Les chrétiens pensent que les méchants seront condamnés à l'*ENFER, à souffrir éternellement (= damnation). — **2.** *Depuis qu'il est malade, sa vie est devenue un* ENFER (= supplice). ◆ **infernal** adj. (sens 2) *Il fait une chaleur* INFERNALE (= terrible, insupportable).

enfermer → FERMER. / **enfilade** → FILE. / **enfiler** → FIL.

enfin adv. *Jean est* ENFIN *arrivé,* à la fin, finalement.

enflammer → FLAMME.

enfler v. *Pierre s'est fait une entorse, sa cheville* A ENFLÉ, a augmenté de volume (= grossir). ◆ **enflure** n. f. *On lui a mis de la pommade, et l'*ENFLURE *a diminué.*

enfoncer v. **1.** *On* ENFONCE *les clous avec un marteau,* on les fait pénétrer (= planter). ‖ *On* S'ENFONCE *dans la neige molle,* on y pénètre. — **2.** *On avait perdu la clé, on* A ENFONCÉ *la porte* (= briser, défoncer).

enfouir v. *Le chien* A ENFOUI *son os,* il l'a mis dans la terre.

enfourcher v. *Le cavalier* ENFOURCHE *son cheval,* il monte dessus.

enfourner → FOUR.

enfreindre v. ENFREINDRE *un règlement, une loi,* c'est ne pas les respecter (= violer). ◆ **infraction** n. f. *Dépasser dans un virage est une* INFRACTION *au Code de la route,* une faute contre le Code.
• **R.** Conj. n° 55.

s'enfuir → FUIR. / **enfumer** → FUMER 1.

engager v. **1.** *M. Durand* A ENGAGÉ *une secrétaire,* il l'a prise à son service (= embaucher). — **2.** *M. Martin* A ENGAGÉ *sa voiture dans une impasse,* il l'y a fait entrer. — **3.** *Jean* S'EST ENGAGÉ À *faire ce travail,* il a promis de le faire. — **4.** *Henri* S'EST ENGAGÉ *dans l'armée,* il est devenu soldat. — **5.** *Il m'*A ENGAGÉ À *travailler,* il m'a poussé à le faire. — **6.** *M. Dupont* A ENGAGÉ *un procès contre son voisin,* il l'a commencé. ◆ **engagement** n. m. (sens 3) *Jean n'a pas tenu ses* ENGAGEMENTS (= promesse). • (sens 4) *Lors de son* ENGAGEMENT, *Henri avait dix-huit ans,* quand il s'est engagé dans l'armée. • (sens 6) *L'*ENGAGEMENT *marque le début d'un match.* ◆ **engageant** adj. (sens 5) *Cette nourriture n'est pas* ENGAGEANTE, on n'en a pas envie.

engeance n. f. *Quelle sale* ENGEANCE!, ce sont des personnes désagréables.

engelure → GELER.

engendrer v. *Ce paysage lugubre* ENGENDRE *la tristesse,* la fait naître (= causer, provoquer).

engin n. m. *Les canons, les chars sont des* ENGINS *de guerre, les hameçons, les filets sont des* ENGINS *de pêche* (= appareil, instrument).

englober v. *Tout le monde* EST ENGLOBÉ *dans cette affaire* (= réunir, concerner; ≠ séparer).

engloutir v. **1.** *Le chien* A ENGLOUTI *toute la viande,* il l'a avalée voracement (= dévorer). — **2.** *Un navire* S'EST ENGLOUTI *au cours de la tempête,* il a coulé (= disparaître).

engoncer v. *Jean* EST ENGONCÉ *dans son manteau,* celui-ci lui monte jusqu'au menton.

engorger v. *Le tuyau de l'évier* EST ENGORGÉ (= boucher).

engouement n. m. *Je ne comprends pas ton* ENGOUEMENT *pour cette actrice,* ton admiration exagérée.

engouffrer v. **1.** *Pierre* ENGOUFFRE *des gâteaux,* il les avale rapidement (= engloutir). — **2.** *Le vent* S'ENGOUFFRE *par la fenêtre,* il pénètre brutalement dans la pièce.

engourdir → GOURD.

engrais n. m. *L'utilisation des* ENGRAIS *permet d'avoir de meilleures récoltes,* de produits fertilisants.

engraisser → GRAISSE.

engrenage n. m. *Un* ENGRENAGE *sert à transmettre un mouvement d'une roue dentée à une autre.*

enhardir → HARDI.

énigme n. f. *On n'a pas réussi à résoudre cette* ÉNIGME (= mystère). ◆ **énigmatique** adj. *Il m'a répondu par une phrase* ÉNIGMATIQUE, difficile à comprendre (= mystérieux; ≠ clair).

enivrer → IVRE. / **enjambée, enjamber** → JAMBE. / **enjeu** → JOUER.

enjoindre v. *M. Dupont nous* A ENJOINT *de lui obéir* (= ordonner, commander).

• **R.** Conj. nº 55.

enjôler v. *Jean cherche à* ENJÔLER *sa grand-mère,* à obtenir ce qu'il désire en la cajolant.

enjoliver, enjoliveur → JOLI.

enjoué adj. *Marie est une fillette* ENJOUÉE (= aimable, gai; ≠ renfrogné).

enlacer v. *Ma grand-mère m'*A ENLACÉ, serré dans ses bras.

enlaidir → LAID.

enlever v. **1.** *Voulez-vous* ENLEVER *votre manteau?* (= ôter, retirer; ≠ mettre). — **2.** *Tu as une tache sur ton pantalon, il faudrait l'*ENLEVER (= supprimer; ≠ laisser). — **3.** *Des gangsters* ONT ENLEVÉ *un enfant* (= prendre; ≠ rendre). ◆ **enlèvement** n. m. (sens 3) *Les auteurs de l'*ENLÈVEMENT *ont demandé une rançon* (= rapt).

s'enliser v. *La voiture* S'EST ENLISÉE *dans la boue* (= s'enfoncer).

enneigement, enneigé → NEIGE.

ennemi n. et adj. **1.** *M. Durand et M. Dupont sont* ENNEMIS, ils se détestent (≠ ami). — **2.** *L'*ENNEMI *a attaqué nos troupes,* le pays contre lequel on est en guerre (≠ allié).

ennoblir → NOBLE.

ennuyer v. **1.** *Cela m'*ENNUIE *de partir demain,* cela me cause du souci (= contrarier). — **2.** *Quand je n'ai rien à faire, je* M'ENNUIE, je trouve le temps long (= s'embêter; ≠ se distraire). ◆ **ennui** n. m. (sens 1) *M. Durand a des* ENNUIS *d'argent* (= souci, tracas). • (sens 2) *Ce livre est à mourir d'*ENNUI, il est ennuyeux. ◆ **ennuyeux** adj. (sens 2) *La journée d'hier a été* ENNUYEUSE, on s'est ennuyé (≠ amusant).

énoncé n. m. *Recopiez l'*ÉNONCÉ *du problème,* le texte des questions.

enorgueillir → ORGUEIL.

énorme adj. *M. Martin pèse 100 kilos, il est* ÉNORME, très grand et très gros (= gigantesque; ≠ minuscule). ◆ **énormément** adv. *Je m'ennuie* ÉNORMÉMENT, vraiment beaucoup. ◆ **énormité** n. f. *L'*ÉNORMITÉ *de ce crime fait horreur,* la gravité exceptionnelle.

s'enquérir v. *Va* T'ENQUÉRIR *de l'heure des trains!* (= se renseigner). • **R.** Conj. nº 21.

enquête n. f. **1.** *L'*ENQUÊTE *a abouti : le criminel est arrêté,* les recherches de la police. — **2.** *On a fait une* ENQUÊTE *sur les intentions des électeurs,* on a recherché des renseignements (= sondage). ◆ **enquêter** v. *La police* ENQUÊTE, elle fait une enquête. ◆ **enquêteur** n. *Les* ENQUÊTEURS *ont interrogé les témoins.*

enraciner → RACINE. / **enragé, enrager** → RAGE.

enrayer v. **1.** *Le fusil* S'EST ENRAYÉ, la balle n'est pas partie (= se bloquer). — **2.** *Le gouvernement veut* ENRAYER *la hausse des prix* (= arrêter, freiner).

enregistrer v. **1.** *Jean* A ENREGISTRÉ *la voix de Marie avec son magnétophone,* il l'a fixée et il peut la reproduire. — **2.** *J'*AI ENREGISTRÉ *votre nom et votre adresse* (= noter, relever). — **3.** *Un acte officiel doit être* ENREGISTRÉ *pour être légal,* écrit sur un registre public. — **4.** *On a fait* ENREGISTRER *les bagages,* on les a confiés à la S. N. C. F. ◆ **enregistrement** n. m. (sens 1) *Ce disque est l'*ENREGISTREMENT *d'une symphonie.* ◆ **enregistreur** adj. (sens 1) *Un magnétophone est un appareil* ENREGISTREUR.

enrhumer → RHUME. / **enrichir** → RICHE.

enrober v. *Ces bonbons sont* ENROBÉS *de chocolat* (= recouvrir).

enrôler v. *Il* S'EST ENRÔLÉ *dans l'armée,* il y est entré (= s'engager).

enrouer v. *Jean tousse, il* EST ENROUÉ, sa voix n'est pas claire. ◆ **enrouement** n. m. *Son* ENROUEMENT *est dû à la grippe.*

enrouler → ROULER. / **ensabler** → SABLE. / **ensanglanter** → SANG.

220, 219 ◁ **enseigne** n. f. *Les cinémas ont des* ENSEIGNES *lumineuses,* des panneaux portant leur nom.

enseigner v. **1.** *M. Durand* ENSEIGNE *les maths,* il est professeur de maths (≠ apprendre). — **2.** *Cette aventure nous* ENSEIGNE *qu'il faut être prudent* (= indiquer, montrer, apprendre). ◆ **enseignant** n. (sens 1) *Les instituteurs et les professeurs sont des* ENSEIGNANTS. ◆ **enseignement** n. m. (sens 1) *M. Durand est dans l'*ENSEIGNEMENT, il fait la classe. • (sens 2) *Il faut tirer des* ENSEIGNEMENTS *de cette affaire* (= leçon).

ensemble adv. *Jean et Marie sont partis* ENSEMBLE, l'un avec l'autre, en même temps (≠ séparément). ◆ **ensemble** n. m. **1.** *Un orchestre est un* ENSEMBLE *de musiciens,* un groupe (≠ élément). — **2.** *Pierre habite un* 218 ◁ GRAND ENSEMBLE, dans un groupe d'immeubles.

ensemencer → SEMER. / **enserrer** → SERRER.

ensevelir v. *L'avalanche* A ENSEVELI *plusieurs skieurs,* les a fait disparaître (= recouvrir, engloutir).

ensoleillé → SOLEIL. / **ensommeillé** → SOMMEIL. / **ensorceler** → SORT.

ensuite adv. *Nous sommes allés au restaurant et* ENSUITE *au cinéma* (= puis, après; ≠ d'abord). ▷ 754

s'ensuivre → SUIVRE.

entaille n. f. *Jean s'est fait une* ENTAILLE *au pouce avec son couteau,* une coupure profonde. ◆ **entailler** v. *Jean* S'EST ENTAILLÉ *le pouce.*

entamer v. **1.** *Qui* A ENTAMÉ *le gâteau?*, a coupé le premier morceau. — **2.** *J'*AI ENTAMÉ *un travail long et difficile* (= commencer, entreprendre).

entartrer → TARTRE. / **entassement, entasser** → TAS.

entendre v. **1.** *Mon grand-père n'*ENTEND *presque plus,* il est presque sourd. — **2.** AS-*tu* ENTENDU *ce que je viens de dire?* (= écouter). — **3.** *Paul et Marie* S'ENTENDENT *bien, ils ne se disputent jamais,* ils sont d'accord (≠ se détester). — **4.** *M. Dubois* ENTEND *qu'on lui obéisse* (= vouloir). — **5.** *Jean n'*ENTEND *rien aux maths* (= comprendre). ◆ **entendu** adj. (sens 3) *Rendez-vous demain? — C'est* ENTENDU, d'accord. ‖ *Tu crois que j'ai raison?* — BIEN ENTENDU (= bien sûr, naturellement). • (sens 5) *Il a pris un air* ENTENDU *pour me répondre,* l'air de celui qui a compris. ◆ **entente** n. f. (sens 3) *Il y a entre eux une* ENTENTE *parfaite* (= accord; ≠ conflit, haine). ◆ **mésentente** n. f. (sens 3) *Leur* MÉSENTENTE *est due à leur mauvais caractère* (= brouille).

• **R.** Conj. nº 50.

enterrement, enterrer → TERRE. / **entêtement, entêter** → TÊTU.

enthousiasme n. m. *Jean a accepté avec* ENTHOUSIASME *de venir avec nous en vacances,* il était très joyeux et très excité. ◆ **enthousiasmer** v. *Ce film nous* A ENTHOUSIASMÉS, il nous a beaucoup plu (= passionner). ◆ **enthousiaste** adj. *Les spectateurs* ENTHOUSIASTES *applaudissent* (= exalté).

entier adj. **1.** *Qui a entamé le fromage? Il était* ENTIER (= intact). — **2.** *Il est resté absent un mois* ENTIER, tout un mois. — **3.** *J'ai en lui une* ENTIÈRE *confiance* (= total, complet; ≠ partiel). — **4.** *Jean a un caractère* ENTIER (= têtu, obstiné; ≠ souple). ◆ **entièrement** adv. (sens 3) *Je suis* ENTIÈREMENT *satisfait* (= totalement, absolument).

entonner v. *Les assistants* ONT ENTONNÉ *« la Marseillaise »,* ils se sont mis à la chanter.

entonnoir n. m. *On verse le vin dans les bouteilles avec un* ENTONNOIR.

entorse n. f. *Pierre s'est fait une* ENTORSE, il s'est foulé la cheville.

entortiller → TORTILLER.

entourer v. **1.** *Un mur* ENTOURE *le jardin,* il est disposé tout autour. — **2.** ENTOURE *le paquet avec de la ficelle!*, mets-la autour. — **3.** *Sur la photo, Jean* EST ENTOURÉ *de ses amis,* ils sont auprès de lui. ◆ **entourage** n. m. (sens 3) *Je n'aime pas l'*ENTOURAGE *de M. Dupont,* les gens qu'il fréquente.

entracte n. m. *À l'*ENTRACTE, *on a acheté des chocolats glacés,* pendant l'interruption du spectacle.

entraide, entraider → AIDER.

entrailles n. f. pl. *Le cuisinier jette les* ENTRAILLES *du poulet,* les boyaux, les intestins.

entrain n. m. *Marie travaille avec* ENTRAIN (= ardeur, enthousiasme).

entraîner v. **1.** *L'avalanche* A *tout* ENTRAÎNÉ *sur son passage* (= emmener, emporter). — **2.** *Jean m'*A ENTRAÎNÉ *au cinéma,* il m'a décidé à aller avec lui. — **3.** *Le déménagement* A ENTRAÎNÉ *de grosses dépenses* (= causer, provoquer). — **4.** *Le champion* S'ENTRAÎNE *en vue du match* (= se préparer, s'exercer). ◆ **entraînement** n. m. (sens 4) *Le coureur a repris son* ENTRAÎNEMENT. ◆ **entraîneur** n. m. (sens 4) *Le boxeur est entré, suivi de son* ENTRAÎNEUR, celui qui le conseille.

entraver v. *Des obstacles* ONT ENTRAVÉ *la réussite de mon plan* (= gêner, empêcher).

entre prép. indique un intervalle de lieu : *Jean est assis* ENTRE *nous deux;* de temps : *Je viendrai* ENTRE *midi et deux heures;* dans un groupe de choses : *J'ai à choisir* ENTRE *plusieurs solutions.*

• **R.** *Entre-* se met devant certains mots pour indiquer une réciprocité *(entraide)* ou un intervalle *(entrecôte).*

entrebâiller v. *Jean* A ENTREBÂILLÉ *la porte,* il l'a ouverte un petit peu (= entrouvrir). ◆ **entrebâillement** n. m. *Jean a passé la tête dans l'*ENTREBÂILLEMENT *de la porte,* dans la petite ouverture.

entrechoquer → CHOC. / **entrecôte** → CÔTE. / **entrecouper** → COUPER. / **entrecroiser** → CROISER. / **entrée** → ENTRER.

entrefaites n. f. pl. SUR CES ENTREFAITES, *il s'est mis à rire,* à ce moment-là.

entrefilet n. m. *Un* ENTREFILET *annonce la mort de M. Dupuis,* un court article de journal.

entrelacer v. *Le lierre* S'ENTRELACE *dans le grillage,* il s'y mêle (= s'entremêler, s'entrecroiser).

entremêler → MÊLER.

entremets n. m. *Les crèmes, les compotes, les glaces sont des* ENTREMETS, des desserts.

entremise n. f. *J'ai su cela* PAR L'ENTREMISE DE *mon voisin,* par son intermédiaire, grâce à lui.

entrepont → PONT.

entreposer v. *On* A ENTREPOSÉ *des meubles dans le grenier,* on les y a mis momentanément. ◆ **entrepôt** n. m. *Ce grand bâtiment est un* ENTREPÔT *de blé,* un local où on l'entrepose.

entreprise n. f. **1.** *M. Dupont s'est lancé dans une* ENTREPRISE *difficile* (= action, affaire, travail). — **2.** *Les employés de l'*ENTREPRISE *se sont mis en grève,* de l'usine ou de la maison de commerce. ◆ **entreprenant** adj. (sens 1) *Jean est un garçon* ENTREPRENANT (= actif; ≠ hésitant). ◆ **entreprendre** v. (sens 1) *M. Dupont* A ENTREPRIS *un travail difficile,* il a commencé à le faire. ◆ **entrepreneur** n. m. (sens 2) *M. Durand est* ENTREPRENEUR *de peinture,* il dirige une entreprise de peinture.

• **R.** *Entreprendre,* conj. nº 54.

entrer v. **1.** *Je* SUIS ENTRÉ *dans un cinéma,* je suis allé à l'intérieur (= pénétrer; ≠ sortir). — **2.** *M. Durand* EST ENTRÉ *dans l'enseignement,* il est devenu professeur. — **3.** *Quand il a su cela, il* EST ENTRÉ *dans une grande colère,* il s'est mis en colère. ◆ **entrée** n. f. **1.** (sens 1) *Attends-moi à l'*ENTRÉE *de la maison!* à l'endroit par où on entre (≠ sortie). ‖ *On lui a interdit l'*ENTRÉE *de la salle,* le droit d'entrer. • (sens 2) *Jean a passé l'examen d'*ENTRÉE *en sixième.* — **2.** *Il y avait une* ENTRÉE *avant le rôti,* un plat au début du repas. ▷ 435

• **R.** *Entrer* se conjugue avec l'auxiliaire *être.*

entresol n. m. *Les Durand habitent l'*ENTRESOL, au-dessus du rez-de-chaussée.

entretenir v. **1.** *M. Dupont* ENTRETIENT *bien sa voiture,* il la maintient en bon état. — **2.** *Avec son salaire, M. Duval a du mal à* ENTRETENIR *sa famille,* à la faire vivre (= nourrir). — **3.** *Le président* S'EST ENTRETENU *avec le Premier ministre,* ils ont parlé ensemble. ◆ **entretien** n. m. (sens 1) *Les Ponts et Chaussées sont chargés de l'*ENTRETIEN *des routes et des ponts.* • (sens 3) *M. Duval a demandé un* ENTRETIEN *au directeur,* à parler avec lui (= entrevue, conversation).

• **R.** Conj. n° 22.

entrevoir → VOIR.

entrevue n. f. *Les deux chefs d'État ont eu une* ENTREVUE, ils se sont rencontrés pour discuter (= entretien).

entrouvrir → OUVERT.

énumérer v. ÉNUMÈRE *les chiffres de 1 à 10!,* dis-les l'un après l'autre (= citer). ◆ **énumération** n. f. *Cette* ÉNUMÉRATION *est trop longue* (= liste).

envahir v. **1.** *En 1940, les Allemands* ONT ENVAHI *la France,* ils l'ont occupée par la force. — **2.** *Le port* EST ENVAHI *par le sable,* entièrement rempli. ◆ **envahissant** adj. (sens 2) *Ces herbes sont* ENVAHISSANTES, elles poussent trop vite. ◆ **envahisseur** n. m. (sens 1) *Les* ENVAHISSEURS *ont été repoussés.* ◆ **invasion** n. f. (sens 1) *Les troupes n'ont pu résister à l'*INVASION, à l'attaque massive des ennemis.

envaser → VASE 2.

enveloppe n. f. *As-tu collé un timbre sur l'*ENVELOPPE?, sur la pochette qui contient ta lettre. ▷ 292, 768

envelopper v. *Le colis* ÉTAIT ENVELOPPÉ *dans du papier,* recouvert de papier pour le protéger (= entourer).

envenimer v. **1.** *La blessure* S'EST ENVENIMÉE (= s'infecter). — **2.** *La discussion* S'EST ENVENIMÉE, *et ils se sont disputés* (≠ se calmer).

envergure n. f. **1.** *M. Durand est un homme de grande* ENVERGURE, un homme important, très capable. — **2.** *L'*ENVERGURE *d'un oiseau,* c'est la largeur de ses ailes déployées.

1. envers prép. *J'ai une dette* ENVERS *lui,* à son égard (= vis-à-vis de).

2. envers n. m. *Tu as mis ton pantalon à l'*ENVERS, du mauvais côté. || *Écris sur l'*ENVERS *de la feuille* (≠ endroit).

envie n. f. **1.** *Si Paul dit du mal de toi, c'est par* ENVIE (= jalousie). — **2.** *J'ai* ENVIE *de partir en vacances,* je le désire beaucoup. ◆ **enviable** adj. (sens 2) *Son sort n'est pas* ENVIABLE (= souhaitable, tentant). ◆ **envier** v. (sens 1) *Il m'*ENVIE *mon beau pull-over,* il voudrait bien l'avoir. ◆ **envieux** adj. et n. (sens 1) *Paul est (un)* ENVIEUX (= jaloux).

environ adv. *Il y a* ENVIRON *cent personnes dans la salle* (= à peu près, autour de). ◆ **environs** n. m. pl. *Jean habite dans les* ENVIRONS *de Paris,* dans le voisinage, aux alentours. ◆ **environner** v. *Il* EST ENVIRONNÉ *de gens désagréables,* ils sont autour de lui.

envisager v. **1.** *Nous* ENVISAGEONS *de partir,* nous en avons l'intention (= projeter). — **2.** *Il faut* ENVISAGER *la suite,* y penser, s'en soucier.

envoi → ENVOYER. / **envol, s'envoler** → VOL 1.

envoûter v. **1.** *On pensait que les sorciers* ENVOÛTAIENT *les gens,* les dominaient par la magie. — **2.** *Il semblait* ENVOÛTÉ *par la musique* (= charmer, captiver).

envoyer v. **1.** *Sa mère l'*A ENVOYÉ *chercher du pain,* elle lui a dit d'y aller. — **2.** *Jean* A ENVOYÉ *une lettre à sa grand-mère,* il l'a fait partir par la poste (= expédier; ≠ recevoir). — **3.** *Arrête d'*ENVOYER *des cailloux!* (= jeter, lancer). ◆ **envoi** n. m. (sens 2) *As-tu reçu mon* ENVOI?, la lettre ou le colis que je t'ai envoyé. ◆ **envoyé** n. (sens 1) *Un* ENVOYÉ *spécial* est un journaliste que son journal envoie à l'étranger. ◆ **envoyeur** n. (sens 2) *Cette lettre a été retournée à l'*ENVOYEUR (= expéditeur).

épagneul n. m. *Les* ÉPAGNEULS *sont de bons chiens de chasse.*

épais adj. **1.** *Ce livre est* ÉPAIS (= gros; ≠ mince). — **2.** *Cette planche est* ÉPAISSE *de 5 centimètres* (≠ long et large). — **3.** *La sauce est trop* ÉPAISSE (= pâteux; ≠ fluide, liquide). — **4.** *Le brouillard est* ÉPAIS, *on n'y voit rien* (= abondant, dense; ≠ léger). ◆ **épaisseur** n. f. (sens 1 et 2) *Ce mur a une* ÉPAISSEUR *de 50 centimètres* (≠ longueur et largeur). • (sens 3 et 4) *L'*ÉPAISSEUR *du brouillard a encore augmenté* (≠ légèreté). ◆ **épaissir** v. (sens 3 et 4) *Pour* ÉPAISSIR *la sauce, ajoute un peu de farine!*

s'épancher v. *Pierre a besoin de* S'ÉPANCHER, de parler avec une personne de confiance. ◆ **épanchement** n. m. *Arrête tes* ÉPANCHEMENTS! (= confidence).

s'épanouir v. **1.** *Cette fleur* S'ÉPANOUIT *au mois de mai* (= s'ouvrir). — **2.** *De joie, son visage* S'EST ÉPANOUI, il a souri (= rayonner, s'éclairer). — **3.** *Pour* S'ÉPANOUIR, *un enfant a besoin d'amour* (= se développer). ◆ **épanouissement** n. m. (sens 3) *L'*ÉPANOUISSEMENT *d'une civilisation,* c'est son apogée, son développement complet.

épargner v. **1.** *Dans l'accident d'avion, personne n'*A ÉTÉ ÉPARGNÉ, tout le monde a été tué (= sauver, protéger). — **2.** *Ils* ÉPARGNENT *de l'argent pour s'acheter une maison,* ils le mettent de côté (= économiser; ≠ dépenser, gaspiller). — **3.** *Tu m'*AS ÉPARGNÉ *une corvée,* je l'ai évitée grâce à toi. ◆ **épargne** n. f. (sens 2) *Ils mettent leurs économies à la Caisse d'*ÉPARGNE.

éparpiller v. *Le vent* A ÉPARPILLÉ *les feuilles mortes* (= disperser; ≠ rassembler, grouper). ◆ **épars** adj. *Le paysan rassemble les vaches* ÉPARSES *dans la prairie* (= dispersé).

épatant adj. Fam. *Marie est une fille* ÉPATANTE, très bien (= sympathique, formidable).

épaté adj. *Le boxeur a le nez* ÉPATÉ (= aplati).

épater v. Fam. *Pierre cherche à nous* ÉPATER, il veut qu'on l'admire (= impressionner, surprendre).

épaule n. f. **1.** *Le maçon porte un sac sur ses* ÉPAULES. — **2.** *Nous avons mangé une* ÉPAULE *de mouton,* le haut de la patte de devant. ◆ **épauler** v. **1.** (sens 1) *Le chasseur* ÉPAULE *son fusil pour tirer,* il l'appuie contre son épaule. — **2.** *Jean nous* A *bien* ÉPAULÉS (= aider). ◆ **épaulette** n. f. (sens 1) *Les vestes militaires portent des* ÉPAULETTES, des bandes de tissu se boutonnant sur l'épaule. ▷ 33 ▷ 224

épave n. f. *Des* ÉPAVES *se sont échouées sur la plage,* des objets rejetés par la mer (= débris).

épée n. f. *Autrefois, on se battait à l'*ÉPÉE, une arme pointue. ▷ 224

épeler v. *Peux-tu* ÉPELER *ce mot?* en dire les lettres l'une après l'autre.
• R. Conj. n° 6.

éperdu adj. *Jean était* ÉPERDU *de reconnaissance,* très ému (≠ calme). ◆ **éperdument** adv. *Il était* ÉPERDUMENT *inquiet* (= follement).

éperon n. m. *Les cavaliers portent des* ÉPERONS *à leurs talons,* des pièces de métal. ◆ **éperonner** v. *Il* ÉPERONNE *son cheval pour le faire aller plus vite,* il le pique avec les éperons.

épervier n. m. *L'*ÉPERVIER *a saisi un moineau dans ses serres,* un oiseau. ▷ 651

éphémère adj. *Ce livre n'a connu qu'un succès* ÉPHÉMÈRE, très court (= passager; ≠ durable).

épi n. m. *Jean mange un* ÉPI *de maïs,* le bout de la tige portant les grains. ▷ 364, 583

épice n. f. *Le poivre, le piment, le clou de girofle sont des* ÉPICES, des produits qui donnent plus de goût aux plats. ◆ **épicé** adj. *Cette sauce est trop* ÉPICÉE (= piquant, poivré; ≠ fade).

épicéa n. m. *Les* ÉPICÉAS *restent verts toute l'année,* un arbre. ▷ 650

épicerie n. f. *Dans une* ÉPICERIE, *on achète des produits alimentaires variés.* ◆ **épicier** n. *Va chez l'*ÉPICIER *chercher de l'huile et du sucre.*

épidémie n. f. *Cet hiver, il y a eu une* ÉPIDÉMIE *de grippe,* beaucoup de gens ont eu cette maladie. ◆ **épidémique** adj. *La peste et le choléra sont des maladies* ÉPIDÉMIQUES (= contagieux).

épiderme n. m. *Jean a l'*ÉPIDERME *sensible* (= peau).

épier v. *Je n'aime pas qu'on* ÉPIE *ce que je fais* (= surveiller, espionner).

épieu n. m. *Autrefois, on chassait avec un* ÉPIEU, un gros bâton terminé par une pointe de fer.

épilepsie n. f. *M. Masson a des crises d'*ÉPILEPSIE, d'une grave maladie nerveuse. ◆ **épileptique** adj. et n. *M. Masson est (un)* ÉPILEPTIQUE.

épiler v. *Une pince à* ÉPILER *sert à arracher les poils.*

épilogue n. m. *Quel est l'*ÉPILOGUE *de cette histoire?* (= fin, conclusion).

épiloguer v. *Inutile d'*ÉPILOGUER *sur cette affaire!,* d'en parler longuement.

366 ◁ **épinards** n. m. pl. *Jean n'aime pas les* ÉPINARDS, un légume vert.

577 ◁ **épine** n. f. **1.** *La rose a des* ÉPINES (= piquant). — **2.** *Je sens une douleur à l'*ÉPINE DORSALE, la colonne vertébrale. ◆ **épineux** adj. **1.** (sens 1) *Les ronces sont des plantes* ÉPINEUSES, à épines. — **2.** *Ce problème est* ÉPINEUX (= difficile, délicat). ◆ **épinière** adj. f. (sens 2) *La* MOELLE ÉPINIÈRE *est contenue dans la colonne vertébrale.*

296, 293 ◁ **épingle** n. f. *La couturière s'est piquée avec une* ÉPINGLE, une fine tige d'acier. ◆ **épingler** v. *Jean* A ÉPINGLÉ *des cartes postales au mur,* il les a fixées avec des épingles.

épinière → ÉPINE. / **épique** → ÉPOPÉE. / **épiscopal, épiscopat** → ÉVÊQUE.

épisode n. m. *Il nous a raconté un* ÉPISODE *de sa vie,* un moment particulier (= passage, circonstance).

épitaphe n. f. *On a gravé une* ÉPITAPHE *sur son tombeau* (= inscription).

épithète **1.** adj. et n. f. *L'(adjectif)* ÉPITHÈTE *est directement relié(e) au nom* (≠ attribut). — **2.** n. f. *Il m'a adressé toutes sortes d'*ÉPITHÈTES *injurieuses* (= mot, nom).

épître n. f. Une ÉPÎTRE est une longue lettre.

éploré → PLEURER.

éplucher v. *Jacques* ÉPLUCHE *des pommes de terre,* il enlève la peau (= peler). ◆ **épluchage** n. m. *Aujourd'hui, tu es de corvée d'*ÉPLUCHAGE. ◆ **épluchure** n. f. *Jette ces* ÉPLUCHURES *à la poubelle!,* ces morceaux de peau.

295 ◁ **éponge** n. f. *M. Dupont essuie la table avec une* ÉPONGE, un objet qui absorbe l'eau. ◆ **éponger** v. *Il* S'EST ÉPONGÉ *la figure avec son mouchoir* (= s'essuyer).

épopée n. f. *« L'Iliade » et « l'Odyssée » sont des* ÉPOPÉES, de longs poèmes racontant des aventures héroïques. ◆ **épique** adj. *Il m'est arrivé une aventure* ÉPIQUE (= extraordinaire).

époque n. f. *À quelle* ÉPOQUE *a vécu Louis XIV? — Au XVII*ᵉ *siècle* (= moment, temps, période).

s'époumoner → POUMON.

épouser v. **1.** *Jacques* A ÉPOUSÉ *Geneviève,* il s'est marié avec elle. — **2.** *Ce fauteuil* ÉPOUSE *la forme du corps,* il y est adapté exactement.
547 ◁ ◆ **époux** n. (sens 1) *Jacques est l'*ÉPOUX *de Geneviève* (= mari). ‖ *Geneviève est l'*ÉPOUSE *de Jacques* (= femme).

épousseter → POUSSIÈRE.

époustoufler v. Fam. *Sa réponse m'*A ÉPOUSTOUFLÉ, beaucoup surpris.

épouvante n. f. *Pierre poussait des hurlements d'*ÉPOUVANTE, dus à une peur très grande. ◆ **épouvantable** adj. *L'accident était un spectacle* ÉPOUVANTABLE (= terrifiant, effroyable, horrible). ◆ **épouvantail** n. m. *Un* ÉPOUVANTAIL *sert à éloigner les oiseaux des cultures.* ◆ **épouvanter** v. *Jeannot* EST ÉPOUVANTÉ *par les histoires de fantômes* (= terroriser). ▷ 366

époux → ÉPOUSER.

s'éprendre v. *Jacques* S'EST ÉPRIS *de Geneviève et il l'a épousée,* il s'est mis à l'aimer.
• **R.** Conj. n° 54.

épreuve n. f. **1.** *Jean a échoué à l'*ÉPREUVE *de français* (= examen). — **2.** *Marie a remporté l'*ÉPREUVE *de natation* (= compétition). — **3.** *M. Dupont a connu bien des* ÉPREUVES *dans sa vie* (= malheur, souffrance). — **4.** *Il a montré un courage* À TOUTE ÉPREUVE, capable de résister à tout. — **5.** *On l'*A MIS À L'ÉPREUVE, on a essayé sa résistance. ◆ **éprouver** v. **1.** (sens 3) *Sa mort m'*A *beaucoup* ÉPROUVÉ (= peiner). — **2.** *J'*ÉPROUVE *une grande amitié pour Jacques,* j'ai ce sentiment (= ressentir).

éprouvette n. f. *Le chimiste fait ses expériences dans des* ÉPROUVETTES, des tubes de verre.

épuiser v. **1.** *Jean* EST ÉPUISÉ *par sa longue promenade,* très fatigué (= exténuer). — **2.** *Ce livre* EST ÉPUISÉ, tous les exemplaires ont été vendus. ◆ **épuisement** n. m. (sens 1) *Jean est dans un état d'*ÉPUISEMENT *total.* • (sens 2) *La vente continue jusqu'à l'*ÉPUISEMENT *des marchandises.* ◆ **inépuisable** adj. *Il est d'une générosité* INÉPUISABLE (= inlassable).

épuisette n. f. *Le pêcheur prend le poisson dans son* ÉPUISETTE, un petit filet muni d'un manche.

épuration, épurer → PUR.

équateur n. m. *Le bateau a franchi l'*ÉQUATEUR, le cercle qui, sur les mappemondes, est à égale distance des pôles. ◆ **équatorial** adj. *Il fait très chaud dans les régions* ÉQUATORIALES. ▷ 294 ▷ 580, 581
• **R.** *Équateur* se prononce [ekwatœr].

équerre n. f. *On se sert d'une* ÉQUERRE *pour tracer des angles droits.* ▷ 145, 291, 295

équestre → ÉQUITATION.

équi-, placé devant un mot, indique l'égalité.
• **R.** On prononce tantôt [ekɥi...] : *équidistant;* tantôt [eki...] : *équivaloir.*

équidistant → DISTANCE. / **équilatéral** → LATÉRAL.

équilibre n. m. **1.** *Pierre a glissé et il a perdu l'*ÉQUILIBRE, la position verticale. — **2.** *Les deux plateaux de la balance sont en* ÉQUILIBRE, ils portent le même poids. — **3.** *Il faut rétablir l'*ÉQUILIBRE *entre ces deux concurrents,* un rapport juste. ◆ **équilibrer** v. (sens 2) *Les deux poids* S'ÉQUILIBRENT (= se compenser). ◆ **équilibré** adj. *Pierre est un garçon* ÉQUILIBRÉ (= sage; ≠ instable). ◆ **équilibriste** n. (sens 1) *Les* ÉQUILIBRISTES *peuvent marcher sur une corde sans tomber.* ◆ **déséquilibré** adj. et n. *Henri est (un)* DÉSÉQUILIBRÉ (= fou, malade mental). ◆ **déséquilibrer** v. (sens 1) *Ne me pousse pas, tu vas me* DÉSÉQUILIBRER!

équinoxe n. m. *Au moment des* ÉQUINOXES, *le jour et la nuit sont égaux,* le 21 mars et le 23 septembre.

équipage n. m. *L'*ÉQUIPAGE *du bateau obéit au commandant,* les marins.

équipe n. f. *Jean fait partie d'une* ÉQUIPE *de football,* d'un groupe de joueurs. ◆ **équipier** ou **coéquipier** n. *Il a passé la balle à son* ÉQUIPIER, un joueur de son équipe.

équipée n. f. *Il m'a raconté son* ÉQUIPÉE (= aventure).

équiper v. *Cette voiture* EST ÉQUIPÉE *des derniers perfectionnements* (= pourvoir). ◆ **équipement** n. m. *Jean a acheté un* ÉQUIPEMENT *de ski,* ce qu'il faut pour faire du ski.

équipier → ÉQUIPE. / **équitable** → ÉQUITÉ.

437 ◁ **équitation** n. f. *Marie fait de l'*ÉQUITATION, elle monte à cheval. ◆ **équestre** adj. *Une statue* ÉQUESTRE *représente un homme sur un cheval.*

équité n. f. *Il a jugé avec* ÉQUITÉ (= justice, impartialité). ◆ **équitable** adj. *Ce partage n'est pas* ÉQUITABLE (= juste; ≠ partial).

équivalent, équivaloir → VALOIR.

équivoque **1.** adj. *Ta phrase est* ÉQUIVOQUE, elle peut avoir plusieurs sens. — **2.** n. f. *Il a dit sans* ÉQUIVOQUE *qu'il était de mon avis* (= ambiguïté).

583 ◁ **érable** n. m. *Au Canada, il y a des forêts d'*ÉRABLES.

érafler v. *Marie* S'EST ÉRAFLÉ *les bras dans les ronces* (= s'égratigner). ◆ **éraflure** n. f. *Marie a des* ÉRAFLURES *aux mains.*

éraillé adj. *M. Dupont a la voix* ÉRAILLÉE (= rauque).

ère n. f. *Nous sommes au vingtième siècle de l'*ÈRE *chrétienne* (= époque).

éreinter v. **1.** *Il* S'EST ÉREINTÉ *à finir ce travail,* beaucoup fatigué. — **2.** *Les journalistes* ONT ÉREINTÉ *son livre,* ils l'ont critiqué durement.

ergot n. m. *Le coq se dresse sur ses* ERGOTS, une sorte d'ongle qu'il a derrière la patte.

ergoter v. *Arrête d'*ERGOTER!, de discuter sur des détails.

ermite n. m. *M. Dupont vit comme un* ERMITE, comme un moine qui s'est retiré dans un endroit désert. ◆ **ermitage** n. m. *Les ermites vivaient dans des* ERMITAGES, dans des endroits déserts.

érosion n. f. *Le vent, la mer, les rivières provoquent l'*ÉROSION, l'usure de la surface de la Terre.

errer v. *Nous* AVONS ERRÉ *toute la journée dans la campagne,* nous avons marché sans but.

erreur n. f. *5 + 2 = 8? Il y a une* ERREUR *dans ton calcul,* tu t'es trompé (= faute). ◆ **erroné** adj. *Ton calcul est* ERRONÉ (= faux; ≠ juste).

érudit adj. et n. *M. Dupuis est très* ÉRUDIT *sur le règne de Louis XIV,* il sait beaucoup de choses sur ce sujet (= savant). ◆ **érudition** n. f. *Il a publié un ouvrage d'*ÉRUDITION (= science).

éruption n. f. **1.** *L'*ÉRUPTION *du volcan a fait beaucoup de morts,* l'explosion et le jaillissement de la lave. — **2.** *Jean a une* ÉRUPTION *de boutons sur la figure,* des boutons qui sont apparus soudain. ▷ 581
• **R.** Ne pas confondre avec *irruption.*

esbroufe n. f. Fam. *Il fait de l'*ESBROUFE, il se vante.

escabeau n. m. *Monte sur un* ESCABEAU *pour décrocher les rideaux!,* un petit banc ou une petite échelle. ▷ 289

escadre n. f. *Une* ESCADRE *a jeté l'ancre dans le port,* un groupe de navires de guerre. ◆ **escadrille** n. f. *Une* ESCADRILLE *a bombardé la ville,* un groupe d'avions de guerre. ◆ **escadron** n. m. *Un* ESCADRON *est commandé par un capitaine,* un groupe de soldats. ▷ 765 ▷ 767

escalade n. f. *Les alpinistes ont fait l'*ESCALADE *de la montagne,* ils ont grimpé dessus. ◆ **escalader** v. *Un voleur* A ESCALADÉ *le mur du jardin* (= franchir, gravir). ▷ 649

escalator n. m. *Un* ESCALATOR *conduit au premier étage du magasin,* un escalier mobile. ▷ 221

escale n. f. *Le navire fera* ESCALE *dans le port de Marseille,* il s'y arrêtera un certain temps.

escalier n. m. *Jean est tombé en descendant l'*ESCALIER. ▷ 75, 77, 221

escalope n. f. *Nous avons mangé une* ESCALOPE *de veau,* une mince tranche de viande.

escamoter v. *Le prestidigitateur* A ESCAMOTÉ *un lapin,* il l'a fait disparaître. ◆ **escamotable** adj. *Le train d'atterrissage des avions est* ESCAMOTABLE, il se replie.

escampette n. f. Fam. *Pierre* A PRIS LA POUDRE D'ESCAMPETTE, il s'est enfui très vite.

escapade n. f. *Il nous a raconté son* ESCAPADE, sa sortie pour se distraire.

escargot n. m. *Jean est lent comme un* ESCARGOT, un animal. ▷ 366

escarmouche n. f. *Quelques soldats ont été tués dans une* ESCARMOUCHE, un combat de faible importance.

escarpé adj. *Le sentier est très* ESCARPÉ, il monte (= raide). ◆ **escarpement** n. m. *L'*ESCARPEMENT *de la falaise est à pic* (= versant).

escient n. m. *Il a agi* À BON ESCIENT, comme il le fallait.

s'esclaffer v. *Quand j'ai répondu, il* S'EST ESCLAFFÉ, il a éclaté de rire.

esclandre n. m. *M. Durand a fait un* ESCLANDRE, il s'est mis à protester violemment (= scandale).

esclave n. **1.** *Autrefois, les Noirs américains étaient des* ESCLAVES, ils appartenaient à d'autres hommes. — **2.** *M. Dupont est l'*ESCLAVE *de ses habitudes,* il est dominé par elles (= prisonnier). ◆ **esclavage** n. m. (sens 1) *Les Romains réduisaient les vaincus en* ESCLAVAGE.

escogriffe n. m. *Comment s'appelle ce* GRAND ESCOGRIFFE?, cet homme grand et mal bâti.

escompte n. m. *Le commerçant m'a fait un* ESCOMPTE *de 10 %,* il a diminué le prix (= remise).

escompter v. *Jean* ESCOMPTE *un succès à l'examen,* il compte là-dessus (= espérer).

escorte n. f. *On l'a emmené en prison sous bonne* ESCORTE, des policiers l'accompagnaient (= garde). ◆ **escorter** v. *Le président* EST ESCORTÉ *par des motards,* ils le suivent pour le protéger.

escouade n. f. *Une* ESCOUADE *de policiers s'est lancée à la poursuite des gangsters,* une petite troupe.

35 ◁ **escrime** n. f. *Jean apprend l'*ESCRIME, à se servir d'un fleuret.

s'escrimer v. *Marie* S'ESCRIME *à jouer du piano,* elle s'y applique en faisant de gros efforts.

escroc n. m. *Un* ESCROC *lui a vendu des faux tableaux,* un homme malhonnête. ◆ **escroquer** v. *Il s'est fait* ESCROQUER *ses économies* (= voler). ◆ **escroquerie** n. f. *Cet individu a été arrêté pour* ESCROQUERIE.

espace n. m. **1.** *Les Américains ont envoyé une fusée dans l'*ESPACE, hors de l'atmosphère. — **2.** *Cet appartement est trop petit, on manque d'*ESPACE (= place, volume). — **3.** *Il y a un* ESPACE *de 8 mètres entre chaque arbre* (= distance). — **4.** *En l'*ESPACE *d'une heure, il avait fini son travail* (= durée). ◆ **espacer** v. (sens 3) ESPACE *davantage tes mots!* (= séparer). • (sens 4) *Ses visites* SE SONT ESPACÉES, il vient moins souvent. ◆ **espacement** n. m. (sens 3) *Augmente l'*ESPACEMENT *entre les mots!* (= espace, intervalle). ◆ **spacieux** adj. (sens 2) *Cette chambre est* SPACIEUSE (= grand, vaste; ≠ exigu). ◆ **spatial** adj. (sens 1) *Le vaisseau* SPATIAL *est revenu sur la Terre.*

espadon n. m. *Les* ESPADONS *peuvent dépasser 4 mètres de long,* une sorte de poisson.

espadrille n. f. *L'été, je mets des* ESPADRILLES, des chaussures de toile.

espagnolette n. f. *L'*ESPAGNOLETTE *de la fenêtre est bloquée,* la poignée pour l'ouvrir et la fermer.

366 ◁ **espalier** n. m. *Dans cette région, on cultive la vigne en* ESPALIER, en rangée devant un mur.

espèce n. f. **1.** *L'*ESPÈCE *humaine* est l'ensemble de tous les hommes (≠ individu). — **2.** *Je n'aime pas les gens de cette* ESPÈCE, qui lui ressemblent (= genre, catégorie). ‖ *Jean porte* UNE ESPÈCE DE *chapeau* (= genre, sorte). — **3.** (au plur.) *M. Durand a payé* EN ESPÈCES, avec de l'argent (≠ par chèque).

espérer v. *J'*ESPÈRE *que tu seras reçu à ton examen,* je le prévois et je le souhaite. ◆ **espérance** n. f. *Il a gardé l'*ESPÉRANCE *de réussir,* il l'espère. ◆ **espoir** n. m. **1.** *On a perdu l'*ESPOIR *de les retrouver,* on n'espère plus. — **2.** *Ce coureur est un des* ESPOIRS *du cyclisme français,* on prévoit qu'il sera un champion. ◆ **désespérer** v. **1.** *Il* DÉSESPÈRE DE *réussir un jour,* il n'espère plus. — **2.** *Depuis la mort de son ami, il* EST

DÉSESPÉRÉ, son chagrin est très grand. ◆ **désespérément** adv. *Il travaille* DÉSESPÉRÉMENT, avec acharnement. ◆ **désespoir** n. m. *Ne t'abandonne pas au* DÉSESPOIR (= chagrin, désolation). ◆ **inespéré** adj. *Paul a remporté un succès* INESPÉRÉ (= inattendu).

espiègle adj. *Jean est très* ESPIÈGLE, il aime faire des farces, mais sans méchanceté. ◆ **espièglerie** n. f. *Ne te fâche pas pour cette* ESPIÈGLERIE.

espion n. *Ce roman raconte l'histoire d'une* ESPIONNE, d'une femme qui recherche les secrets d'un pays pour le compte d'un autre. ◆ **espionner** v. *Arrête de m'*ESPIONNER! (= surveiller, guetter). ◆ **espionnage** n. m. *L'*ESPIONNAGE *est un crime contre l'État.*

esplanade n. f. *Nous avons traversé l'*ESPLANADE *des Invalides,* la grande place qui se trouve devant. ▷ 218

espoir → ESPÉRER.

esprit n. m. **1.** *Qu'est-ce que tu as dans l'*ESPRIT?, à quoi penses-tu? (= tête). — **2.** *Dans quel* ÉTAT D'ESPRIT *est-il venu?*, à quoi pensait-il? — **3.** *Jean a l'*ESPRIT *vif* (= intelligence). — **4.** *Avoir l'*ESPRIT *d'entreprise,* c'est être entreprenant, *avoir l'*ESPRIT *d'équipe,* c'est être solidaire de son équipe, *avoir mauvais* ESPRIT, c'est être malveillant. — **5.** *Jean est plein d'*ESPRIT, il est plein d'humour, d'ingéniosité. — **6.** *Je ne suis pas un pur* ESPRIT, un être sans corps comme Dieu, les anges, les fantômes. ◆ **spiritisme** n. m. (sens 6) *M. Dupont croit au* SPIRITISME, il croit qu'on peut parler aux esprits. ◆ **spirituel** adj. (sens 1) *La vie* SPIRITUELLE est la vie de l'esprit (≠ corporel, matériel). • (sens 5) *Jean est très* SPIRITUEL (= amusant, brillant).

esquif n. m. *Ils se sont embarqués sur un frêle* ESQUIF, un petit bateau.

esquinter v. Fam. *Qui* A ESQUINTÉ *mon stylo?* (= abîmer).

esquisser v. **1.** *Jean* A ESQUISSÉ *mon portrait,* il l'a dessiné à grands traits (= ébaucher). — **2.** *Marie* A ESQUISSÉ *un sourire,* elle l'a commencé (= amorcer). ◆ **esquisse** n. f. (sens 1) *Ce dessin n'est qu'une* ESQUISSE, il n'est pas définitif.

esquiver v. **1.** *Le boxeur* A ESQUIVÉ *le coup,* il l'a évité adroitement. — **2.** *Jean a cherché à* S'ESQUIVER, à s'en aller sans se faire remarquer.

essai → ESSAYER.

essaim n. m. *Les abeilles se groupent en* ESSAIM *pour fonder une nouvelle ruche,* en très grand nombre.

essayer v. **1.** AS-*tu* ESSAYÉ *ce nouveau stylo?*, t'en es-tu servi pour voir s'il convenait? — **2.** ESSAYE *de ne pas arriver en retard!*, fais des efforts pour cela (= tâcher, tenter). ◆ **essai** n. m. **1.** (sens 1) *M*[me] *Durand fait l'*ESSAI *d'une nouvelle lessive,* elle l'essaie. • (sens 2) *Il a réussi au troisième* ESSAI (= tentative). — **2.** *Notre équipe a marqué un* ESSAI, un but au rugby. ◆ **essayage** n. m. (sens 1) *Avant de finir la robe, un* ESSAYAGE *sera nécessaire,* il faudra l'essayer.

essence n. f. **1.** *Donnez-moi 20 litres d'*ESSENCE!, de carburant pour ma voiture. — **2.** *Je ne connais pas cette* ESSENCE *d'arbres* (= sorte, espèce). — **3.** *L'*ESSENCE *de lavande sent très bon,* l'extrait concentré. ▷ 219, 505, 506

essentiel adj. et n. m. *Voilà le passage* ESSENTIEL *de ce livre,* le plus important (= fondamental, capital; ≠ secondaire, accessoire). ‖ *Tu as oublié l'*ESSENTIEL (= principal; ≠ détail).

essieu n. m. *Un* ESSIEU *de la voiture s'est cassé dans l'accident,* la barre qui relie les roues.

essor n. m. *L'*ESSOR *de l'automobile date du début du siècle* (= développement).

essorer v. *Cette machine* ESSORE *automatiquement le linge,* en fait sortir l'eau qui l'imprègne. ◆ **essorage** n. m. *L'*ESSORAGE *permet au linge de sécher plus vite.*

essouffler → SOUFFLE.

essuyer v. **1.** *M. Dupont* ESSUIE *la table après les repas,* enlève les saletés et les liquides qui sont dessus. — **2.** *Jean* A ESSUYÉ *un échec* (= subir).

505 ◁ ◆ **essuie-glace** n. m. (sens 1) *Il pleut, mets les* ESSUIE-GLACES, l'appareil qui essuie le pare-brise. ◆ **essuie-mains** n. m. inv. (sens 1) *L'*ESSUIE-MAINS *est sale, il faut le changer.*

728 ◁ **est** adj. inv. et n. m. *Le soleil se lève à l'*EST. ‖ *Strasbourg est sur la frontière* EST *de la France* (≠ ouest).

• **R.** Ne pas confondre *est* [ɛst] et *est* [e] (du verbe *être*).

estafilade n. f. *M. Durand s'est fait une* ESTAFILADE *en se rasant,* une longue coupure.

estampe n. f. *Cette* ESTAMPE *représente un paysage* (= image, gravure).

est-ce que adv. sert à interroger : EST-CE QUE *tu viens?*, viens-tu?

esthétique adj. *Ce gros tuyau n'est pas très* ESTHÉTIQUE (= beau, joli, décoratif).

estimer v. **1.** *J'*ESTIME *beaucoup M. Durand,* j'ai une bonne opinion de lui (= apprécier; ≠ mépriser). — **2.** *Cette voiture d'occasion* EST ESTIMÉE *à 2000 francs,* on pense qu'elle vaut ce prix. — **3.** *J'*ESTIME *que tu as tort* (= croire, penser, trouver). ◆ **estime** n. f. (sens 1) *J'ai une grande* ESTIME *pour M. Durand* (= respect). ◆ **estimable** adj. (sens 1) *Jean est un garçon* ESTIMABLE (= honorable, recommandable). ◆ **estimation** n. f. (sens 2) *Un expert a fait l'*ESTIMATION *de ce tableau,* il en a dit le prix. ◆ **inestimable** adj. (sens 2) *Cette œuvre d'art est* INESTIMABLE, très précieuse (= inappréciable). ◆ **sous-estimer** v. (sens 2) *Il ne faut pas* SOUS-ESTIMER *les difficultés,* croire qu'elles sont peu importantes. ◆ **surestimer** v. (sens 2) *Tu as tendance à* TE SURESTIMER, à te croire plus fort que tu n'es.

estival, estivant → ÉTÉ.

728 ◁ **estomac** n. m. *Ne mange pas trop, tu vas avoir mal à l'*ESTOMAC.

estomaquer v. Fam. *J'*AI ÉTÉ ESTOMAQUÉ *par son audace,* très étonné.

estomper v. *Sa silhouette* S'ESTOMPE *dans le lointain,* elle devient floue (≠ se détacher).

295 ◁ **estrade** n. f. *La chaire du professeur est sur une* ESTRADE, sur un plancher surélevé.

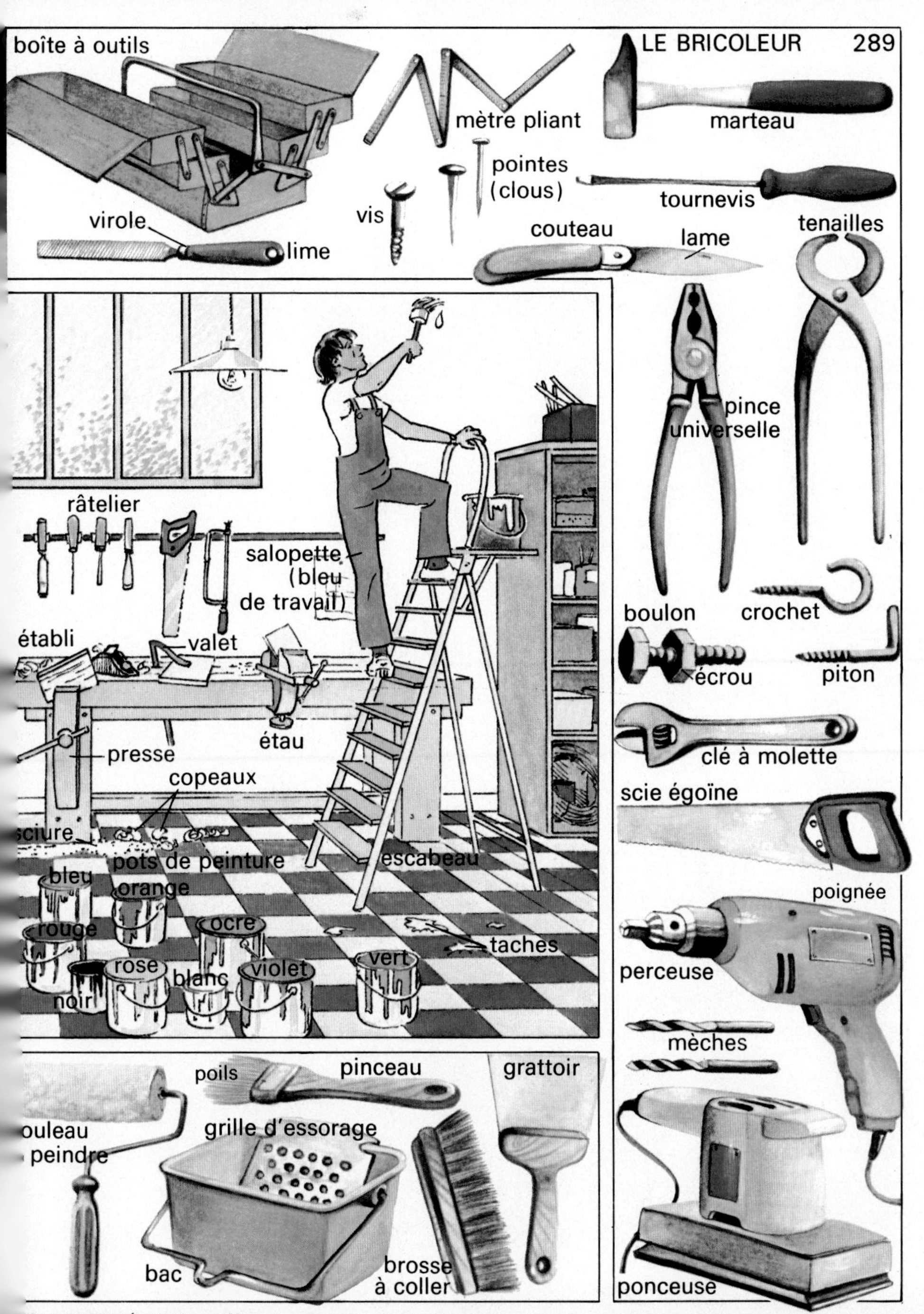
boîte à outils
mètre pliant
marteau
pointes
(clous)
tournevis
vis
virole
lime
couteau
lame
tenailles
pince
universelle
boulon
crochet
écrou
piton
clé à molette
scie égoïne
poignée
perceuse
mèches
ponceuse
râtelier
salopette
(bleu
de travail)
établi
valet
étau
presse
copeaux
sciure
pots de peinture
escabeau
bleu
orange
rouge
ocre
taches
rose
blanc
violet
vert
noir
poils
pinceau
grattoir
ouleau
peindre
grille d'essorage
bac
brosse
à coller

électricien
pince

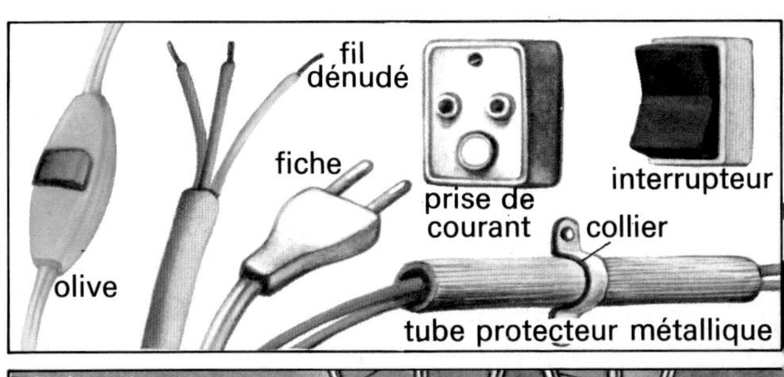
fil
dénudé
fiche
prise de
courant
interrupteur
collier
olive
tube protecteur métallique

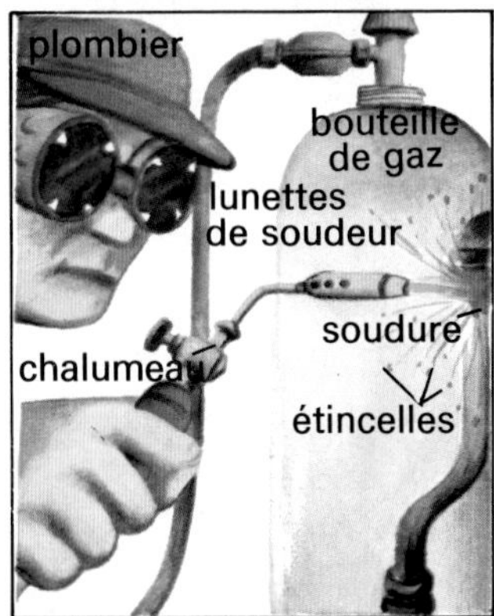
plombier
bouteille
de gaz
lunettes
de soudeur
soudure
chalumeau
étincelles

chaîne de montage
(travail à la chaîne)
carrosserie
transporteur
à rouleaux

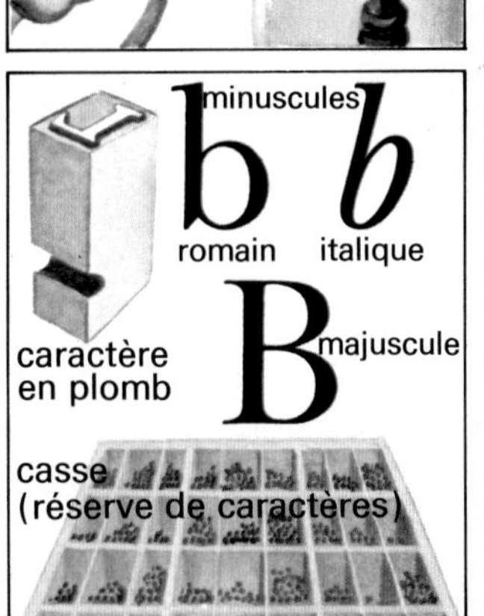
minuscules
b
b
romain
italique
B
majuscule
caractère
en plomb
casse
(réserve de caractères)

imprimerie
rame
de papier
palette
machine à imprimer (presse)

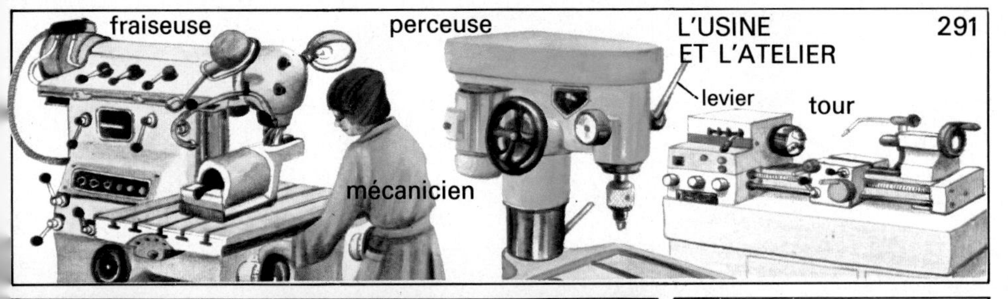
fraiseuse
perceuse
levier
tour
mécanicien

pied à coulisse

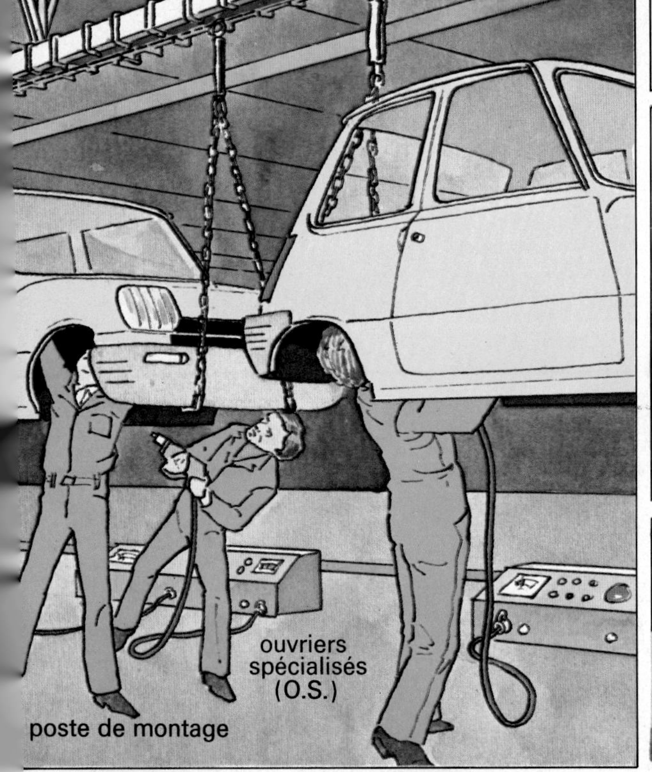
ouvriers
spécialisés
(O.S.)
poste de montage

menuisier
planches
rabot
maillets
valet
établi

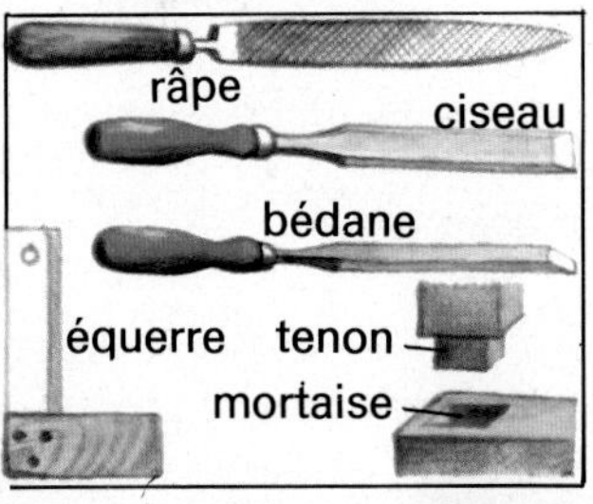
râpe
ciseau
bédane
équerre
tenon
mortaise

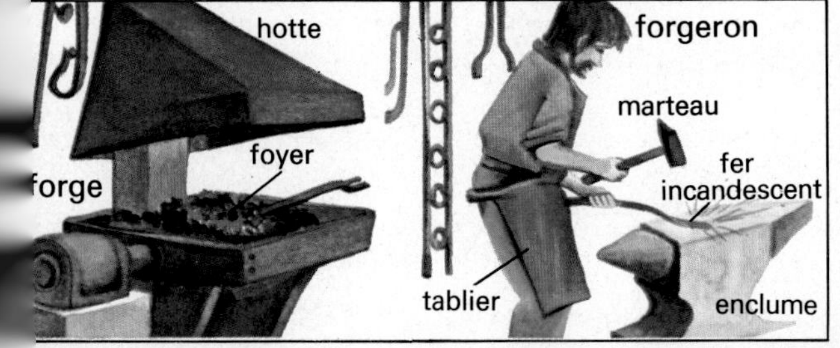
hotte
forgeron
marteau
foyer
forge
fer
incandescent
tablier
enclume

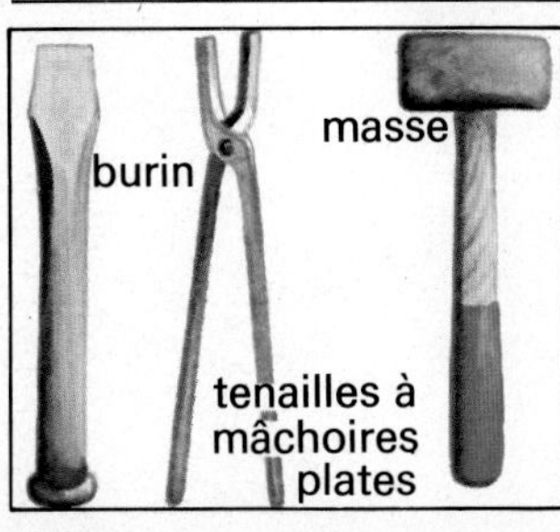
masse
burin
tenailles à
mâchoires
plates

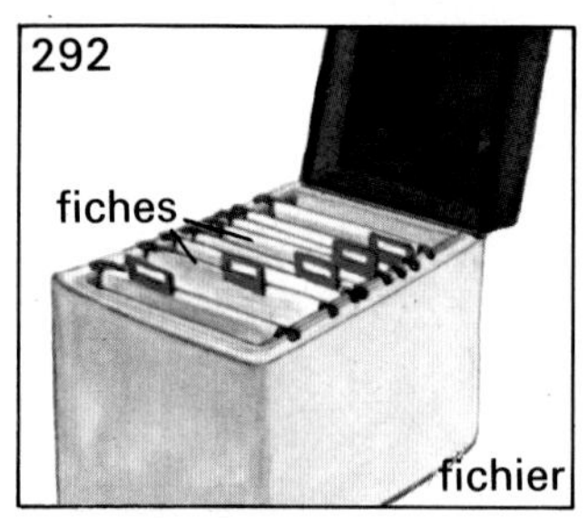
fiches
fichier

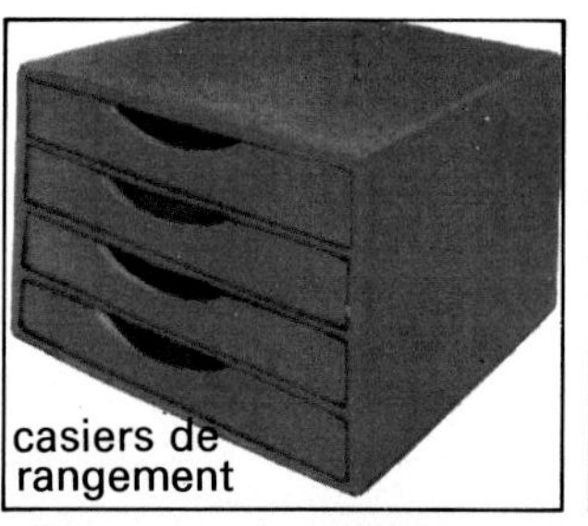
casiers de
rangement

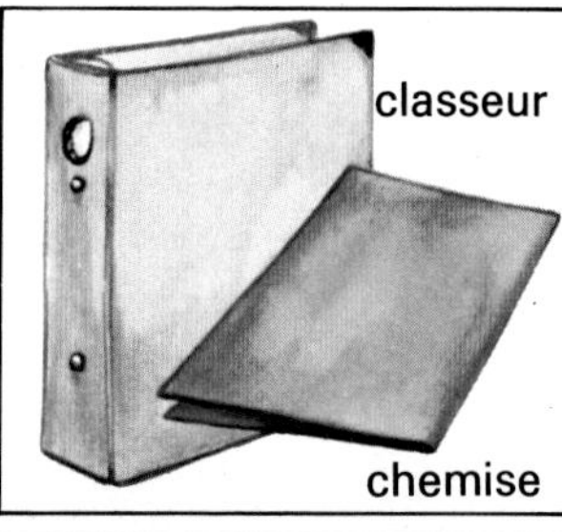
classeur
chemise

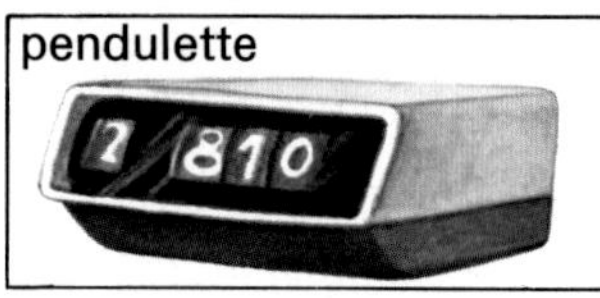
pendulette
7 8 10

papier à lettres
coupe-
papier
en-tête
enveloppe
commerciale
pèse-lettre
canif
planning
mural

6
MARS
calendrier mural
bac
coffre-fort
bureau
secrétaire-dactylo
dossier
roulette
siège pivotant

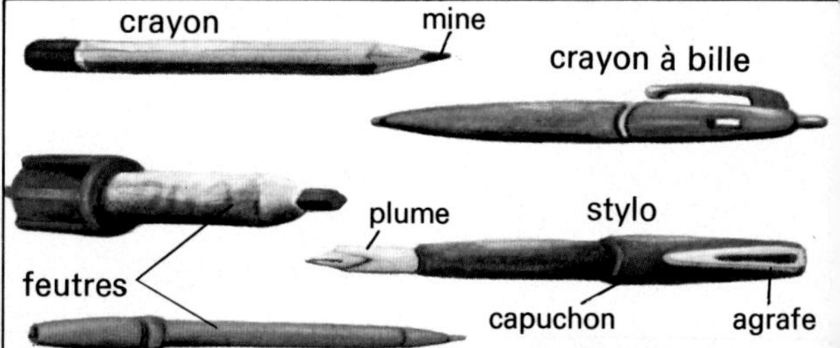
crayon
mine
crayon à bille
plume
stylo
feutres
capuchon
agrafe

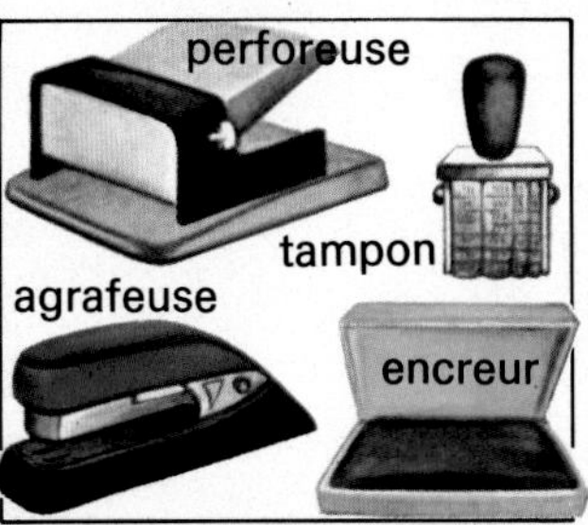
perforeuse
tampon
agrafeuse
encreur

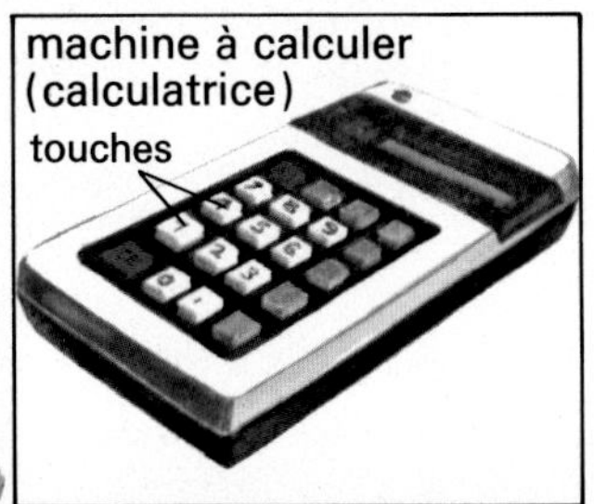
machine à calculer
(calculatrice)
touches

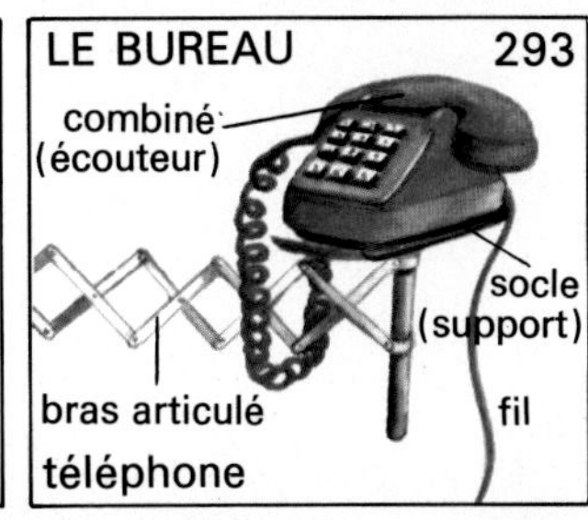
combiné
(écouteur)
socle
(support)
bras articulé
fil
téléphone

dossiers
machine
à photocopier
bras
articulé
tiroir
corbeille
à papier
interphone
tampon-
buvard
sous-main

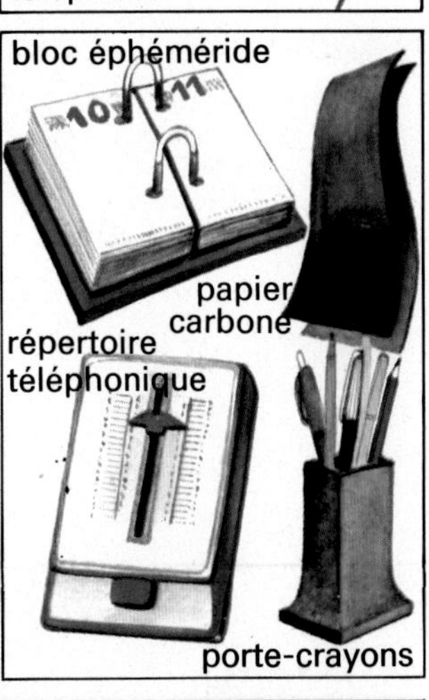
bloc éphéméride
papier
carbone
répertoire
téléphonique
porte-crayons

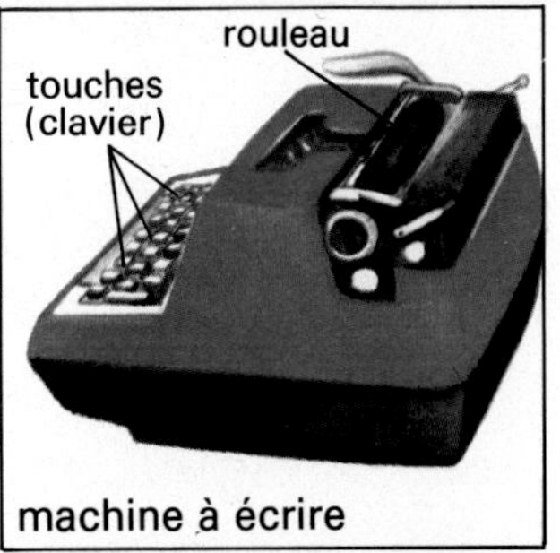
rouleau
touches
(clavier)
machine à écrire

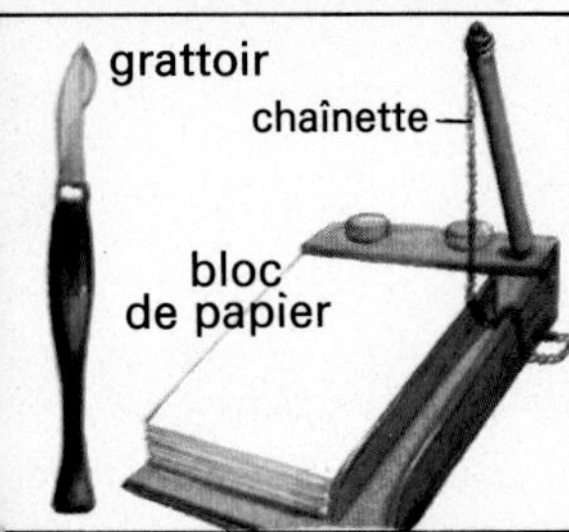
grattoir
chaînette
bloc
de papier

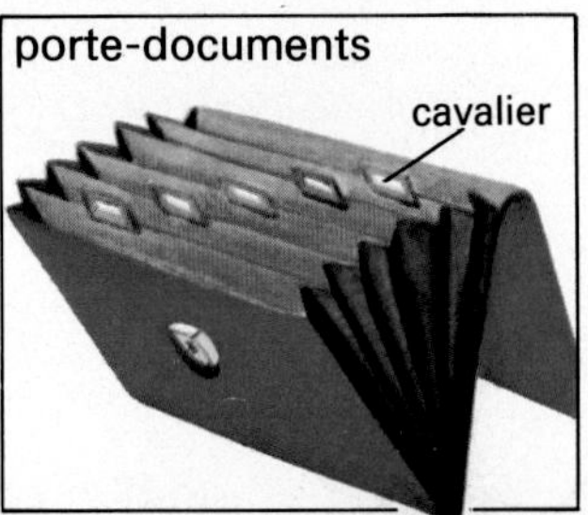
porte-documents
cavalier

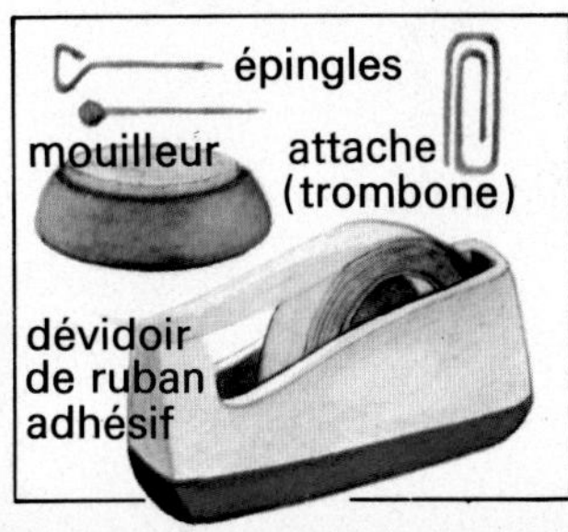
épingles
mouilleur
attache
(trombone)
dévidoir
de ruban
adhésif

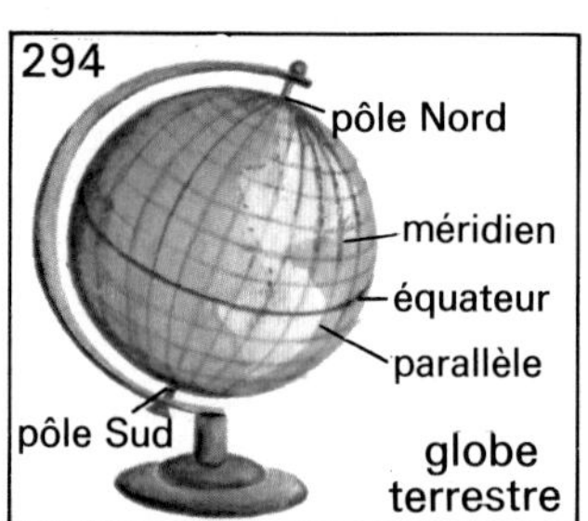
pôle Nord
méridien
équateur
parallèle
pôle Sud
globe
terrestre

palet
marelle
ronde

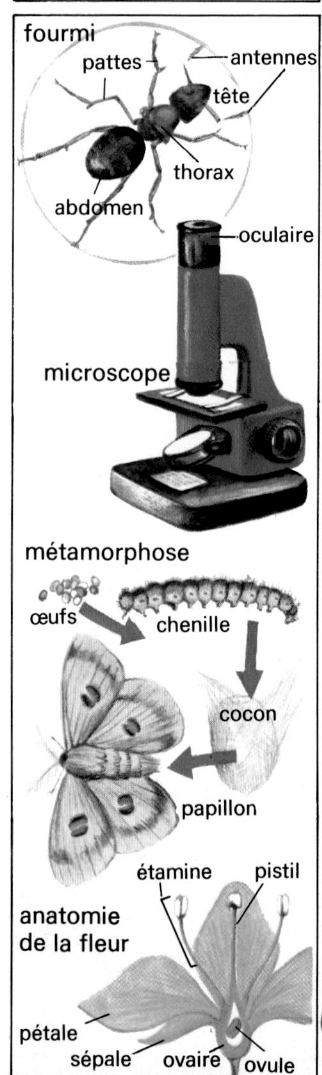
fourmi
pattes
antennes
tête
thorax
abdomen
oculaire
microscope
métamorphose
œufs
chenille
cocon
papillon
étamine
pistil
anatomie
de la fleur
pétale
sépale
ovaire
ovule

carte murale
FRANCE
globe
lumineux
armoire
terrain
de sport
panneaux
préau
élèves
table

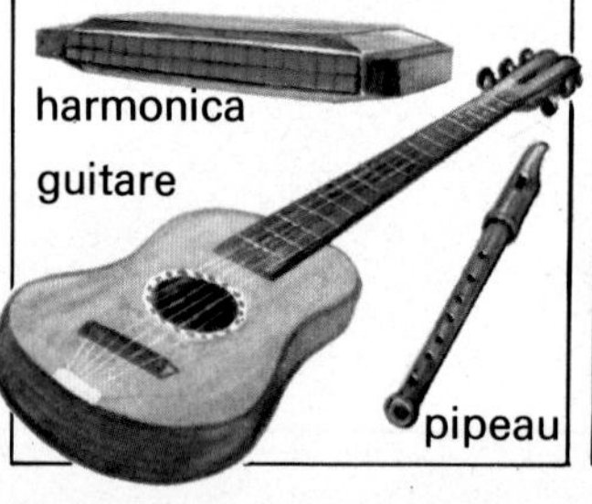
harmonica
guitare
pipeau

chorale
harmonium

récréation
corde
à sauter
billes

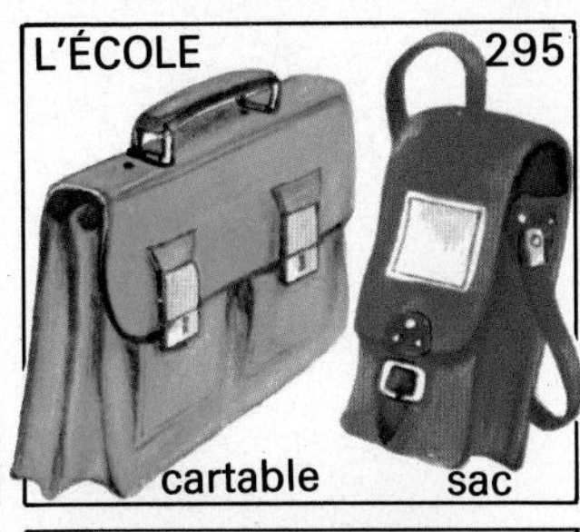
cartable
sac

tableau
cour
de récréation
urinoirs
porte manteau (patère)
instituteur
premier rang
bureau
estrade
allée

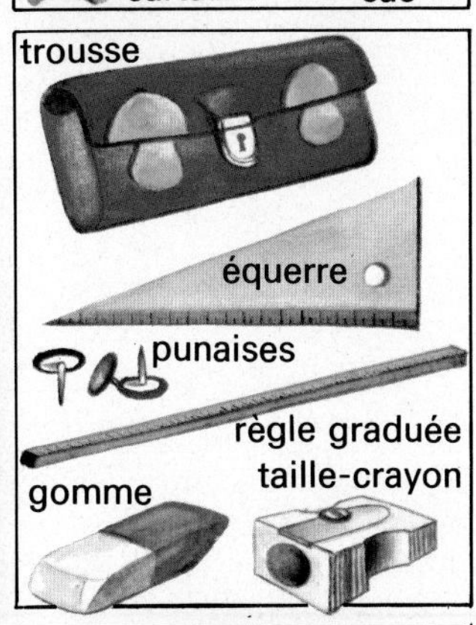
trousse
équerre
punaises
règle graduée
gomme
taille-crayon

cahier
carnet
MATHEMATIQUE
livre

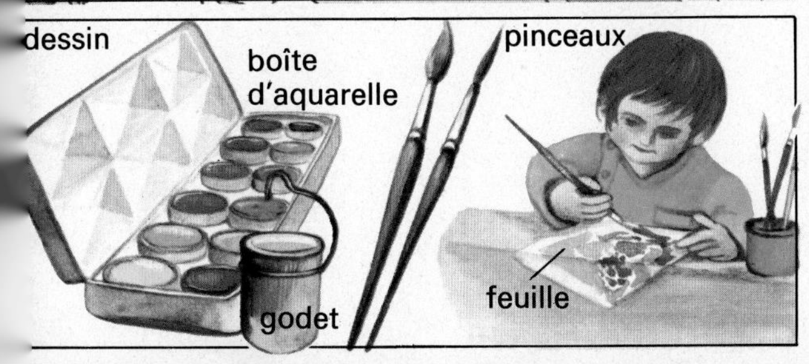
dessin
boîte
d'aquarelle
pinceaux
feuille
godet

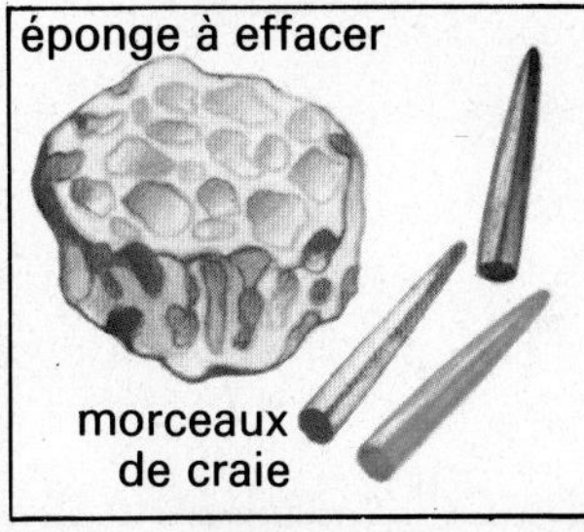
éponge à effacer
morceaux
de craie

LA COUTURE ET LE TRICOT

estragon n. m. *Marie met de l'*ESTRAGON *dans la salade,* une plante. ▷ 367

estropier v. *Il* S'EST ESTROPIÉ *en tombant d'un arbre,* il s'est cassé un membre.

estuaire n. m. *Bordeaux est sur l'*ESTUAIRE *de la Garonne,* à l'embouchure élargie de ce fleuve. ▷ 725

esturgeon n. m. *Un* ESTURGEON *peut peser plus de 200 kilos,* un poisson.

et conj. sert à relier les mots et les groupes de mots.

étable n. f. *Les vaches sont rentrées à l'*ÉTABLE, leur local. ▷ 368

établi n. m. *Le menuisier travaille sur son* ÉTABLI, une sorte de table. ▷ 289, 291

établir v. **1.** *Les Dupont* SE SONT ÉTABLIS *à Lyon,* ils y habitent (= s'installer). — **2.** *L'accusé cherche à* ÉTABLIR *son innocence,* à la faire apparaître (= prouver). — **3.** *Les deux pays* ONT ÉTABLI *des relations,* ils les ont fait commencer. — **4.** AS-*tu* ÉTABLI *la liste de nos dépenses?* (= faire). ◆ **établissement** n. m. **1.** (sens 1) *Depuis leur* ÉTABLISSEMENT *à Lyon, on ne les voit plus* (= installation). • (sens 4) *Le comptable se charge de l'*ÉTABLISSEMENT *des feuilles de paie.* — **2.** *Une usine est un* ÉTABLISSEMENT *industriel, un lycée est un* ÉTABLISSEMENT *scolaire.*

étage n. m. **1.** *Nous habitons au premier* ÉTAGE, au-dessus du rez-de-chaussée. — **2.** *Il y a cinq* ÉTAGES *dans ce placard,* cinq niveaux superposés. ◆ **étager** v. (sens 2) *Les maisons* SONT ÉTAGÉES *sur la pente de la colline* (= échelonner). ◆ **étagère** n. f. (sens 2) *La confiture est sur l'*ÉTAGÈRE *du haut.* ▷ 217 ▷ 77

étain n. m. *Autrefois, la vaisselle était en* ÉTAIN, un métal.

étaler v. **1.** *Le poissonnier* ÉTALE *sa marchandise,* il dispose les poissons sur une table. — **2.** *Jean* ÉTALE *du beurre sur son pain* (= étendre). — **3.** *Pierre* S'EST ÉTALÉ *par terre,* il est tombé à plat. — **4.** *Les paiements* S'ÉTALENT *sur un an,* ils sont répartis sur cette période. ◆ **étal** n. m. (sens 1) *Le boucher découpe la viande sur son* ÉTAL, une sorte de table. ▷ 222 ◆ **étalage** n. m. (sens 1) *Pierre regarde l'*ÉTALAGE *du marchand de jouets,* les objets étalés dans la vitrine. ▷ 221 ◆ **étalement** n. m. (sens 4) *L'*ÉTALEMENT *des vacances permet aux gens de ne pas partir tous en même temps.*

étalon n. m. **1.** *M. Dupont possède un* ÉTALON *pur-sang,* un cheval mâle (≠ jument). — **2.** *L'or sert d'*ÉTALON *monétaire,* de point de comparaison.

étanche adj. *Ce récipient n'est pas* ÉTANCHE, il laisse passer l'eau. ◆ **étanchéité** n. f. *On a vérifié l'*ÉTANCHÉITÉ *du réservoir.*

étang n. m. *Nous avons fait du canot sur l'*ÉTANG, un petit lac.
• **R.** *Étang* se prononce [etɑ̃] comme *étant* (de *être*) et [*il*] *étend* (de *étendre*).

étape n. f. **1.** *La dixième* ÉTAPE *a été gagnée par Dupin,* la course de la journée. — **2.** *Ce travail a été fait en plusieurs* ÉTAPES (= période). ▷ 512

état n. m. **1.** *Le tapis est en mauvais* ÉTAT, il est usé, abîmé. ‖ *Son* ÉTAT *de santé est bon,* il est en bonne santé. — **2.** *L'O. N. U. rassemble les* ÉTATS *du monde* (= gouvernement, pays, nation). ‖ *Les militaires ont fait un* COUP D'ÉTAT, ils ont renversé le gouvernement. ‖ *Un* HOMME D'ÉTAT *participe à un gouvernement.* — **3.** *À leur naissance, on inscrit les enfants à l'*ÉTAT CIVIL, le service officiel des naissances, des mariages et des décès. — **4.** *Il faut faire un* ÉTAT *de nos dépenses* (= liste, inventaire).

état-major n. m. *Le général a réuni son* ÉTAT-MAJOR, les officiers qui le conseillent.

289 ◁ **étau** n. m. *Dans un* ÉTAU *on serre l'objet qu'on veut travailler.*

étayer v. *On a dû* ÉTAYER *le mur*, le soutenir par des poutres, appelées
150 ◁ des ÉTAIS (= renforcer).

etc. adv. *Le fleuriste a des roses, des iris, des tulipes,* ETC., et encore d'autres fleurs.
• **R.** On prononce [ɛtsetera].

125 ◁ **été** n. m. *Il a fait très chaud cet* ÉTÉ. ◆ **estival** adj. *Il fait une température* ESTIVALE, comme en été. ◆ **estivant** n. *Il y a beaucoup d'*ESTIVANTS *dans ce petit port* (= vacancier).
• **R.** Ne pas confondre *été* et *été* (du verbe *être*).

éteindre v. **1.** *Le feu* S'EST ÉTEINT, il a cessé de brûler. — **2.** ÉTEINS *le poste de radio!*, cesse de le faire fonctionner (≠ allumer). ◆ **extinction** n. f. **1.** (sens 2) *L'*EXTINCTION *des lumières aura lieu à 10 heures* (= allumage). — **2.** *Jean a une* EXTINCTION DE VOIX, il ne peut plus parler.
761 ◁ ◆ **extincteur** n. m. (sens 1) *En cas d'incendie, décrochez l'*EXTINCTEUR!
• **R.** Conj. nº 55.

étendard n. m. se disait pour *drapeau.*

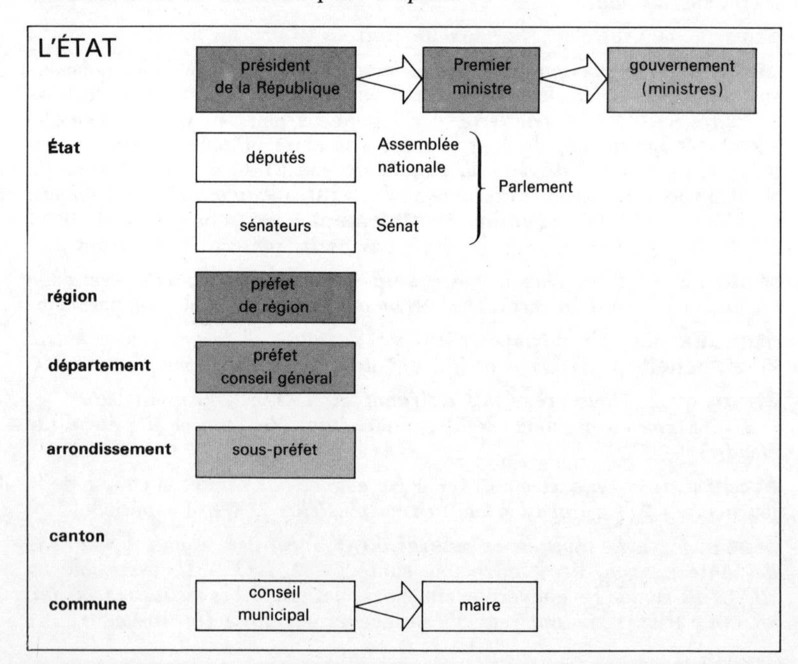

étendre v. **1.** *Jean* S'EST ÉTENDU *pour dormir* (= se coucher, s'allonger). — **2.** *On* A ÉTENDU *des couvertures par terre* (= déplier, étaler). — **3.** *La plaine* S'ÉTEND *sur des kilomètres,* elle n'est pas limitée (= se déployer). — **4.** *Ce sirop se boit* ÉTENDU *d'eau,* on y ajoute de l'eau (= diluer). — **5.** *Pierre* A ÉTENDU *ses connaissances en géographie* (= augmenter, développer; ≠ limiter). ◆ **étendu** adj. (sens 3) *Ce lac est peu* ÉTENDU (= grand, vaste; ≠ limité). ◆ **étendue** n. f. **1.** (sens 3) *Quelle est l'*ÉTENDUE *de ce pays?* (= surface, superficie). ‖ *Un lac est une étendue d'eau.* — **2.** *On ne connaît pas encore l'*ÉTENDUE *de la catastrophe* (= importance).
• **R.** Conj. nº 50. ‖ V. ÉTANG.

éternel adj. **1.** *Les chrétiens croient à une vie* ÉTERNELLE, qui n'aura pas de fin. — **2.** *Il m'a juré une reconnaissance* ÉTERNELLE, très longue. ◆ **éternellement** adv. *Jean est* ÉTERNELLEMENT *fatigué* (= toujours). ◆ **éterniser** v. (sens 2) *On ne va pas* S'ÉTERNISER *ici!,* rester longtemps. ◆ **éternité** n. f. (sens 2) *Je t'ai attendu une* ÉTERNITÉ, très longtemps.

éternuer v. *Mets ta main devant ta bouche quand tu* ÉTERNUES! ◆ **éternuement** n. m. *«Atchoum» est le bruit de l'*ÉTERNUEMENT.

éther n. m. *L'*ÉTHER *sert à désinfecter les plaies,* un liquide.
• **R.** On prononce [etɛr].

ethnique adj. *«Français», «allemand», «russe» sont des noms et adjectifs* ETHNIQUES, de peuple, de nation. ◆ **ethnie** n. f. *Les* ETHNIES *africaines sont nombreuses* (= peuple). ◆ **ethnologie** n. f. *Un* ETHNOLOGUE *étudie l'*ETHNOLOGIE, la science des peuples. ▷ 376 et 377

étincelle n. f. *Quand on remue le feu, il se produit des* ÉTINCELLES, des projections de minuscules braises. ◆ **étinceler** v. *La neige* ÉTINCELLE *au soleil* (= briller, scintiller). ▷ 290

étiquette n. f. **1.** *Le prix du manteau est marqué sur l'*ÉTIQUETTE, un petit carton. — **2.** *À la cour des rois, il fallait respecter l'*ÉTIQUETTE, des règles précises (= cérémonial). ◆ **étiqueter** v. (sens 1) *Dans ce magasin, les produits* SONT ÉTIQUETÉS, ils ont une étiquette (= marquer). ▷ 223, 579
• **R.** *Étiqueter,* conj. nº 8.

étirer v. **1.** *On* ÉTIRE *le fil de fer en tirant dessus* (= allonger). — **2.** *Le chien* S'ÉTIRE, *quand il se réveille,* il allonge ses membres.

étoffe n. f. **1.** *En quelle* ÉTOFFE *est ce manteau? — En coton* (= tissu). — **2.** *Ce coureur a de l'*ÉTOFFE, de grandes qualités. ◆ **étoffer** v. (sens 2) *Il faut* ÉTOFFER *ce devoir,* l'allonger pour l'améliorer. ▷ 223

étoile n. f. **1.** *La nuit est claire, on voit les* ÉTOILES (= astre). — **2.** *M. Dupont croit à son* ÉTOILE, qu'il a de la chance. — **3.** *Le drapeau américain porte 51* ÉTOILES. — **4.** *Pierre aime beaucoup cette* ÉTOILE *de cinéma* (= vedette, star). — **5.** *Sur cette plage, on trouve des* ÉTOILES DE MER, des petits animaux. ◆ **étoilé** adj. (sens 1) *Le ciel est* ÉTOILÉ. ▷ 724

étonner v. *Je* SUIS *très* ÉTONNÉ *d'apprendre cette nouvelle* (= surprendre, ébahir). ◆ **étonnant** adj. *Cet immeuble est d'une hauteur* ÉTONNANTE (= étrange, inattendu, effarant). ◆ **étonnement** n. m. *D'*ÉTONNEMENT, *Pierre écarquille les yeux* (= stupeur).

étouffer v. 1. *On* ÉTOUFFE *dans cette pièce,* on est gêné pour respirer. — 2. *Le tapis* ÉTOUFFE *le bruit de nos pas* (= atténuer). ◆ **étouffant** adj. (sens 1) *Il fait une chaleur* ÉTOUFFANTE (= suffocant). ◆ **étouffement** n. m. (sens 1) *Il est mort d'*ÉTOUFFEMENT, il ne pouvait plus respirer.

étourdi adj. et n. *Jeanne est une (fillette)* ÉTOURDIE, elle agit sans réfléchir (= distrait; ≠ attentif, réfléchi). ◆ **étourdiment** adv. *Pierre a répondu* ÉTOURDIMENT. ◆ **étourderie** n. f. *Tu as fait une faute d'*ÉTOURDERIE (= inattention, distraction; ≠ réflexion).

• R. Ne pas confondre avec le participe de *étourdir.*

étourdir v. 1. *Le choc m'*A ÉTOURDI, je me suis à moitié évanoui. — 2. *Ce bruit nous* ÉTOURDIT, nous casse les oreilles (= fatiguer, abrutir). ◆ **étourdissant** adj. (sens 2) *Le chien poussait des cris* ÉTOURDISSANTS (= assourdissant). ◆ **étourdissement** n. m. (sens 1) *Jean a eu un* ÉTOURDISSEMENT (= vertige).

étourneau n. m. *Les* ÉTOURNEAUX *volent souvent en bandes,* des oiseaux.

étrange adj. *J'ai entendu un bruit* ÉTRANGE (= bizarre, étonnant, surprenant; ≠ habituel, normal). ◆ **étrangement** adv. *Il est* ÉTRANGEMENT *habillé* (= curieusement, drôlement).

étranger adj. 1. *M. Durand connaît deux langues* ÉTRANGÈRES, des langues d'autres pays. — 2. *Je suis* ÉTRANGER *à cette affaire,* je n'y ai pas participé. ◆ **étranger** (sens 1) 1. n. *Beaucoup d'*ÉTRANGERS *viennent à Paris en vacances,* de personnes étrangères. — 2. n. m. *M. Dupont est parti à l'*ÉTRANGER, dans un pays étranger.

étrangler v. 1. *La victime* A ÉTÉ ÉTRANGLÉE, on lui a serré le cou. — 2. *Jean* S'ÉTRANGLE À *force de rire,* il perd la respiration (= s'étouffer).

être v. 1. *Pierre* EST *grand, Marie* EST *belle.* — 2. *Nous* SOMMES *à Paris.* — 3. *Ce livre* EST *à moi,* il m'appartient. — 4. *La table* EST EN *bois,* faite de bois. — 5. *La maison* EST À *vendre,* doit être vendue. — 6. C'EST *lui qui a tort,* il a tort. — 7. *Je pense, donc je* SUIS, j'existe. ◆ **être** n. m. (sens 7) *Nous sommes des* ÊTRES HUMAINS, des hommes. ‖ *Il ne faut pas faire souffrir les* ÊTRES VIVANTS (= créature).

• R. Conj. p. 12. ‖ *Être* sert à former le passif (*je* SUIS AIMÉ) et pour quelques verbes le passé composé (*je* SUIS PARTI).

étreindre v. *Ma mère m'*A ÉTREINT, serré fortement dans ses bras. ◆ **étreinte** n. f. *Le lutteur ne desserrait pas son* ÉTREINTE (= prise).

• R. Conj. n° 55.

étrenner v. *Jean* ÉTRENNE *ses chaussures neuves,* il s'en sert pour la première fois.

étrennes n. f. pl. *Le 1er janvier, on reçoit des* ÉTRENNES, des cadeaux.

368 ◁ **étrier** n. m. *Le cavalier s'est dressé sur ses* ÉTRIERS.

étriqué adj. *Jacques porte un veston* ÉTRIQUÉ, trop étroit (≠ ample).

étroit adj. 1. *La route est* ÉTROITE (≠ large). — 2. *Paul a des idées* ÉTROITES (= borné; ≠ tolérant). — 3. *Ils sont en* ÉTROITES *relations,* ils sont très liés. ◆ **à l'étroit** adv. (sens 1) *Jean se sent* À L'ÉTROIT *dans son costume* (≠ au large). ◆ **étroitement** adv. (sens 3) *Ces deux questions sont*

ÉTROITEMENT *liées,* elles sont inséparables. ◆ **étroitesse** n. f. (sens 1) *L'*ÉTROITESSE *de la rue provoque des embouteillages.* ◆ **rétrécir** v. (sens 1) *Le pantalon* A RÉTRÉCI *au lavage,* il est devenu plus étroit (≠ s'élargir).

étude n. f. **1.** *L'*ÉTUDE *des maths l'intéresse beaucoup,* le travail qu'il faut faire pour les apprendre. — **2.** (au plur.) *Jacques a fini ses* ÉTUDES, d'aller à l'école ou à l'université. — **3.** *M. Dupont a écrit une* ÉTUDE *sur les fourmis* (= livre, ouvrage). — **4.** *L'*ÉTUDE *d'un notaire* est l'endroit où il travaille. ◆ **étudier** v. (sens 1 et 2) *Marie* ÉTUDIE *le piano* (= apprendre). ‖ *Il faut* ÉTUDIER *cette affaire,* y travailler. ◆ **étudiant** n. (sens 2) *Jeanine est* ÉTUDIANTE *en sciences,* elle fait des études à l'université. ◆ **studieux** adj. (sens 1) *Marie est* STUDIEUSE, elle étudie bien (= appliqué; ≠ paresseux).

étui n. m. *Remets les jumelles dans leur* ÉTUI!, la boîte faite spécialement pour les contenir.

étuve n. f. *Dans cette chambre, on transpire comme dans une* ÉTUVE, une pièce surchauffée.

étymologie n. f. *L'*ÉTYMOLOGIE *du mot «étude» est le mot latin «studium»* (= origine).

eucalyptus n. m. L'EUCALYPTUS est un arbre des régions chaudes, dont les feuilles sentent très bon.

eucharistie n. f. L'EUCHARISTIE est un sacrement (= communion).

euh! → HEU.

euphorie n. f. *Jean est en pleine* EUPHORIE, il est très content, il se sent bien (≠ angoisse). ◆ **euphorique** adj. *Il a un air* EUPHORIQUE.

eux pron. pers. est le pluriel de *lui : Je vais avec* EUX. ▷ 11

évacuer v. *La police a fait* ÉVACUER *la salle,* sortir les gens qui s'y trouvaient. ◆ **évacuation** n. f. *Les pompiers se sont chargés de l'*ÉVACUATION *des blessés,* de les transporter ailleurs.

s'évader v. *Le prisonnier a réussi à* S'ÉVADER, à s'échapper de sa prison (= s'enfuir). ◆ **évasion** n. f. *Il a été rattrapé après son* ÉVASION (= fuite).

évaluer v. *Cette maison* EST ÉVALUÉE *(à) 100 000 francs,* c'est à peu près sa valeur. ◆ **évaluation** n. f. *Tu t'es trompé dans ton* ÉVALUATION (= estimation).

évangile n. m. *Les quatre* ÉVANGILES *sont des textes contenant l'enseignement de Jésus-Christ, appelé lui aussi* ÉVANGILE. ◆ **évangélique** adj. *La doctrine* ÉVANGÉLIQUE est la doctrine de l'évangile. ◆ **évangéliser** v. ÉVANGÉLISER *des gens,* c'est leur prêcher l'évangile. ◆ **évangéliste** n. m. *Saint Luc est l'un des quatre* ÉVANGÉLISTES, l'auteur d'un Évangile.

s'évanouir v. **1.** *Le blessé était si faible qu'il* S'EST ÉVANOUI, il a perdu connaissance (≠ revenir à soi). — **2.** *Ses espoirs* SE SONT ÉVANOUIS, il n'espère plus (= disparaître). ◆ **évanouissement** n. m. (sens 1) *Son* ÉVANOUISSEMENT *a duré dix minutes.*

évaporation, évaporer → VAPEUR.

évasé adj. *Ce coquillage est* ÉVASÉ, largement ouvert.

évasif adj. *Sa réponse a été* ÉVASIVE (= imprécis, vague; ≠ net, clair).

évasion → S'ÉVADER. / **évêché** → ÉVÊQUE.

éveiller v. **1.** *Jean* S'EST ÉVEILLÉ *brusquement* (= se réveiller; ≠ s'endormir). — **2.** *Sa réponse* A ÉVEILLÉ *les soupçons* (= causer, provoquer; ≠ apaiser). ◆ **éveil** n. m. (sens 1) *Le chien en aboyant a donné l'*ÉVEIL, il nous a alertés (= alarme). ◆ **éveillé** adj. *Pierre est un garçon* ÉVEILLÉ, plein de vie (= vif; ≠ mou).

événement n. m. *Connais-tu la suite des* ÉVÉNEMENTS?, ce qui s'est passé ensuite (= fait).

éventail → ÉVENTER.

223 ◁ **éventaire** n. m. *Il y a un* ÉVENTAIRE *devant la librairie,* une table portant des marchandises.

éventer v. **1.** *M. Dupont* S'ÉVENTE *avec son journal,* il l'agite pour se donner de l'air. — **2.** *Le vin* S'EST ÉVENTÉ, il a perdu son goût. ◆ **éventail**
224 ◁ n. m. (sens 1) *Cet* ÉVENTAIL *de plumes est très joli,* cet instrument pour s'éventer.

éventrer v. *Le matelas* A ÉTÉ ÉVENTRÉ *par un coup de couteau* (= déchirer, crever).

éventuel adj. *Il m'a parlé de son départ* ÉVENTUEL (= possible; ≠ certain, inévitable). ◆ **éventuellement** adv. *Je vous préviendrai* ÉVENTUELLEMENT, s'il y a lieu (≠ de toute façon). ◆ **éventualité** n. f. *On a examiné toutes les* ÉVENTUALITÉS, tout ce qui pourrait arriver.

évêque n. m. Un ÉVÊQUE est un prêtre qui dirige un diocèse. ◆ **évêché** n. m. L'ÉVÊCHÉ est la résidence de l'évêque. ◆ **épiscopal** adj. *L'évêque a donné sa bénédiction* ÉPISCOPALE. ◆ **épiscopat** n. m. *L'*ÉPISCOPAT *français s'est réuni,* l'ensemble des évêques. ◆ **archevêque** n. m. *Un* ARCHEVÊQUE *est supérieur à un évêque.* ◆ **archevêché** n. m. *Il y a en France dix-sept* ARCHEVÊCHÉS.

s'évertuer v. *Pierre* S'EST ÉVERTUÉ *en vain à me convaincre* (= essayer, s'efforcer).

évident adj. *Il a apporté une preuve* ÉVIDENTE *de son innocence* (= certain, incontestable; ≠ douteux). ◆ **évidence** n. f. *Tu as raison, c'est une* ÉVIDENCE (= certitude; ≠ doute). ◆ **évidemment** adv. *Tu acceptes?* — ÉVIDEMMENT! (= bien sûr).

évider v. ÉVIDER *un tronc d'arbre,* c'est le creuser.

78 ◁ **évier** n. m. *L'*ÉVIER *est plein de vaisselle sale.*

évincer v. *Il se plaint d'*AVOIR ÉTÉ ÉVINCÉ (= écarter).

éviter v. **1.** *Le conducteur n'a pas pu* ÉVITER *l'accident,* empêcher qu'il se produise (= échapper à). — **2.** ÉVITE *de fumer!,* ne fume pas! — **3.** *Il m'*A ÉVITÉ *des ennuis,* je n'en ai pas eu grâce à lui (= épargner). ◆ **inévitable** adj. (sens 1) *Avec ce verglas, l'accident était* INÉVITABLE.

évoluer v. *La mode* ÉVOLUE *sans cesse* (= changer, se transformer). ◆ **évolution** n. f. *L'*ÉVOLUTION *de sa maladie est inquiétante* (= développement, progrès).

évoquer v. *Il* A ÉVOQUÉ *son voyage au Mexique,* il en a parlé (= rappeler).

ex-, placé devant un nom de personne, indique ce qu'elle a été : un *ex-ministre* n'est plus ministre.

exact adj. **1.** *Quelles sont les dimensions* EXACTES *de cette chambre?* (= vrai, juste, précis). — **2.** *Pierre est toujours* EXACT *à ses rendez-vous,* il arrive à l'heure (= ponctuel). ◆ **exactement** adv. (sens 1) *Il est* EXACTEMENT *7 heures* (= juste, précisément). ◆ **exactitude** n. f. (sens 1) *Il faut vérifier l'*EXACTITUDE *de ses réponses.* ◆ **inexact** adj. (sens 1) *Il a donné des renseignements* INEXACTS (= faux). ◆ **inexactitude** n. f. (sens 1) *J'ai relevé des* INEXACTITUDES *dans ton devoir* (= faute, erreur).
• **R.** *Exact* se prononce [ɛgza] ou [ɛgzakt].

ex aequo adv. *Ils sont arrivés* EX AEQUO, à égalité.
• **R.** On prononce [ɛgzeko].

exagérer v. **1.** *Tu* EXAGÈRES *l'importance de cette affaire,* tu lui donnes trop d'importance (≠ atténuer). — **2.** *Tu es encore en retard, tu* EXAGÈRES!, tu dépasses la limite (= abuser). ◆ **exagération** n. f. (sens 1) *Il y a de l'*EXAGÉRATION *dans ses paroles.*

s'exalter v. *Il* S'EXALTE, *quand il parle de cinéma* (= s'exciter, s'enthousiasmer; ≠ se calmer). ◆ **exaltation** n. f. *On a essayé de calmer son* EXALTATION (= surexcitation).

examen n. m. **1.** *Jean a passé l'*EXAMEN *d'entrée en sixième,* une épreuve pour voir s'il était capable. — **2.** *Les enquêteurs ont fait un* EXAMEN *des lieux,* ils les ont regardés attentivement. ◆ **examinateur** n. (sens 1) *L'*EXAMINATEUR *a interrogé les candidats.* ◆ **examiner** v. (sens 2) *J'ai passé la journée à* EXAMINER *ces papiers* (= regarder, étudier).

exaspérer v. *Mes reproches l'*ONT EXASPÉRÉ, beaucoup énervé (= irriter). ◆ **exaspération** n. f. *Il ne pouvait cacher son* EXASPÉRATION (= colère, fureur).

exaucer v. *Tous mes désirs* SONT EXAUCÉS (= satisfaire, combler).
• **R.** *Exaucer* se prononce [ɛgzose] comme *exhausser.*

excéder v. **1.** *Le prix de cette voiture* EXCÈDE *20 000 francs* (= dépasser). — **2.** *Jean* EST EXCÉDÉ *par mes reproches* (= exaspérer, irriter). ◆ **excédent** n. m. (sens 1) *La production de blé est en* EXCÉDENT, il y en a trop.

excellent adj. *Ce vin est* EXCELLENT, très bon (= supérieur; ≠ détestable). ◆ **exceller** v. *Pierre* EXCELLE *au Ping-Pong,* il y est très fort. ◆ **excellence** n. f. **1.** *Jean a eu le prix d'*EXCELLENCE, le premier prix. — **2.** *On dit* «EXCELLENCE» *à un ministre ou à un évêque.*

excentrique → CENTRE.

exception n. f. **1.** *Tout le monde a pu rentrer sans* EXCEPTION (= restriction). — **2.** *Un aussi beau temps est une* EXCEPTION *en cette saison,* ce n'est pas normal (= règle). ◆ **excepté** prép. (sens 1) *Tout le monde était là,* EXCEPTÉ *Jean* (= sauf, à part). ◆ **exceptionnel** adj. (sens 2) *Il a une chance* EXCEPTIONNELLE, très rare (= remarquable; ≠ courant). ◆ **exceptionnellement** adv. (sens 2) *Le travail finira* EXCEPTIONNELLEMENT *à 5 heures.*

excès n. m. **1.** *M. Durand a eu une amende pour* EXCÈS *de vitesse,* pour avoir dépassé la vitesse permise. — **2.** (au plur.) *Il faut éviter les* EXCÈS, de trop boire et de trop manger. ◆ **excessif** adj. (sens 1) *Ces prix sont* EXCESSIFS, trop élevés (= énorme; ≠ normal).

exciter v. **1.** *Son succès* A EXCITÉ *la jalousie,* il en est la cause (= provoquer, entraîner). — **2.** *Ne* T'EXCITE *pas, garde ton calme!* (= s'énerver; ≠ se calmer). ◆ **excitation** n. f. (sens 2) *On a essayé de calmer son* EXCITATION. ◆ **surexciter** v. (sens 2) *Cet enfant est* SUREXCITÉ, très excité. ◆ **surexcitation** n. f. (sens 2) *Jean est dans un état de* SUREXCITATION, de grande agitation.

s'exclamer v. *«Enfin!»* S'EST-*il* EXCLAMÉ (= s'écrier). ◆ **exclamation** n. f. *«Que c'est beau!» est une* EXCLAMATION. ◆ **exclamatif** adj. *Une phrase* EXCLAMATIVE *finit par un point d'exclamation.*

exclure v. **1.** *Un élève* A ÉTÉ EXCLU *du lycée,* mis à la porte (= renvoyer). — **2.** *Il* A EXCLU *la possibilité de venir demain* (= écarter). ◆ **exclusion** n. f. (sens 1) *Cet élève risque l'*EXCLUSION (= renvoi). ◆ **exclusif** adj. (sens 2) *La vente des cigarettes est un droit* EXCLUSIF *de l'État,* personne d'autre n'a ce droit (= spécial, réservé). ◆ **exclusivité** n. f. (sens 2) *Ce film passe en* EXCLUSIVITÉ, dans certains cinémas seulement.
• **R.** Conj. n° 68.

excommunication, excommunier → COMMUNIER.

excrément n. m. *Après la digestion, notre corps rejette des* EXCRÉMENTS, quand nous allons aux w.-c.

excursion n. f. *Nous avons fait une* EXCURSION *dans la forêt,* une longue promenade.

excuser v. *M. Durand nous a demandé de l'*EXCUSER (= pardonner; ≠ accuser, condamner). ‖ *Étant absent, il n'a pu* S'EXCUSER, demander pardon. ◆ **excuse** n. f. *Il est venu présenter ses* EXCUSES (= explication, raison, regret). ◆ **inexcusable** adj. *Sa faute est* INEXCUSABLE (= impardonnable).

exécrable adj. *Ce vin est* EXÉCRABLE, très mauvais.

exécuter v. **1.** *Il a fallu un an pour* EXÉCUTER *ce travail* (= faire, réaliser, accomplir). — **2.** *Le condamné à mort* A ÉTÉ EXÉCUTÉ (= tuer). — **3.** *L'orchestre* A EXÉCUTÉ *une symphonie* (= jouer). — **4.** *Il n'a pas voulu* S'EXÉCUTER, faire ce qu'il devait faire. ◆ **exécutant** n. (sens 1) *Il n'est qu'un simple* EXÉCUTANT, il travaille sous les ordres de quelqu'un. • (sens 3) *Cet orchestre compte cinquante* EXÉCUTANTS (= musicien).

◆ **exécutif** adj. *Le gouvernement est chargé du pouvoir* EXÉCUTIF, il fait appliquer les lois (≠ législatif). ◆ **exécution** n. f. (sens 1) *À qui est confiée l'*EXÉCUTION *de ce travail?* • (sens 2) *Un peloton d'*EXÉCUTION *a fusillé le condamné,* un groupe de soldats chargés de l'exécuter.

exemple n. m. **1.** *Sa conduite peut servir d'*EXEMPLE, on peut l'imiter (= modèle, règle). — **2.** *On m'a cité plusieurs* EXEMPLES *de sa générosité,* des faits qui la prouvent. — **3.** *J'aime les fruits,* PAR EXEMPLE *les pêches,* entre autres fruits. ◆ **exemplaire 1.** adj. (sens 1) *Il a montré un courage* EXEMPLAIRE (= parfait). — **2.** n. m. *Je possède deux* EXEMPLAIRES *de ce livre,* j'ai deux fois le même.

exempt adj. *M. Dupont est* EXEMPT *d'impôts,* il n'en paie pas. ◆ **exempter** v. *On* A EXEMPTÉ *Jacques du service militaire,* il n'a pas dû le faire, comme les autres (= dispenser).

• **R.** On prononce [ɛgzɑ̃, ɛgzɑ̃te].

exercer v. **1.** *Marie* S'EXERCE *tous les jours à jouer du piano,* elle l'apprend en faisant des exercices (= s'entraîner). — **2.** *M. Martin* EXERCE *des fonctions importantes,* il les a. ◆ **exercice** n. m. **1.** (sens 1) *As-tu fait tes* EXERCICES *de calcul?* (= devoir). • (sens 2) *L'*EXERCICE *de son métier lui prend beaucoup de temps* (= pratique). — **2.** *Tu devrais faire un peu d'*EXERCICE, de la gymnastique ou du sport.

exhaler v. *Ce produit* EXHALE *une odeur bizarre* (= répandre, dégager).

exhausser v. *On* A EXHAUSSÉ *la maison d'un étage,* on a augmenté sa hauteur (= hausser, surélever).

• **R.** *Exhausser* se prononce [ɛgzose] comme *exaucer.*

exhiber v. *L'agent lui a demandé d'*EXHIBER *ses papiers* (= montrer).

exhorter v. *M. Durand m'*A EXHORTÉ *à la prudence,* il m'a dit d'être prudent (= inciter). ◆ **exhortation** n. f. *Malgré mes* EXHORTATIONS, *il est parti se baigner* (= conseil, recommandation).

exhumer → INHUMER.

exiger v. **1.** *Il* A EXIGÉ *que nous venions demain,* il l'a réclamé avec force (= ordonner). — **2.** *Ce travail* EXIGE *beaucoup d'application,* il en faut beaucoup (= demander, nécessiter). ◆ **exigeant** adj. (sens 1) *Ce professeur est très* EXIGEANT (= sévère). ◆ **exigence** n. f. (sens 1) *Tes* EXIGENCES *sont exagérées* (= réclamation).

exigu adj. *Cette chambre est* EXIGUË, trop petite (≠ vaste).

exiler v. *Sous Louis XIV, beaucoup de protestants français* S'EXILÈRENT, ils quittèrent leur pays (= s'expatrier). ◆ **exil** n. m. *Après dix ans d'*EXIL, *il est revenu dans sa patrie.*

exister v. **1.** *Il y a cent ans, nous n'*EXISTIONS *pas* (= vivre). — **2.** IL *n'*EXISTE *qu'une route pour aller dans ce village* (= il y a). ◆ **existence** n. f. (sens 1) *Il a eu des malheurs dans son* EXISTENCE (= vie). ◆ **inexistant** adj. (sens 2) *Les preuves contre lui sont* INEXISTANTES, il n'y en a pas.

exode n. m. *L'avance de l'ennemi a provoqué l'*EXODE *des populations* (= fuite).

exonérer v. *M. Durand* EST EXONÉRÉ *d'impôts,* dispensé d'en payer.

exorbitant adj. *Ces prix sont* EXORBITANTS (= excessif, abusif).

exorbité → ORBITE.

exotique adj. *Les bananes, les ananas sont des fruits* EXOTIQUES, qui viennent de pays lointains.

expansif adj. *Mme Durand est une femme* EXPANSIVE, elle dit ce qu'elle pense, ce qu'elle ressent (= ouvert; ≠ timide).

expansion n. f. *Cette industrie est en pleine* EXPANSION, elle se développe (= essor).

expatrier → PATRIE.

expédient n. m. *Il cherche un* EXPÉDIENT *pour se tirer d'affaire,* un moyen habile.

expédier v. **1.** *J'*AI EXPÉDIÉ *le paquet par la poste* (= envoyer, adresser). — **2.** *Jean* A EXPÉDIÉ *son travail en une heure,* il l'a fait très vite (= bâcler). 768 ◁ ◆ **expéditeur** n. (sens 1) *Le nom de l'*EXPÉDITEUR *doit être indiqué au dos de la lettre* (≠ destinataire). ◆ **expéditif** adj. (sens 2) *Jean est un garçon* EXPÉDITIF, il travaille vite. ◆ **expédition** n. f. **1.** (sens 1) *Ce service est chargé de l'*EXPÉDITION *des colis* (= envoi). — **2.** *Une* EXPÉDITION *scientifique est partie pour le pôle Nord,* un groupe de savants.

expérience n. f. **1.** *Le professeur a fait une* EXPÉRIENCE *de chimie,* un essai pour étudier quelque chose. — **2.** *M. Dupont a de l'*EXPÉRIENCE, il connaît bien les gens et les choses. ◆ **expérimenté** adj. (sens 2) *M. Martin est un médecin* EXPÉRIMENTÉ (= habile; ≠ débutant). ◆ **expérimenter** v. (sens 1) *On* A EXPÉRIMENTÉ *ce médicament avant de le mettre en vente* (= essayer). ◆ **inexpérience** n. f. (sens 2) *L'accident est dû à l'*INEXPÉRIENCE *du conducteur,* il était débutant. ◆ **inexpérimenté** adj. (sens 2) *Jean est encore* INEXPÉRIMENTÉ.

expert n. m. *Il a fait évaluer ses tableaux par un* EXPERT, un homme qui sait le prix des tableaux (= spécialiste).

expirer v. **1.** EXPIREZ *lentement par le nez!* (= souffler; ≠ inspirer). — **2.** *Le délai* EXPIRE *à la fin de la semaine* (= finir). — **3.** *Son grand-père est sur le point d'*EXPIRER (= mourir). ◆ **expiration** n. f. (sens 1) *Contractez vos muscles pendant l'expiration.* • (sens 2) *À l'*EXPIRATION *de son mandat, le député s'est représenté* (= fin; ≠ continuation).

expliquer v. *Le professeur nous* EXPLIQUE *comment fonctionne un moteur,* nous fait comprendre. ◆ **explicatif** adj. *Une notice* EXPLICATIVE *est fournie avec l'appareil,* elle en explique le fonctionnement. ◆ **explication** n. f. *Il m'a demandé l'*EXPLICATION *de mon retard* (= cause, raison, motif). ◆ **explicite** adj. *Ce texte est très* EXPLICITE, on le comprend bien (= clair). ◆ **inexplicable** adj. *Les raisons de l'accident sont* INEXPLICABLES (= incompréhensible).

exploit n. m. *Ce sportif a accompli un* EXPLOIT, une action remarquable (= performance).

exploiter v. **1.** *Cette mine* EST EXPLOITÉE *depuis deux ans,* on en tire du minerai. — **2.** *Jean n'a pas su* EXPLOITER *son avantage,* en tirer parti (= profiter de). — **3.** *Ces pauvres gens* SONT EXPLOITÉS, quelqu'un les fait travailler à son profit. ◆ **exploitant** n. (sens 1) *Les* EXPLOITANTS *(agricoles) ont été touchés par la sécheresse,* ceux qui exploitent une terre (= paysan). ◆ **exploitation** n. f. (sens 1) *La forêt a été mise en* EXPLOITATION, on l'exploite. ‖ *M. Martin possède une* EXPLOITATION *agricole,* une terre qu'il exploite. • (sens 3) *Les ouvriers protestent contre l'*EXPLOITATION, les abus. ◆ **exploiteur** n. (sens 3) *À bas les* EXPLOITEURS! (= profiteur).

▷ 581

explorer v. *Des savants* ONT EXPLORÉ *cette région inconnue,* ils l'ont parcourue pour l'étudier. ◆ **explorateur** n. *Stanley et Livingstone furent de grands* EXPLORATEURS (= voyageur). ◆ **exploration** n. f. *L'*EXPLORATION *de la Lune vient à peine de commencer* (= découverte). ◆ **inexploré** adj. *Il reste peu de régions* INEXPLORÉES *sur la Terre* (= inconnu).

explosion n. f. **1.** *L'*EXPLOSION *de la bombe a fait plusieurs morts* (= éclatement, déflagration). — **2.** *La nouvelle a été accueillie par une* EXPLOSION *de joie* (= débordement). ◆ **exploser** v. (sens 1) *La chaudière* A EXPLOSÉ, elle a éclaté violemment. ◆ **explosif** (sens 1) n. m. *La poudre, le plastic, la dynamite sont des* EXPLOSIFS. • (sens 2) adj. *La situation dans ce pays est* EXPLOSIVE (= dangereux).

▷ 763

exportateur, exportation, exporter → IMPORTER.

exposer v. **1.** *Jean m'*A EXPOSÉ *ses projets* (= expliquer, décrire). — **2.** *Ce peintre* A EXPOSÉ *ses tableaux,* il les a montrés au public. — **3.** *La maison* EST EXPOSÉE *au sud,* elle est tournée vers cette direction. — **4.** *Jean* S'EST EXPOSÉ *à de graves dangers* (= courir, risquer). ◆ **exposé** n. m. (sens 1) *Il nous a fait un* EXPOSÉ *sur le pôle Nord,* il nous en a parlé (= cours). ◆ **exposition** n. f. (sens 2) *Nous avons visité l'*EXPOSITION *de peinture.* • (sens 3) *La maison a une bonne* EXPOSITION (= orientation).

exprès **1.** adj. *Interdiction* EXPRESSE *de fumer dans cette pièce!* (= absolu, formel). — **2.** adj. inv. *Pierre m'a envoyé une lettre* EXPRÈS, qui va plus vite que les lettres ordinaires. — **3.** adv. *Jean est en retard, mais il ne l'a pas fait* EXPRÈS (= intentionnellement, volontairement). ◆ **express** adj. et n. m. (sens 2) *Un (train)* EXPRESS *va plus vite que les autres trains* (≠ omnibus). ◆ **expressément** adv. (sens 1) *Il m'a demandé* EXPRESSÉMENT *de venir,* il a insisté (= absolument).

• **R.** *Exprès* se prononce [ɛksprɛs] aux sens 1 et 2 et [ɛksprɛ] au sens 3.

exprimer v. **1.** *Son visage* EXPRIME *une grande joie,* la laisse voir (= manifester). — **2.** *John commence à* S'EXPRIMER *en français* (= parler). — **3.** *On fait une orangeade en* EXPRIMANT *le jus d'une orange,* en pressant l'orange. ◆ **expressif** adj. (sens 1) *Marie a un visage* EXPRESSIF, qui exprime ses sentiments (≠ figé). ◆ **expression** n. f. (sens 1) *Pourquoi as-tu cette* EXPRESSION *de surprise?* (= air). • (sens 2) *Jean emploie des* EXPRESSIONS *grossières,* il parle grossièrement (= mot). ◆ **inexpressif** adj. (sens 1) *Jules a des yeux* INEXPRESSIFS, sans expression. ◆ **inexprimable** adj. (sens 2) *J'éprouve une joie* INEXPRIMABLE, difficile à dire.

exproprier → PROPRIÉTÉ.

expulser v. *La police* A EXPULSÉ *les perturbateurs,* les a mis dehors (= chasser). ◆ **expulsion** n. f. *Un décret d'*EXPULSION *l'a chassé du pays.*

exquis adj. *Ce repas est* EXQUIS, très bon.

exsangue → SANG.

extase n. f. *Jeannot est en* EXTASE *devant la vitrine du marchand de jouets,* il la regarde avec une grande admiration (= ravissement). ◆ **s'extasier** v. *On* S'EST EXTASIÉ *devant la beauté du paysage* (= s'enthousiasmer).

extensible adj. *Ce vêtement est en tissu* EXTENSIBLE, qui peut s'allonger (= élastique).

exténuer v. *Cette longue promenade m'*A EXTÉNUÉ, beaucoup fatigué.

extérieur, extérieurement → INTÉRIEUR.

exterminer v. *M. Dupont a acheté un produit pour* EXTERMINER *les fourmis,* pour les tuer toutes.

externe → INTERNE. / **extincteur, extinction** → ÉTEINDRE.

extorquer v. *L'escroc voulait lui* EXTORQUER *de l'argent,* l'obtenir malhonnêtement.

extra adj. inv. *Ces fruits sont* EXTRA, très bons.

• **R.** Placé devant un mot, *extra-* indique ce qui est à l'extérieur ou ce qui est à un degré élevé.

extraire v. **1.** *Dans cette mine, on* EXTRAIT *du charbon,* on le tire de la terre. — **2.** *On* EXTRAIT *l'alcool du vin,* on le fait avec le vin. — **3.** *Le dentiste m'*A EXTRAIT *une dent* (= arracher). ◆ **extraction** n. f. (sens 3) *L'*EXTRACTION *de ma dent malade m'a fait beaucoup souffrir.* ◆ **extrait** n. m. **1.** (sens 2) *Un* EXTRAIT *de lavande* est un liquide obtenu à partir de la lavande. — **2.** *J'ai lu quelques* EXTRAITS *de ce roman* (= passage).

• **R.** Conj. nº 79.

extraordinaire → ORDINAIRE.

extravagant adj. *Pierre a des idées* EXTRAVAGANTES (= bizarre, grotesque; ≠ sage). ◆ **extravagance** n. f. *Je n'ai pas écouté ses* EXTRAVAGANCES, ses paroles bizarres.

extrême adj. **1.** *Il a montré un désir* EXTRÊME *de nous voir,* très grand (= intense; ≠ faible). — **2.** *M. Dupuis est partisan des solutions* EXTRÊMES (= radical, excessif; ≠ modéré). — **3.** *Demain, c'est l'*EXTRÊME *limite pour payer vos impôts* (= dernier). ◆ **extrême** n. m. (sens 2) *Il passe toujours d'un* EXTRÊME *à l'autre,* d'un excès à l'excès opposé. ◆ **extrêmement** adv. (sens 1) *M. Duval est* EXTRÊMEMENT *riche* (= très, immensément). ◆ **extrémiste** adj. et n. (sens 2) *M. Dupuis est un* EXTRÉMISTE (≠ modéré). ◆ **extrémité** n. f. (sens 3) *Le phare est à l'*EXTRÉMITÉ *du cap* (= bout). ◆ **extrême-onction** n. f. (sens 3) *On reçoit l'*EXTRÊME-ONCTION *quand on risque de mourir,* un sacrement.

exubérant adj. *Jean a une imagination* EXUBÉRANTE, très riche (= débordant).

exulter v. *Quand il a su la nouvelle, il* A EXULTÉ, il a été très content (≠ se désoler).

fa n. m. Le FA est la quatrième note de la gamme.

fable n. f. *La Fontaine a écrit des* FABLES, des poésies qui se terminent par une morale. ◆ **fabuliste** n. m. *La Fontaine est un* FABULISTE.

fabriquer v. *Cet industriel* FABRIQUE *des meubles,* il les exécute (= faire). ◆ **fabrique** n. f. se disait autrefois pour *usine.* ◆ **fabricant** n. m. *Il est* FABRICANT *de parapluies.* ◆ **fabrication** n. f. *Il y a un défaut de* FABRICATION *dans ces verres.* ◆ **préfabriqué** adj. *Les maisons* PRÉFABRIQUÉES *sont faites d'éléments fabriqués d'avance.*
• **R.** Ne pas confondre *fabricant* (n. m.) et *fabriquant* (participe).

fabuleux adj. *Il a une fortune* FABULEUSE (= énorme). ◆ **fabuleusement** adv. *Ce banquier est* FABULEUSEMENT *riche* (= très).

fabuliste → FABLE.

façade n. f. *On a ravalé la* FAÇADE *de l'immeuble,* la partie où se trouve l'entrée principale. ▷ 75

face n. f. **1.** *Pierre a mal aux muscles de la* FACE (= visage, figure). — **2.** *Un dé est un cube à six* FACES, six surfaces planes. — **3.** *Cette photo a été prise* DE FACE, le sujet photographié est vu de devant (≠ de dos, de côté, de profil). — **4.** *Il y a un arbre* EN FACE DE *la maison,* devant. ‖ *Ces deux maisons sont* FACE À FACE, l'une en face de l'autre. ◆ **facial** adj. (sens 1) *Il a une paralysie* FACIALE, de la face. ◆ **facette** n. f. (sens 2) *Les* FACETTES *d'un diamant* sont ses petites surfaces planes.

facétie n. f. *On lui a fait une* FACÉTIE (= farce, blague). ◆ **facétieux** adj. *Elle est* FACÉTIEUSE, elle aime faire des farces (= farceur).
• **R.** On prononce [fasesi, fasesjø].

facette → FACE.

fâcher v. **1.** *Attention, je vais* ME FÂCHER!, me mettre en colère. — **2.** *Catherine* EST FÂCHÉE *avec Pierre,* ils ne sont plus amis (= brouiller; ≠ réconcilier).

fâcheux adj. *C'est* FÂCHEUX *que tu ne puisses pas venir,* je le regrette (= ennuyeux, regrettable).

facial → FACE.

facile adj. **1.** *Cette question est* FACILE, on y répond sans difficulté (≠ difficile). — **2.** *Cet enfant a un caractère* FACILE, accommodant (= souple). ◆ **facilité** n. f. (sens 1) *Il a répondu à la question avec* FACILITÉ (≠ difficulté). ‖ (au plur.) *On a obtenu des* FACILITÉS *de paiement,* des conditions plus faciles (= délai). ◆ **faciliter** v. (sens 1) *En m'aidant, tu m'*AS FACILITÉ *les choses,* tu me les as rendues plus faciles. ◆ **facilement** adv. *Ce livre se lit* FACILEMENT (= aisément).

façon n. f. **1.** *Paul a une curieuse* FAÇON *de s'habiller* (= manière). — **2.** (au plur.) *Je n'aime pas ses* FAÇONS, sa manière d'agir. — **3.** *Le directeur m'a reçu chez lui* SANS FAÇON, en toute simplicité. — **4.** *J'ai agi* DE FAÇON (À CE) QUE *chacun soit content,* pour que. ◆ **malfaçon** n. f. *Cet artisan a été accusé de* MALFAÇON, d'un défaut dans l'ouvrage exécuté.

768 ◁ **facteur** n. m. **1.** *Le* FACTEUR *distribue le courrier,* l'employé de la poste. — **2.** *Le courage est un* FACTEUR *de succès,* un élément qui a un rôle. — **3.** *Chacun des termes d'une multiplication est un* FACTEUR.

factice adj. *Sa gaieté est* FACTICE (= faux, forcé; ≠ naturel, vrai).

faction n. f. *Être* DE FACTION (EN FACTION), c'est monter la garde.

facture n. f. *Le plombier m'a envoyé sa* FACTURE, la note à payer.

facultatif adj. *Le latin est une matière* FACULTATIVE *en quatrième,* il n'est pas obligatoire.

faculté n. f. **1.** *Les animaux n'ont pas la* FACULTÉ *de parler,* la possibilité. — **2.** FACULTÉ est l'ancien nom donné à un établissement d'enseignement supérieur (= université).

fade adj. *Cet aliment est* FADE, il manque de goût (≠ épicé, salé).

fagot n. m. *Mets un* FAGOT *dans la cheminée,* un faisceau de branches minces.

fagoté adj. Fam. *Elle est vraiment* MAL FAGOTÉE, mal habillée.

faible adj. **1.** *Paul va mieux, mais il est encore* FAIBLE, il n'a pas retrouvé ses forces (≠ robuste). — **2.** *Jean est* FAIBLE EN *orthographe* (= médiocre; ≠ fort, doué, bon). — **3.** *Il est trop* FAIBLE *avec ses enfants,* il leur cède trop facilement. — **4.** *J'entends un bruit* FAIBLE (= petit, léger; ≠ fort). ◆ **faible** n. m. (sens 3) *Il a un* FAIBLE *pour son dernier fils,* une préférence. ◆ **faiblement** adv. (sens 4) *La lampe éclaire* FAIBLEMENT. ◆ **faiblesse** n. f. (sens 1) *La* FAIBLESSE *du malade s'aggrave.* • (sens 3) *C'est par* FAIBLESSE *que tu cèdes à tous ses caprices.* ◆ **faiblir** v. (sens 4) *Le bruit* FAIBLIT, il est de moins en moins fort (= s'affaiblir, diminuer; ≠ grossir). ◆ **affaiblir** v. (sens 1) *La fièvre l'*A AFFAIBLI, elle l'a rendu plus faible. • (sens 4) *Sa vue* S'EST AFFAIBLIE (= diminuer, baisser). ◆ **affaiblissement** n. m. (sens 1) *Le malade est dans un grave état d'*AFFAIBLISSEMENT.

faïence n. f. *Un plat en* FAÏENCE est en terre cuite recouverte d'émail. • **R.** On prononce [fajɑ̃s].

faignant → FAINÉANT.

faille n. f. *Il y a une* FAILLE *dans ton raisonnement,* quelque chose qui n'est pas cohérent.

faillir v. **1.** *J'*AI FAILLI *tomber,* un peu plus, je tombais (= manquer). — **2.** *Cet homme* A FAILLI À *sa promesse,* il ne l'a pas tenue.
• **R.** Conj. nº 30.

faillite n. f. *Ce commerçant a fait* FAILLITE, il ne peut plus payer ses dettes et continuer à vendre.

faim n. f. *J'ai* FAIM, je ressens le besoin de manger. ◆ **affamé** adj. *Je suis* AFFAMÉE, j'ai très faim.
• **R.** *Faim* se prononce [fɛ̃] comme *fin* et *feint* (de *feindre*).

fainéant ou, fam., **faignant** adj. et n. *Marie est (une)* FAINÉANTE, elle ne veut rien faire (= paresseux; ≠ travailleur).

faire v. **1.** *Le boulanger* FAIT *le pain,* il le fabrique. — **2.** *Jean* FAIT *son lit tous les matins,* il le remet en ordre, en état. — **3.** *Vous* FAITES *du tennis?,* vous pratiquez ce sport? — **4.** *Comment* AS-*tu* FAIT *pour nous trouver?,* comment t'y es-tu pris? ‖ *Tu* AS BIEN FAIT *de venir,* tu as bien agi. — **5.** *Il ne sait pas* FAIRE *son problème,* le résoudre. — **6.** *Deux et deux* FONT *quatre,* égalent. — **7.** *Il va* FAIRE *froid cette nuit,* la température va être froide. ‖ IL FAIT *nuit,* la nuit est tombée. — **8.** *Elle* FAIT *plus vieux que son âge,* elle a l'air (= paraître). — **9.** *Il* S'EST FAIT *renverser par une voiture,* il a été renversé. — **10.** *Je ne peux pas* ME FAIRE À *cette idée,* m'y habituer. — **11.** *Il* S'EST FAIT *prêtre,* il est devenu. — **12.** *Ne* T'EN FAIS *pas, tout ira bien,* ne sois pas inquiet. — **13.** *Il nous* A FAIT PART *de son intention de partir à l'étranger,* il nous l'a annoncée. ◆ **faire-part** n. m. inv. (sens 13) *Nous avons reçu leur* FAIRE-PART *de mariage,* une carte annonçant leur mariage. ◆ **faisable** adj. (sens 5) *L'opération est* FAISABLE (= possible, réalisable). ◆ **défaire** v. (sens 2) *Veux-tu m'aider à* DÉFAIRE *mes bagages?* (≠ faire). • (sens 10) *Il faudra* TE DÉFAIRE *de cette mauvaise habitude* (= se débarrasser). ◆ **infaisable** adj. (sens 5) *Ce problème est* INFAISABLE, très difficile (= impossible). ◆ **refaire** v. (sens 1) *Il m'a fait* REFAIRE *mon devoir* (= recommencer). • (sens 2) *On* A REFAIT *la toiture de la maison,* on l'a remise en état (= réparer). ◆ **réfection** n. f. (sens 2) *La route est en* RÉFECTION (= réparation).
• **R.** *Faire, défaire, refaire* conj. nº 76. ‖ V. FAIT et FAÎTE. ‖ *Faisable, infaisable* se prononcent [fəzabl, ɛ̃fəzabl].

faisan n. m. *À la chasse, il a tué un* FAISAN, un oiseau.
• **R.** On prononce [fəzɑ̃].

faisceau n. m. *Un fagot est formé par un* FAISCEAU *de petites branches,* un assemblage de branches attachées ensemble.

fait n. m. **1.** *Voilà un* FAIT *curieux!* (= événement, chose). — **2.** LE FAIT *qu'il mange prouve qu'il a faim,* l'action de. — **3.** *Le voleur a été pris* SUR LE FAIT, pendant qu'il commettait son action. — **4.** AU FAIT, *tu viens demain?,* puisque j'y pense, à propos. — **5.** *J'ai cru l'apercevoir;* EN FAIT, *c'était son frère,* en réalité.
• **R.** *Fait* se prononce [fɛ] comme [*il*] *fait* (de *faire*) ou [fɛt] comme *faîte.*

75 ◁ **faîte** n. m. *Il est monté sur le* FAÎTE *du toit* (= sommet).
• **R.** *Faîte* se prononce [fɛt] comme *fait, faite* (participe de *faire*) et *fête.*

fait-tout n. m. inv. *La soupe cuit dans le* FAIT-TOUT, un récipient à anses et à couvercle.

fakir n. m. *Au music-hall, il y avait un* FAKIR, un artiste qui faisait des tours de magie.

725, 650 ◁ **falaise** n. f. *La* FALAISE *est très haute,* la paroi qui domine la mer.

fallacieux adj. *Ce commentaire est* FALLACIEUX, destiné à tromper.

falloir v. **1.** *Il* FAUT *que tu partes,* tu dois partir. — **2.** *Il* S'EN EST FALLU *de peu qu'elle tombe,* elle a manqué tomber.
• **R.** Conj. nº 48. ‖ V. FAUX 2.

falsifier v. FALSIFIER *un document,* c'est le modifier dans une intention malhonnête. ◆ **falsification** n. f. *La* FALSIFICATION *des signatures est punie par la loi.*

fameux adj. **1.** *Cette région est* FAMEUSE *pour ses fromages,* très connue (= réputé, célèbre). — **2.** Fam. *Ce vin est* FAMEUX, très bon (= excellent).

familial → FAMILLE.

familier adj. **1.** *J'aime vivre dans ce paysage* FAMILIER, connu (≠ étranger). — **2.** *Il a des façons trop* FAMILIÈRES, qui manquent de respect (= libre; ≠ réservé). — **3.** *Quand on dit «bagnole» au lieu de «voiture», c'est* FAMILIER, cela s'emploie seulement dans la conversation. ◆ **familier** n. m. (sens 1) *C'est un* FAMILIER *de la maison,* il vient souvent (= habitué). ◆ **familièrement** adv. (sens 3) *«Bistrot» s'emploie* FAMILIÈREMENT *pour «café».* ◆ **familiariser** v. (sens 1) *Je* ME FAMILIARISE *avec eux,* je m'habitue à vivre avec eux. ◆ **familiarité** n. f. (sens 2) *Il m'a traitée avec une* FAMILIARITÉ *déplacée,* des façons trop familières (= désinvolture).

famille n. f. **1.** *J'ai de la* FAMILLE *en Amérique,* des parents (oncles, cousins, etc.). — **2.** *La* FAMILLE *Durand est très sympathique,* le père, la mère et les enfants. — **3.** *Le chien et le loup appartiennent à la même* FAMILLE *d'animaux,* ils ont des traits communs. ◆ **familial** adj. (sens 2) *La vie* FAMILIALE est la vie de famille.

famine n. f. *Dans ce pays, il y a une* FAMINE, on manque de nourriture (= disette).

fanatique adj. et n. **1.** *Un militant* FANATIQUE *a assassiné le chef de l'État,* passionné à l'excès pour ses idées. — **2.** *C'est une* FANATIQUE *de cinéma,* une passionnée. ◆ **fanatisme** n. m. (sens 1) *Le* FANATISME *a été la cause de nombreuses guerres* (≠ tolérance).

faner v. **1.** *Les paysans sont en train de* FANER, de faire les foins. — **2.** *Ces fleurs vont* SE FANER *si on ne change pas l'eau du vase,* se flétrir.

438 ◁ **fanfare** n. f. *La* FANFARE *joue un air de musique militaire,* l'orchestre composé d'instruments de cuivre.

fanfaron adj. et n. *Ne fais pas le* FANFARON!, ne te vante pas! (= crâneur, vantard; ≠ modeste).

fanion n. m. Un FANION est un petit drapeau. ▷ 34

fantaisie n. f. **1.** *Marie n'a aucune* FANTAISIE, elle manque d'originalité, d'imagination. — **2.** *Son père lui passe toutes ses* FANTAISIES, ses caprices. ◆ **fantaisiste** adj. et n. (sens 1) *Marie est très* FANTAISISTE.

fantasque adj. *Elle a un caractère* FANTASQUE, qui change souvent (= fantaisiste, bizarre).

fantassin n. m. Les FANTASSINS sont des soldats qui vont à pied. ▷ 763

fantastique adj. **1.** *J'aime les films* FANTASTIQUES, qui racontent des histoires en dehors du possible, de la réalité. — **2.** Fam. *Tu as eu une chance* FANTASTIQUE, très grande (= inouï, extraordinaire).

fantôme n. m. *On dit qu'un* FANTÔME *hante ce château,* un mort qui reviendrait sur terre (= spectre, revenant).

faon n. m. *La biche est suivie de son* FAON, son petit.
• **R.** *Faon* se prononce [fɑ̃] comme [*je*] *fends* (de *fendre*).

farandole n. f. *Dansons la* FARANDOLE!, en nous tenant par la main pour former une longue file.

farce n. f. **1.** *Pour lui faire une* FARCE, *ses amis lui ont donné une cuillère qui fond dans la tasse* (= blague). — **2.** *La cuisinière a mis de la* FARCE *dans les tomates,* de la viande hachée avec de la mie de pain et des aromates. ◆ **farceur** n. (sens 1) *Quelle* FARCEUSE, *elle a caché mon parapluie!* ◆ **farcir** v. (sens 2) *Nous avons mangé des tomates* FARCIES.

fard n. m. *Elle s'est mis du* FARD *sur les joues,* un produit de maquillage. ▷ 221
◆ **se farder** v. *Cette jeune fille ne* SE FARDE *pas* (= se maquiller).
• **R.** *Fard* se prononce [far] comme *phare.* ‖ V. FART.

fardeau n. m. *Ce sac de pommes de terre est un lourd* FARDEAU, une charge, un poids.

farder → FARD.

farfelu adj. et n. Fam. *Se baigner sous la pluie, c'est vraiment une idée* FARFELUE (= bizarre, drôle).

farine n. f. *La* FARINE *de blé* est la poudre des grains de blé moulus. ◆ **farineux** adj. *Des pommes de terre* FARINEUSES *se désagrègent une fois cuites.*

farouche adj. **1.** *Ce chat est* FAROUCHE, il fuit quand on l'approche (= sauvage; ≠ apprivoisé). — **2.** *Une haine* FAROUCHE *les oppose* (= violent, acharné). ◆ **effaroucher** v. (sens 1) *En t'approchant trop près, tu* AS EFFAROUCHÉ *les oiseaux,* tu les as fait fuir (= effrayer).

fart n. m. *On met du* FART *sous les skis pour qu'ils glissent mieux,* un produit. ◆ **farter** v. *Jean* FARTE *ses skis,* met du fart.
• **R.** On prononce [fart]. ‖ Ne pas confondre avec fard.

fascicule n. m. *Cette encyclopédie se vend par* FASCICULES, sous forme de brochures séparées.

fasciner v. *Paul* EST FASCINÉ *par les jouets dans la vitrine,* il les regarde avec envie (= émerveiller, éblouir). ◆ **fascinant** adj. *Cette femme est* FASCINANTE, elle éblouit par sa beauté. ◆ **fascination** n. f. *Quelle* FASCINATION *il exerce sur ses élèves!* (= attrait, séduction).

fascisme n. m. Le FASCISME est une doctrine qui vise à établir un pouvoir très autoritaire. ◆ **fasciste** adj. et n. *Ce pays a un régime* FASCISTE.

• **R.** On prononce [faʃism, faʃist].

1. faste n. m. *Quel* FASTE *pour le mariage de la princesse!,* quel étalage de luxe! (= pompe). ◆ **fastueux** adj. *Elle mène une vie* FASTUEUSE, luxueuse.

2. faste adj. *C'est un jour* FASTE, *j'ai gagné à la loterie,* un jour de chance (≠ néfaste). ◆ **néfaste** adj. *Le tabac est* NÉFASTE *pour la santé* (= défavorable, nuisible).

fastidieux adj. *Cette énumération est* FASTIDIEUSE (= ennuyeux, monotone, lassant).

fastueux → FASTE 1.

fatal adj. **1.** *Il dépensait beaucoup trop, sa ruine était* FATALE (= prévisible, inévitable). — **2.** *Cet accident leur a été* FATAL, ils en sont morts. — **3.** *Ces excès de boisson risquent d'être* FATALS *à ta santé,* de la détruire (= nuisible). ◆ **fatalement** adv. (sens 1) *Cela devait* FATALEMENT *finir ainsi* (= forcément). ◆ **fatalité** n. f. (sens 1) *Il a échoué, c'était la* FATALITÉ, le destin. ◆ **fataliste** adj. et n. (sens 1) *C'est un* FATALISTE, il croit que tout ce qui lui arrive est inévitable. ◆ **fatidique** adj. (sens 1) *Le jour* FATIDIQUE *de l'examen approche* (= fatal).

fatiguer v. **1.** *La promenade* A FATIGUÉ *les enfants,* elle leur a causé de la fatigue. — **2.** *Paul n'aime pas* SE FATIGUER, faire des efforts (≠ se reposer). — **3.** *Tu me* FATIGUES *avec tes questions* (= ennuyer, importuner). — **4.** *On* SE FATIGUE *vite des chansons à la mode,* on en a assez (= se lasser). ◆ **fatigue** n. f. (sens 1) *Les sauveteurs continuent leurs recherches malgré la* FATIGUE, la sensation de lassitude, d'abattement physique causée par l'effort. ◆ **fatigant** adj. (sens 1) *J'ai eu une journée* FATIGANTE (≠ reposant). • (sens 3) *Il est* FATIGANT *avec ses bavardages,* difficile à supporter (= lassant). ◆ **infatigable** adj. (sens 1) *C'est un marcheur* INFATIGABLE, très résistant.

• **R.** Ne pas confondre *fatigant* (adj.) et *fatiguant* (participe) : [fatigɑ̃].

fatras n. m. *Un* FATRAS *de vieux journaux* est un tas en désordre.

fatuité n. f. *Il est plein de* FATUITÉ, de vanité, de prétention.

219 ◁ **faubourg** n. m. *Ils habitent dans les* FAUBOURGS *de Lyon,* à l'extérieur, à la périphérie (≠ au centre).

faucher v. **1.** *Le paysan* FAUCHE *l'herbe de son pré,* il la coupe. — **2.** *Ce piéton* A ÉTÉ FAUCHÉ *par une voiture,* il a été renversé. ◆ **faux** n. f.
362 ◁ (sens 1) *Une* FAUX *sert à couper les herbes, les blés.* ◆ **faucille** n. f. (sens 1)
362 ◁ Une FAUCILLE est une petite faux courbe à manche court. ◆ **faucheuse**
364 ◁ n. f. (sens 1) Une FAUCHEUSE est une machine agricole qui sert à faucher.

• **R.** V. FAUX 2.

faucon n. m. *Le* FAUCON *s'abat sur sa proie,* un oiseau rapace.

faufiler v. **1.** *Je vais* FAUFILER *cet ourlet,* le coudre provisoirement à grands points (= bâtir). — **2.** *Ils ont réussi à* SE FAUFILER *dans la file d'attente,* à s'y glisser sans se faire remarquer.

faune n. f. *Il faut protéger la* FAUNE *de cette région,* l'ensemble des animaux qui y vivent.

faussaire, faussement, fausser, fausseté → FAUX 2.

faute n. f. **1.** *En ne disant pas la vérité, tu as commis une* FAUTE, tu as manqué à ton devoir, tu es coupable. — **2.** *Paul a fait trois* FAUTES *d'orthographe* (= erreur). — **3.** FAUTE D'*argent, nous n'avons pu partir en voyage,* par manque d'argent. — **4.** *On vous attend* SANS FAUTE *à huit heures,* de façon sûre. ◆ **fautif** adj. et n. (sens 1) *C'est elle la* FAUTIVE, c'est elle qui a commis la faute (= coupable). • (sens 2) *Cette liste de mots est* FAUTIVE, il y a des fautes.

fauteuil n. m. *Assieds-toi dans le* FAUTEUIL, un siège à bras et à dossier. ▷ 38, 76

fautif → FAUTE.

fauve 1. adj. *Les poils de l'écureuil sont* FAUVES, d'une couleur proche du roux. — **2.** adj. et n. m. *Le lion, le tigre, l'ours sont des* FAUVES (*des* BÊTES FAUVES), de grands animaux sauvages. ▷ 434

fauvette n. f. La FAUVETTE est un petit oiseau.

1. faux → FAUCHER.

2. faux adj. **1.** *Votre addition est* FAUSSE, vous avez fait une faute (= inexact; ≠ juste). — **2.** *C'est* FAUX, *je n'ai jamais dit cela,* c'est un mensonge (≠ vrai). — **3.** *Ce bijou est* FAUX, c'est une imitation (≠ vrai, authentique). — **4.** *Paul a un air* FAUX (= hypocrite; ≠ franc, sincère). ◆ **faux** n. m. (sens 3) *Ce tableau est un* FAUX, une imitation. ◆ **faux** adv. (sens 1) *Marie chante* FAUX (≠ juste). ◆ **faussaire** n. m. (sens 3) Le FAUSSAIRE est celui qui fabrique des faux. ◆ **faussement** adv. (sens 1) *On l'a accusé* FAUSSEMENT. ◆ **fausser** v. **1.** (sens 1) *Les résultats* ONT ÉTÉ FAUSSÉS, rendus faux. — **2.** *Le choc* A FAUSSÉ *la roue* (= déformer). ◆ **fausseté** n. f. (sens 2) *L'avocat a démontré la* FAUSSETÉ *de l'accusation* (≠ exactitude).

• **R.** *Faux* (1 et 2) se prononce [fo] comme [*il*] *faut* (de *falloir*). ‖ *Fausse* se prononce [fos] comme *fosse.* ‖ *Fausser* se prononce [fose] comme *fossé.*

faux-fuyant n. m. *Paul trouve toujours des* FAUX-FUYANTS *pour échapper à ses obligations,* des prétextes.

faux-monnayeur → MONNAIE.

faveur n. f. **1.** *On lui a accordé une* FAVEUR *en l'admettant,* un avantage particulier (= privilège). — **2.** *Ce chanteur a gagné la* FAVEUR *du public,* il est devenu populaire (= considération; ≠ défaveur). — **3.** *J'interviendrai* EN FAVEUR DE *Pierre,* dans son intérêt, pour lui. ◆ **favoriser** v. (sens 1) *La nuit* A FAVORISÉ *les assaillants,* elle les a avantagés (≠ défavoriser). ◆ **favorable** adj. (sens 1) *On a navigué par un vent* FAVORABLE, qui favorise (≠ défavorable). ◆ **favori** adj. et n. (sens 2) *C'est ma chanson* FAVORITE, celle que je préfère. ‖ *Ce cheval est le* FAVORI *de la course,* celui qui a le plus de chances de gagner. ◆ **favoritisme** n. m. (sens 1) *On accorde toujours des faveurs à Pierre, c'est du* FAVORITISME!, c'est injuste.

◆ **défaveur** n. f. (sens 2) *Ce chanteur est aujourd'hui en* DÉFAVEUR (= discrédit). ◆ **défavoriser** v. (sens 1) *La pluie* A DÉFAVORISÉ *ce skieur,* elle l'a désavantagé. ◆ **défavorable** adj. (sens 1) *Le moment est* DÉFAVORABLE *pour lui parler,* il est mal choisi.

fébrile → FIÈVRE.

fécond adj. **1.** *Les lapines sont très* FÉCONDES, elles ont beaucoup de petits. — **2.** *C'est une journée* FÉCONDE *en incidents,* il y en a beaucoup (= riche). ◆ **féconder** v. (sens 1) *La femelle* A ÉTÉ FÉCONDÉE *par le mâle,* elle va avoir des petits. ◆ **fécondité** n. f. (sens 2) *La* FÉCONDITÉ *de son imagination est prodigieuse* (= richesse).

fédération n. f. Une FÉDÉRATION est une association de pays, de partis, de clubs, etc. ◆ **fédéral** adj. *La Suisse est une république* FÉDÉRALE, une fédération. ◆ **confédération** n. f. *« C. G. T. » est le sigle de* « CONFÉDÉRATION *générale du travail »,* une union de fédérations syndicales. ◆ **confédéral** adj. *La C. G. T. a tenu son congrès* CONFÉDÉRAL.

fée n. f. Les contes de FÉES sont des récits où figurent des femmes douées de pouvoirs magiques. ◆ **féerique** adj. *Ce paysage est* FÉERIQUE, il a l'air d'être sorti d'un conte de fées (= merveilleux).

feindre v. *Elle* FEINT *de pleurer,* elle fait semblant. ◆ **feinte** n. f. *Le footballeur a fait une* FEINTE, une manœuvre pour tromper l'adversaire.
• **R.** Conj. nº 55. ‖ V. FAIM.

fêler v. *La tasse n'est pas cassée, elle* EST *juste* FÊLÉE, fendue. ◆ **fêlure** n. f. *La tasse a une* FÊLURE.

féliciter v. *On* A FÉLICITÉ *Paul pour son succès,* on lui a fait des compliments. ◆ **félicitations** n. f. pl. *Toutes mes* FÉLICITATIONS *pour votre succès!,* mes compliments.

félin n. m. *Le chat, le tigre, le lion sont des* FÉLINS.

fêlure → FÊLER.

33 ◁ 547 ◁ **femme** n. f. **1.** *Ma mère est une* FEMME *remarquable* (≠ homme). — **2.** *Je vous présente ma* FEMME, la personne avec qui je suis marié (= épouse; ≠ mari). ◆ **femelle** n. f. *La chatte est la* FEMELLE *du chat,* l'animal du sexe féminin (≠ mâle). ◆ **féminin 1.** adj. (sens 1) *La jupe est un vêtement* FÉMININ, propre à la femme (≠ masculin). — **2.** adj. et n. m. *« Menteuse »* 10 ◁ *est un adjectif* FÉMININ, du genre féminin. ‖ *Le* FÉMININ *de « un ami » est « une amie ».* ◆ **efféminé** adj. (sens 1) *Ce garçon est* EFFÉMINÉ, il est trop délicat (≠ viril).

40 ◁ **fémur** n. m. *Jean s'est cassé le* FÉMUR, l'os de la cuisse.

fenaison → FOIN.

fendre v. **1.** FENDRE *une bûche,* c'est la partager dans le sens de la longueur. — **2.** *La planche* S'EST FENDUE, elle a une fente (= se fêler). ◆ **fendiller** v. (sens 2) *L'argile* SE FENDILLE *en séchant,* elle a de petites fentes. ◆ **fente** n. f. (sens 2) *L'eau s'écoule par une* FENTE *du récipient,* une ouverture très étroite et allongée (= fissure).
• **R.** Conj. nº 50. ‖ V. FAON.

fenêtre n. f. *Il fait chaud, ouvre la* FENÊTRE. ▷ 74, 508

fente → FENDRE.

féodal adj. *La société* FÉODALE *existait au Moyen Âge.* ◆ **féodalité** n. f. La FÉODALITÉ est le régime féodal.

fer n. m. **1.** *La tour Eiffel est en* FER, un métal. — **2.** Le FER-BLANC est du fer recouvert d'étain. — **3.** *On repasse le linge avec un* FER À REPASSER. — **4.** Un FER À CHEVAL est un demi-cercle en fer qu'on met sous les sabots des chevaux. ◆ **ferraille** n. f. (sens 1) *Il y a un tas de* FERRAILLE *devant la porte,* des débris d'objets en fer. ◆ **ferrailleur** n. m. (sens 1) *Le* FERRAILLEUR *ramasse la ferraille pour la revendre,* c'est son métier. ◆ **ferrer** v. (sens 4) FERRER *un cheval,* c'est lui mettre des fers. ▷ 79 ▷ 368

férié adj. *Le dimanche est un jour* FÉRIÉ, où l'on ne travaille pas.

1. ferme n. f. *Jean a passé ses vacances dans une* FERME, chez un paysan. ◆ **fermier** n. *La* FERMIÈRE *trait ses vaches* (= paysan). ▷ 363 ▷ 362

2. ferme adj. **1.** *Cette pâte est trop* FERME (= dur; ≠ mou). — **2.** *Il a parlé d'une voix* FERME (= assuré; ≠ hésitant). — **3.** *Il est* FERME *avec ses enfants,* il ne leur cède pas (≠ faible). ◆ **fermement** adv. (sens 2) *Il est* FERMEMENT *décidé.* ◆ **fermeté** n. f. (sens 3) *Il a montré de la* FERMETÉ (= autorité; ≠ faiblesse). ◆ **affermir** v. (sens 2) *Cela n'a fait que l'*AFFERMIR *dans sa résolution,* le rendre plus ferme (= renforcer). ◆ **raffermir** v. (sens 1 et 2) *Ces massages* RAFFERMISSENT *la peau,* la rendent plus ferme (= durcir).

ferment n. m. Un FERMENT est une substance qui produit la fermentation. ◆ **fermentation** n. f. *Le vin est le produit de la* FERMENTATION *du jus de raisin,* sa transformation en alcool sous l'action de microbes. ◆ **fermenter** v. *Le yaourt est du lait* FERMENTÉ.

fermer v. **1.** FERME *la porte, il fait froid dehors!* ‖ FERME *le robinet, la baignoire est pleine!* ‖ FERMEZ *vos livres et rangez-les!* (≠ ouvrir). — **2.** *Ce magasin* FERME *le dimanche,* il ne reçoit pas les clients (≠ ouvrir). ◆ **fermeture** n. f. (sens 1) *La* FERMETURE *du sac est cassée,* ce qui permet de le fermer. • (sens 2) *On est arrivé après la* FERMETURE *du magasin,* le moment où il ferme (≠ ouverture). ◆ **fermoir** n. m. (sens 1) *Le* FERMOIR *de mon cartable est en cuivre* (= fermeture). ◆ **enfermer** v. (sens 1) ENFERME *le chien, sinon il va se sauver,* mets-le dans un endroit fermé. ◆ **refermer** v. (sens 1) REFERMEZ *la fenêtre!,* fermez-la de nouveau. ▷ 296 ▷ 37, 220

fermeté → FERME 2. / **fermier** → FERME 1. / **fermoir** → FERMER.

féroce adj. *Le tigre est une bête* FÉROCE, sauvage et cruelle. ◆ **férocement** adv. *Ils luttent* FÉROCEMENT. ◆ **férocité** n. f. *Ils se sont battus avec* FÉROCITÉ (= sauvagerie).

ferraille, ferrer → FER.

ferroviaire adj. *La catastrophe* FERROVIAIRE *a fait de nombreux morts,* l'accident de chemin de fer.

fertile adj. **1.** *Un sol* FERTILE produit beaucoup (= riche, fécond). — **2.** *Le voyage a été* FERTILE *en surprises,* il y en a eu beaucoup (= riche). ◆ **fertilité** n. f. (sens 1) *La* FERTILITÉ *de la terre est améliorée par les engrais.*

féru adj. *Elle est* FÉRUE *de musique,* passionnée.

fervent adj. et n. **1.** *Il a adressé au ciel une prière* FERVENTE, très vive (= ardent). — **2.** *C'est un* FERVENT *du tennis,* un passionné. ◆ **ferveur** n. f. (sens 1) *Marie prie avec* FERVEUR (= ardeur, dévotion).

33 ◁ **fesse** n. f. *Ce bébé a les* FESSES *rouges,* le derrière. ◆ **fessée** n. f. *Il a reçu une* FESSÉE, des claques sur les fesses.

festin n. m. Un FESTIN est un repas de fête copieux. ◆ **festoyer** v. FESTOYER, c'est faire un bon repas.

festival n. m. *Ce film a eu le premier prix du* FESTIVAL, de la série de représentations spéciales.

• **R.** Noter le pluriel : des *festivals.*

festivités → FÊTE. / **festoyer** → FESTIN.

437 ◁ **fête** n. f. **1.** *Le 14-Juillet est notre* FÊTE *nationale,* un jour où l'on se réjouit. — **2.** *Mon chien m'*A FAIT FÊTE, m'a accueilli joyeusement (= fêter). ◆ **fêter** v. (sens 1) *On* FÊTE *Noël le 25 décembre,* on célèbre cette fête. • (sens 2) *On* A FÊTÉ *le vainqueur,* on lui a fait fête. ◆ **festivités** n. f. pl. Des FESTIVITÉS sont des fêtes officielles.

fétiche n. m. *Cette poupée est mon* FÉTICHE, mon porte-bonheur.

fétide adj. *Il y a une odeur* FÉTIDE *dans la cuisine,* très désagréable (= infect).

fétu n. m. Un FÉTU est un brin de paille.

581 ◁ **feu** n. m. **1.** *Faire du* FEU, c'est faire brûler du bois, du papier, etc. — **2.** *Au* FEU! *Il faut appeler les pompiers,* il y a un incendie. — **3.** *Un fusil, un revolver sont des* ARMES À FEU. ‖ FAIRE FEU, c'est tirer avec une arme à feu.
217, 39 ◁ — **4.** *Les piétons traversent quand le* FEU *est rouge,* le signal lumineux.

655 ◁ **feuille** n. f. **1.** *Les arbres perdent leurs* FEUILLES *en automne.* — **2.** *Écrivez*
295 ◁ *sur une* FEUILLE *de papier,* un morceau très mince. ◆ **feuillage** n. m. (sens 1) *Le* FEUILLAGE *des arbres jaunit en automne,* l'ensemble de leurs feuilles. ◆ **feuillet** n. m. (sens 2) *Il manque un* FEUILLET *à mon carnet,* une feuille (= page). ◆ **feuilleter** v. (sens 2) FEUILLETER *un livre,* c'est en tourner les feuillets. ‖ *La pâte* FEUILLETÉE *forme des feuilles à la cuisson.* ◆ **effeuiller** v. (sens 1) *Cette rose* S'EFFEUILLE, elle perd ses pétales.

feuilleton n. m. *On a regardé le* FEUILLETON *télévisé,* une histoire découpée en épisodes.

feutre n. m. **1.** Le FEUTRE est une étoffe de laine ou de poils écrasés. —
292 ◁ **2.** *Jean écrit avec un* FEUTRE, un crayon à encre à pointe de feutre. ◆ **feutré** adj. (sens 1) *Pierre marche* À PAS FEUTRÉS, sans bruit.

fève n. f. La FÈVE est une graine proche du haricot.

125 ◁ **février** n. m. *Il a fait froid en* FÉVRIER.

fiancer v. *Paul* S'EST FIANCÉ *avec Marie,* il s'est engagé à l'épouser. ◆ **fiancé** adj. et n. *Il m'a présenté sa* FIANCÉE, sa future femme. ◆ **fiançailles** n. f. pl. *Ils ont rompu leurs* FIANÇAILLES, leur promesse de mariage.

fiasco n. m. *Ce film est un* FIASCO, un échec total.

fibre n. f. *Les muscles sont formés de* FIBRES, de filaments allongés. ◆ **fibreux** adj. *Cette viande est* FIBREUSE, pleine de fibres.

ficelle n. f. *On a attaché le paquet avec de la* FICELLE, de la corde mince. ◆ **ficeler** v. *Le boucher* A FICELÉ *le rôti,* il l'a entouré de ficelle.

fiche n. f. *Jean a écrit des renseignements sur des* FICHES, des feuilles de carton. ◆ **fichier** n. m. Un FICHIER est une boîte où l'on classe des fiches. ▷ 292 ▷ 292

ficher v. Fam. **1.** FICHE-*moi la paix!,* laisse-moi tranquille! — **2.** *J'ai perdu, mais je* M'*en* FICHE, ça m'est égal.

fichier → FICHE.

1. fichu adj. Fam. **1.** *Ma montre est* FICHUE (= inutilisable, cassé). — **2.** *Paul est* MAL FICHU, malade.

2. fichu n. m. *Marie porte un* FICHU *sur la tête,* une sorte de foulard.

fictif adj. *Une fée est un personnage* FICTIF (= imaginaire; ≠ réel). ◆ **fiction** n. f. *Cette histoire est une* FICTION, un produit de l'imagination (≠ réalité). ◆ **science-fiction** n. f. *J'ai lu un roman de* SCIENCE-FICTION, qui se passe dans le futur.

fidèle adj. **1.** *Paul est un ami* FIDÈLE (= dévoué, loyal). — **2.** *Il m'a fait un récit* FIDÈLE (= exact, précis; ≠ mensonger). ◆ **fidèle** n. *Le prêtre s'adresse aux* FIDÈLES, à ceux qui pratiquent la religion. ◆ **fidèlement** adv. (sens 1) *Son chien le suit* FIDÈLEMENT. • (sens 2) *Il a traduit* FIDÈLEMENT *le texte* (= exactement). ◆ **fidélité** n. f. (sens 1) *Il a fait un serment de* FIDÉLITÉ. • (sens 2) *Une chaîne* HAUTE FIDÉLITÉ (HI-FI) *reproduit très fidèlement les sons.* ◆ **infidèle** adj. (sens 2) *Jean a une mémoire* INFIDÈLE (= inexact). ▷ 76

fief n. m. Un FIEF était un domaine qu'un seigneur prêtait à son vassal contre certains services.

fieffé adj. *C'est un* FIEFFÉ *menteur!,* il est très menteur.

fiel n. m. **1.** *Le* FIEL *d'une volaille est amer,* la bile. — **2.** *Sa réponse était pleine de* FIEL (= méchanceté).

fiente n. f. *Les* FIENTES *des oiseaux* sont leurs excréments.

se fier v. *Je* ME FIE *à Paul,* j'ai confiance en lui (≠ se méfier, se défier).

fier adj. **1.** *Marie est trop* FIÈRE *pour demander de l'aide* (= orgueilleux; ≠ simple). — **2.** *Pierre est* FIER *d'avoir été reçu,* très satisfait (≠ honteux). ◆ **fierté** n. f. (sens 1) *Paul a refusé avec* FIERTÉ, orgueil. • (sens 2) *Pierre tire une certaine* FIERTÉ *de son succès,* satisfaction.

fièvre n. f. **1.** *Paul a de la* FIÈVRE, la température de son corps est trop élevée. — **2.** *Dans la* FIÈVRE *du départ, on a oublié une valise,* la grande agitation. ◆ **fiévreux** adj. (sens 1) *Marie est* FIÉVREUSE, elle a de la fièvre. ◆ **fébrile** adj. (sens 2) *Il règne ici une activité* FÉBRILE, très vive.

fifre n. m. Un FIFRE est une petite flûte.

figer v. **1.** *La sauce* A FIGÉ, elle s'est solidifiée, elle ne coule plus. — **2.** *Il* ÉTAIT FIGÉ *de peur,* immobile, paralysé.

fignoler v. Fam. *Paul* FIGNOLE *son dessin,* il le finit avec un soin minutieux (≠ bâcler). ◆ **fignolage** n. m. *Le* FIGNOLAGE *d'un travail.*

578 ◁ **figue** n. f. La FIGUE est le fruit du FIGUIER.

figure n. f. **1.** *Va te laver la* FIGURE!, le visage. — **2.** *On comprend mieux le texte avec une* FIGURE, un dessin (= illustration). — **3.** *Le patineur fait des* FIGURES, des pas et des mouvements artistiques. ◆ **figurine** n. f. Une FIGURINE est une statuette. ◆ **figurer** v. **1.** (sens 2) *La colombe* FIGURE *la paix* (= représenter). — **2.** *Il* SE FIGURE *que c'est facile* (= croire, s'imaginer). — **3.** *Ce nom ne* FIGURE *pas sur ma liste,* il ne s'y trouve pas. ◆ **figurant** n. Les FIGURANTS sont des acteurs qui ont un tout petit rôle, généralement muet. ◆ **figuration** n. f. *Faire de la* FIGURATION, c'est être figurant. ◆ **figuré** adj. *Dans « j'ai soif de vengeance », « soif » a un* SENS FIGURÉ, un sens imagé (≠ sens propre). ◆ **défigurer** v. (sens 1) *Cette blessure l'*A DÉFIGURÉ, lui a déformé la figure.

fil n. m. **1.** *Ces boutons sont cousus avec un* FIL *solide.* — **2.** DE FIL EN AIGUILLE, *on en est venu à parler des vacances,* en passant d'un sujet à un 150 ◁ autre. — **3.** *Le maçon utilise un* FIL À PLOMB, une cordelette au bout de 763 ◁ laquelle pend un poids. — **4.** Le FIL DE FER est du métal étiré. — **5.** *J'ai perdu le* FIL *de mes idées,* la suite (= enchaînement). — **6.** *Paul donne un* COUP DE FIL, un coup de téléphone. ◆ **filament** n. m. (sens 1) Un FILAMENT est un fil très mince. ◆ **filiforme** adj. (sens 1) *Jeanne est* FILIFORME, mince comme un fil. ◆ **effilé** adj. (sens 1) *Le sommet des peupliers est* EFFILÉ, mince et allongé comme un fil (≠ épais). ◆ **s'effilocher** v. (sens 1) *Le bord du tapis* S'EFFILOCHE, les fils se défont. ◆ **enfiler** v. **1.** (sens 1) *Marie* ENFILE *des perles,* elle passe un fil dans le trou des perles. — **2.** *Jean* ENFILE *son pull-over,* il le met.

• **R.** *Fil* se prononce [fil] comme *file* et [*je*] *file* (de *filer*). ‖ Ne pas confondre *des fils* [fil] et *un fils* [fis].

filature → FILER.

507, 218 ◁ **file** n. f. *Il y a une* FILE *d'attente devant le cinéma,* une suite de personnes les unes derrière les autres. ◆ **enfilade** n. f. *Les pièces de l'appartement sont en* ENFILADE, les unes à la suite des autres.

filer v. **1.** FILER *la laine,* c'est la transformer en fil. — **2.** *Le policier* FILE *le voleur,* il le suit sans se faire voir. — **3.** Fam. *Je suis en retard, je* FILE, je pars vite. ◆ **filature** n. f. (sens 1) Une FILATURE est une usine où l'on file les matières textiles. • (sens 2) *La police a pris le bandit en* FILATURE, elle le poursuit.

728, 433, 35 ◁ **filet** n. m. **1.** Un FILET est un ensemble de mailles de ficelle ou de corde. — **2.** *Un* FILET *de sole* est un morceau allongé, situé de chaque côté de l'arête. ‖ *J'ai acheté un bifteck dans le* FILET, un morceau de chair situé dans le dos. — **3.** *Un* FILET *d'eau* est un écoulement très mince.

filial adj. *L'amour* FILIAL est l'amour des enfants pour leurs parents.

filière n. f. *Suivre une* FILIÈRE, c'est passer par une série d'étapes.

filiforme → FIL.

filigrane n. m. *Sur ce billet de banque, on voit un dessin en* FILIGRANE, par transparence.

filin n. m. Un FILIN est un cordage de bateau. ▷ 728

fille n. f. **1.** *M. et Mme Dubois ont eu une* FILLE (≠ fils). — **2.** *Marie va dans une école de* FILLES (≠ garçon). — **3.** *Ma tante est restée* VIEILLE FILLE, elle ne s'est pas mariée. ◆ **fillette** n. f. (sens 2) *Anne est une* FILLETTE *de dix ans,* une fille très jeune (≠ garçonnet). ▷ 547

filleul n. *Marie est la* FILLEULE *de Jacques,* Jacques est son parrain.

film n. m. **1.** *Mettez un* FILM *dans la caméra,* une pellicule. — **2.** *J'ai vu un très bon* FILM, une œuvre cinématographique. ◆ **filmer** v. *M. Dupont* A FILMÉ *ses enfants,* il les a photographiés avec une caméra. ▷ 437

filon n. m. Un FILON est une couche de minerai dans le sol.

filou n. m. Un FILOU est un voleur adroit.

fils n. m. *M. et Mme Dubois ont deux* FILS (= garçon; ≠ fille). ▷ 547
• **R.** On prononce [fis]. ‖ V. FIL.

filtre n. m. *Un* FILTRE *à café ne laisse passer que le liquide et retient les petits grains.* ◆ **filtrer** v. FILTRER *du thé,* c'est le passer dans un filtre.
• **R.** *Filtre* se prononce [filtr] comme *philtre.*

1. fin n. f. **1.** *Je n'ai pas vu ce film jusqu'à la* FIN, jusqu'à son dernier moment (= bout; ≠ commencement, début). — **2.** *Il est arrivé à ses* FINS, au but qu'il se proposait. ◆ **final** adj. (sens 1) *Les accords* FINALS *d'un air de musique* y mettent fin (= dernier). ◆ **finale** n. f. (sens 1) *Cette équipe a joué la* FINALE *de la Coupe de France de football,* le dernier des matchs de cette compétition. ◆ **finalement** adv. (sens 1) FINALEMENT, *il a accepté,* pour finir. ◆ **finaliste** adj. et n. (sens 1) *Ils sont* FINALISTES, qualifiés pour la finale. ◆ **finir** v. **1.** (sens 1) *Tu* AS *déjà* FINI *ton travail?* (= terminer, achever; ≠ commencer). ‖ *Il faut* EN FINIR, faire cesser cela. — **2.** *Je* FINIRAI *bien* PAR *trouver la solution,* j'y arriverai. ◆ **finition** n. f. (sens 1) *Cette voiture manque de* FINITION, les détails en sont peu soignés (= fignolage). ◆ **demi-finale** n. f. (sens 1) *Notre équipe a été battue en* DEMI-FINALE, au match qui a précédé la finale. ◆ **infini** adj. (sens 1) *L'espace céleste est* INFINI, il n'a pas de limites. ◆ **infiniment** adv. (sens 1) *Cette musique me plaît* INFINIMENT (= énormément). ◆ **infinité** n. f. (sens 1) *Il y a une* INFINITÉ *de façons de préparer les pommes de terre,* un très grand nombre.

2. fin adj. **1.** *Du sable* FIN est formé de grains très petits (≠ gros). ‖ *Marie a la taille* FINE (= mince; ≠ épais). — **2.** *Jean a fait une* FINE *plaisanterie* (= subtil, spirituel). ‖ *Paul se croit plus* FIN *que les autres* (= rusé, astucieux). — **3.** *De l'épicerie* FINE est de la meilleure qualité (≠ ordinaire). ◆ **finaud** adj. (sens 2) *Il a pris un air* FINAUD *pour me répondre* (= rusé). ◆ **finement** adv. (sens 1) *Voilà de la dentelle* FINEMENT *travaillée,* d'une façon délicate. ◆ **finesse** n. f. (sens 1) *Regarde la* FINESSE *de cette dentelle* (= délicatesse). • (sens 2) *Il a fait une remarque pleine de* FINESSE (= astuce, intelligence).
• **R.** *Fin* (1 et 2) se prononcent [fɛ̃] comme *faim* et *feint* (de *feindre*).

finance n. f. **1.** (au plur.) *On a examiné les* FINANCES *de la société,* la façon dont elle gère son argent (= fonds). — **2.** *M. Dubois appartient au monde de la* FINANCE, de ceux qui font des affaires d'argent. ◆ **financer** v. (sens 1) *L'État* A FINANCÉ *les travaux,* a fourni l'argent nécessaire. ◆ **financier 1.** adj. (sens 1) *Un directeur* FINANCIER s'occupe des finances d'une entreprise. — **2.** n. m. (sens 2) Un FINANCIER est une personne qui s'occupe de finance.

finaud, finement, finesse → FIN 2. / **finir, finition** → FIN 1.

fiole n. f. Une FIOLE est un petit flacon.

fioritures n. f. pl. *Ce dessin est plein de* FIORITURES, de petits ornements surajoutés.

firmament n. m. *Regarde les étoiles au* FIRMAMENT (= ciel).

firme n. f. *M. Dupont travaille dans une grosse* FIRME, une entreprise industrielle ou commerciale.

fisc n. m. *On doit déclarer ses revenus au* FISC, à l'Administration des impôts. ◆ **fiscal** adj. *Les entreprises ont des charges* FISCALES, des impôts.

649 ◁ **fissure** n. f. *Il y a une* FISSURE *dans le plafond,* une petite fente (= lézarde). ◆ **se fissurer** v. *Le plâtre* SE FISSURE (= se fendiller).

fixe adj. **1.** *Ces sièges sont* FIXES, on ne peut pas les déplacer (≠ mobile). — **2.** *Il a le regard* FIXE, ses yeux sont immobiles. — **3.** *Donne-moi une date* FIXE (= précis, ferme; ≠ vague). ◆ **fixement** adv. (sens 2) *Il me regarde* FIXEMENT, avec insistance. ◆ **fixer** v. (sens 1) *On* A FIXÉ *des volets qui battaient* (= immobiliser). • (sens 2) *Pourquoi me* FIXE-*t-il?*, me regarde-t-il fixement. • (sens 3) *À quelle heure* EST FIXÉ *le rendez-vous?* (= décider). ◆ **fixation** n. f. (sens 1) *La* FIXATION *est-elle solide?*, ce qui sert à fixer.

725 ◁ **fjord** n. m. Un FJORD est, en Norvège, un golfe très profond.

221, 79, 39 ◁ **flacon** n. m. Un FLACON est une petite bouteille.

flageoler v. *Elle* FLAGEOLE *sur ses jambes,* elle n'est pas stable (= vaciller, chanceler).

flageolet n. m. **1.** Le FLAGEOLET est une variété de haricot. — **2.** *Pierre joue du* FLAGEOLET, une petite flûte (= pipeau).

flagrant adj. *Son erreur est* FLAGRANTE (= évident).

flair n. m. **1.** *Ce chien a du* FLAIR, il a l'odorat sensible. — **2.** *J'ai eu du* FLAIR *dans cette affaire,* je me suis douté de quelque chose (= intuition). ◆ **flairer** v. (sens 1) *Le chien* A FLAIRÉ *le gibier,* l'a senti. • (sens 2) *Le bandit* FLAIRAIT *le piège* (= s'en douter, pressentir).

579 ◁ **flamant** n. m. *En Camargue, il y a beaucoup de* FLAMANTS *roses,* d'oiseaux échassiers à long cou.

flamber v. *Le papier* FLAMBE *vite,* brûle avec une flamme. ‖ *On plume un poulet et on le* FLAMBE, on le passe sur une flamme. ◆ **flambeau** n. m. Un FLAMBEAU est une sorte de torche. ◆ **flambée** n. f. *On a fait une* FLAMBÉE *dans la cheminée,* un feu.

flamboyer v. *Ses yeux* FLAMBOIENT *de colère,* brillent d'un vif éclat (= étinceler).

flamme n. f. **1.** *Il s'est brûlé à la* FLAMME *de son briquet.* — **2.** *Paul parle de Marie avec* FLAMME, avec ardeur et enthousiasme. ◆ **flammèche** n. f. (sens 1) Une FLAMMÈCHE est une petite flamme. ◆ **enflammer** v. **1.** (sens 1) *On frotte une allumette pour l'*ENFLAMMER, pour produire une flamme. • (sens 2) *Son discours* A ENFLAMMÉ *l'auditoire,* l'a enthousiasmé. — **2.** *La plaie* S'EST ENFLAMMÉE, elle est devenue rouge et brûlante (= s'envenimer). ◆ **inflammable** adj. (sens 1) *L'alcool est* INFLAMMABLE, il s'enflamme facilement. ◆ **inflammation** n. f. *Désinfectons la blessure pour éviter l'*INFLAMMATION, le gonflement douloureux et chaud. ▷ 761

flan n. m. Un FLAN est une sorte de crème cuite. ▷ 221

flanc n. m. **1.** *Le cheval s'est couché sur le* FLANC, le côté. — **2.** *La maison est construite* À FLANC DE *coteau,* sur la pente.

flancher v. Fam. *Ce n'est pas le moment de* FLANCHER, de faiblir (= lâcher; ≠ tenir).

flanelle n. f. *Mon grand-père porte un gilet de* FLANELLE, un tissu léger.

flâner v. *Le dimanche, les gens* FLÂNENT *dans la rue,* se promènent sans se presser (≠ se dépêcher). ◆ **flânerie** n. f. *Il perd son temps en* FLÂNERIES. ◆ **flâneur** n. *Les* FLÂNEURS *descendent le boulevard.*

flanquer v. **1.** *Il* EST FLANQUÉ *de son garde du corps,* accompagné. — **2.** Fam. *Il m'a* FLANQUÉ *une gifle,* donné avec force. — **3.** Fam. *On l'*A FLANQUÉ *dehors* (= jeter).

flaque n. f. *J'ai marché dans une* FLAQUE *d'eau,* une petite mare.

flash n. m. *Ces photos ont été prises avec un* FLASH, avec un appareil qui produit une lumière vive.
• **R.** Noter le pluriel : des *flashes.*

flasque adj. *Il a la chair* FLASQUE (= mou; ≠ ferme).

flatter v. **1.** *Il* FLATTE *son directeur,* il cherche à lui plaire par des compliments exagérés. — **2.** *Cette photo la* FLATTE, la montre plus jolie qu'elle n'est (= avantager). — **3.** *Je* SUIS FLATTÉ *d'être invité,* j'en suis fier. ◆ **flatterie** n. f. (sens 1) *Paul est sensible à la* FLATTERIE, aux louanges intéressées. ◆ **flatteur** adj. et n. (sens 1) *Méfiez-vous des* FLATTEURS! (= hypocrite). • (sens 2) *On m'a parlé de toi en termes* FLATTEURS (= élogieux; ≠ désobligeant).

fléau n. m. **1.** Un FLÉAU était autrefois un instrument qui servait à battre le blé. — **2.** *Cette sécheresse est un* FLÉAU (= calamité, catastrophe). ▷ 363

flèche n. f. **1.** *Avec son arc, Paul tire des* FLÈCHES, des projectiles faits d'une tige de bois. — **2.** *Une* FLÈCHE *indique la direction à suivre,* le dessin d'une flèche. ◆ **fléchette** n. f. (sens 1) Une FLÉCHETTE est une petite flèche. ◆ **flécher** v. (sens 2) FLÉCHER *un parcours,* c'est l'indiquer par des flèches. ▷ 147

fléchir v. **1.** FLÉCHISSEZ *les genoux!* (= plier, ployer). — **2.** *Il a réussi à* FLÉCHIR *ses juges,* à les faire céder (= ébranler). — **3.** *Les cours de la Bourse* FLÉCHISSENT (= baisser; ≠ monter). ◆ **fléchissement** n. m. (sens 1) *Le* FLÉCHISSEMENT *des genoux* (= flexion). • (sens 3) *Le* FLÉCHISSEMENT *des prix s'est arrêté* (= baisse; ≠ hausse). ◆ **flexion** n. f. (sens 1) *Une* FLEXION *du bras* (≠ extension). ◆ **flexible** adj. (sens 1) *Le roseau est* FLEXIBLE, il peut se plier (= élastique, souple). ◆ **inflexible** adj. (sens 2) *M. Dupont est un homme* INFLEXIBLE, que l'on ne peut pas fléchir (= inébranlable).

flegme n. m. *Paul a un* FLEGME *imperturbable,* il conserve toujours son calme. ◆ **flegmatique** adj. *Paul a un tempérament* FLEGMATIQUE, très calme (≠ coléreux, emporté).

flétrir v. **1.** *Les fleurs* SE FLÉTRISSENT *vite quand il fait chaud,* perdent leur fraîcheur (= se faner). — **2.** *Toutes ces calomnies* ONT FLÉTRI *sa réputation,* l'ont rendue mauvaise (= diminuer).

363, 294, 80 ◁ **fleur** n. f. **1.** *Marie a fait un joli bouquet de* FLEURS. — **2.** *La balle lui est passée* À FLEUR DE *peau,* elle est passée tout près, en le frôlant. ◆ **fleurir** v. (sens 1) *Ces rosiers* FLEURISSENT *en été,* sont en fleur. ‖ *On* A FLEURI *sa tombe,* on l'a ornée de fleurs. ◆ **fleuriste** n. (sens 1) Le FLEURISTE cultive ou vend des fleurs. ◆ **floraison** n. f. (sens 1) *La* FLORAISON *des roses,* c'est l'époque où elles sont en fleur. ◆ **floral** adj. (sens 1) *On a visité l'exposition* FLORALE, de fleurs. ◆ **effleurer** v. **1.** (sens 2) *La balle lui* A EFFLEURÉ *le bras,* frôlé. — **2.** *Cela ne m'*AVAIT *même pas* EFFLEURÉ *l'esprit,* je n'y avais pas pensé. ◆ **refleurir** v. (sens 1) *Les rosiers* REFLEURISSENT.

224, 35 ◁ **fleuret** n. m. Un FLEURET est une épée d'escrime.

fleurir, fleuriste → FLEUR.

725 ◁ **fleuve** n. m. *La Seine, la Loire sont des* FLEUVES, des cours d'eau qui se jettent dans la mer. ◆ **fluvial** adj. *La navigation* FLUVIALE *se fait sur les fleuves* (≠ maritime).

flexible, flexion → FLÉCHIR.

flibustier n. m. Un FLIBUSTIER était un pirate.

flirt n. m. *Paul a un* FLIRT *avec Marie,* ils sont amoureux. ◆ **flirter** v. *Paul* FLIRTE *avec Marie.*

• **R.** On prononce [flœrt, flœrte].

652 ◁ **flocon** n. m. **1.** *La neige tombe en* FLOCONS, en petits amas qui voltigent. — **2.** *Pierre mange des* FLOCONS *d'avoine,* de fines lamelles.

flonflon n. m. *On entend les* FLONFLONS *de la fête,* la musique.

floraison, floral → FLEUR.

flore n. f. *Connais-tu la* FLORE *de cette région?,* l'ensemble des végétaux qui y poussent.

florissant adj. *Le commerce de ce pays est* FLORISSANT, très riche (= prospère).

flot n. m. **1.** (au plur.) *Le navire vogue sur les* FLOTS, l'eau, la mer. — **2.** *Quel* FLOT *de paroles!,* quelle quantité! (= avalanche, déluge). — **3.** *On a mis le bateau* À FLOT, sur l'eau pour qu'il flotte.

flotte n. f. *L'amiral commande la* FLOTTE, l'ensemble des bateaux. ◆ **flottille** n. f. Une FLOTTILLE est une petite flotte.

flotter v. **1.** *La bouée* FLOTTE *à la surface de l'eau,* elle est portée par l'eau (= surnager; ≠ couler). — **2.** *Le drapeau* FLOTTE *au vent* (= onduler). — **3.** *Je* FLOTTE *dans cette robe,* elle est trop large. ◆ **flottement** n. m. *Il y a eu un certain* FLOTTEMENT *dans l'assemblée,* un moment d'hésitation (= incertitude). ◆ **flotteur** n. m. (sens 1) Un FLOTTEUR est un objet destiné à flotter ou à faire flotter un appareil. ▷ 728

flottille → FLOTTE.

flou adj. *Cette photo est* FLOUE (= brouillé, trouble; ≠ net, précis).

fluctuations n. f. pl. *M. Dupont surveille les* FLUCTUATIONS *de la Bourse,* les hauts et les bas (= changements).

fluet adj. *Marie a des jambes* FLUETTES, très minces (= grêle; ≠ épais).

fluide adj. **1.** *La circulation routière est* FLUIDE, le flot des voitures s'écoule bien. — **2.** *Les liquides et les gaz sont des* FLUIDES, des corps qui peuvent couler (≠ solide).

fluorescent adj. *Un objet* FLUORESCENT émet de la lumière (= lumineux).

flûte n. f. **1.** *Paul joue de la* FLÛTE, d'un instrument de musique en forme de tube percé de trous, dans lequel on souffle. — **2.** *Une* FLÛTE *à champagne* est un verre haut et étroit. ◆ **flûtiste** n. (sens 1) *Marie est* FLÛTISTE, elle joue de la flûte. ▷ 438, 439

fluvial → FLEUVE.

flux n. m. Le FLUX est la marée montante (≠ reflux).

foc n. m. Le FOC est la petite voile triangulaire à l'avant d'un voilier. ▷ 726

fœtus n. m. On appelle FŒTUS l'enfant incomplètement formé qui est encore dans le ventre de sa mère.
• **R.** On prononce [fetys].

foi n. f. **1.** *Avoir une* FOI *religieuse,* c'est croire à une religion. — **2.** *Un témoin* DIGNE DE FOI mérite qu'on le croie. — **3.** *Il a prouvé sa* BONNE FOI, ses intentions honnêtes (= sincérité, honnêteté; ≠ mauvaise foi). — **4.** *Envoyez vos lettres avant minuit, le cachet de la poste* FERA FOI, en sera une preuve.
• **R.** *Foi* se prononce [fwa] comme *foie* et *fois.*

foie n. m. *J'ai mal au* FOIE, à un organe contenu dans l'abdomen. ▷ 40
• **R.** V. FOI.

foin n. m. *Il y a une meule de* FOIN *dans le champ,* d'herbe fauchée et séchée. ◆ **fenaison** n. f. La FENAISON est la récolte des foins. ▷ 365, 368

foire n. f. **1.** *Les paysans vendent leurs produits à la* FOIRE, au grand marché agricole. — **2.** *À la* FOIRE, *les enfants ont fait un tour de manège,* à la fête en plein air. ◆ **forain** adj. et n. (sens 1) *Les* FORAINS *déballent leur marchandise,* les marchands qui vendent à la foire. • (sens 2) *Nous sommes allés à la fête* FORAINE, à la foire. ▷ 361 ▷ 436 ▷ 437

fois n. f. **1.** *Paul est venu ici deux* FOIS, à deux reprises. — **2.** *Deux* FOIS *trois font six,* trois multiplié par deux. — **3.** *On ne peut faire deux choses* À LA FOIS, en même temps (= ensemble; ≠ séparément).

• **R.** V. FOI.

foison n. f. *Il y a des moustiques* À FOISON *ici,* en grande quantité. ◆ **foisonner** v. *Les mauvaises herbes* FOISONNENT, abondent.

folie → FOU 1.

folklore n. m. *Je connais une chanson du* FOLKLORE *breton,* qui fait partie des traditions anciennes de cette région. ◆ **folklorique** adj. *On a vu un spectacle de danses* FOLKLORIQUES.

folle, follement → FOU 1.

fomenter v. FOMENTER *une révolte,* c'est la préparer.

foncer v. **1.** *Tes cheveux* ONT FONCÉ, sont devenus plus sombres (≠ éclaircir). — **2.** *Quand il m'a vu, il* A FONCÉ *sur moi,* il s'est précipité. ◆ **foncé** adj. (sens 1) *Elle porte une jupe bleu* FONCÉ (= sombre; ≠ clair).

foncier adj. **1.** *Jean est d'une honnêteté* FONCIÈRE (= inné, profond, naturel). — **2.** *Le Crédit* FONCIER est un organisme qui prête de l'argent à ceux qui font bâtir une maison ou qui en achètent une. ◆ **foncièrement** adv. (sens 1) *Il est* FONCIÈREMENT *honnête,* par nature.

fonction n. f. **1.** *Paul exerce la* FONCTION *d'enseignant,* le métier (= profession). — **2.** (au plur.) *Quelles sont vos* FONCTIONS *dans cette entreprise?,* votre travail (= activités, rôle). — **3.** *Il est paralysé, ses jambes ne remplissent plus leur* FONCTION, leur rôle. — **4.** *Quelle est la* FONCTION *de ce mot dans la phrase?,* sa relation avec les autres mots. ◆ **fonctionnaire** n. (sens 1) *M. Dupont est* FONCTIONNAIRE, il a une fonction dans l'Administration. ◆ **fonctionner** v. (sens 3) *Cette machine ne* FONCTIONNE *plus* (= marcher). ◆ **fonctionnement** n. m. (sens 3) *Explique-moi le* FONCTIONNEMENT *de cet appareil,* comment il marche.

728 ◁ **fond** n. m. **1.** *Le* FOND *du pot est percé,* la partie qui est en bas. — **2.** *Ma chambre est au* FOND *du couloir,* à la partie la plus éloignée de l'entrée (= bout). — **3.** *Elle a une robe imprimée sur* FOND *bleu,* sur la surface bleue de laquelle se détachent des motifs. — **4.** *C'est là le* FOND *du problème,* l'essentiel. — **5.** *Serre la vis* À FOND, complètement. — **6.** AU FOND (DANS LE FOND), *tu as raison,* en réalité. ◆ **bas-fond** n. m. (sens 1) *Le bateau risque de s'échouer sur les* BAS-FONDS, aux endroits où l'eau est très peu profonde.

• **R.** *Fond* se prononce [fɔ̃] comme *fonds, fonts,* [*ils*] *font* (de *faire*) et [*il*] *fond* (de *fondre*).

fondamental → FONDER. / **fondant** → FONDRE.

fonder v. **1.** *M. Dubois* A FONDÉ *ce club,* il l'a créé. — **2.** *Sur quoi* TE FONDES-*tu pour l'accuser?,* quels sont tes arguments, tes preuves? ◆ **fondé** adj. (sens 2) *Cette critique n'est pas* FONDÉE, justifiée. ◆ **fondation** n. f. **1.** (sens 1) *La* FONDATION *du collège remonte à un siècle* (= création). — **2.** (au plur.) *On a fait les* FONDATIONS *de la maison,* la maçonnerie qui la soutiendra. ◆ **fondateur** n. (sens 1) *La* FONDATRICE *de*

l'hôpital est celle qui l'a fondé. ◆ **fondement** n. m. (sens 2) *Cette rumeur est sans* FONDEMENT, elle ne repose sur aucun argument (= preuve). ◆ **fondamental** adj. (sens 2) *Les principes* FONDAMENTAUX *d'une théorie,* ce sont ses principes essentiels (≠ accessoire).
• **R.** [*Il*] *fonde* se prononce [fɔ̃d] comme [*qu'il*] *fonde* (de *fondre*).

fondre v. **1.** *Le beurre* FOND *au soleil,* il devient liquide. — **2.** FONDRE *un métal,* c'est le chauffer jusqu'à ce qu'il soit liquide. — **3.** *Le sel* FOND *dans l'eau,* il se dissout. — **4.** *Les deux sociétés* ONT ÉTÉ FONDUES *en une seule,* réunies. — **5.** *L'aigle* FOND SUR *sa proie,* il s'abat sur elle. ◆ **fondant** adj. (sens 1) *Cette poire est* FONDANTE, elle fond dans la bouche. ◆ **fonte** n. f. (sens 1) *Avril est l'époque de la* FONTE *des neiges,* où les neiges fondent. • (sens 2) *Les cloches de l'église sont en* FONTE, en un métal fait de minerai de fer fondu. ◆ **fonderie** n. f. (sens 2) Une FONDERIE est une usine où l'on fond les métaux. ◆ **fusion** n. f. (sens 1 et 2) *Un métal en* FUSION coule sous l'action de la chaleur. • (sens 4) *La* FUSION *des deux sociétés a été décidée* (= réunion). ◆ **fusionner** v. (sens 4) *Les deux partis* ONT FUSIONNÉ, se sont réunis en un seul.
• **R.** *Fondre,* conj. nº 51. ‖ V. FOND et FONDER.

fonds n. m. **1.** *Ils ont acheté un* FONDS *de commerce,* un établissement commercial. — **2.** (au plur.) *On a trouvé des* FONDS *pour construire la maison,* de l'argent (= capitaux).

fontaine n. f. *Nous avons bu de l'eau à la* FONTAINE. ▷ 223

fonte → FONDRE.

fonts n. m. pl. Les FONTS BAPTISMAUX sont le bassin près duquel on baptise, dans une église. ▷ 148

football ou, fam., **foot** n. m. *Paul joue au* FOOTBALL, un sport. ‖ *Pour Noël, il a eu un ballon de* FOOT. ◆ **footballeur** n. m. *Une équipe de foot comprend onze* FOOTBALLEURS (= joueur). ▷ 34
• **R.** On prononce [futbol, fut, futbolœr].

forage n. m. *Pour chercher du pétrole, on fait de nombreux* FORAGES, des trous dans le sol. ▷ 152

forain → FOIRE. / **forçat** → FORCÉ.

force n. f. **1.** *Paul a de la* FORCE *dans les bras,* il est fort (= vigueur, résistance; ≠ faiblesse). — **2.** *Il va falloir employer la* FORCE, *s'il ne veut pas obéir* (= contrainte, violence; ≠ douceur). — **3.** (au plur.) *Ce problème est au-dessus de mes* FORCES, de mes capacités intellectuelles. ‖ *Ces élèves ne sont pas de la même* FORCE *en anglais,* du même niveau. — **4.** *Le malade a repris des* FORCES, son énergie est revenue. — **5.** À FORCE DE *crier, Pierre n'a plus de voix,* parce qu'il a beaucoup crié. ◆ **forcer** v. (sens 1) *On* A FORCÉ *la porte,* on l'a ouverte par la force. • (sens 2) *On l'*A FORCÉ *à partir,* on l'a obligé (= contraindre).

forcé adj. **1.** *Autrefois les condamnés aux* TRAVAUX FORCÉS *étaient envoyés en Guyane* (= bagne). — **2.** *Paul a échoué? C'était* FORCÉ, *il n'a pas travaillé!* (= inévitable). ◆ **forçat** n. m. (sens 1) *M. Dupont travaille comme un* FORÇAT (= bagnard). ◆ **forcément** adv. (sens 2) *Les débuts sont* FORCÉMENT *lents* (= inévitablement).

forcené n. *On a maîtrisé le* FORCENÉ, le fou.

forcer → FORCE.

656, 655, 580 ◁ **forêt** n. f. *Marchons dans la* FORÊT, un grand terrain où poussent des arbres (= bois). ◆ **forestier** adj. *Un garde* FORESTIER est chargé de surveiller une forêt.

forfait n. m. **1.** *Ce menuisier travaille* À FORFAIT, pour un prix convenu d'avance. — **2.** *Notre équipe* A DÉCLARÉ FORFAIT, renoncé à la compétition (= abandonner). — **3.** Un FORFAIT est un grand crime.

forger v. **1.** *La grille est en fer* FORGÉ, travaillé au feu et à coups de marteau. — **2.** *Son histoire* EST FORGÉE *de toutes pièces,* elle n'est pas vraie

291 ◁ (= inventer). ◆ **forge** n. f. (sens 1) *Un maréchal-ferrant travaille dans une*

291 ◁ FORGE, son atelier. ◆ **forgeron** n. m. (sens 1) *Le* FORGERON *bat le fer rouge sur son enclume,* c'est son métier.

se formaliser v. *Il m'a tutoyé tout de suite, mais je ne* M'*en* FORMALISE *pas,* cela ne me choque pas.

formalité n. f. (au plur.) *Quand on se marie, il y a des* FORMALITÉS *à accomplir,* des actes administratifs obligatoires.

format n. m. *Jean a acheté un livre en* FORMAT *de poche,* un livre qui a les dimensions d'une poche.

formation → FORMER.

forme n. f. **1.** *La* FORME *de son visage est toute ronde* (= aspect, contour). — **2.** *Je lui ai demandé son avis* POUR LA FORME, pour respecter les usages. — **3.** Fam. *Tu as l'air en pleine* FORME!, en parfaite santé physique et morale. ◆ **formel** adj. **1.** (sens 2) *Sa protestation est purement* FORMELLE, pour la forme. — **2.** *Il a opposé un refus* FORMEL (= net, catégorique). ◆ **déformer** v. (sens 1) *À force de la porter, ma robe* S'EST DÉFORMÉE, elle a perdu sa forme. ◆ **déformation** n. f. (sens 1) *Il a une* DÉFORMATION *de la colonne vertébrale,* une altération de la forme. ◆ **indéformable** adj. (sens 1) *Cette armature* EST INDÉFORMABLE. ◆ **informe** adj. (sens 1) *Paul a une écriture* INFORME, les lettres sont déformées.

former v. **1.** *Le fleuve* FORME *un coude ici,* a la forme d'un coude. — **2.** *Le ministre* A FORMÉ *son équipe,* il l'a constituée. — **3.** *Dans cette école, on* FORME *des secrétaires,* on leur apprend leur métier (= éduquer). ◆ **formation** n. f. (sens 2) *L'entraîneur s'est chargé de la* FORMATION *de l'équipe,* de sa constitution. • (sens 3) *Jacques suit des cours de* FORMATION *professionnelle,* d'éducation.

formidable adj. *Pierre a un appétit* FORMIDABLE!, extraordinaire.

768 ◁ **formulaire** n. m. *Remplissez le* FORMULAIRE, l'imprimé où sont posées des questions d'ordre administratif.

formule n. f. **1.** *«S'il vous plaît» est une* FORMULE *de politesse,* une expression toute faite. — **2.** *La* FORMULE *chimique de l'eau est* H_2O, l'expression qui, sous forme de chiffres et de lettres, indique sa composition. — **3.** *Nous avons adopté la* FORMULE *du paiement mensuel de l'impôt,* la manière, le mode. ◆ **formuler** v. (sens 1) FORMULEZ *votre demande en termes précis* (= exprimer).

fort adj. **1.** *Pour transporter ce meuble, il faut des hommes* FORTS, qui ont de la force (= robuste; ≠ faible). — **2.** *Paul est* FORT *en anglais* (= doué). — **3.** *L'as est la carte la plus* FORTE, il vaut plus que les autres cartes. — **4.** *Cette liqueur est* FORTE, alcoolisée (≠ doux). ‖ *J'aime le thé* FORT, concentré (≠ léger). — **5.** *M. Durand parle d'une voix* FORTE (= sonore; ≠ faible). — **6.** Une PLACE FORTE était un lieu protégé par des fortifications (= fortifié). ◆ **fort** adv. **1.** (sens 1) *Ne tape pas si* FORT!, avec autant de force. • (sens 5) *Parlez plus* FORT (= haut; ≠ bas). — **2.** *Ce gâteau est* FORT *bon* (= très). ◆ **fort** n. m. (sens 2) *Le latin n'est pas son* FORT, ce en quoi il réussit le mieux. • (sens 6) *Le* FORT *se trouve sur la colline,* le bâtiment fortifié. ◆ **fortement** adv. (sens 1) *Appuyez* FORTEMENT *sur le bouton!* (= vigoureusement, fort). ◆ **fortifier** v. (sens 1) *La vie au grand air va te* FORTIFIER, te rendre plus fort (≠ affaiblir). • (sens 6) *Cette partie de la ville* EST FORTIFIÉE, protégée par des fortifications. ◆ **fortifiant** n. m. (sens 1) *Depuis sa maladie, Marie prend des* FORTIFIANTS, des médicaments qui fortifient. ◆ **fortification** n. f. (sens 6) *Carcassonne est entourée de* FORTIFICATIONS, de constructions destinées à la protéger. ◆ **forteresse** n. f. (sens 6) *L'ennemi n'a pas pu prendre la* FORTERESSE, le grand fort. ◆ **fortin** n. m. (sens 6) Un FORTIN est un petit fort.

fortuit adj. *J'ai fait une rencontre* FORTUITE (= inattendu, imprévu; ≠ prévisible). ◆ **fortuitement** adv. *Je l'ai rencontré* FORTUITEMENT (= par hasard).

fortune n. f. *Il a une grosse* FORTUNE, il a des biens (= richesses). ‖ *M. Dupont a* FAIT FORTUNE, il s'est enrichi. ◆ **fortuné** adj. *La famille Dupont* EST FORTUNÉE (= riche).

fosse n. f. *Pour enterrer les morts, on creuse une* FOSSE, un grand trou dans le sol. ◆ **fossé** n. m. *La voiture est allée dans le* FOSSÉ, la fosse creusée le long de la route. ◆ **fossoyeur** n. m. *Les* FOSSOYEURS *ont rebouché la fosse,* les employés du cimetière. ▷ 435 ▷ 152

• **R.** V. FAUX.

fossette n. f. *Marie a une* FOSSETTE *au menton,* un petit creux.

fossile n. m. *Jean collectionne les* FOSSILES, des cailloux formés par des squelettes d'animaux ou des empreintes de plantes.

fossoyeur → FOSSE.

1. fou, folle adj. et n. **1.** *Elle est* FOLLE, elle a perdu la raison. — **2.** *J'ai un travail* FOU, beaucoup de travail (= énorme). ◆ **folie** n. f. (sens 1) *M. Duval a des accès de* FOLIE, son cerveau est dérangé (= démence). • (sens 2) *Tu as fait des* FOLIES!, une dépense exagérée. ◆ **follement** adv. (sens 2) *Je suis* FOLLEMENT *inquiet* (= très).

2. fou n. m. **1.** Un FOU était un bouffon chargé d'amuser un prince. — **2.** Le FOU est une pièce du jeu d'échecs.

foudre n. f. **1.** *La* FOUDRE *a frappé le clocher,* une décharge électrique d'orage produisant un éclair et le tonnerre. — **2.** *Ça a été le* COUP DE FOUDRE *entre eux,* la passion subite. ◆ **foudroyer** v. (sens 1) *La vache* A ÉTÉ FOUDROYÉE *sous l'arbre,* tuée par la foudre. ◆ **foudroyant** adj. (sens 1) *Il a eu une attaque* FOUDROYANTE, rapide comme la foudre. ▷ 365

368 ◁ **fouet** n. m. *Le charretier fait claquer son* FOUET, une lanière attachée à un manche. ◆ **fouetter** v. *On ne* FOUETTE *plus les enfants,* on ne les bat plus à coups de fouet.

654 ◁ **fougère** n. f. La FOUGÈRE est une plante des bois à feuilles très découpées.

fougue n. f. *Il a parlé avec* FOUGUE (= ardeur, véhémence; ≠ calme). ◆ **fougueux** adj. *Une attaque* FOUGUEUSE est très vive (= violent).

fouiller v. *Les douaniers* ONT FOUILLÉ *ma valise,* l'ont explorée minutieusement (= inspecter). ◆ **fouille** n. f. **1.** *À la frontière, la* FOUILLE *des bagages nous a retardés,* l'inspection. — **2.** (au plur.) *Les archéologues font des* FOUILLES, creusent la terre pour y chercher des objets anciens.

fouillis n. m. *Quel* FOUILLIS *sur cette table!,* quel désordre!

656 ◁ **fouine** n. f. La FOUINE est un petit animal au museau pointu qui vit dans les bois.

foulard n. m. *Marie a mis un* FOULARD *autour de son cou,* un grand carré en tissu (= écharpe).

foule n. f. **1.** *La* FOULE *se déverse dans le stade,* un grand nombre de personnes. — **2.** *Paul a une* FOULE *de projets,* une grande quantité (= masse, multitude).

foulée n. f. *Jean court à petites* FOULÉES (= enjambée).

fouler v. *Paul* S'EST FOULÉ *la cheville,* il se l'est tordue douloureusement. ◆ **foulure** n. f. Une FOULURE est une légère entorse.

four n. m. **1.** *Mme Durand fait cuire le rôti dans le* FOUR *de sa cuisinière,* la
220 ◁ partie fermée. — **2.** *Les invités mangent des* PETITS FOURS *au buffet,* des petits gâteaux sucrés ou salés. ◆ **fournée** n. f. (sens 1) *Le boulanger a fait trois* FOURNÉES *de pain,* trois fois le contenu de son four. ◆ **fourneau** n. m. (sens 1) *La soupe chauffe sur le* FOURNEAU (= cuisinière). ‖ *On fabrique la fonte dans un* HAUT FOURNEAU, un grand four où l'on fond le minerai de fer. ◆ **enfourner** v. (sens 1) *Le boulanger* ENFOURNE *ses pains,* les met dans le four.

fourbu adj. *Paul est rentré* FOURBU *de sa promenade,* très fatigué (= épuisé, harassé, éreinté).

362 ◁ **fourche** n. f. *Les paysans chargent le foin avec une* FOURCHE, un instrument formé d'un manche terminé par des dents allongées. ◆ **fourchette** n. f. *On pique la viande dans l'assiette avec une*
78 ◁ FOURCHETTE.

fourchu adj. *Les chèvres ont le pied* FOURCHU, divisé en deux (= fendu).

761, 222 ◁ **fourgon** n. m. *Le chien a voyagé dans le* FOURGON *à bagages,* une des voitures du train (= wagon). ◆ **fourgonnette** n. f. *Le laitier fait ses*
768, 761 ◁ *livraisons avec sa* FOURGONNETTE (= camionnette).

294 ◁ **fourmi** n. f. **1.** *Une* FOURMI *m'a piqué,* un petit insecte. — **2.** (au plur.) *J'ai des* FOURMIS *dans les jambes,* des picotements. ◆ **fourmilière** n. f. (sens 1) *Pierre a marché sur une* FOURMILIÈRE, un monticule construit par les fourmis.

fourmiller v. *Ta lettre* FOURMILLE *de fautes,* il y en a énormément (= abonder).

fournaise n. f. *En été, cette pièce est une vraie* FOURNAISE, il y fait très chaud (= étuve).

fourneau, fournée → FOUR.

fournir v. **1.** *L'école* FOURNIT *les livres aux élèves,* elle les leur procure. — **2.** *Mme Dubois* SE FOURNIT *toujours chez le même commerçant,* elle y fait ses achats (= s'approvisionner). — **3.** *Ce coureur* A FOURNI *un gros effort* (= accomplir, produire). ◆ **fournisseur** n. m. (sens 1) *Le* FOURNISSEUR *n'a pas livré la commande,* le commerçant ou le fabricant. ◆ **fourniture** n. f. (sens 2) [au plur.] *Dans cette papeterie, on vend des* FOURNITURES *scolaires,* des objets dont les élèves doivent se fournir.

fourrage n. m. Le FOURRAGE, ce sont les plantes qui servent de nourriture au bétail. ◆ **fourrager** adj. *L'herbe, la luzerne, le foin sont des plantes* FOURRAGÈRES, du fourrage. ▷ 365

fourré n. m. *Le lièvre s'est caché dans un* FOURRÉ, un endroit très touffu du bois. ▷ 364, 654

fourreau n. m. *Le mousquetaire a sorti l'épée du* FOURREAU (= étui). ▷ 224

fourrer v. **1.** Fam. *On l'*A FOURRÉ *en prison,* on l'y a mis. — **2.** *Ce gâteau* EST FOURRÉ *à la crème,* garni.

fourreur → FOURRURE.

fourrière n. f. La FOURRIÈRE est l'endroit où l'on met les animaux abandonnés ou les voitures en infraction.

fourrure n. f. *Mme Dupont a un manteau de* FOURRURE, fait d'une peau d'animal garnie de ses poils. ◆ **fourreur** n. m. Le FOURREUR est celui qui apprête les fourrures ou qui les vend. ▷ 653

se fourvoyer v. *Où* ME SUIS-*je* FOURVOYÉ? (= s'égarer, se perdre).

foyer n. m. **1.** *Le* FOYER *d'une locomotive* est la partie dans laquelle le combustible brûle. — **2.** *On signale de nombreux* FOYERS *d'incendie,* des endroits d'où part le feu (= centre). — **3.** *Mme Dupont est femme au* FOYER, elle s'occupe de sa maison et de sa famille. — **4.** *Le* FOYER *des artistes* est le local où les acteurs d'un théâtre peuvent se réunir. ▷ 291

fracasser v. *Les sauveteurs* ONT FRACASSÉ *la porte d'un coup d'épaule,* ils l'ont brisée avec bruit. ◆ **fracas** n. m. *L'arbre tombe avec* FRACAS, avec un bruit violent.

fraction n. f. **1.** *Une* FRACTION *du syndicat n'a pas voté,* une partie. — **2.** $\frac{3}{4}$ *est une* FRACTION, une expression numérique constituée par un numérateur (3) et un dénominateur (4) séparés par un trait, la *barre de* FRACTION. ◆ **fractionner** v. (sens 1) *Le groupe* S'EST FRACTIONNÉ, il s'est divisé en plusieurs parties. ▷ 517

fracture n. f. *Paul s'est fait une* FRACTURE *du poignet,* une cassure. ◆ **fracturer** v. *On* A FRACTURÉ *la serrure pour l'ouvrir,* on l'a cassée.

fragile adj. *Ce vase est* FRAGILE, il se casse facilement (≠ solide). ◆ **fragilité** n. f. *Ce vase a la* FRAGILITÉ *de la porcelaine* (≠ solidité).

fragment n. m. **1.** *Paul recolle les* FRAGMENTS *du pot cassé,* les morceaux (= débris). — **2.** *J'ai lu des* FRAGMENTS *de ce roman,* des passages. ◆ **fragmentaire** adj. (sens 2) *Elle a des connaissances* FRAGMENTAIRES *en histoire* (= partiel; ≠ complet).

1. frais adj. **1.** *Jean a bu un verre d'eau* FRAÎCHE, un peu froide (≠ tiède). — **2.** *Ces œufs sont* FRAIS, pondus depuis peu et bons à manger (≠ avarié). ◆ **fraîcheur** n. f. (sens 1) *Attention à la* FRAÎCHEUR *de la nuit,* la température fraîche. • (sens 2) *La date limite de* FRAÎCHEUR *des œufs est indiquée sur la boîte,* de bonne conservation. ◆ **fraîchir** v. (sens 1) *Le temps* FRAÎCHIT, il devient plus frais. ◆ **rafraîchir** v. (sens 1) *J'ai soif, je vais* ME RAFRAÎCHIR, boire quelque chose de frais. ◆ **rafraîchissant** adj. (sens 1) *Une orangeade glacée est une boisson* RAFRAÎCHISSANTE. ◆ **rafraîchissement** n. m. (sens 1) *On a servi des* RAFRAÎCHISSEMENTS, des boissons fraîches.

2. frais n. m. pl. **1.** *Cette réparation a entraîné des* FRAIS, des dépenses. ‖ *J'ai eu des* FAUX FRAIS, des dépenses supplémentaires imprévues. — **2.** *Qui va* FAIRE LES FRAIS *de cette décision?,* en subir les inconvénients. ◆ **défrayer** v. **1.** (sens 1) *Paul* A ÉTÉ DÉFRAYÉ *de tout,* on lui a payé toutes ses dépenses (= rembourser). — **2.** *Ce scandale* DÉFRAIE *la chronique,* tout le monde en parle.

367 ◁ 38 ◁ **fraise** n. f. **1.** *On a mangé des* FRAISES, le fruit rouge du fraisier. — **2.** *Le dentiste approche sa* FRAISE *de la dent cariée,* un instrument tournant qui sert à creuser. ◆ **fraiser** v. (sens 2) *Les tourneurs se servent d'une machine à* FRAISER. ◆ **fraisier** n. m. (sens 1) *M. Dupont a des* FRAISIERS *dans son jardin,* des plantes.

367 ◁ **framboise** n. f. *Nous avons mangé une tarte aux* FRAMBOISES, le petit fruit rouge du FRAMBOISIER (un arbuste).

1. franc n. m. *Vous voulez payer en* FRANCS *français ou en* FRANCS *suisses?,* des monnaies.

2. franc adj. **1.** *Marie est une fille* FRANCHE, elle ne ment pas (= sincère; ≠ hypocrite). — **2.** *Ce colis est* FRANC DE PORT, les frais d'envoi ont été payés par l'expéditeur. — **3.** *L'arbitre a sifflé un* COUP FRANC, une faute au football. ◆ **franchement** adv. **1.** (sens 1) *Je vais te parler* FRANCHEMENT, ouvertement. — **2.** *Le temps est* FRANCHEMENT *mauvais* (= très). ◆ **franchise** n. f. (sens 1) *Parlons en toute* FRANCHISE, sincérité. • (sens 2) *Certaines lettres bénéficient de la* FRANCHISE *postale,* on ne paie pas de timbre. ◆ **franco** adv. (sens 2) *Ce colis a été expédié* FRANCO, franc de port. ◆ **affranchir** v. **1.** (sens 2) *Cette lettre* A ÉTÉ AFFRANCHIE *avec un timbre à 2 francs.* — **2.** *Un seigneur pouvait* AFFRANCHIR *un serf,* le rendre libre. ◆ **affranchissement** n. m. (sens 2) *L'*AFFRANCHISSEMENT *du paquet coûte 5 francs.*

franchir v. *Il est interdit de* FRANCHIR *cette limite,* d'aller au-delà. ◆ **infranchissable** adj. *Ces montagnes forment une barrière* INFRANCHISSABLE, impossible à franchir.

franchise → FRANC 2.

franc-maçon n. Les FRANCS-MAÇONS sont les membres d'une société secrète d'entraide et de solidarité, la FRANC-MAÇONNERIE.

franco → FRANC 2.

francophone adj. et n. *Certains Canadiens sont* FRANCOPHONES, ils parlent le français.

franc-tireur n. m. Des FRANCS-TIREURS sont des combattants n'appartenant pas à une armée régulière.

frange n. f. **1.** *Un tapis à* FRANGES a une bordure de fils qui pendent. — **2.** *Marie a coupé sa* FRANGE, les cheveux qui lui tombaient sur le front.

franquette n. f. *On a fait un dîner entre amis* À LA BONNE FRANQUETTE, sans façons, sans se gêner.

frapper v. **1.** FRAPPEZ *à la porte avant d'entrer!*, donnez des coups (= taper). — **2.** *On ne doit pas* FRAPPER *un animal* (= battre). — **3.** FRAPPER *une pièce de monnaie*, c'est lui donner une empreinte en relief. — **4.** *Ce détail m'*AVAIT FRAPPÉ, avait attiré mon attention. ◆ **frappant** adj. (sens 4) *Une ressemblance* FRAPPANTE se remarque tout de suite. ◆ **frappe** n. f. (sens 2) *La* FORCE DE FRAPPE *d'un pays* est l'ensemble de ses armes atomiques.

fraternel, fraterniser, fraternité → FRÈRE.

fraude n. f. Il y a FRAUDE quand on triche par rapport à un règlement. ◆ **frauder** v. *Il* A FRAUDÉ *le fisc* (= tromper). ◆ **fraudeur** n. *Les* FRAUDEURS *seront punis*, les tricheurs. ◆ **frauduleux** adj. *Une déclaration de revenus* FRAUDULEUSE est destinée à tromper (= malhonnête). ◆ **frauduleusement** adv. *Il avait imité* FRAUDULEUSEMENT *ma signature.*

frayer v. *On va* SE FRAYER *un chemin dans la foule*, se faire un passage (= se tracer).

frayeur n. f. *Paul a poussé un cri de* FRAYEUR, de grande peur (= effroi). ◆ **effrayer** v. *Paul* EST EFFRAYÉ *par les histoires de fantômes*, il en a peur (= épouvanter). ◆ **effrayant** ou **effroyable** adj. *Il nous a raconté une histoire* EFFRAYANTE (= terrifiante). ‖ *Il y a une misère* EFFROYABLE *dans ce pays* (= épouvantable, terrible). ◆ **effroi** n. m. *Marie a les yeux pleins d'*EFFROI (= terreur, épouvante).

fredonner v. *Marie* FREDONNE *dans son bain*, elle chante à mi-voix.

freezer n. m. *On conserve ces aliments dans le* FREEZER, le compartiment le plus froid d'un réfrigérateur.
• **R.** On prononce [frizœr].

frégate n. f. Une FRÉGATE est un bateau de guerre. ▷ 764

frein n. m. *L'accident est dû à une rupture des* FREINS, du mécanisme qui permet de ralentir ou d'arrêter un véhicule. ◆ **freiner** v. *Ce virage est dangereux,* FREINE!, actionne le frein pour ralentir. ◆ **freinage** n. m. *Il y a des traces de* FREINAGE *sur la route.* ▷ 505

frelater v. *Ce vin* EST FRELATÉ, *on y a ajouté de l'alcool* (≠ pur).

frêle adj. *Marie est* FRÊLE (= fragile; ≠ robuste).

frelon n. m. *Paul a été piqué par un* FRELON, une grosse guêpe.

frémir v. *Dire que tu aurais pu être tué, j'en* FRÉMIS! (= trembler). ◆ **frémissement** n. m. Un FRÉMISSEMENT est un léger tremblement.

654 ◁ **frêne** n. m. *Cette armoire est en* FRÊNE, un arbre.

frénésie n. f. *Le chanteur a été applaudi avec* FRÉNÉSIE *par toute la salle,* très vivement (= délire). ◆ **frénétique** adj. *Des hurlements* FRÉNÉTIQUES *se sont déchaînés* (= fou).

fréquent adj. *Les visites de Paul sont* FRÉQUENTES, elles ont lieu souvent (= répété; ≠ rare). ◆ **fréquence** n. f. *Quelle est la* FRÉQUENCE *de ce mot dans la page?,* le nombre de fois où il apparaît. ◆ **fréquemment** adv. *Ces accidents arrivent* FRÉQUEMMENT (= souvent).

fréquenter v. **1.** *Paul* FRÉQUENTE *beaucoup les cinémas,* il y va souvent. — **2.** *Pierre* FRÉQUENTE *des gens malhonnêtes,* il les rencontre souvent. ◆ **fréquentation** n. f. (sens 1) *Le taux de* FRÉQUENTATION *des cinémas baisse.* • (sens 2) [au plur.] *Pierre a de bonnes* FRÉQUENTATIONS, relations (= connaissances).

547 ◁ **frère** n. m. *Paul est le* FRÈRE *de Marie,* il a les mêmes parents qu'elle, elle est sa sœur. ◆ **demi-frère** n. m. Un DEMI-FRÈRE est un frère né du même père ou de la même mère seulement. ◆ **fraternel** adj. *J'ai pour lui une affection* FRATERNELLE, comme celle qui existe entre frères ou entre frères et sœurs. ◆ **fraternité** n. f. La FRATERNITÉ, ce sont les rapports fraternels qui existent entre des personnes. ◆ **fraterniser** v. *Ces deux hommes* ONT *vite* FRATERNISÉ, ils se sont sentis comme frères.

fresque n. f. *Il y a de belles* FRESQUES *dans cette église,* des peintures sur les murs.

frétiller v. *Le chien a la queue qui* FRÉTILLE, qui s'agite avec des mouvements vifs.

friable adj. *La craie est une roche* FRIABLE, qui s'effrite facilement, se réduit en poudre.

friand adj. *La chatte est* FRIANDE *de lait,* elle l'aime beaucoup (= gourmand). ◆ **friandise** n. f. *Marie adore les* FRIANDISES, les bonbons, les sucreries.

364 ◁ **friche** n. f. *Ce champ est* EN FRICHE, il n'est pas cultivé (= inculte). ◆ **défricher** v. DÉFRICHER *un terrain inculte,* c'est le mettre en culture.

friction n. f. *Marie s'est fait une* FRICTION *au gant de crin,* elle s'est frotté la peau. ◆ **frictionner** v. *Jean* S'EST FRICTIONNÉ *pour se réchauffer.*

frigorifier v. **1.** *Ce poisson* A ÉTÉ FRIGORIFIÉ, mis au froid pour être conservé. — **2.** Fam. *Je suis* FRIGORIFIÉ, j'ai très froid (= gelé).
223 ◁ ◆ **frigorifique** adj. (sens 1) *Un réfrigérateur est un appareil* FRIGORIFIQUE, qui produit du froid. ◆ **frigo** n. m. (sens 1) Fam. *Remets le beurre au* FRIGO (= réfrigérateur).

frileux adj. *Marie est plus* FRILEUSE *que Paul,* plus sensible au froid.

frime n. f. Fam. *Elle ne pleure pas vraiment, c'est de la* FRIME, ce n'est pas sérieux (= comédie).

frimousse n. f. *Cette petite fille a une jolie* FRIMOUSSE (= visage, figure).

fringant adj. *Un cheval* FRINGANT est très vif.

fripé adj. *Ma robe est* FRIPÉE (= chiffonné). ◆ **friper** v. *Ton pantalon va* SE FRIPER (= chiffonner).

fripon adj. et n. *Petite* FRIPONNE!, coquine.

frire v. *Les pommes de terre sont en train de* FRIRE, de cuire dans une matière grasse bouillante. ◆ **frite** n. f. *J'ai mangé un bifteck avec des* FRITES, des pommes de terre frites. ◆ **friture** n. f. *On a mangé une* FRITURE *de poisson,* des poissons frits. ◆ **friteuse** n. f. *Plongez vos beignets dans la* FRITEUSE, le récipient qui sert à faire frire. ▷ 78
● **R.** *Frire* s'emploie surtout à l'infinitif et au participe. ‖ Conj. n° 83.

frise n. f. Une FRISE est un ornement d'architecture.

friser v. **1.** *Ses cheveux* FRISENT *naturellement,* ils bouclent. — **2.** *Il* FRISE *la quarantaine,* il approche des quarante ans. ◆ **frisé** adj. (sens 1) *Marie a les cheveux* FRISÉS, bouclés. ◆ **frisette** n. f. (sens 1) *Ce bébé a des* FRISETTES, des petites boucles. ◆ **défriser** v. (sens 1) *La pluie* A DÉFRISÉ *mes cheveux,* a défait leurs boucles.

frisson n. m. *Paul doit être malade, il a des* .FRISSONS, des tremblements. ◆ **frissonner** v. *J'ai froid, je* FRISSONNE, je grelotte.

frite, friteuse, friture → FRIRE.

frivole adj. *Lire des journaux de mode est une occupation un peu* FRIVOLE (= futile; ≠ sérieux). ◆ **frivolité** n. f. *La* FRIVOLITÉ *d'une conversation,* c'est son caractère superficiel (= légèreté; ≠ gravité).

froc n. m. Un FROC est un habit de moine. ◆ **défroqué** adj. et n. *Un prêtre* DÉFROQUÉ a quitté l'habit et l'état religieux.

froid adj. **1.** *La neige est* FROIDE (≠ chaud). — **2.** *Paul a un regard* FROID (= dur; ≠ chaleureux). ◆ **froid** adv. **1.** (sens 1) *Il fait* FROID *ce matin.* — **2.** *Ce métal se travaille* À FROID, sans qu'on le chauffe. ◆ **froid** n. m. (sens 1) *Marie craint le* FROID, les températures froides (≠ chaleur). ● (sens 2) *Paul et moi, nous sommes* EN FROID, fâchés. ◆ **froidement** adv. (sens 2) *Il nous a accueillis* FROIDEMENT, sans empressement (≠ chaleureusement). ◆ **froideur** n. f. (sens 2) *Il nous a reçus avec* FROIDEUR (= réserve; ≠ chaleur). ◆ **refroidir** v. (sens 1) *La soupe va* REFROIDIR, devenir froide (≠ chauffer). ● (sens 2) *Son ardeur* SE REFROIDIT, diminue. ◆ **refroidissement** n. m. (sens 1) *On annonce un* REFROIDISSEMENT *de la température* (≠ réchauffement).

froisser v. **1.** *Les draps* SONT *tout* FROISSÉS (= chiffonner). — **2.** *C'est ma remarque qui t'*A FROISSÉ? (= vexer). ◆ **froissement** n. m. (sens 1) *On a entendu un* FROISSEMENT *de tôle,* un bruit produit par de la tôle froissée.

frôler v. **1.** *La balle lui* A FRÔLÉ *l'épaule,* elle est passée très près (= effleurer). — **2.** *Paul* A FRÔLÉ *la mort,* il a failli mourir.

fromage n. m. *Le camembert, le gruyère, le roquefort sont des* FROMAGES, des produits faits avec du lait caillé. ▷ 222

froment n. m. *Le meunier vend de la farine de* FROMENT, de blé.

froncer v. **1.** *Quand Paul* FRONCE *les sourcils, c'est qu'il est mécontent,* il plisse ses sourcils en les rapprochant. — **2.** FRONCER *un tissu,* c'est y faire des plis. ◆ **froncement** n. m. (sens 1) *Le* FRONCEMENT *de ses sourcils lui donne l'air dur.* ◆ **fronce** n. f. (sens 2) *Une jupe à* FRONCES a des plis ondulés. 296 ◁

33 ◁ **front** n. m. **1.** *Marie a une frange sur le* FRONT, le haut du visage, au-dessus des sourcils. — **2.** *Les soldats qui sont au* FRONT sont dans la zone de combat où les armées sont face à face. — **3.** *Que de difficultés auxquelles il va falloir* FAIRE FRONT!, faire face. — **4.** *Cet industriel mène* DE FRONT *plusieurs affaires,* en même temps.

frontière n. f. *À la* FRONTIÈRE, *les douaniers nous ont demandé nos passeports,* à la limite qui sépare deux pays. ◆ **frontalier** adj. *La population* FRONTALIÈRE est celle qui habite près d'une frontière.

frontispice n. m. Un FRONTISPICE est un titre orné de dessins à la première page d'un livre.

579 ◁ **fronton** n. m. Un FRONTON est un ornement architectural au-dessus de l'entrée principale d'un édifice.

frotter v. *Il faut* FROTTER *le linge avec du savon,* passer plusieurs fois, en appuyant, le savon sur le linge. ◆ **frottement** n. m. *On entend un* FROTTEMENT *sur ce disque,* quelque chose qui frotte.

fructifier, fructueux → FRUIT.

frugal adj. *Je me contenterai d'un* FRUGAL *repas* (= léger; ≠ copieux).

222 ◁ **fruit** n. m. **1.** *Le pommier est en fleur, il va bientôt y avoir des* FRUITS. — **2.** *Ce travail a porté ses* FRUITS, il a été utile, profitable. — **3.** *Ce livre est le* FRUIT *de plusieurs années de travail* (= résultat). — **4.** (au plur.) *On a mangé des* FRUITS DE MER, des crustacés, des coquillages. ◆ **fruitier** adj. (sens 1) *Le cerisier est un arbre* FRUITIER, qui produit des fruits. 366, 362 ◁ ◆ **fructifier** v. (sens 2) *Il a de l'argent et il le fait* FRUCTIFIER, rapporter des intérêts. ◆ **fructueux** adj. (sens 2) *Ta démarche a été* FRUCTUEUSE (= utile). ◆ **infructueux** adj. (sens 2) *Notre tentative a été* INFRUCTUEUSE, elle n'a pas porté ses fruits (= vain).

frusques n. f. pl. Fam. Des FRUSQUES sont de vieux vêtements.

fruste adj. *Il a des manières un peu* FRUSTES, qui manquent de finesse (= grossier).

frustrer v. *Paul se sent* FRUSTRÉ : *il voulait manger des fraises, et il n'en reste plus,* déçu, parce qu'il est privé de ce qu'il attendait.

fuel n. m. *La chaudière n'a plus de* FUEL, de mazout.
• **R.** On prononce [fjul].

fugace adj. *J'ai eu une impression* FUGACE (= court; ≠ durable).

fuir v. **1.** *Ne fais pas de bruit, tu vas faire* FUIR *les oiseaux* (= se sauver). — **2.** *On dirait que Paul me* FUIT, qu'il cherche à m'éviter. — **3.** *Le robinet du lavabo* FUIT, il laisse couler de l'eau. ◆ **fuite** n. f. **1.** (sens 1) *Le voleur a pris la* FUITE, il a fui (= s'enfuir). • (sens 3) *Il y a une* FUITE *de gaz,* le gaz s'échappe. — **2.** (au plur.) *Ce projet était secret, mais il y a eu des* FUITES, des indiscrétions qui l'ont fait connaître. ◆ **fugitif** **1.** n. (sens 1) *On a* *retrouvé les* FUGITIFS, ceux qui avaient fui (= fuyard). — **2.** *Une sensation* FUGITIVE *dure peu de temps* (= court, passager; ≠ durable). ◆ **fugue** n. f. (sens 1) *Ce jeune garçon a fait une* FUGUE, il s'est enfui de son domicile. ◆ **fuyard** n. m. (sens 1) *La police a rattrapé les* FUYARDS, ceux qui avaient pris la fuite. ◆ **fuyant** adj. (sens 2) *Paul a un regard* FUYANT, qui fuit celui des autres. ◆ **s'enfuir** v. (sens 1) *Les voleurs* SE SONT ENFUIS, ils sont partis en vitesse (= se sauver, filer, fuir).

• **R.** Conj. nº 17.

fulgurant adj. *La douleur a été* FULGURANTE, très vive et très courte (= brutal).

fulminer v. *Ça ne sert à rien de* FULMINER *contre lui,* se mettre en colère.

fumé adj. *Paul porte des lunettes à verres* FUMÉS, colorés sombres.

1. fumer v. **1.** *La cheminée du salon tire mal, elle* FUME, de la fumée s'en échappe. — **2.** *Paul* FUME *une cigarette,* il aspire et rejette la fumée du tabac. — **3.** *Du jambon* FUMÉ a été séché à la fumée d'un feu de bois. ◆ **fumée** n. f. (sens 1 et 2) *Une* FUMÉE *grise sort de la cheminée,* ce qui se dégage des substances qui brûlent. ◆ **fumeur** n. (sens 2) *Marie est une grande* FUMEUSE, elle fume beaucoup. ◆ **enfumer** v. (sens 1 et 2) *La pièce est* ENFUMÉE, remplie de fumée.

▷ 761

2. fumer v. FUMER *la terre,* c'est y mettre du fumier. ◆ **fumier** n. m. *Un tas de* FUMIER *est dans la cour de la ferme,* d'engrais composé de la paille et des excréments des bestiaux.

▷ 363

fumet n. m. *Je sens d'ici le* FUMET *du civet de lièvre,* l'odeur (= arôme).

fumeur → FUMER 1. / **fumier** → FUMER 2.

fumiste n. m. **1.** *Le* FUMISTE *entretient les cheminées et les appareils de chauffage,* c'est son métier. — **2.** Fam. *Ce sont tous des* FUMISTES!, ils ne sont pas sérieux.

funambule n. *À la foire, il y avait un* FUNAMBULE *qui marchait sur une corde,* un équilibriste.

▷ 433

funèbre adj. *Le service des* POMPES FUNÈBRES *s'occupe des enterrements.*

funérailles n. f. pl. *Les* FUNÉRAILLES *d'un chef d'État,* c'est la cérémonie d'enterrement (= obsèques).

funeste adj. *L'alcool est* FUNESTE *à la santé,* très nuisible (= fatal).

funiculaire n. m. *Pour aller au sommet, on a pris le* FUNICULAIRE, le chemin de fer tiré par câble.

fur → MESURE.

furet n. m. Le FURET est un petit animal sauvage.

fureter v. *Je ne sais pas ce qu'il cherche, il est toujours en train de* FURETER (= fouiller).

fureur n. f. *Paul est dans une* FUREUR *folle,* une grande colère. ◆ **furieux** adj. *Marie est* FURIEUSE *contre son frère,* très en colère. ◆ **furibond** adj. *Elle lui a jeté un regard* FURIBOND, furieux. ◆ **furie** n. f. *On ne pouvait pas la retenir, c'était une vraie* FURIE, femme furieuse.

furoncle n. m. *Paul a un* FURONCLE *dans le dos,* un gros bouton avec du pus (= clou).

furtif adj. *Jean a jeté un regard* FURTIF *à sa montre,* sans se faire voir (= rapide, discret; ≠ ostensible).

fusain n. m. **1.** *L'allée est bordée de* FUSAINS, un arbrisseau. — **2.** *Il dessine au* FUSAIN, avec une sorte de crayon fait de charbon de bois de fusain.

fuseau n. m. *La Terre est divisée en 24* FUSEAUX *horaires,* en portions à l'intérieur desquelles l'heure est la même.

582 ◁ **fusée** n. f. **1.** *Au feu d'artifice, il y avait des* FUSÉES *de toutes les couleurs,* des tubes qui éclatent en l'air. — **2.** *On a envoyé une* FUSÉE *dans l'espace,* un engin qui se déplace en rejetant des gaz.

767, 511 ◁ **fuselage** n. m. *Les ailes de l'avion sont fixées sur le* FUSELAGE, le corps de l'avion.

fusible n. m. *Il n'y a plus d'électricité, il faut remplacer les* FUSIBLES, les fils de plomb qui fondent en cas de court-circuit.

763, 361 ◁ **fusil** n. m. *J'ai entendu deux coups de* FUSIL, une arme à feu. ◆ **fusiller** v. *On* A FUSILLÉ *l'espion,* on l'a tué à coups de fusil. ◆ **fusillade** n. f. *Une* FUSILLADE *a éclaté,* des coups de fusil.
• **R.** *Fusil* se prononce [fyzi].

fusion, fusionner → FONDRE.

fût n. m. *On a mis le vin dans un* FÛT (= tonneau).
• **R.** *Fût* se prononce comme [*il*] *fut* (de *être*).

654 ◁ **futaie** n. f. Une FUTAIE est une belle forêt.

futé adj. Fam. *Elle n'est pas très* FUTÉE! (= malin; ≠ sot).

futile adj. *Leur conversation sur la mode est* FUTILE!, frivole (≠ sérieux). ◆ **futilité** n. f. *Quelle* FUTILITÉ *d'esprit!* (= légèreté; ≠ gravité).

futur adj. *Cela servira aux générations* FUTURES, à venir (= ultérieur; 754, 12 ◁ ≠ passé). ◆ **futur** n. m. **1.** *On ne peut connaître le* FUTUR (= avenir). — 12 ◁ **2.** *Dans «je viendrai demain», «venir» est au* FUTUR, au temps qui présente une action à venir.

fuyant, fuyard → FUIR.

gabardine n. f. *S'il pleut, je mettrai ma* GABARDINE, un manteau de pluie.

gabarit n. m. *Ce camion de déménagement a un gros* GABARIT, il est haut et large (= dimensions).

gabelle n. f. *Autrefois, on payait la* GABELLE, un impôt sur le sel.

gâcher v. **1.** *Le mauvais temps* A GÂCHÉ *nos vacances,* il les a rendues peu agréables. — **2.** *Avant de réussir un dessin, il* GÂCHE *dix feuilles de papier,* il les utilise sans résultat (= gaspiller). — **3.** *Le maçon* GÂCHE *du plâtre,* il prépare un mélange de plâtre et d'eau. ◆ **gâchis** n. m. (sens 2) *Ton petit frère a fait un beau* GÂCHIS *en jouant avec des tubes de peinture,* il a tout sali (= dégât).

gâchette n. f. *Quand on appuie sur la* GÂCHETTE *du revolver, le coup de feu part* (= détente).

gâchis → GÂCHER.

gadget n. m. *Sa voiture est pleine de* GADGETS, de petits objets amusants mais non indispensables.
• **R.** On prononce [gadʒɛt].

gaffe n. f. **1.** *Le marin a repêché sa casquette avec une* GAFFE, un long bâton muni d'un crochet. — **2.** Fam. *Marie a fait une* GAFFE *en lui disant cela* (= sottise).

gag n. m. *Ce film est une suite de* GAGS, de courtes scènes comiques.

gage n. m. **1.** *Comme il ne pouvait pas payer, il a laissé sa montre en* GAGE, elle lui sera rendue quand il paiera. — **2.** *La règle de ce jeu dit que le perdant a un* GAGE, il doit accomplir une sorte de pénitence. — **3.** (au plur.) *C'est un espion aux* GAGES *d'un pays étranger,* il est payé par ce pays pour espionner.

gagner v. **1.** *Il* GAGNE *beaucoup d'argent,* on lui en donne beaucoup pour son travail. — **2.** *Je* GAGNE *du temps,* j'en économise (≠ perdre). — **3.** *J'*AI GAGNÉ *la course,* je suis arrivé le premier (= remporter; ≠ perdre). — **4.** *J'*AI GAGNÉ *la sortie,* je me suis dirigé vers elle. — **5.** *L'incendie* GAGNE *la maison* (= atteindre). ◆ **gain** n. m. (sens 1) *Réaliser un* GAIN, c'est gagner de l'argent. • (sens 2) *L'ordinateur permet un* GAIN *de temps,* de gagner du temps. ◆ **gagnant** adj. (sens 3) *C'est Jean qui a le billet* GAGNANT, qui a eu le premier prix. ◆ **regagner** v. (sens 2) *Il faudrait*

REGAGNER *le temps perdu* (= rattraper). • (sens 4) *M. Durand* A REGAGNÉ *son pays,* il y est retourné. ◆ **regain** n. m. **1.** (sens 2) *L'économie a connu un* REGAIN *d'activité* (= retour, renouveau). — **2.** Le REGAIN est l'herbe qui repousse quand on a fauché la prairie.

gai adj. **1.** *C'est une femme très* GAIE, qui aime rire (= joyeux). — **2.** *Des couleurs* GAIES sont des couleurs claires et vives. ◆ **gaiement** adv. (sens 1) *Les enfants chantaient* GAIEMENT (= joyeusement). ◆ **gaieté** n. f. *Le dîner a été d'une grande* GAIETÉ, très gai. ◆ **égayer** v. *Ce papier peint* ÉGAIE *l'appartement,* il le rend plus agréable.
• **R.** *Gai* se prononce [ge] comme *gué.*

gaillard 1. adj. *Il a l'air* GAILLARD, frais et dispos. — **2.** n. *Jacques est un solide* GAILLARD, un homme grand et fort. ◆ **ragaillardir** v. (sens 1) *Ce petit repas nous* A RAGAILLARDIS (= réconforter).

gain → GAGNER.

147 ◁ **gaine** n. f. *Le poignard est dans sa* GAINE (= étui). ◆ **dégainer** v. *Il* A DÉGAINÉ *son épée,* il l'a tirée hors du fourreau.

gala n. m. *Nous sommes allés à une soirée de* GALA, à une fête officielle.

galant adj. *Un homme* GALANT est prévenant avec les femmes. ◆ **galanterie** n. f. *Dans le train, un monsieur a cédé sa place assise à une dame par* GALANTERIE, par politesse envers elle.

galaxie n. f. *Les astronomes ont découvert de nombreuses* GALAXIES, d'immenses groupements d'étoiles.

galbe n. m. *Ses jambes ont un* GALBE *parfait,* des courbes parfaites.

gale n. f. La GALE est une maladie de peau contagieuse. ◆ **galeux** adj. et n. *Une chienne* GALEUSE a la gale.

galère n. f. Les GALÈRES étaient des navires à rames et à voiles. ◆ **galérien** n. m. *Autrefois les* GALÉRIENS *étaient condamnés à ramer sur les galères.*

galerie n. f. **1.** *Les taupes creusent des* GALERIES *dans le sol,* des longs couloirs souterrains (= tunnel). — **2.** *Une* GALERIE *d'art* est un magasin où l'on expose et vend des œuvres d'art. — **3.** *Les valises sont sur la* GALERIE *de la voiture,* sur un cadre métallique fixé au toit. — **4.** *Tu es en train d'amuser la* GALERIE, ceux qui t'écoutent (= assistance).

galérien → GALÈRE.

725 ◁ **galet** n. m. *Dans les torrents, sur les plages, il y a des* GALETS, des cailloux polis par l'eau.

galette n. f. *Nous avons mangé une* GALETTE, un gâteau rond et plat.

galeux → GALE.

galion n. m. *L'Espagne possédait autrefois de nombreux* GALIONS, des grands navires qui transportaient de l'or.

gallicisme n. m. *« Il y a », « c'est » sont des* GALLICISMES, des façons de parler particulières au français.

galoche n. f. **1.** Les GALOCHES sont des chaussures de cuir à semelles de bois. — **2.** *Un menton en* GALOCHE est relevé vers l'avant.

galon n. m. *Sur les épaules de son uniforme sont cousus ses* GALONS *de lieutenant,* des rubans qui indiquent son grade. ▷ 763

galop n. m. *Le cheval prend le* GALOP, l'allure la plus rapide. ◆ **galoper** v. *Les enfants* GALOPENT *dans le jardin,* ils courent très vite. ◆ **galopade** n. f. *On entend une* GALOPADE *dans l'escalier,* des gens galoper.

galopin n. m. *Tu es un* GALOPIN!, un petit garçon mal élevé et effronté (= polisson, garnement).

galvaniser v. **1.** *On* GALVANISE *le fil de fer pour qu'il ne rouille pas,* on le recouvre d'une couche de zinc. — **2.** *Les paroles de l'orateur* ONT GALVANISÉ *la foule,* elles lui ont donné envie de le suivre et de lui obéir (= enthousiasmer).

galvauder v. *Cet artiste* GALVAUDE *son talent,* il ne l'emploie pas bien.

gambade n. f. *Les enfants font des* GAMBADES *dans l'herbe,* des bonds joyeux. ◆ **gambader** v. *Les chèvres* GAMBADENT *dans le pré.*

gamelle n. f. *L'ouvrier emporte sa* GAMELLE, un récipient fermé, en métal, où se trouve son repas. ▷ 763

gamin n. Fam. *Marie est une* GAMINE, une enfant.

gamme n. f. **1.** *Les élèves chantent la* GAMME *de «do»,* la suite de notes de musique qui part de *do.* — **2.** *L'acheteur choisit la couleur de sa voiture dans la* GAMME *qu'on lui propose,* la série de couleurs.

gang n. m. *Nickie faisait partie d'un* GANG, d'une bande organisée de malfaiteurs. ◆ **gangster** n. m. *La police a arrêté les* GANGSTERS (= bandit).

ganglion n. m. *Un abcès dentaire m'a causé des* GANGLIONS *au cou,* des petites boules sous la peau.

gangrène n. f. *À la suite d'une blessure mal soignée, on peut attraper la* GANGRÈNE, une maladie qui provoque la pourriture des chairs.

gangster → GANG.

gangue n. f. *On sépare le minerai de la* GANGUE, de la terre et des pierres qui y sont mêlées.

gant n. m. **1.** *On se protège les mains du froid avec des* GANTS. — **2.** *Cette robe te va* COMME UN GANT, parfaitement. ▷ 37, 653

garage n. m. **1.** *Il rentre sa voiture au* GARAGE, dans un lieu couvert et fermé (= box). — **2.** *La voiture est en réparation dans un* GARAGE. ◆ **garagiste** n. (sens 2) *Le* GARAGISTE *a dépanné la voiture.* ▷ 75

garantir v. **1.** *Cette machine* EST GARANTIE *un an,* le vendeur la réparera gratuitement pendant un an. — **2.** *Tout sera prêt, je vous le* GARANTIS (= affirmer, certifier, assurer). — **3.** *Ce chapeau te* GARANTIRA *du soleil* (= protéger). ◆ **garantie** n. f. (sens 1) *La voiture a une* GARANTIE *de six mois,* elle est garantie six mois.

garçon n. m. **1.** *Ils ont une fille et un* GARÇON (= fils). — **2.** *C'est un* GARÇON *sympathique* (≠ fille). — **3.** *Mon oncle est resté* VIEUX GARÇON, il ne s'est pas marié (= célibataire). — **4.** *Un* GARÇON *boucher* est un jeune homme employé chez un boucher. ◆ **garçonnet** n. m. (sens 1 et 2) *Jeannot est un* GARÇONNET *de cinq ans,* un petit garçon.
36 ◁

garder v. **1.** *Marie* GARDE *ses petits frères* (= surveiller). ‖ *Le chien* GARDE *la maison,* il la défend contre les voleurs (= protéger). — **2.** *Au congélateur, on peut* GARDER *la viande six mois,* elle se conserve pendant six mois. — **3.** *Il* A GARDÉ *sa montre pour se baigner,* elle est restée à son poignet. — **4.** *Je t'*AI GARDÉ *une part de gâteau,* je te l'ai réservée. — **5.** *Je* GARDE *un bon souvenir de cette promenade,* il m'en reste un bon souvenir (= conserver). — **6.** *Sa maladie l'a obligé à* GARDER *le lit,* à rester couché. — **7.** *Je* ME GARDERAI *de le gronder,* j'éviterai de le gronder (= s'abstenir). — **8.** GARDEZ-VOUS *des voleurs,* méfiez-vous, protégez-vous. ◆ **garde** n. f. **1.** (sens 1) *Mes voisins ont la* GARDE *de mon chien,* ils le gardent. ‖ *La* GARDE *républicaine de Paris* est une troupe de gendarmes chargés de la surveillance des bâtiments publics parisiens. • (sens 8) *Le boxeur se met en* GARDE, il se prépare à éviter les coups de son adversaire. ‖ (au plur.) *Je suis sur mes* GARDES, je me méfie. — **2.** *La* GARDE *d'un poignard* est située entre la lame et la poignée. ◆ **garde** n. (sens 1) *Le prisonnier a échappé à ses* GARDES (= gardien). ‖ *Le malade a été surveillé toute la nuit par une* GARDE, une infirmière (= garde-malade). ◆ **garderie** n. f. (sens 1) *Après l'école, les petits enfants dont les mères travaillent restent à la* GARDERIE, dans un lieu où on les surveille. ◆ **gardien** n. (sens 1) *Le* GARDIEN *d'un immeuble* est celui qui le garde. ‖ *Jean est le* GARDIEN DE BUT *de notre équipe de foot* (= goal). ◆ **garde-barrière** n. (sens 1) *Les* GARDES-BARRIÈRE(S) *manœuvrent les barrières des passages à niveau.* ◆ **garde-boue** n. m. inv. (sens 8) *Une bicyclette de course n'a pas de* GARDE-BOUE, de bandes de métal qui empêchent les projections de boue. ◆ **garde-chasse** n. m. (sens 1) *Les* GARDES-CHASSE(S) *protègent le gibier contre les braconniers.* ◆ **garde-fou** n. m. (sens 8) *Les* GARDE-FOUS *d'un pont* sont les barrières qui empêchent les passants de tomber du pont. ◆ **garde-manger** n. m. inv. (sens 2) *Les fruits sont dans le* GARDE-MANGER, une petite armoire où l'on conserve des aliments. ◆ **garde-robe** n. f. (sens 2) *La* GARDE-ROBE *de quelqu'un* est l'ensemble de ses vêtements.
147 ◁ 146 ◁ 512 ◁ 649, 151 ◁

garde-à-vous n. m. inv. *Le soldat est au* GARDE-À-VOUS, il se tient immobile, très droit, talons serrés.

garde-barrière, garde-boue, garde-chasse, garde-fou, garde-manger, garderie, garde-robe, gardien → GARDER.

gardon n. m. *En rivière, on pêche le* GARDON, un poisson.

509, 218 ◁ **1. gare** n. f. *Le train entre en* GARE, l'endroit où il s'arrête.

2. gare! interj. GARE *à toi!,* fais attention à toi!

garenne n. f. *On chasse le lapin dans des* GARENNES, des bois où il vit à l'état sauvage.

garer v. *J'*AI GARÉ *ma voiture sur le parking,* je l'ai mise en stationnement (= ranger).

se gargariser v. *Je* ME GARGARISE *avec de l'eau tiède,* je me rince la gorge.

gargote n. f. *Ils ont mangé dans une* GARGOTE, un mauvais restaurant.

gargouille n. f. *Cette cathédrale est ornée de* GARGOUILLES, de gouttières ayant la forme d'un animal à la gueule ouverte. ▷ 149

gargouiller v. *Mon estomac* GARGOUILLE, on y entend un bruit semblable à celui que font des bulles d'air traversant un liquide. ◆ **gargouillement** ou **gargouillis** n. m. *J'ai des* GARGOUILLEMENTS *dans les intestins.*

garnement n. m. *Cette mauvaise farce est l'œuvre de quelques* GARNEMENTS, de jeunes garçons qui font des mauvais tours (= galopin, polisson).

garnir v. **1.** *La fenêtre* EST GARNIE *de barreaux* (= munir). ‖ *La bibliothèque* EST *bien* GARNIE, elle contient beaucoup de livres. — **2.** *Sa robe* EST GARNIE *de dentelle,* la dentelle la rend plus belle (= orner, décorer). ◆ **garniture** n. f. (sens 1) *Les* GARNITURES *de frein* sont les parties des freins qui frottent sur les roues. • (sens 2) *Pour orner un vêtement, un meuble, on y met des* GARNITURES. ◆ **dégarnir** v. (sens 1 et 2) *Sa tête* SE DÉGARNIT, il perd ses cheveux. ◆ **regarnir** v. (sens 1 et 2) *Il faut* REGARNIR *la vitrine.*

garnison n. f. *Une ville de* GARNISON est une ville où se trouve toujours une unité de l'armée.

garniture → GARNIR.

garrot n. m. **1.** *La hauteur d'un chien se mesure au* GARROT, à la partie de l'encolure qui se trouve au-dessus de l'épaule. — **2.** *Pour arrêter l'hémorragie, on a mis un* GARROT *au bras du blessé,* on a serré son bras avec une corde. ◆ **garrotter** v. (sens 2) *Les bandits* ONT GARROTTÉ *le gardien* (= attacher, ficeler). ▷ 368

gars n. m. Fam. *Je me suis adressé à un* GARS *du pays,* un homme, un garçon.
• **R.** On prononce [ga].

gas-oil ou **gasoil** n. m. *Le camion fait le plein de* GAS-OIL, de carburant pour moteur Diesel.
• **R.** On prononce [gazɔjl] ou [gazwal].

gaspiller v. *Tu* GASPILLES *du papier,* tu en uses inutilement (= gâcher). ◆ **gaspillage** n. m. *Dans cette entreprise, il y a du* GASPILLAGE *de matériel* (= gâchis).

gastrique adj. *Ce médicament calme les douleurs* GASTRIQUES, de l'estomac.

gastronome n. *M. Dupont est un* GASTRONOME, il aime manger de bonnes choses (= gourmet).

gâteau n. m. *Au dessert, nous mangeons un* GÂTEAU, une pâtisserie.

gâter v. **1.** *Ne mange pas ce fruit, il est* GÂTÉ (= abîmer). — **2.** *Le temps* SE GÂTE, il devient mauvais. — **3.** *Quel joli cadeau! Tu me* GÂTES, tu me donnes trop (= combler, choyer). ◆ **gâterie** n. f. (sens 3) *Ils nous ont apporté des* GÂTERIES, des friandises, des cadeaux.

gâteux adj. et n. *Cette vieille femme est* GÂTEUSE, son intelligence est diminuée par l'âge. ◆ **gâtisme** n. m. *Il est atteint de* GÂTISME, il est gâteux.

33 ◁ **gauche 1.** adj. et n. *Levez le bras* GAUCHE! (≠ droit). ‖ *Prends le livre qui est à ta* GAUCHE. — **2.** adj. *Jean a des gestes* GAUCHES (= maladroit, malhabile). — **3.** n. f. *Un parti de* GAUCHE a des idées progressistes (≠ droite). ◆ **gaucher** adj. et n. (sens 1) *Ma sœur est* GAUCHÈRE, elle se sert le plus souvent de sa main gauche (≠ droitier). ◆ **gaucherie** n. f. (sens 2) *Le bébé a des gestes pleins de* GAUCHERIE (= maladresse).

se gauchir v. *Sous l'effet de l'humidité, la porte* S'EST GAUCHIE, elle s'est tordue.

gaufre n. f. *À la foire, nous avons mangé des* GAUFRES, des sortes de gâteaux. ◆ **gaufrette** n. f. Une GAUFRETTE est un gâteau sec léger et croustillant.

363 ◁ **gaule** n. f. **1.** Une GAULE est un bâton long et mince. — **2.** *Le pêcheur plie*
721 ◁ *sa* GAULE, sa canne à pêche. ◆ **gauler** v. (sens 1) *On ramasse les noix en les* GAULANT, en les faisant tomber grâce à une gaule.

gauloiserie n. f. *Pierre raconte des* GAULOISERIES, des plaisanteries vulgaires.

gaver v. **1.** *Dans le Périgord, on* GAVE *les oies,* on les fait manger de force pour les engraisser. — **2.** *Il* SE GAVE *de bonbons,* il en mange trop.

gaz n. m. **1.** *L'air est un* GAZ, une substance ni solide ni liquide. — **2.** *J'ai une cuisinière à* GAZ, qui fonctionne au moyen d'un gaz combustible. ◆ **gazeux** adj. (sens 1) *L'eau* GAZEUSE *pétille, car elle contient un gaz.*

gaze n. f. *On a mis une bande de* GAZE *sur sa blessure,* de tissu très léger.
• **R.** Ne pas confondre *gaz* et *gaze :* [gaz].

581 ◁ **gazelle** n. f. Une GAZELLE est une sorte de petite antilope.

gazeux → GAZ.

75 ◁ **gazon** n. m. *La maison est entourée de* GAZON, d'herbe courte et fine.

gazouiller v. *J'entends des oiseaux* GAZOUILLER, chanter. ◆ **gazouillement** ou **gazouillis** n. m. *J'écoute le* GAZOUILLIS *du ruisseau,* son bruit (= murmure).

geai n. m. Le GEAI est un oiseau assez gros, à plumage clair tacheté.
• **R.** *Geai* se prononce [ʒɛ] comme *jais, jet* et *j'ai* (de *avoir*).

géant 1. n. *Cet homme est un* GÉANT, il est très grand (= colosse; ≠ nain). — **2.** adj. *New York est une ville* GÉANTE (énorme, gigantesque). ◆ **gigantesque** adj. *Cet arbre est* GIGANTESQUE.

geindre v. *Le malade* GEINT, il émet des sons plaintifs (= gémir).
• **R.** Conj. nº 55.

gel → GELER.

gélatine n. f. *En faisant bouillir des os de veau, on obtient de la* GÉLATINE, une substance molle, élastique et transparente.

geler v. **1.** *L'eau* A GELÉ, elle s'est transformée en glace. — **2.** IL GÈLE, il fait si froid que l'eau devient de la glace. — **3.** *Je suis* GELÉ, j'ai très froid. ◆ **gelée** n. f. **1.** (sens 2) *On annonce de la* GELÉE, qu'il va geler. — **2.** *La* GELÉE *de fruits* est une confiture sans pulpe. ◆ **gel** n. m. (sens 2) *Les légumes ont été abîmés par le* GEL, parce qu'il a gelé (= gelée). ◆ **antigel** n. m. (sens 2) *L'hiver, je mets de l'*ANTIGEL *dans le radiateur de la voiture,* un produit qui empêche l'eau de geler. ◆ **congeler** v. (sens 1) *On* CONGÈLE *la viande pour la conserver,* on la soumet à un froid intense. ◆ **congélateur** n. m. Un CONGÉLATEUR est un appareil frigorifique à très basse température. ◆ **dégeler** v. (sens 1 et 2) DÉGELER *de la glace,* c'est la faire fondre en la chauffant. ◆ **dégel** n. m. (sens 1 et 2) *Le* DÉGEL *commence,* la glace et la neige fondent. ◆ **engelure** n. f. (sens 3) *Marie a des* ENGELURES *aux doigts,* des plaies dues au froid. ◆ **surgeler** v. (sens 1) *En* SURGELANT *la viande, on la conserve longtemps,* en la mettant au froid.
• **R.** Conj. n° 5.

gémir v. *Le malade* GÉMIT, il pousse des gémissements (= geindre). ◆ **gémissement** n. m. *On entend un* GÉMISSEMENT, un cri plaintif exprimant la douleur.

gênant → GÊNE.

gencive n. f. *En me brossant les dents, j'ai fait saigner mes* GENCIVES, la chair qui est à la base des dents. ▷ 40

gendarme n. m. Les GENDARMES sont des militaires chargés de veiller à la sécurité des gens. ◆ **gendarmerie** n. f. *Il a porté plainte pour vol à la* GENDARMERIE, au bureau des gendarmes. ◆ **se gendarmer** v. *J'ai dû* ME GENDARMER *pour faire obéir mon fils,* me fâcher.

gendre n. m. *Le mari de notre fille est notre* GENDRE (= beau-fils). ▷ 547

gêne n. f. **1.** *Éprouver une* GÊNE, c'est ne pas être à l'aise. — **2.** *Il se trouve dans la* GÊNE, il manque d'argent pour vivre (= besoin). ◆ **gêner** v. (sens 1) *Ma chaussure me* GÊNE, je ne suis pas bien dedans. ‖ *Il se sent* GÊNÉ *dans cette société,* mal à l'aise (= embarrasser). • (sens 2) *Je suis* GÊNÉ *en ce moment,* je manque d'argent. ◆ **gênant** adj. (sens 1) *Le meuble est* GÊNANT (= embarrassant). ◆ **gêneur** n. (sens 1) *Il faut nous débarrasser de ce* GÊNEUR. ◆ **sans-gêne** adj. inv. (sens 1) *Ce sont des gens* SANS-GÊNE, ils ne s'occupent pas des autres.

généalogie n. f. *La* GÉNÉALOGIE *d'une famille* est la liste de ses ancêtres.

gêner → GÊNE.

1. général adj. **1.** *La loi de la pesanteur est une loi* GÉNÉRALE, elle s'applique à tous les êtres et objets (≠ particulier). — **2.** *Une grève* GÉNÉRALE est une grève de tous les travailleurs. — **3.** adv. EN GÉNÉRAL, *je me lève à 8 heures,* d'habitude (= généralement). ◆ **généralement** adv. *Les orages éclatent* GÉNÉRALEMENT *en été,* le plus souvent. ◆ **généralités** n. f. pl. *Il dit des* GÉNÉRALITÉS, des choses que tout le monde connaît (= banalités). ◆ **généraliser** v. *On* A GÉNÉRALISÉ *la vaccination,* on l'a faite à tout le monde.

763, 355 ◁ **2. général** n. *Le grade de* GÉNÉRAL *est un des plus élevés.* ‖ La GÉNÉRALE est la femme du général.

générateur adj. *Une pile est* GÉNÉRATRICE *de courant électrique,* elle en produit.

génération n. f. *Les grands-parents, les parents, les enfants représentent trois* GÉNÉRATIONS, des groupes de gens nés à peu près à la même époque.

généreux adj. **1.** *C'est un homme* GÉNÉREUX, il donne beaucoup aux autres (≠ avare). — **2.** *Il a donné un pourboire* GÉNÉREUX (= gros). ◆ **générosité** n. f. *Sa* GÉNÉROSITÉ *est grande,* il est très généreux.

générique n. m. *Un film commence par le* GÉNÉRIQUE, la liste des noms de ceux qui y ont collaboré.

générosité → GÉNÉREUX.

genèse n. f. *La* GENÈSE *d'un roman,* ce sont les étapes de sa création (= élaboration).

genêt n. m. *Les* GENÊTS *sont en fleur,* un arbrisseau à fleurs jaunes.

génie n. m. **1.** *Les* GÉNIES *des contes de fées sont doués de pouvoirs magiques,* des êtres imaginaires. — **2.** *Ce musicien a du* GÉNIE, il est exceptionnellement doué. — **3.** *Mozart, Victor Hugo furent des* GÉNIES, des êtres qui avaient du génie. — **4.** Le GÉNIE est l'ensemble des services chargés de construire les routes, les ponts, etc. ◆ **génial** adj. (sens 2 et 3) *C'est un inventeur* GÉNIAL, il a du génie. ‖ *J'ai lu un roman* GÉNIAL (= remarquable, sensationnel).

génisse n. f. Une GÉNISSE est une jeune vache.

génital adj. *Les organes* GÉNITAUX sont les organes sexuels.

génocide n. m. *Commettre un* GÉNOCIDE, c'est exterminer les hommes d'une race; d'une religion ou d'un pays.

368, 38, 33 ◁ **genou** n. m. *En tombant, il s'est écorché un* GENOU. ‖ *Il s'est mis* À GENOUX *pour prier,* il a posé les genoux sur le sol. ◆ **s'agenouiller** v. *Le dromadaire* S'AGENOUILLE, il se met à genoux.

genre n. m. **1.** *Le* GENRE *humain* est l'ensemble des êtres humains. — **2.** *Aimez-vous ce* GENRE *de chaussures?* (= sorte, espèce, type). — **3.** *Pierre a un drôle de* GENRE, de drôles de manières (= allure, air). — **4.** *«La table» est du* GENRE *féminin, «le crayon» est du* GENRE *masculin.*

gens n. m. pl. **1.** *Des* GENS *montent dans l'autobus,* des personnes. — **2.** *Les vieilles* GENS sont les personnes âgées.

• **R.** Lorsque l'adjectif épithète précède *gens,* il se met au féminin.

gentil adj. **1.** *Elle a un* GENTIL *visage,* un visage assez joli (= agréable). — **2.** *Elle est* GENTILLE *avec les enfants,* elle est douce avec eux. — **3.** *Vous êtes bien* GENTIL *de m'aider* (= aimable). — **4.** *Soyez bien* GENTILS, *les enfants,* soyez sages et obéissants. ◆ **gentillesse** n. f. *Elle est d'une grande* GENTILLESSE, elle est très gentille. ◆ **gentiment** adv. (sens 2 et 3) *Marie m'a répondu* GENTIMENT (= aimablement; ≠ méchamment).

• **R.** Au masculin, on ne prononce pas le *l* : [ʒɑ̃ti].

gentilhomme n. m. *Autrefois, les nobles étaient appelés des* GENTILSHOMMES.
- **R.** On prononce [ʒɑ̃tijɔm] et au pluriel [ʒɑ̃tizɔm].

gentillesse, gentiment → GENTIL.

géographie n. f. La GÉOGRAPHIE est la science qui décrit la surface de la Terre, ses peuples, son économie. ◆ **géographe** n. *Un* GÉOGRAPHE *a étudié le climat de cette région.* ◆ **géographique** adj. *Une carte* GÉOGRAPHIQUE *est accrochée au mur de la classe.*

geôle n. f. *Autrefois, on appelait une prison une* GEÔLE. ◆ **geôlier** n. Un GEÔLIER était un gardien de prison.

géologie n. f. La GÉOLOGIE est la science qui étudie le sous-sol de la Terre. ◆ **géologue** n. *Des* GÉOLOGUES *ont fait des forages pour trouver du pétrole.* ◆ **géologique** adj. *Une carte* GÉOLOGIQUE représente les roches de la Terre.

géométrie n. f. La GÉOMÉTRIE est la science qui étudie les lignes, les surfaces, les volumes. ◆ **géométrique** adj. *Le carré, le cercle, le triangle sont des formes* GÉOMÉTRIQUES, des formes qu'étudie la géométrie. ◆ **géomètre** n. *Le* GÉOMÈTRE *fait des plans,* c'est son métier. ▷ 145
- **R.** V. le tableau de la page suivante.

gérance → GÉRER.

géranium n. m. *Marie a des pots de* GÉRANIUM *sur son balcon,* une plante à fleurs rouges. ▷ 80
- **R.** On prononce [ʒeranjɔm].

gérant → GÉRER.

gerbe n. f. *Le blé est coupé et lié en* GERBES, en bottes, les épis étant tous du même côté.

gercer v. *Quand il fait froid, j'ai les lèvres* GERCÉES, fendues en plusieurs endroits (= crevasser). ◆ **gerçure** n. f. *Mes* GERÇURES *me font souffrir* (= crevasse).

gérer v. *Le magasin a fait faillite, car il* ÉTAIT *mal* GÉRÉ, mal dirigé. ◆ **gérant** n. *Le* GÉRANT *d'un immeuble est payé par les propriétaires pour le gérer.* ◆ **gérance** n. f. *Prendre la* GÉRANCE *d'un commerce,* c'est en devenir le gérant.

germain adj. *Nicole est ma cousine* GERMAINE, elle a le même grand-père (ou la même grand-mère) que moi.

germe n. m. **1.** *Les graines contiennent un* GERME *qui, en se développant, va donner une nouvelle plante* (= embryon). — **2.** *Le* GERME *d'une maladie,* c'est le microbe qui donne cette maladie. ◆ **germer** v. (sens 1) *Les pommes de terre* GERMENT, leur germe se développe. ◆ **germination** n. f. (sens 1) *Les enfants observent la* GERMINATION *du haricot,* le haricot en train de germer.

gésier n. m. *La nourriture des oiseaux est broyée dans leur* GÉSIER, une des poches de leur estomac.

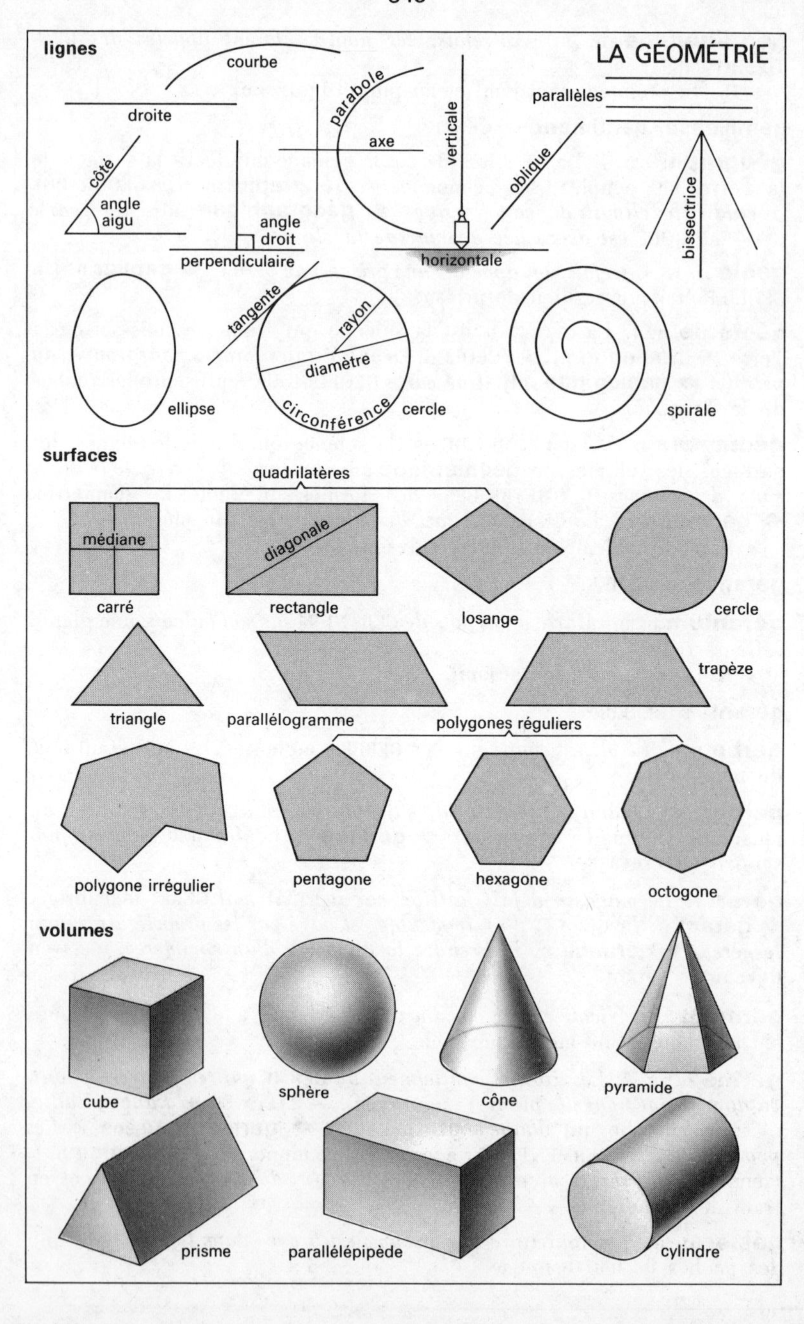
LA GÉOMÉTRIE
lignes
courbe
droite
parabole
axe
verticale
parallèles
côté
angle
aigu
angle
droit
perpendiculaire
oblique
horizontale
bissectrice
tangente
rayon
diamètre
circonférence
ellipse
cercle
spirale
surfaces
quadrilatères
médiane
diagonale
carré
rectangle
losange
cercle
triangle
parallélogramme
trapèze
polygones réguliers
polygone irrégulier
pentagone
hexagone
octogone
volumes
cube
sphère
cône
pyramide
prisme
parallélépipède
cylindre

gésir v. **1.** *Le blessé* GISAIT *sur le sol,* il était étendu et ne bougeait pas. — **2.** *Sur les tombeaux anciens, on lit parfois :* « CI-GÎT *Monsieur X.* », ici est enterré.
 • R. Conj. n° 32.

1. geste n. m. **1.** *Il a fait un* GESTE *de la main,* il a bougé la main (= mouvement). — **2.** *En l'aidant, tu as fait un beau* GESTE, une bonne action. ◆ **gesticuler** v. (sens 1) *L'homme, furieux,* GESTICULAIT, il faisait de grands gestes.

2. geste n. f. *« La Chanson de Roland » est une* CHANSON DE GESTE, un grand poème du Moyen Âge racontant les exploits d'un héros.

geyser n. m. Un GEYSER est une source d'eau chaude qui jaillit à une grande hauteur. ▷ 583
 • R. On prononce [ʒezɛr].

ghetto n. m. *Dans certaines villes d'Amérique, les Noirs vivent dans un* GHETTO, un quartier qui leur est réservé.

gibecière n. f. *Le chasseur met le gibier tué dans sa* GIBECIÈRE, un grand sac qu'il porte en bandoulière (= carnassière).

gibet n. m. *Autrefois, les condamnés à mort étaient envoyés au* GIBET, on les pendait (= potence).

gibier n. m. *Les chasseurs poursuivent leur* GIBIER, l'animal qu'ils chassent. ◆ **giboyeux** adj. *La Sologne est une région* GIBOYEUSE, riche en gibier. ▷ 222

giboulée n. f. *En mars, il tombe souvent des* GIBOULÉES, de courtes et fortes averses.

giboyeux → GIBIER.

gicler v. *Quand la voiture a roulé dans la flaque, l'eau* A GICLÉ *de tous côtés,* a été projetée avec force. ◆ **gicleur** n. m. *Le* GICLEUR *de la voiture est bouché,* le tube par lequel l'essence gicle dans le carburateur.

gifle n. f. *Il a reçu une* GIFLE, un coup du plat de la main sur la joue. ◆ **gifler** v. *Pierre m'*A GIFLÉ, il m'a donné une gifle.

gigantesque → GÉANT.

gigogne adj. *Des tables* GIGOGNES sont des tables qu'on peut glisser les unes sous les autres.

gigot n. m. *Nous avons mangé un* GIGOT *d'agneau,* une cuisse d'agneau.

gigoter v. *Le bébé* GIGOTE *dans son bain,* il agite bras et jambes (= gesticuler).

gilet n. m. **1.** *Sous son veston, il porte un* GILET, un vêtement court, sans manches, boutonné sur le devant. — **2.** *Elle a mis un* GILET *de laine sous son manteau,* une petite veste. ▷ 36

girafe n. f. *Les* GIRAFES *courent dans la brousse.* ▷ 580

giratoire adj. *Des flèches courbes indiquent le* SENS GIRATOIRE, le sens que les voitures doivent suivre pour faire le tour de la place. ▷ 507

girofle n. m. *Pour parfumer ma sauce, j'y ai mis des* CLOUS DE GIROFLE, des boutons desséchés des fleurs de GIROFLIER.

656 ◁ **girolle** n. f. *Dans le bois, nous avons cueilli des* GIROLLES, des champignons comestibles.

75 ◁ **girouette** n. f. *En haut du clocher de l'église, il y a une* GIROUETTE *en forme de coq,* un coq de métal qui tourne, indiquant la direction du vent.

gisant → GÉSIR.

gisement n. m. *On a découvert un* GISEMENT *de pétrole,* une masse de pétrole dans le sol.

gitan n. *Un groupe de* GITANS *campe à l'entrée de la ville,* de bohémiens (= nomade).

1. gîte n. m. **1.** *Les voyageurs cherchent un* GÎTE *pour la nuit,* un endroit où ils pourront coucher. — **2.** *Le* GÎTE *du lièvre* est le trou où il vit.

2. gîte n. f. *Le bateau prend de la* GÎTE, il se couche sur le côté.

givre n. m. *Ce matin, les toits sont blancs de* GIVRE, de rosée gelée. ◆ **givrer** v. *Les arbres sont* GIVRÉS, ils sont couverts de givre. ◆ **dégivrer** v. *Il faut* DÉGIVRER *le pare-brise,* ôter le givre qui s'y est déposé.

glabre adj. *Il a un visage* GLABRE, sans barbe ni moustache (= imberbe).

584 ◁ **glace** n. f. **1.** *Le lac est couvert de* GLACE, l'eau a gelé. — **2.** *M. Dupont a un visage* DE GLACE, qui n'exprime aucun sentiment (= impassible, immobile). — **3.** *Je me regarde dans la* GLACE, dans le miroir. — **4.** *Baisse les*
221 ◁ GLACES *de la voiture* (= vitre). — **5.** *Au dessert, j'ai mangé une bonne* GLACE, une crème glacée. ◆ **glacer** v. **1.** (sens 1) *Le vent me* GLACE *le visage,* j'ai une vive sensation de froid. • (sens 2) *L'examinateur* GLACE *les candidats,* ils sont paralysés de peur. — **2.** GLACER *un gâteau,* c'est le recouvrir d'une croûte lisse de sucre fondu. ◆ **glacé** adj. (sens 1) *J'ai bu une bière* GLACÉE, très froide. • (sens 2) *Il m'a lancé un regard* GLACÉ, froid et hostile. ◆ **glacial** adj. (sens 1) *Le temps est* GLACIAL, très froid. • (sens 2) *Il m'a fait un accueil* GLACIAL (≠ chaleureux). ◆ **glacier** n. m. (sens 1)
651, 649 ◁ *Les alpinistes ont traversé le* GLACIER, un fleuve de glace. • (sens 5) *Le*
221 ◁ GLACIER *fabrique ou vend des glaces,* c'est son métier. ◆ **glacière** n. f. (sens 1) *Les boissons sont au frais dans la* GLACIÈRE, une boîte aux parois épaisses. ◆ **glaçon** n. m. (sens 1) *Voulez-vous un* GLAÇON *dans votre verre?,* un petit morceau de glace.

glacis n. m. *Les* GLACIS *d'un fort* sont les talus en pente douce qui l'entourent.

glaçon → GLACE.

gladiateur n. m. *Un des spectacles favoris des Romains était de voir combattre des* GLADIATEURS, des hommes dont le métier était de se battre à mort contre d'autres hommes ou contre des bêtes féroces.

80 ◁ **glaïeul** n. m. *Le fleuriste vend des* GLAÏEULS, une sorte de fleur.

glaise adj. et n. f. *Les pots de terre, les briques sont faits de (terre)* GLAISE, de terre grasse et imperméable.

glaive n. m. *Les soldats romains étaient armés de* GLAIVES, d'épées courtes à double tranchant. ▷ 440

gland n. m. *Les cochons mangent des* GLANDS, le fruit du chêne. ▷ 654

glande n. f. *Le foie est une* GLANDE, un organe qui produit des substances nécessaires au fonctionnement du corps.

glaner v. **1.** *Après la moisson, les enfants vont* GLANER, ils vont ramasser les épis de blé oubliés. — **2.** *Je vais tâcher de* GLANER *des renseignements,* d'en recueillir çà et là.

glapir v. *Le renard* GLAPIT, il pousse des petits cris brefs et aigus. ◆ **glapissement** n. m. *Entends-tu les* GLAPISSEMENTS *du lapin?* (= cri).

glas n. m. *Les cloches sonnent le* GLAS *pour annoncer la mort de quelqu'un.*

glauque adj. *Aujourd'hui la mer a une teinte* GLAUQUE, vert bleuâtre.

glèbe n. f. se disait pour désigner la *terre cultivée.*

glisser v. **1.** *Les patineurs* GLISSENT *sur la glace,* ils se déplacent d'un mouvement continu sur la surface lisse de la glace. — **2.** *Le verre m'*A GLISSÉ *des mains,* il m'a échappé. — **3.** GLISSONS *sur les détails de cette aventure!,* n'insistons pas. — **4.** *Le facteur* A GLISSÉ *une lettre sous la porte,* il l'a fait passer. ◆ **glissant** adj. (sens 1) *Attention! le verglas rend la route* GLISSANTE, lisse et dangereuse. ◆ **glissade** n. f. (sens 1) *Les enfants font des* GLISSADES *sur la neige durcie.* ◆ **glissement** n. m. (sens 1) *Les pluies ont provoqué un* GLISSEMENT *de terrain,* une couche de terrain a glissé le long d'une pente. ◆ **glissière** n. f. (sens 1) *Une porte à* GLISSIÈRE est une porte qui glisse le long de rails métalliques. ▷ 508

global adj. *Vous me devez la somme* GLOBALE *de cent francs,* vous me devez en tout cent francs (= total).

globe n. m. **1.** *La pièce est éclairée par un* GLOBE *lumineux,* une boule (= sphère). — **2.** *Les Durand ont fait le tour du* GLOBE, de la Terre. ▷ 294

globule n. m. *Le sang contient des* GLOBULES *blancs et des* GLOBULES *rouges,* des éléments microscopiques.

gloire n. f. *Cet artiste connaît la* GLOIRE, il est connu et admiré de beaucoup de monde (= célébrité, renommée). ◆ **glorieux** adj. *Les sauveteurs ont accompli une action* GLORIEUSE, qui donne de la gloire. ◆ **se glorifier** v. *Il* SE GLORIFIE *d'avoir réussi,* il s'en vante. ◆ **gloriole** n. f. *Il a agi par* GLORIOLE, par vanité.

glossaire n. m. Un GLOSSAIRE est un répertoire donnant le sens des mots anciens ou rares d'un texte.

glousser v. *La poule* GLOUSSE, elle pousse son cri. ◆ **gloussement** n. m. *On entend les* GLOUSSEMENTS *des poules* (= cri).

glouton adj. et n. *Paul est un (enfant)* GLOUTON, il mange très vite et beaucoup à la fois (= goinfre, goulu). ◆ **gloutonnerie** n. f. *Sa* GLOUTONNERIE *lui a valu une indigestion.*

glu n. f. La GLU est une colle forte. ◆ **gluant** adj. *La limace a laissé une trace* GLUANTE, collante, visqueuse.

73 ◁ **glycine** n. f. *Une glycine orne le balcon,* une plante grimpante à fleurs.

gnome n. m. Un GNOME est un petit homme difforme.

goal n. m. *Il est le* GOAL *de l'équipe de football,* le gardien de but. • **R.** On prononce [gol].

gobelet n. m. *Le bébé boit dans son* GOBELET *d'argent,* dans un verre sans pied.

gober v. *On* GOBE *les huîtres,* on les avale sans les mâcher.

583, 295 ◁ **godet** n. m. *Les élèves du cours de dessin remplissent d'eau leur* GODET, un petit récipient.

godille n. f. *Le pêcheur fait avancer sa barque à la* GODILLE, au moyen d'un aviron placé à l'arrière. ◆ **godiller** v. *Le marin* GODILLE, il donne à l'aviron un mouvement en huit qui fait avancer son canot.

godillot n. m. *Les soldats de 1914 appelaient leurs chaussures des* GODILLOTS.

722 ◁ **goéland** n. m. *Le bateau de pêche est entouré de* GOÉLANDS, de gros oiseaux de mer blanc et gris.

goélette n. f. *Dans le port est amarrée une* GOÉLETTE, un navire à deux mâts et à voiles triangulaires.

723 ◁ **goémon** n. m. *La plage est couverte de* GOÉMON, d'algues rejetées par la mer (= varech).

goguenard adj. *Il m'a regardé d'un air* GOGUENARD (= moqueur, railleur; ≠ sérieux).

goinfre adj. et n. m. *Tu manges comme un* GOINFRE, beaucoup et salement (= glouton). ◆ **goinfrerie** n. f. *Il avale son repas avec une* GOINFRERIE *dégoûtante* (= gloutonnerie).

goitre n. m. *Il avait le cou gonflé par un* GOITRE, une grosseur au niveau de la gorge.

golf n. m. *Le jeu de* GOLF consiste à envoyer une balle dans une série de trous dispersés sur un vaste terrain.

724 ◁ **golfe** n. m. Un GOLFE est une large avancée de la mer dans les terres. • **R.** Ne pas confondre *golfe* et *golf.*

295 ◁ **gomme** n. f. **1.** *On peut effacer le crayon ou l'encre à l'aide d'une* GOMME, d'un petit bloc de caoutchouc. — **2.** *Lorsqu'on incise l'écorce de certains arbres, il coule de la* GOMME, une substance collante. ◆ **gommer** v. (sens 1) *Jean* A GOMMÉ *son dessin,* il l'a effacé avec une gomme. ◆ **gommé** adj. (sens 2) *Le papier* GOMMÉ est un papier collant qu'on mouille pour qu'il colle.

gond n. m. *Quand on l'ouvre, une porte pivote sur ses* GONDS, sur les pièces métalliques qui la fixent (= charnière).

gondole n. f. *Nous nous promenons sur les canaux de Venise en* GONDOLE, dans un long bateau plat aux extrémités recourbées. ◆ **gondolier** n. m. Le GONDOLIER conduit une gondole.

se gondoler v. *Le parquet* S'EST GONDOLÉ *sous l'action de l'humidité,* il s'est bombé (= se déformer).

gondolier → GONDOLE.

gonfler v. **1.** *Pierre* GONFLE *les pneus de son vélo,* il y envoie de l'air. — **2.** *L'éponge* GONFLE *dans l'eau,* elle grossit (= enfler). ‖ *Les voiles du bateau* SE GONFLENT *au vent.* ◆ **gonflage** n. m. (sens 1) *Le mécanicien procède au* GONFLAGE *des pneus,* il les gonfle. ◆ **gonflement** n. m. (sens 2) *Les pluies ont provoqué le* GONFLEMENT *de la rivière.* ◆ **dégonfler** v. (sens 1) *Le ballon* S'EST DÉGONFLÉ, l'air (ou le gaz) s'en est échappé. ◆ **regonfler** v. (sens 1) REGONFLE *le matelas pneumatique.*

gong n. m. Un GONG est un plateau de métal suspendu qu'on fait sonner en le frappant.

goret n. m. *La truie est suivie de ses* GORETS, ses petits (= porcelet). ▷ 361

gorge n. f. **1.** *J'ai mal à la* GORGE, au fond de la bouche. — **2.** *Il saisit son adversaire à la* GORGE, à la partie avant du cou. — **3.** *La rivière coule au fond d'une* GORGE, d'une vallée étroite et profonde. ◆ **gorgée** n. f. (sens 1) *Bois une* GORGÉE *d'eau,* ce qu'on peut avaler en une fois. ◆ **gorger** v. *Après les pluies, la terre* EST GORGÉE *d'eau,* elle ne peut plus en absorber davantage (= saturer). ◆ **égorger** v. (sens 2) *Le boucher* A ÉGORGÉ *un mouton,* il l'a tué en lui coupant la gorge. ▷ 33

gorille n. m. *Les* GORILLES *peuvent peser plus de 200 kilos,* une sorte de singe. ▷ 580

gosier n. m. *J'ai le* GOSIER *sec,* le fond de la bouche (= gorge). ◆ **s'égosiller** v. *Jean devait* S'ÉGOSILLER *pour se faire entendre,* crier de toutes ses forces (= s'époumoner).

gosse n. Fam. *Martine est encore une* GOSSE, une enfant.

gothique adj. *Beaucoup de cathédrales sont des exemples d'architecture* GOTHIQUE, elles ont des voûtes pointues. ▷ 149

gouache n. f. *Marie peint avec de la* GOUACHE, une peinture à l'eau.

gouailleur adj. *Jean parle d'un ton* GOUAILLEUR, moqueur et vulgaire.

goudron n. m. *La route est recouverte de* GOUDRON, d'une pâte noire. ◆ **goudronner** v. *On* A GOUDRONNÉ *la route,* on l'a recouverte de goudron.

gouffre n. m. *Le spéléologue est descendu au fond d'un* GOUFFRE, d'un trou très profond (= abîme).

goujat n. m. *Il s'est conduit comme un* GOUJAT, grossièrement, sans savoir-vivre (= mufle, malotru).

goujon n. m. Le GOUJON est un petit poisson d'eau douce. ▷ 721

goulet n. m. *Le port communique avec la mer par un* GOULET, un passage étroit (= chenal). ▷ 724

• **R.** Ne pas confondre *goulet* et *goulot.*

goulot n. m. *J'enfonce le bouchon dans le* GOULOT *de la bouteille,* dans sa partie étroite. ▷ 579

goulu adj. et n. *Mon chien est* GOULU, il mange très vite et beaucoup à la fois (= glouton, goinfre). ◆ **goulûment** adv. *Ne mange pas aussi* GOULÛMENT!

goupille n. f. *Les roues sont maintenues sur l'essieu par une* GOUPILLE, une tige métallique.

goupillon n. m. **1.** *On nettoie l'intérieur des bouteilles vides avec un* GOUPILLON, une brosse longue et cylindrique. — **2.** *Le prêtre asperge d'eau bénite avec un* GOUPILLON, une tige terminée par une boule creuse.
149 ◁

gourd adj. *J'ai les doigts* GOURDS, rendus raides et insensibles par le froid. ◆ **engourdir** v. *Le froid m'*ENGOURDIT, il raidit et insensibilise mes membres. ◆ **dégourdir** v. *Je vais marcher un peu pour* ME DÉGOURDIR *les jambes,* pour me délasser de mon immobilité (= dérouiller).

649 ◁ **gourde** n. f. **1.** *Il a emporté de quoi boire dans une* GOURDE, un récipient portatif en métal ou en matière plastique. — **2.** Fam. *Léo s'est trompé d'adresse : quelle* GOURDE! (= maladroit, idiot).

gourdin n. m. *Le chien a reçu un coup de* GOURDIN, un coup donné avec un gros bâton.

gourmand adj. et n. *C'est un enfant* GOURMAND, il aime manger beaucoup de bonnes choses. ◆ **gourmandise** n. f. **1.** *Il a eu une indigestion à cause de sa* GOURMANDISE, parce qu'il a été gourmand. — **2.** *Le buffet regorgeait de* GOURMANDISES, de friandises. ◆ **gourmet** n. m. Un GOURMET aime la cuisine raffinée (= gastronome, connaisseur).

220 ◁ **gourmette** n. f. *Jeanne porte une* GOURMETTE, un bracelet en forme de chaîne.

583 ◁ **gousse** n. f. *Après avoir écossé les petits pois, on jette les* GOUSSES, les enveloppes qui les contenaient (= cosse).

goût n. m. **1.** Le GOÛT est celui des cinq sens qui permet de connaître la saveur des aliments. — **2.** *Ce fruit n'a pas de* GOÛT (= saveur). — **3.** *Elle a décoré sa maison avec* GOÛT, en montrant qu'elle savait distinguer le beau du laid. — **4.** *Jean a du* GOÛT *pour la lecture,* il l'aime. ‖ *Nous avons les mêmes* GOÛTS, nous aimons les mêmes choses. ◆ **goûter** v. **1.** (sens 1) GOÛTE *cette sauce!,* manges-en un peu pour savoir si elle est bonne. • (sens 4) *J'*AI GOÛTÉ *ce livre,* je l'ai aimé. — **2.** *C'est l'heure de* GOÛTER, de manger son goûter. ◆ **goûter** n. m. *Elle emporte du pain et du chocolat pour son* GOÛTER, pour son repas du milieu de l'après-midi. ◆ **arrière-goût** n. m. (sens 2) *Cette sauce a un* ARRIÈRE-GOÛT *bizarre,* un goût qui reste dans la bouche.

goutte n. f. **1.** *Il tombe des* GOUTTES *d'eau,* des petites boules d'eau. — **2.** *Bois une* GOUTTE *de café,* un petit peu de café. ◆ **goutter** v. (sens 1) *Le robinet* GOUTTE, il fuit et l'eau tombe goutte à goutte. ◆ **gouttière** n. f. 75 ◁ (sens 1) *Les toits des maisons sont bordés de* GOUTTIÈRES, de conduits en zinc qui recueillent l'eau de pluie. ◆ **gouttelette** n. f. (sens 1) *De fines* GOUTTELETTES *de buée se forment sur la vitre,* de très petites gouttes. ◆ **égoutter** v. (sens 1) *Du sang* S'ÉGOUTTE *de sa main blessée,* tombe goutte à goutte. ◆ **égouttoir** n. m. (sens 1) *Mets la vaisselle sur l'*ÉGOUTTOIR, l'instrument sur lequel elle sèche en s'égouttant.

• **R.** Ne pas confondre *goutte* et [*il*] *goûte* (de *goûter*), *goutter* et *goûter.*

gouverner v. **1.** GOUVERNER *un pays,* c'est le diriger. — **2.** GOUVERNER *un bateau,* c'est le faire aller dans la direction voulue (= manœuvrer). ◆ **gouvernant** n. m. (sens 1) Un GOUVERNANT est un membre du gouvernement. ◆ **gouvernement** n. m. (sens 1) Le GOUVERNEMENT est l'ensemble des hommes qui gouvernent un pays. ◆ **gouvernail** n. m. (sens 2) *Le pilote manœuvre le* GOUVERNAIL *du bateau,* l'appareil servant à le diriger. ▷ 298 ▷ 727, 764

grabat n. m. *Ce pauvre vieillard était couché sur un* GRABAT, un lit misérable.

1. grâce n. f. **1.** *Cette danseuse a de la* GRÂCE, ses mouvements et ses attitudes sont beaux. — **2.** *Le condamné à mort a demandé sa* GRÂCE, il a demandé à ne pas être exécuté. ◆ **gracieux** adj. **1.** (sens 1) *La biche est* GRACIEUSE, elle a de la grâce. — **2.** *J'ai reçu ce livre à titre* GRACIEUX, gratuitement. ◆ **gracier** v. (sens 2) *Le condamné* A ÉTÉ GRACIÉ, il n'a pas été exécuté. ◆ **disgracieux** adj. (sens 1) *Elle a une démarche* DISGRACIEUSE, sans élégance.

2. grâce à prép. *J'ai retrouvé mon chemin* GRÂCE À *la carte,* avec l'aide de la carte.

gracile adj. *Cet enfant a un corps* GRACILE, mince et gracieux.

grade n. m. *Le* GRADE *de lieutenant est immédiatement inférieur à celui de capitaine.* ▷ 763, 765

gradin n. m. *Au cirque, les spectateurs sont assis sur des* GRADINS, des bancs disposés en escalier. ▷ 35, 433

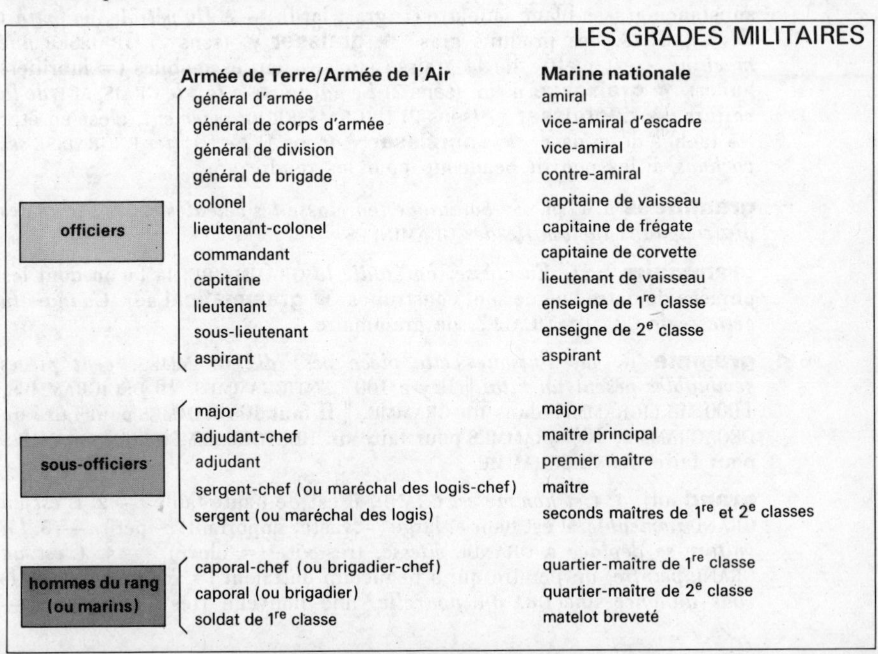

LES GRADES MILITAIRES

	Armée de Terre/Armée de l'Air	Marine nationale
officiers	général d'armée	amiral
	général de corps d'armée	vice-amiral d'escadre
	général de division	vice-amiral
	général de brigade	contre-amiral
	colonel	capitaine de vaisseau
	lieutenant-colonel	capitaine de frégate
	commandant	capitaine de corvette
	capitaine	lieutenant de vaisseau
	lieutenant	enseigne de 1re classe
	sous-lieutenant	enseigne de 2e classe
	aspirant	aspirant
sous-officiers	major	major
	adjudant-chef	maître principal
	adjudant	premier maître
	sergent-chef (ou maréchal des logis-chef)	maître
	sergent (ou maréchal des logis)	seconds maîtres de 1re et 2e classes
hommes du rang (ou marins)	caporal-chef (ou brigadier-chef)	quartier-maître de 1re classe
	caporal (ou brigadier)	quartier-maître de 2e classe
	soldat de 1re classe	matelot breveté

graduer v. **1.** *Un thermomètre* EST GRADUÉ, un petit trait marque chaque degré. — **2.** *Les exercices de mathématiques* ONT ÉTÉ GRADUÉS, ils deviennent de plus en plus difficiles. ◆ **graduation** n. f. (sens 1) *Les* GRADUATIONS *d'une règle* sont les traits marquant les divisions. ◆ **graduel** adj. (sens 2) *L'amélioration du temps est* GRADUELLE, elle se fait petit à petit (= progressif; ≠ subit).

graffiti n. m. pl. *Le mur est couvert de* GRAFFITI, d'inscriptions et de dessins griffonnés.

graillon n. m. *De la cuisine du restaurant sort une odeur de* GRAILLON, une mauvaise odeur de graisse.

580, 578, 364 ◁ **grain** n. m. **1.** *On bat les épis de blé pour en extraire les* GRAINS. — **2.** *Je mange un* GRAIN *de raisin,* un des fruits ronds qui constituent la grappe. — **3.** *J'ai un* GRAIN *de sable dans l'œil,* un petit morceau. — **4.** *Le* GRAIN *d'un cuir* est l'ensemble des inégalités qui font que sa surface n'est pas lisse. — **5.** *Les marins redoutent les* GRAINS, les averses violentes accompagnées de vent fort. ◆ **granulé** n. m. (sens 3) *Ce médicament est en* GRANULÉS, en petits grains. ◆ **granuleux** adj. (sens 4) *Une surface* GRANULEUSE semble recouverte de petits grains (≠ lisse). ◆ **égrener** v. (sens 1 et 2) *Paul* ÉGRÈNE *un épi de maïs,* il le dégarnit de ses grains.

graine n. f. *Les fruits contiennent des* GRAINES *qui peuvent germer et donner de nouvelles plantes* (= semence). ◆ **grainetier** n. Le GRAINETIER est un marchand de graines.

graisse n. f. **1.** *Ce morceau de viande est bordé de* GRAISSE, d'une substance grasse blanc jaunâtre (= gras, lard). — **2.** *Du pétrole, on extrait des* GRAISSES, des produits gras. ◆ **graisser** v. (sens 2) GRAISSER *une machine,* c'est mettre de la graisse sur ses parties mobiles (= lubrifier, huiler). ◆ **graissage** n. m. (sens 2) *Le garagiste a fait le* GRAISSAGE *de la voiture.* ◆ **dégraisser** v. (sens 2) DÉGRAISSER *un vêtement,* c'est en ôter les taches de graisse. ◆ **engraisser** v. (sens 1) *Le fermier* ENGRAISSE *ses cochons,* il les nourrit beaucoup pour les rendre gras.

graminées n. f. pl. *En botanique, on classe les céréales et les herbes des prairies dans la famille des* GRAMINÉES.

grammaire n. f. *En classe, on étudie la* GRAMMAIRE, la façon dont les phrases de notre langue sont construites. ◆ **grammatical** adj. *Connais-tu cette règle* GRAMMATICALE?, de grammaire.

795 ◁ **gramme** n. m. *Puisque cette pièce pèse dix* GRAMMES, *cent pièces semblables pèsent un kilo.* ‖ Il y a 100 CENTIGRAMMES, 10 DÉCIGRAMMES, 1 000 MILLIGRAMMES dans un GRAMME. ‖ Il faut 10 GRAMMES pour faire un DÉCAGRAMME, 100 GRAMMES pour faire un HECTOGRAMME, 1 000 GRAMMES pour faire un KILOGRAMME.

grand adj. **1.** *Cet homme est* GRAND, il est de haute taille. — **2.** *C'est un* GRAND *immeuble,* il est haut et large (= vaste, important; ≠ petit). — **3.** *La voiture se déplace à* GRANDE *vitesse,* très vite (= élevé). — **4.** *C'est un* GRAND *peintre,* un peintre qui a beaucoup de talent (= éminent). — **5.** *Je vous annonce une* GRANDE *nouvelle,* une nouvelle très importante. —

6. *Votre fils est* GRAND *maintenant,* ce n'est plus un petit enfant. ◆ **grand** n. (sens 6) *La classe des* GRANDS est celle des élèves les plus âgés. • (sens 4) Autrefois, les GRANDS étaient les hauts personnages de la noblesse. ◆ **grand-chose** pron. indéfini *Tu* N'*as* PAS *mangé* GRAND-CHOSE, tu n'as presque rien mangé. ◆ **grandeur** n. f. (sens 1 et 2) *Ces deux tableaux sont de la même* GRANDEUR, aussi grands l'un que l'autre (= taille). ◆ **grandiose** adj. *Les montagnes sont* GRANDIOSES, elles impressionnent par leur grandeur. ◆ **grandir** v. (sens 1) *Les enfants* GRANDISSENT, ils deviennent grands (= pousser, se développer). ◆ **agrandir** v. (sens 2) *J'*AI AGRANDI *ma maison,* je l'ai rendue plus grande. ◆ **agrandissement** (sens 2) *Un* AGRANDISSEMENT *photographique* est la reproduction en plus grand d'une photo.

grandiloquent adj. *Un discours* GRANDILOQUENT est plein de phrases et de mots prétentieux (= ronflant).

grandiose, grandir → GRAND.

grand-père n. m., **grand-mère** n. f., **grands-parents** n. m. pl. *J'ai deux* GRANDS-PÈRES, *le père de ma mère et celui de mon père.* ‖ *Ma* GRAND-MÈRE *maternelle est très âgée,* la mère de ma mère. ‖ *Jean est allé chez ses* GRANDS-PARENTS. ◆ **arrière-grand-père** n. m., **arrière-grand-mère** n. f., **arrière-grands-parents** n. m. pl. *Son* ARRIÈRE-GRAND-PÈRE *vient de mourir,* le père d'un de ses grands-parents. ▷ 547 ▷ 547

• **R.** Attention aux pluriels : des *grand*S-*père*S, des *arrière-grand*S-*père*S, des *arrière-grand-mère*S, des *grand*S-*mère*S ou des *grand-mère*S.

grange n. f. *Les fermiers ont rentré le foin dans la* GRANGE, dans un bâtiment où l'on met les récoltes. ▷ 362

granite ou **granit** n. m. *Cette chapelle est construite en* GRANIT, une roche très dure. ▷ 650

granulé, granuleux → GRAIN.

graphique adj. **1.** *Chaque lettre de l'alphabet est un signe* GRAPHIQUE, un signe de l'écriture. — **2.** n. m. *Les élèves ont fait un* GRAPHIQUE *des variations de la température,* ils les ont représentées par une ligne reliant les points qui correspondent aux températures et aux jours. ◆ **graphologie** n. f. (sens 1) La GRAPHOLOGIE est la science qui étudie l'écriture des gens pour y découvrir leur caractère. ▷ 39

grappe n. f. *Les grains de raisin, les groseilles, les fleurs de lilas sont disposés en* GRAPPES, les fruits ou les fleurs sont rassemblés sur une tige commune. ▷ 578

grappin n. m. Un GRAPPIN est une sorte d'ancre à plusieurs pattes.

gras adj. **1.** *Le beurre, les huiles sont des produits* GRAS, formés de graisse ou qui en contiennent. — **2.** *Un papier* GRAS est un papier taché de graisse. — **3.** *Ce chien est trop* GRAS, il a trop de graisse (= gros). — **4.** *Les cactus sont des plantes* GRASSES, à feuilles épaisses. ◆ **gras** n. m. (sens 1) *Ma côtelette de mouton est pleine de* GRAS, de morceaux de graisse. ◆ **grassouillet** adj. (sens 3) *C'est une femme* GRASSOUILLETTE, un peu grasse (= replet).

gratifier v. *Le client satisfait* A GRATIFIÉ *le livreur d'un bon pourboire,* il lui a donné un bon pourboire en récompense. ◆ **gratification** n. f. *En fin d'année, certains employés reçoivent une* GRATIFICATION, un supplément de salaire (= prime).

gratin n. m. *Des nouilles au* GRATIN sont saupoudrées de chapelure et de gruyère râpé et dorées au four. ◆ **gratiner** v. *Sophie a fait* GRATINER *des pommes de terre,* cuire au four avec du gratin.

gratis adv. Fam. *Dans cette exposition on entre* GRATIS, sans payer (= gratuitement).
• **R.** On prononce le *s :* [gratis].

gratitude n. f. *Je lui ai dit ma* GRATITUDE (= reconnaissance).

582 ◁ **gratte-ciel** n. m. inv. *New York est célèbre pour ses* GRATTE-CIEL, ses immeubles très hauts.

gratter v. **1.** *Jean* GRATTE *les carottes,* il les frotte avec un couteau pour enlever la peau (= racler). — **2.** *Le chien* SE GRATTE *le cou,* il se frotte pour calmer une démangeaison. ◆ **grattement** n. m. *J'ai entendu un* GRATTEMENT *à la porte,* quelqu'un gratte. ◆ **grattoir** n. m. (sens 1) Un 293, 289 ◁ GRATTOIR est un outil pour gratter.

gratuit adj. *L'entrée du musée est* GRATUITE, on ne paie pas pour y entrer. ◆ **gratuitement** adv. *J'ai eu ce livre* GRATUITEMENT (= gratis). ◆ **gratuité** n. f. *Il a droit à la* GRATUITÉ *des transports en train,* il ne paie pas.

gravats n. m. pl. *Après avoir démoli la maison, les ouvriers ont enlevé les* 151 ◁ GRAVATS, les morceaux de plâtre, de brique ou de pierre.

grave adj. **1.** *Paul a un visage* GRAVE (= sérieux). — **2.** *Marie a une* GRAVE *maladie* (= inquiétant). — **3.** *En musique, un son* GRAVE est un son bas (≠ aigu). — **4.** *Sur le «è» de «crème», il y a un* ACCENT GRAVE. ◆ **gravement** adv. (sens 1) *Tous écoutaient* GRAVEMENT, d'un air sérieux. • (sens 2) *Paul est* GRAVEMENT *blessé.* ◆ **gravité** n. f. (sens 1) *Il me regardait d'un air plein de* GRAVITÉ (= sérieux). • (sens 2) *Cette écorchure est sans* GRAVITÉ. ◆ **aggraver** v. (sens 2) *Sa maladie* S'EST AGGRAVÉE, elle est devenue plus grave. ◆ **aggravation** n. f. (sens 2) *On craint une* AGGRAVATION *des inondations.*

graver v. *Mon prénom* EST GRAVÉ *sur mon bracelet,* il est écrit en creux sur le métal du bracelet. ◆ **gravure** n. f. **1.** *Il fait de la* GRAVURE *sur cuivre,* il grave des dessins ou des inscriptions. — **2.** *Ma chambre est ornée de* GRAVURES, de reproductions de dessins. ◆ **graveur** n. m. *Les œuvres de ce* GRAVEUR *sont très belles,* cet artiste qui fait de la gravure.

80 ◁ **gravier** n. m. *Les allées du jardin sont couvertes de* GRAVIER, de petits cailloux. ◆ **gravillon** n. m. *Le motocycliste a dérapé sur les* GRAVILLONS, les petits graviers qu'on met sur les routes.

gravir v. *Les alpinistes* GRAVISSENT *la montagne,* ils grimpent dessus lentement et avec effort (= escalader).

1. gravité → GRAVE.

2. gravité n. f. *La Terre attire les corps : ce phénomène s'appelle la* GRAVITÉ (= pesanteur). ◆ **graviter** v. *La Lune* GRAVITE *autour de la Terre,* elle tourne autour de la Terre.

gravure → GRAVER.

gré n. m. **1.** *Je trouve ce manteau à mon* GRÉ, à mon goût. — **2.** *Il est venu ici* DE *son* PLEIN GRÉ, volontairement. — **3.** BON GRÉ MAL GRÉ, *tu dois faire ce travail,* que tu le veuilles ou non.

gredin n. *Cet homme est un* GREDIN, un individu malhonnête (= canaille).

gréer v. *On* GRÉE *le voilier,* on met en place les voiles et les cordages. ◆ **gréement** n. m. *Le* GRÉEMENT *d'un voilier* comprend les voiles, les poulies et les cordages.

1. greffe n. m. *Le* GREFFE *du tribunal* est le lieu où l'on garde les dossiers. ◆ **greffier** n. m. Le GREFFIER est l'employé qui s'occupe des dossiers du greffe.

2. greffe n. f. **1.** *Faire une* GREFFE *cardiaque,* c'est prendre le cœur d'un individu pour le placer dans le corps d'un autre. — **2.** *Le jardinier a mis une* GREFFE *à son pommier,* il y a fixé une pousse venant d'un autre arbre. ◆ **greffer** v. GREFFER *un prunier,* c'est y mettre une greffe.

grégaire adj. *Les fourmis ont l'instinct* GRÉGAIRE, leur instinct les pousse à vivre en groupes.

grège adj. *J'ai un imperméable* GRÈGE, entre le gris et le beige.

1. grêle n. f. **1.** *Une averse de* GRÊLE *a abîmé les récoltes,* de petits glaçons. — **2.** *Il a reçu une* GRÊLE *de coups,* un grand nombre de coups. ◆ **grêler** v. (sens 1) IL GRÊLE, il tombe de la grêle. ◆ **grêlon** n. m. (sens 1) *Il est tombé des* GRÊLONS *énormes,* des glaçons ronds.

2. grêle adj. **1.** *Paul a les jambes* GRÊLES, longues et maigres. — **2.** *Jeanne a une voix* GRÊLE, aiguë et faible. — **3.** *L'*INTESTIN GRÊLE est la partie la plus longue et la plus mince de l'intestin.

grelot n. m. *Mon chien porte un* GRELOT *à son collier,* une petite boule de métal qui tinte quand on l'agite.

grelotter v. *Le malade* GRELOTTE *de fièvre,* il tremble très fort.

grenade n. f. **1.** *Dans les pays méditerranéens, poussent des* GRENADES, des fruits ronds, gros comme des oranges et rouges à l'intérieur. — **2.** *Les militaires s'entraînent à lancer des* GRENADES, des boules de métal qui explosent. ◆ **grenadier** n. m. **1.** (sens 1) Le GRENADIER est l'arbre sur lequel poussent les grenades. — **2.** (sens 2) Les GRENADIERS étaient des soldats d'élite. ◆ **grenadine** n. f. (sens 1) *Je boirais bien un verre de* GRENADINE, de sirop fait avec du jus de grenade. ▷ 763

grenat adj. inv. *Un velours* GRENAT est de couleur rouge sombre.

grenier n. m. *Les vieux meubles sont au* GRENIER, dans la partie de la maison située juste sous le toit (= combles).

grenouille n. f. *Les têtards de la mare se sont transformés en* GRENOUILLES, un petit animal qui vit au bord de l'eau. ▷ 434

grès n. m. **1.** Le GRÈS est une roche formée de grains de sable liés par un ciment naturel. — **2.** *J'ai un vase en* GRÈS, en poterie très dure.

grésil n. m. *Il tombe une averse de* GRÉSIL, de petits grêlons blancs.

grésiller v. *L'huile* GRÉSILLE *dans la poêle chaude,* elle fait des petits bruits d'explosion.

725, 722 ◁ **1. grève** n. f. *Les vagues ont jeté un bateau sur la* GRÈVE, sur la plage (= rivage).

2. grève n. f. *Les ouvriers de l'usine sont en* GRÈVE, ils ont cessé le travail pour obtenir quelque chose. ◆ **gréviste** n. et adj. *Il y a de nombreux* GRÉVISTES, des salariés qui font grève.

gribouiller v. *Le petit enfant* GRIBOUILLE *sur son cahier,* il trace des lignes qui ne représentent rien (= griffonner). ◆ **gribouillage** ou **gribouillis** n. m. *Son cahier est plein de* GRIBOUILLAGES.

grief n. m. *J'ai des* GRIEFS *contre Paul,* des choses à lui reprocher.

grièvement adv. *Il est* GRIÈVEMENT *blessé,* gravement.

griffe n. f. *Le chat a des* GRIFFES, des ongles crochus et pointus. ◆ **griffer** v. *Le chat m'*A GRIFFÉ, il m'a égratigné avec ses griffes.

griffonner v. *Il* A GRIFFONNÉ *son adresse sur un bout de papier,* il l'a écrite très vite et mal.

grignoter v. *Les souris* ONT GRIGNOTÉ *le fromage,* elles l'ont mangé petit à petit.

gril, grillade → GRILLER.

74 ◁ **grille** n. f. **1.** *Le jardin est entouré d'une* GRILLE, d'une clôture formée de barreaux. — **2.** *Une* GRILLE *de mots croisés* est un carré quadrillé. ◆ **grillage** n. m. (sens 1) *Le poulailler est entouré de* GRILLAGE, d'une clôture en fils de métal qui se croisent. ◆ **grillager** v. (sens 1) *La fenêtre* EST GRILLAGÉE, elle est fermée par un grillage.

griller v. **1.** *Nous mangeons des côtelettes* GRILLÉES, rôties sur un gril. — **2.** *Le gel* A GRILLÉ *les bourgeons,* il les a desséchés et racornis. — **3.** *Je* GRILLE D'*envie de vous raconter mon aventure,* j'en suis très impatient. ◆ **gril** n. m. (sens 1) *Nous cuisons des saucisses sur le* GRIL, sur une grille de métal placée au-dessus de la braise. ◆ **grillade** n. f. (sens 1) *Je ne mange que des* GRILLADES, des viandes grillées. ◆ **grille-pain** n. m. inv. (sens 1) *M. Durand a acheté un* GRILLE-PAIN *électrique,* un appareil.

grillon n. m. *Dans les prés, on entend le cri des* GRILLONS, une sorte d'insecte.

grimace n. f. **1.** *Le clown fait des* GRIMACES *pour faire rire les spectateurs,* il déforme son visage en le contorsionnant. — **2.** *Quand on lui a interdit de sortir, il a fait la* GRIMACE, il a montré qu'il n'était pas content. ◆ **grimacer** v. (sens 1) *Le malade* GRIMACE *de douleur,* la douleur lui fait faire des grimaces.

grimer v. *Les acteurs* SONT GRIMÉS, maquillés.

grimoire n. m. *On a retrouvé de vieux* GRIMOIRES, de vieux livres contenant des textes mystérieux.

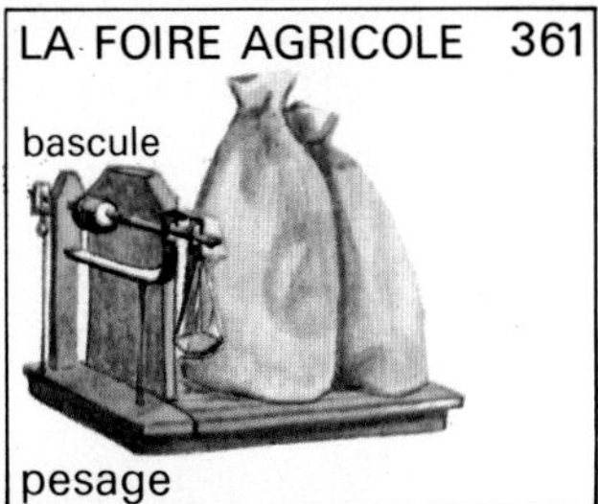

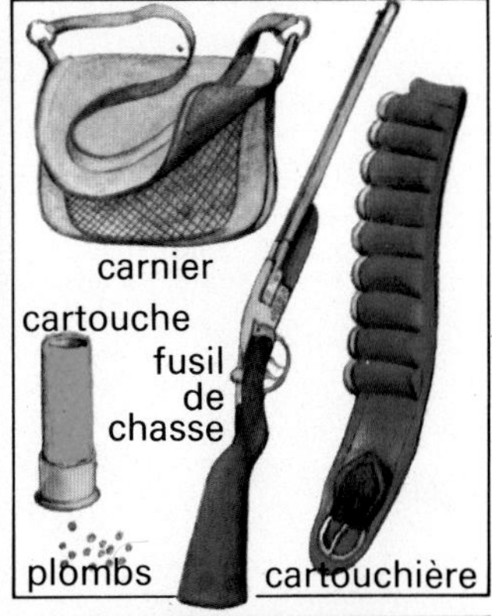

taureau

vache

mulet

bât

âne

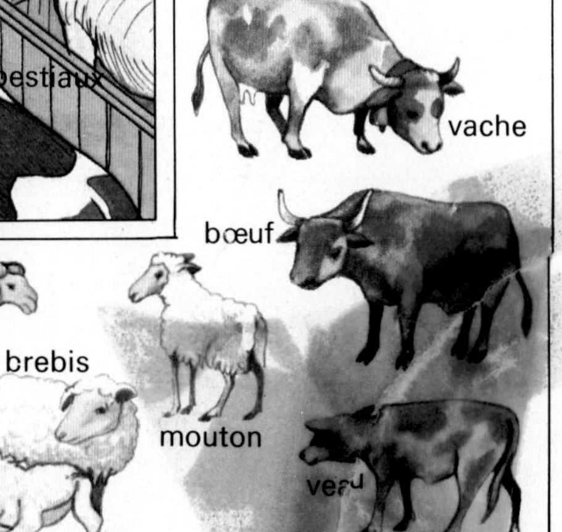

pulvérisateur d'insecticide
arbre fruitier
faucille
faux
manche
fourche
râteau
dents
houe
apiculture
abeille
enfumoir
rayon de miel
ruche
alvéoles
séchoir à maïs
poulie
grange
porche
cour
puits
chat
poulailler (basse-cour)
fermière
pigeonnier
dindon
oie
crête
coq
canard
pintade
poule
pigeon
lapin

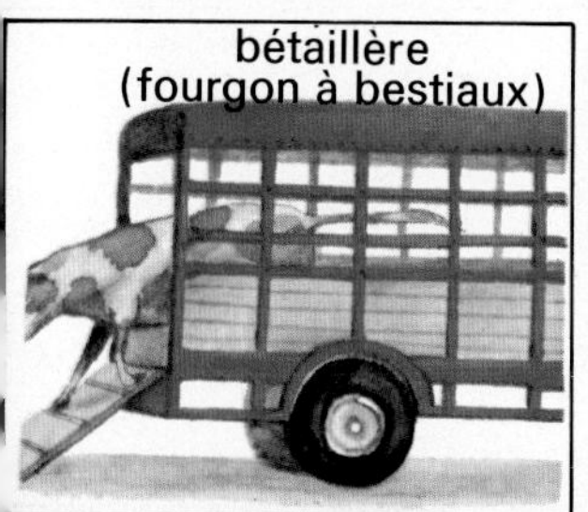
bétaillère
(fourgon à bestiaux)

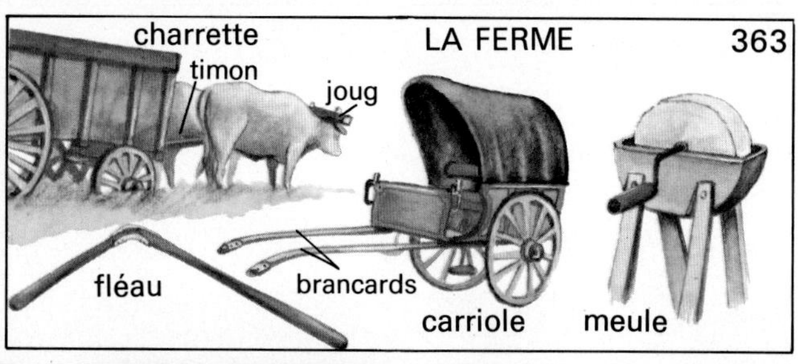
charrette
timon
joug
fléau
brancards
carriole
meule

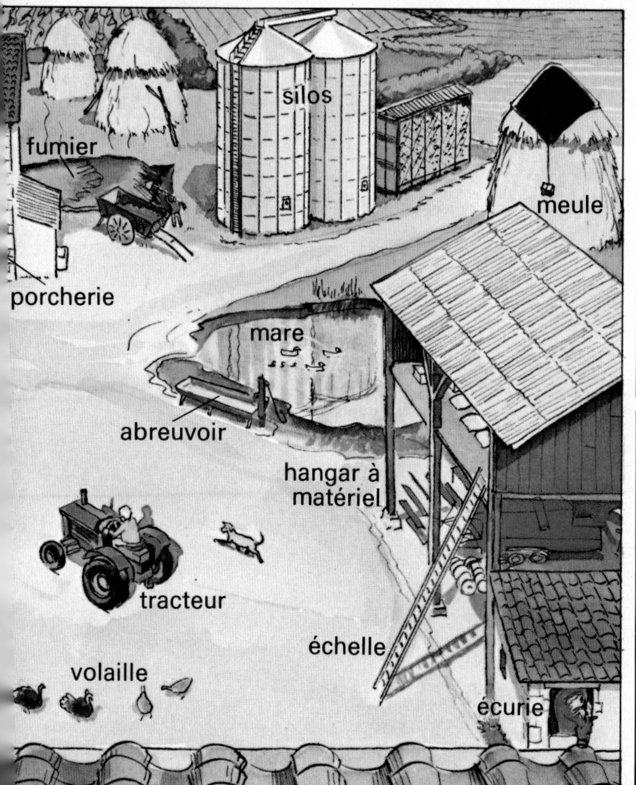
silos
fumier
meule
porcherie
mare
abreuvoir
hangar à
matériel
tracteur
échelle
volaille
écurie

fleurs des champs
bleuet
coquelicot
marguerite
bouton-d'or

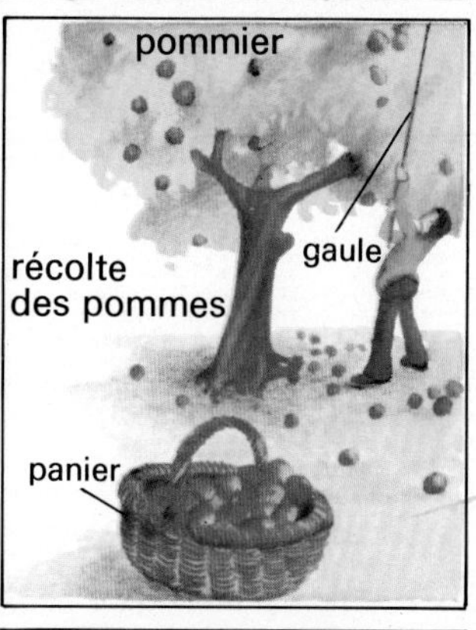
pommier
gaule
récolte
des pommes
panier

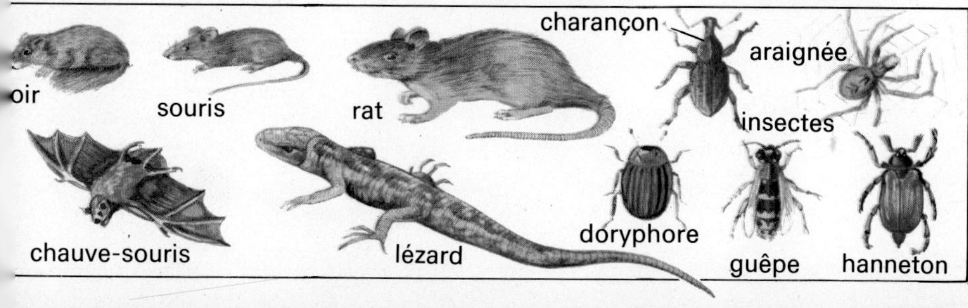
charançon
araignée
oir
souris
rat
insectes
chauve-souris
lézard
doryphore
guêpe
hanneton

rouleaux
brise-mottes
semoir
mécanique
faucheuse
herbe

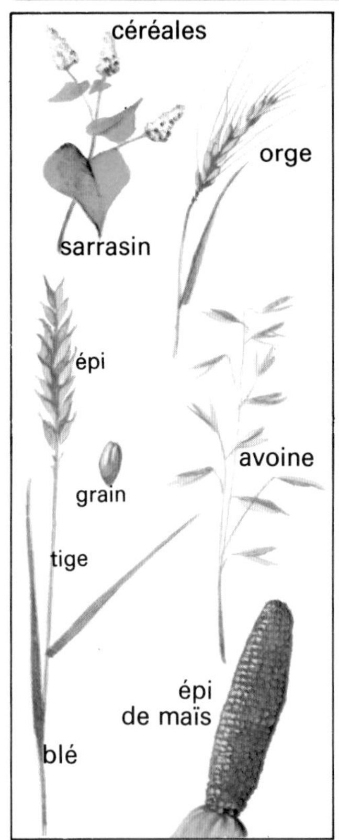

céréales
orge
sarrasin
épi
grain
avoine
tige
épi
de maïs
blé

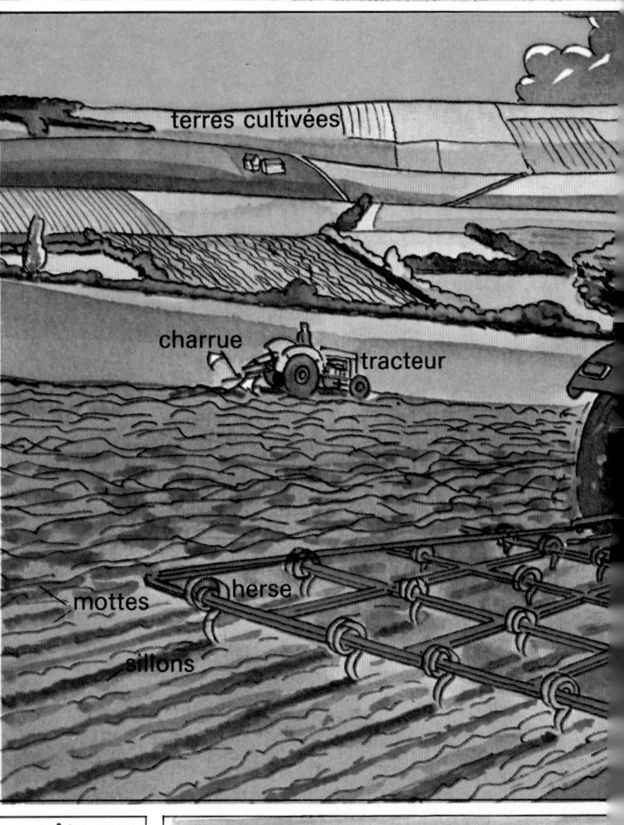

terres cultivées
charrue
tracteur
mottes
herse
sillons

fourré
de ronces
berger
pâturage
troupeau
de moutons
mûres
chien

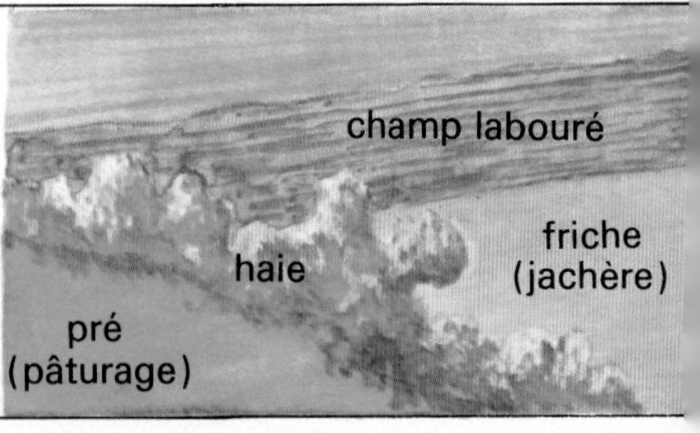

champ labouré
friche
(jachère)
haie
pré
(pâturage)

ramasseuse-presse
botte de
de paille

meule de foin

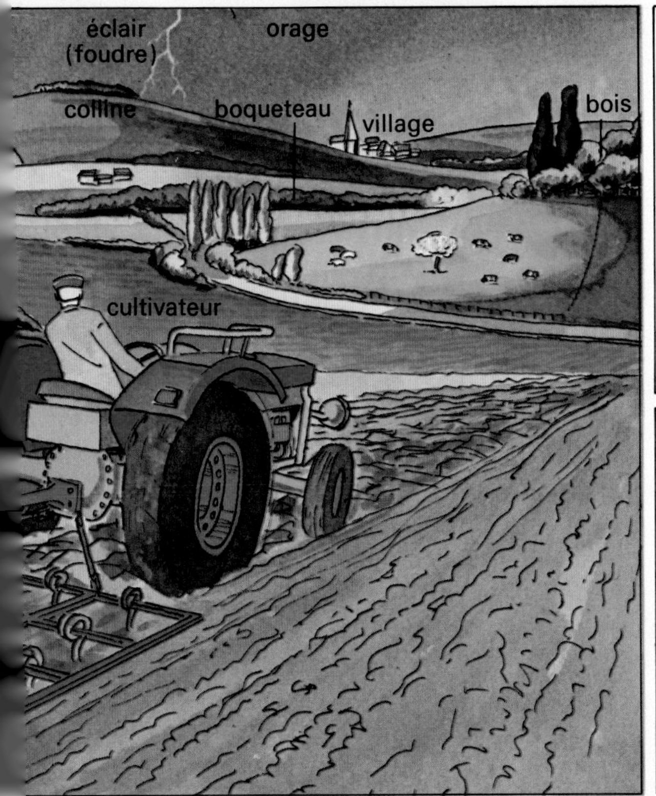
éclair
(foudre)
orage
colline
boqueteau
village
bois
cultivateur

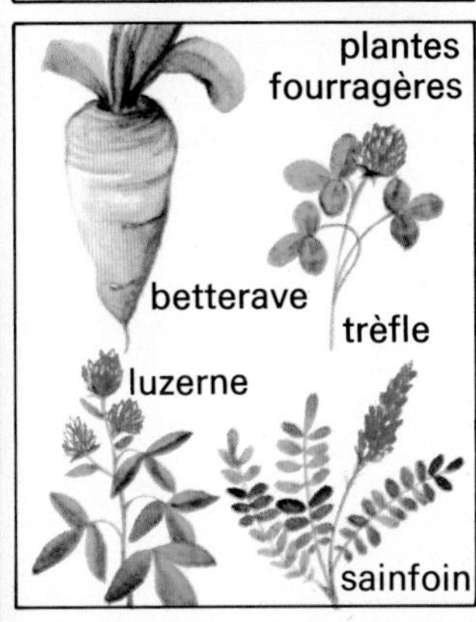
plantes
fourragères
betterave
trèfle
luzerne
sainfoin

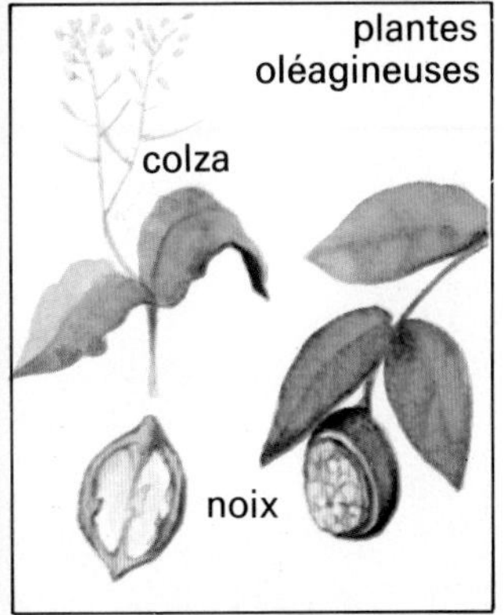
plantes
oléagineuses
colza
noix

moissonneuse-
batteuse
remorque

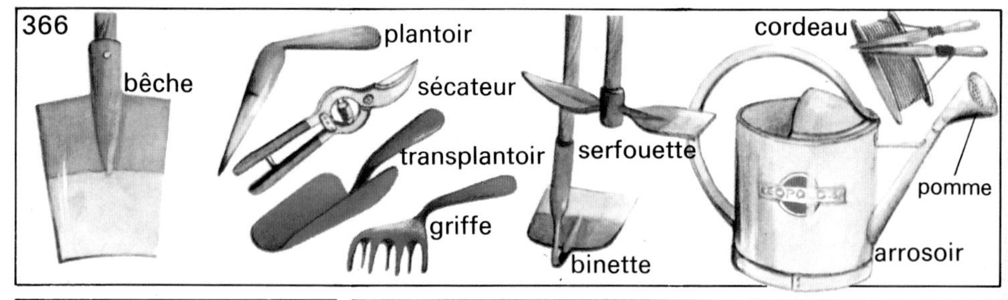
bêche
plantoir
sécateur
transplantoir
griffe
serfouette
binette
cordeau
pomme
arrosoir

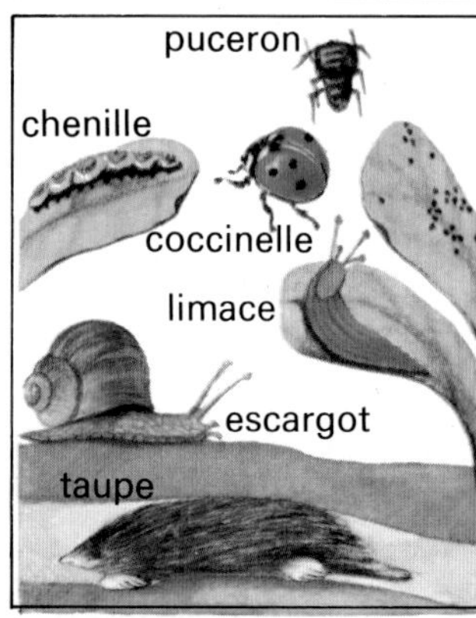
puceron
chenille
coccinelle
limace
escargot
taupe

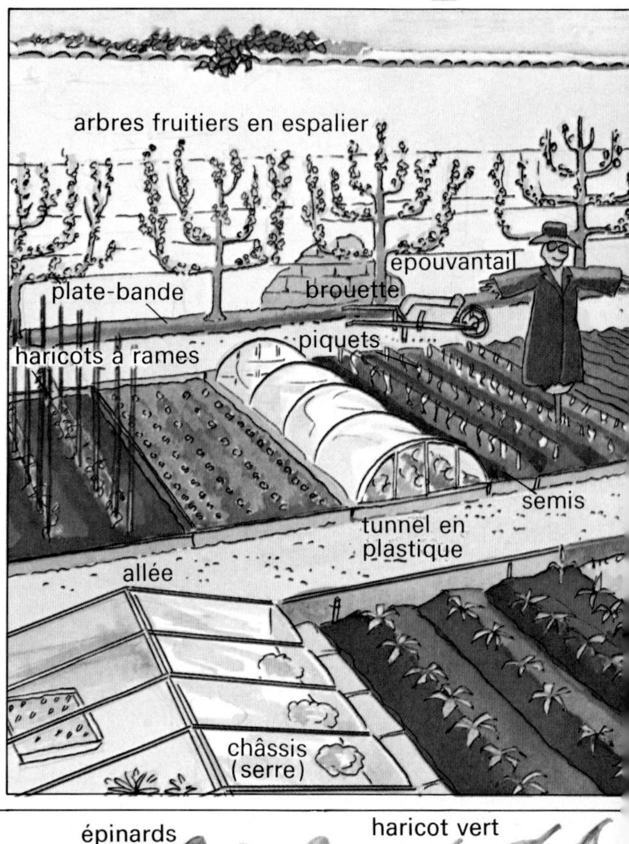
arbres fruitiers en espalier
épouvantail
plate-bande
brouette
piquets
haricots à rames
semis
tunnel en plastique
allée
châssis (serre)

chicorée frisée
pissenlit
endive
laitue
romaine
mâche

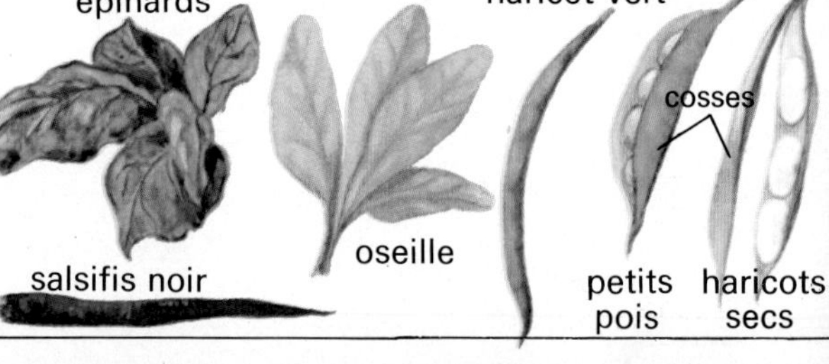
épinards
haricot vert
cosses
oseille
salsifis noir
petits pois
haricots secs

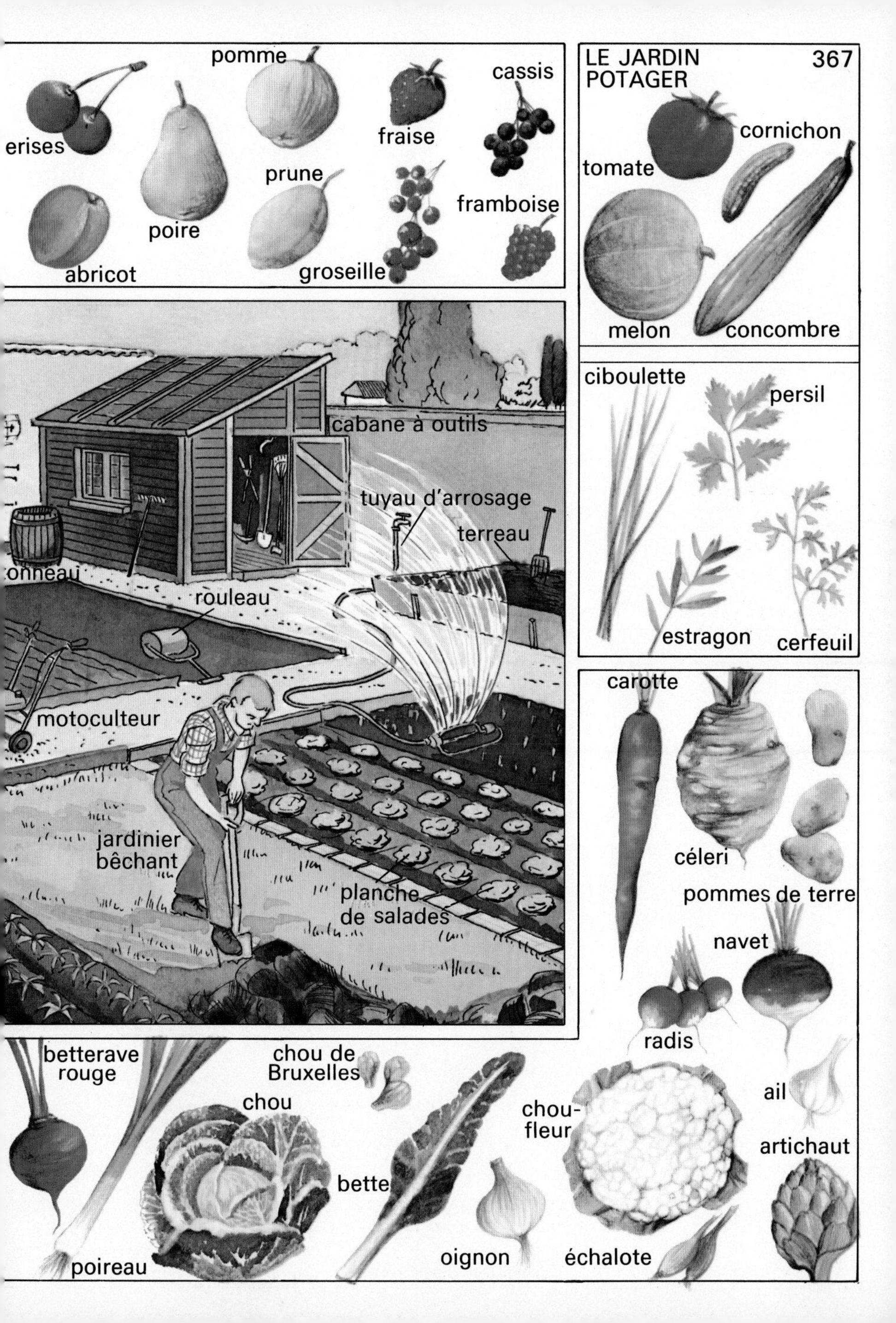
LE JARDIN POTAGER
367
pomme
cassis
erises
fraise
prune
framboise
poire
abricot
groseille
tomate
cornichon
melon
concombre
ciboulette
persil
estragon
cerfeuil
cabane à outils
tuyau d'arrosage
terreau
onneau
rouleau
motoculteur
jardinier bêchant
planche de salades
carotte
céleri
pommes de terre
navet
radis
betterave rouge
chou de Bruxelles
chou
poireau
bette
oignon
chou-fleur
échalote
ail
artichaut

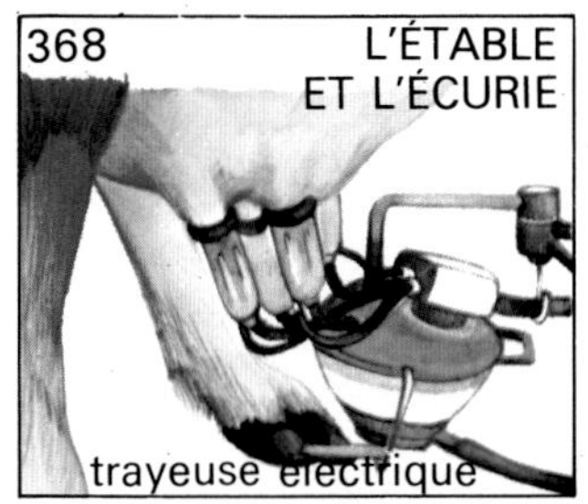
trayeuse électrique

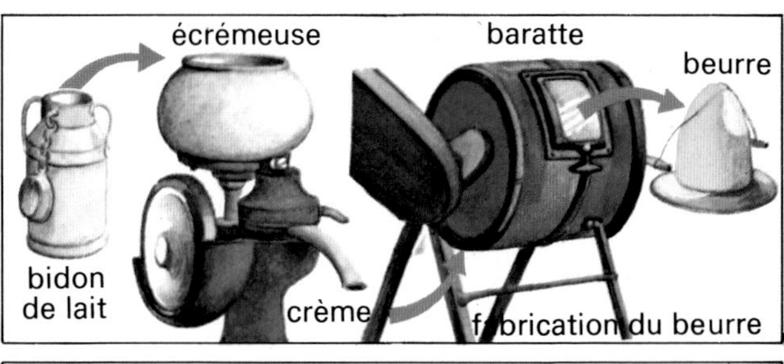
écrémeuse
baratte
beurre
bidon de lait
crème
fabrication du beurre

herbage (pâturage)
clôture
enclos

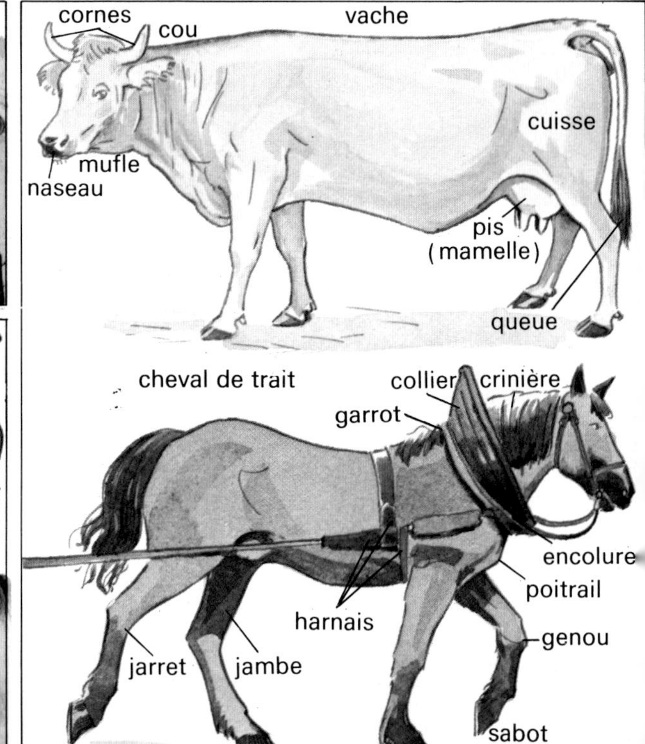
cornes
cou
vache
cuisse
mufle
naseau
pis (mamelle)
queue
cheval de trait
collier
crinière
garrot
encolure
poitrail
harnais
genou
jarret
jambe
sabot

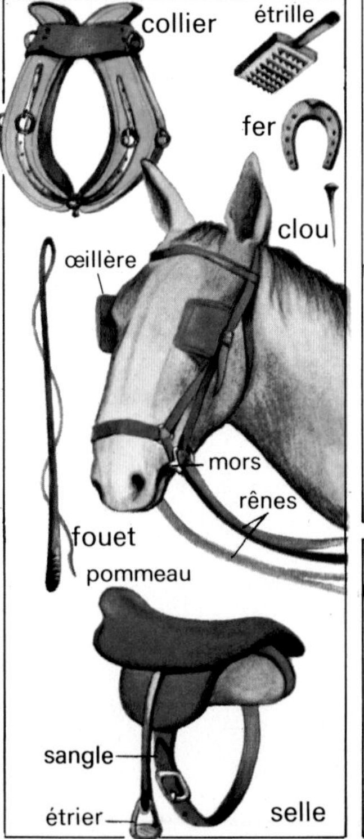
collier
étrille
fer
clou
œillère
mors
rênes
fouet
pommeau
sangle
étrier
selle

râtelier
l'écuri
bat-flanc
litière
mangeoire
rigole

grimper v. **1.** GRIMPER *à un arbre,* c'est y monter en s'aidant des pieds et des mains (= escalader). — **2.** *Le cycliste* GRIMPE *la côte,* il la monte. ◆ **grimpeur** n. *Ce cycliste est un bon* GRIMPEUR.

grincer v. *En s'ouvrant, la porte* GRINCE, elle fait un bruit de frottement désagréable. ◆ **grincement** n. m. *On entend le* GRINCEMENT *d'une porte.*

grincheux adj. *C'est une personne* GRINCHEUSE, elle est sans cesse de mauvaise humeur (= grognon, bougon).

gringalet n. m. et adj. *Cet homme est un* GRINGALET, il est petit et chétif.

grippe n. f. **1.** *Cet hiver, beaucoup de gens ont eu la* GRIPPE, une maladie contagieuse. — **2.** *Il* A PRIS *son voisin* EN GRIPPE, il s'est mis à le détester. ◆ **grippé** adj. (sens 1) *Jean est* GRIPPÉ, il a la grippe.

gripper v. *Cette vis est* GRIPPÉE, on ne peut plus la faire tourner.

grippe-sou adj. et n. Un GRIPPE-SOU est un avare.

1. gris adj. **1.** *J'ai un pantalon* GRIS, d'une couleur intermédiaire entre le blanc et le noir. — **2.** *Le ciel est* GRIS, couvert de nuages. ◆ **gris** n. m. (sens 1) *Le mur est peint en* GRIS, avec de la peinture grise. ◆ **grisaille** n. f. (sens 2) *Par temps de brume, le paysage est dans la* GRISAILLE, tout y paraît gris. ◆ **grisâtre** adj. (sens 1) *Le plafond a pris une teinte* GRISÂTRE, un peu grise. ◆ **grisonner** v. (sens 1) *Ses cheveux* GRISONNENT, ils commencent à devenir gris.

2. gris adj. *Tu es* GRIS, tu es un peu ivre (= éméché). ◆ **griser** v. *Le vin l'*A GRISÉ, l'a légèrement enivré (= étourdir). ◆ **griserie** n. f. *Il sentait la* GRISERIE *de la vitesse,* la vitesse le grisait (= ivresse). ◆ **dégriser** v. *Le grand air nous* A DÉGRISÉS, a fait cesser notre ivresse.

grisou n. m. *Dans les mines de charbon, il se dégage parfois du* GRISOU, un gaz qui explose facilement.

grive n. f. *Nous avons mangé du pâté de* GRIVES, un oiseau.

grivois adj. *Il m'a raconté une histoire* GRIVOISE (= osé, hardi).

grog n. m. *Pour me réchauffer, j'ai bu un* GROG, de l'eau chaude sucrée avec du rhum.

grogner v. **1.** *Le cochon* GROGNE, il pousse de petits cris. ‖ *Le chien* GROGNE, il gronde d'un air menaçant. — **2.** *Maman* GROGNE, *car elle a raté son gâteau,* elle montre son mécontentement en protestant (= ronchonner). ◆ **grognement** n. m. *J'entends le* GROGNEMENT *des cochons.* ◆ **grognon** adj. et n. (sens 2) *Paul est* GROGNON, de mauvaise humeur.

groin n. m. *Le museau du cochon ou du sanglier s'appelle le* GROIN.

grommeler v. *Il a* GROMMELÉ *quelques mots,* il les a dits sourdement entre ses dents (= marmonner).

• **R.** Conj. n° 6.

gronder v. **1.** *L'orage* GRONDE, on entend son bruit sourd et menaçant. — **2.** *Jean s'est fait* GRONDER, on lui a fait des reproches (= réprimander, attraper, disputer). ◆ **grondement** n. m. (sens 1) *On entend le* GRONDEMENT *du tonnerre.*

gros adj. **1.** *J'ai reçu un* GROS *colis,* de grande taille (= volumineux; ≠ petit). — **2.** *Mme Durand est une* GROSSE *femme* (= gras, corpulent; ≠ maigre). — **3.** *Cette femme est* GROSSE *de six mois,* elle aura un enfant dans trois mois (= enceinte). — **4.** *Il me doit une* GROSSE *somme* (= important). — **5.** *Julie a de* GROS *traits,* les traits de son visage ne sont pas fins (= épais). ◆ **gros 1.** n. (sens 2) *Paul est un* GROS, il est gros. — **2.** n. m. (sens 4) *Le plus* GROS *du travail est fait,* la plus grande partie. ◆ **en gros** adv. **1.** (sens 4) *Ce commerçant achète des fruits* EN GROS, par grandes quantités (≠ au détail). — **2.** *Il y avait* EN GROS *mille personnes,* environ (= grosso modo). ◆ **gros** adv. (sens 1) *J'écris* GROS, en faisant de grandes lettres. ◆ **grosseur** n. f. **1.** (sens 1) *Le prix des œufs varie selon leur* GROSSEUR, leur taille. — **2.** *Tu as une* GROSSEUR *sur le nez,* une enflure. ◆ **grossesse** n. f. (sens 3) *La* GROSSESSE *de la femme dure neuf mois,* le temps pendant lequel elle est enceinte. ◆ **grossir** v. (sens 1) *La fonte des neiges* GROSSIT *les torrents,* les rend plus gros. ‖ *La loupe* GROSSIT *les objets,* les fait paraître plus gros. • (sens 2) *Tu* AS GROSSI, tu es devenu plus gros. ◆ **grossissement** n. m. (sens 1) *Cette loupe a un fort* GROSSISSEMENT. ◆ **grossiste** n. m. (sens 4) *Les détaillants achètent leur marchandise chez un* GROSSISTE, un marchand qui vend en gros. ◆ **dégrossir** v. (sens 4) DÉGROSSIR *un travail,* c'est en faire le plus gros sans entrer dans les détails (≠ fignoler, finir).

367 ◁ **groseille** n. f. La GROSEILLE est un petit fruit rond, rouge ou blanc, acidulé, qui pousse en grappes sur les GROSEILLIERS.

grossesse, grosseur → GROS.

grossier adj. **1.** *Un tissu* GROSSIER est rude (≠ fin). — **2.** *Tu as fait une erreur* GROSSIÈRE (= maladroit). — **3.** *Un mot* GROSSIER est un mot qui peut choquer celui qui l'entend (= vulgaire). ◆ **grossièreté** n. f. (sens 3) *Cet homme est d'une grande* GROSSIÈRETÉ, il est très mal élevé. ‖ *Il dit des* GROSSIÈRETÉS, des choses grossières.

grossir, grossissement, grossiste → GROS.

grosso modo adv. *Raconte-moi l'histoire* GROSSO MODO, sans entrer dans les détails (= en gros).

grotesque adj. *Le clown est habillé d'une façon* GROTESQUE, qui provoque le rire (= ridicule, burlesque, cocasse).

650 ◁ **grotte** n. f. *Certains hommes préhistoriques vivaient dans des* GROTTES, des creux naturels des roches ou du sol (= caverne).

grouiller v. *Le poisson mort* GROUILLAIT *de vers,* il était plein de vers qui remuaient en tous sens (= fourmiller).

groupe n. m. **1.** *Le guide du musée est entouré d'un* GROUPE *de touristes,* d'un ensemble de touristes rassemblés. — **2.** *Un* GROUPE *de maisons forme un hameau,* plusieurs maisons. — **3.** *Voilà le* GROUPE SCOLAIRE *du quartier,* les bâtiments de l'école. ◆ **grouper** v. (sens 1) *Les élèves* SE GROUPENT *autour du maître,* ils se rassemblent (≠ disperser). • (sens 2) *J'*AI GROUPÉ *plusieurs colis* pour les envoyer ensemble (= réunir; ≠ séparer). ◆ **groupement** n. m. (sens 1) *Un* GROUPEMENT *politique* est un rassemblement de gens ayant les mêmes opinions (= association). ◆ **regrouper** v. (sens 1) *Les soldats en fuite ont essayé de* SE REGROUPER, de se remettre en groupe.

gruau n. m. *Le boulanger vend du pain de* GRUAU, du pain fait avec une farine très fine.

1. grue n. f. La GRUE est un grand oiseau échassier. ▷ 579

2. grue n. f. *Sur le chantier, on a installé une* GRUE, un appareil très haut qui soulève et déplace de lourdes charges. ▷ 150, 727

grumeau n. m. *Je n'ai pas réussi ma crème, elle est pleine de* GRUMEAUX, de petites boules gluantes.

gruyère n. m. Le GRUYÈRE est un fromage dont la pâte est souvent percée de trous.

gué n. m. *Passer une rivière à* GUÉ, c'est la traverser à pied à un endroit où elle est très peu profonde. ▷ 721

• **R.** *Gué* se prononce [ge] comme *gai.* ‖ V. GUETTER.

guenilles n. f. pl. *Le mendiant était en* GUENILLES, il avait des vêtements sales et déchirés (= loques). ◆ **déguenillé** adj. *Un clochard* DÉGUENILLÉ *demandait l'aumône,* vêtu de guenilles.

guenon n. f. La GUENON est la femelle du singe.

guêpe n. f. *En mangeant un fruit, j'ai été piqué par une* GUÊPE, un insecte. ◆ **guêpier** n. m. Un GUÊPIER est un nid de guêpes. ▷ 363

guère adv. *Je* N'*aime* GUÈRE *la viande,* je ne l'aime pas beaucoup.

• **R.** *Guère* se prononce [gɛr] comme *guerre.*

guéridon n. m. *Le vase est posé sur un* GUÉRIDON, une petite table ronde à un pied central. ▷ 76

guérilla n. f. *Les révolutionnaires avaient mené une* GUÉRILLA, une guerre faite d'embuscades et de petites attaques répétées. ◆ **guérillero** n. m. Les GUÉRILLEROS sont les combattants qui font la guérilla.

guérir v. **1.** *Ce médicament* A GUÉRI *mon frère de sa grippe,* il l'en a débarrassé. — **2.** *Il* GUÉRIRA *vite,* il sera vite rétabli. — **3.** *Je voudrais bien* GUÉRIR *mon rhume,* le faire cesser. ◆ **guérison** n. f. *Sa* GUÉRISON *a été lente,* il a mis longtemps à guérir. ◆ **guérisseur** n. *M. Durand est allé voir un* GUÉRISSEUR, un homme qui prétend guérir les maladies sans être médecin.

guérite n. f. *La sentinelle monte la garde devant sa* GUÉRITE, une petite baraque en bois. ▷ 762

guerre n. f. **1.** *Ces deux pays se font la* GUERRE, leurs soldats se battent avec des armes. — **2.** *Faire la* GUERRE *à l'alcoolisme,* c'est lutter contre l'alcoolisme.

• **R.** V. GUÈRE.

guet, guet-apens → GUETTER.

guêtre n. f. *Le chasseur a mis ses* GUÊTRES, il a entouré le bas de ses jambes d'un morceau de cuir.

guetter v. **1.** *Le chat* GUETTE *la souris,* il surveille les alentours pour la surprendre (= épier). — **2.** *Je* GUETTE *l'arrivée du courrier,* je l'attends avec impatience. — **3.** *La folie le* GUETTE, il risque de devenir fou (= menacer). ◆ **guet** n. m. (sens 1) *Pendant le cambriolage, un des malfaiteurs faisait le* GUET, il surveillait les alentours pour voir si personne ne venait. ◆ **guet-apens** n. m. (sens 1) *Pour l'assassiner, ses ennemis l'ont attiré dans un* GUET-APENS, à un endroit où ils l'attendaient (= piège, embuscade).

147 ◁

• **R.** Ne pas confondre *guet* [gɛ] et *gué* [ge]. ‖ *Guet-apens* se prononce [gɛtapɑ̃]. ‖ Attention au pluriel : des *guetS-apens.*

gueule n. f. *Le chien ouvre la* GUEULE, sa bouche.

gui n. m. *Au nouvel an, on décore la maison d'une touffe de* GUI, une plante à boules blanches qui pousse sur les arbres.

768, 508 ◁ **guichet** n. m. *Les clients attendent devant les* GUICHETS *de la poste,* les ouvertures derrière lesquelles sont les employés de la poste.

649 ◁ **guide** n. m. **1.** *Pour escalader la montagne, nous prenons un* GUIDE, une personne qui nous montre le chemin. — **2.** *Pour organiser notre voyage en Italie, nous avons consulté un* GUIDE, un livre qui donne des renseignements sur ce pays. ◆ **guides** n. f. pl. *Je tiens les* GUIDES *du cheval,* les lanières de cuir qui servent à le guider (= rênes). ◆ **guider** v. (sens 1) *Pierre nous* A GUIDÉS *à travers Paris,* il nous a accompagnés pour nous conduire (= diriger).

512 ◁ **guidon** n. m. *Le cycliste tient le* GUIDON *de sa bicyclette,* la partie servant à diriger la bicyclette.

guigne n. f. Fam. *Quelle* GUIGNE!, quelle malchance!

guigner v. *Il* GUIGNE *cet emploi,* il voudrait bien l'avoir (= convoiter).

guignol n. m. *Les enfants ont ri aux éclats pendant la séance de* GUIGNOL, un spectacle de marionnettes.

440 ◁

guillemet n. m. *Le mot «dictionnaire» est ici entre* GUILLEMETS.

guilleret adj. *Michèle est toute* GUILLERETTE *ce matin,* elle est vive et gaie.

guillotine n. f. *Dans la cour de la prison, on a dressé la* GUILLOTINE, l'instrument qui sert à couper la tête aux condamnés à mort. ◆ **guillotiner** v. *Louis XVI* A ÉTÉ GUILLOTINÉ, on lui a coupé la tête.

guindé adj. *Cette femme est* GUINDÉE, elle a un air digne et froid (≠ naturel).

de guingois adv. *Il a les dents plantées* DE GUINGOIS, de travers.

guirlande n. f. *La salle était décorée de* GUIRLANDES, de longues chaînes de fleurs, de papiers découpés, etc.

guise n. f. *Chacun agit* À SA GUISE, comme il lui plaît (= à sa tête). ◆ **en guise de** prép. *J'ai mangé un sandwich* EN GUISE DE *repas,* à la place d'un repas.

guitare n. f. *Le chanteur s'accompagne à la* GUITARE, un instrument de musique à cordes. ◆ **guitariste** n. Un GUITARISTE joue de la guitare. ▷ 294

guttural adj. *M. Dupont a une voix* GUTTURALE, qui vient du fond de la gorge (= rauque).

gymnastique n. f. *Jean fait de la* GYMNASTIQUE *tous les matins,* des exercices pour assouplir le corps et fortifier les muscles. ◆ **gymnase** n. m. *Les séances de gymnastique ont lieu dans un* GYMNASE, une grande salle aménagée pour cela. ◆ **gymnaste** n. *Marie est une bonne* GYMNASTE, elle est forte en gymnastique. ▷ 35

gypse n. m. Le GYPSE est une roche à partir de laquelle on fait du plâtre.

h n. m. *L'heure* H, c'est l'heure fixée.

***ha!** interj. *Dans les textes, le rire se transcrit :* « Ha! HA! HA! »

habile adj. *Pierre est* HABILE, il réussit bien ce qu'il fait (= adroit, capable). ◆ **habileté** n. f. *Il est doué d'une grande* HABILETÉ *manuelle,* il est très habile de ses mains (= adresse). ◆ **malhabile** adj. *Tu t'y es pris d'une façon trop* MALHABILE *pour réussir* (= maladroit).

habiliter v. *Le ministre* EST HABILITÉ *à signer un accord avec les syndicats,* il a le droit de le faire.

habiller v. *Jean met une heure à* S'HABILLER, à mettre ses vêtements (= se vêtir). ◆ **habillé** adj. *Une robe* HABILLÉE est élégante (= chic). ◆ **habillement** n. m. *M. Martin travaille dans un magasin d'*HABILLEMENT, qui vend des habits. ◆ **habit** n. m. **1.** *Range tes* HABITS, tes vêtements. — **2.** *À ce mariage, les hommes portaient l'*HABIT, un vêtement de cérémonie. ◆ **déshabiller** v. *Marie* SE DÉSHABILLE *avant d'aller se coucher,* elle enlève ses vêtements. ◆ **rhabiller** v. *Après le bain, nous nous* SOMMES RHABILLÉS.

habiter v. *J'*HABITE *(à) Paris,* j'y vis habituellement (= demeurer, résider, loger). ◆ **habitant** n. m. *Ce village a mille* HABITANTS, mille personnes y habitent. ◆ **habitable** adj. *Le grenier de la maison est* HABITABLE, on peut y loger. ◆ **habitat** n. m. *La jungle est l'*HABITAT *du tigre,* le lieu où il vit. ◆ **habitation** n. f. *M. Martin a changé d'*HABITATION (= domicile, résidence). ◆ **cohabiter** v. *J'*AI COHABITÉ *quelque temps avec Paul,* habité dans le même logement. ◆ **inhabitable** adj. *Cette maison en ruine est* INHABITABLE. ◆ **inhabité** adj. *Les déserts sont des régions* INHABITÉES.

581 ◁

• **R.** Voir le tableau des pages 376 et 377.

habitude n. f. **1.** *J'ai l'*HABITUDE *de me coucher tôt,* je le fais toujours. — **2.** *Tu manges bien* D'HABITUDE (= habituellement, d'ordinaire). ◆ **habituer** v. *J'*HABITUE *mon chien à être propre,* je lui apprends à l'être toujours (= accoutumer). ‖ *Je* M'HABITUE *à l'eau froide,* je la supporte de mieux en mieux (= se faire, s'adapter). ◆ **habituel** adj. *On nous a servi le menu* HABITUEL, celui qu'on sert le plus souvent (= courant, ordinaire).

• **R.** Les mots précédés d'un astérisque (*) commencent par un *h* aspiré : il n'y a pas d'élision *(le hamac)* et on ne fait pas la liaison (*les hamacs* [leamak]); les mots sans astérisque commencent par un *h* muet : il y a élision *(l'homme)* et on fait la liaison (*les hommes* [lezɔm]).

◆ **habituellement** adv. HABITUELLEMENT, *Paul vient nous voir le jeudi,* il vient tous les jeudis. ◆ **déshabituer** v. *Je* ME SUIS DÉSHABITUÉ *de fumer,* j'en ai perdu l'habitude. ◆ **inhabituel** adj. *Cet incident est* INHABITUEL (= rare, exceptionnel).

***hache** n. f. *Il fend des bûches avec une* HACHE, un outil tranchant. ◆ **hachette** n. f. *Les campeurs ont emporté une* HACHETTE *dans leur sac,* une petite hache. ▷ 761

***hacher** v. *La viande* EST HACHÉE, elle est coupée en tout petits morceaux. ◆ **hachoir** n. m. Un HACHOIR est un appareil qui hache. ◆ **hachis** n. m. *Du* HACHIS *de viande* est de la viande hachée. ▷ 78

hachette → HACHE.

***hachure** n. f. *Sur certaines cartes, les reliefs sont indiqués par des* HACHURES, des traits parallèles. ◆ **hachurer** v. *Paul* A HACHURÉ *une partie de son dessin,* il a tracé des hachures.

***hagard** adj. *Le prisonnier avait l'air* HAGARD, il semblait avoir l'esprit fortement troublé (= égaré).

***haie** n. f. **1.** *Le pré est entouré d'une* HAIE, d'une clôture d'arbustes. — **2.** *Le coureur passe entre deux* HAIES *de spectateurs* (= rangée). — **3.** *Jean a gagné la* COURSE DE HAIES, où il faut sauter par-dessus des barrières. ▷ 73, 364 ▷ 34

***haillons** n. m. pl. *Le clochard était vêtu de* HAILLONS, de vêtements vieux et déchirés.

***haïr** v. *Je le* HAIS, je le déteste (≠ aimer). ◆ **haine** n. f. *Il a la* HAINE *du tabac,* il le déteste (= répugnance, aversion). ◆ **haineux** adj. *Il me jeta un regard* HAINEUX, plein de haine (= hostile; ≠ amical). ◆ **haineusement** adv. *Il m'a répondu* HAINEUSEMENT, très méchamment.

halage → HALER.

***hâle** n. m. *Au* HÂLE *de son visage, on voit qu'il revient de vacances,* à sa couleur brune. ◆ **hâler** v. *Il est revenu* HÂLÉ *de la montagne,* bronzé (= brunir).

• **R.** Ne pas confondre *hâler* [ɑle] et *haler* [ale].

haleine n. f. **1.** *Paul a mauvaise* HALEINE, l'air qu'il expire sent mauvais. — **2.** *Il est hors d'*HALEINE, très essoufflé. — **3.** *Cette autoroute est une œuvre* DE LONGUE HALEINE, elle a demandé beaucoup de temps. — **4.** *Le film nous a tenus* EN HALEINE, il nous a intéressés jusqu'au bout.

***haler** v. *Les pêcheurs* HALENT *le bateau sur la plage,* ils le tirent avec une corde. ◆ **halage** n. m. *Le long du fleuve, il y a un chemin de* HALAGE, qui permettait de haler les péniches.

• **R.** *Haler* se prononce [ale] comme *aller.* ‖ V. HÂLE.

hâler → HÂLE.

***haleter** v. *Le chien* HALÈTE, il respire très vite.

• **R.** Conj. nº 7.

***hall** n. m. *Le* HALL *d'un hôtel, d'une mairie* est la grande salle qui sert d'entrée.

• **R.** On prononce [ol].

habitants des pays, des villes et des régions

Tous ces mots sont à la fois des adjectifs et des noms. Quand ils sont des noms désignant une personne, ils s'écrivent avec une majuscule. Ceux qui sont précédés d'un astérisque (*) désignent également une langue : *les Allemands parlent l'allemand.*

Afghanistan	*afghan
Afrique	africain
Albanie	*albanais
Alger	algérois
Algérie	algérien
Allemagne	*allemand
Alsace	alsacien
Amérique	américain
Angleterre	*anglais
Angola	angolais
Anjou	angevin
Antilles	antillais
Aquitaine	aquitain
Arabie	*arabe
Argentine	argentin
Arménie	*arménien
Artois	artésien
Asie	asiatique
Athènes	athénien
Australie	australien
Autriche	autrichien
Auvergne	auvergnat
Basque (pays)	*basque basquais
Béarn	béarnais
Beauce	beauceron
Belgique	belge
Bengale	*bengali
Berlin	berlinois
Berry	berrichon
Birmanie	*birman
Bolivie	bolivien
Bordeaux	bordelais
Bourgogne	bourguignon
Brésil	brésilien
Bretagne	*breton
Brie	briard
Bruxelles	bruxellois
Bulgarie	*bulgare
Cambodge	cambodgien
Cameroun	camerounais
Canada	canadien
Catalogne	*catalan
Cévennes	cévenol
Champagne	champenois
Charente	charentais
Chili	chilien
Chine	*chinois
Chypre	chypriote
Colombie	colombien
Congo	congolais
Corée	*coréen
Corse	corse
Côte-d'Ivoire	ivoirien
Crète	crétois
Cuba	cubain
Dahomey	dahoméen
Danemark	*danois
Dauphiné	dauphinois
Écosse	écossais
Égypte	égyptien
Espagne	*espagnol ou hispanique
Éthiopie	éthiopien
Europe	européen
Finlande	finlandais *finnois
Flandres	*flamand
Franche-Comté	franc-comtois
Gabon	gabonais
Gascogne	gascon
Gaule	gaulois
Genève	genevois
Géorgie	*géorgien
Ghana	ghanéen
Grande-Bretagne	britannique
Grèce	*grec
Guadeloupe	guadeloupéen
Guatemala	guatémaltèque
Guinée	guinéen
Guyane	guyanais
Haïti	haïtien
Haute-Volta	voltaïque
Hollande	hollandais
Hongrie	*hongrois
Inde	indien
Indonésie	*indonésien
Irak ou Iraq	irakien
Iran	*iranien
Irlande	*irlandais
Islande	*islandais
Israël	israélien
Italie	*italien
Japon	*japonais
Java	*javanais
Jordanie	jordanien
Jura	jurassien
Languedoc	languedocien
Laos	laotien
Laponie	lapon
Liban	libanais
Libéria	libérien
Libye	libyen
Lille	lillois
Limousin	limousin
Londres	londonien
Lorraine	lorrain
Luxembourg	luxembourgeois
Lyon	lyonnais
Madagascar	*malgache
Madrid	madrilène
Malaisie	*malais
Mali	malien
Maroc	marocain

Marseille	*marseillais*
Martinique	*martiniquais*
Mauritanie	*mauritanien*
Mexique	*mexicain*
Monaco	*monégasque*
Mongolie	**mongol*
Morvan	*morvandiau*
Moscou	*moscovite*
Népal	**népalais*
New York	*new-yorkais*
Niger et Nigeria	*nigérien*
Normandie	*normand*
Norvège	*norvégien*
Nouvelle-Guinée	*néo-guinéen*
Nouvelle-Zélande	*néo-zélandais*
Océanie	*océanien*
Ouganda	*ougandais*
Pakistan	*pakistanais*
Paraguay	*paraguayen*
Paris	*parisien*
Pays-Bas	*néerlandais*
Pékin	*pékinois*
Périgord	*périgourdin*
Pérou	*péruvien*
Perse	*persan*
Philippines	*philippin*
Picardie	*picard*
Poitou	*poitevin*
Pologne	**polonais*
Portugal	**portugais*
Provence	**provençal*
Québec	*québécois*
Réunion	*réunionnais*
Rhodésie	*rhodésien*
Rome	*romain*
Roumanie	**roumain*
Ruanda	*ruandais*
Russie	**russe*
Sahara	*saharien*
Saint-Étienne	*stéphanois*
Sardaigne	*sarde*
Savoie	*savoyard*
Scandinavie	*scandinave*
Sénégal	*sénégalais*
Sibérie	*sibérien*
Sicile	*sicilien*
Soudan	*soudanais*
Strasbourg	*strasbourgeois*
Suède	**suédois*
Suisse	*suisse*
Syrie	*syrien*
Tahiti	*tahitien*
Tanzanie	*tanzanien*
Tchad	*tchadien*
Tchécoslovaquie	*tchécoslovaque* ou **tchèque*
Thaïlande	*thaïlandais*
Tibet	**tibétain*
Togo	*togolais*
Touraine	*tourangeau*
Tunisie et Tunis	*tunisien*
Turquie	**turc*
U. R. S. S.	*soviétique*
Uruguay	*uruguayen*
Vendée	*vendéen*
Venezuela	*vénézuélien*
Viêt-nam	**vietnamien*
Yémen	*yéménite*
Yougoslavie	*yougoslave*

***halle** n. f. **1.** *Dans ce port, il y a une* HALLE *aux poissons,* un bâtiment où les pêcheurs viennent vendre leur pêche. — **2.** (au plur.) *Les commerçants se fournissent aux* HALLES, des grands bâtiments où l'on vend des aliments en gros. ▷ 222

hallucination n. f. *J'ai des* HALLUCINATIONS, j'ai la sensation de voir des choses qui n'existent pas.

***halo** n. m. *La Lune est entourée d'un* HALO, d'un cercle légèrement lumineux.

***halte** **1.** n. f. *On a fait une* HALTE *pour déjeuner,* on s'est arrêté. — **2.** interj. HALTE-*là!* arrêtez-vous!

haltère n. m. *Le gymnaste soulève un* HALTÈRE *de cent kilos,* deux boules de fer réunies par une barre. ▷ 34

***hamac** n. m. *Jean dort dans son* HAMAC, une couchette de toile suspendue par ses extrémités. ▷ 765

***hameau** n. m. *La commune compte plusieurs* HAMEAUX, des groupes de maisons situés en dehors du village. ▷ 219

hameçon n. m. *Le pêcheur accroche un ver à l'*HAMEÇON, au crochet pointu fixé au bout de la ligne.

***hampe** n. f. *La* HAMPE *du drapeau* est le manche de bois auquel il est fixé.

***hamster** n. m. *Dans notre classe, nous élevons un* HAMSTER, un petit animal rongeur.

33 ◁ ***hanche** n. f. *Mon pantalon est serré aux* HANCHES, à la partie du corps située sous la taille.

35 ◁ ***handball** n. m. Le HANDBALL est un jeu d'équipe où on lance le ballon avec les mains.

***handicap** n. m. *Sa mauvaise vue est un* HANDICAP *pour son métier,* elle le gêne (= désavantage). ◆ **handicaper** v. *Il* EST HANDICAPÉ *par sa blessure,* elle l'empêche de faire ce qu'il veut. ◆ **handicapé** n. *C'est une* HANDICAPÉE *physique,* une personne diminuée.

511, 363, 219 ◁ ***hangar** n. m. *On a rentré les avions dans leur* HANGAR, un grand abri.

363 ◁ ***hanneton** n. m. Le HANNETON est un gros insecte roux.

***hanter** v. **1.** *Cette idée me* HANTE, elle ne me quitte pas (= obséder). — **2.** *On dit que cette maison est* HANTÉE, qu'il y a des fantômes dedans. ◆ **hantise** n. f. (sens 1) *Il a la* HANTISE *de l'accident,* il craint tout le temps d'en avoir un (= obsession).

***happer** v. *Le chien* HAPPE *le morceau de sucre,* il l'attrape brusquement avec la gueule (= saisir).

***hara-kiri** n. m. *Certains Japonais se sont fait* HARA-KIRI, ils se sont suicidés en s'ouvrant le ventre.

***haranguer** v. *L'orateur* A HARANGUÉ *la foule,* il lui a parlé avec force pour la convaincre. ◆ **harangue** n. f. *Le général a prononcé une* HARANGUE *devant ses troupes* (= discours).

***haras** n. m. *On élève les chevaux dans des* HARAS.

***harasser** v. *Je* SUIS HARASSÉ, extrêmement fatigué (= épuiser, exténuer, éreinter).

***harceler** v. *Les moustiques me* HARCÈLENT, ils m'attaquent sans arrêt.

***hardi** adj. *Ce nageur est* HARDI, il n'a pas peur (= courageux, intrépide; ≠ peureux). ◆ **hardiment** adv. *L'enfant s'approcha* HARDIMENT *du chien* (= bravement). ◆ **hardiesse** n. f. *Il manque de* HARDIESSE, il n'est pas assez hardi (= audace). ◆ **s'enhardir** v. *Je* ME SUIS ENHARDI *jusqu'à le contredire,* j'ai pris de la hardiesse.

• **R.** *Enhardir* se prononce [ɑ̃ardir].

***harem** n. m. *Les femmes du sultan vivaient dans le* HAREM, un endroit de la maison qui, chez les musulmans, leur est réservé.

728 ◁ ***hareng** n. m. *Les pêcheurs ont ramené des* HARENGS *dans leurs filets,* une sorte de poisson de mer.

***hargne** n. f. *L'employé que j'ai dérangé m'a répondu avec* HARGNE, avec des paroles désagréables (= agressivité, colère). ◆ **hargneux** adj. *Ma chienne est* HARGNEUSE, elle grogne tout le temps.

***haricot** n. m. *Le* HARICOT *vert* et *le* HARICOT *sec* sont des légumes. ▷ 366

***haridelle** n. f. *La charrette était traînée par une* HARIDELLE, un cheval maigre.

harmonica n. m. *Jean joue un air sur son* HARMONICA, un petit instrument de musique. ▷ 294

harmonie n. f. *Ces couleurs sont en* HARMONIE, elles vont bien ensemble (= accord). ◆ **harmonieux** adj. *Une voix* HARMONIEUSE est agréable à écouter. ◆ **harmoniser** v. **1.** *Marie sait* HARMONISER *les couleurs,* les assembler avec harmonie. — **2.** HARMONISER *une chanson,* c'est en composer l'accompagnement.

harmonium n. m. Un HARMONIUM est un petit orgue. ▷ 294

***harnais** n. m. *Le* HARNAIS *d'un cheval* est l'ensemble des pièces composant son équipement. ◆ **harnacher** v. **1.** HARNACHER *un cheval,* c'est lui mettre le harnais. — **2.** *Les cosmonautes étaient* HARNACHÉS, munis de leur équipement encombrant. ◆ **harnachement** n. m. *Le* HARNACHEMENT *d'un cheval* est son équipement.

***harpe** n. f. La HARPE est un grand instrument de musique triangulaire à cordes. ▷ 439

***harpie** n. f. *Cette femme est une* HARPIE, elle est très méchante et coléreuse.

***harpon** n. m. *Les baleines sont pêchées au* HARPON, avec une tige de métal munie de dents, qu'on lance du bateau. ◆ **harponner** v. *Le pêcheur* A HARPONNÉ *un gros poisson,* il l'a attrapé au harpon. ▷ 584

***hasard** n. m. **1.** *Jean a profité d'un* HASARD *heureux,* d'un événement inattendu (= occasion, circonstance). — **2.** *La loterie est un jeu de* HASARD, où l'on ne peut pas prévoir qui gagnera. — **3.** *Nous nous sommes rencontrés* PAR HASARD, sans l'avoir cherché (= accidentellement). — **4.** *J'allais* AU HASARD, sans but précis, n'importe où. ◆ **hasardeux** adj. *Un sauvetage* HASARDEUX fait courir des risques (= dangereux). ◆ **hasarder** v. *Il* HASARDA *une réponse,* il fit une réponse qui risquait de ne pas être la bonne. ‖ *Malgré la pluie, je* ME SUIS HASARDÉ *dehors,* j'ai osé y aller.

***haschisch** n. m. *Fumer du* HASCHISCH *est interdit par la loi,* une drogue.

***hâte** n. f. **1.** *J'ai* HÂTE *de manger,* je suis pressé. — **2.** *Il s'habille* À LA HÂTE, à toute vitesse (≠ lenteur). ◆ **hâter** v. *J'*AI HÂTÉ *mon départ pour arriver à l'heure,* je suis parti plus tôt (= avancer; ≠ retarder). ‖ HÂTEZ-VOUS, *vous êtes en retard* (= se dépêcher). ◆ **hâtif** adj. **1.** *Des pommes* HÂTIVES sont mûres avant les autres. — **2.** *Un départ* HÂTIF est précipité.

***hauban** n. m. *Le mât d'un voilier est tenu droit par des* HAUBANS, des câbles. ▷ 726

***haubert** n. m. Le HAUBERT était une tunique de mailles d'acier et faisait partie de l'armure.

***haut** adj. **1.** *L'immeuble est* HAUT, il est élevé. ‖ *L'oiseau s'est posé sur les* HAUTES *branches de l'arbre,* au sommet (≠ bas). — **2.** *Les chalutiers vont en* HAUTE *mer,* loin des côtes. — **3.** *J'ai une montre de* HAUTE *précision,* très précise. — **4.** *Jean a parlé à voix* HAUTE (= fort; ≠ bas). — **5.** *Ce plat résiste aux* HAUTES *températures,* à une forte chaleur. ◆ **haut** adv. (sens 1) *L'avion vole* HAUT, à une grande altitude. ◆ **haut** n. m. (sens 1) **1.** *Le* HAUT *du placard* est sa partie supérieure. — **2.** *Le mur fait un mètre de* HAUT, dans le sens vertical (= hauteur). ◆ **en haut** adv. (sens 1) *Sa chambre est* EN HAUT, à l'étage supérieur (= là-haut). ◆ **en haut de** prép. (sens 1) *Un oiseau chante* EN HAUT DE *l'arbre,* à son sommet. ◆ **hausser** v. (sens 1) *Jean* A HAUSSÉ *les épaules,* il les a levées. • (sens 4) *Ne* HAUSSE *pas la voix!,* ne parle pas plus fort! ◆ **hausse** n. f. (sens 5) *La* HAUSSE *des prix* est leur augmentation. ‖ *La température est* EN HAUSSE, elle monte (≠ baisse). ◆ **hauteur** n. f. (sens 1) **1.** *La* HAUTEUR *du mont Blanc est de 4807 mètres,* sa dimension dans le sens vertical. — **2.** *L'observateur monta sur une* HAUTEUR, un lieu élevé (= colline).

• **R.** *Haut* se prononce [o] comme *eau.*

***hautain** adj. *Un air* HAUTAIN est méprisant (= dédaigneux).

439, 438 ◁ ***hautbois** n. m. Le HAUTBOIS est un instrument de musique à vent.

***haut-de-forme** n. m. *Pour la cérémonie, les hommes portaient des* HAUTS-DE-FORME, des chapeaux hauts, cylindriques et à bords.

hauteur → HAUT.

***haut-fond** n. m. *Le bateau s'est échoué sur des* HAUTS-FONDS, là où la mer ou la rivière sont peu profondes.

***haut-le-cœur** n. m. inv. *Cette odeur me donne des* HAUT-LE-CŒUR, elle me donne envie de vomir.

***haut-le-corps** n. m. inv. *Il était si surpris qu'il en eut un* HAUT-LE-CORPS, un mouvement brusque du corps.

509, 219 ◁ ***haut-parleur** n. m. *Le discours était diffusé par des* HAUT-PARLEURS, des appareils qui répandent les sons.

***hé!** interj. sert à interpeller quelqu'un : HÉ! *vous, là-bas!*

147 ◁ ***heaume** n. m. *Au Moyen Âge, les soldats portaient le* HEAUME, un casque couvrant une partie du visage.

hebdomadaire adj. et n. m. *M. Dupont a acheté un (journal)* HEBDOMADAIRE, qui paraît toutes les semaines (≠ quotidien et mensuel).

héberger v. *Nous* HÉBERGEONS *nos amis pendant trois jours,* nous les logeons chez nous (= recevoir).

hébété adj. *Le boxeur paraissait* HÉBÉTÉ, son expression montrait qu'il avait perdu ses capacités intellectuelles (= ahuri, abruti).

hécatombe n. f. *Les chasseurs ont fait une* HÉCATOMBE *de lapins,* ils en ont tué un grand nombre (= tuerie, carnage).

hectare → ARE.

hecto-, placé devant un nom de mesure la multiplie par 100 : *hectogramme, hectolitre, hectomètre* (v. gramme, litre, mètre).

***hein** interj. **1.** *Il fait beau,* HEIN?, n'est-ce pas? — **2.** HEIN? *qu'est-ce que tu dis?* (= quoi?, comment?).

***hélas!** interj. *J'ai perdu,* HÉLAS!, j'en suis malheureux.

***héler** v. *Mme Dupuis* A HÉLÉ *un taxi,* elle l'a appelé de loin.

hélice n. f. *Les bateaux à moteur avancent grâce à leur* HÉLICE, une pièce de métal faite de pales, qui tourne. ▷ 727, 766

hélicoptère n. m. L'HÉLICOPTÈRE est un avion sans ailes qui s'élève grâce à des pales horizontales qui tournent. ▷ 649, 765

***hem!,** interj. *On fait* HEM! HEM! *pour attirer l'attention de quelqu'un.*

hémisphère n. m. *La France se trouve dans l'*HÉMISPHÈRE *nord,* dans la partie nord de la Terre.

hémorragie n. f. *Le blessé a une* HÉMORRAGIE, il perd beaucoup de sang.

***hennir** v. *Le cheval* HENNIT, il pousse son cri. ◆ **hennissement** n. m. *Le* HENNISSEMENT *du cheval* est son cri.

***hep!** interj. sert à appeler quelqu'un : HEP! *taxi!*

hépatique adj. *Ce malade souffre de douleurs* HÉPATIQUES, du foie.

herbe n. f. **1.** *Les vaches broutent l'*HERBE *du pré.* — **2.** *Le persil, la ciboulette sont des* FINES HERBES, des herbes utilisées en cuisine. — **3.** *Un musicien* EN HERBE est un jeune enfant qui fait de la musique. ◆ **herbage** n. m. (sens 1) *Les bestiaux sont dans les* HERBAGES, des prairies naturelles. ◆ **herbivore** adj. et n. m. (sens 1) *Les bœufs sont (des)* HERBIVORES, ils se nourrissent d'herbe. ◆ **herbier** n. m. (sens 1) *Sophie ramasse des plantes pour faire un* HERBIER, une collection de plantes desséchées. ◆ **herboriser** v. (sens 1) *Nous partons* HERBORISER, recueillir des plantes. ◆ **herbicide** adj. et n. m. (sens 1) *Un (produit)* HERBICIDE détruit les mauvaises herbes. ◆ **désherber** v. (sens 1) *Je* DÉSHERBE *les allées du jardin,* j'en enlève les mauvaises herbes. ▷ 364

hercule n. m. *Cet homme est un* HERCULE, il est très musclé et très fort. ◆ **herculéen** adj. *Il a une force* HERCULÉENNE (= énorme).

hérédité n. f. *Les lois de l'*HÉRÉDITÉ *disent la façon dont se transmettent les caractères héréditaires.* ◆ **héréditaire** adj. *La couleur des yeux est un caractère* HÉRÉDITAIRE, les parents la transmettent à leurs enfants.

hérésie n. f. *La théorie de ce physicien est une* HÉRÉSIE *scientifique,* elle est contraire à la doctrine admise par l'ensemble des savants. ◆ **hérétique** adj. *La doctrine de Luther fut déclarée* HÉRÉTIQUE, contraire à celle de l'Église catholique.

***hérisser** v. **1.** *Le chat en colère* HÉRISSE *les poils de son dos,* il les dresse. — **2.** *Ce problème* EST HÉRISSÉ *de difficultés,* rempli de difficultés (= truffer). — **3.** *Je suis* HÉRISSÉ, en colère. ◆ **hérisson** n. m. (sens 1) Le HÉRISSON est un petit animal au corps hérissé de piquants. ▷ 656

hériter v. **1.** *Jean* HÉRITE *de son oncle,* son oncle étant mort, Jean reçoit ce qu'il possédait. — **2.** *Pierre* HÉRITE *d'une maison,* le propriétaire de la maison étant mort, c'est Pierre qui la reçoit. — **3.** *Il a* HÉRITÉ *des yeux de sa mère,* il a les mêmes yeux qu'elle. ◆ **héritage** n. m. (sens 1 et 2) *Jean a reçu un* HÉRITAGE *important,* il a hérité. ◆ **héritier** n. (sens 1) *Elle est l'*HÉRITIÈRE *de ses parents,* elle hérite de ses parents. ◆ **deshériter** v. (sens 1 et 2) *Son oncle a menacé de le* DESHÉRITER, de ne pas lui laisser d'héritage. ◆ **deshérité** n. *M*me *Durand porte secours aux* DESHÉRITÉS (= malheureux).

hermétique adj. **1.** *Une fermeture* HERMÉTIQUE ne laisse rien passer. — **2.** *Des paroles* HERMÉTIQUES n'ont pas un sens compréhensible.

656 ◁ **hermine** n. f. *M*me *Dupont a un manteau en* HERMINE, fait avec la fourrure blanche de cet animal.

***hernie** n. f. *Ce sac est trop lourd pour toi, tu vas te faire une* HERNIE, une grosseur très douloureuse.

héroïne, héroïque, héroïsme → HÉROS.

***héron** n. m. *Le* HÉRON *a un long bec et de longues pattes,* un oiseau.

***héros** n. m., **héroïne** n. f. **1.** *Le* HÉROS *de ce roman est sympathique,* le personnage principal. — **2.** *Ce pompier s'est conduit en* HÉROS, il a montré un courage exceptionnel. ◆ **héroïsme** n. m. (sens 2) *Les sauveteurs ont fait preuve d'*HÉROÏSME, ils se sont conduits en héros. ◆ **héroïque** adj. (sens 2) *On l'a décoré pour son acte* HÉROÏQUE, très courageux.
• **R.** Le *h* n'est pas aspiré dans *héroïne, héroïsme, héroïque.*

364 ◁ ***herse** n. f. *Le fermier passe la* HERSE *dans son champ,* une sorte de grand râteau servant à égaliser le sol.

hésiter v. **1.** *Jean* HÉSITE *à plonger,* il n'arrive pas à se décider. — **2.** *L'élève* HÉSITE *en récitant sa leçon,* il s'arrête parfois, car il ne la sait pas bien. ◆ **hésitation** n. f. (sens 1) *Il a accepté sans* HÉSITATION, sans hésiter.

hétéroclite adj. *La voiture du brocanteur est pleine d'objets* HÉTÉROCLITES, d'un mélange bizarre d'objets de toutes sortes.

hétérogène adj. *Une classe* HÉTÉROGÈNE est composée d'élèves très différents (≠ homogène).

654 ◁ ***hêtre** n. m. *Le buffet est en* HÊTRE, une sorte d'arbre.

***heu!** ou **euh!** interj. expriment l'embarras, le doute, l'hésitation.

795 ◁ **heure** n. f. **1.** *Un jour dure 24* HEURES. ‖ *Une* HEURE *dure 60 minutes.* — **2.** *La classe commence à 9* HEURES, à ce moment de la journée. — **3.** *C'est l'*HEURE *de dormir,* le moment. ◆ **de bonne heure** adv. *Jean se lève* DE BONNE HEURE, tôt. ◆ **tout à l'heure** adv. **1.** *Je vais sortir* TOUT À L'HEURE, dans un moment. — **2.** *Je suis sorti* TOUT À L'HEURE, il y a un moment. ◆ **horaire 1.** adj. (sens 1) *Le salaire* HORAIRE est celui de l'heure de
510, 508 ◁ travail. — **2.** n. m. (sens 2) *Regarde l'*HORAIRE *des trains!,* les heures de départ et d'arrivée.

heureux adj. **1.** *Marie a réussi, elle est* HEUREUSE (= content; ≠ triste, malheureux). — **2.** *Ce remède a eu un effet* HEUREUX (= bon, favorable; ≠ fâcheux). ◆ **heureusement** adv. (sens 2) *Il ne pleut pas,* HEUREUSEMENT, par bonheur. ◆ **bienheureux** adj. (sens 1) *Nous étions* BIENHEUREUX *en ce temps-là,* parfaitement heureux.

***heurter** v. **1.** *La voiture* A HEURTÉ *un arbre,* elle l'a touché avec violence. — **2.** *Vos paroles l'*ONT HEURTÉ, elles l'ont choqué. — **3.** *Il* S'EST HEURTÉ *à un refus,* on lui a dit non. ◆ **heurt** n. m. (sens 1) *Le* HEURT *a été violent* (= choc). • (sens 2) *Ces deux personnes ont des* HEURTS, elles se disputent souvent (= conflit).

hévéa n. m. L'HÉVÉA est un arbre dont on tire du caoutchouc.

hexagone n. m. *Les dalles du carrelage ont la forme d'un* HEXAGONE, elles ont six côtés. ▷ 348

hiberner v. *Les ours* HIBERNENT, ils passent l'hiver à dormir. ◆ **hibernation** n. f. *L'*HIBERNATION *des marmottes se termine au printemps.*
• R. V. HIVER.

***hibou** n. m. Les HIBOUX sont des oiseaux de nuit.

***hic** n. m. Fam. *Voilà le* HIC!, la difficulté.

***hideux** adj. *Il a un visage* HIDEUX, d'une laideur repoussante (= affreux).

hier adv. *Il faisait beau* HIER, le jour précédant aujourd'hui. ◆ **avant-hier** adv. *J'ai vu Jean* AVANT-HIER, la veille d'hier. ▷ 125 ▷ 125

***hiérarchie** n. f. *Il a monté tous les degrés de la* HIÉRARCHIE, il a occupé successivement des emplois de plus en plus importants. ◆ **hiérarchique** adj. *Mon supérieur* HIÉRARCHIQUE *est très sévère,* celui qui a un grade supérieur au mien.

hiéroglyphe n. m. *Les anciens Égyptiens écrivaient en* HIÉROGLYPHES, au moyen de dessins.

hilare adj. *Les spectateurs sont* HILARES, ils ont l'air réjoui. ◆ **hilarité** n. f. *L'*HILARITÉ *est générale,* tout le monde rit.

hindou adj. et n. *La religion* HINDOUE *est celle de la majorité des habitants de l'Inde.*

hippique adj. *Le sport* HIPPIQUE, c'est le sport du cheval. ◆ **hippodrome** n. m. *C'est sur des* HIPPODROMES *qu'ont lieu les courses de chevaux.*

hippopotame n. m. *Georges est gros comme un* HIPPOPOTAME, un animal qui vit dans les grands fleuves d'Afrique. ▷ 434

hirondelle n. f. *Au printemps, les* HIRONDELLES *reviennent des pays chauds,* des oiseaux aux longues ailes. ▷ 579

hirsute adj. *Jean a les cheveux* HIRSUTES, mal peignés (= hérissé).

***hisser** v. *On a* HISSÉ *le colis sur le toit de la voiture,* on l'a monté en faisant de grands efforts.

histoire n. f. **1.** *Jacques s'intéresse à l'*HISTOIRE *de France,* au récit des événements qui se sont passés en France au cours des siècles. — **2.** *Raconte-nous une* HISTOIRE!, un récit imaginé (= conte, roman). — **3.** *Je ne veux pas avoir d'*HISTOIRES *avec lui* (= ennuis). ◆ **historien** n. (sens 1) Un HISTORIEN est un homme qui étudie l'histoire. ◆ **historique** adj. et n. m. (sens 1) *Napoléon est un personnage* HISTORIQUE, de l'histoire. ‖ *Faire l'*HISTORIQUE *d'un événement,* c'est le raconter en suivant son déroulement dans le temps. ◆ **historiette** n. f. (sens 2) Une HISTORIETTE est une courte histoire. ◆ **préhistoire** n. f. (sens 1) *Certains hommes de la* PRÉHISTOIRE *vivaient dans des cavernes,* de la période très ancienne, quand les hommes ne savaient pas écrire. ◆ **préhistorique** adj. (sens 1) *Cette grotte contient des gravures* PRÉHISTORIQUES, de la préhistoire.

125 ◁ **hiver** n. m. *Nous sommes en* HIVER, *les jours sont courts.* ◆ **hivernal** adj. *Il fait un froid* HIVERNAL, comme en hiver. ◆ **hiverner** v. *Le bétail* HIVERNE, il est à l'abri pour l'hiver. ◆ **hivernage** n. m. *Mon bateau est en* HIVERNAGE, il hiverne.

• **R.** Ne pas confondre *hiverner* et *hiberner.*

H. L. M. n. m. *Je loge dans un* H. L. M., un immeuble à loyers modérés.

***ho!** interj. sert à appeler, à exprimer la surprise, l'indignation, etc.

***hocher** v. *Mon interlocuteur* A HOCHÉ *la tête,* il l'a remuée de haut en bas. ◆ **hochement** n. m. *Il approuve d'un* HOCHEMENT *de tête* (= signe).

***hochet** n. m. *Bébé agite son* HOCHET, un jouet fait d'une boule creuse contenant des grains qui font du bruit.

652 ◁ ***hockey** n. m. Le HOCKEY est un jeu d'équipe où l'on pousse une balle ou un palet avec des crosses.

***holà!** interj. signifie : « Attention, arrêtez-vous! » ◆ **holà** n. m. *J'*AI MIS LE HOLÀ *à ses dépenses,* je lui ai interdit de les continuer (= mettre fin).

***hold-up** n. m. inv. *La banque a été victime d'un* HOLD-UP, d'une attaque à main armée.

• **R.** On prononce [ɔldœp].

723 ◁ ***homard** n. m. Le HOMARD est un crustacé au corps bleu et à grosses pinces.

homéopathie n. f. *Je me soigne par l'*HOMÉOPATHIE, en absorbant certains remèdes à toutes petites doses.

homérique adj. *Il a éclaté d'un rire* HOMÉRIQUE (= énorme).

homicide n. et adj. *L'accusé a commis un* HOMICIDE, il a tué quelqu'un (= meurtre, assassinat).

hommage n. m. **1.** *Je* RENDS HOMMAGE *à votre franchise,* je vous en félicite. — **2.** (au plur.) *Jean a présenté ses* HOMMAGES *à la dame,* il lui a témoigné son respect.

homme n. m. **1.** *Les* HOMMES *parlent des langues très diverses,* les êtres
33 ◁ humains (hommes et femmes). — **2.** *Les* HOMMES *ont de la barbe,* les adultes de sexe masculin (≠ femme). — **3.** *Un curé est un* HOMME *d'Église, un avocat est un* HOMME *de loi.* ◆ **homme-grenouille** n. m. (sens 3) Les HOMMES-GRENOUILLES sont des plongeurs munis d'un appareil pour

respirer sous l'eau. ◆ **humain** adj. **1.** (sens 1) *En classe, nous avons étudié le corps* HUMAIN, celui de l'homme. — **2.** *Ce juge est* HUMAIN (= compréhensif, bon). ◆ **humains** n. m. pl. (sens 1) *L'ensemble des* HUMAINS *forme l'humanité,* des hommes. ◆ **humanitaire** adj. *Il se consacre à des œuvres* HUMANITAIRES (= noble, généreux). ◆ **humanité** n. f. **1.** (sens 1) *Ce savant est un bienfaiteur de l'*HUMANITÉ, de l'ensemble des hommes. — **2.** *On a traité le prisonnier avec* HUMANITÉ (= bonté). ◆ **surhumain** adj. (sens 1) *Il a fallu faire un effort* SURHUMAIN *pour réussir* (= extraordinaire). ◆ **inhumain** adj. *Il est* INHUMAIN *de laisser ce blessé sans soins* (= cruel).

▷ 33, 40

homogène adj. *Notre équipe est* HOMOGÈNE, ses membres vont bien ensemble (≠ hétérogène).

homologuer v. *Ce record* EST HOMOLOGUÉ, il a été officiellement reconnu valable.

homonyme n. m. *« Un tour » et « une tour » sont des* HOMONYMES, *de même que « un seau » et « un saut »,* ces mots se prononcent de la même façon.

honnête adj. **1.** *C'est un homme* HONNÊTE, il ne voudrait pas voler ou tromper les autres. — **2.** *Le repas est* HONNÊTE, de qualité moyenne (= correct, passable). ◆ **honnêtement** adv. (sens 1) *Il agit toujours* HONNÊTEMENT. ◆ **honnêteté** n. f. (sens 1) *Je connais ton* HONNÊTETÉ, je sais que tu es honnête (= probité, loyauté). ◆ **malhonnête** adj. (sens 1) *Ce commerçant est* MALHONNÊTE. ◆ **malhonnêtement** adv. (sens 1) *Il s'est conduit* MALHONNÊTEMENT. ◆ **malhonnêteté** n. f. (sens 1) *Méfie-toi de sa* MALHONNÊTETÉ.

honneur n. m. **1.** *Autrefois, les duels avaient lieu lorsqu'un homme voulait défendre son* HONNEUR, le sentiment qu'il avait de sa dignité. — **2.** *Ce qu'il a fait est tout à son* HONNEUR, il mérite des éloges. — **3.** *On a fait une fête* EN L'HONNEUR DU *champion,* spécialement pour lui. — **4.** *Il* FAIT HONNEUR À *mon gâteau,* il en mange beaucoup. — **5.** (au plur.) *Cette nouvelle a les* HONNEURS *de la première page du journal,* elle est assez importante pour y être placée. ◆ **honorer** v. (sens 2 et 3) *On a donné à M. Dupont une décoration pour l'*HONORER, pour montrer qu'on reconnaît son mérite. ◆ **honorable** adj. **1.** (sens 2) *Un homme* HONORABLE mérite le respect. — **2.** *Ce résultat est* HONORABLE (= convenable, honnête). ◆ **honorifique** adj. (sens 2 et 3) *Une décoration est une distinction* HONORIFIQUE, qui honore. ◆ **déshonorer** v. (sens 1) *Cet acte infâme l'*A DÉSHONORÉ (= discréditer).

honoraire adj. *M. Leroux est président* HONORAIRE, il en a le titre mais n'en exerce pas la fonction. ◆ **honoraires** n. m. pl. *Le médecin a reçu ses* HONORAIRES, la somme d'argent qu'on lui remet en paiement de son travail.

honorer, honorifique → HONNEUR.

***honte** n. f. *Paul a* HONTE *d'avoir battu son frère,* il sait qu'il a mal fait et le regrette. ◆ **honteux** adj. **1.** *Je suis* HONTEUX, j'ai honte (= confus). — **2.** *Ce que tu as fait est* HONTEUX, tu devrais en avoir honte (= odieux). ◆ **éhonté** adj. *C'est un menteur* ÉHONTÉ, il n'a pas honte de mentir.

***hop!** interj. accompagne un mouvement brusque : *Allez,* HOP! *saute!*

hôpital → HOSPITALIER.

***hoquet** n. m. *Antoine a le* HOQUET, des secousses involontaires soulèvent sa poitrine en produisant un petit bruit.

horaire → HEURE.

***horde** n. f. *Autrefois, les voyageurs étaient parfois attaqués par des* HORDES *de brigands,* des troupes de brigands prêts à toutes les violences (= bande).

***horion** n. m. *Les gamins échangèrent quelques* HORIONS, quelques coups violents.

725 ◁ **horizon** n. m. *Le soleil disparaît derrière l'*HORIZON, la ligne qui sépare le ciel de la terre. ◆ **horizontal** adj. et n. f. *Le sol est* HORIZONTAL, il n'est pas en pente (≠ vertical).

509, 220 ◁ **horloge** n. f. *L'*HORLOGE *de la gare indique 8 heures,* la grosse pendule. ◆ **horloger** n. L'HORLOGER répare et vend des pendules et des montres.

220 ◁ ◆ **horlogerie** n. f. **1.** *Marie est entrée dans une* HORLOGERIE, une boutique d'horloger. — **2.** *Il a appris l'*HORLOGERIE, le métier d'horloger.

***hormis** prép. se disait pour *excepté, sauf.*

horoscope n. m. *Certains journaux publient des* HOROSCOPES, les prévisions que font les astrologues sur l'avenir des gens.

horreur n. f. **1.** *Un spectacle d'*HORREUR provoque l'épouvante et le dégoût. — **2.** *J'ai* HORREUR *du tabac,* je le déteste. — **3.** *Ce dessin est une* HORREUR, il est très laid. ◆ **horrible** adj. (sens 1) *Il s'est produit un accident* HORRIBLE (= épouvantable). • (sens 3) *M*[me] *Dupont a un chapeau* HORRIBLE, très laid. ‖ *Le temps est* HORRIBLE, très mauvais. ◆ **horriblement** adv. (sens 2) *C'est* HORRIBLEMENT *cher,* extrêmement. ◆ **horrifier** v. (sens 1) *Je* SUIS HORRIFIÉ *par ce spectacle,* très effrayé.

horripiler v. *Ce garçon m'*HORRIPILE, il m'énerve (= exaspérer).

722 ◁ ***hors-bord** n. m. inv. *Jean fait du ski nautique tiré par un* HORS-BORD, un canot rapide à moteur extérieur.

***hors de** prép. **1.** *J'ai la tête* HORS DE *l'eau,* à l'extérieur de l'eau. — **2.** *Un outil* HORS D'USAGE ne peut plus servir. — **3.** *Les truffes sont* HORS DE PRIX, très chères. — **4.** *Il est* HORS DE LUI, furieux.

***hors-d'œuvre** n. m. inv. *Au début du repas, on sert les* HORS-D'ŒUVRE.

***hors-jeu** n. m. inv. *L'arbitre a sifflé un* HORS-JEU, une faute au football ou au rugby.

***hors-la-loi** n. m. inv. *La police recherche un dangereux* HORS-LA-LOI (= malfaiteur, bandit, gangster).

80 ◁ **hortensia** n. m. *M. Dupont a des* HORTENSIAS *dans son jardin,* des arbustes à fleurs.

horticulture n. f. *À l'école d'*HORTICULTURE, *on apprend à cultiver les légumes, les arbres fruitiers, les fleurs.* ◆ **horticulteur** n. *M*[me] *Leduc est* HORTICULTRICE, son métier est l'horticulture. ◆ **horticole** adj. *Les produits* HORTICOLES sont ceux des jardins.

hospice n. m. *Son grand-père est dans un* HOSPICE *de vieillards,* une maison où l'on accueille des vieillards pauvres.

hospitalier adj. **1.** *M*[me] *Durand est une personne* HOSPITALIÈRE, elle accueille volontiers des gens chez elle. — **2.** *Les cliniques et les hôpitaux sont des établissements* HOSPITALIERS. ◆ **hôpital** n. m. (sens 2) *Le blessé est à l'*HÔPITAL, dans un établissement où l'on soigne les malades. ▷ 39
◆ **hospitaliser** v. (sens 2) *Le blessé* A ÉTÉ HOSPITALISÉ, on l'a fait entrer à l'hôpital. ◆ **hospitalité** n. f. (sens 1) *Je vous remercie de votre* HOSPITALITÉ, de m'avoir accueilli. ◆ **inhospitalier** adj. (sens 1) *Cette région désertique est* INHOSPITALIÈRE (≠ accueillant).

hostie n. f. *Le prêtre consacre les* HOSTIES *pendant la messe,* les morceaux de pain qui servent à la communion.

hostile adj. **1.** *Mon adversaire m'a jeté un regard* HOSTILE, qui montre qu'il me veut du mal (= malveillant; ≠ amical). — **2.** *Je suis* HOSTILE *à votre projet,* contre ce projet (= opposé). ◆ **hostilité** n. f. *Le chien accueille le visiteur avec* HOSTILITÉ, d'une manière hostile.

hôte, hôtesse **1.** n. *J'ai été bien reçu par mes* HÔTES, par ceux qui m'ont accueilli chez eux. ‖ *Avant de partir, les invités remercient l'*HÔTESSE (= maîtresse de maison). — **2.** n. m. *Vous êtes mon* HÔTE, mon invité. — **3.** n. f. *À l'entrée de l'exposition, je me suis renseigné auprès d'une* HÔTESSE, une jeune femme chargée d'accueillir les visiteurs. ‖ *Les* HÔTESSES DE L'AIR *s'occupent des voyageurs dans les avions.* ▷ 510

hôtel n. m. **1.** *Nous avons couché à l'*HÔTEL, dans un établissement qui loue des chambres. — **2.** *Notre* HÔTEL DE VILLE *date du Moyen Âge* (= mairie). ◆ **hôtelier** n. et adj. (sens 1) L'HÔTELIER est la personne qui tient l'hôtel. ‖ *Dans une école* HÔTELIÈRE, *on apprend le métier d'hôtelier.* ◆ **hôtellerie** n. f. (sens 1) **1.** L'HÔTELLERIE est le métier d'hôtelier. — **2.** *Nous déjeunons dans une* HÔTELLERIE, un hôtel d'allure élégante (= auberge). ▷ 218

hôtesse → HÔTE.

***hotte** n. f. **1.** Une HOTTE est un grand panier d'osier fixé sur le dos par des bretelles. — **2.** *Le fermier fume des jambons dans la* HOTTE *de la cheminée,* la partie évasée située au-dessus du foyer. — **3.** *Dans la cuisine, on a installé une* HOTTE, un appareil qui aspire les fumées grasses. ▷ 578 ▷ 291

***hou!** interj. *Le public crie* « HOU! » *au chanteur,* il le hue.

***houblon** n. m. *Le* HOUBLON *sert à fabriquer la bière,* une plante.

***houille** n. f. **1.** *De cette mine, on extrait de la* HOUILLE, du charbon. — **2.** *Les barrages produisent de la* HOUILLE BLANCHE, de l'électricité. ◆ **houiller** adj. (sens 1) *Un bassin* HOUILLER est une région dont le sous-sol contient de la houille.

***houle** n. f. *Le bateau tangue à cause de la* HOULE, des ondulations de la mer. ◆ **houleux** adj. **1.** *La mer est* HOULEUSE, elle est agitée par la houle. — **2.** *La salle est* HOULEUSE, les gens sont très agités.

***houppe** ou **houppette** n. f. *Marie met de la poudre sur son visage avec une* HOUPPE (HOUPPETTE), une boule faite de brins de laine. ▷ 221

***hourra** n. m. *L'équipe gagnante est accueillie par des* HOURRAS, des acclamations.

***houspiller** v. *Le fautif s'est fait* HOUSPILLER (= gronder).

***housse** n. f. *Les sièges de la voiture sont recouverts d'une* HOUSSE, d'une enveloppe protectrice.

***houx** n. m. Le HOUX est un arbuste à feuilles vertes et piquantes.

727, 510 ◁ ***hublot** n. m. *Les bateaux, les avions ont des* HUBLOTS, des petites fenêtres arrondies à fermeture étanche.

***hue!** interj. sert à faire avancer un cheval.

***huer** v. *Cette pièce de théâtre* A ÉTÉ HUÉE, les spectateurs ne l'ont pas aimée et ont crié (= siffler). ◆ **huées** n. f. pl. *L'orateur quitte la salle sous les* HUÉES *du public,* ses cris hostiles.

huile n. f. **1.** *L'*HUILE *d'arachide* est un liquide gras utilisé dans la cuisine. — **2.** *On utilise une* HUILE *minérale pour graisser les moteurs de voiture.* ◆ **huiler** v. *M. Dupont* A HUILÉ *la serrure,* y a mis de l'huile. ◆ **huileux** adj. *Un liquide* HUILEUX a l'aspect de l'huile.

huis n. m. *Le tribunal a rendu le jugement* À HUIS CLOS, sans admettre le public dans la salle.

huissier n. m. **1.** *Les* HUISSIERS *d'un ministère* sont les employés qui accueillent les visiteurs. — **2.** *Le mobilier de cette personne a été saisi par l'*HUISSIER, celui qui fait exécuter les décisions de la justice.

517 ◁ ***huit** adj. *Il a été malade pendant* HUIT *jours.* ‖ *Deux fois quatre font* HUIT
517, 125 ◁ (2 × 4 = 8). ◆ **huitaine** n. f. *Il est resté absent une* HUITAINE *de jours,*
517 ◁ environ huit jours. ◆ **huitième** adj. et n. *Je suis* HUITIÈME. ‖ *Le* HUITIÈME *d'une tarte,* c'est un des morceaux de la tarte coupée en huit.

728 ◁ **huître** n. f. *À Noël, nous avons mangé des* HUÎTRES, des coquillages.

***hum!** interj. exprime le doute, l'hésitation.

humain, humanitaire, humanité → HOMME.

humble adj. **1.** *M. Durand est un* HUMBLE *employé,* il accomplit des petites tâches (= modeste, obscur). — **2.** *M. Martin se fait* HUMBLE *devant son patron,* il s'abaisse devant lui (= soumis; ≠ orgueilleux). ◆ **humblement** adv. (sens 2) *Le chien regarde son maître* HUMBLEMENT, d'un air soumis. ◆ **humilier** v. (sens 2) *Son échec l'*A HUMILIÉ, l'a rendu honteux (= vexer). ‖ *Je refuse de* M'HUMILIER *devant lui,* de me faire humble (= s'abaisser). ◆ **humiliant** adj. (sens 2) *Notre équipe a subi une défaite* HUMILIANTE. ◆ **humiliation** n. f. (sens 2) *Pierre a rougi d'*HUMILIATION (= honte, confusion). ◆ **humilité** n. f. (sens 2) *Marie baissait les yeux avec* HUMILITÉ, humblement.

humecter v. *On* HUMECTE *les timbres-poste pour les coller,* on les mouille légèrement.

***humer** v. *Je* HUME *l'odeur du café,* je la respire (= sentir).

humeur n. f. **1.** *Jacques est d'*HUMEUR *batailleuse,* il a envie de se battre (= caractère, tempérament). — **2.** *Jean est de bonne* HUMEUR, gai. ‖ *Marie est de mauvaise* HUMEUR, mécontente.

humide adj. *La route est* HUMIDE, légèrement mouillée (≠ sec). ◆ **humidité** n. f. *Le fer rouille à l'*HUMIDITÉ, quand il est dans un lieu humide. ◆ **humidifier** v. *On* HUMIDIFIE *l'air d'une chambre trop chauffée,* on le rend humide.

humiliant, humiliation, humilier, humilité → HUMBLE.

humour n. m. *Ce livre est plein d'*HUMOUR, il fait sourire. ◆ **humoriste** n. *L'entracte a été égayé par un* HUMORISTE, quelqu'un qui se moque des choses et des gens tout en gardant l'air sérieux. ◆ **humoristique** adj. *Ce livre contient des dessins* HUMORISTIQUES (= amusant).

humus n. m. *Le sol de la forêt est couvert d'*HUMUS, d'une terre produite par les débris de plantes pourries. ▷ 654

***huppé** adj. *Ses patrons étaient des gens* HUPPÉS, riches ou nobles.

***hure** n. f. *La* HURE *du sanglier,* c'est sa tête.

***hurler** v. **1.** *Bébé* HURLE, il crie très fort de colère ou de peur. — **2.** *La sirène* HURLE, elle émet un bruit fort et prolongé. ◆ **hurlement** n. m. *Il poussa un* HURLEMENT *de douleur,* un cri très fort.

hurluberlu n. *Fernand est un* HURLUBERLU, il agit sans réfléchir (= étourdi, farfelu).

***hutte** n. f. *Les enfants ont construit une* HUTTE, une petite cabane de branchages.

hybride adj. et n. m. *Le mulet est un* HYBRIDE, ses parents sont deux animaux d'espèce différente : le cheval et l'âne.

hydraulique adj. *Les machines* HYDRAULIQUES *fonctionnent à l'aide d'un liquide.* ▷ 505

hydravion n. m. Un HYDRAVION est un avion qui peut se poser sur l'eau.

hydroélectrique adj. *L'énergie* HYDROÉLECTRIQUE est l'énergie électrique fournie par les barrages.

hydrogène n. m. L'HYDROGÈNE est le plus léger de tous les gaz.

hydrographie n. f. **1.** L'HYDROGRAPHIE étudie les cours d'eau et les mers du globe terrestre. — **2.** *L'*HYDROGRAPHIE *d'un pays* est l'ensemble de ses cours d'eau.

hydrophile adj. *Le coton* HYDROPHILE est un coton qui absorbe facilement les liquides.

hyène n. f. L'HYÈNE est un animal sauvage qui se nourrit surtout d'animaux morts. ▷ 581

hygiène n. f. *Se laver, surveiller son alimentation font partie des principes de l'*HYGIÈNE, des soins par lesquels on conserve l'homme en bonne santé. ◆ **hygiénique** adj. *Il fait tous les matins une promenade* HYGIÉNIQUE, pour se maintenir en bonne santé.

hymne n. m. *« La Marseillaise » est l'*HYMNE *national français,* le chant qu'on exécute au cours des cérémonies officielles.

hyper-, placé au début d'un mot, indique un degré extrême : être *hypersensible,* c'est être très sensible; un *hypermarché,* c'est un grand magasin.

hypnotiser v. *Il* A ÉTÉ HYPNOTISÉ, quelqu'un l'a endormi par sa seule volonté.

hypocrite adj. *Paul est* HYPOCRITE, il cache ce qu'il pense (≠ sincère, franc). ◆ **hypocrisie** n. f. *C'est de l'*HYPOCRISIE (= fourberie).

hypothèse n. f. *On émet l'*HYPOTHÈSE *que l'accident s'est produit ainsi,* on fait cette supposition. ◆ **hypothétique** adj. *Mon succès à l'examen est* HYPOTHÉTIQUE, il n'est pas certain.

hystérie n. f. *Cette femme est en proie à l'*HYSTÉRIE, elle est si excitée qu'elle paraît folle. ◆ **hystérique** adj. et n. *Un public* HYSTÉRIQUE ne contrôle plus ses actes.

ibis n. m. *Les* IBIS *se tiennent souvent debout sur une patte,* de grands oiseaux des pays chauds. ▷ 581

• **R.** On prononce [ibis].

iceberg n. m. *Le navire a heurté un* ICEBERG *et il a coulé,* une masse de glace flottante. ▷ 584

• **R.** On prononce [ajsbɛrg] ou [isbɛrg].

ici adv. **1.** *Pierre est* ICI, où je suis (≠ là-bas). — **2.** *Regarde* ICI, à cet endroit. — **3.** *Je reviendrai* D'ICI *peu,* dans peu de temps.

icône n. f. Une ICÔNE est une peinture russe à sujet religieux.

idéal **1.** adj. et n. m. *Tu as trouvé la solution* IDÉALE, la meilleure (= parfait). ‖ *L'*IDÉAL *serait de partir maintenant,* la solution la meilleure. — **2.** n. m. *M. Dupont a un* IDÉAL : *l'égalité de tous les hommes,* cette idée guide son action. ◆ **idéaliste** adj. et n. (sens 2) *M. Dupont est un* IDÉALISTE (≠ réaliste).

idée n. f. **1.** *Jean a perdu le fil de ses* IDÉES (= pensée). — **2.** *Qu'est-ce qui t'est venu à l'*IDÉE?, à quoi as-tu pensé? (= esprit). — **3.** *M. Durand et M. Dubois n'ont pas les mêmes* IDÉES *politiques* (= opinion). — **4.** *As-tu une* IDÉE *de l'heure qu'il est?,* le sais-tu à peu près? (= aperçu).

identité n. f. **1.** *Nous avons une* IDENTITÉ *d'intérêts dans cette affaire,* les mêmes intérêts (= similitude). — **2.** *On ne connaît pas l'*IDENTITÉ *des voleurs,* leur nom. ◆ **identifier** v. (sens 1) *On ne peut* IDENTIFIER *ces deux projets* (= confondre). • (sens 2) *La police* A IDENTIFIÉ *les voleurs,* elle a découvert qui ils étaient. ◆ **identique** adj. (sens 1) *Ces deux projets sont* IDENTIQUES (= semblable, pareil; ≠ différent).

idiot adj. et n. *Arrête de faire des réflexions* IDIOTES! (= bête, stupide; ≠ intelligent). ‖ *Ne fais pas l'*IDIOT! (= imbécile). ◆ **idiotie** n. f. *Pierre a encore fait une* IDIOTIE (= bêtise).

• **R.** *Idiotie* se prononce [idjɔsi].

idole n. f. **1.** *Les païens adoraient des* IDOLES, des objets représentant une divinité. — **2.** *Jean est l'*IDOLE *de ses parents,* ils l'adorent. ◆ **idolâtrer** v. (sens 2) *Ses parents l'*IDOLÂTRENT. ◆ **idolâtrie** n. f. (sens 2) *Ils l'aiment jusqu'à l'*IDOLÂTRIE.

idylle n. f. *Il y a une* IDYLLE *entre Jacques et Jeannine,* ils sont amoureux. ◆ **idyllique** adj. *Ils s'aiment d'un amour* IDYLLIQUE, tendre et naïf.

if n. m. *On plante souvent des* IFS *dans les cimetières,* un arbre à feuillage toujours vert.

584 ◁ **igloo** n. m. *Les Esquimaux construisent des* IGLOOS, des abris faits de blocs de glace.

• **R.** On prononce [iglu].

ignare adj. *Paul est un garçon* IGNARE (= ignorant).

ignoble adj. **1.** *M. Duval est un* IGNOBLE *individu,* très méchant (= infâme). — **2.** *Cette nourriture est* IGNOBLE, très mauvaise (= infect; ≠ délicieux). ◆ **ignominie** n. f. (sens 1) *M. Duval a commis les pires* IGNOMINIES (= infâmie).

ignorer v. *J'*IGNORE *qui est venu,* je ne le sais pas. ◆ **ignorance** n. f. *Il m'a laissé dans l'*IGNORANCE *de son départ,* je ne savais pas qu'il partait. ◆ **ignorant** adj. et n. *Jacques est (un)* IGNORANT, il ne sait rien (= ignare, illettré; ≠ instruit, savant).

11 ◁ **il(s), elle(s)** pron. pers. s'emploient pour représenter des personnes ou des choses dont on parle : IL *vient.* ‖ ELLES *sont là.*

724 ◁ **île** n. f. *La Corse est une* ÎLE, une terre entourée d'eau. ◆ **îlot** n. m. *Le*
725, 578 ◁ *navire a jeté l'ancre devant un* ÎLOT, une toute petite île. ◆ **insulaire** n. *Les Corses sont des* INSULAIRES, ils habitent une île. ◆ **presqu'île** n. f. *Le*
725, 579 ◁ *Cotentin est une* PRESQU'ÎLE, une terre entourée presque entièrement par la mer.

illégal, illégalité → LOI. / **illégitime** → LÉGITIME. / **illettré** → LETTRE. / **illicite** → LICITE.

illico adv. *On leur a dit de partir* ILLICO, à l'instant même (= sur-le-champ, aussitôt).

illimité → LIMITE. / **illisible** → LIRE 2. / **illogique** → LOGIQUE.

illuminer v. *La rue* EST ILLUMINÉE, brillamment éclairée. ◆ **illumination** n. f. *Nous sommes allés voir les* ILLUMINATIONS *du 14-Juillet* (= lumières).

illusion n. f. **1.** *Les mirages sont des* ILLUSIONS *d'optique,* des visions fausses (≠ réalité). — **2.** *Il croit qu'il gagnera, mais il se fait des* ILLUSIONS, des idées fausses, il se trompe. ◆ **s'illusionner** v. (sens 2) *Il ne faut pas* S'ILLUSIONNER, se faire des illusions (= se tromper). ◆ **illusionniste** n. (sens 1) *L'*ILLUSIONNISTE *a fait sortir un lapin de son chapeau* (= prestidigitateur). ◆ **illusoire** adj. (sens 2) *Il est* ILLUSOIRE *d'espérer qu'il viendra* (= vain; ≠ réel, sûr). ◆ **désillusion** n. f. (sens 2) *Son échec a été pour lui une grande* DÉSILLUSION (= déception).

illustrer v. **1.** *Ce livre* EST ILLUSTRÉ *de dessins et de photos* (= orner). — **2.** *Autrefois, les nobles voulaient* S'ILLUSTRER, se rendre célèbres par leurs exploits (= se distinguer). ◆ **illustration** n. f. (sens 1) *Ce livre a de belles* ILLUSTRATIONS, des dessins, des photos (= image). ◆ **illustre** adj. (sens 2) se dit parfois pour *célèbre.* ◆ **illustré** adj. et n. m. (sens 1) *Jean lit des (journaux)* ILLUSTRÉS, contenant surtout des images.

îlot → ÎLE.

image n. f. **1.** *Marie regarde les* IMAGES *de son livre,* les dessins, les photos (= illustration). — **2.** *Jean regarde son* IMAGE *dans la glace* (= reflet). — **3.** *Tu te fais une* IMAGE *fausse de la situation* (= idée, représentation). — **4.** *La balance est l'*IMAGE *de la justice,* un objet qui la représente (= symbole). ◆ **imagé** adj. (sens 4) *Il parle d'une manière* IMAGÉE, avec des mots qui évoquent des images.

imaginer v. **1.** *Essaie d'*IMAGINER *son étonnement quand il saura cela!,* de le représenter dans ton esprit. — **2.** *Pierre* S'IMAGINE *qu'il est le plus fort,* il le croit à tort. ◆ **imagination** n. f. (sens 1) *Jean a beaucoup d'*IMAGINATION, il peut imaginer, inventer toutes sortes de choses. ◆ **imaginaire** adj. (sens 1) *La licorne est un animal* IMAGINAIRE, qui n'existe que dans l'esprit (= fantastique; ≠ réel, vrai). ◆ **inimaginable** adj. (sens 1) *Il y a ici un désordre* INIMAGINABLE (= incroyable).

imbattable → BATTRE.

imbécile n. *Paul est un* IMBÉCILE, il n'est pas intelligent (= idiot). ◆ **imbécillité** n. f. *Arrête de dire des* IMBÉCILLITÉS! (= sottise, bêtise).
• **R.** Attention : *imbécile* n'a qu'un *l, imbécillité* a 2 *l.*

imberbe → BARBE.

imbiber v. *La serviette de toilette* EST IMBIBÉE *d'eau,* elle est mouillée, humide (= tremper, imprégner).

imbriqué adj. *Les tuiles du toit sont* IMBRIQUÉES, elles se recouvrent en partie les unes les autres.

imbroglio n. m. *Je ne comprends rien à cet* IMBROGLIO, à cette situation embrouillée (= confusion).
• **R.** On prononce parfois [ɛ̃brɔljo].

imbu adj. *M. Dupont est* IMBU *de sa supériorité,* il se croit supérieur.

imbuvable → BOIRE.

imiter v. **1.** *Jean sait* IMITER *l'aboiement du chien* (= reproduire). — **2.** *Paul cherche à* IMITER *son père,* à le prendre pour modèle. ◆ **imitation** n. f. (sens 1) *Ce tableau est une* IMITATION, il est faux (= copie, reproduction). ◆ **imitateur** n. (sens 1) *Marie est une bonne* IMITATRICE, elle imite bien. ◆ **inimitable** adj. (sens 1) *Il est d'une drôlerie* INIMITABLE.

immaculé → MACULER. / **immangeable** → MANGER. / **immanquable** → MANQUER. / **immatériel** → MATIÈRE.

immatriculer v. *Cette voiture* EST IMMATRICULÉE *à Paris,* inscrite sur les registres officiels. ◆ **immatriculation** n. f. *La plaque d'*IMMATRICULATION *d'une voiture porte son numéro d'*IMMATRICULATION. ▷ 505

immédiat adj. *Les Dupont sont nos voisins* IMMÉDIATS, les plus proches. ◆ **immédiatement** adv. *Viens ici* IMMÉDIATEMENT!, tout de suite, à l'instant.

immense adj. *L'U.R.S.S. est un pays* IMMENSE, très grand (≠ minuscule). ◆ **immensément** adv. *Ce banquier est* IMMENSÉMENT *riche,* vraiment très riche. ◆ **immensité** n. f. *Le bateau s'est éloigné dans l'*IMMENSITÉ *de la mer,* l'étendue immense.

immerger v. *Ces rochers* SONT IMMERGÉS *à marée haute,* sous l'eau.

immérité → MÉRITER.

218, 217 ◁ **immeuble** n. m. *Ils habitent un appartement dans un* IMMEUBLE *neuf,* un bâtiment à plusieurs étages.

immigration, immigré → MIGRATION.

imminent adj. *Une guerre est* IMMINENTE *entre ces deux pays,* très proche.

s'immiscer v. *Arrête de* T'IMMISCER *dans mes affaires!* (= se mêler).

immobile → MOBILE. / **immobilier** → MOBILIER. / **immobiliser, immobilité** → MOBILE. / **immodéré** → MODÉRÉ.

immoler v. *Les Anciens* IMMOLAIENT *des animaux en sacrifice à leurs dieux* (= tuer).

immonde adj. *Cette famille habite un taudis* IMMONDE, très sale (= dégoûtant). ◆ **immondices** n. f. pl. *Il y a un tas d'*IMMONDICES *devant la porte* (= ordures).

immoral, immoralité → MORAL. / **immortaliser, immortalité, immortel** → MOURIR.

immuable adj. *Il reste* IMMUABLE *dans ses opinions,* il n'en change pas.

immuniser v. *En se faisant vacciner, on* S'IMMUNISE *contre les maladies,* on se met à l'abri (= se préserver).

impact n. m. *Le point d'*IMPACT *d'une balle* est l'endroit où elle frappe.

impair → PAIR. / **impalpable** → PALPER. / **imparable** → PARER. / **impardonnable** → PARDON. / **imparfait** → PARFAIT. / **impartial, impartialité** → PARTIAL.

217 ◁ **impasse** n. f. *Cette rue est une* IMPASSE, elle n'a pas d'issue (= cul-de-sac).

impassible adj. *M. Durand a un visage* IMPASSIBLE (= calme, froid). ◆ **impassibilité** n. f. *Tout le monde a ri, mais il a gardé son* IMPASSIBILITÉ.

impatiemment, impatience, impatient, impatienter → PATIENT.

impeccable adj. *Pierre a toujours une tenue* IMPECCABLE, sans défaut (= irréprochable).

impénétrable → PÉNÉTRER. / **impénitent** → PÉNITENCE. / **impensable** → PENSER.

impératif **1.** adj. *Il m'a parlé d'un ton* IMPÉRATIF (= autoritaire, 12 ◁ impérieux). — **2.** n. m. *« Va » est l'*IMPÉRATIF *de « aller »,* la forme qui exprime l'ordre.

impératrice → EMPIRE. / **imperceptible** → PERCEVOIR. / **imperfection** → PARFAIT. / **impérial, impérialiste** → EMPIRE.

impérieux adj. **1.** *Il m'a répondu d'une voix* IMPÉRIEUSE (= autoritaire). — **2.** *Ce pays a un* IMPÉRIEUX *besoin de pétrole* (= pressant).

impérissable → PÉRIR. / **imperméable** → PERMÉABLE. / **impersonnel** → PERSONNE.

impertinent adj. *Paul a des manières* IMPERTINENTES (= insolent, effronté; ≠ poli). ◆ **impertinence** n. f. *On l'a puni pour son* IMPERTINENCE (= impolitesse).

imperturbable → PERTURBER.

impétueux adj. *Pierre a un caractère* IMPÉTUEUX (= vif, violent).

impie, impiété → PIEUX. / **impitoyable** → PITIÉ.

implacable adj. *Cet homme me porte une haine* IMPLACABLE, sans pitié (= acharné, terrible).

implanter v. *Beaucoup d'Italiens* SE SONT IMPLANTÉS *aux États-Unis,* ils se sont fixés dans ce pays (= s'installer, s'établir).

impliquer v. **1.** *Il* A ÉTÉ IMPLIQUÉ *dans un meurtre* (= mêler à). — **2.** *Si tu veux arriver à l'heure, cela* IMPLIQUE *que tu partes tout de suite* (= nécessiter, entraîner).

implorer v. *Le blessé* IMPLORAIT *du secours,* le demandait d'une voix suppliante.

impoli, impoliment, impolitesse → POLI.

impondérable adj. *Notre succès dépend d'éléments* IMPONDÉRABLES, impossibles à évaluer.

impopulaire → PEUPLE.

importer v. **1.** *Ce qui* IMPORTE *pour M. Dupont, c'est son confort,* ce qui a de l'importance, de l'intérêt (= compter). — **2.** *La France* IMPORTE *beaucoup de pétrole,* elle le fait venir de l'étranger. ◆ **n'importe** adv. (sens 1) indique l'indifférence : N'IMPORTE *qui peut faire cela,* tout le monde. ‖ *Il travaille* N'IMPORTE *comment,* N'IMPORTE *où,* N'IMPORTE *quand.* ◆ **importance** n. f. (sens 1) *Ce que je vais dire a une grande* IMPORTANCE (= intérêt, gravité). ◆ **important** adj. (sens 1) *Il a joué un rôle* IMPORTANT *dans cette affaire,* qui compte (≠ accessoire, secondaire). ◆ **importation** n. f. (sens 2) *L'*IMPORTATION *de certains produits est soumise à des droits de douane.* ◆ **importateur** n. et adj. (sens 2) *La France est* IMPORTATRICE *de pétrole.* ◆ **exporter** v. (sens 2) *La France* EXPORTE *du vin,* le vend à l'étranger. ◆ **exportation** n. f. (sens 2) *Ce pays cherche à développer ses* EXPORTATIONS. ◆ **exportateur** n. et adj. (sens 2) *La France est* EXPORTATRICE *de vin.*

importuner v. *Pierre m'*IMPORTUNE *avec ses questions* (= ennuyer, agacer). ◆ **importun** adj. et n. *Je vous laisse, je ne veux pas être (un)* IMPORTUN (= gêneur).

imposer v. **1.** *On m'*A IMPOSÉ *de finir ce travail,* on m'y a obligé (= forcer; ≠ dispenser). — **2.** *Les gens* SONT IMPOSÉS *d'après leurs revenus,* ils paient des impôts (= taxer). — **3.** *Son courage* EN IMPOSE, il provoque le respect. — **4.** *Il* S'EST IMPOSÉ *par son intelligence,* il s'est fait connaître.

◆ **imposable** adj. (sens 2) *Les revenus trop bas ne sont pas* IMPOSABLES, soumis à l'impôt. ◆ **imposant** adj. (sens 3) *Il a parlé d'un ton* IMPOSANT, qui en impose. ‖ *Il y a une foule* IMPOSANTE *sur la place* (= impressionnant, important). ◆ **impôt** n. m. (sens 2) *Quand on achète un produit, on paie un* IMPÔT *indirect,* une partie du prix est versée à l'État (= taxe).

impossibilité, impossible → POSSIBLE.

imposture n. f. *L'*IMPOSTURE *a été découverte* (= mensonge, tromperie). ◆ **imposteur** n. m. *L'*IMPOSTEUR *a été démasqué* (= menteur).

impôt → IMPOSER.

impotent adj. *Ma grand-mère est* IMPOTENTE, elle ne peut plus marcher (= infirme, invalide).

impraticable → PRATIQUE. / **imprécis, imprécision** → PRÉCIS.

imprégner v. *Le tapis* EST IMPRÉGNÉ *d'eau* (= tremper, imbiber).

imprésario n. m. *La chanteuse était accompagnée de son* IMPRÉSARIO, de celui qui s'occupe de ses intérêts.

impression n. f. **1.** *Son arrivée a produit une grosse* IMPRESSION, on l'a remarquée (= effet, sensation). — **2.** *J'ai l'*IMPRESSION *que nous sommes en avance,* je le pense (= sentiment). — **3.** *Il y a dans ce journal beaucoup de fautes d'*IMPRESSION, faites en imprimant. ◆ **impressionnant** adj. (sens 1) *C'était un spectacle* IMPRESSIONNANT (= imposant, grandiose). ◆ **impressionner** v. (sens 1) *Il a voulu nous* IMPRESSIONNER *par des menaces* (= émouvoir, influencer). ◆ **imprimer** v. (sens 3) *Ce livre* EST IMPRIMÉ *en Belgique,* fabriqué par l'imprimerie (= publier, éditer). ◆ **imprimé** n. m. (sens 3) *Les livres, les journaux, les revues sont des* IMPRIMÉS. ◆ **imprimerie** n. f. (sens 3) *Gutenberg a inventé l'*IMPRIMERIE. ‖ *M. Dupont travaille dans une* IMPRIMERIE. ◆ **imprimeur** n. m. (sens 3) *M. Dupont est ouvrier* IMPRIMEUR.

290 ◁

imprévisible, imprévoyance, imprévoyant, imprévu → PRÉVOIR. / **improbable** → PROBABLE. / **improductif** → PRODUIRE.

impromptu adj. *Jean m'a rendu une visite* IMPROMPTUE, sans me prévenir (= inattendu).

impropre → PROPRE.

improviser v. *L'orateur* A IMPROVISÉ *son discours,* il l'a dit sans l'avoir préparé. ◆ **improvisation** n. f. *Les musiciens ont joué une* IMPROVISATION, un morceau improvisé. ◆ **à l'improviste** adv. *Il est arrivé* À L'IMPROVISTE, sans avoir prévenu.

imprudemment, imprudence, imprudent → PRUDENT.

impudent adj. *Voilà un mensonge* IMPUDENT! (= insolent, effronté). ◆ **impudence** n. f. *Il m'a répondu avec* IMPUDENCE (≠ discrétion).

impuissance, impuissant → PUISSANCE.

impulsion n. f. **1.** *J'ai donné une* IMPULSION *à la bille pour la faire rouler,* je l'ai poussée. — **2.** *Jean obéit à ses* IMPULSIONS, à ce qui lui passe par la tête (= instinct, penchant). ◆ **impulsif** adj. (sens 2) *Jean est un garçon* IMPULSIF (≠ calme).

impunément, impuni → PUNIR. / **impur, impureté** → PUR.

imputer v. *On lui* A IMPUTÉ *la responsabilité de notre échec* (= attribuer).

imputrescible → PUTRÉFIER. / **inabordable** → ABORDER. / **inacceptable** → ACCEPTER. / **inaccessible** → ACCÈS. / **inaccoutumé** → COUTUME. / **inachevé** → ACHEVER. / **inactif, inaction, inactivité** → AGIR. / **inadmissible** → ADMETTRE.

par inadvertance adv. *On s'est trompé de chemin* PAR INADVERTANCE, parce qu'on ne faisait pas attention (≠ exprès).

inaltérable → ALTÉRER. / **inamical** → AMI. / **inanimé** → ANIMER.

inanition n. f. *Les naufragés sont morts d'*INANITION, à cause du manque de nourriture.

inaperçu → APERCEVOIR. / **inapplicable** → APPLIQUER. / **inappréciable** → APPRÉCIER. / **inapte, inaptitude** → APTE. / **inarticulé** → ARTICULER. / **inattaquable** → ATTAQUER. / **inattendu** → ATTENDRE. / **inattentif, inattention** → ATTENTION.

inaugurer v. *Le préfet* A INAUGURÉ *le nouvel hôpital,* il a présidé la cérémonie d'inauguration. ◆ **inauguration** n. f. *L'*INAUGURATION *d'une nouvelle construction a lieu avant sa mise en service.*

inavouable → AVOUER. / **incalculable** → CALCUL.

incandescent adj. *Il y a des braises* INCANDESCENTES *au fond du fourneau,* chauffées au rouge. ▷ 291

incapable, incapacité → CAPABLE.

incarcérer v. *L'escroc* A ÉTÉ INCARCÉRÉ, mis en prison. ◆ **incarcération** n. f. *Le juge a ordonné son* INCARCÉRATION.

incarner v. *Dans ce film, le rôle principal* EST INCARNÉ *par un acteur américain* (= représenter, jouer).

incartade n. f. *Il a été puni pour une petite* INCARTADE (= faute, bêtise).

incassable → CASSER.

incendie n. f. *Les pompiers ont réussi à éteindre l'*INCENDIE, le feu. ◆ **incendiaire** adj. et n. *Une bombe* INCENDIAIRE *a détruit la maison.* ‖ *La police a arrêté un* INCENDIAIRE, quelqu'un qui avait mis volontairement le feu. ◆ **incendier** v. *La forêt* A ÉTÉ INCENDIÉE, détruite par le feu. ▷ 761

incertain, incertitude → CERTAIN.

incessamment adv. *Jean va arriver incessamment,* dans très peu de temps, tout de suite.

incessant → CESSER.

inceste n. m. *L'*INCESTE *est interdit par la loi,* le mariage entre proches parents.

incident n. m. *Un* INCIDENT *imprévu a provoqué la rupture des négociations* (= fait, événement).

- **R.** Ne pas confondre *incident* et *accident.*

incinérer v. *On* A INCINÉRÉ *les ordures* (= brûler).

incisif adj. *Jean m'a répondu d'une voix* INCISIVE (= dur, coupant). ◆ **incisive** n. f. *L'homme possède 8* INCISIVES, des dents coupantes sur le devant.

inciter v. *Il m'*A INCITÉ *à accepter cette proposition* (= pousser, encourager; ≠ empêcher, détourner).

incliner v. **1.** *Le vent* INCLINE *les arbres,* il les fait pencher. ‖ *Il* S'EST INCLINÉ *pour nouer ses lacets* (= se pencher). — **2.** *J'*INCLINE À *penser que tu as tort,* j'ai cette tendance. ◆ **inclinaison** n. f. (sens 1) *L'*INCLINAISON *du toit est très raide* (= pente). ◆ **inclination** n. f. (sens 2) *Jean suit ses* INCLINATIONS (= penchant, tendance).

inclure v. *Il faut* INCLURE *cette somme dans le total de nos dépenses,* l'y mettre (= comprendre; ≠ exclure). ◆ **inclusivement** adv. *Il sera absent jusqu'à lundi* INCLUSIVEMENT (= compris).
• **R.** Conj. n° 68.

incognito adv. et n. m. *Le président voyage* INCOGNITO, sans se faire reconnaître (= secrètement). ‖ *Il veut conserver l'*INCOGNITO (= anonymat).

incohérence, incohérent → COHÉRENT. / **incolore** → COULEUR.

incomber v. *Cette dépense lui* INCOMBE, c'est lui qui doit la faire.

incombustible → COMBUSTIBLE. / **incommode, incommoder, incommodité** → COMMODE 2. / **incomparable** → COMPARER. / **incompatible** → COMPATIBLE. / **incompétence, incompétent** → COMPÉTENT. / **incomplet** → COMPLET 1. / **incompréhensible, incompréhension** → COMPRENDRE. / **incompressible** → COMPRIMER. / **inconcevable** → CONCEVOIR. / **inconciliable** → CONCILIER. / **inconditionnel** → CONDITION. / **inconduite** → CONDUIRE. / **inconfortable** → CONFORT.

incongru adj. *Paul m'a fait une remarque* INCONGRUE (= impoli; ≠ convenable). ◆ **incongruité** n. f. *Cesse de dire des* INCONGRUITÉS!, des choses inconvenantes (= grossièreté).

inconnu → CONNAÎTRE. / **inconsciemment, inconscience, inconscient** → CONSCIENCE. / **inconséquence, inconséquent** → CONSÉQUENT. / **inconsistant** → CONSISTANT. / **inconsolable** → CONSOLER. / **inconstance, inconstant** → CONSTANCE. / **incontestable** → CONTESTER. / **inconvenance, inconvenant** → CONVENIR.

inconvénient n. m. *Cette maison a l'*INCONVÉNIENT *d'être humide* (= défaut; ≠ avantage, qualité).

incorporer → CORPS. / **incorrect, incorrection, incorrigible** → CORRIGER. / **incorruptible** → CORROMPRE. / **incrédule** → CROIRE.

incriminer v. *Tu m'*INCRIMINES *à tort* (= accuser).

incroyable, incroyant → CROIRE.

incruster v. **1.** *Ce meuble* EST INCRUSTÉ *d'ivoire,* il y a des morceaux d'ivoire fixés dans le bois. — **2.** *L'épine* S'EST INCRUSTÉE *dans la chair* (= s'enfoncer).

incubation n. f. *L'*INCUBATION *des œufs de poule dure 21 jours,* le temps avant qu'ils éclosent.

inculpation n. f. *Il a été arrêté sous l'*INCULPATION *d'escroquerie* (= accusation). ◆ **inculper** v. *Le juge* A INCULPÉ *les gangsters* (= accuser).

inculquer v. *On lui* A INCULQUÉ *les règles de la politesse,* on les lui a apprises (= enseigner).

inculte → CULTIVER. / **incurable** → CURE.

incursion n. f. *Des gangsters ont fait une* INCURSION *dans une banque,* ils sont entrés brusquement.

incurver v. *En chauffant une barre de fer, on peut l'*INCURVER, la rendre courbe.

indécent → DÉCENT. / **indéchiffrable** → CHIFFRE. / **indécis, indécision** → DÉCIDER. / **indéfini, indéfiniment** → DÉFINIR. / **indéformable** → FORME.

indélébile adj. *Cette encre fait des taches* INDÉLÉBILES, impossibles à effacer.

indémaillable → MAILLE.

indemne adj. *Il est sorti* INDEMNE *de l'accident,* sans blessure, sain et sauf.

indemnité n. f. *M. Durand touche une* INDEMNITÉ *de déplacement,* de l'argent pour le rembourser de ses frais. ◆ **indemniser** v. *Après l'incendie, l'assurance nous* A INDEMNISÉS (= dédommager).

indéniable → NIER. / **indépendance, indépendant** → DÉPENDRE. / **indescriptible** → DÉCRIRE. / **indéterminé** → DÉTERMINER.

index n. m. **1.** *Jean tient son stylo entre le pouce et l'*INDEX, un des doigts. — **2.** *À la fin du livre, il y a un* INDEX *des noms qui se trouvent dans les planches illustrées,* une liste de ces noms. ▷ 33

indicateur, indicatif, indication → INDIQUER.

indice n. m. *Il rougit : c'est un* INDICE *de timidité* (= signe, preuve, marque).

indifférent adj. **1.** *M. Dupont m'est* INDIFFÉRENT, il ne m'intéresse pas. — **2.** *M. Dubois est un homme* INDIFFÉRENT, il ne s'intéresse pas aux autres (= froid). ◆ **indifféremment** adv. *Je prendrai* INDIFFÉREMMENT *une pomme ou une poire,* cela m'est égal. ◆ **indifférence** n. f. *Il m'a regardé avec* INDIFFÉRENCE, sans s'intéresser à moi (= froideur).

indigène n. *Les colons faisaient travailler les* INDIGÈNES, les habitants des pays colonisés.

indigent n. *Cette organisation a pour but de secourir les* INDIGENTS (= pauvre).

indigeste, indigestion → DIGÉRER. / **indigne** → DIGNE.

indigner v. *Cette erreur judiciaire nous* A INDIGNÉS, remplis de colère (= révolter). ◆ **indignation** n. f. *Il a répondu avec* INDIGNATION *qu'il n'était pas coupable* (= colère, révolte).

indigo n. m. et adj. inv. *Marie a une robe* INDIGO, bleu foncé. ▷ 721

indiquer v. **1.** *Pouvez-vous m'*INDIQUER *le chemin de la gare?* (= expliquer, montrer). — **2.** *La pendule* INDIQUE *3 heures* (= marquer). ◆ **indicateur** adj. et n. m. (sens 1 et 2) *Le panneau* INDICATEUR *porte le nom de la prochaine ville.* ‖ *L'*INDICATEUR *des chemins de fer indique les heures des trains.* ◆ **indicatif** n. m. **1.** (sens 2) *Écoute! c'est l'*INDICATIF *de l'émission sportive,* l'air qui en indique le début. — **2.** *«Je suis» est* 12 ◁ *l'*INDICATIF *présent du verbe «être»,* un des modes. ◆ **indication** n. f. (sens 1) *Il n'a pas suivi mes* INDICATIONS (= avis, conseil).

indirect, indirectement → DIRECT. / **indiscipline, indiscipliné** → DISCIPLINE. / **indiscret, indiscrètement, indiscrétion** → DISCRET. / **indiscutable** → DISCUTER. / **indispensable** → DISPENSER.

indisposer v. *Essaie de ne pas* INDISPOSER *les voisins!,* de ne pas leur déplaire (= gêner, ennuyer).

indistinct → DISTINGUER.

individu n. m. **1.** *Dans ce pays, les* INDIVIDUS *sont opprimés* (= personne, homme; ≠ collectivité, groupe). — **2.** *Comment s'appelle cet* INDIVIDU?, cet homme peu recommandable (= type). ◆ **individuel** adj. (sens 1) *Chacun des enfants a une chambre* INDIVIDUELLE (= personnel, particulier; ≠ commun, collectif). ◆ **individuellement** adv. (sens 1) *On nous a reçus* INDIVIDUELLEMENT, l'un après l'autre (= séparément; ≠ ensemble). ◆ **individualiste** n. (sens 1) *M. Durand est un* INDIVIDUALISTE, il aime être indépendant des autres.

indivisible → DIVISER. / **indocile** → DOCILE.

indolent adj. *Paul est un élève* INDOLENT (= mou, endormi; ≠ actif, énergique). ◆ **indolence** n. f. *Ton* INDOLENCE *m'énerve* (= inertie; ≠ vivacité).

indolore → DOULEUR. / **indomptable** → DOMPTER. / **indu** → DEVOIR. / **indubitable** → DOUTER.

induire v. *Jean m'*A INDUIT EN ERREUR, il m'a trompé.
• **R.** Conj. n° 70. ‖ Ne pas confondre *induire* et *enduire.*

indulgent adj. *Mme Durand est* INDULGENTE *avec les enfants,* elle leur pardonne facilement (= patient; ≠ sévère). ◆ **indulgence** n. f. *L'accusé a demandé l'*INDULGENCE *des juges* (= compréhension; ≠ dureté).

indûment → DEVOIR.

industrie n. f. *L'*INDUSTRIE *transforme les matières premières et fournit les produits fabriqués.* ◆ **industriel** adj. et n. m. *Paris est un grand centre* 218 ◁ INDUSTRIEL, il y a beaucoup d'usines. ‖ *M. Dupuis est un* INDUSTRIEL, il possède une usine. ◆ **industrialiser** v. *Le pays* S'EST INDUSTRIALISÉ, on a construit des usines.

industrieux adj. se disait pour *adroit, habile.*

inébranlable → ÉBRANLER. / **inédit** → ÉDITER. / **ineffaçable** → EFFACER. / **inefficace, inefficacité** → EFFET. / **inégal, inégalement, inégalité** → ÉGAL.

inéluctable adj. *La mort est* INÉLUCTABLE, on ne peut pas l'éviter.

inepte adj. *Jean m'a raconté une histoire* INEPTE (= idiot, stupide). ◆ **ineptie** n. f. *Ce livre est une* INEPTIE (= idiotie).

• **R.** *Ineptie* se prononce [inɛpsi].

inépuisable → ÉPUISER.

inerte adj. *Le blessé restait allongé par terre,* INERTE, sans mouvement (= immobile). ◆ **inertie** n. f. *Rien ne peut le faire sortir de son* INERTIE, son manque d'énergie (= indolence).

• **R.** *Inertie* se prononce [inɛrsi].

inespéré → ESPÉRER. / **inestimable** → ESTIMER. / **inévitable** → ÉVITER. / **inexact, inexactitude** → EXACT. / **inexcusable** → EXCUSER. / **inexistant** → EXISTER.

inexorable adj. *On l'a supplié, mais il est resté* INEXORABLE (= inflexible, impitoyable).

inexpérience, inexpérimenté → EXPÉRIENCE. / **inexplicable** → EXPLIQUER. / **inexploré** → EXPLORER. / **inexpressif, inexprimable** → EXPRIMER.

inextinguible adj. *J'ai une soif* INEXTINGUIBLE, impossible à faire cesser (= insatiable).

inextricable adj. *Cette affaire présente des complications* INEXTRICABLES, très embrouillées.

infaillible adj. **1.** *Voilà un remède* INFAILLIBLE *contre la grippe,* qui réussit toujours. — **2.** *Personne n'est* INFAILLIBLE, tout le monde peut se tromper.

infâme adj. *Voilà un crime* INFÂME! (= horrible, ignoble). ◆ **infamie** n. f. *Il est capable de commettre des* INFAMIES (= crime).

infanterie n. f. *Jean est soldat dans l'*INFANTERIE, les troupes qui combattent à pied.

infanticide, infantile → ENFANT. / **infatigable** → FATIGUER.

infatuer v. *M. Dupont* EST INFATUÉ *de lui-même,* il est prétentieux.

infecter v. **1.** *Ces ordures* INFECTENT *le voisinage,* elles sentent très mauvais (= empester). — **2.** *Sa blessure* S'EST INFECTÉE, elle s'est remplie de pus. ◆ **infect** adj. (sens 1) *Cette viande a un goût* INFECT, très mauvais (= répugnant). ◆ **infectieux** adj. (sens 2) *La grippe est une maladie* INFECTIEUSE, due à des microbes. ◆ **infection** n. f. (sens 2) *Le manque de propreté peut provoquer une* INFECTION, un développement des maladies. ◆ **désinfecter** v. (sens 2) *On* A DÉSINFECTÉ *les habits du malade,* on a détruit les microbes.

• **R.** Ne pas confondre *infecter* et *infester.*

inférieur adj. **1.** *Pierre habite à l'étage* INFÉRIEUR, en dessous, plus bas. — **2.** *6 est* INFÉRIEUR *à 9,* plus petit. — **3.** adj. et n. *Il me traite comme un* INFÉRIEUR (= subalterne; ≠ supérieur). ◆ **infériorité** n. f. (sens 3) *Paul a un sentiment d'*INFÉRIORITÉ, il se croit moins fort que les autres (≠ supériorité).

infernal → ENFER.

infester v. *La maison* EST INFESTÉE *par les mouches,* il y en a beaucoup (= envahir).
• **R.** V. INFECTER.

infidèle → FIDÈLE.

s'infiltrer v. *L'eau* S'INFILTRE *dans le sol,* elle y pénètre.

infime adj. *Il y a une* INFIME *différence entre ces deux dessins,* très petite (= minime; ≠ énorme).

infini, infiniment, infinité → FIN 1.

13 ◁ **infinitif** n. m. *«Aimer», «sortir» sont des verbes à l'*INFINITIF, un mode qui ne se conjugue pas.

infirme adj. et n. *Depuis son accident, il est resté* INFIRME (= invalide, mutilé, estropié). ◆ **infirmité** n. f. *Il est aveugle, sourd et manchot. Comment peut-il supporter toutes ces* INFIRMITÉS?

39, 38 ◁ **infirmier** n. *Une* INFIRMIÈRE *est venue me faire des piqûres,* une personne qui s'occupe des malades. ◆ **infirmerie** n. f. *On a transporté le blessé à l'*INFIRMERIE, le bâtiment où l'on met les malades.

infirmité → INFIRME. / **inflammable, inflammation** → FLAMME.

inflation n. f. *Les salariés souffrent de l'*INFLATION, de la hausse des prix.

inflexible → FLÉCHIR.

infliger v. *L'agent lui* A INFLIGÉ *une amende pour excès de vitesse,* il l'a puni d'une amende (= appliquer).

influence n. f. **1.** *La mer exerce une* INFLUENCE *sur le climat* (= action, effet). — **2.** *M. Dupont a beaucoup d'*INFLUENCE *sur moi,* j'écoute ce qu'il dit (= autorité, pouvoir). ◆ **influencer** v. (sens 2) *Jean se laisse facilement* INFLUENCER (= entraîner). ◆ **influençable** adj. (sens 2) *Jean est* INFLUENÇABLE (≠ têtu). ◆ **influent** adj. (sens 2) *Ce ministre est très* INFLUENT, il a beaucoup de pouvoir. ◆ **influer** v. (sens 1) *Les pluies* INFLUENT *sur les récoltes,* ont une influence.

information n. f. **1.** *De qui tiens-tu cette* INFORMATION? (= renseignement, nouvelle). — **2.** (au plur.) *As-tu écouté les* INFORMATIONS *à la radio?,* les nouvelles de la journée. ◆ **informer** v. *Les journaux nous* ONT INFORMÉS *des événements,* ils nous les ont appris (= avertir, renseigner). ‖ T'ES-*tu* INFORMÉ *de sa santé?,* t'es-tu mis au courant?

informatique n. f. L'INFORMATIQUE est la science et la technique des ordinateurs.

informe → FORME. / **informer** → INFORMATION. / **infraction** → ENFREINDRE. / **infranchissable** → FRANCHIR. / **infructueux** → FRUIT.

infuser v. *Laisse le thé* INFUSER *quelques minutes!,* tremper dans l'eau bouillante. ◆ **infusion** n. f. *Tous les soirs, il boit une* INFUSION *de menthe* (= tisane).

s'ingénier v. *Il* S'EST INGÉNIÉ *à me mettre en colère,* il a fait tous ses efforts pour cela.

ingénieur n. m. *M. Duval est* INGÉNIEUR *dans une usine chimique,* il dirige le travail des ouvriers.

ingénieux adj. *Mme Durand est* INGÉNIEUSE (= intelligent, astucieux). ◆ **ingéniosité** n. f. *Ce problème demande de l'*INGÉNIOSITÉ, de la finesse d'esprit.

ingénu adj. *Marie a un air* INGÉNU (= naïf, simple).

s'ingérer v. *Il a voulu* S'INGÉRER *dans mes affaires,* s'en mêler sans en avoir le droit.

ingrat 1. adj. et n. *Quel* INGRAT! *il a oublié ce que j'ai fait pour lui,* il n'a pas de reconnaissance. — 2. adj. *M. Dupont fait un travail* INGRAT (= désagréable; ≠ plaisant). ◆ **ingratitude** n. f. (sens 1) *Je lui ai reproché son* INGRATITUDE.

ingrédient n. m. *Pour faire cette sauce, il faut de nombreux* INGRÉDIENTS (= produit).

ingurgiter v. *En une minute, il* A INGURGITÉ *trois gâteaux,* avalé avidement (= engloutir).

inhabitable, inhabité → HABITER. / **inhabituel** → HABITUDE.

inhalation n. f. *Jean a mal à la gorge, il doit faire des* INHALATIONS, aspirer des vapeurs pour se soigner.

inhérent adj. *De nombreux avantages sont* INHÉRENTS *à cette fonction,* y sont liés (= inséparable).

inhospitalier → HOSPITALIER. / **inhumain** → HOMME.

inhumer v. *M. Dupuis* A ÉTÉ INHUMÉ *au cimetière du Montparnasse* (= enterrer). ◆ **inhumation** n. f. *L'*INHUMATION *a eu lieu hier* (= enterrement). ◆ **exhumer** v. EXHUMER *un cadavre,* c'est le sortir de terre.

inimaginable → IMAGINER. / **inimitable** → IMITER.

inimitié n. f. *Je ne comprends pas son* INIMITIÉ *à mon égard* (= hostilité; ≠ amitié).

inintelligible → INTELLIGENCE. / **inintéressant** → INTÉRÊT. / **ininterrompu** → INTERROMPRE.

inique adj. *Ce jugement est* INIQUE, très injuste.

initial 1. adj. *Jean a renoncé à son projet* INITIAL, qu'il avait au début (= premier; ≠ final). — 2. n. f. *« J. D. » sont les* INITIALES *de Jean Dupont,* les premières lettres de son nom. ◆ **initialement** adv. (sens 1) INITIALEMENT, *je voulais partir demain,* au début.

initiation → INITIER.

initiative n. f. 1. *Jean a pris l'*INITIATIVE *de venir nous voir,* il a décidé lui-même de le faire. — 2. *Jean a l'esprit d'*INITIATIVE, il sait prendre ses décisions tout seul.

initier v. *Mon grand-père m'*A INITIÉ *aux échecs,* il m'a appris à y jouer, à aimer ce jeu. ◆ **initiation** n. f. *Ce livre est une bonne* INITIATION *aux mathématiques,* un début pour les apprendre (= introduction).

injecter v. *Il faudra* INJECTER *ce médicament au malade,* lui faire une piqûre. ◆ **injection** n. f. *On fait les* INJECTIONS *avec une seringue et une aiguille* (= piqûre).

injonction n. f. *Pierre a désobéi aux* INJONCTIONS *de son père* (= ordre). • **R.** Ne pas confondre *injonction* et *injection.*

injure n. f. *Paul s'est mis en colère et m'a crié des* INJURES (= insulte; ≠ compliment). ◆ **injurier** v. *Il m'*A INJURIÉ, *en me traitant d'imbécile.* ◆ **injurieux** adj. *Il m'a parlé en termes* INJURIEUX (= offensant, outrageant; ≠ respectueux).

injuste, injustement, injustice → JUSTE. / **injustifié** → JUSTIFIER. / **inlassable** → LAS. / **inné** → NAÎTRE.

innocent adj. et n. **1.** *L'accusé répétait qu'il était* INNOCENT, qu'il n'avait rien fait (≠ coupable). — **2.** *Jean a pris un air* INNOCENT *pour me répondre,* un peu bête (= naïf; ≠ malin). — **3.** *Il a l'*INNOCENTE *habitude de se gratter l'oreille,* sans danger (≠ méchant, grave). ◆ **innocence** n. f. (sens 1) *Son* INNOCENCE *a été finalement reconnue* (≠ culpabilité). ◆ **innocenter** v. (sens 1) *Le tribunal l'*A INNOCENTÉ, déclaré innocent (= disculper; ≠ condamner).

innombrable → NOMBRE.

innovation n. f. *Le directeur a introduit des* INNOVATIONS *dans le travail* (= changement, nouveauté).

inoccupé → OCCUPER. / **inodore** → ODEUR. / **inoffensif** → OFFENSIF.

inonder v. *Le fleuve en crue* A INONDÉ *les champs,* les a recouverts d'eau.
721 ◁ ◆ **inondation** n. f. *L'*INONDATION *a été causée par de fortes pluies.*

inopiné adj. *Son arrivée a été* INOPINÉE (= imprévu, inattendu). ◆ **inopinément** adv. *Il est entré* INOPINÉMENT *dans la pièce,* à l'improviste.

inopportun → OPPORTUN. / **inoubliable** → OUBLIER.

inouï adj. *Je viens d'apprendre une chose* INOUÏE (= extraordinaire, incroyable).

inoxydable → OXYDER. / **inqualifiable** → QUALIFIER.

inquiet adj. *Je suis* INQUIET *de ne pas recevoir de ses nouvelles,* je me fais du souci (= anxieux; ≠ tranquille). ◆ **inquiétant** adj. *La situation est* INQUIÉTANTE (= alarmant, menaçant; ≠ rassurant). ◆ **inquiéter** v. *Ta santé m'*INQUIÈTE. ‖ *Ne* T'INQUIÈTE *pas, je ne cours aucun danger* (= se tracasser; ≠ se calmer). ◆ **inquiétude** n. f. *Pars sans* INQUIÉTUDE, *je m'occupe de tout* (= souci).

insaisissable → SAISIR. / **insalubre** → SALUBRE.

insanité n. f. *Tu dis des* INSANITÉS (= bêtise).

insatiable → SATIÉTÉ.

inscrire v. **1.** *Qu'est-ce qui* EST INSCRIT *sur ce panneau? — «Entrée interdite»* (= marquer, écrire). — **2.** *Jean* S'EST INSCRIT *à l'association sportive,* il en fait partie. ◆ **inscription** n. f. (sens 1) *Les murs sont recouverts d'*INSCRIPTIONS, de mots écrits. • (sens 2) *L'*INSCRIPTION *dans ce club coûte cher.*

• **R.** Conj. nº 71.

insecte n. m. *Les mouches, les abeilles, les fourmis sont des* INSECTES. ◆ **insecticide** n. m. et adj. *On a mis de l'*INSECTICIDE *sur les cultures,* un produit pour tuer les insectes. ◆ **insectivore** n. m. et adj. *Les moineaux, les hirondelles sont (des)* INSECTIVORES, ils mangent des insectes pour se nourrir.

▷ 363
▷ 362

insensé → SENS. / **insensibiliser, insensibilité, insensible, insensiblement** → SENSIBLE. / **inséparable** → SÉPARER.

insérer v. *Pour voter, on* INSÈRE *un bulletin dans une enveloppe* (= glisser, introduire).

insidieux adj. *Son adversaire lui a posé des questions* INSIDIEUSES (= trompeur, sournois).

insigne n. m. *Les soldats portent des* INSIGNES *sur leur uniforme,* des signes distinctifs.

▷ 763, 767

insignifiant adj. *J'ai payé ces poires un prix* INSIGNIFIANT, très peu important (≠ considérable).

insinuer v. **1.** *Il* A INSINUÉ *que c'était moi le coupable,* il l'a dit d'une manière sournoise (= suggérer). — **2.** *Jean essaie de* S'INSINUER *dans ce groupe,* de s'y introduire habilement. ◆ **insinuation** n. f. (sens 1) *Pas d'*INSINUATIONS, *parle franchement!,* pas d'accusations détournées.

insipide adj. *Ce thé est* INSIPIDE, sans goût (= fade).

insister v. *Jean* A INSISTÉ *pour que je vienne,* il l'a demandé plusieurs fois. ◆ **insistance** n. f. *Il a réclamé avec* INSISTANCE *d'aller au cinéma* (= obstination).

insolation n. f. *Si tu restes au soleil, tu vas avoir une* INSOLATION, un grave coup de soleil.

insolent adj. et n. *Paul est (un)* INSOLENT (= impoli, grossier, effronté). ◆ **insolence** n. f. *On l'a puni pour son* INSOLENCE (= impertinence).

insolite adj. *Cette voiture a un aspect* INSOLITE (= bizarre, étrange; ≠ normal).

insoluble → SOLUTION. / **insolvable** → SOLVABLE. / **insomnie** → SOMMEIL. / **insondable** → SONDER. / **insonore, insonoriser** → SON 2. / **insouciance, insouciant** → SOUCI 2. / **insoumis, insoumission** → SOUMETTRE. / **insoutenable** → SOUTENIR.

inspecter v. *L'architecte* INSPECTE *les travaux,* il contrôle si tout va bien (= surveiller). ◆ **inspection** n. f. *Les douaniers ont fait une tournée d'*INSPECTION (= examen). ◆ **inspecteur** n. *Un* INSPECTEUR *est venu assister au cours de français.*

inspirer v. **1.** *Jean m'*INSPIRE *confiance,* j'ai confiance en lui (= donner). — **2.** *Ce poète* EST INSPIRÉ *par la campagne,* la campagne fait naître en lui des idées et des sentiments. — **3.** INSPIREZ *lentement!,* faites entrer de l'air dans vos poumons (≠ expirer). ◆ **inspiration** n. f. (sens 2) *Jean a eu soudain une* INSPIRATION (= idée). • (sens 3) *L'*INSPIRATION *et l'expiration se succèdent et constituent la respiration.*

instable → STABLE.

installer v. **1.** *On a fait* INSTALLER *le téléphone,* mettre en place (= poser). — **2.** *Les Dupont* SE SONT INSTALLÉS *à Marseille,* ils y habitent (= s'établir). — **3.** *Jean* S'EST INSTALLÉ *dans un fauteuil,* il s'y est assis confortablement. ◆ **installation** n. f. (sens 1) *L'*INSTALLATION *de la maison est terminée* (= aménagement). • (sens 2) *Leur* INSTALLATION *à Marseille date du mois dernier* (= établissement).

1. instant adj. *Malgré mes demandes* INSTANTES, *il a refusé de me recevoir* (= pressant, insistant). ◆ **instamment** adv. *Il m'a prié* INSTAMMENT *de venir* (= vivement). ◆ **instances** n. f. pl. *Devant ses* INSTANCES *répétées, j'ai accepté* (= prières, sollicitations).

2. instant n. m. *Attendez un* INSTANT!, un petit moment (= minute, seconde). ◆ **instantané** adj. *La mort a été* INSTANTANÉE (= immédiat, brusque). ◆ **instantanément** adv. *Il a répondu* INSTANTANÉMENT (= tout de suite, aussitôt).

instaurer v. *La Révolution* A INSTAURÉ *la république* (= établir, instituer).

instigation n. f. *Il a agi à l'*INSTIGATION *de son frère,* poussé par lui. ◆ **instigateur** n. *Marie est l'*INSTIGATRICE *de cette farce stupide,* c'est elle qui a poussé à la faire.

instinct n. m. **1.** *Les animaux sont guidés par leur* INSTINCT, une force intérieure qui les fait agir. — **2.** D'INSTINCT, *je me suis méfié de lui,* sans réfléchir, spontanément. ◆ **instinctif** adj. *Jean a fait un geste* INSTINCTIF *de défense* (= involontaire, machinal; ≠ réfléchi).

• **R.** *Instinct* se prononce [ɛ̃stɛ̃].

instituer v. *Cette loi* A INSTITUÉ *de nouveaux règlements* (= établir, créer).

institut n. m. *De nombreux savants travaillent dans cet* INSTITUT, cet établissement scientifique.

295 ◁ **instituteur** n. *Marie a une nouvelle* INSTITUTRICE, une maîtresse d'école.

institution n. f. **1.** (au plur.) *Un référendum a modifié les* INSTITUTIONS, les lois fondamentales (= régime). — **2.** *Il est professeur dans une* INSTITUTION *religieuse,* un collège privé.

instruire v. **1.** *On va à l'école pour* S'INSTRUIRE, acquérir des connaissances (= apprendre, étudier). — **2.** *On m'*A INSTRUIT *des difficultés de ce travail,* mis au courant (= renseigner). — **3.** *Le juge* INSTRUIT *le procès,* il rassemble tous les faits à connaître. ◆ **instructif** adj. (sens 1) *Ce livre est* INSTRUCTIF (= éducatif). ◆ **instruction** n. f. (sens 1) *M. Durand a de l'*INSTRUCTION, il a des connaissances étendues.

• (sens 2) [au plur.] *Il m'a donné des* INSTRUCTIONS *précises,* renseigné sur ce qu'il fallait faire (= ordre). • (sens 3) *Le juge d'*INSTRUCTION *a interrogé les témoins.*

• **R.** Conj. nº 70.

instrument n. m. **1.** *Le râteau, la bêche sont des* INSTRUMENTS *de jardinage,* des objets servant à jardiner (= outil, ustensile). — **2.** *Le violon, la guitare sont des* INSTRUMENTS *à cordes; la trompette, la flûte sont des* INSTRUMENTS *à vent.* ▷ 39 ▷ 439

à l'insu de prép. *Il est sorti* À L'INSU DE *son père,* sans que celui-ci le sache.

insubmersible → SUBMERGER. / **insubordination** → SUBORDONNER. / **insuccès** → SUCCÈS. / **insuffisance, insuffisant** → SUFFIRE. / **insulaire** → ÎLE.

insulter v. *Jean s'est énervé et il m'*A INSULTÉ (= injurier). ◆ **insulte** n. f. *«Imbécile», «crétin», «idiot» sont des* INSULTES (= injure).

insupportable → SUPPORTER.

s'insurger v. *Le peuple* S'EST INSURGÉ *contre le dictateur* (= se révolter, se soulever). ◆ **insurrection** n. f. *Une* INSURRECTION *a éclaté dans ce pays* (= révolte).

insurmontable → SURMONTER.

intact adj. *Malgré la tempête, le bateau est* INTACT, en bon état (≠ abîmé, endommagé).

intarissable → TARIR.

intégral adj. *Le gouvernement a décidé un changement* INTÉGRAL *de politique* (= complet, total; ≠ partiel). ◆ **intégralement** adv. *Il m'a remboursé* INTÉGRALEMENT.

intègre adj. *M. Durand est un homme* INTÈGRE (= honnête; ≠ corrompu). ◆ **intégrité** n. f. *Son* INTÉGRITÉ *lui vaut le respect général* (= honnêteté).

intégrer v. **1.** *L'écrivain* A INTÉGRÉ *un nouveau chapitre dans son livre,* il l'y a mis (= ajouter, incorporer). — **2.** *Jean* S'EST *mal* INTÉGRÉ *dans sa nouvelle école,* il s'y sent mal à l'aise.

intégrité → INTÈGRE.

intelligence n. f. **1.** *En agissant ainsi, tu as fait preuve d'*INTELLIGENCE (= réflexion, clairvoyance; ≠ bêtise, stupidité). — **2.** *M. Durand vit en bonne* INTELLIGENCE *avec ses voisins* (= entente, accord). ◆ **intellectuel** adj. et n. (sens 1) *Ce travail demande un effort* INTELLECTUEL, de l'intelligence (= cérébral; ≠ manuel). ‖ *Les savants, les professeurs sont des* INTELLECTUELS, ils ne travaillent pas de leurs mains. ◆ **intelligent** adj. (sens 1) *Jean est un enfant très* INTELLIGENT, il comprend vite (= éveillé, astucieux; ≠ bête, sot). ◆ **intelligemment** adv. (sens 1) *Marie a répondu* INTELLIGEMMENT (≠ bêtement). ◆ **intelligible** adj. (sens 1) *Ce que tu racontes n'est pas* INTELLIGIBLE (= compréhensible, clair). ◆ **intelligiblement** adv. (sens 1) *Parle plus* INTELLIGIBLEMENT! ◆ **inintelligible** adj. (sens 1) *Ce texte est* ININTELLIGIBLE, on ne peut pas le comprendre.

intempéries n. f. pl. *Malgré les* INTEMPÉRIES, *on est arrivé à l'heure,* le mauvais temps.

intempestif adj. *Jean m'a posé une question* INTEMPESTIVE, mal à propos (= déplacé, indiscret).

intenable → TENIR.

intendant n. *L'*INTENDANT *du lycée est chargé de calculer les recettes et les dépenses.* ◆ **intendance** n. f. À l'armée, l'INTENDANCE est le service du ravitaillement des troupes.

intense adj. *Jean écoute de la musique avec un plaisir* INTENSE, très grand (= vif; ≠ faible). ◆ **intensif** adj. *Cet examen demande une préparation* INTENSIVE, il faut faire des efforts intenses. ◆ **intensifier** v. *Il faut* INTENSIFIER *tes efforts* (= augmenter). ◆ **intensité** n. f. *L'*INTENSITÉ *de ce bruit est difficile à supporter* (= force).

intenter v. *M. Dupont* A INTENTÉ *un procès à son voisin,* il l'a poursuivi en justice.

intention n. f. *J'ai l'*INTENTION *de partir demain,* je veux le faire (= projet, dessein). ◆ **intentionné** adj. *Paul est* BIEN (MAL) INTENTIONNÉ *à mon égard,* ses intentions sont bonnes (mauvaises) [= bienveillant; ≠ malveillant]. ◆ **intentionnel** adj. *Si je t'ai fait mal, ce n'était pas* INTENTIONNEL (= voulu).

• **R.** *Mal intentionné* peut aussi s'écrire en un seul mot : *malintentionné.*

inter-, placé devant un mot, indique une relation.

intercaler v. *Une voiture est venue* S'INTERCALER *entre nous et la voiture de devant,* se mettre dans la place vide.

intercéder v. *J'*AI INTERCÉDÉ *en ta faveur,* je suis intervenu pour te soutenir.

intercepter v. *Le joueur a réussi à* INTERCEPTER *la balle,* à la prendre au passage.

interchangeable → CHANGER. / **interdépendance, interdépendant** → DÉPENDRE.

interdire v. *Il* EST INTERDIT *de marcher sur les pelouses* (= défendre; ≠ permettre, autoriser). ◆ **interdiction** n. f. *Il est sorti malgré mon* INTERDICTION (= défense; ≠ permission).

507 ◁

• **R.** Conj. n° 72.

interdit adj. *Ma réponse l'a laissé* INTERDIT, très étonné (= ébahi).

intérêt n. m. **1.** *Ce livre a beaucoup d'*INTÉRÊT, il n'est pas ennuyeux, il ne laisse pas indifférent. — **2.** *Un détail a éveillé mon* INTÉRÊT (= attention, curiosité; ≠ indifférence). — **3.** *M. Dupont a agi dans son* INTÉRÊT (= avantage). — **4.** *Quand on emprunte de l'argent, on paie des* INTÉRÊTS, une certaine somme. ◆ **intéressant** adj. (sens 1 et 2) *J'ai vu un film* INTÉRESSANT (= passionnant, captivant; ≠ ennuyeux). • (sens 3) *On a fait une affaire* INTÉRESSANTE (= avantageux). ◆ **intéressé** adj. (sens 3) *M. Dupont est un homme* INTÉRESSÉ, il agit dans son seul intérêt

(≠ généreux). ◆ **intéresser** v. **1.** (sens 1 et 2) *Jean* S'INTÉRESSE *à la musique. La danse l'*INTÉRESSE *aussi* (= passionner; ≠ ennuyer). — **2.** *Cette loi* INTÉRESSE *les paysans,* elle a de l'importance pour eux (= concerner). ◆ **désintéressé** adj. (sens 3) *M. Durand est un homme* DÉSINTÉRESSÉ, il pense aux autres (= généreux; ≠ avare). ◆ **désintéressement** n. m. (sens 3) *Il a agi avec* DÉSINTÉRESSEMENT (= générosité). ◆ **se désintéresser** v. (sens 1 et 2) *Paul* SE DÉSINTÉRESSE *de son travail,* il n'a plus d'intérêt pour lui (= se moquer, négliger). ◆ **inintéressant** adj. (sens 1) *Ce roman est* ININTÉRESSANT, sans intérêt.

intérieur adj. **1.** *Je mets mon argent dans la poche* INTÉRIEURE *de ma veste,* celle qui est dedans. — **2.** *Le président a parlé de la politique* INTÉRIEURE, de ce qui se passe dans le pays (≠ extérieur). ◆ **intérieur** n. m. (sens 1) *Regarde à l'*INTÉRIEUR *du tiroir,* dans le tiroir. • (sens 2) *Le ministre de l'*INTÉRIEUR *est chargé de l'administration du pays.* ◆ **intérieurement** adv. (sens 1) INTÉRIEUREMENT, *la maison est en mauvais état.* ◆ **extérieur** adj. (sens 1) *On va au premier étage par un escalier* EXTÉRIEUR, qui passe dehors. • (sens 2) *Le ministre des Affaires étrangères dirige la politique* EXTÉRIEURE *du pays.* ◆ **extérieur** n. m. (sens 1) *Ne reste pas à l'*EXTÉRIEUR, *entre!,* dehors. ◆ **extérieurement** adv. (sens 1) EXTÉRIEUREMENT, *Jean est très gai,* en apparence.

intérim n. m. *M. Dubois exerce cette fonction par* INTÉRIM, il remplace quelqu'un. ◆ **intérimaire** adj. *Il a des fonctions* INTÉRIMAIRES (= provisoire).

interjection n. f. *«Ah!», «oh!», «hélas!» sont des* INTERJECTIONS.

interlocuteur n. *N'interromps pas sans arrêt ton* INTERLOCUTEUR!, la personne à qui tu parles.

interloquer v. *Ma réponse l'*A INTERLOQUÉ, beaucoup surpris.

intermède n. m. *La séance a été coupée par un* INTERMÈDE *comique,* un moment de détente.

intermédiaire n. **1.** *Il a servi d'*INTERMÉDIAIRE *pour les réconcilier,* de lien entre eux. — **2.** *J'ai eu ce livre* PAR L'INTERMÉDIAIRE DE *Jean,* grâce à lui. ◆ **intermédiaire** adj. (sens 1) *Mars est* INTERMÉDIAIRE *entre l'hiver et le printemps,* entre les deux.

interminable → TERMINER.

intermittent adj. *Qu'est-ce que c'est que ce bruit* INTERMITTENT?, qui s'arrête et recommence (≠ continu). ◆ **intermittence** n. f. *Ce signal s'allume* PAR INTERMITTENCE, irrégulièrement.

international → NATION.

interne 1. adj. *Le cœur est un organe* INTERNE, situé à l'intérieur du corps. — **2.** adj. et n. *Les (élèves)* INTERNES *mangent et couchent dans le lycée* (= pensionnaire). — **3.** n. *Jacques est* INTERNE *en médecine,* il est médecin dans un hôpital. ◆ **internat** n. m. (sens 2) *Paul est élève dans un* INTERNAT (= pensionnat). • (sens 3) L'INTERNAT est un concours pour devenir médecin dans les hôpitaux. ◆ **externe** adj. et n. (sens 1) *Tu as un bouton sur la partie* EXTERNE *du nez* (= extérieur). • (sens 2) *Les (élèves)* EXTERNES *rentrent chez eux tous les soirs.* • (sens 3) Un EXTERNE est un étudiant en médecine.

interner v. *L'assassin* A ÉTÉ INTERNÉ *à la prison de Fresnes* (= enfermer).

interpeller v. *Jean m'a rencontré dans la rue et il m'*A INTERPELLÉ, appelé brusquement (= apostropher).

interplanétaire → PLANÈTE.

s'interposer v. *M. Durand* S'EST INTERPOSÉ *dans la dispute,* il est intervenu pour y mettre fin.

interpréter v. **1.** *Je ne sais comment* INTERPRÉTER *ses paroles,* comment il faut les comprendre (= expliquer). — **2.** *L'orchestre* A INTERPRÉTÉ *une symphonie* (= jouer). ◆ **interprétation** n. f. (sens 1) *Chacun avait son* INTERPRÉTATION *de l'accident* (= explication). • (sens 2) *Cet acteur a eu le prix de la meilleure* INTERPRÉTATION, il a le mieux joué. ◆ **interprète** n. **1.** (sens 2) *Les* INTERPRÈTES *de la pièce ont été applaudis* (= acteur). — **2.** *M. Smith ne sait pas le français, il a besoin d'un* INTERPRÈTE, de quelqu'un qui traduit pour lui le français et l'anglais.

interroger v. *M. Durand m'*A INTERROGÉ *sur ce que je voulais faire,* il m'a posé des questions. ◆ **interrogateur** adj. *Il m'a regardé d'un air* INTERROGATEUR, comme s'il voulait m'interroger. ◆ **interrogatif** adj. *«Est-ce qu'il vient?» est une phrase* INTERROGATIVE, qui contient une question. ◆ **interrogation** n. f. *Une phrase interrogative finit par un point d'*INTERROGATION. ◆ **interrogatoire** n. m. *La police lui a fait subir un* INTERROGATOIRE, lui a posé de nombreuses questions.

interrompre v. **1.** *M. Dupont* A INTERROMPU *son voyage* (= arrêter; ≠ continuer). — **2.** *Jean* A INTERROMPU *le professeur,* il lui a coupé la parole. ◆ **interruption** n. f. *Il a parlé sans* INTERRUPTION *pendant une heure* (= arrêt, coupure). ◆ **interrupteur** n. m. (sens 1) *Un* INTERRUPTEUR *sert à couper le courant électrique.* ◆ **ininterrompu** adj. (sens 1) *Quel est ce bruit* ININTERROMPU? (= continuel). 290 ◁

• **R.** Conj. n° 53.

507 ◁ **intersection** n. f. *La boulangerie se trouve à l'*INTERSECTION *des deux rues,* là où elles se croisent.

interstice n. m. *La pluie pénètre par des* INTERSTICES *du toit,* des petites fentes.

intervalle n. m. **1.** *Laisse plus d'*INTERVALLE *entre tes mots* (= espace, place, distance). — **2.** *Il y a un* INTERVALLE *d'une heure entre l'arrivée et le départ du train* (= durée).

intervenir v. *Jean* EST INTERVENU *pour me défendre,* il est entré en action, il s'en est occupé. ◆ **intervention** n. f. *Je te remercie de ton* INTERVENTION (= action).

• **R.** *Intervenir* se conjugue avec *être.* ‖ Conj. n° 22.

intervertir v. *Tu* AS INTERVERTI *deux mots dans ta phrase,* tu as mis l'un à la place de l'autre.

interview n. f. *Le ministre a accordé une* INTERVIEW *à un journaliste* (= entrevue, entretien). ◆ **interviewer** v. *Le journaliste* A INTERVIEWÉ *le ministre,* il lui a posé des questions.

• **R.** On prononce [ɛ̃tɛrvju, ɛ̃tɛrvjuve].

intestin n. m. *La digestion des aliments se termine dans l'*INTESTIN, dans un organe contenu dans le ventre. ◆ **intestinal** adj. *J'ai des douleurs* INTESTINALES. ▷ 40

intime adj. **1.** *Ma vie* INTIME *ne te regarde pas* (= personnel, privé). — **2.** *Pierre est mon ami* INTIME, très cher, très proche. ◆ **intimité** n. f. (sens 2) *Je vis en grande* INTIMITÉ *avec Pierre,* nous sommes très amis. ◆ **intimement** adv. (sens 2) *Je le connais* INTIMEMENT, très bien.

intimer v. *Il m'*A INTIMÉ L'ORDRE DE *sortir* (= ordonner).

intimider → TIMIDE. / **intimité** → INTIME. / **intituler** → TITRE. / **intolérable, intolérance, intolérant** → TOLÉRER.

intonation n. f. *À son* INTONATION, *j'ai senti qu'il était en colère,* au ton de sa voix.

intoxication, intoxiquer → TOXIQUE.

intra-, placé devant un mot, indique l'intérieur.

intraduisible → TRADUIRE. / **intraitable** → TRAITER. / **intramusculaire** → MUSCLE. / **intransigeance, intransigeant** → TRANSIGER. / **intransitif** → TRANSITIF. / **intraveineux** → VEINE.

intrépide adj. *Jean est un garçon* INTRÉPIDE, il n'a pas peur du danger (= courageux, brave; ≠ peureux). ◆ **intrépidité** n. f. *J'admire ton* INTRÉPIDITÉ (= hardiesse; ≠ lâcheté).

intrigue n. f. **1.** *L'*INTRIGUE *de ce film est compliquée,* le déroulement des événements (= action). — **2.** *Ce député a mené des* INTRIGUES *pour devenir ministre,* des manœuvres secrètes (= machination). ◆ **intriguer** v. **1.** (sens 2) *Il* A INTRIGUÉ *pour se faire nommer à ce poste.* — **2.** *Ce que tu fais m'*INTRIGUE (= surprendre, étonner).

introduire v. **1.** *Un voleur* S'EST INTRODUIT *dans la maison,* il y est entré. — **2.** *Pour ouvrir la porte, on* INTRODUIT *la clé dans la serrure,* on l'y fait entrer (= enfoncer). ◆ **introduction** n. f. **1.** (sens 1) *Il a apporté une lettre d'*INTRODUCTION, pour pouvoir entrer. — **2.** *L'*INTRODUCTION *de ton devoir est trop longue* (= début; ≠ conclusion).

• **R.** Conj. n° 70.

introuvable → TROUVER.

intrus n. *Tout le monde l'a regardé comme un* INTRUS, quelqu'un qui est là sans en avoir le droit (= indésirable). ◆ **intrusion** n. f. *Pardonnez mon* INTRUSION!, mon arrivée intempestive.

intuition n. f. *J'ai l'*INTUITION *que tu réussiras,* je le pense sans pouvoir le prouver (= pressentiment).

inusable, inusité → USER. / **inutile, inutilement, inutilisable, inutilisé, inutilité** → UTILE. / **invaincu** → VAINCRE. / **invalide, invalider, invalidité** → VALIDE. / **invariable** → VARIER. / **invasion** → ENVAHIR.

invectives n. f. pl. *Les deux adversaires se lançaient des* INVECTIVES (= injures).

invendable → VENDRE.

inventaire n. m. *Le commerçant a fait l'*INVENTAIRE *de ce qui lui restait,* la liste précise.

inventer v. **1.** *Gutenberg* A INVENTÉ *l'imprimerie* (= trouver, découvrir, créer). — **2.** *Paul* A INVENTÉ *cette histoire pour me nuire* (= imaginer). ◆ **invention** n. f. (sens 1) *L'électricité est une belle* INVENTION (= découverte). ◆ **inventeur** n. m. (sens 1) *Gutenberg est l'*INVENTEUR *de l'imprimerie.* ◆ **inventif** adj. (sens 1) *Jean a un esprit* INVENTIF (= ingénieux).

inverse adj. et n. m. *Pierre est reparti en sens* INVERSE (= opposé, contraire). ‖ *Tu t'es trompé, il fallait faire l'*INVERSE. ◆ **inverser** v. *Si tu* INVERSES *ces deux mots, ta phrase sera plus claire,* si tu changes leur ordre. ◆ **inversion** n. f. *Dans «viendra-t-il?», il y a une* INVERSION *du sujet,* le sujet, qui est d'habitude avant le verbe, est après.

invertébré → VERTÈBRE.

investigation n. f. *Les* INVESTIGATIONS *de la police ont été sans résultat* (= recherche).

investir v. **1.** *Le général Dubois* A ÉTÉ INVESTI *du commandement des troupes,* on le lui a confié. — **2.** *M. Durand* A INVESTI *de l'argent dans cette entreprise,* il l'a placé pour qu'il rapporte. ◆ **investissement** n. m. (sens 2) *Cette entreprise fait des* INVESTISSEMENTS *pour s'agrandir,* elle dépense de l'argent.

invincible → VAINCRE. / **invisible** → VOIR.

inviter v. *Jean* A INVITÉ *ses amis pour son anniversaire,* il les a priés de venir chez lui. ◆ **invitation** n. f. *As-tu accepté son* INVITATION *à son mariage?* ◆ **invité** n. *M*[me] *Durand reçoit des* INVITÉS.

involontaire, involontairement → VOULOIR.

invoquer v. **1.** INVOQUER *une divinité,* c'est l'appeler à son aide. — **2.** *Il* A INVOQUÉ *sa fatigue pour ne pas venir,* il a donné cela comme explication.

invraisemblable, invraisemblance → VRAI. / **invulnérable** → VULNÉRABLE.

iode n. m. *On met de la teinture d'*IODE *sur les blessures pour les désinfecter.*

irascible adj. *M*[me] *Dupont est une femme* IRASCIBLE, elle se met facilement en colère (= irritable).

80 ◁ 33 ◁ **iris** n. m. **1.** *Marie a acheté un bouquet d'*IRIS, de fleurs le plus souvent mauves. — **2.** *La pupille de l'œil est située au centre de l'*IRIS, le rond coloré au milieu de l'œil.

ironie n. f. *Il y avait de l'*IRONIE *dans ses paroles* (= moquerie, raillerie). ◆ **ironique** adj. *Il m'a regardé d'un air* IRONIQUE (= narquois, moqueur; ≠ sérieux). ◆ **ironiquement** adv. *Il m'a demandé* IRONIQUEMENT *où j'allais.*

irraisonné, irrationnel → RAISON. / **irréalisable** → RÉALISER. / **irrécusable** → RÉCUSER. / **irréductible** → RÉDUIRE. / **irréel** → RÉEL. / **irréfléchi** → RÉFLÉCHIR. / **irréfutable** → RÉFUTER. / **irrégularité, irrégulier, irrégulièrement** → RÉGULIER. / **irrémédiable** → REMÉDIER. / **irremplaçable** → REMPLACER. / **irréparable** → RÉPARER. / **irréprochable** → REPROCHE. / **irrésistible** → RÉSISTER. / **irrésolu, irrésolution** → RÉSOUDRE. / **irrespirable** → RESPIRER. / **irresponsable** → RESPONSABLE. / **irrévocable** → RÉVOQUER.

irriguer v. *Ces jardins* SONT IRRIGUÉS (= arroser). ◆ **irrigation** n. f. *Sans* IRRIGATION, *cette région serait un désert* (= arrosage).

irriter v. **1.** *Mes remarques l'*ONT IRRITÉ, mis en colère (= contrarier, impatienter). — **2.** *Cette fumée m'*IRRITE *les yeux,* me pique. ◆ **irritation** n. f. (sens 1) *On a essayé de calmer son* IRRITATION (= colère). • (sens 2) *Jean se plaint d'une* IRRITATION *de la gorge* (= inflammation). ◆ **irritable** adj. (sens 1) *M. Durand est très* IRRITABLE (= coléreux, irascible).

irruption n. f. *Jean a fait* IRRUPTION *dans la chambre,* il est entré brusquement.

• **R.** Ne pas confondre *irruption* et *éruption.*

islam n. m. L'ISLAM est la religion de Mahomet. ◆ **islamique** adj. *Ali est de religion* ISLAMIQUE (= musulman).

isocèle adj. *Un triangle* ISOCÈLE *a deux côtés égaux.*

isoler v. **1.** *Quand il veut travailler, il* S'ISOLE *dans sa chambre,* il se met à l'écart des autres. — **2.** *Les murs épais nous* ISOLENT *du bruit de la rue* (= séparer). ◆ **isolant** n. m. (sens 2) *Le liège est un bon* ISOLANT. ◆ **isolé** adj. (sens 1) *Ils habitent dans une maison* ISOLÉE, à l'écart des autres. ◆ **isolement** n. m. (sens 1) *Jean se plaint de son* ISOLEMENT, d'être tout seul. ◆ **isolément** adv. (sens 1) *Ils ont travaillé* ISOLÉMENT, chacun de leur côté. ◆ **isoloir** n. m. (sens 1) *Pour voter, il faut entrer dans l'*ISOLOIR, une cabine où l'on est tout seul.

israélite adj. et n. *Daniel est de religion* ISRAÉLITE (= juif).

• **R.** Ne pas confondre *israélite* et *israélien* (v. p. 376).

issu adj. *M. Dupont* EST ISSU *d'une famille pauvre,* ce sont ses origines.

issue n. f. **1.** *Les* ISSUES *de la maison sont surveillées par la police,* les portes et les fenêtres (= sortie). — **2.** *La situation est sans* ISSUE (= solution).

isthme n. m. *L'*ISTHME *de Panama est traversé par le canal de Panama,* la bande de terre entre deux mers. ▷ 724

• **R.** On prononce [ism].

italique n. f. *Ce passage est en* ITALIQUE, en lettres d'imprimerie penchées. ▷ 290

itinéraire n. m. *Pour venir, on a choisi l'*ITINÉRAIRE *le plus court* (= chemin, trajet).

ivoire n. m. *Les défenses de l'éléphant sont en* IVOIRE, une matière blanche et dure. ▷ 40

ivre adj. **1.** *À moitié* IVRE, *il s'est mis à chanter,* il avait bu de l'alcool (= soûl). — **2.** *Marie était* IVRE DE *joie,* très joyeuse (= fou). ◆ **ivresse** n. f. (sens 1) *Conduire en état d'*IVRESSE *est très dangereux.* ◆ **ivrogne** n. (sens 1) *M. Duval est un* IVROGNE, il a l'habitude de boire. ◆ **ivrognerie** n. f. (sens 1) *Il a sombré dans l'*IVROGNERIE (= alcoolisme). ◆ **enivrer** v. (sens 1) *Il* S'EST ENIVRÉ *avec du vin* (= se soûler). • (sens 2) *Marie* EST ENIVRÉE *par son succès,* très contente (= transporter).

• **R.** *Enivrer* se prononce [ãnivre].

j' → JE.

jabot n. m. *Les oiseaux gardent leur nourriture dans le* JABOT, *avant qu'elle passe dans l'estomac,* la poche qu'ils ont dans le cou.

jacasser v. **1.** *La pie* JACASSE, elle pousse son cri. — **2.** Fam. *Marie et Catherine* JACASSENT, elles parlent bruyamment.

jachère n. f. *Une terre en* JACHÈRE est laissée momentanément sans culture pour qu'elle se repose. ▷ 364

jacinthe n. f. *La* JACINTHE *embaume toute la pièce,* une sorte de fleur. ▷ 73

jade n. m. *Un vase en* JADE est en pierre de couleur verdâtre.

jadis adv. JADIS, *cette ville n'existait pas* (= autrefois). ▷ 754
- **R.** Le *s* de *jadis* se prononce : [ʒadis].

jaguar n. m. *Le* JAGUAR *est plus grand que la panthère,* une bête fauve dont le pelage a des taches noires.
- **R.** On prononce [ʒagwar].

jaillir v. *L'eau* JAILLIT *du tuyau,* elle sort avec force (= gicler).

jais n. m. *Anne a des cheveux de* JAIS, d'un noir très foncé.
- **R.** *Jais* se prononce [ʒɛ] comme *geai, jet* ou *j'ai* (de *avoir*).

jalon n. m. **1.** *Pour tracer une route, on plante d'abord des* JALONS, des piquets servant de repères. — **2.** *J'espère être nommé à ce poste, j'*AI *déjà* POSÉ DES JALONS, préparé le terrain pour réussir. ◆ **jalonner** v. (sens 1) *Ce parcours* EST JALONNÉ *d'obstacles,* des obstacles sont placés de distance en distance. ▷ 145

jaloux adj. et n. **1.** *Paul a une femme très* JALOUSE, elle craint que son mari ne lui soit pas fidèle. — **2.** *Marie est* JALOUSE *du succès de sa sœur auprès des garçons,* elle lui en veut de son succès (= envieux). ◆ **jalousie** n. f. (sens 1 et 2) *Son succès a excité la* JALOUSIE *des autres,* leur envie. ◆ **jalouser** v. (sens 2) *Marie* JALOUSE *son frère,* elle en est jalouse (= envier).

jamais adv. **1.** *Je* NE *triche* JAMAIS, à aucun moment. — **2.** *Il est parti* À TOUT JAMAIS, pour toujours.

jambage n. m. *La lettre « n » a deux* JAMBAGES, deux traits verticaux.

368, 33 ◁ **jambe** n. f. *Pierre boite : il a mal à une* JAMBE. ◆ **enjambée** n. f. *M. Durand marche à grandes* ENJAMBÉES, à grands pas. ◆ **enjamber** v. *On peut facilement* ENJAMBER *ce ruisseau,* passer par-dessus d'une enjambée. ◆ **unijambiste** n. m. Un UNIJAMBISTE est une personne qui a perdu une jambe.

222 ◁ **jambon** n. m. *Tu veux manger une tranche de* JAMBON?, de la cuisse ou de l'épaule du porc préparée pour être conservée. ◆ **jambonneau** n. m. Un JAMBONNEAU est un petit jambon cuit fait avec le jarret du porc.

512 ◁ **jante** n. f. *La* JANTE *d'une roue de vélo* est le cercle sur lequel le pneu est fixé.

125 ◁ **janvier** n. m. *Bonne année! c'est aujourd'hui le 1er* JANVIER.

japper v. *Quand un jeune chien aboie, on dit qu'il* JAPPE. ◆ **jappement** n. m. *Tu entends les* JAPPEMENTS *des chiots?*, les petits cris brefs et aigus.

jaquette n. f. *Pour le mariage de sa fille, M. Dubois était en* JAQUETTE, une sorte de veste descendant derrière jusqu'au jarret.

367, 73 ◁ 219 ◁ **jardin** n. m. **1.** *Il y a un* JARDIN *devant la maison,* un terrain où l'on cultive des fleurs ou des légumes. — **2.** *Un* JARDIN *public* est un terrain avec des pelouses, des bancs, des fleurs, des arbres. — **3.** *Marie a quatre ans, elle va au* JARDIN D'ENFANTS, à l'école maternelle. ◆ **jardiner** v. (sens 1) *Le dimanche, M. Dupont* JARDINE, il s'occupe de son jardin. ◆ **jardinage** n. m. (sens 1) *M. Dupont fait du* JARDINAGE, il jardine.
367 ◁ ◆ **jardinier** n. (sens 1 et 2) *Le* JARDINIER *ratisse les allées,* celui dont le métier est de s'occuper des jardins. ◆ **jardinière** n. f. **1.** *Une* JARDINIÈRE *de légumes* est un plat de légumes coupés en petits morceaux. — **2.** *Une*
80 ◁ JARDINIÈRE *de fleurs* est un bac où on les cultive.

jargon n. m. *Je ne comprends rien au* JARGON *de ces savants,* au langage obscur (= charabia).

579 ◁ **jarre** n. f. Une JARRE est un grand vase de grès.

368, 33 ◁ **jarret** n. m. Le JARRET est la partie arrière du genou.

jars n. m. Le JARS est le mâle de l'oie.

jaser v. *Marie reçoit beaucoup d'amis, ça fait* JASER *les voisins,* parler pour critiquer.

jasmin n. m. *Sens-tu cette odeur de* JASMIN?, un arbuste à fleurs.

75 ◁ **jatte** n. f. *Le chat boit son lait dans une* JATTE, une sorte d'écuelle ronde.

jauge n. f. *La* JAUGE *d'huile d'un moteur* est la baguette graduée servant à mesurer le niveau.

721 ◁ **jaune 1.** adj. et n. m. *Le cœur des marguerites est* JAUNE. ‖ *Les murs de la chambre sont peints en* JAUNE. — **2.** n. m. *Pour faire la mayonnaise, on sépare les blancs des* JAUNES, la partie jaune de l'œuf. — **3.** adv. *Rire* JAUNE, c'est avoir un rire forcé. ◆ **jaunâtre** adj. (sens 1) *Ce tissu blanc est devenu* JAUNÂTRE, d'une couleur vaguement jaune. ◆ **jaunir** v. (sens 1) *Les feuilles d'arbres* JAUNISSENT *en automne,* deviennent jaunes. ◆ **jaunisse** n. f. (sens 1) *Paul a une* JAUNISSE, une maladie du foie qui donne un teint jaune.

javelot n. m. *L'athlète a lancé le* JAVELOT *à 25 mètres,* une sorte de lance.

jazz n. m. *Si on écoutait un disque de* JAZZ?, de musique rythmée venant des Noirs d'Amérique. ▷ 439
• **R.** On prononce [dʒaz].

je pron. pers. s'emploie pour représenter la personne qui parle quand elle est sujet du verbe : JE *suis ici.* ▷ 11
• **R.** *Je* devient *j'* devant une voyelle ou un *h* muet.

jean ou **blue-jean** n. m. *Les jeunes portent des* JEANS, des pantalons collants, en toile ou en velours. ▷ 36
• **R.** On prononce [dʒin, bludʒin].

jeep n. f. *Pour traverser ce terrain boueux, il faudrait une* JEEP, une automobile tout terrain. ▷ 762
• **R.** On prononce [dʒip].

jérémiades n. f. pl. *Arrête tes* JÉRÉMIADES!, tes plaintes continuelles.

jerrycan n. m. *J'ai demandé au pompiste de remplir d'essence le* JERRYCAN, un gros bidon à poignée.
• **R.** On prononce [ʒerikan].

jersey n. m. *Marie a une jupe en* JERSEY, en tissu tricoté.

jet → JETER.

jetée n. f. *La* JETÉE *protège le port,* le grand mur qui s'avance dans la mer (= digue). ▷ 727

jeter v. **1.** *Les enfants* JETTENT *des pierres dans l'eau* (= lancer). — **2.** *J'*AI JETÉ *tous les vieux journaux,* je m'en suis débarrassé. — **3.** *Le Rhône* SE JETTE *dans la Méditerranée,* se déverse. ◆ **jet** n. m. **1.** (sens 1) *L'athlète a réussi un* JET *de 50 mètres au javelot.* — **2.** *Il y a un* JET D'EAU *au milieu du bassin,* de l'eau qui jaillit avec force. ▷ 73
• **R.** Conj. nº 8. ‖ V. JAIS.

jeton n. m. *Mets un* JETON *de téléphone dans la fente!,* une pièce spéciale, qui fait marcher l'appareil.

jeu → JOUER.

jeudi n. m. *Si tu ne peux pas venir mercredi, on se verra le lendemain,* JEUDI. ▷ 125

à jeun → JEÛNER.

jeune adj. et n. *Paul a dix ans, il est plus* JEUNE *que Jacques, qui en a quinze,* moins âgé (≠ vieux). ‖ *Cette musique plaît aux* JEUNES, aux garçons et aux filles (= jeunesse). ◆ **jeunesse** n. f. **1.** *Grand-mère parle souvent de sa* JEUNESSE, de l'époque où elle était jeune (≠ vieillesse). — **2.** *Une émission pour la* JEUNESSE s'adresse aux enfants et aux adolescents. ◆ **rajeunir** v. *Ta coiffure te* RAJEUNIT, te fait paraître plus jeune (≠ vieillir). ◆ **rajeunissement** n. m. *Cette crème provoquera un* RAJEUNISSEMENT *de votre peau!* (≠ vieillissement).

jeûner v. JEÛNER, c'est se priver de manger. ◆ **jeûne** n. m. *Autrefois, l'Église prescrivait de nombreux jours de* JEÛNE, de privation de nourriture. ◆ **à jeun** adv. *Pour la prise de sang, vous serez* À JEUN, vous n'aurez rien mangé.

• **R.** *À jeun* se prononce [aʒœ̃].

jeunesse → JEUNE. / **joaillerie, joaillier** → JOYAU.

jockey n. m. *Pour la course, ce cheval sera monté par un célèbre* JOCKEY, un cavalier professionnel.

• **R.** On prononce [ʒɔkɛ].

joie n. f. *C'est avec* JOIE *que j'accepte ton invitation,* j'en suis heureux (= plaisir; ≠ tristesse). ◆ **joyeux** adj. *Cette fête était très* JOYEUSE, pleine de joie (= gai; ≠ triste).

joindre v. **1.** *C'est en* JOIGNANT *leurs efforts qu'ils ont réussi,* en les réunissant. — **2.** *Je* JOINS *le chèque à ma lettre,* je le mets avec (= ajouter). — **3.** *Impossible de te* JOINDRE *au téléphone!,* de parvenir à t'atteindre (= toucher). ◆ **joint** adj. (sens 1) *Mettez-vous debout, les pieds* JOINTS (= réuni; ≠ écarté). • (sens 2) CI-JOINT *un chèque de 100 francs,* joint à mon envoi. ◆ **joint** n. m. (sens 1) *L'eau du tuyau fuit par le* JOINT, la rondelle qui réunit les deux éléments. ◆ **jointure** n. f. (sens 1) *Quand je me baisse, j'ai des douleurs aux* JOINTURES, aux endroits où les os se joignent (= articulation). ◆ **jonction** n. f. (sens 1) *L'accident s'est produit à la* JONCTION *de deux routes,* à l'endroit où elles se joignent (= croisement). ◆ **disjoindre** v. (sens 1) *Il faut* DISJOINDRE *cette question des autres* (= séparer). ◆ **rejoindre** (sens 1) *Nos routes* SE REJOIGNENT (= se réunir). • (sens 3) *Il* A REJOINT *le peloton de tête* (= rattraper). ‖ REJOIGNEZ *votre place!,* retournez-y.

• **R.** Conj. nº 55. ‖ *Ci-joint* s'accorde avec le mot qui le précède (*la lettre* CI-JOINTE), mais non avec celui qui le suit (CI-JOINT *la lettre*).

joker n. m. *Chic! j'ai un* JOKER *dans mon jeu!,* une carte qui remplace toutes les autres à certains jeux.

• **R.** On prononce le *r* final : [ʒɔkɛr].

joli adj. *Marie est* JOLIE, agréable à regarder (= beau; ≠ laid). ◆ **joliment** adv. *Ta chambre est* JOLIMENT *installée,* agréablement. ◆ **enjoliver** v. *Elle a ajouté quelques détails pour* ENJOLIVER *son histoire* (= embellir). ◆ **enjoliveur** n. m. *M. Durand astique les* ENJOLIVEURS *de sa voiture,* les plaques rondes qui cachent le centre des roues.

jonc n. m. *Il y a des* JONCS *au bord de la rivière,* une plante à grandes tiges.

• **R.** On ne prononce pas le *c* final : [ʒɔ̃].

joncher v. *Le sol* EST JONCHÉ *de feuilles d'arbres,* recouvert.

jonction → JOINDRE.

jongler v. *Le clown* JONGLE *avec les balles,* les lance en l'air et les rattrape. ◆ **jongleur** n. *Au cirque, il y avait des* JONGLEURS *très adroits.*

433 ◁

jonque n. f. En Extrême-Orient, une JONQUE est une sorte de voilier.

jonquille n. f. Les JONQUILLES sont des fleurs jaunes qui poussent au printemps dans les bois et les prés. ▷ 80

joue n. f. *On s'est embrassé sur les deux* JOUES, chacun des deux côtés du visage. ◆ **joufflu** adj. *Ce bébé est* JOUFFLU, il a de grosses joues. ▷ 33

• **R.** V. JOUG.

jouer v. **1.** *Les enfants, allez* JOUER *dehors!*, vous amuser. ‖ *On* JOUE *aux cartes?*, on se distrait? — **2.** *M. Dupont* JOUE *au tiercé,* il risque de l'argent en misant sur des chevaux. — **3.** *Marie* JOUE DU *piano,* elle fait de la musique avec cet instrument. — **4.** *Dans quel film* JOUAIT *cet acteur?*, avait-il un rôle? — **5.** *Pierre a voulu me* JOUER UN TOUR *en se cachant, mais je l'ai vu!*, me faire une farce. — **6.** *La porte* JOUE, elle ne ferme pas bien. ◆ **jeu** n. m. **1.** (sens 1) *Qu'est-ce que c'est que ce nouveau jeu?*, cette façon de jouer. ‖ *Tu as un jeu de cartes?*, des cartes pour jouer. • (sens 2) *Il a perdu beaucoup d'argent au* JEU, à des distractions où les gains dépendent du hasard. ‖ *C'est mon honneur qui est* EN JEU, en question. • (sens 4) *Les critiques ont admiré le* JEU *des acteurs,* leur façon de jouer. • (sens 6) *Il y a du* JEU *dans la porte,* un trop grand espace qui fait qu'elle ferme mal. — **2.** *Un* JEU *de clés* est une série de clés. — **3.** *Pierre fait souvent des* JEUX DE MOTS, des plaisanteries utilisant des ressemblances de mots (= calembour). ◆ **jouet** n. m. (sens 1) *Qu'est-ce que tu as eu comme* JOUETS *à Noël?*, comme objets servant à jouer. ◆ **joueur** n. (sens 1) *Une* JOUEUSE *de l'équipe de basket a été blessée.* • (sens 3) *Jean est* JOUEUR *de flûte.* ◆ **joujou** n. m. (sens 1) *Oh! bébé, regarde les beaux* JOUJOUX!, jouets. ◆ **enjeu** n. m. (sens 2) *Jacques a perdu tout son* ENJEU, l'argent qu'il avait joué. ‖ *Quel est l'*ENJEU *de cette entreprise?*, ce qu'on peut y perdre ou y gagner. ▷ 437 ▷ 77 ▷ 34

joufflu → JOUE.

joug n. m. *On met un* JOUG *sur la tête des bœufs pour les atteler,* une pièce de bois. ▷ 363

• **R.** *Joug* se prononce [ʒu] comme *joue.*

jouir v. *M. Duval* JOUIT *d'une bonne santé,* il en profite, il en tire de l'agrément. ◆ **jouissance** n. f. *Les locataires ont la* JOUISSANCE *du jardin,* ils peuvent en profiter.

joujou → JOUER.

jour n. m. **1.** *Je prends ce médicament deux fois par* JOUR, dans un espace de 24 heures, de minuit à minuit. ‖ *Quel* JOUR *sommes-nous? — Lundi.* — **2.** DE NOS JOURS, *on voyage beaucoup,* à notre époque. — **3.** *Marie vit* AU JOUR LE JOUR, sans se soucier du lendemain. — **4.** *Il fait* JOUR *de bonne heure en été,* il fait clair (≠ nuit). ‖ *Vous verrez mieux la couleur de cette jupe au* JOUR, à la lumière du soleil. ◆ **journalier** adj. (sens 1) *La cuisine fait partie des occupations* JOURNALIÈRES *de maman,* de chaque jour (= quotidien). ◆ **contre-jour** n. m. (sens 4) *On ne distingue pas bien les détails des objets à* CONTRE-JOUR, quand ils sont éclairés par derrière. ▷ 125, 795

217 ◁ **journal** n. m. **1.** *Tu serais au courant, si tu lisais les* JOURNAUX, les feuilles imprimées paraissant chaque jour. — **2.** *Tu as écouté le* JOURNAL?, les informations à la radio ou à la télévision. — **3.** *Tu tiens un* JOURNAL, *toi?,* un cahier où l'on écrit chaque jour ses réflexions. ◆ **journaliste** n. (sens 1 et 2) Les JOURNALISTES écrivent dans les journaux ou donnent les informations à la radio ou à la télévision. ◆ **journalisme** n. m. (sens 1 et 2) *Marie veut faire du* JOURNALISME, avoir le métier de journaliste.

journalier → JOUR.

journée n. f. *La* JOURNÉE *a été chaude,* l'espace de temps entre le matin et le soir (≠ soir, soirée).

joute n. f. Une JOUTE est une lutte entre deux adversaires.

jovial adj. *Ce gros bonhomme a un air* JOVIAL, gai et sympathique. • **R.** Attention au pluriel : *des hommes jovials.*

joyau n. m. *Au musée, on a vu les* JOYAUX *de la reine,* des bijoux de grande valeur. ◆ **joaillier** n. Le JOAILLIER fabrique ou vend des joyaux (= bijoutier). ◆ **joaillerie** n. f. La JOAILLERIE consiste à fabriquer et à vendre des joyaux.

joyeux → JOIE.

jubiler v. *Quand je pense à la farce que j'ai faite à Yves, je* JUBILE!, j'éprouve une grande joie.

jucher v. *Paul* S'EST JUCHÉ *sur une branche,* s'est perché.

judaïsme n. m. Le JUDAÏSME est la religion des descendants du peuple hébreu. ◆ **juif** adj. et n. *Sarah est* JUIVE, elle est d'une famille qui a pour religion le judaïsme (= israélite).

judas n. m. *Regarde par le* JUDAS *qui sonne à la porte,* le petit trou qui permet de voir sans être vu.

judiciaire adj. *L'enquête* JUDICIAIRE *n'avance pas,* de la justice.

judicieux adj. *Ta remarque est* JUDICIEUSE, elle résulte d'un bon jugement (= pertinent).

34 ◁ **judo** n. m. *Paul fait du* JUDO, un sport de combat. ◆ **judoka** n. *Ce* JUDOKA *est ceinture noire,* celui qui pratique le judo.

juger v. **1.** *L'accusé* SERA JUGÉ *prochainement,* passera devant les juges qui diront s'il est coupable. — **2.** *Le médecin n'a pas* JUGÉ *utile d'opérer le malade* (= penser, estimer, être d'avis). ◆ **jugement** n. m. (sens 1) *Le* JUGEMENT *du tribunal a été sévère,* sa décision (= sentence). • (sens 2) *Je me fie au* JUGEMENT *de Catherine,* à la façon dont elle juge les choses (= avis). ◆ **juge** n. m. (sens 1) *Les* JUGES *ont condamné l'accusé,* ceux qui sont chargés de rendre la justice (= magistrat). ◆ **jugeote** n. f. Fam. (sens 2) *Si tu avais eu plus de* JUGEOTE, *tu n'aurais pas fait cette bêtise,* de bon sens. ◆ **préjugé** n. m. (sens 2) *Mon grand-père a un* PRÉJUGÉ *défavorable contre les produits étrangers,* une opinion établie avant tout examen (= idée préconçue). ◆ **préjuger** v. (sens 2) *On ne peut pas* PRÉJUGER *du résultat de cette entreprise,* émettre une opinion dessus (= pronostiquer).

juif → JUDAÏSME.

juillet n. m. *Le 14-*JUILLET, *c'est le jour de la fête nationale.* ▷ 125

juin n. m. *L'été commence le 21* JUIN *cette année.* ▷ 125

jumeau, jumelle adj. et n. *Comme ils se ressemblent! Ce sont des (frères)* JUMEAUX?, des frères nés en même temps.

jumeler v. *Ces deux villes* SONT JUMELÉES, on les a associées pour favoriser des échanges culturels. ◆ **jumelage** n. m. *On a fêté le* JUMELAGE *de ces deux villes,* leur association.
• **R.** Conj. nº 6.

jumelles n. f. *Prends des* JUMELLES, *tu verras mieux le bateau,* une lunette double pour voir loin. ▷ 649

jument n. f. *Voilà la* JUMENT *avec son poulain,* la femelle du cheval.

jungle n. f. *Le tigre vit dans la* JUNGLE, la forêt tropicale.

jupe n. f. *Marie a mis sa* JUPE *plissée,* un vêtement qui va de la taille à mi-jambe. ◆ **jupon** n. m. *Un* JUPON *se porte sous une jupe.* ▷ 36

jurer v. **1.** *Je te* JURE *que c'est vrai,* je te fais le serment (= promettre). — **2.** *Nom de Dieu, qu'est-ce que c'est que ça! — Oh! ne* JURE *pas comme ça!,* ne prononce pas de juron. — **3.** *Le rouge et l'orange* JURENT *ensemble,* sont mal assortis. ◆ **juron** n. m. (sens 2) Un JURON est une exclamation grossière ou qui choque les sentiments religieux.

juridique adj. *M. Dupont a une formation* JURIDIQUE, il a fait des études de droit.

juron → JURER.

jury n. m. *Vous êtes reçu avec les félicitations du* JURY, de l'ensemble des personnes chargées de juger.

jus n. m. *J'ai bu du* JUS *d'orange,* le liquide extrait du fruit. ◆ **juteux** adj. *Cette poire est* JUTEUSE, elle a du jus.

jusque prép. **1.** *Reste là* JUSQU'À *ce que je revienne,* en attendant ce moment. — **2.** *La plaine s'étend* JUSQU'À *la mer,* c'est sa limite. ▷ 754

juste adj. **1.** *Ces calculs sont* JUSTES, sans erreur (= exact; ≠ faux). — **2.** *Mes chaussures sont un peu* JUSTES, serrées (= étroit). — **3.** *9 heures et demie, ce sera* JUSTE *pour être à la gare à 10 heures,* à peine suffisant (= peu). — **4.** *Paul a eu un cadeau et pas moi, ce n'est pas* JUSTE! (= équitable ; ≠ injuste). ◆ **juste** adv. (sens 1) **1.** *C'est* JUSTE *ce que je voulais,* exactement (= précisément, justement). — **2.** *Tu chantes* JUSTE, sans fausses notes (≠ faux). ◆ **justement** adv. (sens 1) *Te voilà! Je pensais* JUSTEMENT *à toi!,* précisément. ◆ **justesse** n. f. (sens 3) *J'ai évité la voiture* DE JUSTESSE, de peu. ◆ **justice** n. f. **1.** (sens 4) *Il n'y a pas de* JUSTICE, *j'aurais dû gagner!,* ce n'est pas juste, j'aurais dû avoir ce à quoi j'avais droit (= équité; ≠ injustice). — **2.** *La* JUSTICE *rendra son verdict,* les juges. ◆ **injuste** adj. (sens 4) *Cette punition est* INJUSTE, elle n'est pas méritée. ◆ **injustement** adv. (sens 4) *Il a été* INJUSTEMENT *accusé,* il était innocent. ◆ **injustice** n. f. (sens 4) *On a commis une* INJUSTICE *en ne lui donnant pas ce qu'il méritait.*

justifier v. *Les événements* JUSTIFIENT *mes craintes,* montrent que j'avais raison de craindre (= vérifier, confirmer). ◆ **justification** n. f. *Il nous faut une* JUSTIFICATION *de votre paiement,* une preuve. ◆ **injustifié** adj. *Tes réclamations sont* INJUSTIFIÉES (= inacceptable).

juteux → JUS.

juvénile adj. *Ce vieil acteur a encore une silhouette* JUVÉNILE, jeune.

juxtaposer v. *Ne* JUXTAPOSE *pas ce vert et ce rouge, ça ne va pas,* ne les mets pas côte à côte.

kaki adj. et n. m. inv. *Des uniformes* KAKI sont de couleur brun jaunâtre.

kangourou n. m. *La mère* KANGOUROU *porte ses petits dans la poche qu'elle a sur le ventre,* un animal d'Australie qui avance en sautant. ▷ 435

karaté n. m. Le KARATÉ est un sport de combat d'origine japonaise.

kayak n. m. *Ils ont descendu la rivière en* KAYAK, en canoë de toile. ▷ 721

képi n. m. *Les agents de police, les militaires portent un* KÉPI, une casquette à visière. ▷ 37, 763

kermesse n. f. *Le curé a organisé une* KERMESSE, une fête.

kidnapper v. *Les bandits qui* ONT KIDNAPPÉ *l'enfant réclament une rançon de 100 millions,* qui l'ont enlevé. ◆ **kidnapping** n. m. Un KIDNAPPING est un rapt.

kilo n. m. **1.** KILO est l'abréviation de *kilogramme* (v. GRAMME). — **2.** KILO-, placé devant une unité de mesure, la multiplie par 1000 : *kilomètre, kilogramme, kilowatt.* ▷ 795

kilométrage, kilomètre, kilométrique → MÈTRE.

kilt n. m. *Les Écossais portent un* KILT, une jupe plissée.

kimono n. m. Le KIMONO est une tunique japonaise à larges manches. ▷ 34

kiosque n. m. *Le* KIOSQUE *à journaux de ma rue est fermé le dimanche,* l'abri où l'on vend des journaux. ▷ 217

kirsch n. m. *On met du* KIRSCH *dans la salade de fruits,* de l'eau-de-vie de cerise.

Klaxon n. m. *Donne un coup de* KLAXON, *ce croisement est dangereux* (= avertisseur). ◆ **klaxonner** v. *On n'a pas le droit de* KLAXONNER *dans les villes,* d'utiliser le Klaxon.

• **R.** *Klaxon* se prononce [klaksɔn].

K.-O. adj. et n. m. inv. *Le boxeur a mis* K.-O. *son adversaire,* il l'a mis hors de combat.

• **R.** C'est l'abréviation de l'anglais *knock-out* [nɔkaut].

l', la → LE 1 et 2.

la n. m. Le LA est la sixième note de la gamme.

là adv. **1.** *Viens* LÀ!, à cet endroit. — **2.** *Cette fille*-LÀ, *c'est Marie,* celle dont je parle. — **3.** *Regarde* LÀ-BAS, *il y a quelqu'un qui vient,* au loin.

labeur n. m. se disait pour *travail.*

laboratoire n. m. Un LABORATOIRE est un local où l'on fait des recherches scientifiques.

laborieux adj. *La recherche a été* LABORIEUSE, *mais j'ai fini par trouver,* difficile et longue.

labourer v. *Assis sur son tracteur, le fermier* LABOURE *son champ,* il en retourne la terre. ◆ **labourage** n. m. *Aujourd'hui les bœufs sont remplacés par le tracteur pour le* LABOURAGE *de la terre.* ◆ **labour** n. m. *C'est la saison des* LABOURS, du labourage. ◆ **laboureur** n. m. se disait pour *cultivateur.*

labyrinthe n. m. Un LABYRINTHE est un ensemble de couloirs ou de rues dans lesquels on se perd.

651, 583 ◁ **lac** n. m. *On a fait du bateau sur le* LAC, une grande étendue d'eau
581 ◁ douce. ◆ **lacustre** adj. *Les cités* LACUSTRES étaient des villages sur pilotis au bord d'un lac.

lacer → LACET.

lacérer v. *À coups de couteau, il* A LACÉRÉ *le coussin,* il l'a mis en lambeaux (= déchirer).

lacet n. m. **1.** *J'ai cassé mon* LACET *de chaussure,* le cordon qui sert à
651 ◁ l'attacher. — **2.** *Cette route est pleine de* LACETS, de virages. ◆ **lacer** v. (sens 1) *Paul, veux-tu* LACER *tes chaussures!,* les attacher avec les lacets. ◆ **délacer** v. (sens 1) *Je n'arrive pas à* DÉLACER *mes chaussures,* à en défaire les lacets.

• **R.** Ne pas confondre *lacer* [lase] et *lasser* [lɑse].

lâche adj. **1.** *C'est* LÂCHE *de s'attaquer à plus faible que soi,* ce n'est pas courageux. — **2.** *La corde est trop* LÂCHE, molle (≠ tendu). ◆ **lâche** n. m. (sens 1) *Quel* LÂCHE, *il a fui!* quel poltron! (= peureux; ≠ brave). ◆ **lâcheté** n. f. (sens 1) *En attaquant par-derrière, il a montré sa* LÂCHETÉ, son manque de courage (= poltronnerie). ‖ *S'enfuir serait une* LÂCHETÉ, une action lâche.

lâcher v. **1.** *Ne* LÂCHE *pas le ballon, il va s'envoler!*, ne cesse pas de le tenir. — **2.** *La corde qui retenait le bateau* A LÂCHÉ, elle a cédé (= casser). — **3.** *Tu ne vas pas nous* LÂCHER *maintenant?*, nous quitter (= abandonner). ◆ **lâcheur** n. (sens 3) Fam. *Quelle* LÂCHEUSE, *elle s'en va!*

lâcheté → LÂCHE.

laconique adj. *Une réponse* LACONIQUE est brève (≠ long).

lacrymogène adj. *Les grenades* LACRYMOGÈNES *contiennent des gaz qui font pleurer.*

lacté → LAIT.

lacune n. f. *Il y a des* LACUNES *dans son récit,* il manque des éléments (= trou).

lacustre → LAC.

lagune n. f. Une LAGUNE est une étendue d'eau salée située à l'intérieur des terres. ▷ 724

laïc, laïcité → LAÏQUE.

laid adj. *Que cette fille est* LAIDE!, désagréable à voir (≠ beau, joli). ◆ **laideur** n. f. *Ce tableau est d'une* LAIDEUR! (≠ beauté). ◆ **enlaidir** v. *Ces usines* ENLAIDISSENT *le paysage,* le rendent laid. ‖ *Avec l'âge, il* ENLAIDIT, il devient laid (≠ embellir).

• **R.** V. LAIE.

laie n. f. La LAIE est la femelle du sanglier.

• **R.** *Laie* se prononce [lɛ] comme *laid* et *lait.*

laine n. f. *Maman me tricote un pull-over de* LAINE, avec du fil fait avec du poil de mouton. ◆ **lainage** n. m. *Prends un* LAINAGE, *il fait froid,* un vêtement en laine tricotée (= tricot, pull). ◆ **lainier** adj. *L'industrie* LAINIÈRE est celle de la laine. ▷ 296, 361

laïque adj. *L'école publique est* LAÏQUE, elle est indépendante de toutes les religions (≠ religieux). ◆ **laïc** n. *À la messe, la quête est faite par des* LAÏCS, des chrétiens qui ne sont pas des membres du clergé. ◆ **laïcité** n. f. La LAÏCITÉ est l'absence d'engagement religieux.

laisse n. f. *Mets sa* LAISSE *au chien,* la lanière que l'on attache à son collier pour le retenir.

laisser v. **1.** *Je te* LAISSE!, je ne t'emmène pas (= quitter). — **2.** *Tu* AS LAISSÉ *ton parapluie chez Pierre* (= oublier; ≠ prendre). — **3.** LAISSE-*moi du gâteau,* ne prends pas tout (= garder). — **4.** *J'*AI LAISSÉ *les clefs à la concierge,* je les lui ai confiées. — **5.** *Le camelot m'*A LAISSÉ *le foulard pour 10 francs,* il me l'a cédé. — **6.** LAISSE-*moi partir, je vais être en retard,* ne m'en empêche pas. — **7.** *Tu mets ton poulet au four et tu le* LAISSES *cuire une heure,* tu le fais cuire sans y toucher. — **8.** *Zut, j'*AI LAISSÉ *tomber une assiette!,* je l'ai fait tomber sans le faire exprès. — **9.** *Depuis sa maladie, Pierre* S'EST LAISSÉ ALLER, il est découragé, il ne fait plus rien. ◆ **laisser-aller** n. m. inv. (sens 9) *Alors, on arrive en retard, maintenant? Quel* LAISSER-ALLER!, quel relâchement! ◆ **laissez-passer** n. m. inv. (sens 6) *Pour entrer au ministère, il fallait un* LAISSEZ-PASSER, une permission écrite de passer.

368 ◁ **lait** n. m. *Le veau tète le* LAIT *de la vache,* le liquide blanc qui sort des mamelles. ◆ **lacté** adj. **1.** *Les produits* LACTÉS contiennent du lait. — **2.** La VOIE LACTÉE est un amas d'étoiles qui a l'aspect d'une bande blanche. ◆ **laitage** n. m. *Je n'aime pas les* LAITAGES, les aliments à base de lait. ◆ **laiteux** adj. *Un blanc* LAITEUX a la couleur du lait. ◆ **laitier** **1.** adj. *Les fromages sont des produits* LAITIERS, fabriqués avec du lait. — **2.** n. m. *Le* LAITIER *passe tous les matins,* celui qui livre ou ramasse le lait. ◆ **laiterie** n. f. Une LAITERIE est une usine où l'on fabrique des produits laitiers. ◆ **petit-lait** n. m. Le PETIT-LAIT est un liquide clair qui se sépare du lait caillé. ◆ **allaiter** v. *La chienne* ALLAITE *ses petits,* elle les nourrit avec son lait.
• **R.** V. LAIE.

laiton n. m. Le LAITON est un alliage de cuivre et de zinc de couleur jaune.

366 ◁ **laitue** n. f. *Qu'est-ce que j'achète comme salade? — Prends une* LAITUE.

1. lama n. m. Un LAMA est un prêtre bouddhiste.

435 ◁ **2. lama** n. m. *Dans les Andes, il y a des* LAMAS, des animaux ressemblant à des chameaux, mais plus petits.

lambeau n. m. *Tu t'es battu? Ta chemise est en* LAMBEAUX, déchirée en morceaux.

lambin adj. et n. Fam. *Que tu es* LAMBINE, *dépêche-toi!,* tu ne sais pas agir vite (= lent; ≠ rapide, vif).

lambris n. m. Un LAMBRIS est un panneau qui décore les murs ou le plafond d'une salle. ◆ **lambrissé** adj. *Un plafond* LAMBRISSÉ est revêtu de lambris.

289 ◁ **lame** n. f. **1.** *Une* LAME *de métal, de verre* est un morceau plat, mince et allongé. — **2.** *Il faut aiguiser la* LAME *du couteau,* la partie coupante. — **3.** *Une* LAME *de rasoir* est un petit rectangle d'acier tranchant. — **4.** *Une* LAME *de fond a fait chavirer le bateau,* une très grosse vague. ◆ **lamelle** n. f. (sens 1) *On se sert de* LAMELLES *de verre pour examiner quelque chose au microscope,* de lames très minces. ◆ **laminer** v. (sens 1) LAMINER *du métal,* c'est le réduire en lames. ◆ **laminoir** n. m. (sens 1) Le LAMINOIR sert à laminer des métaux entre des rouleaux d'acier.

lamentable adj. *J'ai été* LAMENTABLE *à l'examen,* très mauvais (= minable; ≠ brillant).

se lamenter v. *Marie* SE LAMENTE *sur son sort à longueur de journée,* elle se plaint (≠ se réjouir). ◆ **lamentations** n. f. pl. *Arrête tes* LAMENTATIONS!, tes plaintes (= jérémiades).

laminer, laminoir → LAME.

224, 38 ◁ 217, 76 ◁ **lampe** n. f. *Éteins la* LAMPE!, l'appareil qui sert à éclairer. ◆ **lampadaire** n. m. Un LAMPADAIRE est une lampe avec un grand pied. ◆ **lampion** n. m. *C'est la fête, les* LAMPIONS *sont allumés,* des lampes en papier.

lance n. f. **1.** La LANCE était une arme à long manche et à bout de fer pointu. — **2.** *Les pompiers éteignent le feu avec la* LANCE *à incendie,* un tube en métal qui envoie de l'eau. ◆ **lancier** n. m. (sens 1) Un LANCIER était un soldat armé d'une lance. ▷ 147 ▷ 761

lancer v. **1.** LANCE-*moi le ballon!,* envoie-le-moi (= jeter). — **2.** *Tu as vu la publicité pour* LANCER *ce nouveau parfum?,* le faire connaître. — **3.** *Il faut toujours qu'il* SE LANCE *dans de longues explications!,* qu'il s'engage (= entrer). ◆ **lancer** n. m. (sens 1) *Ce sportif s'exerce au* LANCER *du javelot,* un exercice d'athlétisme. ◆ **lancée** n. f. (sens 3) *Il parlait toujours et, sur sa* LANCÉE, *il nous a raconté toute sa vie,* dans son élan. ◆ **lancement** n. m. (sens 1) *On a vu le* LANCEMENT *de la fusée à la télévision.* • (sens 2) *Le* LANCEMENT *d'un nouveau produit se fait par la publicité.* ◆ **lance-pierres** n. m. inv. (sens 1) *Il est imprudent de jouer avec un* LANCE-PIERRES, un instrument qui sert à lancer des pierres. ◆ **relancer** v. **1.** (sens 1) RELANCE-*moi la balle!,* lance-la-moi de nouveau. — **2.** *Paul me doit de l'argent, il faut que je le* RELANCE *à ce sujet,* que je le lui rappelle. ▷ 582

lancier → LANCE.

lancinant adj. *Une douleur* LANCINANTE est vive et répétée.

landau n. m. *Maman promène bébé dans son* LANDAU, une voiture avec une capote.

• **R.** Noter le pluriel : des *landaus.*

lande n. f. *La* LANDE *bretonne est couverte de bruyères,* le terrain inculte.

langage → LANGUE.

langer v. *La maman* LANGE *son bébé,* lui met des couches.

langoureux → LANGUIR.

langouste n. f. *La* LANGOUSTE *diffère du homard en ce qu'elle n'a pas de pinces.* ◆ **langoustine** n. f. *À midi, on a mangé des* LANGOUSTINES, des petits crustacés roses, aux pattes terminées par des pinces. ▷ 723

langue n. f. **1.** *Ouvre la bouche et tire la* LANGUE. — **2.** *« Bouquin » est un mot de la* LANGUE *familière* (= langage, vocabulaire). — **3.** *Papa parle deux* LANGUES *étrangères : l'anglais et l'allemand.* ‖ *Le latin est une* LANGUE *morte, l'anglais est une* LANGUE *vivante,* le latin ne se parle plus, l'anglais est parlé de nos jours. ◆ **langage** n. m. (sens 2) *Les scientifiques ont un* LANGAGE *parfois difficile à comprendre,* une façon de parler (= langue). ◆ **languette** n. f. (sens 1) *Tire la* LANGUETTE *de tes chaussures!,* un petit morceau de cuir qui a la forme d'une langue. ▷ 33

languir v. **1.** *Je commençais à* LANGUIR *toute seule en vous attendant,* à m'ennuyer, à me sentir déprimée (= se morfondre). — **2.** *Comme la conversation* LANGUISSAIT, *on est parti,* elle s'arrêtait presque (= traîner; ≠ s'animer). ◆ **langueur** n. f. (sens 1) La LANGUEUR, c'est un manque d'énergie, de dynamisme (= abattement). ◆ **langoureux** adj. (sens 1) *Ils dansaient sur un rythme* LANGOUREUX, qui exprime la langueur (= lent; ≠ vif). ◆ **languissant** adj. (sens 2) *La conversation était* LANGUISSANTE, elle traînait (= morne; ≠ vivant).

649 ◁ **lanière** n. f. *Un fouet à* LANIÈRES a des bandes étroites et souples de cuir, de tissu.

75 ◁ **lanterne** n. f. **1.** *Le veilleur de nuit fait sa ronde, une* LANTERNE *à la main,* avec une sorte de boîte transparente qui éclaire. — **2.** (au plur.) *Allume tes* LANTERNES!, les petites lumières de la voiture (= veilleuse).

laper v. *Le chat* LAPE *son lait,* il le boit à petits coups de langue.

lapereau → LAPIN.

lapidaire adj. *En une formule* LAPIDAIRE, *il a mis fin à la conversation,* brève et expressive.

lapider v. *L'assassin faillit* ÊTRE LAPIDÉ *par la foule,* tué à coups de pierres.

362 ◁ **lapin** n. m., **lapine** n. f. *À midi, on a mangé un* LAPIN, un petit animal à longues oreilles. ‖ *La* LAPINE *a eu trois petits.* ◆ **lapereau** n. m. Un LAPEREAU est un jeune lapin.

laps n. m. Un LAPS DE TEMPS est un espace de temps.

lapsus n. m. *Tu as dit « mouche » au lieu de « bouche », c'est un* LAPSUS, une erreur commise en parlant.
• **R.** On prononce [lapsys].

laquais n. m. Un LAQUAIS était un valet habillé d'une livrée.

laque n. f. *On a verni le bureau avec de la* LAQUE, un enduit transparent. ◆ **laquer** v. *Marie se* LAQUE *les cheveux,* les enduit de laque.

laquelle → LEQUEL.

larcin n. m. *Un* LARCIN *a été commis dans le magasin,* un vol de peu d'importance.

lard n. m. *Va chez le charcutier acheter du* LARD, de la graisse de porc. ◆ **lardon** n. m. *Une omelette aux* LARDONS est cuite avec des petits morceaux de lard. ◆ **larder** v. LARDER *un rôti,* c'est y piquer des lardons.

large adj. **1.** *La route est* LARGE *ici, tu peux doubler,* étendue dans le sens opposé à la longueur (≠ étroit). — **2.** *Cette veste est trop* LARGE *pour moi,* grande (= ample). — **3.** *Il est* LARGE *avec ses enfants* (= généreux). — **4.** *Il y a une* LARGE *part de mensonge dans ce récit* (= grand, important; ≠ petit). ◆ **large** n. m. **1.** (sens 1) *La rue a 5 mètres* DE LARGE, de largeur (≠ long). • (sens 2) *Ici au moins, on est* AU LARGE, on a de la place (≠ à
724 ◁ l'étroit). — **2.** *Les marins sont allés pêcher au* LARGE, loin des côtes (= en pleine mer). — **3.** *Le voleur a pris le* LARGE, il a pris la fuite. ◆ **largement** adv. (sens 3) *Encore du poulet? — Non, merci, j'ai été* LARGEMENT *servi,* avec abondance (≠ peu). ◆ **largeur** n. f. (sens 1) *J'ai mesuré la* LARGEUR *de la table : elle est de 60 centimètres,* l'espace compris entre les deux côtés les plus rapprochés (≠ longueur ou hauteur). ◆ **largesses** n. f. pl. (sens 3) *Faire des* LARGESSES, c'est se montrer généreux. ◆ **élargir** v. (sens 1 et 2) *Il faut* ÉLARGIR *ce manteau,* le rendre plus large (≠ rétrécir). ◆ **élargissement** n. m. (sens 1) *Les ouvriers travaillent à l'*ÉLARGISSEMENT *de la chaussée.*

larguer v. LARGUEZ *les amarres!,* détachez-les. ‖ LARGUER *des bombes,* c'est les lâcher.

larme n. f. **1.** *En nous quittant, Marie avait les* LARMES *aux yeux,* elle pleurait. — **2.** *Tu veux du vin? — Oui, une* LARME, un tout petit peu (= goutte). ◆ **larmoyer** v. (sens 1) *Ses yeux* LARMOIENT, ils sont pleins de larmes.

larve n. f. *La chenille est une* LARVE *qui devient ensuite un papillon,* une forme du développement de l'insecte avant l'état adulte.

larynx n. m. Le LARYNX est la partie du cou où se trouvent les cordes vocales qui permettent de parler.

las adj. **1.** *Oh! que je suis* LASSE *après cette journée!,* fatiguée. — **2.** *Pascal, je suis* LAS *de te répéter tous les jours la même chose,* j'en ai assez. ◆ **lasser** v. (sens 2) *Tu* TE LASSERAS *vite de cette couleur,* tu en auras vite assez (= se fatiguer). ◆ **lassant** adj. (sens 2) *Pierre raconte toujours les mêmes histoires, c'est* LASSANT *à la fin!,* c'est fatigant (= ennuyeux). ◆ **lassitude** n. f. (sens 1 et 2) *Il refait chaque jour le même travail sans* LASSITUDE, sans fatigue. ◆ **délasser** v. (sens 1) *Prends un bain pour* TE DÉLASSER, pour faire disparaître ta fatigue (= se détendre). ◆ **délassement** n. m. (sens 1) *Lire un livre est pour moi un* DÉLASSEMENT, ça me repose (= détente). ◆ **inlassable** adj. (sens 1 et 2) *Pascal a une patience* INLASSABLE (= infatigable).

• **R.** Au masculin, on ne prononce pas le *s* de *las* : [lɑ]. ‖ V. LACET.

lasso n. m. *Les cow-boys capturent les chevaux avec un* LASSO, une corde terminée par un nœud coulant.

latent adj. *Une révolte est* LATENTE, elle va bientôt éclater (= caché; ≠ apparent).

latéral adj. *Ne passez pas par l'allée centrale, mais par des allées* LATÉRALES, qui sont sur le côté. ◆ **bilatéral** adj. *Dans cette rue, le stationnement* BILATÉRAL *est interdit,* des deux côtés. ◆ **équilatéral** adj. *Un triangle* ÉQUILATÉRAL a ses trois côtés égaux. ◆ **unilatéral** adj. **1.** *Stationnement* UNILATÉRAL *autorisé!,* d'un seul côté. — **2.** *Ne prends pas une décision* UNILATÉRALE, seul sans consulter les autres. ▷ 149

latin adj. et n. m. *Jacques apprend le* LATIN (*la langue* LATINE), la langue parlée autrefois par les Romains.

latitude n. f. **1.** *Paris est à 48 degrés de* LATITUDE *Nord,* à cette distance de l'équateur (≠ longitude). — **2.** *Vous aurez toute* LATITUDE *pour faire ce travail,* vous serez libre.

latrines n. f. pl. Des LATRINES sont des waters en plein air.

latte n. f. *Les tuiles du toit sont soutenues par des* LATTES *de bois,* des baguettes. ▷ 74

lauréat n. *Marie est une des* LAURÉATES *du concours,* une de celles qui ont remporté un prix.

laurier n. m. **1.** *Jeanne met deux feuilles de* LAURIER *pour parfumer la sauce,* un arbuste. — **2.** *Ne te repose pas sur tes* LAURIERS!, sur tes succès passés.

lavable, lavabo, lavage → LAVER.

578 ◁ **lavande** n. f. *Maman met des sachets de* LAVANDE *dans l'armoire pour parfumer le linge,* d'une plante à fleurs bleues.

581 ◁ **lave** n. f. *Une coulée de* LAVE *s'échappe de la bouche du volcan,* de matière liquide et brûlante.

laver v. **1.** *Cette chemise est sale, il faut la* LAVER, la nettoyer avec de l'eau. — **2.** *Pascal, va* TE LAVER!, faire ta toilette (= se débarbouiller). ◆ **lavable** adj. (sens 1) *Les murs de la cuisine sont recouverts d'une peinture* LAVABLE, que l'on peut laver facilement. ◆ **lavage** n. m. (sens 1) *Mon pantalon a rétréci au* LAVAGE, quand il a été lavé. ◆ **lavabo** n. m.
79 ◁ **1.** (sens 2) *Le robinet du* LAVABO *coule,* de la cuvette fixée au mur et qui sert à la toilette. — **2.** (au plur.) *Où sont les* LAVABOS, *s'il vous plaît?,* les toilettes (= waters). ◆ **laverie** n. f. (sens 1) Une LAVERIE est un établissement où on lave le linge à la machine (= blanchisserie). ◆ **laveur** n. (sens 1) *M. Dupont est* LAVEUR *de carreaux.* ◆ **lavoir** n. m. (sens 1) *Dans ce village, il y a un* LAVOIR, un bassin où on lave le linge.
78 ◁ ◆ **lave-vaisselle** n. m. (sens 1) *Mets les assiettes sales dans le* LAVE-VAISSELLE, la machine à laver la vaisselle.

laxatif adj. et n. m. *Une tisane* LAXATIVE combat la constipation.

layette n. f. *Maman tricote la* LAYETTE *de bébé,* ses vêtements.

1. le, la, les articles définis. *Dans «c'est la fille de Paul»,* LA *indique que le nom qui suit est déterminé.*

• **R.** *Le, la* s'écrivent *l'* devant une voyelle ou un *h* aspiré *(tu as vu* L'*homme?, j'aime* L'*eau).*

11 ◁ **2. le, la, les** pron. pers. *Dans «n'embête pas ton frère, laisse-le!» ou «ma leçon, je la sais»,* LE, LA *désignent une personne ou une chose déterminée.*

• **R.** *Le, la* s'écrivent *l'* devant une voyelle *(Paul, je ne* L'*ai jamais vu).*

leader n. m. Un LEADER est une personne qui est à la tête d'un parti, d'un mouvement (= chef de file, meneur).

• **R.** On prononce [lidœr].

lécher v. *Le chat* SE LÈCHE *la patte,* il passe sa langue dessus.

leçon n. f. **1.** *M*[me] *Durand prend des* LEÇONS *de conduite,* elle apprend à conduire (= cours). — **2.** *Pascal, viens me réciter ta* LEÇON, le texte que tu dois apprendre. — **3.** *Tu t'es fait mal? Que ça te serve de* LEÇON!, que cette expérience t'apprenne à ne plus recommencer!

lecteur, lecture → LIRE 2. / **légal, légalement, légaliser, légalité** → LOI. / **légataire** → LÉGUER.

légende n. f. **1.** *Ma grand-mère me raconte souvent de vieilles* LÉGENDES *bretonnes* (= histoire, conte). — **2.** *Elle représente quoi, cette photo? — Tu n'as qu'à lire la* LÉGENDE *pour le savoir,* le texte qui est écrit dessous. ◆ **légendaire** adj. **1.** (sens 1) *Ulysse est un héros* LÉGENDAIRE, de légende. — **2.** *Ses gaffes sont* LÉGENDAIRES, connues de tous (= proverbial).

léger adj. **1.** *Ta valise est* LÉGÈRE, *je peux la porter* (≠ lourd). — **2.** *L'été, papa met des vestes* LÉGÈRES, en tissu fin (≠ épais). — **3.** *Dans l'avion, on nous a servi un repas* LÉGER, peu abondant (≠ copieux). — **4.** *Je voudrais un café* LÉGER (≠ fort). — **5.** *Paul est un esprit* LÉGER, il manque de sérieux (= insouciant). — **6.** *Heureusement, Paul n'a eu que des blessures* LÉGÈRES, peu importantes (≠ grave). — **7.** *Un rien me réveille, j'ai le sommeil* LÉGER (≠ profond, lourd). ◆ **à la légère** adv. (sens 5) *Il ne faut pas prendre cette maladie* À LA LÉGÈRE, *c'est grave,* avec insouciance. ◆ **légèrement** adv. **1.** (sens 2) *Tu es habillé trop* LÉGÈREMENT (≠ chaudement). • (sens 3) *Je déjeunerai* LÉGÈREMENT (≠ copieusement). • (sens 6) *Il n'est que* LÉGÈREMENT *blessé* (≠ gravement). — **2.** *Tourne-toi* LÉGÈREMENT *vers moi,* un petit peu. ◆ **légèreté** n. f. (sens 1) *Le liège flotte à cause de sa* LÉGÈRETÉ. • (sens 5) *Il a pris cette décision avec trop de* LÉGÈRETÉ (= insouciance). ◆ **alléger** v. (sens 1) *Pour* ALLÉGER *la valise, j'ai enlevé quelques affaires,* pour la rendre plus légère (≠ alourdir).

légion n. f. **1.** *Les soldats de la* LÉGION ÉTRANGÈRE *ont défilé le 14-Juillet,* de la troupe composée de volontaires surtout étrangers. — **2.** *M. Dubois a eu la* LÉGION D'HONNEUR, une décoration. ◆ **légionnaire** n. m. (sens 1) Un LÉGIONNAIRE est un soldat de la Légion.

législatif adj. *Une assemblée* LÉGISLATIVE est chargée de faire les lois. ◆ **législation** n. f. La LÉGISLATION est l'ensemble des lois.

légitime adj. *Sa protestation est* LÉGITIME (= justifié, légal). ◆ **illégitime** adj. *Ce qui est* ILLÉGITIME *n'est pas permis.*

léguer v. *Il* A LÉGUÉ *toute sa fortune à son neveu,* il la lui a donnée par testament. ◆ **légataire** n. *Mes neveux seront mes* LÉGATAIRES, ils bénéficieront de mon testament.

légume n. m. *Que veux-tu manger comme* LÉGUME : *haricots, carottes, pommes de terre, asperges?* ▷ 222

lendemain → DEMAIN.

lent adj. *Le vieillard marchait d'un pas* LENT (≠ rapide). ‖ *Que tu es* LENTE! *Dépêche-toi, on est en retard!,* tu ne vas pas assez vite (≠ vif). ◆ **lentement** adv. *Marie mange* LENTEMENT (≠ vite). ◆ **lenteur** n. f. *La* LENTEUR *de ses progrès est décourageante* (≠ rapidité). ◆ **ralentir** v. *La voiture* RALENTIT, *car le feu va passer au rouge,* elle va plus lentement (≠ accélérer). ◆ **ralentissement** n. m. *On signale un* RALENTISSEMENT *de la circulation sur l'autoroute,* les voitures ralentissent (≠ accélération). ◆ **ralenti** n. m. *Vous allez revoir* AU RALENTI *le but marqué par le joueur,* à une vitesse moins grande que la vitesse normale.

lentille n. f. **1.** *À midi, on a mangé des* LENTILLES, des graines rondes. — **2.** Une LENTILLE est un disque de verre utilisé dans les microscopes, les lunettes, pour grossir les objets.

léopard n. m. *La panthère d'Afrique, à fourrure tachetée, s'appelle le* LÉOPARD. ▷ 434

lèpre n. f. La LÈPRE est une maladie contagieuse dans laquelle la peau se couvre de plaies. ◆ **lépreux** adj. et n. Un LÉPREUX est une personne atteinte de la lèpre.

lequel, laquelle, lesquels, lesquelles pron. relatifs et interrogatifs. **1.** *Il y a des questions sur* LESQUELLES *je ne reviendrai pas,* je ne reviendrai pas sur ces questions. — **2.** *J'hésite entre ces deux robes;* LAQUELLE *préfères-tu?,* quelle robe?

● **R.** *Lequel* se contracte avec les prépositions *à* et *de : auquel, auxquels, duquel, desquels.*

les → LE 1 et 2.

lèse-majesté n. f. *Un crime de* LÈSE-MAJESTÉ est une grave faute envers un roi ou une reine.

léser v. *Paul n'a pas eu la même part d'héritage que les autres : il* A ÉTÉ LÉSÉ, désavantagé.

lésiner v. *Pierre* LÉSINE *sur toutes les dépenses,* il se montre avare.

lésion n. f. *Un coup, une blessure sont des* LÉSIONS.

223 ◁ **lessive** n. f. **1.** *Pascal, va m'acheter un paquet de* LESSIVE!, du produit en poudre pour laver. — **2.** *Maman fait la* LESSIVE, elle lave le linge. ◆ **lessiver** v. (sens 2) *Le carrelage de la cuisine est sale, il faut le* LESSIVER, le nettoyer. ◆ **lessiveuse** n. f. (sens 2) *Autrefois, on faisait bouillir le linge dans une* LESSIVEUSE, un grand récipient.

lest n. m. *On lâche du* LEST *pour que le ballon s'élève plus haut,* de lourds sacs de sable. ◆ **lester** v. LESTER *un bateau,* c'est le garnir de matières lourdes pour qu'il soit stable. ◆ **délester** v. DÉLESTER *un navire,* c'est l'alléger.

leste adj. *Ce gamin est* LESTE *comme un singe,* agile dans ses mouvements.

● **R.** Ne pas confondre *leste* et *lest :* [lɛst].

lester → LEST.

léthargie n. f. *La marmotte passe l'hiver en état de* LÉTHARGIE, de sommeil profond.

lettre n. f. **1.** *L'alphabet français comprend 26* LETTRES, des caractères
292 ◁ d'écriture. — **2.** *J'ai reçu une* LETTRE *de Bruno,* il m'a écrit. — **3.** (au plur.) *Marie fait des études de* LETTRES, de langue et de littérature. — **4.** *J'ai suivi vos instructions* À LA LETTRE, exactement. ◆ **lettré** adj. et n. (sens 3) *Mon grand-père a beaucoup lu, c'est un* LETTRÉ, un homme cultivé. ◆ **illettré** adj. et n. (sens 1) *Cet homme est un* ILLETTRÉ, il ne sait ni lire ni écrire.

11 ◁ **1. leur** pron. pers. s'emploie pour représenter les personnes dont on parle : *Je* LEUR *ai dit de venir,* à eux.

2. leur adj. et pron. possessif *Ce sont* LEURS *affaires, laissez-les,* elles sont à eux. ‖ *Notre voiture est mieux que* LA LEUR, que celle qui leur appartient.

● **R.** V. LEURRE.

leurre n. m. **1.** *On peut pêcher le brochet avec un* LEURRE, un appât artificiel. — **2.** *Ce qu'on te propose n'est qu'un* LEURRE, un faux espoir. ◆ **se leurrer** v. (sens 2) *Si tu crois que Pierre va t'aider, tu* TE LEURRES, tu te fais des illusions (= se tromper).

● **R.** *Leurre* se prononce [lœr] comme *leur.*

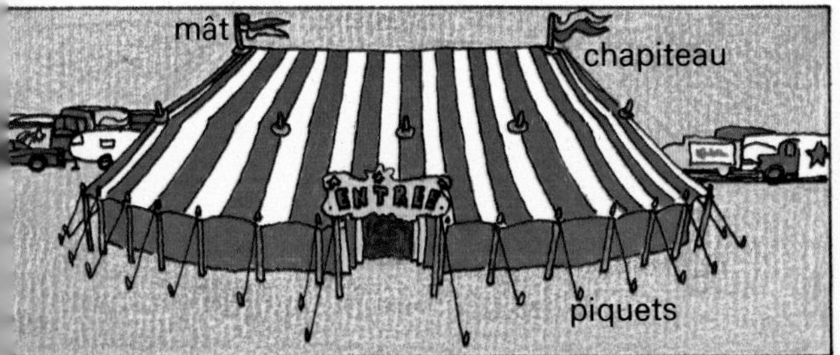
mât
chapiteau
ENTRÉE
piquets

massue
jongleur

funambule
balancier
voltige
acrobate
écuyère
gradins
piste
otarie

clown

trapézistes
trapèze volant
voltige
échelle de corde
filet

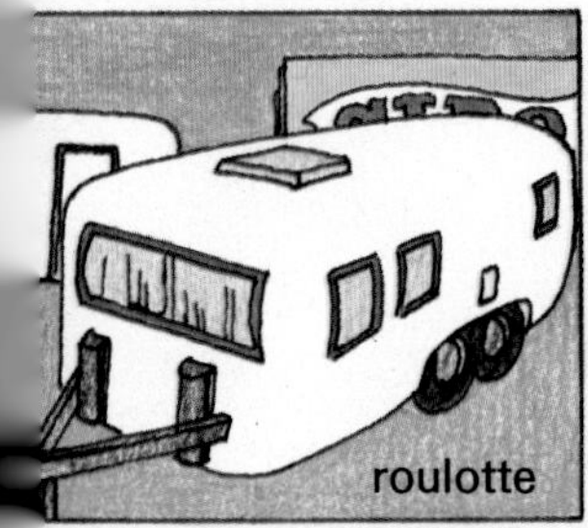
roulotte

cage à fauves
ménagerie

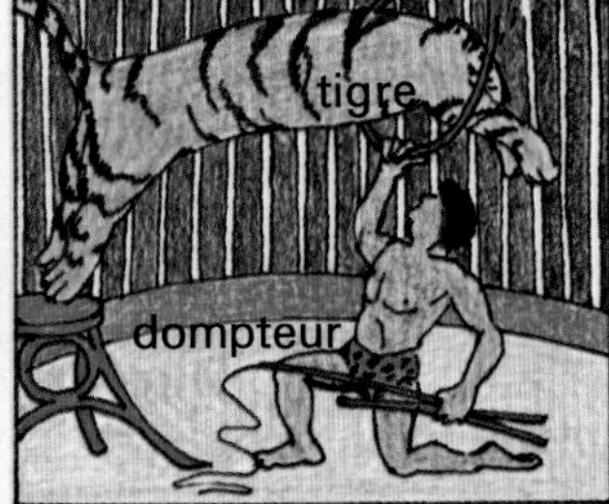
tigre
dompteur

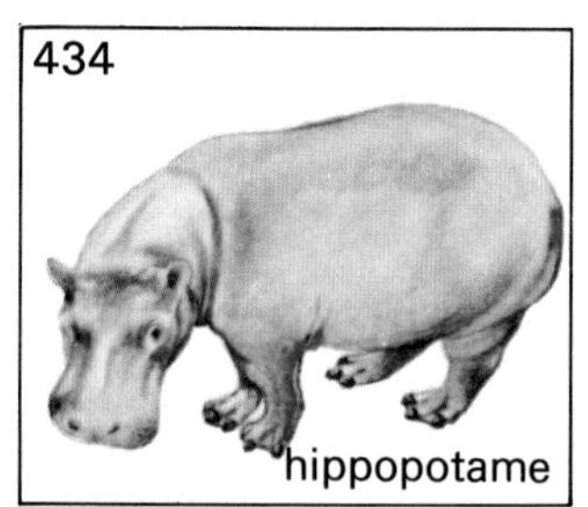
hippopotame

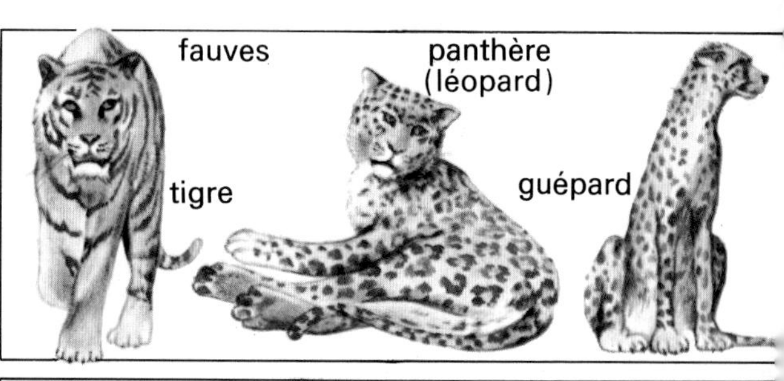
fauves
tigre
panthère
(léopard)
guépard

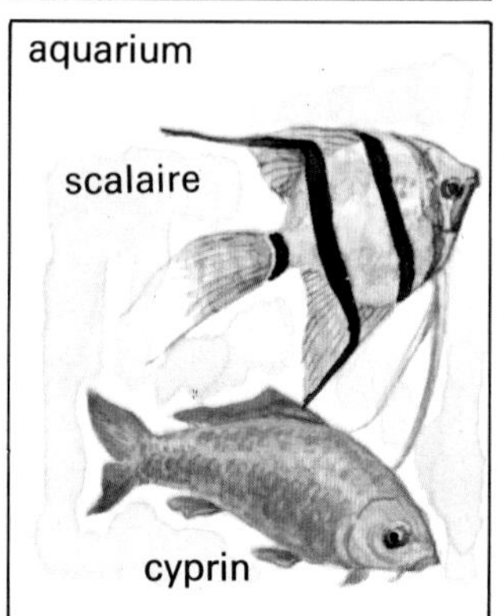
aquarium
scalaire
cyprin

ménagerie
rocher des singes

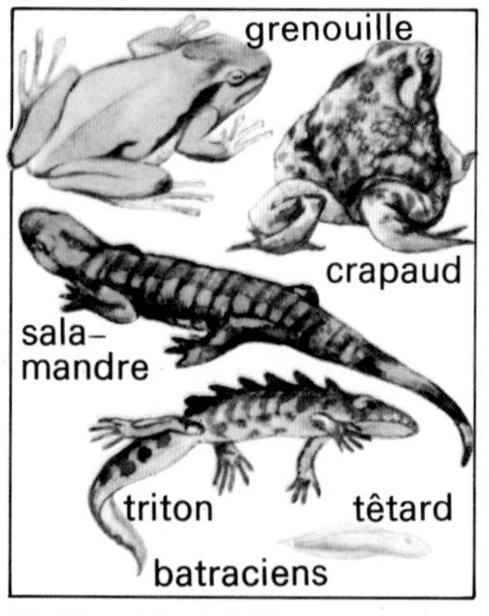
grenouille
crapaud
sala-
mandre
triton
têtard
batraciens

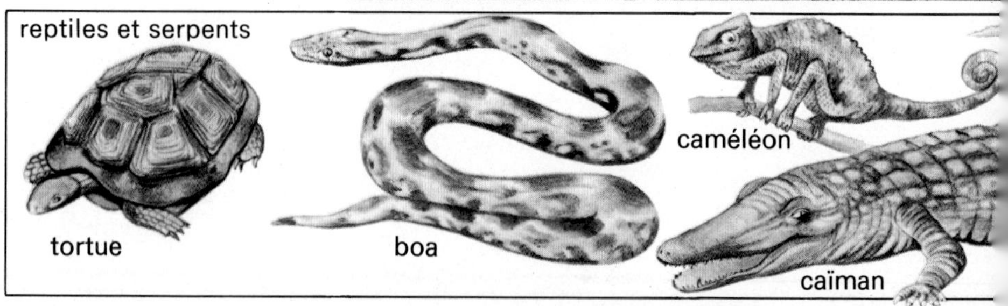
reptiles et serpents
tortue
boa
caméléon
caïman

kan-
gourou
lama
(vigo-
gne)

singes
ouistiti
orang-outan

oiseaux
courlis
colibri
casoar
manchot
pélican
condor
toucan
cigogne
paon

volière
abri
vivarium
cages
fosse
enclos
clôture
entrée
ZOO

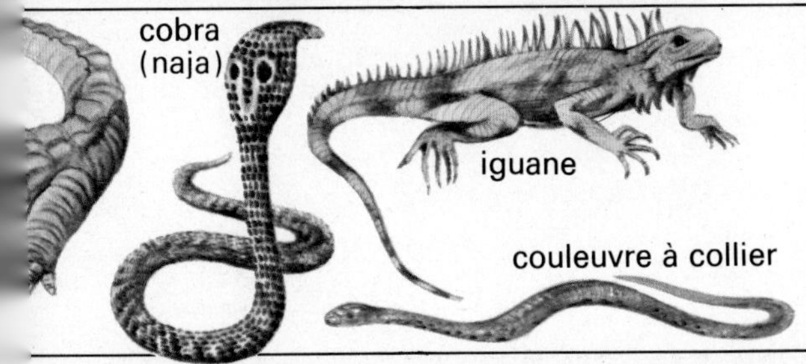
cobra
(naja)
iguane
couleuvre à collier

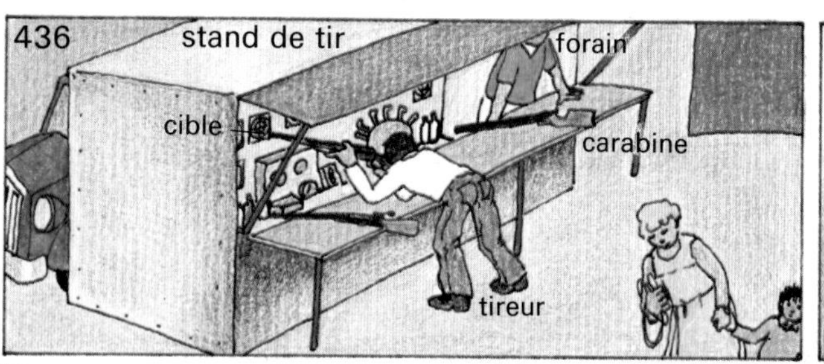
stand de tir
forain
cible
carabine
tireur

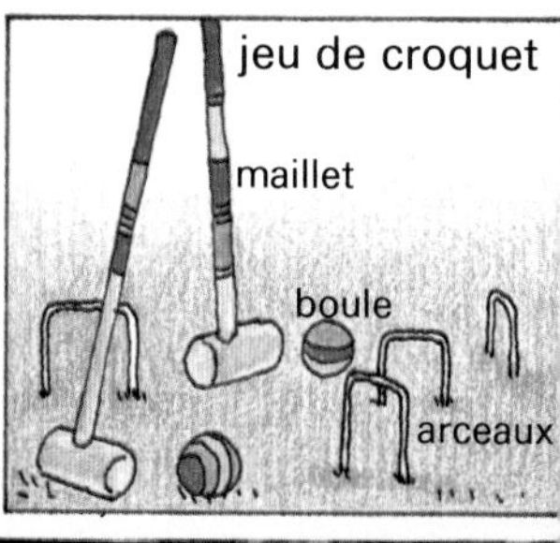
jeu de croquet
maillet
boule
arceaux

billard
queue
tapis
bande
billes

chenille
baraques
loterie
autos
tamponneuses
toboggan

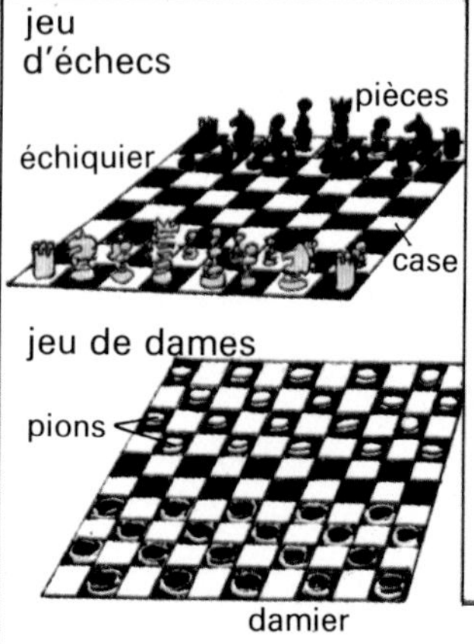
jeu
d'échecs
pièces
échiquier
case
jeu de dames
pions
damier

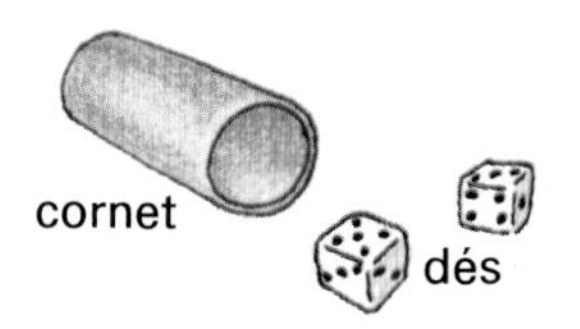
cornet
dés

cœur
cartes
à jouer
carreau
pique
trèfle
loto
dominos

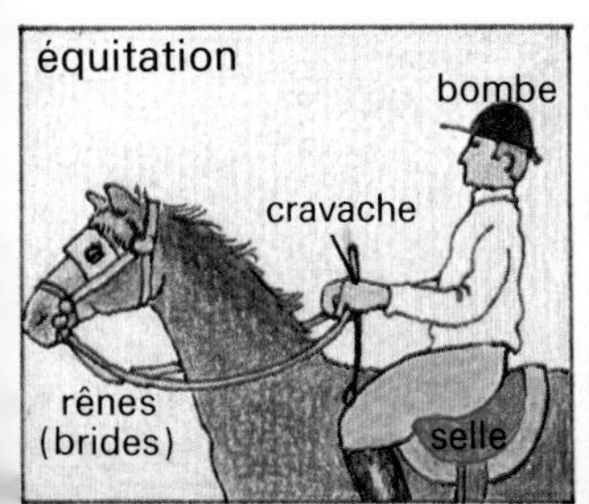
équitation
bombe
cravache
rênes
(brides)
selle

canotage
aviron
(rame)
barque

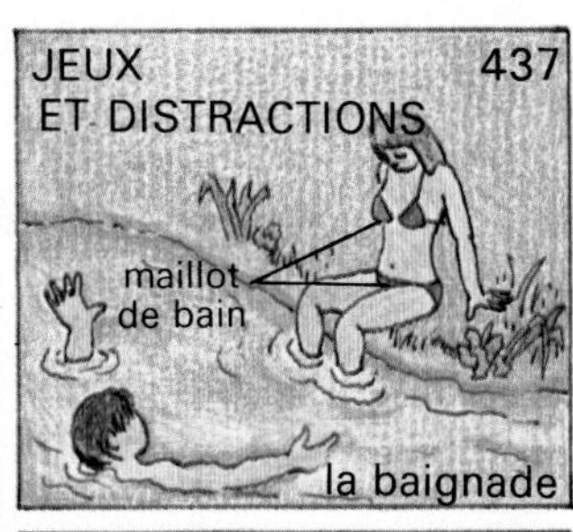
maillot
de bain
la baignade

grande
roue
nacelles
balançoires
manège
la fête foraine

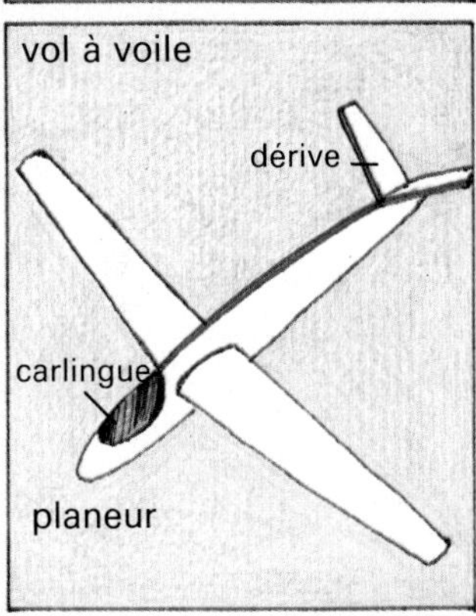
vol à voile
dérive
carlingue
planeur

la peinture
chevalet
tableau
boîte de
couleurs
palette

poterie (céramique)
vases
tour

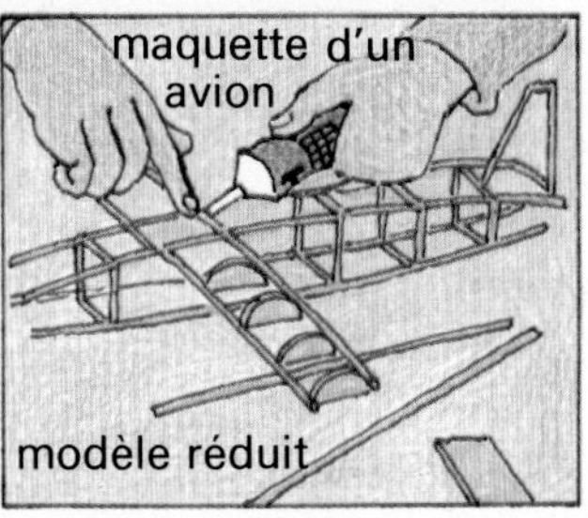
maquette d'un
avion
modèle réduit

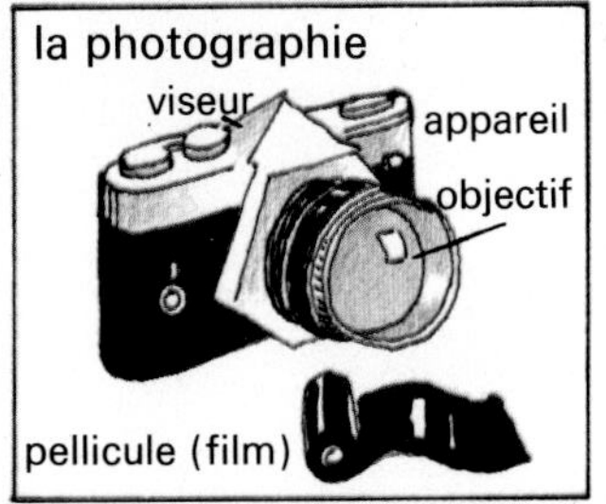
la photographie
viseur
appareil
objectif
pellicule (film)

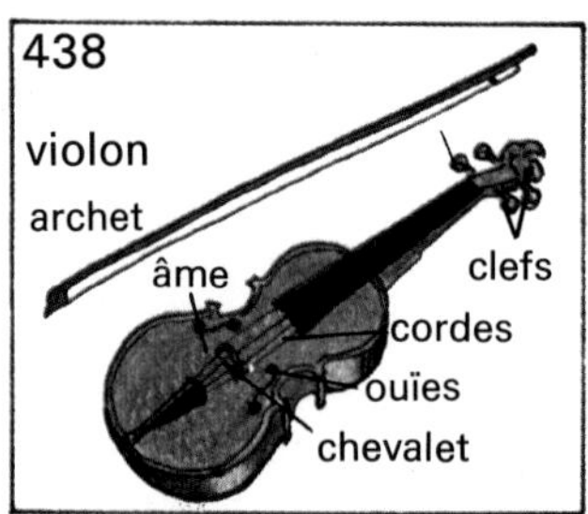
violon
archet
âme
clefs
cordes
ouïes
chevalet

fanfare
(clique)
bannière

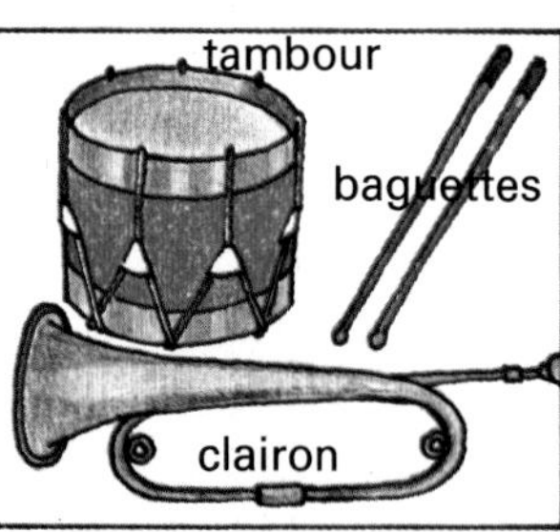
tambour
baguettes
clairon

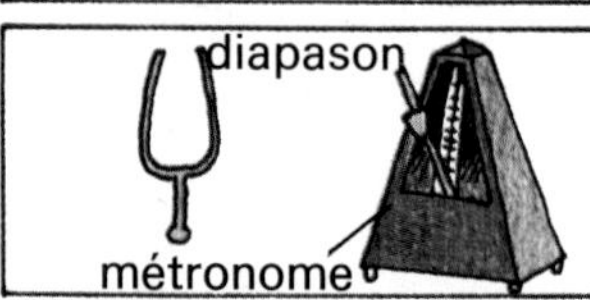
diapason
métronome

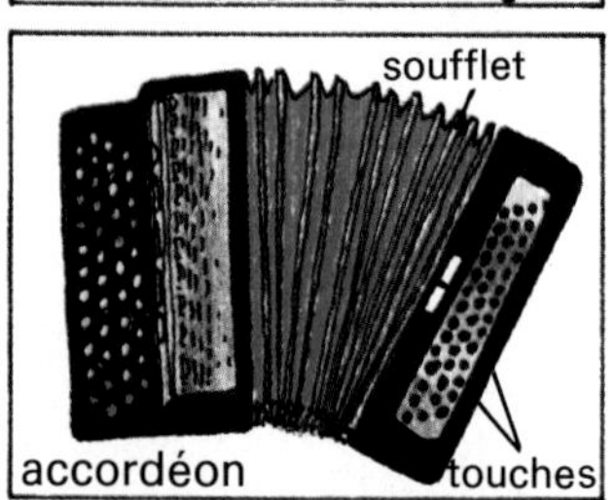
soufflet
accordéon
touches

orchestre
de chambre
(quatuor)

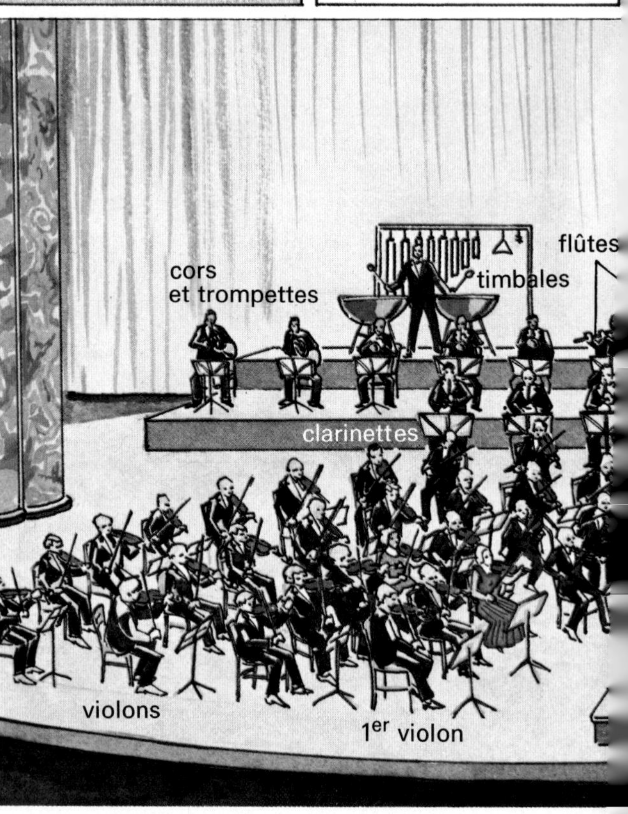
flûtes
cors
et trompettes
timbales
clarinettes
violons
1er violon

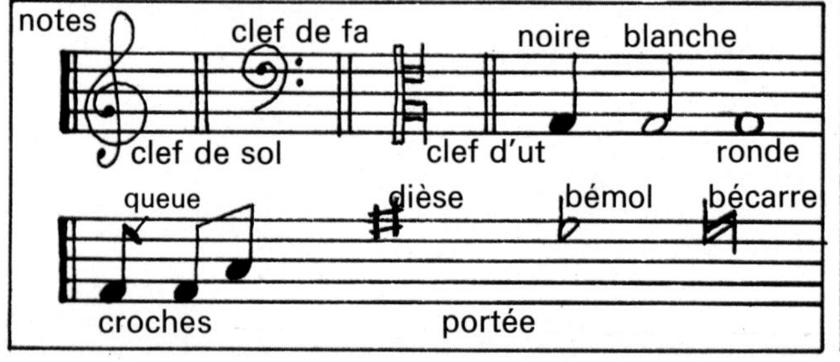
notes
clef de fa
noire
blanche
clef de sol
clef d'ut
ronde
queue
dièse
bémol
bécarre
croches
portée

flûte
hautbois
clefs
clarinette

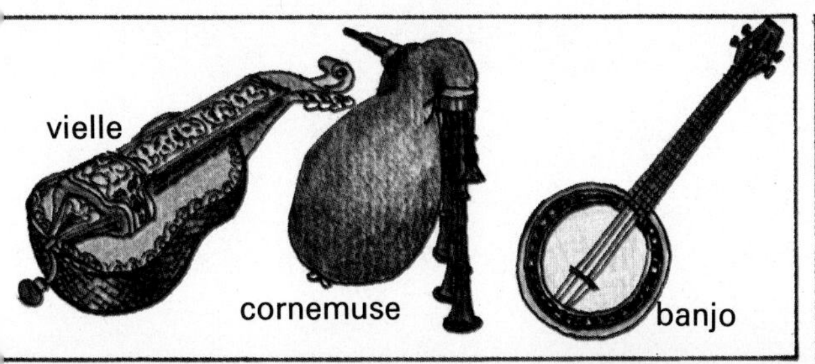
vielle
cornemuse
banjo

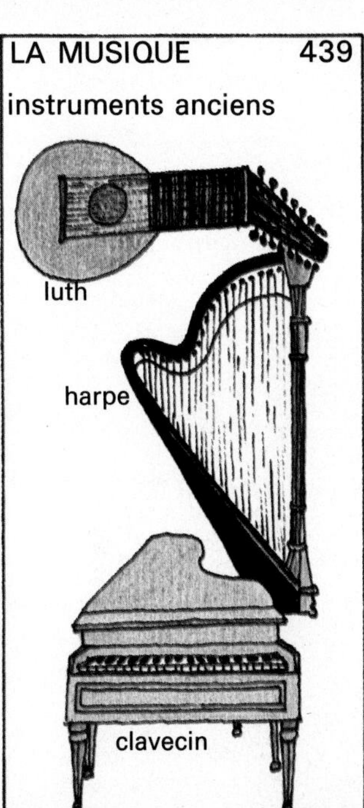
instruments anciens
luth
harpe
clavecin

isposition d'un orchestre symphonique
tubas
hautbois
bassons
contrebasses
altos
partition
chef d'orchestre
pupitre
violoncelles

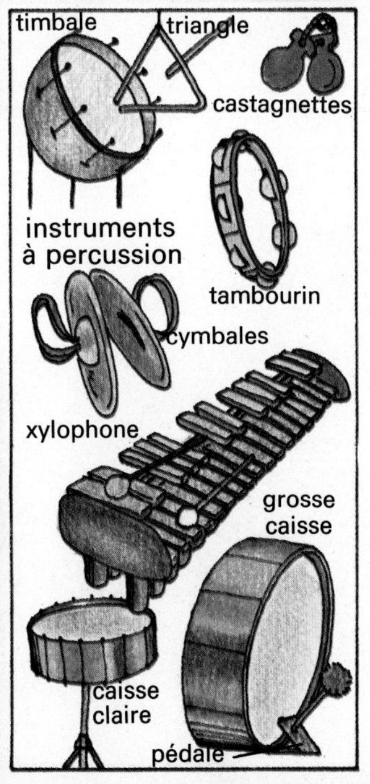
timbale
triangle
castagnettes
instruments à percussion
tambourin
cymbales
xylophone
grosse caisse
caisse claire
pédale

piano à queue
trompette
batterie
contre-basse
saxophone
trombone à coulisse
orchestre de jazz

tragédie classique
glaive
cuirasse
toge
péplum
comédiens

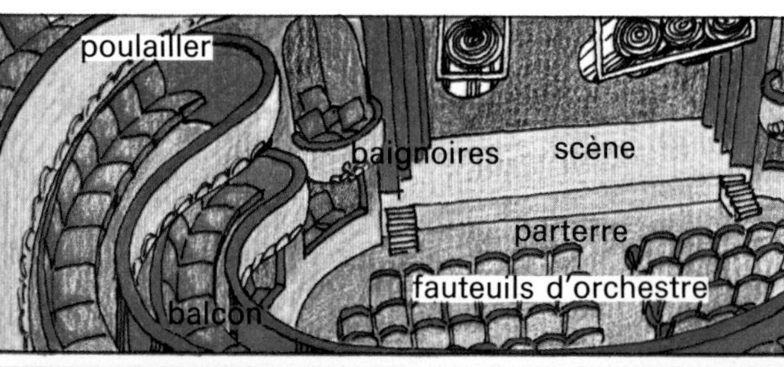
poulailler
baignoires
scène
parterre
fauteuils d'orchestre
balcon

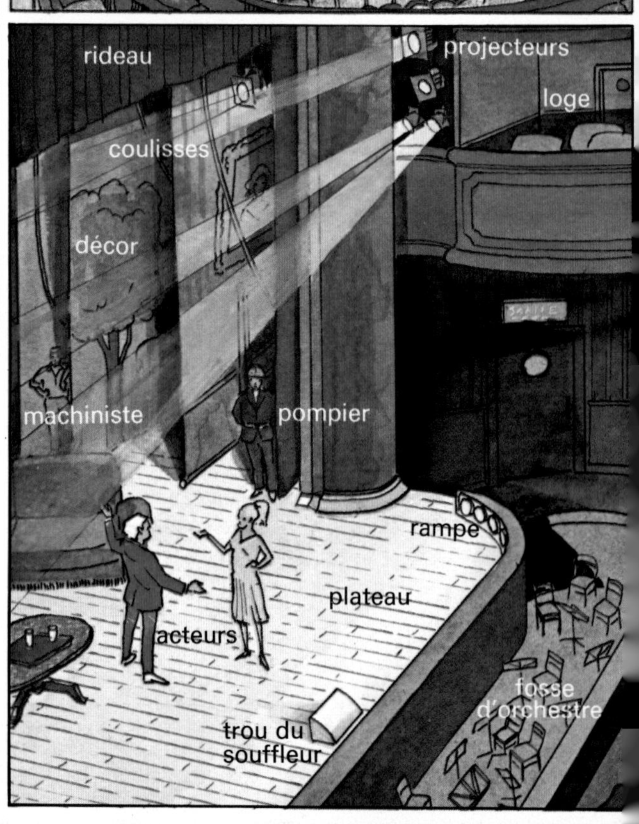
rideau
projecteurs
loge
coulisses
décor
machiniste
pompier
rampe
plateau
acteurs
fosse d'orchestre
trou du souffleur

théâtre de marionnettes
guignol

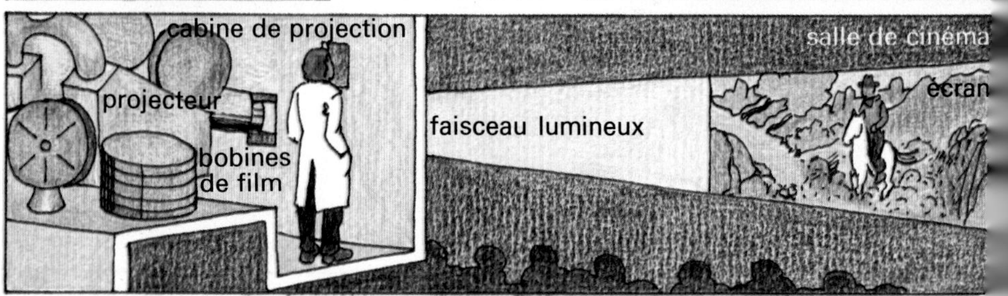
cabine de projection
salle de cinéma
projecteur
écran
faisceau lumineux
bobines de film

lever v. **1.** LEVEZ *le bras droit!* bougez-le vers le haut (≠ baisser). — **2.** *La séance* EST LEVÉE!, elle est terminée (≠ ouvrir). — **3.** *Le facteur* LÈVE *le courrier à 15 heures,* il le prend dans la boîte aux lettres pour le porter à la poste. — **4.** *Le chasseur* A LEVÉ *un lièvre,* il l'a fait partir de son gîte. — **5.** *Le blé commence à* LEVER, à sortir de terre (= pousser). — **6.** *La fermentation fait* LEVER *la pâte,* elle la fait se gonfler. — **7.** *Pascal,* LÈVE-TOI, *il est 8 heures,* sors du lit (≠ se coucher). — **8.** *En été, le soleil* SE LÈVE *tôt,* il apparaît dans le ciel (≠ se coucher). — **9.** *Le vent* SE LÈVE, il commence à souffler. ◆ **lever** n. m. (sens 1) *On est arrivé au théâtre juste avant le* LEVER *du rideau,* le moment où on le lève. • (sens 8) *Dès le* LEVER *du jour, les chasseurs se mettent en route,* le moment où le jour commence. ◆ **levée** n. f. **1.** (sens 2) *La* LEVÉE *de la séance a eu lieu à 16 heures,* la fin. • (sens 3) *Les heures des* LEVÉES *sont indiquées sur la boîte aux lettres,* où le courrier est levé. — **2.** *Aux cartes,* FAIRE UNE LEVÉE, c'est ramasser les cartes des autres après avoir gagné un coup (= pli). ◆ **levant** n. m. (sens 8) *Il faut s'orienter vers le* LEVANT, la direction où le soleil se lève (= est, orient). ◆ **levain** n. m. (sens 6) Le LEVAIN est une substance qui fait lever la pâte. ◆ **levure** n. f. (sens 6) *Maman a oublié de mettre de la* LEVURE *dans son gâteau,* un produit qui fait lever la pâte. ▷ 768

levier n. m. *Le* LEVIER *du changement de vitesse est cassé,* la barre qui sert à changer de vitesse. ▷ 291, 505

lèvre n. f. *Maman se met du rouge sur les* LÈVRES. ▷ 33

lévrier n. m. *Les* LÉVRIERS *courent très vite,* des sortes de grands chiens.

levure → LEVER.

lexique n. m. **1.** *Un* LEXIQUE *français-latin* est un petit dictionnaire. — **2.** *Le* LEXIQUE *du français* est l'ensemble des mots français (= vocabulaire).

lézard n. m. Un LÉZARD est un petit reptile à quatre pattes et à longue queue. ▷ 363, 435

lézarde n. f. *Il y a des* LÉZARDES *dans le mur,* des fentes (= crevasse, fissure). ◆ **se lézarder** v. *Le plafond* S'EST LÉZARDÉ, il s'est fissuré.

liaison → LIER.

liane n. f. *Dans la jungle, Tarzan s'élançait d'une* LIANE *à l'autre,* de l'une à l'autre des longues tiges souples qui pendent des arbres. ▷ 580

liasse n. f. *Une* LIASSE *de billets de banque* est un paquet de billets attachés ensemble.

libeller v. LIBELLER *un télégramme,* c'est le rédiger.

libellule n. f. *Cet insecte aux longues ailes qui vole au bord de l'eau est une* LIBELLULE.

libéral adj. **1.** *M. Durand a des idées* LIBÉRALES (= tolérant). — **2.** *Être avocat, médecin, c'est avoir une* PROFESSION LIBÉRALE.

libération, libérer, liberté → LIBRE.

librairie n. f. Une LIBRAIRIE est un magasin où l'on vend des livres. ◆ **libraire** n. Le LIBRAIRE est celui qui tient une librairie. ▷ 221

libre adj. **1.** *Après un an de prison, cet homme est* LIBRE, il n'est plus emprisonné (≠ détenu). — **2.** *Tu es* LIBRE *de partir,* rien ne t'en empêche. — **3.** *Ce soir, je ne suis pas* LIBRE, *j'ai un dîner,* je suis occupé (≠ pris). — **4.** *La voie est* LIBRE, on peut passer. ◆ **libérer** v. (sens 1) *Le prisonnier* A ÉTÉ LIBÉRÉ, on lui a rendu la liberté. ‖ *La France* A ÉTÉ LIBÉRÉE *de l'occupation allemande en 1945,* délivrée. • (sens 3) *J'ai une réunion jusqu'à midi, mais j'essaierai de* ME LIBÉRER *un peu avant,* de me rendre libre. ◆ **libération** n. f. (sens 1) *Le prisonnier attend sa* LIBÉRATION (≠ emprisonnement). ◆ **liberté** n. f. (sens 1) *Le prisonnier a retrouvé la* LIBERTÉ, il est libre. ‖ *Ces animaux vivent en* LIBERTÉ (≠ captivité). • (sens 2) *Tu peux parler en toute* LIBERTÉ, tu as le droit de dire ce que tu veux. ◆ **librement** adv. (sens 1 et 2) *Ici, on peut aller et venir* LIBREMENT, sans interdiction. ◆ **libre-service** n. m. (sens 2) Un LIBRE-SERVICE est un magasin où l'on se sert soi-même.

• **R.** Noter le pluriel : des *libres-services.*

licence n. f. *Patrick s'est fait faire une* LICENCE *de football,* une carte qui donne le droit de jouer.

licencier v. *L'usine* A LICENCIÉ *des ouvriers,* elle les a renvoyés (≠ embaucher). ◆ **licenciement** n. m. *On a protesté contre le* LICENCIEMENT *d'un employé* (= renvoi).

licite adj. *Ce qui est* LICITE *est permis par la loi* (= légal). ◆ **illicite** adj. *Passer de l'alcool en fraude est* ILLICITE, défendu (= illégal).

lie n. f. *La* LIE *du vin* est le dépôt qui se forme au fond de la bouteille ou du tonneau.

• **R.** V. LIT.

liège n. m. *Le* LIÈGE *flotte sur l'eau,* l'écorce du chêne-liège.

lier v. **1.** *Le prisonnier avait les mains* LIÉES *derrière le dos,* attachées. — **2.** *Les Durand et nous, on* EST *très* LIÉS, nous sommes amis (= unir). — **3.** *Ces deux affaires de meurtre* SONT LIÉES, en rapport l'une avec l'autre. ◆ **lien** n. m. (sens 1) *Une corde, une ficelle sont des* LIENS, des choses qui servent à lier. • (sens 2) *Nous n'avons aucun* LIEN *de parenté,* nous ne sommes pas liés par la parenté. • (sens 3) *Il y a un* LIEN *entre ces deux crimes,* un rapport. ◆ **liaison** n. f. **1.** (sens 3) *Il y a un manque de* LIAISON *entre ces deux paragraphes,* de rapport. — **2.** *La* LIAISON *a été rétablie entre l'avion et la tour de contrôle,* le contact par radio. — **3.** *Ce bateau assure la* LIAISON *entre la France et l'Angleterre,* il fait le trajet (= communication). — **4.** *Faire une* LIAISON, c'est prononcer la consonne qui termine un mot quand le mot suivant commence par une voyelle. ◆ **délier** v. **1.** (sens 1) *La ficelle* S'EST DÉLIÉE, le nœud s'est défait (= se détacher). — **2.** *Je me considère comme* DÉLIÉ *de ma promesse,* je ne suis plus lié à elle (= dégager).

• **R.** V. LIE.

73 ◁ **lierre** n. m. Le LIERRE est une plante grimpante aux feuilles toujours vertes.

lieu n. m. **1.** *On a retrouvé un couteau sur les* LIEUX *du crime,* à l'endroit où il s'est produit. — **2.** *L'examen* AURA LIEU *le 26 juin,* se produira. —

3. *Cet avis* TIENT LIEU DE *faire-part,* le remplace. — **4.** *C'est Paul qui est venu* AU LIEU DE *Pierre,* à la place de. ◆ **lieu commun** n. m. *Il ne dit que des* LIEUX COMMUNS, des banalités.

lieue n. f. *Autrefois, une* LIEUE *c'était 4 kilomètres.*

lieutenant n. m. *Un* LIEUTENANT *a deux galons,* l'officier au-dessous du capitaine. ◆ **lieutenant-colonel** n. m. *Un* LIEUTENANT-COLONEL *a cinq galons,* l'adjoint du colonel. ▷ 355 ▷ 355, 767

lièvre n. m. *Le chasseur a tué un* LIÈVRE, une sorte de lapin sauvage. ▷ 656

ligne n. f. **1.** *Trace une* LIGNE *droite avec ta règle,* un trait. — **2.** *Lis la première* LIGNE *en haut de la page,* la suite de mots les uns à côté des autres. — **3.** *Les enfants, mettez-vous en* LIGNE, les uns à côté des autres (= en rang, en file). — **4.** *Quelle* LIGNE *de métro prends-tu?,* quel trajet fais-tu? — **5.** *Allô!... Ah! la* LIGNE *est coupée!,* le contact téléphonique. — **6.** *Le pêcheur a cassé sa* LIGNE, le fil attaché au bout d'une canne à pêche. — **7.** *Il a toujours suivi la même* LIGNE DE CONDUITE, le même principe (= règle). — **8.** *Marie mange peu pour garder la* LIGNE, rester mince. — **9.** *Il descend en droite* LIGNE *des Bourbons,* de la suite des descendants des Bourbons. ◆ **linéaire** adj. (sens 1) *Un dessin* LINÉAIRE est fait de simples lignes. ◆ **lignée** n. f. (sens 9) Une LIGNÉE est l'ensemble des descendants d'une personne. ◆ **aligner** v. (sens 3) *Les coureurs* SE SONT ALIGNÉS *au poteau de départ,* se sont mis en ligne. ◆ **alignement** n. m. (sens 3) *Mettez-vous à l'*ALIGNEMENT, alignez-vous. ▷ 348, 506, 725 ▷ 721

ligoter v. LIGOTER *quelqu'un,* c'est l'attacher avec des cordes.

ligue n. f. Une LIGUE est une association. ◆ **se liguer** v. *Ils* SE SONT *tous* LIGUÉS *contre moi,* unis.

lilas n. m. Le LILAS est un arbuste à fleurs violettes ou blanches. ▷ 80

limace n. f. *Des* LIMACES *ont mangé les fraises du jardin,* des animaux mous, qui avancent en rampant. ▷ 366

limande n. f. La LIMANDE est un poisson plat.

lime n. f. *Tu n'aurais pas une* LIME *à ongles?,* un instrument plat qui sert à user, à polir. ◆ **limer** v. LIMER, c'est user un objet avec une lime. ▷ 79, 289

limite n. f. **1.** *Le ballon est sorti des* LIMITES *du terrain,* des lignes qui déterminent son étendue. — **2.** *C'est aujourd'hui la dernière* LIMITE *pour s'inscrire,* le dernier moment où c'est possible. ◆ **limiter** v. (sens 2) *La vitesse* EST LIMITÉE *à 130 kilomètres à l'heure sur l'autoroute,* il n'est pas permis d'aller plus vite. ◆ **limitation** n. f. (sens 2) *Un panneau de* LIMITATION *de vitesse indique la vitesse à ne pas dépasser.* ◆ **limitrophe** adj. (sens 1) *L'Espagne est un pays* LIMITROPHE *de la France,* ces pays ont une frontière commune (= voisin). ◆ **délimiter** v. (sens 1) *On va* DÉLIMITER *le terrain,* en fixer les limites. ◆ **illimité** adj. (sens 2) *J'ai une confiance* ILLIMITÉE *en lui,* qui n'a pas de limites.

limonade n. f. *J'ai bu un verre de* LIMONADE, une boisson gazeuse.

limpide adj. *Une eau* LIMPIDE est très claire (≠ trouble). ◆ **limpidité** n. f. *Quelle* LIMPIDITÉ *dans son explication!* (= clarté; ≠ obscurité).

lin n. m. *Le* LIN *sert à faire des tissus et de l'huile,* une plante. ▷ 80

linceul n. m. *On enveloppe les morts dans un* LINCEUL, une sorte de drap.

linéaire → LIGNE.

79 ◁ **linge** n. m. *On va laver le* LINGE *sale,* les pièces de tissu dont on se sert dans une maison (draps, serviettes, torchons, etc.) ou les vêtements en tissu léger (chaussettes, chemises, etc.). ◆ **lingerie** n. f. *Dans un* 77 ◁ *magasin de* LINGERIE *féminine, on vend des chemises de nuit, des sous-vêtements, des bas.*

lingot n. m. Un LINGOT est une grosse barre d'or.

linguistique n. f. La LINGUISTIQUE est l'étude des langues, du langage.

linoléum n. m. *On a recouvert le plancher avec du* LINOLÉUM, une toile épaisse imperméable.

• **R.** On prononce [linoleɔm]. ‖ On dit aussi *lino.*

linotte n. f. *Quelle* TÊTE DE LINOTTE, *il a encore oublié le pain!,* quel étourdi!

581 ◁ **lion** n. m., **lionne** n. f. *Au cirque, le dompteur dresse les* LIONS, de grands animaux au pelage fauve. ‖ *La* LIONNE *veille sur ses petits,* la femelle du lion. ◆ **lionceau** n. m. Les LIONCEAUX sont les petits du lion.

liquéfier → LIQUIDE.

liqueur n. f. *Vous prendrez bien un verre de* LIQUEUR?, d'une boisson alcoolisée sucrée (= digestif).

liquidation → LIQUIDER.

liquide adj. **1.** *Ta sauce est trop* LIQUIDE, *ajoute de la farine,* elle n'est pas assez épaisse. — **2.** *J'ai payé en argent* LIQUIDE, en billets, en pièces de monnaie. ◆ **liquide** n. m. (sens 1) *L'eau, le lait, l'essence sont des* LIQUIDES, des substances qui coulent. • (sens 2) [au sing.] *Je n'ai plus de* LIQUIDE, d'argent liquide. ◆ **liquéfier** v. (sens 1) SE LIQUÉFIER, c'est devenir liquide.

liquider v. **1.** *Cette affaire* EST LIQUIDÉE, elle est terminée (= régler). — **2.** *Avant sa fermeture définitive, le magasin* LIQUIDE *tout son stock,* le vend à bas prix. ◆ **liquidation** n. f. (sens 1) *La* LIQUIDATION *d'un procès.* • (sens 2) *La* LIQUIDATION *des marchandises.*

1. lire n. f. La LIRE est la monnaie italienne.

2. lire v. **1.** *Pascal apprend à* LIRE, à comprendre ce qui est écrit. — **2.** LIS-*moi la lettre de Chantal,* dis-moi tout haut ce qui y est écrit. — **3.** *Tu* AS *déjà* LU *ce livre?,* pris connaissance de ce qui y est écrit. ◆ **lecture** n. f. (sens 1) *Pascal apprend la* LECTURE, il apprend à lire. • (sens 2) *Je vais te faire la* LECTURE *de ce texte,* te le lire. • (sens 3) *J'aime la* LECTURE, lire des livres. ‖ *Quelles sont tes* LECTURES *préférées?,* tes livres. ◆ **lecteur** n. (sens 3) *Beaucoup de* LECTRICES *du journal nous ont écrit,* de femmes qui le lisent. ◆ **lisible** adj. (sens 1) *Que tu écris mal, c'est à peine* LISIBLE!, facile à lire. ◆ **lisiblement** adv. (sens 1) *Écris plus* LISIBLEMENT, de façon plus lisible. ◆ **illisible** adj. (sens 1) *Cette signature est* ILLISIBLE, on ne peut pas la lire. ◆ **relire** v. (sens 2) RELIS *ce passage,* lis-le de nouveau. • (sens 3) *Je* RELIS *toujours mes lettres,* je lis ce que j'ai écrit.

• **R.** Conj. n° 73. ‖ V. LIT.

lis n. m. Le LIS est une plante à fleurs blanches odorantes. ▷ 80
• **R.** On écrit aussi *lys.* || *Lis* se prononce [lis] comme *lisse.*

liseron n. m. Le LISERON est une plante grimpante à fleurs en forme d'entonnoir.

lisible, lisiblement → LIRE 2.

lisière n. f. Une LISIÈRE est un bord, une bordure.

lisse adj. *Bébé a la peau* LISSE (= doux; ≠ rugueux). ◆ **lisser** v. LISSER *ses cheveux,* c'est les rendre lisses.
• **R.** V. LIS.

liste n. f. *Dupont?... Non, vous n'êtes pas sur la* LISTE, la suite de noms écrits les uns au-dessous des autres.

lit n. m. **1.** *Il est l'heure d'aller au* LIT, de se coucher sur le meuble prévu pour cela. — **2.** *Le* LIT *d'un cours d'eau* est le creux dans lequel il coule. ◆ **literie** n. f. (sens 1) *Le sommier, le matelas, les oreillers, les draps, etc., constituent la* LITERIE. ◆ **s'aliter** v. (sens 1) *Jean* S'EST ALITÉ *avec de la fièvre,* il s'est mis au lit. ▷ 38, 77
• **R.** *Lit* se prononce [*li*] comme *lie,* [*je*] *lie* (de *lier*), [*je*] *lis* (de *lire*).

lithographie ou **litho** n. f. *Papa s'est acheté une* LITHOGRAPHIE, une reproduction d'un dessin.

litière n. f. **1.** *La* LITIÈRE *des vaches* est la paille sur laquelle elles se couchent. — **2.** Autrefois, une LITIÈRE était une sorte de lit posé sur des brancards. ▷ 368

litige n. m. *Ce* LITIGE *peut se régler facilement,* ce petit conflit (= différend). ◆ **litigieux** adj. *Quels sont les points* LITIGIEUX?, qui font l'objet du litige (= contesté).

litre n. m. **1.** Le LITRE est l'unité de mesure des liquides. || *Il y a 100* CENTILITRES *et 10* DÉCILITRES *dans un litre; il faut 10* LITRES *pour faire un* DÉCALITRE *et 100* LITRES *pour faire un* HECTOLITRE. — **2.** *Rebouche le* LITRE *de vin,* la bouteille contenant 1 litre. ▷ 795 ▷ 795 ▷ 795

littérature n. f. *Ce roman est un des chefs-d'œuvre de la* LITTÉRATURE, de l'ensemble des livres écrits par des écrivains. ◆ **littéraire** adj. *Une émission* LITTÉRAIRE concerne la littérature, les livres.

littoral n. m. Le LITTORAL est le bord de mer (= côte). ▷ 725

liturgie n. f. La LITURGIE est la façon dont se déroulent les cérémonies religieuses.

livide adj. *Tu as froid? Tu es* LIVIDE, très pâle.

livraison → LIVRER.

1. livre n. m. *Papa a beaucoup de* LIVRES *dans sa bibliothèque,* de volumes imprimés (= bouquin). ◆ **livret** n. m. Un LIVRET est un livre mince où l'on inscrit quelque chose (= carnet). ▷ 221, 295

2. livre n. f. **1.** La LIVRE est la monnaie anglaise. — **2.** *Donnez-moi une* LIVRE *de beurre,* la moitié d'un kilo ou 500 grammes. ▷ 795

livrée n. f. Une LIVRÉE est un costume spécial porté autrefois par certains domestiques, aujourd'hui par le personnel de certains hôtels.

livrer v. **1.** *Le coupable* A ÉTÉ LIVRÉ *à la police,* remis. — **2.** *Le meuble que vous avez commandé vous* SERA LIVRÉ *samedi,* apporté à domicile. — **3.** LIVRER *bataille,* c'est engager le combat. — **4.** *Ils* SE SONT LIVRÉS *au pillage,* ils se sont mis à piller. ◆ **livraison** n. f. (sens 2) *J'attends une* LIVRAISON, qu'on me livre ce que j'ai acheté. ◆ **livreur** n. (sens 2) *Pascal, donne un pourboire au* LIVREUR!, à celui qui livre.

livret → LIVRE 1.

40, 33 ◁ **lobe** n. m. *Le* LOBE *de l'oreille* est la partie arrondie du bas de l'oreille.

local adj. **1.** *Tu lis le journal* LOCAL?, celui de la région. — **2.** *Une anesthésie* LOCALE s'applique à une partie du corps seulement (≠ général). — **3.** n. m. *Vous voulez visiter les nouveaux* LOCAUX?, les bâtiments ou parties de bâtiments (= salle). ◆ **localement** adv. (sens 1 et 2) *Le temps sera* LOCALEMENT *pluvieux,* par endroits. ◆ **localiser** v. (sens 2) *La douleur* EST LOCALISÉE *dans le dos,* limitée à cet endroit. ◆ **localité** n. f. (sens 1) Une LOCALITÉ est une petite ville.

locataire, location → LOUER.

locomotion n. f. *La voiture, le train, l'avion sont des moyens de* LOCOMOTION, pour aller d'un lieu à un autre.

582, 509 ◁ **locomotive** n. f. La LOCOMOTIVE est la machine qui tire les trains.

locution n. f. *«Sous» est une préposition, «au-dessous de» est une* LOCUTION *prépositive,* un groupe de mots qui a le sens d'un seul mot.

loge n. f. **1.** *La* LOGE *du concierge est près de l'entrée de l'immeuble,* l'endroit où il habite. — **2.** *La* LOGE *d'un artiste* est la pièce où il s'habille et se maquille. — **3.** *J'ai loué une* LOGE *au théâtre,* un compartiment contenant plusieurs sièges. ◁ 440

loger v. **1.** *Pour l'instant, je* LOGE *à l'hôtel,* j'y habite. — **2.** *Cet appartement est trop petit, nous* SOMMES *mal* LOGÉS, installés. — **3.** *La balle* S'EST LOGÉE *dans le mur,* s'y est placée (= se mettre). ◆ **logement** n. m. (sens 1) *Je cherche un* LOGEMENT, un endroit où habiter (= appartement, habitation). ◆ **logeur** n. (sens 1) *Ma* LOGEUSE *demande à être payée tout de suite,* la personne qui loue un logement meublé. ◆ **logis** n. m. (sens 1) *Chaque soir, il rentre au* LOGIS, chez lui. ◆ **déloger** v. *Nos troupes* ONT DÉLOGÉ *l'ennemi,* l'ont chassé de ses positions.

logique adj. *Ton explication est* LOGIQUE, cohérente, raisonnable (≠ absurde). ◆ **illogique** adj. *Ses arguments sont* ILLOGIQUES, incohérents.

logis → LOGER.

loi n. f. **1.** *Les citoyens doivent obéir à la* LOI, à l'ensemble des règles concernant les droits et les devoirs des gens. — **2.** *Le Parlement a voté une nouvelle* LOI, un nouveau règlement. ◆ **légal** adj. (sens 1) *Ce qui est* LÉGAL *est conforme à la loi* (= réglementaire). ◆ **légalement** adv. (sens 1) LÉGALEMENT, *vous n'avez pas le droit de faire ça,* selon la loi.

◆ **légalité** n. f. (sens 1) *Il faut rester dans la* LÉGALITÉ, dans le cadre de la loi. ◆ **légaliser** v. (sens 1) LÉGALISER *une situation,* c'est la rendre légale. ◆ **illégal** adj. (sens 1) *Ces mesures sont* ILLÉGALES, contraires à la loi. ◆ **illégalité** n. f. (sens 1) *Ils vivent dans l'*ILLÉGALITÉ (≠ légalité).

loin adv. **1.** *Tu habites* LOIN?, à une grande distance d'ici. ‖ *L'école est* LOIN DE *chez moi* (≠ près de). — **2.** *On entend le tonnerre* AU LOIN, dans un endroit éloigné. ◆ **lointain** adj. et n. m. *Bombay est une ville* LOINTAINE, à une grande distance de nous (= éloigné; ≠ proche). ‖ *On aperçoit les montagnes dans le* LOINTAIN, au loin (= à l'horizon). ◆ **éloigner** v. *Les enfants, ne vous* ÉLOIGNEZ *pas trop,* n'allez pas trop loin (= s'écarter; ≠ s'approcher). ◆ **éloigné** adj. *J'habite un quartier* ÉLOIGNÉ *du centre de la ville* (≠ proche). ◆ **éloignement** n. m. *À l'étranger, Paul souffrait de l'*ÉLOIGNEMENT, d'être loin des siens.

loir n. m. Le LOIR est un petit animal qui dort tout l'hiver. ▷ 363

loisirs n. m. pl. *Papa travaille beaucoup, il a peu de* LOISIRS, de moments libres pour se distraire.

lombaire adj. *La région* LOMBAIRE est celle des reins.

long adj. **1.** *Ta robe est trop* LONGUE (≠ court). — **2.** *La corde est* LONGUE *de 2 mètres,* elle a 2 mètres de longueur (≠ large ou haut). — **3.** *En été, les journées sont plus* LONGUES *qu'en hiver,* elles durent plus longtemps (≠ bref). ◆ **long** n. m. **1.** (sens 2) *Le mur a 10 mètres* DE LONG, de longueur (≠ large ou haut). — **2.** *Yves a glissé et il est tombé* DE TOUT SON LONG, tout son corps étendu par terre. ◆ **le long de** prép. *On va se promener* LE LONG DE *la rivière?,* en suivant le bord de la rivière. ◆ **à la longue** adv. (sens 3) À LA LONGUE, *tu t'habitueras,* avec le temps (= petit à petit). ◆ **longuement** adv. (sens 3) *On a* LONGUEMENT *parlé* (= longtemps; ≠ brièvement). ◆ **longueur** n. f. (sens 2) *Quelle est la dimension de la pièce en* LONGUEUR?, dans son plus grand côté (= long; ≠ largeur ou hauteur). • (sens 3) *La réunion a été d'une* LONGUEUR!, elle a duré longtemps (≠ brièveté). ‖ *Marie chante* À LONGUEUR DE *journée,* toute la journée. ◆ **longer** v. *Si on* LONGEAIT *la côte en bateau?,* si on allait le long de la côte? ‖ *Le chemin* LONGE *la mer,* il suit le bord de la mer. ◆ **allonger** v. **1.** (sens 1 et 2) *Cette robe est trop courte, il faudrait l'*ALLONGER, la rendre plus longue (= rallonger; ≠ raccourcir). • (sens 3) *N'*ALLONGEONS *pas plus la discussion!,* ne la faisons pas durer plus longtemps (≠ abréger). ‖ *Les jours* ALLONGENT, ils deviennent plus longs. — **2.** ALLONGEZ *les bras devant vous,* tendez-les. ‖ ALLONGE-TOI *sur le lit,* étends-toi. ◆ **allongement** n. m. (sens 1, 2 et 3) *Ce serait bien s'il y avait un* ALLONGEMENT *des vacances,* si elles étaient plus longues. ◆ **rallonger** v. (sens 1 et 2) *J'*AI RALLONGÉ *ma jupe* (= allonger; ≠ raccourcir). • (sens 3) *En été, les jours* RALLONGENT, leur durée augmente (= allonger; ≠ diminuer). ◆ **rallonge** n. f. (sens 1 et 2) *Nous sommes huit à table, mets la* RALLONGE, une planche qui rend la table plus longue. ▷ 795

longévité n. f. *Il a cent ans, quelle* LONGÉVITÉ!, quelle longue vie!

longitude n. f. *Le bateau est à 60 degrés de* LONGITUDE *Ouest,* à 60 degrés à l'ouest du méridien de Greenwich (≠ latitude).

longtemps adv. *Il y a* LONGTEMPS *que je n'ai pas vu Chantal,* un long espace de temps.

longuement, longueur → LONG.

764 ◁ **longue-vue** n. f. Une LONGUE-VUE est une lunette pour voir très loin. • **R.** Noter le pluriel : des *longues-vues.*

lopin n. m. *M. Durand cultive un* LOPIN DE TERRE, un petit morceau de terrain.

loquace adj. *Tu n'es pas très* LOQUACE *aujourd'hui,* tu ne parles pas beaucoup (= bavard).

loque n. f. *Tu t'es battu? Ta veste est en* LOQUES, en lambeaux.

74 ◁ **loquet** n. m. *Pour ouvrir la porte, il suffit de lever le* LOQUET, la petite barre qui sert de fermeture.

lorgner v. *Ce sont les chocolats qu tu* LORGNES?, que tu regardes avec envie (= convoiter).

224 ◁ **lorgnon** n. m. Un LORGNON, ce sont des lunettes sans branches, qui tiennent sur le nez par un ressort.

lors adv. et prép. **1.** *Je l'ai vu l'année dernière, mais depuis* LORS, *pas de nouvelles,* depuis ce moment. — **2.** *Ça se passait* LORS DE *notre voyage en Italie,* au moment de.

lorsque conj. LORSQUE *tu seras à Paris, téléphone-moi,* quand.

348 ◁ **losange** n. m. Un LOSANGE est une figure géométrique à quatre côtés égaux, mais dont les angles ne sont pas droits.

lot n. m. **1.** *Ce terrain a été vendu en plusieurs* LOTS, en parts séparées. — **2.** *J'espère qu'on va gagner le gros* LOT *à la loterie,* l'argent ou les choses auxquels on a droit quand on a un billet gagnant. — **3.** *À vendre, tout un* LOT *de casseroles,* plusieurs casseroles. ◆ **loterie** n. f. (sens 2) *J'ai acheté*
436 ◁ *un billet de* LOTERIE, d'un jeu où l'on tire au sort les numéros des billets gagnants. ◆ **lotir** v. **1.** (sens 1) LOTIR *un terrain,* c'est le diviser en lots. — **2.** *Être* MAL LOTI, c'est ne pas avoir de chance. ◆ **lotissement** n. m. (sens 1) Un LOTISSEMENT est un grand terrain divisé en lots sur lesquels on construit des maisons individuelles.

lotion n. f. Une LOTION est une eau de toilette pour les soins de la peau, des cheveux.

lotir, lotissement → LOT.

436 ◁ **loto** n. m. *Veux-tu faire une partie de* LOTO?, un jeu de hasard.

lotte n. f. *On a mangé de la* LOTTE, une sorte de poisson.

lotus n. m. Le LOTUS est une sorte de nénuphar. • **R.** On prononce [lɔtys].

louable → LOUER 2. / **louage** → LOUER 1. / **louange** → LOUER 2.

1. louche adj. *Il ne veut pas dire où il va, c'est* LOUCHE, il faut se méfier (= suspect, bizarre; ≠ clair).

78 ◁ **2. louche** n. f. *On sert le potage avec une* LOUCHE, une grande cuillère.

loucher v. *Jacques* LOUCHE, ses deux yeux ne regardent pas dans la même direction.

1. louer v. **1.** *Chaque été, on* LOUE *une villa un mois au bord de la mer,* on y habite un mois, moyennant le paiement d'une somme au propriétaire. || *Mon propriétaire me* LOUE *le studio 800 francs par mois,* il me permet d'y habiter moyennant cette somme. — **2.** *J'*AI LOUÉ *trois places de théâtre,* je les ai payées à l'avance (= retenir, réserver). ◆ **locataire** n. (sens 1) Le LOCATAIRE est la personne qui loue un appartement, une maison, en payant un loyer (≠ propriétaire). ◆ **location** n. f. (sens 1) *Quel est le prix de* LOCATION *de cette villa?,* le prix auquel on la loue. • (sens 2) *La* LOCATION *d'une place de théâtre,* c'est sa réservation. ◆ **loueur** n. (sens 1) *Le* LOUEUR *de voitures* a pour métier de louer des voitures aux autres. ◆ **louage** n. m. (sens 1) *Une voiture de* LOUAGE est louée pour un certain temps. ◆ **loyer** n. m. (sens 1) *Je paie 1 000 francs de* LOYER *par mois à ma propriétaire,* je lui verse cette somme pour louer.

2. louer v. *Je n'ai qu'à* ME LOUER *de cet élève,* j'en suis très satisfait (= se féliciter; ≠ blâmer). ◆ **louange** n. f. *Quelles* LOUANGES *j'ai entendues à ton sujet!* (= compliments, éloges). ◆ **louable** adj. *Son attitude est tout à fait* LOUABLE, mérite d'être louée (≠ blâmable).

louis n. m. *Un* LOUIS *d'or* est une pièce d'or.

loup n. m. **1.** Le LOUP est un animal sauvage qui ressemble au chien. — **2.** Le LOUP est un poisson qu'on appelle aussi *bar.* — **3.** Un VIEUX LOUP DE MER est un marin qui a beaucoup navigué. ◆ **louve** n. f. (sens 1) La LOUVE est la femelle du loup. ◆ **louveteau** n. m. **1.** (sens 1) Les LOUVETEAUX sont les petits du loup. — **2.** Un LOUVETEAU est un jeune scout de moins de douze ans. ◆ **loup-garou** n. m. (sens 1) Les LOUPS-GAROUS étaient des sorciers qui, croyait-on, se changeaient en loups la nuit.

▷ 582
▷ 579

loupe n. f. Une LOUPE est un morceau de verre bombé qui fait paraître les objets plus gros.

louper v. Fam. *Zut! J'*AI LOUPÉ *mon autobus!,* je l'ai manqué (= rater).

loup-garou → LOUP.

lourd adj. **1.** *Laisse-moi porter cette valise, elle est trop* LOURDE *pour toi,* d'un grand poids (= pesant ; ≠ léger). — **2.** *Cet oiseau a un vol* LOURD, lent et sans souplesse. — **3.** *Ta plaisanterie est plutôt* LOURDE!, elle manque de finesse (= gros; ≠ fin). — **4.** *Tu n'as rien entendu? Eh bien, tu as le sommeil* LOURD! (= profond; ≠ léger). — **5.** *Ce repas est* LOURD, difficile à digérer (= indigeste). — **6.** *Il fait un temps* LOURD, chaud et orageux. ◆ **lourd** adv. (sens 1) *Ça pèse* LOURD, ça a un grand poids. ◆ **lourdement** adv. (sens 2) *Ce gros bonhomme marche* LOURDEMENT (= pesamment). ◆ **lourdaud** adj. et n. (sens 2 et 3) *Une personne* LOURDAUDE est gauche, maladroite dans ses mouvements, ou lente à comprendre. ◆ **lourdeur** n. f. (sens 3) *Elle est d'une* LOURDEUR, *cette plaisanterie!* (≠ finesse). • (sens 5) [au plur.] *Avoir des* LOURDEURS *d'estomac,* c'est avoir du mal à digérer. ◆ **alourdir** v. (sens 1) *Je sens mes paupières* S'ALOURDIR, *tellement j'ai sommeil,* devenir lourdes.

582 ◁ **loutre** n. f. La LOUTRE est un petit animal qui se nourrit de poissons et que l'on chasse pour sa fourrure.

louve, louveteau → LOUP.

louvoyer v. *Faire* LOUVOYER *un voilier,* c'est le faire avancer contre le vent, en faisant des zigzags.

loyal adj. *Nos adversaires se sont montrés très* LOYAUX, *ils ont reconnu leur faute* (= honnête; ≠ déloyal). ◆ **loyalement** adv. *Ce boxeur ne se bat pas* LOYALEMENT (= régulièrement). ◆ **loyauté** n. f. *Il s'est conduit avec* LOYAUTÉ (= honnêteté, droiture). ◆ **déloyal** adj. *Tricher au jeu est une attitude* DÉLOYALE, malhonnête. ◆ **déloyauté** n. f. *On lui a reproché sa* DÉLOYAUTÉ (= fourberie).

loyer → LOUER 1.

lubie n. f. *Pierre a une nouvelle* LUBIE : *il veut s'acheter une voiture de course,* une envie un peu folle (= fantaisie, toquade).

lubrifier v. LUBRIFIER *une pièce de machine,* c'est y mettre de l'huile ou de la graisse. ◆ **lubrifiant** n. m. Un LUBRIFIANT est un produit pour graisser les machines.

74 ◁ **lucarne** n. f. Une LUCARNE est une petite fenêtre.

lucide adj. *Marc a bu beaucoup d'alcool, mais il est encore* LUCIDE, conscient. ◆ **lucidité** n. f. *Marc a toute sa* LUCIDITÉ, il est capable de comprendre et de raisonner (≠ inconscience).

lucratif adj. *Une affaire* LUCRATIVE rapporte de l'argent.

lueur n. f. **1.** *On aperçoit des* LUEURS *au loin,* des lumières faibles. — **2.** *Il reste une* LUEUR *d'espoir de le sauver,* un faible espoir.

653 ◁ **luge** n. f. *Jean fait de la* LUGE, il glisse sur la neige avec un petit traîneau.

lugubre adj. *Il fait sombre ici, c'est* LUGUBRE (= sinistre; ≠ gai).

11 ◁ **lui** pron. pers. *Dans «j'ai vu Yves, je lui ai dit bonjour»,* LUI désigne Yves, la personne dont je parle.

• **R.** *Lui* se prononce [lɥi] comme [*le soleil*] *luit* (de *luire*).

luire v. *Le soleil* LUIT, il brille. ◆ **luisant** adj. *Tu as la peau* LUISANTE, brillante. ‖ Un VER LUISANT est un insecte qui brille la nuit. ◆ **reluire** v. *Jean fait* RELUIRE *ses chaussures* (= briller).

• **R.** Conj. n° 69. ‖ V. LUI.

lumbago n. m. *Papa a un* LUMBAGO, il a mal aux reins.

• **R.** On prononce [lɔ̃bago].

lumière n. f. **1.** *Il y a beaucoup de* LUMIÈRE *dans cette pièce,* elle est très éclairée (= clarté). — **2.** *En partant, éteins les* LUMIÈRES, les lampes allumées (= électricité, éclairage). — **3.** *Nous ferons toute la* LUMIÈRE *sur cette affaire mystérieuse,* nous l'éclaircirons. ◆ **lumineux** adj. (sens 1) *Ma montre a un cadran* LUMINEUX, qui brille dans l'obscurité. • (sens 3) *Ton explication est* LUMINEUSE, très claire (= ingénieux). ◆ **luminaire** n. m. (sens 2) *Dans un magasin de* LUMINAIRES, *on vend des appareils d'éclairage.*

294, 217 ◁

lunaire → LUNE. / **lunatique** → LUNÉ.

lunch n. m. *Après le mariage, il y a eu un* LUNCH, un repas froid.
• **R.** On prononce [lœnʃ] ou [lœ̃ʃ]. ‖ Noter le pluriel : des *lunches* ou des *lunchs*.

lundi n. m. *La boucherie est fermée le* LUNDI. ▷ 125

lune n. f. **1.** *C'est le 21 juillet 1969 que les premiers hommes ont marché sur la* LUNE, la planète qui tourne autour de la Terre. — **2.** Le CLAIR DE LUNE est la lumière que cet astre envoie sur la Terre. — **3.** *Être dans la* LUNE, c'est être distrait, rêveur. — **4.** *Demander, promettre la* LUNE, c'est demander, promettre des choses impossibles. ◆ **lunaire** adj. (sens 1) *Le sol* LUNAIRE est celui de la Lune. ◆ **alunir** v. (sens 1) *L'engin spatial* A ALUNI, il s'est posé sur la Lune. ◆ **alunissage** n. m. (sens 1) *L'*ALUNISSAGE *de l'engin spatial s'est bien effectué.*

luné adj. Fam. *Jean est* MAL LUNÉ *aujourd'hui,* de mauvaise humeur. ◆ **lunatique** adj. *Ce matin tu étais de bonne humeur et cet après-midi tu boudes : comme tu es* LUNATIQUE!, d'humeur changeante.

lunette n. f. **1.** (au plur.) *Jean porte des* LUNETTES, des verres pour mieux voir ou pour se protéger les yeux. — **2.** *Une* LUNETTE *d'approche* est un tube avec des lentilles pour voir au loin (= longue-vue). ▷ 290, 649

lurette n. f. *Il y a* BELLE LURETTE *que je ne l'ai pas vu,* il y a longtemps.

luron n. *C'est une bande de joyeux* LURONS, de personnes gaies et insouciantes.

lustre n. m. *Dans le salon, il y a un* LUSTRE *en cristal,* un appareil d'éclairage à plusieurs lampes, suspendu au plafond. ▷ 224

lustré adj. *Ton costume est* LUSTRÉ, il a un aspect brillant, dû à l'usure.

luth n. m. Le LUTH est un ancien instrument de musique à cordes. ◆ **luthier** n. m. Le LUTHIER fabrique des luths, des violons, des guitares. ▷ 439

lutin n. m. *Dans les contes de fées, les* LUTINS sont des petits bonshommes surnaturels.

lutte n. f. **1.** La LUTTE est un sport de combat où chacun des deux adversaires cherche à mettre l'autre à terre. — **2.** *La* LUTTE *contre le cancer,* c'est le combat pour le guérir. ◆ **lutter** v. LUTTER, c'est entrer en lutte avec quelqu'un ou quelque chose (= combattre). ◆ **lutteur** n. (sens 1) Un LUTTEUR est un sportif qui pratique la lutte.

luxe n. m. **1.** *Il y a un grand* LUXE *dans cet appartement,* des choses chères qui ne sont pas indispensables. — **2.** *Le caviar est un produit* DE LUXE, très cher. — **3.** *Son récit contient* UN LUXE DE *détails,* une grande abondance. ◆ **luxueux** adj. (sens 1) *Dans une maison* LUXUEUSE, il y a du luxe (= somptueux). • (sens 2) *Un produit* LUXUEUX est très coûteux. ◆ **luxuriant** adj. (sens 3) *Une végétation* LUXURIANTE pousse abondamment (= surabondant).

luzerne n. f. La LUZERNE est une herbe qui sert à nourrir les lapins, les vaches. ▷ 365

lycée n. m. Un LYCÉE est un établissement d'enseignement secondaire. ◆ **lycéen** n. *Catherine est encore* LYCÉENNE, élève d'un lycée.

lyncher v. *L'assassin a failli se faire* LYNCHER *par la foule,* tuer.
• **R.** On prononce [lɛ̃ʃe].

lynx n. m. *Pierre a des yeux de* LYNX, une sorte de grand chat sauvage.

lyre n. f. La LYRE est un instrument de musique ancien.

lyrique adj. **1.** *Un style* LYRIQUE est plein de poésie, d'émotion, de passion. — **2.** *Un artiste* LYRIQUE est un chanteur d'opéra. ◆ **lyrisme** n. m. (sens 1) *Jean m'a décrit son voyage avec* LYRISME, de manière lyrique (= enthousiasme).

m' → ME. / **ma** → MON.

macabre adj. *Il m'a raconté une histoire* MACABRE, qui parle de la mort (= sinistre).

macaque n. m. Le MACAQUE est une sorte de singe.

macaron n. m. *M*me *Durand a fait des* MACARONS *pour le dessert,* des petits gâteaux ronds.

macaroni n. m. *Nous avons mangé des* MACARONIS *à la sauce tomate,* des pâtes allongées et creuses.

macédoine n. f. La MACÉDOINE est un mélange de légumes (ou de fruits) coupés en petits morceaux.

macérer v. *M*me *Dupont fait* MACÉRER *des fruits dans de l'alcool,* elle les laisse tremper pour qu'ils s'en imprègnent.

mâche n. f. La MÂCHE est une salade.

mâchefer n. m. Le MÂCHEFER est un résidu de charbon qu'on répand sur les routes et les voies ferrées.

mâcher v. MÂCHE *bien ta viande avant de l'avaler!,* écrase-la avec tes dents. ◆ **mâchoire** n. f. *Le mouvement des deux* MÂCHOIRES *permet de mâcher les aliments.* ◆ **mâchonner** v. *Pierre* MÂCHONNE *le bout de son crayon,* il le mord machinalement. ◆ **remâcher** v. **1.** *Les vaches* REMÂCHENT *leurs aliments,* les mâchent une deuxième fois. — **2.** *Il* REMÂCHAIT *sa vengeance,* il y pensait sans cesse (= ruminer).

machiavélique adj. *Attention! C'est un homme* MACHIAVÉLIQUE, rusé et perfide. ◆ **machiavélisme** n. m. *Il s'est conduit avec* MACHIAVÉLISME (≠ franchise).

- **R.** On prononce [makiavelik].

machin n. m. Fam. *Où as-tu trouvé ce* MACHIN?, cet objet dont je ne sais pas le nom (= truc).

machinal, machinalement → MACHINE.

machination n. f. *J'ai pu déjouer ses* MACHINATIONS, ce qu'il préparait en secret (= manœuvres).

machine n. f. *Pierre écrit une lettre à la* MACHINE (≠ à la main). ‖ *Une* MACHINE *à laver lave, une* MACHINE *à coudre coud automatiquement.* ▷ 293 ▷ 79, 296

◆ **machinal** adj. *Pierre a fait un geste* MACHINAL, sans s'en apercevoir (= mécanique; ≠ volontaire). ◆ **machinalement** adv. *Jean a freiné* MACHINALEMENT. ◆ **machinerie** n. f. Une MACHINERIE est un ensemble de machines. ◆ **machinisme** n. m. *Le* MACHINISME *s'est développé depuis un siècle,* l'emploi des machines dans l'industrie. ◆ **machiniste** n. m. Un
440 ◁ MACHINISTE fait fonctionner une machine.

mâchoire, mâchonner → MÂCHER.

151 ◁ **maçon** n. m. *Les* MAÇONS *ont commencé la construction de la maison,* des ouvriers dont le métier est de construire. ◆ **maçonnerie** n. f. *Un mur de* MAÇONNERIE *est fait de pierres (ou de briques) assemblées avec du ciment.*

maculer v. *Ton pantalon* EST MACULÉ *de cambouis* (= tacher, salir). ◆ **immaculé** adj. *Il porte une chemise* IMMACULÉE, sans une tache.

madame → DAME. / **mademoiselle** → DEMOISELLE.

madone n. f. *Marie a un visage de* MADONE, qui ressemble à celui des vierges des tableaux.

madrier n. m. *Le mur est renforcé par des* MADRIERS *de chêne,* des planches épaisses.

maestria n. f. *Pierre joue au tennis avec* MAESTRIA, très bien.

mafia ou **maffia** n. f. *La police a arrêté un des chefs de la* MAFIA, d'une association de bandits.

217 ◁ **magasin** n. m. **1.** *Mme Dupont est allée dans les* MAGASINS *faire des courses* (= boutique). — **2.** *Le* MAGASIN *d'un théâtre* est l'endroit où l'on range les décors, les costumes, etc. ◆ **emmagasiner** v. (sens 2) *On* A EMMAGASINÉ *la récolte de blé,* on l'a mise en dépôt dans une réserve.

magazine n. m. **1.** *Pierre a acheté un* MAGAZINE *illustré* (= revue). — **2.** *Le* MAGAZINE *sportif de la télé est à 8 heures* (= émission).

magie n. f. La MAGIE est l'art de faire des choses qui semblent surnaturelles au moyen d'actes et de mots mystérieux. ◆ **mage** n. m. *Les* MAGES *de l'Antiquité* étaient à la fois des prêtres et des magiciens. ◆ **magicien** n. *Les alchimistes, les devins, les sorciers sont des* MAGICIENS. ◆ **magique** adj. *Il a prononcé une formule* MAGIQUE, qui est destinée à avoir un effet mystérieux.

magistral adj. *Pierre a réussi un coup* MAGISTRAL, un coup de maître (= magnifique).

magistrat n. m. **1.** *Le père de Jean est* MAGISTRAT (= juge). — **2.** *Le préfet est le premier* MAGISTRAT *du département,* il possède une autorité publique. ◆ **magistrature** n. f. (sens 1) *Le père de Jean est dans la* MAGISTRATURE. • (sens 2) *En France, la plus haute* MAGISTRATURE *est la présidence de la République.*

magnanime adj. *Les vainqueurs se sont montrés* MAGNANIMES, généreux envers les vaincus.

magnésium n. m. Le MAGNÉSIUM est un corps qui brûle avec une flamme éblouissante.

magnétique adj. **1.** *Pierre a acheté des bandes* MAGNÉTIQUES, servant à enregistrer avec un magnétophone. — **2.** *L'aimant a des propriétés* MAGNÉTIQUES, il attire le fer. — **3.** *Mme Durand a un charme* MAGNÉTIQUE, très attirant et mystérieux. ◆ **magnétiser** v. (sens 3) MAGNÉTISER *quelqu'un,* c'est exercer sur lui une attirance très grande (= hypnotiser). ◆ **magnétisme** n. m. (sens 2) Le MAGNÉTISME est l'ensemble des propriétés des aimants. • (sens 3) *Il exerce sur son entourage un véritable magnétisme* (= fascination). ◆ **magnéto** n. f. (sens 2) Une MAGNÉTO est un appareil contenant un aimant et produisant du courant électrique. ◆ **magnétophone** n. m. (sens 1) Un MAGNÉTOPHONE est un appareil qui enregistre et reproduit les sons. ◆ **magnétoscope** n. m. (sens 1) Un MAGNÉTOSCOPE enregistre et reproduit les sons et les images. ▷ 76

magnifique adj. *Ce paysage est* MAGNIFIQUE, très beau (= splendide, superbe; ≠ affreux). ◆ **magnifiquement** adv. *Il a* MAGNIFIQUEMENT *réussi,* très bien. ◆ **magnificence** n. f. *On a admiré la* MAGNIFICENCE *du spectacle* (= splendeur).

magnolia n. m. Le MAGNOLIA est un arbre à grandes fleurs parfumées.

magot n. m. Fam. *L'avare avait caché son* MAGOT *dans la cave,* l'argent qu'il avait accumulé (= trésor).

mahométan n. est un synonyme de MUSULMAN.

mai n. m. *Le 1er* MAI *est le jour de la fête du Travail.* ▷ 125

• **R.** *Mai* se prononce [mɛ] comme *mais, mes,* un *mets* et [*je*] *mets,* [*il*] *met* (de *mettre*).

maigre adj. **1.** *Jean ne mange pas assez, il est très* MAIGRE (≠ gros, gras). — **2.** *Nous avons fait un* MAIGRE *repas,* peu abondant (= médiocre). ◆ **maigreur** n. f. (sens 1) *Jean est d'une extrême* MAIGREUR. ◆ **maigrichon** adj. (sens 1) *Marie est* MAIGRICHONNE, un peu trop maigre. ◆ **maigrir** v. (sens 1) *Depuis un an tu* AS *beaucoup* MAIGRI, tu es devenu maigre. ‖ *Cette robe te* MAIGRIT, te fait paraître maigre. ◆ **amaigrir** v. (sens 1) *La maladie l'*A AMAIGRI, l'a rendu maigre. ◆ **amaigrissement** n. m. (sens 1) *Son* AMAIGRISSEMENT *est inquiétant.*

maille n. f. **1.** *Marie compte les* MAILLES *de son tricot,* les boucles de laine qui le forment. — **2.** *Ce filet a de larges* MAILLES, des trous formés par les mailles (au sens 1). — **3.** *Pierre* A EU MAILLE À PARTIR *avec Paul,* il s'est disputé avec lui. ◆ **maillon** n. m. (sens 1) *Un* MAILLON *de la chaîne est cassé,* une des boucles qui la constituent. ◆ **indémaillable** adj. (sens 1) *Cette robe est en tissu* INDÉMAILLABLE, les mailles ne peuvent se défaire. ▷ 296

maillet n. m. Un MAILLET est un marteau en bois. ▷ 291, 436

maillon → MAILLE.

maillot n. m. **1.** *Les danseuses portent un* MAILLOT, un vêtement collant qui leur couvre tout le corps. — **2.** *Pierre a mis un* MAILLOT *de corps,* un vêtement qui couvre le buste. — **3.** *Si tu vas te baigner n'oublie pas ton* MAILLOT, ton vêtement de bain. — **4.** *Autrefois on enveloppait les bébés dans un* MAILLOT, un tissu qui entourait les jambes et le buste. ◆ **emmailloter** v. **1.** (sens 4) EMMAILLOTER *un bébé,* c'était l'envelopper d'un maillot. — **2.** *Pierre a un doigt* EMMAILLOTÉ *d'un pansement* (= bander). ▷ 512

33 ◁ **main** n. f. **1.** *Pierre écrit de la* MAIN *droite et Marie de la* MAIN *gauche.* — **2.** *Il* A LA HAUTE MAIN SUR *ce projet,* il le dirige. — **3.** *Les voleurs* ONT FAIT MAIN BASSE SUR *le magot,* ils s'en sont emparés. — **4.** *Il a préparé cela* DE LONGUE MAIN, depuis longtemps. — **5.** *Pierre m'*A FORCÉ LA MAIN, il m'a forcé à accepter. — **6.** *Paul et Jean* EN SONT VENUS AUX MAINS, ils se sont battus. — **7.** *Cette maison* A CHANGÉ DE MAINS, de propriétaire. — **8.** *Il* A PRIS *ce travail* EN MAIN, il s'en est chargé.

main-d'œuvre n. f. *Cette usine emploie de la* MAIN-D'ŒUVRE *étrangère,* des ouvriers.

main-forte n. f. *Pierre nous* A PRÊTÉ MAIN-FORTE, il nous a aidés.

maint adj. se disait autrefois pour BEAUCOUP DE.

754 ◁ **maintenant** adv. MAINTENANT *je m'en vais,* en ce moment (= à présent).

maintenir v. **1.** *Ces poutres* MAINTIENNENT *la toiture,* l'empêchent de tomber (= soutenir). — **2.** *Les agents* MAINTENAIENT *la foule,* l'empêchaient d'avancer (= retenir). — **3.** *Il faut* MAINTENIR *la paix,* la faire continuer. — **4.** *Je* MAINTIENS *que j'ai raison,* je le dis encore une fois (= soutenir). ◆ **maintien** n. m. **1.** (sens 3) *La police veille au* MAINTIEN *de l'ordre.* — **2.** *Le* MAINTIEN *d'une personne,* c'est son attitude, sa tenue.
• **R.** Conj. n° 22.

298 ◁ 218 ◁ **maire** n. m. *M. Durand est le* MAIRE *d'une petite commune,* il a été élu pour l'administrer. ◆ **mairie** n. f. *La* MAIRIE *est sur la place du village,* la maison où se trouve l'administration de la commune.
• **R.** *Maire* se prononce [mɛr] comme *mer* et *mère.*

mais conj. marque une opposition à ce qui précède.
• **R.** V. MAI.

583, 354 ◁ **maïs** n. m. *Jean a mangé du* MAÏS *grillé,* une plante.

219, 145, 75 ◁ **maison** n. f. **1.** *Les Durand habitent dans une belle* MAISON. — **2.** *Viens à la* MAISON, chez moi. — **3.** *Jean est un ami de la* MAISON (= famille). — **4.** *Un casino est une* MAISON DE *jeu, une prison est une* MAISON D'*arrêt, une entreprise commerciale est une* MAISON DE *commerce.* ◆ **maisonnée** n. f. (sens 3) *Toute la* MAISONNÉE *est réunie pour le repas* (= famille). ◆ **maisonnette** n. f. (sens 1) *Il y a une* MAISONNETTE *au fond du jardin,* une petite maison.

maître n. m., **maîtresse** n. f. **1.** *M. Durand est habitué à parler en* MAÎTRE (= chef). ‖ *Comment s'appelle la* MAÎTRESSE *de maison?,* celle qui dirige la famille. — **2.** *Ce chien a perdu son* MAÎTRE, celui auquel il appartient. — **3.** *La* MAÎTRESSE *a puni Marie.* ‖ *Pierre aime bien son* MAÎTRE *d'école* (= instituteur). — **4.** *Je suis resté* MAÎTRE DE MOI, j'ai gardé mon sang-froid, je me suis dominé. — **5.** *Je ne suis pas* MAÎTRE DE *refuser,* je n'en ai pas le pouvoir (= libre). — **6.** *Les attaquants* SE SONT RENDUS MAÎTRES DE *la ville,* ils s'en sont emparés. — **7.** (au masc. seulement). *Pour ce qui est de dessiner, c'est un* MAÎTRE, il le fait très bien. — **8.** *J'ai écrit à* MAÎTRE *Dubois* (Me Dubois est un notaire ou un avocat). — **9.** (au fém. seulement) *Jeanne est la* MAÎTRESSE *de M. Durand,* elle l'aime sans qu'ils soient mariés. ◆ **maîtrise** n. f. (sens 4) *Jean a perdu sa* MAÎTRISE DE SOI, il n'était plus maître de lui (= sang-froid). • (sens 7) *Ce travail est exécuté avec* MAÎTRISE (= habileté). ◆ **maîtriser** v. (sens 4) *Jean n'a pas réussi à* SE MAÎTRISER (= dominer). • (sens 6) *On a eu du mal à* MAÎTRISER *ce cheval* (= dompter).

• **R.** *Maître* se prononce [mɛtr] comme *mètre* et *mettre.*

majesté n. f. **1.** *Le visage de ce vieillard est plein de* MAJESTÉ, de noblesse et de dignité. — **2.** *Autrefois, on appelait les rois « Votre* MAJESTÉ ». ◆ **majestueux** adj. (sens 1) *Il marchait d'un pas* MAJESTUEUX, lentement et dignement.

majeur adj. **1.** *Leur souci* MAJEUR *est de trouver un logement,* le plus important (≠ mineur). — **2.** *La* MAJEURE PARTIE *des élèves est malade,* le plus grand nombre (= majorité). — **3.** *Jacques sera* MAJEUR *dans un mois,* il aura dix-huit ans (≠ mineur). — **4.** n. m. *Le* MAJEUR *est le doigt du milieu.* ▷ 33 ◆ **majorité** n. f. (sens 2) *Le candidat n'a pas eu la* MAJORITÉ *des voix,* plus de la moitié (≠ minorité). • (sens 3) *Pierre a atteint sa* MAJORITÉ, *il peut voter.*

major n. m. **1.** Un MAJOR est un médecin militaire. — **2.** À un examen ou à un concours, le MAJOR est le candidat reçu premier.

majordome n. m. *Chez des gens très riches, un* MAJORDOME *commande les autres domestiques.*

majorer v. *M. Durand voudrait que son salaire* SOIT MAJORÉ (= augmenter, élever, hausser).

majorette n. f. *À la fête, des* MAJORETTES *marchaient en tête du défilé,* des jeunes filles déguisées.

majorité → MAJEUR.

majuscule n. f. *Les noms propres commencent par une* MAJUSCULE ▷ 290 (≠ minuscule).

mal n. m. **1.** *Les animaux ne distinguent pas le bien du* MAL, ce qui est contraire à la morale. ‖ *Qui t'a dit du* MAL *de moi?* (≠ bien). — **2.** *Pierre se donne du* MAL *pour réussir,* il fait des efforts (= peine). — **3.** *Paul* A MAL *à la tête, sa tête lui* FAIT MAL, il souffre de la tête. — **4.** *Jean a des* MAUX *de dents* (= douleur. ◆ **mal** adj. inv. (sens 1) *Il a menti, c'est* MAL (≠ bien). ◆ **mal** adv. **1.** (sens 1) *Il écrit* MAL (≠ bien). — **2.** *Il y a* PAS MAL *de gens dans les rues* (= beaucoup).

• **R.** Le pluriel de *mal* est *maux,* mais n'est employé qu'au sens 4. ‖ *Mal* se prononce [mal] comme *malle; maux* se prononce [mo] comme *mot.* ‖ Employé comme préfixe, *mal* sert à former de nombreux mots où il exprime une idée contraire.

malade adj. et n. *Pierre est* MALADE *depuis deux jours,* il n'est plus en bonne santé (≠ bien portant). ‖ *Ne réveillez pas le* MALADE! ◆ **maladie** ▷ 38 n. f. *La* MALADIE *de Pierre n'est pas grave.* ◆ **maladif** adv. *Marie est une enfant* MALADIVE, souvent malade.

maladresse, maladroit, maladroitement → ADROIT. / **malaisé, malaisément** → AISANCE.

malaise n. m. Un MALAISE est une impression de gêne, de trouble.

malaria n. f. est un équivalent de PALUDISME.

malaxer v. *Le boulanger* MALAXE *sa pâte,* il la pétrit pour la rendre plus molle.

malchance → CHANCE. / **malcommode** → COMMODE.

mâle n. m. et adj. *Le coq est le* MÂLE *de la poule, le taureau est le* MÂLE *de la vache,* l'animal de sexe masculin (≠ femelle).

malédiction → MAUDIRE.

maléfice n. m. *Paul est superstitieux, il croit aux* MALÉFICES (= mauvais sort, sortilège).

malencontreux adj. *Pierre a eu des paroles* MALENCONTREUSES, dites mal à propos (= fâcheux).

malentendu n. m. *On s'est disputé, mais ce n'était qu'un* MALENTENDU, on s'était mal compris.

malfaçon → FAÇON.

malfaisant adj. *Pierre a sur Jean une influence* MALFAISANTE (= nuisible; ≠ bienfaisant).
- **R.** On prononce [malfəzɑ̃].

malfaiteur n. m. *La police a arrêté les* MALFAITEURS, les bandits, les voleurs, les gangsters.

malfamé adj. *Ce quartier est* MALFAMÉ, on y rencontre des gens de mauvaise réputation, des bandits.

malgré prép. indique que quelqu'un ou quelque chose s'oppose à l'action : *Je suis venu* MALGRÉ *la pluie.*

malhabile → HABILE.

malheur n. m. **1.** *Il vient de lui arriver un* MALHEUR, un deuil, un accident, un échec, etc. — **2.** *On dit que le* MALHEUR *des uns fait le bonheur des autres* (= malchance). ◆ **malheureux** adj. et n. *Marie est très* MALHEUREUSE, *son père est mort* (≠ heureux). ‖ *Il faut aider les* MALHEUREUX. ◆ **malheureusement** adv. *Je voulais voir Pierre,* MALHEUREUSEMENT *il est parti* (≠ heureusement).

malhonnête, malhonnêtement, malhonnêteté → HONNÊTE.

malice n. f. *Ses paroles étaient pleines de* MALICE, il se moquait gentiment de moi (= raillerie). ◆ **malicieux** adj. *Il a fait une réflexion* MALICIEUSE (= espiègle, ironique).

malin adj. et n. **1.** *Pierre est* MALIN *comme un singe,* il est très rusé (= astucieux, débrouillard). ‖ *Marie est une* MALIGNE. — **2.** *Il éprouve un* MALIN *plaisir à agacer sa sœur* (= méchant).

malingre adj. *Jean est un enfant* MALINGRE, sa santé est mauvaise (= chétif; ≠ robuste).

malintentionné → INTENTION.

malle n. f. Une MALLE est un coffre pour mettre ses affaires quand on part en voyage. ◆ **mallette** n. f. Une MALLETTE est une petite valise. ▷ 224
• **R.** V. MAL.

malléable adj. *La cire est un corps* MALLÉABLE, facile à modeler (= souple; ≠ cassant).

mallette → MALLE.

malmener v. *Jean* A ÉTÉ MALMENÉ *par des voyous,* ils l'ont traité durement (= brutaliser).

malodorant → ODEUR.

malotru n. *En voilà un* MALOTRU!, un personnage mal élevé, grossier.

malpoli → POLI. / **malpropre, malpropreté** → PROPRE. / **malsain** → SAIN.

malt n. m. *Le* MALT *sert à faire la bière,* l'orge préparée spécialement.

maltraiter → TRAITER.

malveillant adj. *Il a dit sur moi des paroles* MALVEILLANTES (= méchant; ≠ bienveillant). ◆ **malveillance** n. f. *Il m'a regardé avec* MALVEILLANCE (= hostilité; ≠ sympathie).

maman n. f. *Bonjour* MAMAN! ‖ *Où est ta* MAMAN? (= mère).

mamelle n. f. *La vache a des* MAMELLES *remplies de lait.* ◆ **mammifère** n. m. *L'homme, le chien, la baleine sont des* MAMMIFÈRES, des animaux dont la femelle a des mamelles. ▷ 368

mammouth n. m. Les MAMMOUTHS étaient d'énormes éléphants de l'époque préhistorique.

manager n. m. *Le boxeur monte sur le ring suivi de son* MANAGER, de la personne qui s'occupe de lui.
• **R.** On prononce [manadʒɛr].

manant n. m. se disait autrefois pour *paysan.*

manche n. f. **1.** *Jean a une chemise à* MANCHES *longues,* son bras est recouvert jusqu'au poignet. — **2.** *Pierre a perdu la première* MANCHE, *mais il a gagné la revanche et la belle,* la première partie du jeu. — **3.** n. m. *Prends le couteau par le* MANCHE, *pas par la lame,* la partie servant à le tenir. ◆ **manchette** n. f. **1.** (sens 1) *Des* BOUTONS DE MANCHETTES *servent à fermer les manches de certaines chemises.* — **2.** *Dans un journal, une* MANCHETTE est un titre en grosses lettres. ◆ **manchon** n. m. (sens 1) Un MANCHON est une fourrure dans laquelle on mettait les mains pour les protéger du froid. ◆ **démancher** v. (sens 3) *Le marteau* S'EST DÉMANCHÉ, le manche ne tient plus. ◆ **emmancher** v. **1.** (sens 3) *Cette pioche* EST *mal* EMMANCHÉE, le manche est mal fixé. — **2.** *L'affaire* S'EMMANCHE *bien* (= commencer). ◆ **emmanchure** n. f. (sens 1) *L'*EMMANCHURE *d'un vêtement,* c'est l'endroit où sont fixées les manches. ▷ 37 ▷ 362, 649

manchot n. m. **1.** *Un* MANCHOT *demandait l'aumône,* un homme qui a perdu un bras (ou les deux). — **2.** Le MANCHOT est un oiseau à ailes très courtes vivant dans les régions froides. ▷ 435

mandarine n. f. *La* MANDARINE *ressemble à une petite orange,* un fruit.

mandat n. m. **1.** *Pierre a rempli le* MANDAT *qu'on lui avait confié,* il a fait ce qu'on l'avait chargé de faire (= mission). — **2.** *Ma grand-mère m'a* 768 ◁ *envoyé un* MANDAT *de 100 francs,* elle m'a envoyé de l'argent par la poste. ◆ **mandataire** n. (sens 1) Le MANDATAIRE est celui qui reçoit un mandat d'une autre personne.

mandibules n. f. pl. **1.** *Les criquets coupent les tiges avec leurs* MANDIBULES, les pinces de leur bouche. — **2.** On dit familièrement *les* MANDIBULES pour *les mâchoires.*

mandoline n. f. La MANDOLINE est une sorte de guitare.

manège n. m. **1.** Un MANÈGE est un endroit où l'on apprend à monter à 437 ◁ cheval. — **2.** *Jean a fait un tour de* MANÈGE *à la fête,* sur un des véhicules tournant en rond, comme attraction. — **3.** *J'ai compris ton* MANÈGE, ce que tu préparais pour me tromper (= manœuvres).

manette n. f. *Appuie sur cette* MANETTE *pour mettre l'appareil en route,* cette poignée ou ce levier.

manger v. *Jean* A MANGÉ *un bifteck,* il l'a mâché et avalé. ‖ *Pierre* MANGE *trop.* ◆ **mangeable** adj. *Cette viande n'est pas* MANGEABLE, bonne à 368 ◁ manger. ◆ **mangeoire** n. f. Une MANGEOIRE est un récipient où mangent les animaux. ◆ **mangeur** n. m. *M. Durand est un gros* MANGEUR, il mange beaucoup. ◆ **immangeable** adj. *Ce gâteau est brûlé, il est* IMMANGEABLE.

mangue n. f. La MANGUE est un fruit tropical.

maniable → MANIER.

maniaque adj. et n. **1.** *M. Duval est un vieux garçon* MANIAQUE, il est très attaché à ses petites habitudes. — **2.** *La police a arrêté un dangereux* MANIAQUE, un fou. ◆ **manie** n. f. (sens 1) *Il a la* MANIE *de se gratter l'oreille,* l'habitude bizarre (= tic).

manier v. **1.** *Il faut* MANIER *ce vase avec précaution,* le prendre dans ses mains pour le déplacer (= manipuler). — **2.** *Cette voiture est difficile à* MANIER (= manœuvrer, conduire). ◆ **maniable** adj. (sens 2) *Cet outil est peu* MANIABLE, il est difficile à utiliser. ◆ **maniement** n. m. (sens 2) *Connais-tu le* MANIEMENT *de cet appareil?,* la manière de s'en servir. ◆ **remanier** v. (sens 1) *L'auteur* A REMANIÉ *son livre,* il l'a repris et corrigé (= retoucher).

manière n. f. **1.** *Je n'aime pas sa* MANIÈRE *de conduire,* la façon dont il le fait. — **2.** *Il s'est levé tôt,* DE MANIÈRE À *ne pas rater le train* (= pour). — **3.** (au plur.) *Je n'aime pas ses* MANIÈRES, la façon dont il agit (= attitude). — **4.** *Marie fait des* MANIÈRES, elle manque de simplicité (= embarras). ◆ **maniéré** adj. (sens 4) *Marie est* MANIÉRÉE (= poseur).

manifester v. **1.** *Jean* A MANIFESTÉ *son intention de partir,* il l'a fait connaître clairement (= exprimer, montrer). — **2.** *Les ouvriers* ONT MANIFESTÉ *le 1er mai,* ils ont défilé dans la rue pour montrer ce qu'ils pensent. ◆ **manifestation** n. f. (sens 1) *Son arrivée est accueillie par des* MANIFESTATIONS *de joie* (= démonstration). • (sens 2) *La* MANIFESTATION *a été interdite par les autorités,* le rassemblement et le défilé. ◆ **mani-**

festant n. (sens 2) *Les* MANIFESTANTS *ont défilé pendant trois heures.* ◆ **manifeste** adj. (sens 1) *Sa joie est* MANIFESTE, elle apparaît clairement (= évident). ◆ **manifeste** n. m. (sens 1) Un MANIFESTE est une déclaration par laquelle on fait connaître son opinion. ◆ **manifestement** adv. (sens 1) MANIFESTEMENT, *tu as tort,* cela apparaît clairement.

manigancer v. *C'est lui qui* A MANIGANCÉ *l'affaire,* qui l'a préparée en secret (= combiner). ◆ **manigance** n. f. *Je n'aime pas ses* MANIGANCES (= manœuvres).

manille n. f. *Jean joue à la* MANILLE *avec ses amis,* un jeu de cartes.

manioc n. m. *Le* MANIOC *sert à faire le tapioca,* une plante tropicale.

manipuler v. *Ne* MANIPULE *pas cet appareil, il est fragile* (= toucher, tripoter). ◆ **manipulation** n. f. *La* MANIPULATION *des explosifs est dangereuse.*

manitou n. m. Fam. *M. Durand est le grand* MANITOU *de l'usine* (= patron, chef).

manivelle n. f. Une MANIVELLE est un levier qui permet de faire tourner un moteur. ▷ 506

manne n. f. La MANNE est une nourriture miraculeuse que Dieu envoya du ciel aux Hébreux de la Bible.

mannequin n. m. **1.** *Les robes sont exposées sur des* MANNEQUINS, des statues aux dimensions humaines. — **2.** *Ce journal de mode contient des photos de* MANNEQUINS, des personnes qui présentent les nouveaux modèles d'habits. ▷ 296

manœuvre n. f. **1.** *La* MANŒUVRE *de cet appareil est difficile,* la manière de le faire marcher (= fonctionnement). — **2.** *Les soldats font la* MANŒUVRE *dans la cour de la caserne,* ils font des exercices pour s'entraîner. — **3.** *Il a atteint son but par des* MANŒUVRES, des moyens déloyaux. — **4.** n. m. Un MANŒUVRE est un ouvrier qui fait un travail simple mais pénible et mal payé. ◆ **manœuvrer** v. (sens 1) *Je ne sais pas* MANŒUVRER *cette voiture* (= conduire). • (sens 3) *Il a habilement* MANŒUVRÉ *pour réussir,* il a fait tout ce qu'il fallait. ▷ 763 ▷ 151

manoir n. m. Un MANOIR est un petit château.

manomètre n. m. *Un* MANOMÈTRE *sert à mesurer la pression d'un liquide ou d'un gaz dans un appareil.* ▷ 75

manquer v. **1.** *En cette période de sécheresse, l'eau* MANQUE, il n'y en a pas assez. ‖ *Jean* MANQUE DE *patience,* il n'en a pas assez. — **2.** *Aujourd'hui deux élèves* MANQUENT, ils ne sont pas là. — **3.** *Il te* MANQUE *un bouton,* il n'est plus à sa place. — **4.** *Pierre* A MANQUÉ *la classe,* il n'est pas venu. — **5.** *Le gardien de but* A MANQUÉ *la balle,* il ne l'a pas attrapée (= rater). — **6.** *Pierre* A MANQUÉ *de se faire écraser,* il en a été très près (= faillir). — **7.** *Si tu pars,* NE MANQUE PAS DE *m'avertir,* fais-le absolument. ◆ **manquant** adj. (sens 2 et 3) *Il y a deux élèves* MANQUANTS (= absent). ◆ **manque** n. m. (sens 1) *Cette région souffre du* MANQUE *d'eau* (= pénurie). ◆ **immanquable** adj. (sens 7) *C'est un moyen* IMMANQUABLE *de réussir,* grâce auquel on ne peut manquer de réussir.

75 ◁ **mansarde** n. f. *Il habite dans une* MANSARDE, une chambre située sous le toit.

mansuétude n. f. se disait pour *indulgence.*

mante n. f. La MANTE RELIGIEUSE est un insecte.

• **R.** *Mante* se prononce [mɑ̃t] comme *menthe* et [*qu'il*] *mente* (de *mentir*).

37 ◁ **manteau** n. m. *Il fait froid, mets ton* MANTEAU. ◆ **portemanteau** n. m.
295, 76 ◁ *Accroche ton imperméable au* PORTEMANTEAU.

manucure n. *Le métier de la* MANUCURE *consiste à soigner les mains et les ongles de ses clients.*

1. manuel adj. *Pierre aime le travail* MANUEL, que l'on fait à la main (≠ intellectuel).

2. manuel n. m. *Prenez votre* MANUEL *de français* (= livre de classe).

manufacture n. f. se disait autrefois pour *usine.*

manuscrit 1. adj. *Une lettre* MANUSCRITE *est écrite à la main* (≠ imprimé ou dactylographié). — **2.** n. m. *L'auteur a envoyé son* MANUSCRIT *à l'imprimerie,* le texte qu'il a écrit.

mappemonde n. f. Une MAPPEMONDE est une sphère représentant la carte de l'ensemble de la Terre.

728 ◁ **maquereau** n. m. *Pierre aime bien les* MAQUEREAUX *grillés,* des poissons de mer.

437, 145 ◁ **maquette** n. f. *Jean fait des* MAQUETTES *d'avions,* des modèles réduits.

361 ◁ **maquignon** n. m. Un MAQUIGNON est un marchand de chevaux.

maquiller v. *Le clown* SE MAQUILLE *devant la glace,* il se met des produits sur le visage (= farder). ◆ **maquillage** n. m. *Son* MAQUILLAGE *la change beaucoup.* ◆ **démaquiller** v. *Marie* SE DÉMAQUILLE *avant de se coucher,* elle enlève son maquillage.

maquis n. m. **1.** *Les* MAQUIS *de Corse sont très touffus,* des terrains couverts de broussailles. — **2.** *Pendant la guerre, les résistants formaient des* MAQUIS *contre les Allemands,* ils se regroupaient dans des endroits secrets. ◆ **maquisard** n. m. (sens 2) *Des* MAQUISARDS *avaient attaqué un poste allemand* (= partisan).

maraîcher 1. adj. *Cette région est connue pour ses* CULTURES MARAÎCHÈRES, de légumes et de primeurs. — **2.** n. m. Un MARAÎCHER est une personne qui cultive des légumes pour les vendre.

marais n. m. *Beaucoup de* MARAIS *ont été asséchés,* des étendues couvertes d'eau stagnante (= marécage).

marasme n. m. *L'économie est dans le* MARASME, dans une situation difficile.

marathon n. m. *Il faut beaucoup d'endurance pour courir le* MARATHON, une course à pied d'environ 42 kilomètres.

marâtre n. f. Une MARÂTRE est une mauvaise mère.

maraudage n. m. Le MARAUDAGE est le vol de fruits et de légumes dans les jardins. ◆ **maraudeur** n. m. *Le* MARAUDEUR *a été surpris par le fermier.*

marbre n. m. *Le dallage de la terrasse est en* MARBRE, en une pierre dure aux couleurs variées. ◆ **marbré** adj. *Un papier* MARBRÉ présente des taches semblables à celles du marbre. ◆ **marbrure** n. f. *Il a des* MARBRURES *rouges sur la figure* (= tache). ▷ 150

marc n. m. **1.** *Le* MARC *de raisin* est ce qui reste du raisin pressé. — **2.** *Après le repas, ils ont bu un* MARC, un alcool de raisin.
• **R.** V. MARE.

marcassin n. m. Le MARCASSIN est le petit du sanglier.

marchand, marchandage, marchander, marchandise → MARCHÉ.

marche n. f. **1.** *Pierre a une* MARCHE *rapide,* une façon de marcher. || *Les soldats accélèrent la* MARCHE, l'action de marcher. — **2.** *Ce bouton commande la* MARCHE *de l'appareil* (= fonctionnement). — **3.** *Il m'a indiqué la* MARCHE *à suivre,* comment il fallait faire. — **4.** *Cet escalier a 39* MARCHES. — **5.** *Les soldats défilent au son d'une* MARCHE *militaire,* d'un air de musique. ◆ **marcher** v. **1.** (sens 1) *Nous* AVONS MARCHÉ *tout l'après-midi.* • (sens 2) *Ma montre ne* MARCHE *plus,* elle est arrêtée (= fonctionner). — **2.** Fam. *Je voulais partir avec lui mais il n'*A *pas* MARCHÉ (= accepter). ◆ **marchepied** n. m. (sens 4) *Le* MARCHEPIED *d'un train,* ce sont les quelques marches qui permettent d'y monter. ◆ **marcheur** n. (sens 1) *Marie est bonne* MARCHEUSE, elle peut marcher longtemps. ▷ 75, 221
• **R.** V. MARCHÉ.

marché n. m. **1.** *Tous les samedis, il y a un* MARCHÉ *sur cette place,* des marchands y viennent pour proposer leurs marchandises. || *M*[me] *Durand* FAIT SON MARCHÉ *le samedi,* elle va acheter des produits alimentaires (= faire des courses). — **2.** *J'ai conclu un* MARCHÉ *avec mon voisin,* je lui ai acheté, vendu ou échangé quelque chose (= affaire). — **3.** *Le* MARCHÉ *d'un produit* est l'ensemble des achats et des ventes de ce produit. — **4.** *Il arrive en retard et* PAR-DESSUS LE MARCHÉ *il se plaint* (= en plus). — **5.** *En ce moment les fruits sont* BON MARCHÉ, leur prix est bas (≠ cher). ◆ **marchand** n. (sens 2) *M. Durand est* MARCHAND DE *chaussures,* il en vend (= commerçant). ◆ **marchand** adj. (sens 2) *La marine* MARCHANDE *transporte les marchandises,* celle qui sert au commerce. ◆ **marchandise** n. f. (sens 2) *Le navire est plein de* MARCHANDISES, de produits destinés à être vendus. ◆ **marchander** v. (sens 5) *M*[me] *Durand* MARCHANDE *le prix des légumes,* elle discute pour les obtenir à meilleur marché. ◆ **marchandage** n. m. (sens 5) *Le* MARCHANDAGE *a duré une heure* (= discussion). ◆ **supermarché** n. m. (sens 1) *M*[me] *Dupont fait ses courses dans un* SUPERMARCHÉ, dans un grand magasin qui vend en libre service. ▷ 222, 223 ▷ 219
• **R.** *Marché* se prononce [marʃe] comme *marcher.*

marchepied, marcher, marcheur → MARCHE.

mardi n. m. *Nous sommes le* MARDI *7 février.* ▷ 125

363 ◁ **mare** n. f. *Des canards barbotent dans la* MARE (= petite étendue d'eau). • **R.** *Mare* se prononce [mar] comme *marc.*

725 ◁ **marécage** n. m. *Nous pataugions dans les* MARÉCAGES, les terrains très humides (= marais). ◆ **marécageux** adj. *Ce terrain* MARÉCAGEUX *a été asséché.*

maréchal n. m. **1.** *Le* MARÉCHAL *a le plus haut rang dans l'armée.* — **2.** *Le métier du* MARÉCHAL-FERRANT *consiste à ferrer les chevaux.*

maréchaussée se disait autrefois pour *gendarmerie.*

725 ◁ **marée** n. f. **1.** La MARÉE est le mouvement des eaux de la mer qui, tous les jours, montent et descendent. — **2.** *Une* MARÉE *humaine arrive sur la place,* beaucoup de gens (= flot).

294 ◁ **marelle** n. f. *Jeanne joue à la* MARELLE, elle pousse un palet en sautant sur un pied.

margarine n. f. *Pierre préfère le beurre à la* MARGARINE, une graisse faite avec des plantes.

marge n. f. **1.** *Laissez une* MARGE *à gauche de la page,* un espace blanc. — **2.** *Il est 8 heures, cela nous laisse une* MARGE *de 5 minutes* (= délai). ◆ **émarger** v. (sens 1) *Voulez-vous* ÉMARGER *ce document,* signer dans la marge.

margelle n. f. *La* MARGELLE *d'un puits,* ce sont les pierres qui en forment le rebord.

363 ◁ **marguerite** n. f. *Marie a cueilli des* MARGUERITES *dans les prés,* des fleurs à pétales blancs et à cœur jaune.

547 ◁ **marier** v. *Pierre et Jeanne* SE MARIENT *demain,* ils deviennent mari et femme. ◆ **mari** n. m. *Connais-tu le* MARI *de M*[me] *Dupont* (= époux; ≠ femme). ◆ **mariage** n. m. *Ils nous ont invités à leur* MARIAGE (= noces). ◆ **marié** adj. et n. *On a bu à la santé des jeunes* MARIÉS. ◆ **se remarier** v. *M. Dupont vient de* SE REMARIER, il était veuf ou divorcé.

765, 355 ◁ 765, 355 ◁ **marin 1.** n. m. *M. Duval est* MARIN, son métier est de naviguer sur mer. — **2.** adj. *Les courants* MARINS, ce sont les courants de la mer. ◆ **marine** n. f. (sens 1) *M. Duval est dans la* MARINE, il est marin. ‖ *La* MARINE *des États-Unis est la première du monde,* l'ensemble des bateaux (= flotte). ◆ **marinier** n. m. (sens 1) *Les* MARINIERS *naviguent sur les fleuves et les canaux dans des péniches,* c'est leur métier (= batelier). ◆ **sous-marin** adj. et n. (sens 2) *La navigation* SOUS-MARINE *se fait sous l'eau.* ‖ Un SOUS-MARIN est un navire capable de naviguer sous l'eau. 764, 152 ◁ 764 ◁

440 ◁ **marionnette** n. f. *Marie aime les spectacles de* MARIONNETTES, de poupées que l'on anime avec les mains ou au moyen de fils (= guignol).

maritime adj. *Le Havre est un port* MARITIME, au bord de la mer. ‖ *Le commerce* MARITIME *se fait par la mer.*

marjolaine n. f. La MARJOLAINE est une plante odorante.

mark n. m. Le MARK est la monnaie allemande.

marmaille → MARMOT.

marmelade n. f. *Jean aime la* MARMELADE *d'oranges* (= confiture).

marmite n. f. *Une* MARMITE *de confitures cuit sur le feu,* un grand récipient. ▷ 224

marmiton n. m. Un MARMITON est un apprenti cuisinier dans un restaurant.

marmonner ou **marmotter** v. *Qu'est-ce que tu* MARMONNES *entre tes dents?* (= murmurer).

marmot n. m. Fam. *Une dizaine de* MARMOTS *s'amusent dans la cour,* de petits enfants. ◆ **marmaille** n. f. Fam. *La mère s'occupe de sa* MARMAILLE, de ses enfants.

marmotte n. f. La MARMOTTE est un petit animal de nos montagnes, qui dort tout l'hiver. ▷ 651

maroquinier n. m. *Le* MAROQUINIER *vend des objets de cuir.* ◆ **maroquinerie** n. f. *J'ai acheté ce portefeuille dans une* MAROQUINERIE.

marotte n. f. *Pierre collectionne les timbres, c'est sa* MAROTTE, son idée fixe.

marquer v. **1.** *Le professeur* MARQUE *les fautes à l'encre rouge,* il les indique par un signe particulier (= signaler). ‖ *Pierre* MARQUE *toutes ses dépenses,* il les indique par écrit (= inscrire). — **2.** *L'horloge* MARQUE *5 heures* (= indiquer). — **3.** *Son enfance l'*A *beaucoup* MARQUÉ, lui a laissé des souvenirs durables. — **4.** *L'été* A ÉTÉ MARQUÉ *par une grande sécheresse,* celle-ci a été un événement important. — **5.** *Pierre* A MARQUÉ *un but,* il l'a réussi. — **6.** *Au football,* MARQUER *un joueur,* c'est le surveiller de près. ◆ **marque** n. f. **1.** (sens 1) *Il y a des* MARQUES *de pas sur la neige* (= trace). ‖ *Il m'a donné des* MARQUES *de confiance* (= signe). — **2.** *De quelle* MARQUE *est cette voiture?,* quel est le nom du fabricant? ◆ **marquant** adj. (sens 3) *Quels sont les faits* MARQUANTS *de la semaine?,* ceux dont on se souvient. ◆ **démarquer** v. **1.** (sens 6) *Un joueur* DÉMARQUÉ *a pris le ballon,* un joueur qu'on ne surveillait pas. — **2.** DÉMARQUER *un vêtement,* c'est en ôter la marque (sens 2) pour le vendre moins cher.

marquis n. m., **marquise** n. f. Un MARQUIS était un noble supérieur au comte.

marraine n. f. *La* MARRAINE *d'un enfant* est celle qui le porte lors de son baptême. ▷ 148

• **R.** Le masculin correspondant est *parrain.*

marron n. m. **1.** *Pierre aime bien les* MARRONS *grillés* (= châtaigne). — **2.** *Le* MARRON D'INDE *n'est pas bon à manger,* le fruit du marronnier. ◆ **marron** adj. inv. et n. m. *Jean a des chaussures* MARRON, de la couleur des marrons (= brun). ◆ **marronnier** n. m. (sens 2) *La route est bordée de* MARRONNIERS, de grands arbres. ▷ 221

mars n. m. *Le printemps commence à la fin du mois de* MARS. ▷ 125

marsouin n. m. Le MARSOUIN est un animal marin qui ressemble au dauphin.

291, 289 ◁ 217, 150 ◁ **marteau** n. m. **1.** *On enfonce les clous avec un* MARTEAU, un outil à manche. — **2.** *Un* MARTEAU PIQUEUR *fonctionne à l'air comprimé et sert à casser la pierre.* ◆ **marteler** v. (sens 1) *Le forgeron est en train de* MARTELER *une barre de fer,* de frapper dessus à coups de marteau.

martial adj. *M. Durand marche d'un pas* MARTIAL, avec la fermeté d'un soldat.

• **R.** On prononce [marsjal].

martien n. m. *J'ai lu une histoire de* MARTIENS, sur les habitants imaginaires de la planète Mars.

• **R.** On prononce [marsjɛ̃].

martinet n. m. **1.** *Autrefois on menaçait les enfants du* MARTINET (= fouet). — **2.** Le MARTINET est un oiseau qui ressemble à l'hirondelle.

martyr n. et adj. Un MARTYR est une personne qui souffre pour défendre sa foi. ◆ **martyre** n. m. *Sa maladie a été un long* MARTYRE (= souffrance, supplice). ◆ **martyriser** v. *Arrête de* MARTYRISER *ce chien,* de le faire souffrir (= torturer).

marxisme n. m. Le MARXISME est une philosophie qui propose une nouvelle organisation de la société et de l'économie. ◆ **marxiste** n. et adj. *Les* MARXISTES *combattent le capitalisme.*

mas n. m. En Provence, un MAS est une ferme.

• **R.** On prononce [mɑs] ou [mɑ] comme *mât.*

mascarade n. f. *Ce procès sans avocats n'a été qu'une* MASCARADE, une démonstration hypocrite (= simulacre).

mascotte n. f. *Ce chien est la* MASCOTTE *du régiment,* le porte-bonheur.

masculin adj. et n. m. *M. Durand est du sexe* MASCULIN, c'est un homme (≠ féminin). ‖ *Chien est le* MASCULIN *de chienne.*

761, 152, 35 ◁ **masque** n. m. **1.** *Au mardi gras on se déguise, on met des* MASQUES, des objets qui cachent le visage. — **2.** *Pour faire de l'escrime, il faut porter un* MASQUE, un objet qui protège le visage. ◆ **masquer** v. **1.** (sens 1) *Des bandits* MASQUÉS *ont attaqué la banque.* — **2.** *Cette maison* MASQUE *le paysage,* elle empêche de le voir (= cacher). ◆ **démasquer** v. *L'escroc* A ÉTÉ DÉMASQUÉ, on l'a découvert.

massacre n. m. **1.** *La bataille a été un* MASSACRE, beaucoup de gens y sont morts (= tuerie). — **2.** *Un* JEU DE MASSACRE *consiste à renverser des pantins avec des balles.* ◆ **massacrer** v. **1** (sens 1) *Les prisonniers* ONT ÉTÉ MASSACRÉS (= tuer). — **2.** *Ces immeubles affreux* MASSACRENT *le paysage* (= abîmer). ◆ **massacrant** adj. *Jean est d'une* HUMEUR MASSACRANTE, très mauvaise.

massage n. m. *Le* MASSAGE *consiste à pétrir les muscles quand ils sont raides, fatigués ou douloureux.* ◆ **masser** v. *Pierre a une entorse, il doit se faire* MASSER *la cheville.* ◆ **masseur** n. *M. Durand est le* MASSEUR *de l'équipe de football.*

masse n. f. **1.** *Les montagnes forment une* MASSE *à l'horizon,* un gros bloc compact. — **2.** *Pierre a des* MASSES *de livres,* un très grand nombre (= quantité). ‖ *Les électeurs ont voté en* MASSE, en très grand nombre. —

3. *Les* MASSES *populaires,* c'est l'ensemble des gens du peuple. — **4.** Une MASSE est un gros marteau que l'on doit manier à deux mains. ◆ **masser** v. (sens 2) *Les gens* S'ÉTAIENT MASSÉS *près de la sortie,* rassemblés en grand nombre. ◆ **massif** adj. (sens 1) *Ce bijou est en or* MASSIF, il n'est pas creux ni plaqué. • (sens 2) *Il a pris une dose* MASSIVE *de poison,* très forte. ◆ **massif** n. m. (sens 1) *Un* MASSIF *de fleurs* est un ensemble compact de fleurs. ‖ *Un* MASSIF *montagneux* est un bloc de montagnes. ◆ **massivement** adv. (sens 2) *Demain, les gens partiront* MASSIVEMENT *en vacances* (= en masse).

▷ 150, 291

▷ 80

masser → MASSAGE et MASSE. / **masseur** → MASSAGE. / **massif, massivement** → MASSE.

massue n. f. Une MASSUE est un gros bâton avec lequel on peut tuer ou assommer.

mastic n. m. Le MASTIC est une pâte durcissante qui sert à boucher les trous, à fixer les vitres.

mastiquer v. MASTIQUE *bien ta viande avant de l'avaler* (= mâcher).

mastodonte n. m. Fam. *Un* MASTODONTE *empêchait les gens d'entrer,* un individu énorme.

masure n. f. Une MASURE est une maison misérable.

1. mat adj. m. inv. *Ton roi est* MAT, *tu as perdu la partie d'échecs,* il ne peut plus bouger.
• **R.** On prononce [mat].

2. mat adj. **1.** *L'argent a une couleur* MATE (= terne; ≠ brillant). — **2.** *La balle a rebondi avec un bruit* MAT (= sourd; ≠ sonore).
• **R.** *Mat* se prononce [mat] comme *maths.* ‖ V. aussi MÂT.

mât n. m. *Un coup de vent a cassé le* MÂT *du bateau,* le poteau qui porte les voiles. ▷ 726
• **R.** *Mât* se prononce [mɑ] comme *mas.* ‖ Ne pas confondre avec *mat.*

match n. m. *As-tu regardé le* MATCH *de foot à la télé?,* la rencontre des deux équipes. ▷ 34

matelas n. m. *Le* MATELAS, *les draps et les couvertures forment la literie.* ▷ 77, 723

matelot n. m. *Les* MATELOTS *lavent le pont du navire* (= marin). ▷ 355, 765

mater v. *Il voulait résister mais on l'*A MATÉ, soumis par la force (= dompter).

matérialisme, matériaux, matériel → MATIÈRE. / **maternel, maternité** → MÈRE.

mathématiques ou, fam., **maths** n. f. pl. *L'arithmétique, l'algèbre, la géométrie font partie des* MATHÉMATIQUES, de la science des nombres et des grandeurs. ◆ **mathématique** adj. *Il est arrivé avec une précision* MATHÉMATIQUE, très rigoureuse. ◆ **mathématicien** n. *Pascal fut un grand* MATHÉMATICIEN, un savant en mathématiques.
• **R.** V. *mat* 1 et 2.

matière n. f. **1.** *La* MATIÈRE *peut être perçue par les sens*, on peut la voir, la toucher (≠ esprit). — **2.** *La craie est une* MATIÈRE *friable* (= substance, corps). — **3.** *Jean est brillant dans les* MATIÈRES *scientifiques mais faible dans les* MATIÈRES *littéraires* (= sujet, discipline). ◆ **matériel** adj. (sens 2) *L'accident a fait des dégâts* MATÉRIELS, qui ont atteint les objets et non les personnes. ◆ **matériel** n. m. (sens 2) *Le* MATÉRIEL *agricole*, ce sont tous les objets qui servent à l'agriculture. ◆ **matériaux** n. m. pl. (sens 2) *La pierre, le ciment, le bois, le fer sont des* MATÉRIAUX *(de construction).* ◆ **matérialisme** n. m. (sens 1) Le MATÉRIALISME est une philosophie qui affirme l'importance fondamentale de la matière. ◆ **immatériel** adj. (sens 1) *Dieu est* IMMATÉRIEL, il est uniquement esprit.

361 ◁

matin n. m. *Tous les* MATINS *Pierre va à l'école* (≠ après-midi et soir). ◆ **matinal** adj. *Jean est* MATINAL, il se lève tôt. ◆ **matinée** n. f. *Il a travaillé toute la* MATINÉE, entre le lever du jour et midi.

• **R.** *Matin* indique une date, *matinée* une durée.

matou n. m. Un MATOU est un gros chat.

matraque n. f. *Il a reçu un coup de* MATRAQUE *sur la tête*, d'un bâton destiné à frapper les gens. ◆ **matraquer** v. *La police* A MATRAQUÉ *les manifestants* (= brutaliser).

matrimonial adj. *Une agence* MATRIMONIALE s'occupe de marier les gens.

matrone n. f. Une MATRONE est une grosse femme vulgaire.

maturité → MÛR.

maudire v. *Il* MAUDISSAIT *sa malchance*, il en était furieux, exaspéré. ◆ **maudit** adj. *Quel* MAUDIT *temps!* (= exaspérant). ◆ **malédiction** n. f. *Une* MALÉDICTION *s'acharne sur eux*, une malchance exaspérante.

maugréer v. *Qu'as-tu à* MAUGRÉER *entre tes dents?*, à murmurer des paroles de mécontentement.

mausolée n. m. Un MAUSOLÉE est un tombeau monumental.

maussade adj. **1.** *Pierre est d'humeur* MAUSSADE, il est mécontent (= triste). — **2.** *Le temps est* MAUSSADE (= mauvais).

mauvais adj. **1.** *Cette viande est* MAUVAISE (= exécrable; ≠ bon). ‖ *Ta santé est plus* MAUVAISE *que la mienne* (= pire). — **2.** *Jean est* MAUVAIS *en mathématiques* (= faible). — **3.** *Quand il se met en colère, il devient* MAUVAIS (= méchant).

mauve adj. *Marie a une robe* MAUVE (= violet pâle).

mauviette adj. *Pierre est une* MAUVIETTE, il est faible et peureux.

maxime n. f. *« Qui vivra verra » est une* MAXIME, une phrase courte qui exprime une vérité générale (= proverbe, dicton).

maximum n. et adj. *Il a voulu mettre le* MAXIMUM *de chances de son côté*, le plus grand nombre. ‖ *Ne dépassez pas la vitesse* MAXIMUM *autorisée*, la plus grande (≠ minimum).

• **R.** On prononce [maksimɔm]. ‖ Le pluriel est *des* MAXIMUMS ou *des* MAXIMA.

mayonnaise n. f. La MAYONNAISE est une sauce faite d'œufs et d'huile mélangés.

mazout n. m. *Notre chauffage fonctionne au* MAZOUT, un liquide tiré du pétrole (= fuel).

me est le pronom de la première personne quand il est complément : *Il* ME *voit.* ▷ 11

• **R.** *Me* devient *m'* devant une voyelle ou un *h* muet : *Il* M'*a parlé.*

méandre n. m. *La Seine fait de nombreux* MÉANDRES, elle ne coule pas en ligne droite (= boucle).

mécanique adj. **1.** *Un jouet* MÉCANIQUE *fonctionne grâce à un mécanisme.* — **2.** *Cette voiture a eu un incident* MÉCANIQUE, de fonctionnement. — **3.** *Pierre a fait un geste* MÉCANIQUE, sans y penser (= machinal). ◆ **mécanique** n. f. (sens 1 et 2) **1.** La MÉCANIQUE est la science des mouvements. — **2.** *Cette montre est une* MÉCANIQUE *compliquée* (= machine). ◆ **mécaniquement** adv. (sens 3) *Il a répondu* MÉCANIQUEMENT, comme une machine. ◆ **mécanisme** n. m. (sens 1 et 2) *Le* MÉCANISME *d'un appareil* est l'ensemble de ses rouages qui lui permet de fonctionner. ◆ **mécanicien** ou, fam., **mécano** n. m. (sens 1 et 2) *Un* MÉCANICIEN *entretient et répare les machines et les moteurs.* ▷ 79, 221 ▷ 36, 291, 505

mécène n. m. Un MÉCÈNE est un homme riche qui protège les artistes et les écrivains.

méchant adj. et n. *Attention, ce chien est* MÉCHANT, il attaque les gens. ‖ *Les* MÉCHANTS *cherchent à nuire à leur prochain* (≠ bon). ◆ **méchamment** adv. *Il a ri* MÉCHAMMENT *quand je suis tombé* (≠ gentiment). ◆ **méchanceté** n. f. *Il a fait cela par* MÉCHANCETÉ (= cruauté; ≠ bonté). ‖ *Pourquoi me dis-tu des* MÉCHANCETÉS?, des paroles méchantes.

mèche n. f. **1.** *La* MÈCHE *d'une bougie,* c'est le cordon qui dépasse et qu'on allume. — **2.** *Tiens! tu as une* MÈCHE *qui dépasse,* une touffe de cheveux. ▷ 224

méchoui n. m. *Nous avons mangé un* MÉCHOUI, un mouton rôti à la broche.

mécompte n. m. *M. Dubois a eu de graves* MÉCOMPTES *financiers* (= déception).

méconnaître v. *Je ne* MÉCONNAIS *pas ton courage,* je le reconnais. ◆ **méconnaissable** adj. *Marie est* MÉCONNAISSABLE *avec ses nouvelles lunettes,* on a de la peine à la reconnaître.

• **R.** Conj. nº 64.

mécontent, mécontentement, mécontenter → CONTENT.

mécréant n. m. Un MÉCRÉANT est un homme qui ne croit pas en Dieu.

médaille n. f. **1.** *Marie a au cou une* MÉDAILLE, un bijou ressemblant à une pièce de monnaie. — **2.** *Il a obtenu deux* MÉDAILLES *aux jeux Olympiques,* deux pièces de métal précieux pour le récompenser. ◆ **médaillon** n. m. (sens 1) Un MÉDAILLON est un bijou qui peut contenir une photo. ▷ 220 ▷ 763

médecine n. f. *Paul est étudiant en* MÉDECINE, il apprend à soigner les
38 ◁ malades. ◆ **médecin** n. m. *Pierre est malade, il faut appeler le* MÉDECIN (= docteur). ◆ **médical** adj. *Jean a passé une visite* MÉDICALE, pour vérifier son état de santé. ◆ **médicament** n. m. *Marie est allée à la pharmacie acheter les* MÉDICAMENTS *prescrits par le médecin* (= remède).
38 ◁ ◆ **médicinal** adj. *Les plantes* MÉDICINALES *sont bonnes pour la santé.*
• **R.** Pour une femme, on dit un *médecin* ou une *femme médecin.*

médiéval adj. La littérature MÉDIÉVALE est celle du Moyen Âge.

médiocre adj. *M. Durand a un salaire* MÉDIOCRE (= faible, insuffisant). ◆ **médiocrement** adv. *Paul travaille* MÉDIOCREMENT, plutôt mal. ◆ **médiocrité** n. f. *Pierre est d'une grande* MÉDIOCRITÉ *en mathématiques.*

médire v. MÉDIRE *de quelqu'un,* c'est dire du mal de lui pour lui faire du tort (= calomnier). ◆ **médisance** n. f. *Ne croyez pas cela, ce sont des* MÉDISANCES (= ragot).
• **R.** Conj. nº 72, sauf au participe *(médit).*

méditer v. *Il faudrait* MÉDITER *ce projet plus longuement,* y réfléchir. ◆ **méditation** n. f. *Il semble plongé dans ses* MÉDITATIONS (= pensée, réflexion). ◆ **préméditer** v. *L'assassin* AVAIT PRÉMÉDITÉ *son crime,* il y avait pensé pour le préparer. ◆ **préméditation** n. f. *La* PRÉMÉDITATION *aggrave la faute.*

723 ◁ **méduse** n. f. *Des* MÉDUSES *flottent sur la mer,* des animaux gélatineux.

méduser v. *Pierre* ÉTAIT MÉDUSÉ *par le spectacle,* très étonné (= fasciner, stupéfier).

meeting n. m. *Nous avons assisté à un* MEETING *électoral,* à une réunion publique.
• **R.** On prononce [mitiɲ].

méfait n. m. *Le vase est cassé : quel est l'auteur de ce* MÉFAIT?, de la faute, de la mauvaise action.

méfier v. *Il faut* SE MÉFIER DE *lui, c'est un sournois,* ne pas lui faire confiance (= se défier; ≠ se fier à). ◆ **méfiance** n. f. *J'éprouve envers lui une grande* MÉFIANCE (= défiance; ≠ confiance). ◆ **méfiant** adj. *Marie est très* MÉFIANTE (= soupçonneux).

par mégarde adv. PAR MÉGARDE, *il a pris une mauvaise route,* sans le vouloir (= par inadvertance).

mégère n. f. Une MÉGÈRE est une femme méchante.

mégot n. m. Fam. *Mets ton* MÉGOT *dans le cendrier,* le bout qui reste de ta cigarette fumée.

meilleur adj. et n. *Ce vin est bon mais celui-là est* MEILLEUR (≠ pire). ‖ *Pierre est mon* MEILLEUR *ami.* ‖ *Que* LE MEILLEUR *gagne!* ◆ **améliorer** v. *Tes résultats sont passables, il faudrait les* AMÉLIORER, les rendre meilleurs. ◆ **amélioration** n. f. *On espère une* AMÉLIORATION *de sa santé.*
• **R.** *(Le) meilleur* est le comparatif et le superlatif de *bon.*

mélancolie n. f. *Il pense avec* MÉLANCOLIE *que les vacances sont finies,* avec une tristesse vague. ◆ **mélancolique** adj. *Pourquoi es-tu si* MÉLANCOLIQUE? (= triste, pessimiste).

mélanger v. **1.** *Mme Dupont* A MÉLANGÉ *du sucre, des œufs et de la farine pour faire un gâteau,* elle a mis le tout ensemble (≠ séparer). — **2.** *Qui* A MÉLANGÉ *mes papiers?,* les a mis en désordre (= mêler). ◆ **mélange** n. m. (sens 1) *Cette boisson est un* MÉLANGE *de sirop et d'eau.*

mélasse n. f. La MÉLASSE est du sirop de sucre.

mêler v. **1.** *Le chat* A MÊLÉ *les fils du tricot,* mis en désordre (= embrouiller, mélanger). — **2.** *Jean* S'EST MÊLÉ *à notre groupe,* il s'y est joint. — **3.** DE *quoi* TE MÊLES-*tu?* MÊLE-TOI DE *tes affaires* (= s'occuper de). ◆ **mêlée** n. f. (sens 1) Une MÊLÉE est un combat désordonné. ◆ **démêler** v. **1.** (sens 1) *J'ai mis une heure à* DÉMÊLER *cette pelote de laine* (≠ emmêler). — **2.** *Cette affaire est difficile à* DÉMÊLER (= résoudre). ◆ **démêlé** n. m. *M. Durand a eu des* DÉMÊLÉS *avec ses voisins,* des disputes. ◆ **emmêler** v. (sens 1) *Tu as les cheveux* EMMÊLÉS, mal coiffés. ◆ **entremêler** v. (sens 1) *Les dates* S'ENTREMÊLENT *dans ma tête,* sont en désordre. ◆ **pêle-mêle** adv. (sens 1) *Ses vêtements sont* PÊLE-MÊLE *sur le tapis,* en désordre (= en vrac).

mélèze n. m. Le MÉLÈZE est un arbre proche du sapin. ▷ 650

mélodie n. f. *Marie chante une* MÉLODIE, une jolie chanson. ◆ **mélodieux** adj. *Une voix* MÉLODIEUSE est agréable à entendre (= musical).

mélodramatique, mélodrame → DRAME.

melon n. m. **1.** *Pierre aime les* MELONS *bien sucrés,* un fruit. — **2.** *Nos grands-pères portaient des chapeaux* MELONS, ronds et bombés. ▷ 367, 578

mélopée n. f. Une MÉLOPÉE est un chant triste.

membrane n. f. *Les poumons sont enveloppés par une* MEMBRANE, une peau très mince.

membre n. m. **1.** *Les bras sont les* MEMBRES *supérieurs, les jambes les* MEMBRES *inférieurs.* — **2.** *Jean est* MEMBRE *d'un club sportif,* il en fait partie.

même adj. et pron. **1.** *Ils ont des cheveux de la* MÊME *couleur* (= semblable, identique, pareil; ≠ différent). ‖ *Tu as un beau stylo, je veux* LE MÊME (≠ autre). — **2.** *M. Durand c'est la bonté* MÊME, il est très bon (= en personne). ◆ **même** adv. **1.** *Tout le monde est coupable,* MÊME *moi,* moi aussi. — **2.** *Il pleuvait, mais il est parti* QUAND MÊME (ou *tout de même*), malgré la pluie. — **3.** *Jean a ri, Pierre a fait* DE MÊME, pareillement. — **4.** *Tu n'es pas* À MÊME DE *juger* (= capable). — **5.** *Il a bu* À MÊME *la bouteille* (= directement).

• **R.** *Même* se place avec un trait d'union derrière *moi, toi, lui, soi, nous, vous, eux* pour renforcer le sens des ces pronoms personnels : *J'ai fait cela moi-*MÊME, tout seul, en personne.

mémento n. m. *Pierre écrit ses rendez-vous sur son* MÉMENTO (= agenda).

mémoire n. f. **1.** *Jean n'a pas de* MÉMOIRE, il oublie tout. — **2.** *On a élevé un monument* EN MÉMOIRE *de la victoire,* pour qu'on s'en rappelle (= souvenir). ◆ **mémoire** n. m. **1.** *Il a publié un* MÉMOIRE *sur cette maladie* (= étude). — **2.** *Le général a écrit ses* MÉMOIRES, ses souvenirs. ◆ **mémorable** adj. *Il a prononcé des paroles* MÉMORABLES, dont on se souviendra (= inoubliable). ◆ **se remémorer** v. *Je n'arrive pas à* ME REMÉMORER *son nom,* à m'en souvenir.

menacer v. **1.** *Son père l'*A MENACÉ *d'une punition,* il la lui a fait craindre. — **2.** *La pluie* MENACE *de tomber,* on craint qu'elle ne tombe. ◆ **menaçant** adj. (sens 1) *Il a pris un air* MENAÇANT (≠ rassurant). ◆ **menace** n. f. (sens 1) *Ses* MENACES *ne me font pas peur,* ses gestes ou ses paroles annonçant l'intention de faire du mal. • (sens 2) *On parle de* MENACES *de guerre* (= danger).

ménage n. m. **1.** *M. et Mme Durand forment un* MÉNAGE *uni* (= couple). — **2.** *Mme Dupont fait le* MÉNAGE, elle nettoie son logement. — **3.** *Mme Dubois fait des* MÉNAGES, elle gagne sa vie en faisant le ménage chez les autres. ‖ *Mme Dubois est* FEMME DE MÉNAGE, c'est son métier. ◆ **ménager** adj. (sens 2) *Mme Dupont s'occupe des travaux* MÉNAGERS, de la maison. ◆ **ménagère** n. f. (sens 2) *Mme Dupont est une bonne* MÉNAGÈRE, elle s'occupe bien de sa maison.

222 ◁

1. ménager v. **1.** *On lui a dit de* MÉNAGER *sa santé, de* SE MÉNAGER, de ne pas faire d'efforts excessifs. — **2.** *Par cette sécheresse il faut* MÉNAGER *l'eau* (= économiser). — **3.** *Pierre nous* A MÉNAGÉ *une surprise* (= préparer). — **4.** *Le boxeur* MÉNAGEAIT *son adversaire,* il le traitait avec modération (≠ accabler). ◆ **ménagement** n. m. (sens 4) *On l'a traité sans* MÉNAGEMENT, avec brutalité (= égard).

2. ménager → MÉNAGE.

434, 433 ◁

ménagerie n. f. *Nous avons visité la* MÉNAGERIE *du cirque,* la collection d'animaux sauvages.

mendier v. *Un vieil homme* MENDIE *au coin de la rue,* il demande la charité. ◆ **mendiant** n. *Pierre a donné une pièce à une* MENDIANTE. ◆ **mendicité** n. f. *La* MENDICITÉ *est interdite,* l'action de mendier.

mener v. **1.** *Cette route* MÈNE *à la mer,* elle y va (= conduire). — **2.** *Il* MÈNE *ses enfants à la baguette,* il les dirige, les conduit. — **3.** *La police* MÈNE *l'enquête,* elle s'en occupe. — **4.** *Il* MÈNE *une vie heureuse,* il vit heureux (= passer). — **5.** *Notre équipe* MÈNE *par 2 buts à 1,* elle a deux buts d'avance. ◆ **meneur** n. m. (sens 2) *La police a arrêté les* MENEURS, ceux qui dirigeaient, entraînaient les autres.

menhir n. m. Un MENHIR est une grande pierre dressée par les hommes préhistoriques.

40 ◁

méninges n. f. pl. Fam. *Ne te fatigue pas les* MÉNINGES (= cerveau). ◆ **méningite** n. f. La MÉNINGITE est une grave maladie du cerveau.

menottes n. f. pl. *Le bandit a été conduit en prison* MENOTTES *aux poignets,* les poignets attachés par des bracelets d'acier.

mensonge, mensonger → MENTIR. / **mensualité, mensuel, mensuellement** → MOIS.

mental adj. *Un malade* MENTAL est une personne à l'esprit dérangé. ‖ *Le calcul* MENTAL *se fait de tête.* ◆ **mentalement** adv. *Il a fait ce calcul* MENTALEMENT, dans son esprit, sans l'écrire. ◆ **mentalité** n. f. *Ces gens ont une* MENTALITÉ *différente de la nôtre,* un état d'esprit.

menteur → MENTIR.

menthe n. f. La MENTHE est une plante très odorante dont on fait des tisanes, des sirops.
• **R.** *Menthe* se prononce [mɑ̃t] comme *mante* et [*qu'il*] *mente* (de *mentir*).

mention n. f. **1.** *Ce journal fait* MENTION *d'un incendie,* il le signale. — **2.** *Jean a obtenu une* MENTION *à son examen,* une appréciation favorable. ◆ **mentionner** v. (sens 1) *N'oubliez pas de* MENTIONNER *votre adresse* (= indiquer, signaler).

mentir v. *Ne* MENS *pas, je sais ce que tu as fait,* dis la vérité. ◆ **mensonge** n. m. *Ne le crois pas, il dit des* MENSONGES, il ment. ◆ **mensonger** adj. *Il nous a fait un récit* MENSONGER *de son aventure* (= faux; ≠ vrai). ◆ **menteur** n. *Marie est une* MENTEUSE, elle ment souvent.
• **R.** Conj. nº 19. ‖ V. MENTHE.

menton n. m. *Jean a reçu un coup de poing au* MENTON, à la base du visage. ▷ 33

1. menu adj. **1.** *Jeanne est une fillette* MENUE (= petit; ≠ gras). — **2.** *Il nous ennuie avec de* MENUS *détails,* des détails sans importance.

2. menu n. m. *Le garçon nous a apporté le* MENU, la liste des plats.

menuet n. m. Le MENUET est une ancienne danse.

menuisier n. m. *Le métier du* MENUISIER *consiste à travailler le bois et à faire des meubles.* ◆ **menuiserie** n. f. *M. Durand travaille dans une* MENUISERIE, un atelier de menuisier. ‖ *Il fait de la* MENUISERIE, un travail de menuisier. ▷ 291

se méprendre v. *Je* ME SUIS MÉPRIS *sur le sens de cette phrase,* je me suis trompé. ◆ **méprise** n. f. *Veuillez excuser ma* MÉPRISE! (= erreur).
• **R.** Conj. nº 54. ‖ V. MÉPRISER.

mépriser v. **1.** *Jean est un lâche, tout le monde le* MÉPRISE, personne n'a d'estime pour lui (≠ admirer). — **2.** *Pierre* MÉPRISE *le danger,* il n'en a pas peur (≠ craindre). ◆ **mépris** n. m. (sens 1) *Il m'a dit des paroles de* MÉPRIS (= dédain; ≠ estime). ◆ **méprisable** adj. (sens 1) *Jean est* MÉPRISABLE, il mérite qu'on le méprise (≠ respectable).
• **R.** Ne pas confondre *mépris* et [*il s'est*] *mépris* (de *méprendre*).

mer n. f. **1.** Une MER est une étendue d'eau salée plus petite qu'un océan. — **2.** *Nous avons passé nos vacances à la* MER, près d'une mer ou d'un océan (= plage). ◆ **amerrir** v. (sens 2) *L'hydravion* A AMERRI *près de la côte,* il s'est posé sur l'eau. ▷ 724, 728
• **R.** V. MAIRE.

mercantile adj. *M. Dupont a l'esprit* MERCANTILE, il ne pense qu'à l'argent (= cupide; ≠ désintéressé).

mercenaire n. m. Un MERCENAIRE est un soldat payé pour faire la guerre.

mercerie n. f. *Dans une* MERCERIE, *on peut acheter du fil, des boutons,* 223 ◁ *des rubans.* ◆ **mercier** n. *Va chez la* MERCIÈRE *acheter une bobine de fil.*

merci n. f. **1.** *Le combat a été* SANS MERCI, sans pitié. — **2.** *Il* EST À LA MERCI D'*un accident,* il y est exposé. — **3.** n. m. et interj. MERCI *de vos vœux!,* je vous en suis reconnaissant. ◆ **remercier** v. **1.** (sens 3) *Je ne sais comment vous* REMERCIER, vous dire merci. — **2.** *M. Durand* A REMERCIÉ *sa secrétaire,* il l'a congédiée. ◆ **remerciement** n. m. (sens 3) *Paul a écrit à son parrain une lettre de* REMERCIEMENT, pour remercier.

125 ◁ **mercredi** n. m. *Demain nous serons* MERCREDI *8 février.*

mercure n. m. Le MERCURE est un métal liquide et brillant.

547 ◁ **mère** n. f. **1.** *Pierre aime beaucoup sa* MÈRE, celle qui l'a mis au monde. — **2.** *On dit que «prudence est* MÈRE *de sûreté»,* elle la produit. ◆ **maternel** adj. **1.** (sens 1) *L'amour* MATERNEL est l'amour de la mère pour ses enfants. — **2.** *Les enfants de moins de cinq ans vont à l'*ÉCOLE MATERNELLE. ◆ **maternité** n. f. (sens 1) **1.** *La* MATERNITÉ *l'a rendue heureuse,* le fait de devenir mère. — **2.** *Les femmes accouchent dans une* MATERNITÉ (= clinique).

● **R.** V. MAIRE.

294 ◁ **méridien** n. m. *On calcule l'heure à partir du* MÉRIDIEN *de Greenwich,* d'une ligne imaginaire qui va d'un pôle à l'autre.

méridional adj. et n. *Nous avons passé nos vacances en Italie* MÉRIDIONALE, du Sud. ‖ *Les* MÉRIDIONAUX *ont l'accent du Midi,* les gens du sud de la France.

meringue n. f. *Marie aime les* MERINGUES, des sortes de gâteaux à base de blanc d'œuf.

merisier n. m. Le MERISIER est un cerisier sauvage. ◆ **merise** n. f. *Les* MERISES *ont un goût aigrelet.*

mériter v. **1.** *Tu as été sage, tu* MÉRITES *une récompense,* tu en es digne. — **2.** *Cette nouvelle* MÉRITE *d'être vérifiée,* il faut la vérifier (= valoir). ◆ **mérite** n. m. (sens 1) *M. Durand a beaucoup de* MÉRITE, il est digne d'être récompensé. ◆ **méritant** adj. (sens 1) *Ce sont des gens* MÉRITANTS, qui ont du mérite. ◆ **méritoire** adj. (sens 1) *Voilà un travail* MÉRITOIRE (= louable). ◆ **immérité** adj. (sens 1) *Il a reçu des reproches* IMMÉRITÉS, qu'il ne méritait pas (= injuste).

728 ◁ **merlan** n. m. Le MERLAN est un poisson de mer.

merle n. m. *Un* MERLE *siffle devant ma fenêtre,* un oiseau noir.

merveille n. f. **1.** *Regarde cette église, c'est une* MERVEILLE, une chose très belle. — **2.** *Pierre et Jean s'entendent* À MERVEILLE, très bien (= parfaitement). ◆ **merveilleux** adj. (sens 1 et 2) *Ce paysage de montagnes est* MERVEILLEUX (= magnifique, admirable). ◆ **merveilleu-**

sement adv. (sens 2) *Jean se porte* MERVEILLEUSEMENT, très bien (= admirablement). ◆ **émerveiller** v. (sens 1) *Les enfants étaient* ÉMERVEILLÉS *par le spectacle,* ils l'ont beaucoup admiré. ◆ **émerveillement** n. m. (sens 1) *Il m'a regardé avec* ÉMERVEILLEMENT.

mes → MON.

mésange n. f. *Il y a une* MÉSANGE *sur le poirier,* un petit oiseau.

mésaventure → AVENTURE. / **mesdames** → DAME. / **mesdemoiselles** → DEMOISELLE. / **mésentente** → ENTENDRE.

mesquin adj. *Il faudrait être* MESQUIN *pour lui reprocher ce petit défaut,* avoir l'esprit étroit. ◆ **mesquinerie** n. f. *Pierre a agi avec* MESQUINERIE.

mess n. m. *Le colonel Dupont mange au* MESS *des officiers,* dans la salle qui leur est réservée.

message n. m. *On m'a chargé de vous transmettre un* MESSAGE, une lettre ou une information quelconque. ◆ **messager** n. Un MESSAGER est une personne chargée d'un message.

messe n. f. *Pierre va à la* MESSE *tous les dimanches,* à la cérémonie essentielle du culte catholique.

messie n. m. *Il est très populaire, on l'attend comme le* MESSIE, comme s'il était envoyé par Dieu.

messieurs → MONSIEUR. / **messire** → SIRE.

mesure n. f. **1.** *Prendre les* MESURES *d'une pièce,* c'est voir quelle est sa longueur, sa largeur, sa hauteur. ‖ *L'heure est l'unité de* MESURE *du temps,* celle qui sert à évaluer une durée. — **2.** *Tu ne joues pas en* MESURE, en suivant le rythme de la musique. — **3.** *Pierre mange trop, il n'a pas le sens de la* MESURE, il agit sans modération. — **4.** *Il faut prendre des* MESURES *énergiques contre le chômage,* il faut agir énergiquement (= décision). — **5.** *Je ne suis pas* EN MESURE DE *te répondre,* je n'en suis pas capable. — **6.** *Viens* DANS LA MESURE *du possible,* en proportion de tes possibilités. — **7.** *Il dépense son argent* (AU FUR ET) À MESURE *qu'il le gagne,* en même temps. ◆ **mesurer** v. **1.** (sens 1) *Le mètre sert à* MESURER *les longueurs, le mètre carré les surfaces, le mètre cube les volumes.* • (sens 3) *Pierre ne* MESURE *pas ses efforts,* il les fait sans se modérer. — **2.** SE MESURER AVEC *quelqu'un,* c'est se battre contre lui. ◆ **mesuré** adj. (sens 3) *Il parle d'un ton* MESURÉ, avec modération. ◆ **démesuré** adj. (sens 3) *Jean est d'un orgueil* DÉMESURÉ (= exagéré; ≠ modéré).

▷ 795

métairie n. f. *M. Duchamp a une petite* MÉTAIRIE, une exploitation agricole louée en métayage. ◆ **métayage** n. m. Le MÉTAYAGE est un système de location d'une terre dans lequel le paysan partage la récolte avec le propriétaire. ◆ **métayer** n. m. *Les* MÉTAYERS *sont souvent des paysans pauvres.*

métal n. m. *Le fer est le* MÉTAL *le plus courant; l'or et l'argent sont des* MÉTAUX *précieux; d'autres* MÉTAUX *sont le cuivre, l'aluminium, le zinc.* ◆ **métallique** adj. *Il a acheté des meubles* MÉTALLIQUES, en fer ou en acier. ◆ **métallurgie** n. f. La MÉTALLURGIE est l'industrie qui produit les métaux. ◆ **métallurgique** adj. *Il y a beaucoup d'usines* MÉTALLURGIQUES *dans l'est de la France.* ◆ **métallurgiste** adj. *M. Durand est ouvrier* MÉTALLURGISTE, dans la métallurgie. ◆ **métallo** n. m. Fam. *Les* MÉTALLOS *se sont mis en grève,* les ouvriers métallurgistes.

294 ◁ **métamorphose** n. f. **1.** *Le papillon est le résultat de la* MÉTAMORPHOSE *de la chenille,* de sa transformation complète. — **2.** *Pierre a beaucoup grandi, quelle* MÉTAMORPHOSE!, quel grand changement. ◆ **métamorphoser** v. (sens 1) *Les têtards* SE MÉTAMORPHOSENT *en grenouilles.* • (sens 2) *Sa nouvelle coupe de cheveux l'*A MÉTAMORPHOSÉ.

métaphysique n. f. La MÉTAPHYSIQUE est une partie de la philosophie.

métayage, métayer → MÉTAIRIE.

métempsychose n. f. *Certaines religions croient à la* MÉTEMPSYCHOSE, au passage de l'âme d'un être vivant dans un autre corps après la mort.
• **R.** On prononce [metɑ̃psikoz].

météore n. m. *Les étoiles filantes sont des* MÉTÉORES, des phénomènes lumineux qui se produisent dans le ciel. ◆ **météorite** n. m. ou f. Les MÉTÉORITES sont des cailloux venus de l'espace et tombés sur la Terre.

météorologie ou, fam., **météo** n. f. La MÉTÉOROLOGIE est la science qui étudie le temps et le climat. ◆ **météorologique** adj. *Pierre écoute les prévisions* MÉTÉOROLOGIQUES *à la radio,* concernant le temps qu'il fera.

méthode n. f. **1.** *Jean agit avec* MÉTHODE, en suivant un ordre logique et raisonné. — **2.** *Voulez-vous m'indiquer la* MÉTHODE *à employer* (= moyen, procédé). ◆ **méthodique** adj. (sens 1) *Jean est un garçon* MÉTHODIQUE (= soigneux, réfléchi; ≠ désordonné). ◆ **méthodiquement** adv. (sens 1) *Jean travaille* MÉTHODIQUEMENT, avec méthode.

méticuleux adj. *M*[me] *Dubois est une femme* MÉTICULEUSE, elle fait attention à chaque détail (= minutieux; ≠ négligent).

métier n. m. **1.** *M. Durand est professeur, c'est son* MÉTIER, le travail dont il vit (= profession). — **2.** Un MÉTIER est une machine servant à fabriquer des tissus.

métis n. Un MÉTIS est une personne dont les parents sont de races différentes.
• **R.** On prononce [metis].

795 ◁ **mètre** n. m. **1.** Le MÈTRE est la principale unité de mesure des longueurs. ‖ *Paul mesure 1,60 m,* 1 mètre et 60 centimètres. — **2.** *La couturière* 296, 289 ◁ *mesure son tissu avec un* MÈTRE, un ruban de la longueur d'un mètre. ◆ **métrage** n. m. (sens 1) *Le* MÉTRAGE *d'un tissu ou d'un film,* c'est sa longueur en mètres. ◆ **métrique** adj. (sens 1) Le SYSTÈME MÉTRIQUE est le système des poids et mesures qui a pour base le mètre. ◆ **centimètre** 795 ◁ n. m. (sens 1) *Ce ruban mesure un* CENTIMÈTRE *de large,* la centième partie 795 ◁ d'un mètre. ◆ **décamètre** n. m. (sens 1) *Ce jardin a trois* DÉCAMÈTRES *de* 795 ◁ *côté* (10 m × 3). ◆ **décimètre** n. m. (sens 1) *Le mur a un* DÉCIMÈTRE *d'épaisseur* (1 m : 10). • (sens 2) *Prête-moi ton* DOUBLE DÉCIMÈTRE, ta règle mesurant 20 cm. ◆ **hectomètre** n. m. (sens 1) *Cette forêt a un*

HECTOMÈTRE *de large* (1 m × 100). ◆ **kilomètre** n. m. (sens 1) *Il y a 460* KILOMÈTRES *de Paris à Lyon* (1 000 m × 460). ◆ **kilométrage** n. m. (sens 1) *Cette voiture a un* KILOMÉTRAGE *important,* beaucoup de kilomètres. ◆ **kilométrique** adj. (sens 1) *Je n'ai pas pu lire la borne* KILOMÉTRIQUE, que l'on trouve à chaque kilomètre. ◆ **millimètre** n. m. (sens 1) *Cet insecte mesure un* MILLIMÈTRE (1 m : 1 000). ◆ **millimétrique** adj. (sens 1) *Le papier* MILLIMÉTRIQUE *est quadrillé par des carrés de 1 mm de côté.*
▷ 795 ▷ 795 ▷ 506 ▷ 795

• **R.** V. MAÎTRE.

métro n. m. Le MÉTRO est un train, souvent souterrain, qui sert à se déplacer dans les grandes villes. ▷ 217, 508

métronome n. m. Un MÉTRONOME est un instrument qui indique le rythme d'un morceau de musique. ▷ 438

métropole n. f. **1.** *Paris est la* MÉTROPOLE *de la France,* la plus grande ville. — **2.** *Les Dubois sont revenus en* MÉTROPOLE, dans leur pays d'origine (≠ colonie).

mets n. m. *Le caviar est un* METS *apprécié* (= aliment).

• **R.** V. MAI.

mettre v. **1.** METS *ce livre sur la table* (= placer, poser; ≠ enlever). — **2.** *Pierre* S'EST MIS *à côté de moi* (= s'installer). — **3.** *Jean* A MIS *un pantalon bleu,* il s'est habillé avec. — **4.** *J'*AI MIS *du sucre dans le café,* je l'ai ajouté et mélangé. — **5.** *Il* A MIS *deux heures à venir,* il lui a fallu ce temps-là. — **6.** *Pierre* S'EST MIS À *pleurer,* il a commencé à le faire. — **7.** *Ce livre vient d'*ÊTRE MIS EN *vente,* sa vente vient de commencer. ◆ **metteur** n. m. (sens 7) *Le* METTEUR EN SCÈNE *d'un film* est celui qui en dirige la réalisation. ◆ **mise** n. f. (sens 1) *M. Durand a doublé sa* MISE, l'argent qu'il avait mis au départ. • (sens 3) *Marie soigne sa* MISE, la manière de s'habiller. • (sens 7) *La* MISE EN SCÈNE *de ce film est très réussie.* ◆ **miser** v. (sens 1) *M. Durand* A MISÉ *dix francs sur un cheval,* il a placé cette somme d'argent pour parier.

• **R.** Conj. n° 57. ‖ V. MAÎTRE, MAI et MI.

1. meuble n. m. *M*[me] *Durand essuie les* MEUBLES *de la salle à manger,* les chaises, la table, les fauteuils, etc. ◆ **meubler** v. *Son appartement* EST *bien* MEUBLÉ, il y a de beaux meubles. ◆ **ameublement** n. m. *Il a acheté une armoire et un lit dans un magasin* D'AMEUBLEMENT, qui vend des meubles.

2. meuble adj. *Cette terre est* MEUBLE, elle est facile à labourer (≠ compact). ◆ **ameublir** v. *Les labours* AMEUBLISSENT *le sol.*

meugler v. *La vache* MEUGLE, elle pousse son cri (= beugler, mugir).

meule n. f. **1.** Une MEULE est une grosse pierre plate et ronde qui sert à moudre le grain, à aiguiser les couteaux. — **2.** *Il y a une* MEULE *de foin dans ce champ,* un gros tas. ▷ 363 ▷ 365

meulière n. f. La MEULIÈRE est une pierre utilisée en construction.

meunier n. Un MEUNIER est une personne qui possède un moulin et qui moud le grain.

meurtre n. m. *Un* MEURTRE *a été commis hier,* quelqu'un a été assassiné (= crime). ◆ **meurtrier** n. et adj. *La police a arrêté le* MEURTRIER (= assassin). ‖ *Des combats* MEURTRIERS *ont eu lieu,* qui ont causé des morts (= sanglant).

147 ◁ **meurtrière** n. f. Une MEURTRIÈRE est une étroite ouverture dans une fortification.

meurtrir v. *Un coup de poing lui* A MEURTRI *la lèvre* (= blesser). ◆ **meurtrissure** n. f. *Pierre a des* MEURTRISSURES *sur le visage,* des traces de coups.

meute n. f. **1.** Une MEUTE est une troupe de chiens de chasse. — **2.** *Il courait, poursuivi par une* MEUTE *de gens,* un grand nombre (= bande).

mévente → VENTE.

1. mi n. m. MI est la troisième note de la gamme.
• **R.** *Mi* se prononce [mi] comme *mie* et [*je*] *mis,* [*il*] *mit* (de *mettre*).

2. mi- est un préfixe qui, placé devant un nom, signifie « à moitié », « à demi » (*s'arrêter à* MI-CÔTE).

miasme n. m. *La pièce est empestée par des* MIASMES, des odeurs malsaines.

miauler v. *Le chat* MIAULE, *il doit avoir faim,* il pousse son cri. ◆ **miaulement** n. m. Le MIAULEMENT est le cri du chat.

650 ◁ **mica** n. m. Le MICA est un minéral brillant et transparent.

mi-carême → CARÊME.

miche n. f. Une MICHE est un gros pain rond.

micmac n. m. Fam. *Qu'est-ce que c'est que ces* MICMACS?, ces affaires louches et embrouillées.

micro ou **microphone** n. m. *Parle devant le* MICRO, l'appareil qui amplifie ta voix.

microbe n. m. Les MICROBES sont de très petits animaux qui sont les causes de certaines maladies. ◆ **microbien** adj. *La tuberculose est une maladie* MICROBIENNE, causée par un microbe.

294 ◁ **microscope** n. m. *Pierre a un* MICROSCOPE *qui grossit cent fois,* un appareil qui permet de voir les objets invisibles à l'œil nu. ◆ **microscopique** adj. *Les microbes sont des animaux* MICROSCOPIQUES, très petits.

midi n. m. **1.** *Nous mangeons à* MIDI, à 12 heures. — **2.** *Cette maison est exposée au* MIDI, au sud. — **3.** *Nous avons passé nos vacances dans le* MIDI, dans le sud de la France. ◆ **après-midi** n. m. ou f. (sens 1) *Je passerai vous voir cet* APRÈS-MIDI, entre midi et le soir.

mie n. f. *Mon grand-père n'a plus de dents, il mange la* MIE *et laisse la croûte,* la partie intérieure et tendre du pain.
• **R.** V. MI.

362 ◁ **miel** n. m. **1.** *Le* MIEL *est fabriqué par les abeilles avec le suc des fleurs.* — **2.** *Jean s'est montré* TOUT MIEL, trop poli. ◆ **mielleux** adj. (sens 2) *Jean parle d'une voix* MIELLEUSE, douce et hypocrite.

mien **1.** pron. possessif *Cette robe n'est pas à toi, c'est* LA MIENNE. — **2.** n. m. *J'aime* LES MIENS, mes parents.

miette n. f. *Marie a jeté des* MIETTES *de pain aux oiseaux,* de petites parcelles. ◆ **émietter** v. *Jean* ÉMIETTE *une biscotte dans son potage,* il en fait des miettes.

mieux **1.** adv. *Jean travaille* MIEUX *que Pierre,* d'une manière meilleure. — **2.** adj. *Marie est* MIEUX *que sa sœur,* plus belle ou plus gentille. — **3.** n. m. *Il a fait de* SON MIEUX, aussi bien qu'il a pu. ‖ *Paul a fait* POUR LE MIEUX, de la meilleure façon possible.

• **R.** *Mieux* est le comparatif et *le mieux* le superlatif de *bien.*

mièvre adj. *Il a prononcé des paroles* MIÈVRES, gentilles mais fades.

mignon adj. *Marie est très* MIGNONNE, charmante et gentille.

migraine n. f. *Pierre a la* MIGRAINE, mal à la tête.

migration n. f. *Il se produit une* MIGRATION *quand des gens quittent leur pays pour s'établir dans un autre.* ◆ **migrateur** adj. *L'hirondelle est un oiseau* MIGRATEUR, elle change de région selon les saisons. ◆ **émigrer** v. *Beaucoup de Portugais* ÉMIGRENT *en France,* viennent s'y établir. ◆ **émigrant** n. *Beaucoup d'*ÉMIGRANTS *vivent dans ce quartier,* des gens d'origine étrangère. ◆ **émigration** n. f. *L'*ÉMIGRATION *est souvent causée par le chômage,* le départ vers un pays étranger. ◆ **immigration** n. f. *L'*IMMIGRATION *est contrôlée par l'État,* l'arrivée de travailleurs étrangers. ◆ **immigré** adj. et n. *Il y a en France beaucoup de travailleurs* IMMIGRÉS, venus de l'étranger.

mijaurée n. f. *Marie fait la* MIJAURÉE, elle a une attitude prétentieuse.

mijoter v. *Je fais* MIJOTER *un ragoût,* je le fais cuire doucement.

mil → MILLE et MILLET.

milan n. m. Le MILAN est une sorte de faucon.

milice n. f. Une MILICE est une troupe de volontaires qui renforcent l'armée régulière. ◆ **milicien** n. m. *Une milice est composée de* MILICIENS.

milieu n. m. **1.** *Il y a une table au* MILIEU *de la pièce,* à l'endroit qui est à égale distance des bords (= centre). — **2.** *Pierre est né au* MILIEU *du XX*[e] *siècle,* en 1950 (≠ début et fin). — **3.** *Il vit dans un* MILIEU *bourgeois,* les gens qui l'entourent sont des bourgeois.

militaire adj. et n. *Jean va faire son service* MILITAIRE, aller à l'armée. ‖ *M. Dupuis est* MILITAIRE *de carrière* (= soldat). ◆ **antimilitariste** adj. et n. *M. Dubois est* ANTIMILITARISTE, il est hostile à l'armée.

militer v. *M. Durand* MILITE *dans un syndicat,* il y joue un rôle actif. ◆ **militant** n. *M. Durand est un* MILITANT *syndical.*

mille adj. **1.** *Cette ville est à* MILLE *mètres d'altitude. 10 × 100 = 1 000.* — **2.** *Je t'ai dit* MILLE *fois,* de très nombreuses fois. ◆ **mille** n. m. Le MILLE MARIN est une unité de distance valant 1 852 mètres. ◆ **millénaire** n. m. (sens 1) *Il s'est écoulé un* MILLÉNAIRE *depuis le X*[e] *siècle,* mille ans. ◆ **milli-** placé devant une unité la divise par 1 000 : MILLIGRAMME, MILLIMÈTRE. ◆ **millième** adj. et n. m. (sens 1) *10 est la* MILLIÈME *partie* ▷ 517 ▷ 517

517 ◁ (ou *le* MILLIÈME) *de 10 000.* ◆ **millier** n. m. (sens 1) *Il y avait un* MILLIER *de personnes sur la place,* environ mille. ◆ **millefeuille** n. m. (sens 2) Un
221 ◁ MILLEFEUILLE est un gâteau formé de nombreuses couches de pâte et de crème. ◆ **mille-pattes** n. m. inv. (sens 2) Le MILLE-PATTES est un insecte qui a beaucoup de pattes.

• **R.** Dans les dates on peut écrire MIL : MIL *neuf cent cinquante (1950).*

millésime n. m. *Cette pièce porte le* MILLÉSIME *de 1950,* cette date est écrite dessus.

millet ou **mil** n. m. Le MILLET, ou MIL, est une céréale à grains très petits.

517 ◁ **milliard** n. m. *Il y a environ trois* MILLIARDS *d'hommes sur la terre* (3 000 000 000). ◆ **milliardaire** n. *Cet industriel est* MILLIARDAIRE, sa fortune se compte en milliards.

millième, millier → MILLE. / **milligramme** → GRAMME. / **millimètre, millimétrique** → MÈTRE.

517 ◁ **million** n. m. *Paris a cinq* MILLIONS *d'habitants* (5 000 000). ◆ **millionnaire** n. *M. Dupuis est* MILLIONNAIRE, il est très riche.

mime n. m. Un MIME est un acteur qui joue en s'exprimant par gestes, sans parler. ◆ **mimer** v. *Pierre s'amuse à* MIMER *son professeur,* à l'imiter. ◆ **mimique** n. f. *Marie a fait une* MIMIQUE *de dégoût* (= expression, attitude). ◆ **pantomime** n. f. Une PANTOMIME est une pièce de théâtre jouée par des mimes.

578 ◁ **mimosa** n. m. Le MIMOSA est un arbre à fleurs jaunes et parfumées.

minable adj. Fam. *Ce devoir est* MINABLE, très médiocre (≠ excellent).

minaret n. m. *Le* MINARET *d'une mosquée* est la tour du haut de laquelle on appelle les fidèles à la prière.

minauder → MINE.

mince adj. **1.** *Le papier de ce livre est très* MINCE (= fin; ≠ épais). — **2.** *Il m'a dérangé sous un* MINCE *prétexte* (= insignifiant). ◆ **amincir** v. (sens 1) *Marie s'*EST AMINCIE *en suivant un régime amaigrissant* (≠ grossir).

mine n. f. **1.** *Pierre a mauvaise* MINE, son visage indique une mauvaise santé. — **2.** *Il ne faut pas juger les gens sur leur* MINE, leur aspect extérieur (= physionomie). — **3.** *Jean* A FAIT MINE *de partir,* il a fait semblant. — **4.** (au plur.) *Marie fait* DES MINES, elle a une attitude affectée
581 ◁ (= manières). — **5.** *Il y a des* MINES *de charbon dans le Nord,* des
764 ◁ exploitations souterraines. — **6.** *Le navire a sauté sur une* MINE, sur un
292 ◁ engin explosif. — **7.** *Paul a cassé la* MINE *de son crayon,* la partie centrale qui sert à écrire. ◆ **minauder** v. (sens 4) *Marie* MINAUDE *quand elle parle,* elle fait des mines. ◆ **miner** v. **1.** (sens 6) *Les soldats* ONT MINÉ *le pont,* ils y ont placé une mine. — **2.** *Il* EST MINÉ *par les soucis,* affaibli peu à peu (= ronger). ◆ **minerai** n. m. (sens 5) *Le* MINERAI *de cuivre est extrait dans les mines de cuivre,* la roche qui contient ce métal. ◆ **mineur** n. m. (sens 5) *Les* MINEURS *font un travail pénible,* les ouvriers des mines. ◆ **minier** adj. (sens 5) *Le nord de la France est une région* MINIÈRE. ◆ **minois** n. m. (sens 1) *Marie a un joli* MINOIS (= figure, visage).

minéral **1.** adj. *Les roches et les métaux sont des matières* MINÉRALES, ni animales ni végétales. ‖ *L'eau* MINÉRALE *contient des substances* MINÉRALES. — **2.** n. m. Les MINÉRAUX sont les éléments dont sont formées les roches. ◆ **minéralogie** n. f. (sens 2) La MINÉRALOGIE est la science qui étudie les minéraux.

minet n. m. *Viens ici* MINET! (= chat).

1. mineur → MINE.

2. mineur **1.** adj. *Ceci est un problème* MINEUR, peu important (= secondaire; ≠ majeur). — **2.** adj. et n. m. *Pierre est* MINEUR, il n'a pas dix-huit ans. ‖ *Les* MINEURS *n'ont pas le droit de vote* (≠ majeur). ◆ **minorité** n. f. **1.** (sens 2) *La* MINORITÉ *finit à dix-huit ans.* — **2.** *Le gouvernement a été mis en* MINORITÉ, moins de la moitié des députés l'ont approuvé (≠ majorité).

miniature n. f. **1.** *Ce peintre fait des* MINIATURES, des tableaux tout petits. — **2.** *Pierre joue avec des autos* (EN) MINIATURE, des modèles réduits d'autos.

minier → MINE.

minime adj. *J'ai payé cela une somme* MINIME, très petite (≠ important). ◆ **minimum** n. m. et adj. *Il veut faire le* MINIMUM *de dépenses,* le moins possible. ‖ *18 ans est l'âge* MINIMUM *pour voter,* le plus bas (≠ maximum).
• **R.** *Minimum* se prononce [minimɔm]. ‖ Le pluriel est *des* MINIMUMS ou *des* MINIMA.

ministre n. m. *Les* MINISTRES *constituent le gouvernement sous la direction du Premier* MINISTRE. ◆ **ministère** n. m. **1.** *Le* MINISTÈRE *s'est réuni,* l'ensemble des ministres (= gouvernement). — **2.** *Son* MINISTÈRE *a duré six mois,* ses fonctions de ministre. — **3.** *Le* MINISTÈRE *des Finances se trouve rue de Rivoli à Paris,* les bâtiments, les bureaux. ◆ **ministériel** adj. *Une crise* MINISTÉRIELLE, c'est un changement de gouvernement. ▷ 298

minium n. m. *Le* MINIUM *sert à protéger les métaux de la rouille,* une peinture rouge.
• **R.** On prononce [miniɔm].

minois → MINE. / **minorité** → MINEUR 2.

minoterie n. f. Une MINOTERIE est une usine où l'on moud le grain pour faire de la farine.

minuit n. m. *Pierre s'est couché à* MINUIT, à 24 heures ou 0 heure.

minuscule **1.** adj. *Jean a une écriture* MINUSCULE, très petite (≠ énorme). — **2.** n. f. *Les noms communs commencent par une* MINUSCULE (≠ majuscule). ▷ 290

minute n. f. *Il y a 60* MINUTES *dans une heure et 60 secondes dans une* MINUTE. ◆ **minuter** v. *Mon emploi du temps* EST MINUTÉ, il est compté à la minute près. ◆ **minuterie** n. f. Une MINUTERIE est une lumière électrique qui s'éteint automatiquement après quelques minutes. ▷ 795

minutieux adj. *Marie est très* MINUTIEUSE, elle fait attention à chaque détail (≠ négligent). ◆ **minutieusement** adv. *Elle a noté* MINUTIEUSEMENT *tout ce que je lui ai dit.* ◆ **minutie** n. f. *Elle travaille toujours avec* MINUTIE, un très grand soin.
• **R.** On prononce [minysjø, minysi].

mioche n. Fam. *Mme Durand promène ses* MIOCHES, ses enfants.

mirabelle n. f. *Marie aime la confiture de* MIRABELLES, de petites prunes jaunes.

miracle n. m. **1.** *L'Évangile raconte les* MIRACLES *du Christ,* les choses surnaturelles qu'il a faites. — **2.** *Il a échappé à la mort par* MIRACLE, de façon heureuse et très inattendue. ◆ **miraculeux** (sens 1 et 2) *Il a une chance* MIRACULEUSE (= extraordinaire; ≠ naturel).

mirage n. m. *Dans les déserts on voit quelquefois des* MIRAGES, des paysages qui n'existent pas, dus au tremblement de l'air surchauffé par le soleil.

mire n. f. **1.** *Le* CRAN DE MIRE *d'un fusil,* c'est ce qui sert à viser. — **2.** *Marie est le* POINT DE MIRE *de tous les regards,* tout le monde la regarde.

mirobolant adj. Fam. *Il nous a fait des promesses* MIROBOLANTES, trop belles pour être vraies.

224, 79, 77 ◁ **miroir** n. m. *Jeanne aime se regarder dans son* MIROIR (= glace). ◆ **miroiter** v. *L'eau de la rivière* MIROITE *au soleil,* le soleil s'y réfléchit (= briller).

misaine n. f. *Le* MÂT DE MISAINE *d'un bateau à voiles,* c'est le mât de l'avant.

misanthrope adj. et n. *Mon grand-père devient* MISANTHROPE, il n'aime pas la compagnie des autres gens.

mise, miser → METTRE.

misère n. f. **1.** *Ces gens vivent dans la* MISÈRE, ils sont très pauvres. — **2.** *Il est toujours à se plaindre de ses* MISÈRES, de ses malheurs, de ses souffrances. ◆ **misérable** adj. **1.** (sens 1) *Beaucoup d'Africains vivent dans des conditions* MISÉRABLES, dans la misère (= pitoyable). — **2.** *Ils se sont battus pour une* MISÉRABLE *question d'argent* (= insignifiant). ◆ **misérablement** adv. (sens 1) *Cette famille vit* MISÉRABLEMENT, très pauvrement. ◆ **miséreux** n. m. (sens 1) *Un* MISÉREUX *demandait l'aumône* (= pauvre).

miséricorde n. f. se disait autrefois pour *pitié.*

missel n. m. *Pierre va à la messe avec son* MISSEL, son livre de prières.

missile n. m. Un MISSILE est une fusée contenant une bombe.

mission n. f. **1.** *Marie a reçu la* MISSION *d'accueillir les invités,* on l'a chargée de le faire. — **2.** *Une* MISSION *scientifique est partie étudier le pôle Sud,* un groupe de savants chargés de cette étude.

missionnaire n. m. Un MISSIONNAIRE est un prêtre qui cherche à convertir les incroyants.

missive n. f. *Pierre m'a écrit une longue* MISSIVE (= lettre).

mistral n. m. Le MISTRAL est un vent violent et froid qui souffle dans le Midi.

mitaine n. f. Des MITAINES sont des gants qui ne couvrent pas le bout des doigts.

mite n. f. *Cette couverture a des trous de* MITES, faits par de petits insectes. ◆ **mité** adj. *La couverture est* MITÉE, elle a été trouée par les mites.

• **R.** *Mite* se prononce [mit] comme *mythe.*

mi-temps n. f. inv. *Le but a été marqué pendant la seconde* MI-TEMPS, la seconde partie du match.

miteux adj. *Il habite un appartement* MITEUX, de pauvre apparence (= minable).

mitigé adj. *Il m'a fait des compliments* MITIGÉS, qui manquent d'ardeur (≠ enthousiaste).

mitonner v. *Mme Durand* A MITONNÉ *un bon repas,* elle l'a préparé avec soin.

mitoyen adj. *Un mur* MITOYEN fait la limite de deux propriétés. ▷ 73

mitrailler v. *Les soldats* MITRAILLAIENT *l'avion ennemi,* ils tiraient dessus avec des armes à feu. ◆ **mitraille** n. f. *Les soldats fuyaient sous la* MITRAILLE, les balles, les obus, etc. ◆ **mitraillette** n. f., **mitrailleur** adj., **mitrailleuse** n. f. La MITRAILLETTE, le FUSIL et le PISTOLET MITRAILLEUR, la MITRAILLEUSE sont des armes à feu qui tirent très vite. ▷ 763 ▷ 762

mitre n. f. Une MITRE est un bonnet que portent les évêques.

mitron n. m. Un MITRON est un apprenti boulanger.

mixeur n. m. Un MIXEUR est un appareil qui sert à broyer et à mélanger les aliments.

mixte adj. *Marie va dans une école* MIXTE, où il y a des filles et des garçons.

mixture n. f. *Je n'ai pas pu avaler cette* MIXTURE, ce mélange au goût désagréable.

mobile 1. adj. *Les parachutistes sont des soldats très* MOBILES, ils peuvent se déplacer rapidement. — **2.** *Pâques est une fête* MOBILE, elle ne tombe pas à la même date chaque année. — **3.** n. m. *Je ne comprends pas les* MOBILES *de tes actes,* de ce qui te pousse à les faire (= raison). ◆ **mobilité** n. f. (sens 1) *Une douleur à l'épaule diminue la* MOBILITÉ *de mon bras,* la possibilité de le déplacer. ◆ **immobile** adj. (sens 1) *Le chien est resté* IMMOBILE, sans bouger. ◆ **immobilité** n. f. (sens 1) *Sa maladie le condamne à l'*IMMOBILITÉ, à ne pas se déplacer. ◆ **immobiliser** v. (sens 1) *La voiture* A ÉTÉ IMMOBILISÉE *par une panne.*

mobilier 1. n. m. *On a changé le* MOBILIER *du salon,* l'ensemble des meubles. — **2.** adj. *M. Durand possède des biens* MOBILIERS, des marchandises, des meubles, des autos, des rentes, etc. (≠ immobilier).

◆ **immobilier** adj. (sens 2) *M. Dupont a une fortune* IMMOBILIÈRE, des terres, des maisons. ‖ *Une société* IMMOBILIÈRE *s'occupe de construire des maisons et des immeubles.*

mobiliser v. *En cas de guerre, les hommes valides* SONT MOBILISÉS, appelés à l'armée. ◆ **mobilisation** n. f. *M. Durand a reçu sa feuille de* MOBILISATION, la lettre qui le mobilise. ◆ **démobiliser** v. *À la fin de la guerre, les soldats* SONT DÉMOBILISÉS, ils retournent à la vie civile. ◆ **démobilisation** n. f. *M. Durand attend sa* DÉMOBILISATION.

mobilité → MOBILE.

mocassin n. m. *Pierre porte des* MOCASSINS *en daim,* des chaussures basses sans lacets.

moche adj. Fam. *Qu'est-ce qu'elle est* MOCHE *cette chemise!* (= laid).

1. mode n. f. *Marie est habillée à la dernière* MODE, ses vêtements sont au goût du jour. ◆ **démoder** v. *Cette robe* EST DÉMODÉE, elle n'est plus à la mode.

2. mode n. m. **1.** *Nous avons changé notre* MODE DE VIE, la manière dont nous vivons (= genre). — **2.** *Le* MODE D'EMPLOI *d'un appareil* indique la manière de s'en servir. — **3.** *L'indicatif, le subjonctif, le conditionnel, l'impératif, l'infinitif et le participe sont les six* MODES *du verbe,* les manières d'exprimer l'action.

modelage → MODELER.

modèle n. m. **1.** *Pierre dessine d'après un* MODÈLE, un objet qu'il doit imiter. — **2.** *Jean fait des* MODÈLES RÉDUITS *d'avions,* des petits avions qui imitent exactement les vrais (= maquette). — **3.** *Paul est un* MODÈLE *d'honnêteté,* il est digne d'être imité (= exemple). — **4.** *Cette voiture est un nouveau* MODÈLE (= type, sorte).

437 ◁

modeler v. *Le sculpteur* MODÈLE *de l'argile pour faire une statue,* il la pétrit et lui donne une forme. ◆ **modelage** n. m. *Pierre fait des* MODELAGES *avec de la pâte à modeler.*

• **R.** Conj. nº 5.

modéré adj. **1.** *Pierre* EST MODÉRÉ *dans ses prétentions,* elles ne sont pas trop grandes (≠ excessif). — **2.** *Les prix de ce restaurant* SONT MODÉRÉS (= raisonnable; ≠ exagéré). — **3.** *Les partis* MODÉRÉS *ne sont ni de droite ni de gauche.* ◆ **modérément** adv. (sens 1) *M. Durand fume* MODÉRÉMENT (≠ trop). ◆ **modérateur** adj. (sens 1 et 2) *Marie a une influence* MODÉRATRICE *sur son frère,* elle l'empêche de faire des excès. ◆ **modération** n. f. (sens 1 et 2) *Il mange et boit avec* MODÉRATION (= mesure; ≠ excès). ◆ **modérer** v. (sens 1 et 2) *Jean a de la peine à* MODÉRER *sa colère,* à en diminuer la violence (= retenir, calmer). ◆ **immodéré** adj. (sens 1 et 2) *Il faut diminuer ces dépenses* IMMODÉRÉES (= excessif).

moderne adj. *M. Durand aime l'art* MODERNE, celui de l'époque actuelle (= nouveau; ≠ ancien). ◆ **moderniser** v. *Cette usine s'*EST MODERNISÉE, elle a adopté des techniques modernes.

modeste adj. **1.** *Malgré sa réussite, M. Durand est resté* MODESTE (= simple; ≠ orgueilleux). — **2.** *Ils habitent un logement* MODESTE, sans luxe (= médiocre). ◆ **modestie** n. f. (sens 1) *M. Durand agit toujours avec* MODESTIE (= humilité; ≠ vanité, prétention).

modicité → MODIQUE.

modifier v. *Tu devrais* MODIFIER *la fin de ton devoir* (= changer). ◆ **modification** n. f. *Ce projet a subi de nombreuses* MODIFICATIONS (= transformation, changement).

modique adj. *Il a acheté cette voiture pour une somme* MODIQUE (= faible; ≠ important). ◆ **modicité** n. f. *Il se plaint de la* MODICITÉ *de son salaire* (= médiocrité).

moduler v. MODULER *un air de musique,* c'est le chanter d'une voix changeante. ◆ **modulation** n. f. *Il y a des* MODULATIONS *dans sa voix,* elle est tantôt haute, tantôt basse.

moelle n. f. *La* MOELLE *des os,* c'est la substance molle et grasse qui se trouve dedans.
• **R.** On prononce [mwal ou mwɛl].

moelleux adj. *Cette couverture est* MOELLEUSE, très douce au toucher.
• **R.** On prononce [mwalø ou mwɛlø].

moellon n. m. *Le mur du jardin est en* MOELLONS, en pierres. ▷ 150
• **R.** On prononce [mwalɔ̃].

mœurs n. f. pl. *Les* MŒURS *changent avec les époques et les pays,* la manière de vivre (= coutume, habitudes).
• **R.** On prononce [mœrs] ou [mœr] comme [*je*] *meurs* (de *mourir*).

mohair n. m. *Marie s'est tricoté un pull en* MOHAIR, avec une laine très douce.

moi pron. pers. peut s'employer : *a*) pour renforcer le sujet *je* ou après *c'est* : MOI, *je pars.* ‖ *C'est* MOI *le chef; b*) comme complément après une préposition : *Il est parti sans* MOI. ▷ 11
• **R.** *Moi* se prononce [mwa] comme *mois.*

moignon n. m. *Le manchot avait un crochet au bout de son* MOIGNON, de son bras amputé.

moindre adj. *La nuit,* LE MOINDRE *bruit me réveille,* le plus petit, le plus faible. ◆ **amoindrir** v. *La maladie l'*A AMOINDRI, rendu plus faible (= diminuer).

moine n. m. *Les* MOINES *vivent dans les monastères et passent leur vie à prier Dieu.* ◆ **monastère** n. m. *Il s'est retiré dans un* MONASTÈRE, il s'est fait moine (= abbaye, couvent). ◆ **monastique** adj. *Il a pris l'habit* MONASTIQUE, celui de moine. ◆ **monacal** adj. *Il mène une vie* MONACALE, qui ressemble à celle des moines.

moineau n. m. *Mme Durand donne du pain aux* MOINEAUX, une sorte de petit oiseau.

moins adv. **1.** *Jean travaille peu, mais Pierre travaille encore* MOINS. ‖ *Je suis* MOINS *grand* QUE *toi* (≠ plus). — **2.** *Sept* MOINS *trois font quatre* (7 – 3 = 4). — **3.** *Il y a* AU MOINS *une heure que je suis là,* une heure sinon plus (= au minimum). — **4.** *Il est venu,* DU MOINS *il le dit* (= en tout cas). — **5.** *Je vais me promener,* À MOINS QU'*il ne pleuve,* seulement s'il ne pleut pas (= sauf si).

125 ◁ **mois** n. m. **1.** *Janvier est le premier* MOIS *de l'année.* — **2.** *M. Durand vient de toucher son* MOIS, son salaire pour le travail d'un mois. ◆ **mensuel** adj. (sens 1) *Cette revue est* MENSUELLE, elle paraît tous les mois. ◆ **mensuellement** adv. (sens 1) *M. Durand est payé* MENSUELLEMENT, tous les mois. ◆ **mensualité** n. f. (sens 1) *M. Dupont paie son appartement par* MENSUALITÉS, il paie une somme chaque mois. ◆ **bimensuel** adj. (sens 1) *Une revue* BIMENSUELLE paraît deux fois par mois.

• **R.** V. MOI.

moisir v. **1.** *Il faisait trop humide, le pain* A MOISI, il a commencé à se gâter. — **2.** Fam. *Je ne vais pas* MOISIR *ici toute la journée,* y rester sans rien faire. ◆ **moisi** n. m. (sens 1) *Ça sent le* MOISI *ici,* une odeur aigre. ◆ **moisissure** n. f. (sens 1) *Le fromage est couvert de* MOISISSURES *vertes,* de taches formées par de petits champignons.

583 ◁ **moisson** n. f. *En juillet, les paysans font la* MOISSON, ils coupent le blé, l'orge, l'avoine, etc. ◆ **moissonner** v. *On a mis deux heures à* MOISSONNER *ce champ de blé,* à le couper. ◆ **moissonneur 1.** n. *Le soir, les* MOISSONNEURS *sont fatigués,* ceux qui font la moisson. — **2.** n. f. Une

365 ◁ MOISSONNEUSE-BATTEUSE est une machine qui coupe et bat automatiquement le blé.

moite adj. *Ton front est* MOITE, *tu dois avoir de la fièvre,* un peu humide.

517 ◁ **moitié** n. f. **1.** *Dix est la* MOITIÉ *de vingt,* 10 + 10 = 20 (≠ double). — **2.** *Son verre est* À MOITIÉ *vide,* en partie (= à demi; ≠ complètement).

moka n. m. Le MOKA est un café très parfumé.

molaire n. f. *Pierre a mal à une* MOLAIRE, une grosse dent du fond de la bouche. ◆ **prémolaire** n. f. *Les* PRÉMOLAIRES *se trouvent entre les molaires et les canines.*

726 ◁ **môle** n. m. *Les passagers se dirigent vers le* MÔLE *d'embarquement,* l'endroit où est amarré le navire (= quai).

molécule n. f. *Tous les corps sont formés de* MOLÉCULES, de très petites parties.

molester v. *Jean* A ÉTÉ MOLESTÉ *par des voyous* (= brutaliser).

289 ◁ **molette** n. f. *La* MOLETTE *d'un briquet,* c'est la roulette dentée que l'on actionne avec le doigt.

molle, mollement, mollesse → MOU.

33 ◁ **mollet** n. m. *Paul a eu le* MOLLET *mordu par un chien,* le muscle entre la cheville et le genou.

mollir → MOU.

mollusque n. m. *Les huîtres, les moules, les escargots, les pieuvres sont*

722 ◁ *des* MOLLUSQUES, des animaux sans squelette.

molosse n. m. Un MOLOSSE est un gros chien de garde.

môme n. Fam. *Ces* MÔMES *sont trop bruyants* (= enfant).

moment n. m. **1.** *On nous a dit d'attendre un* MOMENT, un espace de temps (= instant). — **2.** *Ce sera bientôt le* MOMENT DE *partir,* il faudra le faire bientôt. — **3.** *L'orage a éclaté* AU MOMENT OÙ *nous partions* (= quand, lorsque). — **4.** DU MOMENT QUE *tu le dis, je te crois* (= puisque, si). ◆ **momentané** adj. (sens 1) *Son absence a été* MOMENTANÉE, elle n'a duré qu'un moment (= court). ◆ **momentanément** adv. (sens 1) *Il est parti* MOMENTANÉMENT (= provisoirement).

momie n. f. *Pierre a vu au musée des* MOMIES *égyptiennes,* des cadavres conservés.

mon, ma, mes adj. possessifs indiquent ce qui est à moi, ce qui m'appartient : MON *père,* MA *mère,* MES *parents.*

• **R.** V. MONT et MAI. ‖ On emploie *mon* au lieu de *ma* devant un nom féminin commençant par une voyelle ou un *h* muet : MON *oreille.*

monacal → MOINE.

monarchie n. f. *Autrefois la France était une* MONARCHIE, un seul homme avait tout le pouvoir (≠ république, démocratie). ◆ **monarchique** adj. *Les rois, les empereurs exercent un pouvoir* MONARCHIQUE. ◆ **monarchiste** n. *Les* MONARCHISTES *veulent le renversement de la République et le retour du roi.* ◆ **monarque** n. m. *Les rois de France étaient des* MONARQUES *absolus et héréditaires* (= souverain).

monastère, monastique → MOINE.

monceau n. m. *Il y a un* MONCEAU *d'ordures devant la porte,* un gros tas. ◆ **amonceler** v. *Il* A AMONCELÉ *des journaux au grenier,* il les a mis en tas. ‖ *Les preuves* S'AMONCELLENT (= s'accumuler).

• **R.** *Amonceler,* conj. n° 6.

monde n. m. **1.** *On croyait autrefois que la Terre était au centre du* MONDE, de tout ce qui existe (= univers). — **2.** *Cet écrivain est connu dans le* MONDE *entier,* sur toute la Terre. — **3.** *Mettre* AU MONDE *un enfant,* c'est le faire venir à la vie; *venir* AU MONDE, c'est naître; *être seul* AU MONDE, c'est être seul dans la vie. — **4.** *Cette nouvelle a bouleversé le* MONDE *des affaires,* l'ensemble des gens d'affaires (= milieu). — **5.** *M. Durand est un homme du* MONDE, il fait partie de la haute société (= aristocratie). — **6.** *Il y avait beaucoup* DE MONDE *à la réunion,* beaucoup de gens. — **7.** TOUT LE MONDE *est parti,* tous les gens. ◆ **mondial** adj. (sens 2) *Une guerre* MONDIALE concerne le monde entier (= international). ◆ **mondialement** adv. (sens 2) *Cet artiste est* MONDIALEMENT *connu* (= universellement). ◆ **mondain** adj. (sens 5) *M. Durand aime la vie* MONDAINE, celle de la haute société.

monétaire → MONNAIE.

moniteur n. *Sylvie est* MONITRICE *de ski,* elle enseigne le ski.

monnaie n. f. **1.** *La* MONNAIE *française s'appelle le franc, la* MONNAIE *allemande le mark,* les pièces et les billets (= argent). — **2.** *Peux-tu me faire la* MONNAIE *de ce billet de 100 francs?,* me l'échanger contre des pièces ou des billets de plus faible valeur. ◆ **monétaire** adj. (sens 1) *Le dollar est l'unité* MONÉTAIRE *des États-Unis d'Amérique,* la principale ▷ 221 monnaie. ◆ **monnayer** v. (sens 1) *Il* A MONNAYÉ *ses services un bon prix,* il les a vendus pour de l'argent. ◆ **faux-monnayeur** n. m. (sens 1) *Des* FAUX-MONNAYEURS *ont été arrêtés,* des fabricants de fausse monnaie. ◆ **porte-monnaie** n. m. inv. (sens 2) *Pierre a perdu son* PORTE-MONNAIE, le petit sac où il met sa monnaie, ses pièces.

monocle n. m. *Mon grand-père portait un* MONOCLE, un verre de lunette fixé sous le sourcil.

monogamie n. f. *La loi française impose la* MONOGAMIE, on ne peut avoir qu'une épouse. ◆ **bigamie** n. f. *Il a été arrêté pour* BIGAMIE, il avait deux femmes. ◆ **polygamie** n. f. *La* POLYGAMIE *existait chez les musulmans,* ils pouvaient avoir plusieurs épouses.

monogramme n. m. *Son* MONOGRAMME *est brodé sur sa chemise,* ses initiales entrelacées.

monologue n. m. *Pierre continue son* MONOLOGUE, il parle tout seul.

monopole n. m. *L'État a le* MONOPOLE *de la vente du tabac,* il est le seul à en vendre. ◆ **monopoliser** v. *Pierre* MONOPOLISE *le téléphone,* il est le seul à s'en servir (= accaparer).

monosyllabe → SYLLABE.

monotone adj. *Nous menons une vie* MONOTONE, où il ne se passe rien (= ennuyeux; ≠ varié). ◆ **monotonie** n. f. *Il se plaint de la* MONOTONIE *de son travail* (≠ variété).

monseigneur → SEIGNEUR.

monsieur n. m. *Le père de Pierre s'appelle* MONSIEUR *Durand (M. Durand).* ‖ *Bonjour* MESSIEURS.

monstre n. m. **1.** *Un veau né avec deux têtes, un enfant né sans bras sont des* MONSTRES, des êtres anormaux. — **2.** *Les chimères, les centaures sont des* MONSTRES, des êtres imaginaires. — **3.** *Cet homme est un* MONSTRE *de cruauté,* il est très cruel. — **4.** *Pierre est un* MONSTRE *de travail,* il travaille beaucoup. — **5.** *Cette femme est un* MONSTRE, elle est très laide. ◆ **monstre** adj. (sens 4) *Ce film a eu un succès* MONSTRE, très grand. ◆ **monstrueux** adj. (sens 3 et 5) *Il est d'une laideur* MONSTRUEUSE (= horrible). ◆ **monstruosité** n. f. (sens 3 et 5) *Il a commis des* MONSTRUOSITÉS, des actes horribles.

mont → MONTAGNE. / **montage** → MONTER.

653, 651 ◁ **montagne** n. f. *Le sommet de cette* MONTAGNE *dépasse 4 000 mètres.* ◆ **mont** n. m. se disait autrefois pour *montagne;* suivi d'un nom propre, il désigne une montagne *(le* MONT *Blanc)* ou une colline *(le* MONT *Saint-Michel).* ◆ **montagnard** n. Les MONTAGNARDS sont les habitants des montagnes. ◆ **montagneux** adj. *Les Alpes sont une région* MONTAGNEUSE, où il y a des montagnes.

monter v. **1.** *Jean* EST MONTÉ *sur la colline,* il est allé de bas en haut (= grimper). ‖ *Marie* A MONTÉ *l'escalier* (≠ descendre). — **2.** *Peux-tu* MONTER *la valise au grenier,* la porter de bas en haut. — **3.** *Pierre sait* MONTER *à cheval* (= aller). ‖ *Jean* MONTE *un cheval blanc,* il est dessus. —

4. *M. Durand* EST MONTÉ *en grade,* il a eu de l'avancement (= progresser). — **5.** *Les prix ne cessent de* MONTER, de devenir plus élevés (= augmenter). || *Mes achats* SE MONTENT À *100 francs* (= s'élever). — **6.** *Les campeurs* MONTENT *leur tente,* ils en assemblent les parties. — **7.** *C'est Pierre qui t'*A MONTÉ *contre moi,* mis en colère (= exciter). ◆ **montant** adj. (sens 1) *C'est l'heure de la marée* MONTANTE, la mer monte vers le rivage. ◆ **montant** n. m. **1.** (sens 5) *Quel est le* MONTANT *de tes dépenses?,* à quelle somme se montent-elles (= chiffre). — **2.** *Les* MONTANTS *d'une échelle,* ce sont les deux pièces de bois verticales. ◆ **montée** n. f. (sens 1) *La* MONTÉE *au sommet nous a fatigués* (= ascension). || *La voiture a ralenti dans la* MONTÉE (= côte). • (sens 5) *La radio annonce une* MONTÉE *de la température* (= augmentation). ◆ **montage** n. m. (sens 6) *Le* MONTAGE *de cet appareil n'est pas difficile* (= assemblage). ◆ **monteur** n. m. (sens 6) *Le métier du* MONTEUR *de films* est d'assembler les morceaux de pellicule. ◆ **monture** n. f. (sens 3) *Le cavalier est descendu de sa* MONTURE, de la bête sur laquelle il était monté. • (sens 6) *La* MONTURE *d'une paire de lunettes,* c'est l'armature sur laquelle les verres sont montés. ◆ **monte-charge** n. m. inv. (sens 2) *Un* MONTE-CHARGE *sert à monter de lourds fardeaux.* ◆ **démonter** v. **1.** (sens 3) *Le cheval* A DÉMONTÉ *son cavalier,* il l'a jeté par terre. • (sens 6) *Pierre* A DÉMONTÉ *le poste de radio,* il en a séparé les éléments. — **2.** *Il* A ÉTÉ DÉMONTÉ *par mes paroles,* très étonné. — **3.** *La mer* EST DÉMONTÉE, très agitée. ◆ **démontable** adj. (sens 6) *Nous avons acheté un bateau* DÉMONTABLE, qui peut se monter et se démonter. ◆ **démontage** n. m. (sens 6) *Le* DÉMONTAGE *du moteur m'a pris deux heures.* ◆ **remonter** v. **1.** (sens 1) *Nous* AVONS REMONTÉ *l'escalier,* monté de nouveau. • (sens 6) *Pierre* A REMONTÉ *l'appareil,* remis en état après l'avoir démonté. • (sens 5) *Les températures* REMONTENT, montent après avoir baissé. — **2.** *Cette histoire* REMONTE *loin,* son origine est lointaine (= dater de). — **3.** *Ta montre est arrêtée, il faut la* REMONTER, actionner le remontoir. — **4.** *Bois cela pour te* REMONTER, pour te donner de la force (= réconforter). ◆ **remontant** n. m. *Un verre de vin est un bon* REMONTANT, il remonte (sens 4). ◆ **remontée** n. f. (sens 1) *Les téléskis, les télésièges, les téléphériques sont des* REMONTÉES MÉCANIQUES, ils montent les skieurs en haut des pentes. ◆ **remonte-pente** n. m. (sens 1) est un synonyme de TÉLÉSKI. ◆ **remontoir** n. m. *Le* REMONTOIR *d'une montre,* c'est le mécanisme que l'on actionne pour remonter (sens 3) le ressort.

▷ 77, 151 ▷ 290 ▷ 151 ▷ 653 ▷ 220

• **R.** *Monter* se conjugue tantôt avec *être,* tantôt avec *avoir.*

monticule n. m. Un MONTICULE est une petite colline.

montre n. f. *Quelle heure est-il? — Je ne sais pas, ma* MONTRE *est arrêtée.* ▷ 220

montrer v. **1.** *À la frontière, il faut* MONTRER *ses papiers aux douaniers,* les leur faire voir (= présenter; ≠ cacher). — **2.** *Pierre n'*A *pas* MONTRÉ *son émotion,* il ne l'a pas laissé paraître (= manifester). — **3.** *Je lui* AI MONTRÉ *qu'il avait tort,* je le lui ai expliqué (= démontrer). ◆ **démontrer** v. (sens 3) *Jean m'*A DÉMONTRÉ *qu'il avait raison,* il me l'a montré de manière incontestable (= prouver). ◆ **démonstration** n. f. (sens 3) *Sa* DÉMONSTRATION *est très convaincante,* les preuves qu'il a données. • (sens 2) *Il m'a accueilli avec des* DÉMONSTRATIONS *de joie,* il a manifesté sa joie.

◆ **démonstratif** adj. et n. (sens 1) *Les (pronoms et adjectifs)* DÉMONSTRATIFS *servent à montrer une personne ou une chose.* • (sens 2) *Pierre est très* DÉMONSTRATIF, il manifeste ses sentiments (≠ renfermé). ◆ **démonstrateur** n. (sens 1) *Le* DÉMONSTRATEUR *nous a fait voir comment fonctionne l'appareil* (= vendeur).

monture → MONTER.

218 ◁ **monument** n. m. **1.** *Pierre nous a montré les plus beaux* MONUMENTS *de Paris,* les églises, les palais, les théâtres, etc. — **2.** *Un* MONUMENT AUX MORTS *sert à rappeler aux vivants le souvenir de ceux qui sont morts à la guerre.* ◆ **monumental** adj. (sens 1) *Il y a sur la place une statue* MONUMENTALE (= énorme).

moquer v. **1.** *Pierre* SE MOQUE DE *sa sœur,* il l'ennuie en la tournant en ridicule. — **2.** *Jean* SE MOQUE DE *mes conseils,* il n'en tient aucun compte. ◆ **moquerie** n. f. (sens 1) *Marie ne supporte pas les* MOQUERIES, les plaisanteries à son sujet (= raillerie). ◆ **moqueur** adj. (sens 2) *Pierre m'a regardé d'un air* MOQUEUR (= railleur).

76 ◁ **moquette** n. f. *Jean a fait une tache sur la* MOQUETTE *du salon,* le tapis fixé au sol.

moqueur → MOQUER.

moraine n. f. *La* MORAINE *d'un glacier,* ce sont les roches et la terre qu'il pousse devant lui en avançant.

moral adj. **1.** *Notre conscience* MORALE *nous fait distinguer le bien du mal.* — **2.** *M. Durand a une grande force* MORALE, de caractère (≠ physique). ◆ **moral** n. m. (sens 2) *Jean n'a pas le* MORAL, il se sent sans force morale, il est découragé. ◆ **morale** n. f. (sens 1) **1.** *Il a agi selon la* MORALE, selon ce qu'il considère comme bien. — **2.** *La* MORALE *d'une fable,* c'est la conclusion morale qu'on peut en tirer. ◆ **moralement** adv. (sens 1) *Il ne s'est pas conduit* MORALEMENT (= honnêtement). ◆ **moralisateur** adj. (sens 1) *Il me parlait d'un ton* MORALISATEUR, comme s'il voulait me dire ce qui est mal. ◆ **moraliste** n. m. (sens 1) Un MORALISTE est un écrivain qui décrit les caractères et la conduite des gens. ◆ **moralité** n. f. (sens 1) **1.** *C'est un homme sans* MORALITÉ, il se conduit mal. — **2.** *Quelle est la* MORALITÉ *de cette histoire?,* la conclusion morale (= leçon). ◆ **démoraliser** v. (sens 2) *Jean* ÉTAIT DÉMORALISÉ *par son échec à l'examen* (= décourager). ◆ **immoral** adj. (sens 1) *Ce livre est* IMMORAL, contraire à la morale. ◆ **immoralité** n. f. (sens 1) *L'*IMMORALITÉ *de sa conduite m'a indigné* (≠ honnêteté).

morbide adj. *Jean a un goût* MORBIDE *pour la solitude,* si grand qu'il est anormal (= malsain).

295 ◁ **morceau** n. m. **1.** *Donne-moi un* MORCEAU *de pain* (= bout). — **2.** *Le vase est cassé, il faut ramasser les* MORCEAUX, les différentes parties (= fragment). — **3.** *Un recueil de* MORCEAUX CHOISIS *rassemble des textes d'auteurs différents.* ◆ **morceler** v. (sens 2) *La propriété* A ÉTÉ MORCELÉE, divisée en plusieurs parties.

mordre v. **1.** *Le chien m'*A MORDU, il m'a blessé avec ses dents. — **2.** *Jean* MORD *dans un morceau de pain,* il y enfonce ses dents. — **3.** Fam. *Pierre ne* MORD *pas aux mathématiques,* il ne s'y intéresse pas. ◆ **mordant** adj. (sens 1) *Il m'a parlé avec une ironie* MORDANTE (= blessante). ◆ **mordu** n. (sens 3) *Jean est un* MORDU DE *rugby,* il s'y intéresse beaucoup. ◆ **mordiller** v. (sens 1 et 2) *Marie* MORDILLE *son crayon,* elle le mord légèrement. ◆ **morsure** n. f. (sens 1) *La* MORSURE *de la vipère peut être mortelle,* la plaie faite en mordant.

• **R.** Conj. nº 52. ‖ V. MOURIR.

se morfondre v. *Enfin, te voilà! Je* ME MORFONDS *depuis trois heures,* je m'ennuie en t'attendant.

• **R.** Conj. nº 51.

morgue n. f. **1.** *M. Dupont est plein de* MORGUE *avec ses employés,* il les traite avec mépris (= arrogance). — **2.** Une MORGUE est un endroit où l'on dépose les cadavres.

moribond → MOURIR.

morigéner v. est un équivalent savant de RÉPRIMANDER.

morille n. f. *Pierre a trouvé des* MORILLES *dans la forêt,* une sorte de champignon très bon à manger. ▷ 656

morne adj. *Nous avons passé une* MORNE *journée* (= triste, ennuyeux; ≠ gai).

morose adj. *Pourquoi as-tu cet air* MOROSE? (= triste; ≠ joyeux).

morphine n. f. *On peut se droguer avec de la* MORPHINE, un médicament contre la douleur.

morphologie n. f. *La* MORPHOLOGIE *étudie la forme des mots.*

mors n. m. *Les brides du harnais sont attachées au* MORS, à une barre de métal placée dans la bouche du cheval. ▷ 368

• **R.** V. MOURIR.

1. morse n. m. Le MORSE est un grand animal des régions froides. ▷ 584

2. morse n. m. Le MORSE est un code qui sert à envoyer des messages télégraphiques.

morsure → MORDRE. / **mort** → MOURIR.

mortadelle n. f. *Pierre aime la* MORTADELLE, une sorte de très gros saucisson.

mortalité, mortel, mortellement → MOURIR.

mortier n. m. **1.** *Le maçon prépare son* MORTIER *pour construire son mur,* un mélange de chaux ou de ciment, de sable et d'eau qui durcira peu à peu. — **2.** *Mme Durand écrase de l'ail dans un* MORTIER, une sorte de récipient. — **3.** Un MORTIER est un canon à tir courbe. ▷ 150 ▷ 762

mortifier v. *Jean* ÉTAIT MORTIFIÉ *par mes critiques,* très vexé (= humilier). ◆ **mortification** n. f. *Il a subi des* MORTIFICATIONS *de toutes sortes,* des blessures d'amour-propre.

mortuaire → MOURIR.

728 ◁ **morue** n. f. La MORUE est un poisson de mer que l'on peut conserver séché et salé.

morve n. f. *Essuie ta* MORVE *avec ton mouchoir,* le liquide qui coule de ton nez. ◆ **morveux** adj. et n. *Jeannot est sale et* MORVEUX, il a de la morve au nez.

mosaïque n. f. *La salle de bains a un sol en* MOSAÏQUE, fait de petits carreaux de céramique assemblés de manière décorative.

mosquée n. f. *Les musulmans vont prier à la* MOSQUÉE.

mot n. m. **1.** *La phrase : « Les oiseaux chantent dans les bois » contient six* MOTS. — **2.** *Ils* ONT EU DES MOTS, ils se sont disputés. — **3.** *Il n'y a pas de* GROS MOTS *dans ce dictionnaire,* de mots grossiers. — **4.** *Pierre a dit un* BON MOT, une plaisanterie. — **5.** *Ils ont obéi à un* MOT D'ORDRE (= consigne).
• **R.** V. MAL.

motard → MOTO.

motel n. m. *Nous avons couché dans un* MOTEL, un hôtel pour automobilistes.

505 ◁ **moteur** n. m. **1.** *Nous avons eu une panne de* MOTEUR, du mécanisme qui fait avancer la voiture. — **2.** adj. *Cette auto a quatre roues* MOTRICES, qui produisent le mouvement. ◆ **motoriser** v. (sens 1) *L'agriculture est de plus en plus* MOTORISÉE, on utilise de plus en plus d'engins à moteur (= mécaniser). ◆ **motoculteur** n. m. (sens 1) *M. Durand a acheté un*
367 ◁ MOTOCULTEUR *pour cultiver son jardin,* un engin à moteur. ◆ **bimoteur** n. m., **quadrimoteur** n. m. (sens 1) *Un* BIMOTEUR *est moins puissant qu'un* QUADRIMOTEUR, un avion à deux ou à quatre moteurs. ◆ **automoteur** adj. (sens 2) *Une péniche* AUTOMOTRICE *n'a pas besoin d'être remorquée,* elle se déplace grâce à son propre moteur.

motif n. m. **1.** *Pour quel* MOTIF *es-tu parti si vite?,* quelle raison t'a poussé
296 ◁ à le faire? — **2.** *Les deux tableaux représentent le même* MOTIF (= sujet). ◆ **motiver** v. (sens 1) *Son départ* ÉTAIT MOTIVÉ *par la fatigue* (= causer).

motion n. f. *L'Assemblée a voté une* MOTION, la proposition de l'un de ses membres.

motiver → MOTIF.

217 ◁ **moto** ou **motocyclette** n. f. *Une* MOTO *nous a doublés sur l'autoroute,* un véhicule à deux roues ayant un moteur puissant. ◆ **motocycliste** ou,
512, 37 ◁ fam., **motard** n. m. *Les* MOTARDS *doivent porter un casque,* ceux qui font de la moto. ◆ **motocross** n. m. Le MOTOCROSS est une course de motos sur tous terrains.

motoculteur, motoriser, motrice → MOTEUR.

364 ◁ **motte** n. f. **1.** *Le jardinier casse une* MOTTE *de terre avec sa bêche,* une
368, 222 ◁ petite masse. — **2.** *Le beurre se vend en* MOTTE *ou en plaquette,* en masse arrondie.

motus! interj. s'emploie pour demander à quelqu'un d'être discret.

mou adj. **1.** *Mets le beurre dans le réfrigérateur, il est tout* MOU (≠ dur). — **2.** *Jeanne est une grande fille* MOLLE (= lent; ≠ énergique). ◆ **mou 1.** n. (sens 2) *Pierre est un* MOU, un garçon sans énergie. — **2.** n. m. *Mme Durand a acheté du* MOU *de bœuf pour le chat,* du poumon. ◆ **mollement** adv. (sens 2) *Pierre travaille* MOLLEMENT (= lentement). ◆ **mollesse** n. f. (sens 2) *Sa* MOLLESSE *est exaspérante* (= lenteur, paresse). ◆ **mollir** v. (sens 2) *Il a senti son courage* MOLLIR (= faiblir). ◆ **amollir** ou **ramollir** v. (sens 1) *La chaleur* A RAMOLLI *le beurre,* l'a rendu mou. • (sens 2) *Depuis sa maladie, il est un peu* RAMOLLI, sans énergie.

• **R.** *Mou* se prononce [mu] comme *moue, moût* et [*je*] *mouds,* [*il*] *moud* (de *moudre*).

mouchard n. *Marie est une* MOUCHARDE, elle a dénoncé ses camarades. ◆ **moucharder** v. *Gare à toi si tu* MOUCHARDES! (= rapporter).

mouche n. f. **1.** *Une* MOUCHE *s'est posée sur le pain, puis s'est envolée,* une sorte d'insecte. — **2.** *Pierre* A PRIS LA MOUCHE, il s'est brusquement mis en colère. ‖ QUELLE MOUCHE TE PIQUE?, pourquoi te fâches-tu soudain? — **3.** *Il a tiré et* A FAIT MOUCHE, il a touché le but. ◆ **moucheron** n. m. (sens 1) Un MOUCHERON est une toute petite mouche.

moucher v. *Paul est enrhumé, il ne cesse de* SE MOUCHER, de débarrasser son nez de ce qui l'encombre. ◆ **mouchoir** n. m. *Marie s'essuie les yeux avec son* MOUCHOIR, un carré de tissu.

moucheron → MOUCHE.

moucheté adj. *Ce cheval est noir* MOUCHETÉ *de blanc,* avec des taches blanches.

mouchoir → MOUCHER.

moudre v. *Marie* MOUD *du café,* elle transforme les grains en poudre. ◆ **moulin** n. m. *Les* MOULINS *à vent servaient à moudre le grain.* ▷ 721 ◆ **mouture** n. f. *Le café sera plus fort si la* MOUTURE *est très fine* (= poudre).

• **R.** Conj. nº 58. ‖ V. MOU.

moue n. f. *Il a fait la* MOUE *quand je lui ai demandé de l'argent* (= grimace).

• **R.** V. MOU.

mouette n. f. *Des* MOUETTES *volent au-dessus du port,* des oiseaux de mer. ▷ 722

moufle n. f. Des MOUFLES sont des gants dont le pouce seul est séparé des autres doigts. ▷ 584

mouflon n. m. Le MOUFLON est un mouton sauvage.

mouiller v. **1.** *Le linge* A ÉTÉ MOUILLÉ *par la pluie,* rendu humide (= tremper). — **2.** *Le bateau* MOUILLE *dans la baie,* il s'y est arrêté. ◆ **mouillage** n. m. (sens 2) *Cette rade abritée est un bon* MOUILLAGE *pour les voiliers,* un endroit pour s'arrêter. ◆ **mouillette** n. f. (sens 1) *Pierre trempe des* MOUILLETTES *dans son œuf à la coque,* des morceaux de pain.

moujik n. m. *Autrefois, on appelait les paysans russes des* MOUJIKS.

728 ◁ **1. moule** n. f. *Pierre ramasse des* MOULES *sur les rochers,* des coquillages allongés d'un gris bleuté.

2. moule n. m. *Quand on veut reproduire un objet, on verse dans un* 78 ◁ MOULE *une pâte durcissante,* un récipient qui a en creux la forme de l'objet. ◆ **mouler** v. **1.** MOULER *une statue,* c'est verser de la pâte dans un moule de cette statue. — **2.** *Sa robe lui* MOULE *le corps,* elle est très étroite. ◆ **moulage** n. m. *On a fait un* MOULAGE *de cette statue* (= reproduction). ◆ **démouler** v. DÉMOULER *un objet,* c'est le retirer du moule quand la pâte a durci.

moulin → MOUDRE.

moulinet n. m. **1.** *Faire des* MOULINETS *avec un bâton,* c'est le faire tournoyer. — **2.** *Un* MOULINET *permet d'enrouler et de dérouler le fil d'une canne à pêche.*

moulure n. f. *Il y a des* MOULURES *au plafond du salon,* des ornements en creux ou en relief.

mourir v. **1.** *Il* EST MORT *après une longue maladie,* il a cessé de vivre. — **2.** *Je* MEURS DE *faim et de soif,* j'ai très faim et très soif. ◆ **mourant** ou **moribond** adj. et n. (sens 1) *Le blessé est* MOURANT, il va mourir. ◆ **mort** adj. (sens 1) *Les feuilles* MORTES *tombent à l'automne.* ‖ *Le latin est une langue* MORTE, qui n'est plus parlée. ◆ **mort** n. (sens 1) *L'accident a fait deux* MORTS *et trois blessés.* ◆ **mort** n. f. (sens 1) *La* MORT *de son père lui a causé un grand chagrin* (= décès). ◆ **mortel** adj. (sens 1) *Tous les hommes sont* MORTELS, ils meurent tous. ‖ *Ce liquide est un poison* MORTEL, il cause la mort. • (sens 2) *Ce travail est* MORTEL, il est très ennuyeux. ◆ **mortellement** adv. (sens 1) *Il a été* MORTELLEMENT *blessé,* il est mort de sa blessure. • (sens 2) *Ce livre est* MORTELLEMENT *ennuyeux* (= très). ◆ **mortalité** n. f. (sens 1) *La* MORTALITÉ *infantile a beaucoup diminué,* le nombre des enfants qui meurent. ◆ **mortuaire** adj. (sens 1) *Il y avait beaucoup de monde à la cérémonie* MORTUAIRE, à l'enterrement (= funéraire). ◆ **immortel** adj. (sens 1) **1.** *Dieu, dit-on, est* IMMORTEL, il ne peut pas mourir. — **2.** *Ce chef-d'œuvre l'a rendu* IMMORTEL, on se souvient de lui après sa mort. ◆ **immortalité** n. f. (sens 1) *Les chrétiens croient à l'*IMMORTALITÉ *de l'âme,* à une vie après la mort. ◆ **immortaliser** v. *Ce livre l'*A IMMORTALISÉ, l'a rendu immortel (sens 2).

• **R.** Conj. n° 25. ‖ *Mourir* se conjugue avec *être.* ‖ *Mort* se prononce [mɔr] comme *mors* et [*je*] *mords,* [*il*] *mord* (de *mordre*). ‖ V. MŒURS.

mousquet n. m. Un MOUSQUET est un fusil d'autrefois. ◆ **mousquetaire** n. m. Les MOUSQUETAIRES étaient des soldats qui gardaient le roi et qui étaient armés d'un mousquet.

1. mousse n. m. Un MOUSSE est un apprenti marin.

2. mousse n. f. **1.** *Le champagne fait de la* MOUSSE *quand on le débouche,* des bulles. — **2.** *Nous avons mangé une* MOUSSE *au chocolat,* du chocolat mélangé à des blancs d'œufs fouettés. — **3.** *Il y a de la* MOUSSE *au pied de cet arbre,* une petite plante verte formant une sorte de tapis. ◆ **mousser** v. (sens 1) *Ce shampooing* MOUSSE *beaucoup,* il fait de la mousse. ◆ **mousseux** adj. et n. m. (sens 1) *Le (vin)* MOUSSEUX est un vin qui pétille. ◆ **moussu** adj. (sens 3) *Ce chêne a un tronc* MOUSSU, recouvert de mousse.

mousseline n. f. *Marie a un foulard en* MOUSSELINE, en tissu léger et transparent.

mousser, mousseux → MOUSSE 2.

mousson n. f. La MOUSSON est un vent qui souffle en Inde.

moussu → MOUSSE 2.

moustache n. f. *M. Durand a laissé pousser sa* MOUSTACHE (ou *ses* MOUSTACHES), les poils de sa lèvre supérieure. ◆ **moustachu** adj. et n. *M. Durand est* MOUSTACHU. ▷ 33

moustique n. m. *Marie a été piquée par un* MOUSTIQUE, un insecte volant au corps très mince. ◆ **moustiquaire** n. f. Une MOUSTIQUAIRE est un tissu léger sous lequel on dort pour se protéger des moustiques.

moût n. m. *On appelle* MOÛT *le jus de raisin qui sort du pressoir.*
• **R.** V. MOU.

moutard n. m. Fam. *Voilà Mme Dubois et ses* MOUTARDS (= enfant).

moutarde n. f. *Pierre aime le rosbif avec de la* MOUTARDE, un condiment au goût piquant.

mouton n. m. *Le berger conduit ses* MOUTONS *au pâturage.* ‖ *La femelle du* MOUTON *s'appelle la brebis et son petit l'agneau.* ◆ **moutonneux** adj. *Le ciel est* MOUTONNEUX, les nuages blancs font penser à des moutons. ◆ **moutonnier** adj. *Pierre est* MOUTONNIER, il suit aveuglément les autres, comme le font les moutons. ▷ 361, 364

mouture → MOUDRE.

mouvement n. m. **1.** *Les vagues sont des* MOUVEMENTS *de la mer, les vents des* MOUVEMENTS *de l'air* (= déplacement). — **2.** *Pierre a fait un* MOUVEMENT *du bras pour regarder l'heure,* il a bougé le bras (= geste). — **3.** *Jean a eu un* MOUVEMENT *de colère,* il s'est mis en colère (= impulsion). — **4.** *Il a agi de son propre* MOUVEMENT, de lui-même (= inspiration). — **5.** *M. Durand appartient à un* MOUVEMENT *politique* (= organisation). — **6.** *Cette symphonie comporte trois* MOUVEMENTS (= partie). ◆ **mouvementé** adj. (sens 1) *Nous avons une vie* MOUVEMENTÉE (= agité). ◆ **mouvoir** v. (sens 2) *Jean ne peut plus* MOUVOIR *le bras,* le mettre en mouvement (= bouger). ◆ **mouvant** adj. *Attention! il y a des* SABLES MOUVANTS *sur cette plage,* dans lesquels on s'enfonce.
• **R.** *Mouvoir,* conj. nº 36.

1. moyen adj. **1.** *Pierre est de taille* MOYENNE, ni grand ni petit, entre les deux. — **2.** *Jean est* MOYEN *en mathématiques,* ni bon ni mauvais (= passable). — **3.** *M. Durand est un Français* MOYEN, il n'est pas connu (= ordinaire). — **4.** *On calcule la vitesse* MOYENNE *d'une auto en divisant le nombre de kilomètres parcourus par le temps mis à les parcourir.* ◆ **moyenne** n. f. (sens 2) *Jean n'a pas eu la* MOYENNE *en français,* il n'a pas eu 10 sur 20. • (sens 4) *Nous sommes allés de Paris à Lyon en cinq heures, ça fait presque du 100 de* MOYENNE. ◆ **moyennement** adv. (sens 2) *Il travaille* MOYENNEMENT, ni bien ni mal. ◆ **Moyen Âge** n. m. (sens 1) *On appelle* MOYEN ÂGE *la période historique qui est entre l'Antiquité et l'époque moderne.* ◆ **moyenâgeux** adj. *Nous avons visité un château* MOYENÂGEUX (= médiéval).
• **R.** On prononce [mwajɛnɑʒ, mwajɛnɑʒø].

2. moyen n. m. **1.** *Par quel* MOYEN *es-tu entré dans cette maison?*, comment es-tu arrivé à le faire? (= procédé). — **2.** *Il a ouvert la boîte de conserve* AU MOYEN DE *son couteau* (= avec, grâce à). — **3.** (au plur.) *Je n'ai pas les* MOYENS *de partir en vacances*, assez d'argent pour le faire. — **4.** *Quand il est fatigué, il perd ses* MOYENS (= capacités). ◆ **moyennant** prép. *Il a accepté de venir* MOYENNANT *une forte somme*, à condition qu'on la lui donne (= pour).

moyeu n. m. *Le* MOYEU *d'une roue* est sa partie centrale.

mucosité → MUQUEUSE.

muer v. **1.** *Les serpents* MUENT *tous les ans*, ils changent de peau. — **2.** *Pierre a douze ans, sa voix* MUE, elle devient plus grave. ◆ **mue** n. f. (sens 1 et 2) La MUE est l'action de muer.

muet adj. **1.** *Cette pauvre femme est* MUETTE, elle ne peut pas parler. — **2.** *Quand on l'a interrogé, il est resté* MUET, il n'a pas voulu parler (= silencieux; ≠ bavard). — **3.** *Dans « carte », le « e » reste* MUET, on ne le prononce pas. ‖ *« Homme » commence par un « h »* MUET, qui oblige à faire la liaison (≠ aspiré). ◆ **mutisme** n. m. (sens 2) *Jean est resté enfermé dans son* MUTISME, son refus de parler (= silence).

368 ◁ **mufle** n. m. **1.** *Le* MUFLE *de la vache, du chien*, c'est le bout de leur museau. — **2.** *M. Duval s'est conduit comme un* MUFLE, très grossièrement (= goujat). ◆ **muflerie** n. f. (sens 2) *Sa* MUFLERIE *dépasse les bornes* (= grossièreté).

mugir v. *On entend* MUGIR *les vaches dans l'étable* (= meugler, beugler). ◆ **mugissement** n. m. Le MUGISSEMENT est le cri de la vache et du taureau.

654 ◁ **muguet** n. m. *Le 1er mai, Pierre a offert un bouquet de* MUGUET *à sa mère*, de fleurs à clochettes blanches parfumées.

mulâtre n. m. *Beaucoup d'Antillais sont des* MULÂTRES, l'un de leurs parents est noir et l'autre blanc.

361 ◁ **mulet** n. m. **1.** *Nous avons loué des* MULETS *pour faire une promenade en montagne*, des animaux plus petits que le cheval et plus grands que l'âne. — **2.** *Pierre a mangé un* MULET *grillé*, une sorte de poisson de mer. ◆ **mule** n. f. **1.** (sens 1) *Les* MULES *et les mulets ont le pied sûr en montagne.* — **2.** Une MULE est une sorte de pantoufle à hauts talons. ◆ **muletier** adj. (sens 1) *Un chemin* MULETIER est étroit et escarpé.

mulot n. m. Le MULOT est un petit rat des champs.

multicolore → COULEUR.

multiple **1.** adj. *Cet accident a des causes* MULTIPLES (= nombreux;
517 ◁ ≠ unique). — **2.** n. m. *20 est un* MULTIPLE *de 2, de 4, de 5 et de 10*, tous ces nombres sont contenus plusieurs fois dans 20 (4 × 5 et 10 × 2 = 20). ◆ **multiplier** v. (sens 1) *Jean* A MULTIPLIÉ *les erreurs*, il en a fait beaucoup. • (sens 2) *Si on* MULTIPLIE *3 par 6 on obtient 18 (3 × 6 = 18).* ◆ **multiplication** n. f. (sens 2) × *est le signe de la* MULTIPLICATION (≠ division). ◆ **multiplicateur** n. m. et **multiplicande** n. m. (sens 2) *Dans la multiplication 3 × 4 = 12, 3 est le* MULTIPLICANDE *et 4 le* MULTIPLICATEUR.

multitude n. f. *Il y avait une* MULTITUDE *de gens dans les rues,* un très grand nombre (= foule, masse).

municipal adj. *Le conseil* MUNICIPAL *s'est réuni,* celui de la commune. ◆ **municipalité** n. f. est un équivalent savant de *commune.* ▷ 298

munir v. *Il pleut, n'oublie pas de te* MUNIR *d'un parapluie,* de le prendre avec toi. ◆ **démunir** v. *Jean est* DÉMUNI *d'argent,* il n'en a pas.

munitions n. f. pl. *Les soldats n'avaient plus de* MUNITIONS, de quoi charger leurs armes.

muqueuse n. f. *Le nez, la bouche, l'estomac sont tapissés par des* MUQUEUSES, de la peau très fine. ◆ **mucosité** n. f. Une MUCOSITÉ est un liquide qui s'écoule de la muqueuse du nez.

mur n. m. **1.** *La propriété est entourée d'un* MUR *de pierre.* — **2.** *Les* MURS *de la pièce sont tapissés de papier peint.* ◆ **mural** adj. (sens 2) *Une carte* MURALE *est au fond de la classe,* accrochée au mur. ◆ **murer** v. (sens 1) *On* A MURÉ *la deuxième porte de cette chambre,* on a construit un mur à la place. ◆ **muraille** n. f. (sens 1) *Cette ville est entourée de* MURAILLES, de très gros murs. ◆ **murette** n. f. ou **muret** n. m. (sens 1) *Dans cette région, les champs sont séparés par des* MURETTES, des petits murs. ◆ **emmurer** v. (sens 1) *Les mineurs* ONT ÉTÉ EMMURÉS *par un éboulement* (= enfermer). ▷ 73 ▷ 292, 294 ▷ 147

• **R.** *Mur* se prononce [myr] comme *mûr* et *mure.*

mûr adj. **1.** *Les cerises sont rouges, elles sont* MÛRES, on peut les manger. — **2.** *M. Durand est un homme* MÛR, il a fini de se développer, c'est un adulte. ◆ **mûrir** v. (sens 1) *Le raisin* MÛRIT *en septembre.* • (sens 2) *Cette idée* A MÛRI *lentement dans sa tête,* s'est développée. ◆ **maturité** n. f. (sens 1) *Les cerises sont arrivées à* MATURITÉ, elles sont mûres. • (sens 2) *Pierre a beaucoup de* MATURITÉ *pour son âge,* il se conduit comme un homme mûr (= sagesse).

• **R.** V. MUR.

muraille, mural → MUR.

mûre n. f. *Mme Durand fait de la confiture de* MÛRES, avec les fruits noirs des ronces. ▷ 364

• **R.** V. MUR.

murer, muret, murette → MUR.

mûrier n. m. Le MÛRIER est un arbre du Midi qui sert à l'élevage des vers à soie.

mûrir → MÛR.

murmure n. m. **1.** *On entend un* MURMURE *derrière la cloison,* un faible bruit de voix. — **2.** *Il a obéi sans* MURMURE (= protestation). ◆ **murmurer** v. (sens 1) *Jean m'*A MURMURÉ *quelque chose à l'oreille,* il l'a dit tout bas (= chuchoter). • (sens 2) *Il a accepté de partir sans* MURMURER (= protester).

musarder v. *Anne a passé son après-midi à* MUSARDER, à ne rien faire (= flâner, traîner).

musc n. m. Le MUSC est un parfum très fort.

muscade adj. *La* NOIX DE MUSCADE *sert à parfumer les aliments.*

muscadet n. m. Le MUSCADET est un vin de la Loire.

muscat n. m. Le MUSCAT est une sorte de raisin dont on fait un vin parfumé appelé lui aussi MUSCAT.

40 ◁ **muscle** n. m. *Pierre fait de la gymnastique pour développer ses* MUSCLES. ◆ **musclé** adj. *Jean a des bras* MUSCLÉS, il a de gros muscles. ◆ **musculaire** adj. *La force* MUSCULAIRE est celle de nos muscles. ◆ **musculature** n. f. *La* MUSCULATURE *d'une personne* est l'ensemble de ses muscles. ◆ **intramusculaire** adj. *On lui a fait une piqûre* INTRAMUSCULAIRE, dans un muscle.

muse n. f. Les MUSES étaient neuf déesses grecques qui protégeaient les artistes et les poètes.

museau n. m. *Le chien a avancé son* MUSEAU *et m'a léché la main,* la partie avant de sa tête. ◆ **museler** v. *Il faut* MUSELER *ce chien pour l'empêcher de mordre,* lui mettre une muselière. ◆ **muselière** n. f. *Une* MUSELIÈRE *sert à emprisonner le museau d'un animal.*

musée n. m. *On a visité un* MUSÉE *de peinture,* un endroit où sont exposés des tableaux.

museler, muselière → MUSEAU.

512 ◁ **musette** n. f. *Pierre porte une* MUSETTE *en bandoulière,* un sac de toile.

439 ◁ **musique** n. f. *Jean aime la* MUSIQUE, l'art d'assembler harmonieusement les sons. ‖ *J'aime la* MUSIQUE *de cette chanson* (= air). ◆ **musical** adj. *Il y avait à la télé une émission* MUSICALE, de musique. ◆ **musicien** n. *M. Dupuis est* MUSICIEN *dans un orchestre de jazz,* il joue de la musique. ◆ **music-hall** n. m. *On va au* MUSIC-HALL *pour écouter des chanteurs.*
• **R.** *Music-hall* se prononce [myzikol].

musulman adj. et n. *Mahomet a fondé la religion* MUSULMANE. ‖ *Le dieu des* MUSULMANS *s'appelle Allah.*

mutation n. f. *M. Durand a demandé sa* MUTATION, qu'on le change de lieu de travail. ◆ **muter** v. *On l'*A MUTÉ *à Lyon,* il travaille maintenant à Lyon.

mutiler v. *Après son accident, il a été* MUTILÉ *des deux jambes,* il les a perdues. ◆ **mutilé** n. *Les* MUTILÉS *de guerre touchent une pension,* ceux qui ont perdu un membre à la guerre.

mutin n. m. *Les* MUTINS *se sont emparés de la prison,* les prisonniers révoltés (= rebelle). ◆ **mutiner** v. *Les marins* SE SONT MUTINÉS (= se révolter). ◆ **mutinerie** n. f. *La* MUTINERIE *a été durement réprimée* (= révolte).

mutisme → MUET.

mutuel 1. adj. *Jean et Pierre se portent une amitié* MUTUELLE (= partagé, réciproque). — **2.** n. f. Une MUTUELLE est une association d'entraide. ◆ **mutuellement** adv. (sens 1) *Marie et Jeanne s'aident* MUTUELLEMENT *à travailler,* l'une l'autre. ◆ **mutualiste** n. (sens 2) Un MUTUALISTE est une personne qui est membre d'une mutuelle.

myope adj. *Pierre est* MYOPE, il voit mal les objets éloignés. ◆ **myopie** n. f. *Sa* MYOPIE *a augmenté, il lui faut des lunettes plus fortes.*

myosotis n. m. Le MYOSOTIS est une petite fleur bleue. ▷ 80

myriade n. f. *Il y a des* MYRIADES *d'étoiles dans le ciel,* une quantité innombrable.

myrrhe n. f. La MYRRHE est un parfum.

myrtille n. f. *Nous avons ramassé des* MYRTILLES *dans la forêt,* de petits fruits noirs.

mystère n. m. **1.** *On n'a pas réussi à éclaircir ce* MYSTÈRE, cette chose impossible à comprendre. — **2.** Au Moyen Âge, un MYSTÈRE était une pièce de théâtre à sujet religieux. ◆ **mystérieux** adj. (sens 1) *Le monstre du loch Ness est un animal* MYSTÉRIEUX, sur lequel on ignore beaucoup de choses. ◆ **mystérieusement** adv. (sens 1) *Il a disparu* MYSTÉRIEUSEMENT.

mysticisme → MYSTIQUE.

mystifier v. *Il* A MYSTIFIÉ *tout le monde en racontant cette histoire* (= tromper). ◆ **mystification** n. f. *Nous avons été victimes d'une* MYSTIFICATION (= farce).

mystique adj. et n. *Les* MYSTIQUES *passent leur vie à adorer Dieu.* ◆ **mysticisme** n. m. *Le* MYSTICISME *recherche l'union intime de l'homme et de la divinité.*

mythe n. m. Un MYTHE est un récit qui met en scène des personnages imaginaires (= légende). ◆ **mythologie** n. f. *Jupiter, Mars, Vénus sont des dieux de la* MYTHOLOGIE *romaine,* de l'ensemble des récits légendaires des Romains. ◆ **mythologique** adj. *Hercule est un héros* MYTHOLOGIQUE.

• **R.** *Mythe* se prononce [mit] comme *mite.*

n' → NE.

nabot n. m. *M. Duval mesure à peine un mètre, c'est un* NABOT (= nain).

296 ◁ **nacre** n. f. *Marie a des boutons de* NACRE *à son corsage,* d'une matière brillante d'un blanc rosé.

nager v. *Marie apprend à* NAGER, à se soutenir et à avancer dans l'eau. ◆ **nage** n. f. **1.** *Quelle* NAGE *préfères-tu? — Le crawl,* quelle manière de nager. — **2.** *Jean a couru, il est* EN NAGE (= en sueur). ◆ **nageoire** n. f. 728 ◁ *Les* NAGEOIRES *des poissons leur permettent de se déplacer dans l'eau.* ◆ **nageur** n. *Jeanne est une bonne* NAGEUSE, elle nage bien. ◆ **natation** n. f. *Pierre va à la piscine faire de la* NATATION, nager pour faire du sport.

naguère adv. se disait autrefois pour *récemment.*

naïf adj. et n. *Marie est (une)* NAÏVE, elle croit tout ce qu'on lui dit. ◆ **naïvement** adv. *Pierre a souri* NAÏVEMENT, un peu bêtement. ◆ **naïveté** n. f. *On s'est moqué de sa* NAÏVETÉ (= crédulité).

nain n. *Un des clowns du cirque était un* NAIN, un homme très petit (≠ géant).

naître v. **1.** *Pierre* EST NÉ *à Paris en 1968,* il est venu au monde (≠ mourir). — **2.** *Une grande amitié* EST NÉE *entre Jeanne et Marie,* elle a commencé (≠ finir). ◆ **naissance** n. f. (sens 1) *Écrivez votre lieu de* NAISSANCE, où vous êtes né. • (sens 2) *Ils sont partis à la* NAISSANCE *du jour* (= début). ◆ **natal** adj. (sens 1) *Il est retourné dans son pays* NATAL, où il est né. ◆ **natalité** n. f. (sens 1) *L'Inde a une très forte* NATALITÉ, le nombre des naissances y est très grand. ◆ **natif** adj. (sens 1) *Marie est* NATIVE *de Paris,* elle y est née. ◆ **nouveau-né** n. m. (sens 1) *Mme Durand berce son* NOUVEAU-NÉ, son enfant qui vient de naître (= bébé). ◆ **inné** adj. (sens 1) *Jean a un goût* INNÉ *pour les mathématiques,* il l'avait en naissant. ◆ **renaître** v. (sens 1) *Les fleurs* RENAISSENT *au printemps,* poussent de nouveau. • (sens 2) *L'espoir* RENAÎT *que la guerre finisse,* il recommence à apparaître (= revenir). ◆ **renaissance** n. f. (sens 2) **1.** *Après la crise, il y a eu une* RENAISSANCE *de l'industrie* (= reprise). — **2.** La RENAISSANCE est une période historique qui a vu un grand développement des arts, des lettres et des sciences.

• **R.** Conj. nº 65. ‖ *Naître* se conjugue avec *être.* ‖ V. NEZ.

naïvement, naïveté → NAÏF.

435 ◁ **naja** n. m. Le NAJA est un serpent très dangereux.

nantir v. est un équivalent rare de *munir.*

naphtaline n. f. *On met de la* NAPHTALINE *dans les tissus pour les protéger des insectes,* un produit insecticide.

nappe n. f. **1.** *La* NAPPE *sert à protéger la table sur laquelle on mange,* une pièce de tissu. — **2.** *Un étang, un lac, une mer sont des* NAPPES *d'eau,* des couches de liquide très étendues. ◆ **napperon** n. m. (sens 1) *Mets un* NAPPERON *sous le vase de fleurs,* une petite nappe. ▷ 76

narcisse n. m. Le NARCISSE est une fleur parfumée. ▷ 80

narcotique n. m. est un équivalent savant de *somnifère.*

narguer v. *Gare à toi si tu continues à me* NARGUER!, à être insolent (= braver).

narine n. f. *Une odeur de poulet arrive à mes* NARINES, aux ouvertures de mon nez. ▷ 33

narquois adj. *Marie me regardait d'un air* NARQUOIS, elle semblait se moquer de moi (= ironique).

narration n. f. *Le professeur nous a demandé de faire une* NARRATION *sur nos vacances,* de les raconter par écrit (= rédaction). ◆ **narrateur** n. *N'interrompez pas la* NARRATRICE!, celle qui raconte. ◆ **narrer** v. se disait autrefois pour *raconter.*

nasal, naseau, nasillard, nasiller → NEZ.

nasse n. f. *Les poissons viennent se prendre dans la* NASSE, une sorte de panier servant de piège à poissons.

natal, natalité → NAÎTRE. / **natation** → NAGER. / **natif** → NAÎTRE.

nation n. f. *La* NATION *française,* c'est à la fois le peuple français, son territoire et son gouvernement. ◆ **national** adj. *L'Assemblée* NATIONALE *représente le peuple.* ‖ *Une route* NATIONALE *parcourt une grande partie du pays* (≠ départemental, local). ◆ **nationalité** n. f. *Pierre est de* NATIONALITÉ *française,* il est français. ◆ **nationaliser** v. *Les usines Renault* SONT NATIONALISÉES, elles appartiennent à l'État français. ◆ **nationalisation** n. f. *La* NATIONALISATION *des chemins de fer date de 1937.* ◆ **nationalisme** n. m. Le NATIONALISME est la doctrine de ceux qui placent leur nation au-dessus des autres nations. ◆ **nationaliste** adj. et n. *Les* NATIONALISTES *veulent une armée puissante.* ◆ **national-socialisme** ou **nazisme** n. m. Le NAZISME est une doctrine nationaliste, raciste et guerrière fondée en Allemagne par Hitler. ◆ **nazi** n. *Les* NAZIS *ont déclenché la Seconde Guerre mondiale.* ◆ **international** adj. *L'O. N. U. est une organisation* INTERNATIONALE, où se rencontrent les nations du monde. ▷ 298 ▷ 507

natte n. f. **1.** *Jeanne a de belles* NATTES *blondes,* ses cheveux sont tressés. — **2.** *Les Japonais dorment sur des* NATTES, sur des tapis de paille tressée.

naturaliser v. *M. Durand veut se faire* NATURALISER *anglais,* il veut devenir citoyen anglais. ◆ **naturalisation** n. f. *Il a attendu trois ans sa* NATURALISATION.

nature n. f. **1.** La NATURE, c'est l'ensemble de tout ce qui existe dans le monde en dehors de l'intervention des hommes (≠ civilisation). — **2.** *Nous nous sommes promenés dans la* NATURE (= campagne). — **3.** *La* NATURE *humaine est différente de la* NATURE *animale,* les caractères propres à l'homme ou à l'animal. — **4.** *Pierre a menti? Ce n'est pas dans sa* NATURE (= caractère, tempérament). — **5.** *Cet objet est dessiné grandeur* NATURE, aussi grand que le modèle. — **6.** Une NATURE MORTE est un tableau représentant des objets. ◆ **naturel** adj. **1.** (sens 1) *Les sciences* NATURELLES *étudient les choses de la nature (les êtres vivants, les plantes, les roches).* ‖ *Ce corsage est en soie* NATURELLE (≠ artificiel). • (sens 3) *Une mort* NATURELLE *est causée par l'âge ou la maladie* (≠ accidentel). — **2.** *Ne me remercie pas, ce que j'ai fait est tout* NATUREL (= normal). ◆ **naturel** n. m. **1.** (sens 4) *Paul est d'un* NATUREL *honnête* (= caractère). — **2.** *Jean s'exprime avec* NATUREL (= spontanéité). ◆ **naturellement** adv. **1.** (sens 4) *Marie est* NATURELLEMENT *gaie,* c'est sa nature. — **2.** *Tu connais Jean?* — NATURELLEMENT (= bien sûr, évidemment). ◆ **naturaliste** n. (sens 1) Un NATURALISTE est un savant qui étudie les sciences naturelles. ◆ **dénaturer** v. *Pierre* A DÉNATURÉ *mes paroles,* il en a changé le sens, le caractère. ◆ **surnaturel** adj. (sens 1) *Un miracle est un événement* SURNATUREL, qui ne peut exister dans la nature (= extraordinaire).

naufrage n. m. *Le navire a fait* NAUFRAGE *à cause de la tempête,* il a coulé ou s'est échoué. ◆ **naufragé** n. *Les* NAUFRAGÉS *ont été recueillis par un bateau de pêche,* ceux qui ont fait naufrage.

nausée n. f. *Cette odeur me donne la* NAUSÉE, envie de vomir. ◆ **nauséabond** adj. *Le dépôt d'ordures répand une odeur* NAUSÉABONDE (= dégoûtant, écœurant).

722 ◁ **nautique** adj. *Le canotage, la croisière, le ski* NAUTIQUE *sont des sports* NAUTIQUES, qui se pratiquent sur l'eau.

726 ◁ **naval** adj. *Il y a des chantiers* NAVALS *à Saint-Nazaire,* qui fabriquent des navires.

367 ◁ **navet** n. m. *Jean n'aime pas les* NAVETS, une sorte de légume.

navette n. f. **1.** Une NAVETTE est un outil du tisserand. — **2.** *M. Durand* FAIT LA NAVETTE *entre Paris et Lyon,* il voyage régulièrement entre ces villes.

naviguer v. *Nous* AVONS NAVIGUÉ *pendant huit jours sur l'océan,* voyagé sur l'eau. ◆ **navigation** n. f. *La* NAVIGATION *maritime,* c'est le transport par bateaux; *la* NAVIGATION *aérienne,* c'est le transport par avions. ◆ **navigateur** n. m. *Christophe Colomb fut un grand* NAVIGATEUR (= marin). ◆ **navigable** adj. *Cette rivière n'est pas* NAVIGABLE, on ne peut y naviguer. ◆ **navigant** adj. *Le pilote, les hôtesses de l'air font partie du*
510 ◁ PERSONNEL NAVIGANT, de l'équipage de l'avion.

• **R.** Ne pas confondre *navigant* (adj.) et *naviguant* (participe) : [navigɑ̃].

727 ◁ **navire** n. m. *Les cargos, les paquebots, les pétroliers sont des* NAVIRES, de grands bateaux.

navrer v. *Je* SUIS NAVRÉ *de vous avoir dérangé,* très ennuyé (= désoler).

nazi, nazisme → NATION.

ne adv. indique une négation et est souvent suivi de *pas, jamais, plus : Je* NE *viendrai* PAS. ‖ *Je* NE veux PLUS.

néanmoins adv. marque une opposition : *Il était malade,* NÉANMOINS *il est venu* (= pourtant).

néant n. m. **1.** Le NÉANT, c'est ce qui n'existe pas. — **2.** *Il* A RÉDUIT *mes espoirs* À NÉANT (= rien).

nébuleux adj. **1.** *Le ciel est* NÉBULEUX, couvert de nuages. — **2.** *Les idées de Paul sont* NÉBULEUSES (= confus; ≠ clair). ◆ **nébuleuse** n. f. Une NÉBULEUSE est formée d'étoiles très nombreuses.

nécessaire adj. *Il est* NÉCESSAIRE *de partir tôt demain matin,* il le faut (= indispensable; ≠ inutile). ◆ **nécessaire** n. m. **1.** *Il manque même du* NÉCESSAIRE, de ce qu'il faut absolument pour vivre (≠ superflu). — **2.** *Un* NÉCESSAIRE DE TOILETTE *contient les objets nécessaires pour faire sa toilette.* ◆ **nécessairement** adv. *Il viendra* NÉCESSAIREMENT (= forcément). ◆ **nécessité** n. f. *Vous pouvez venir, mais ce n'est pas une* NÉCESSITÉ (= obligation). ◆ **nécessiter** v. *Ce projet* NÉCESSITE *une longue réflexion,* il la rend nécessaire (= exiger). ◆ **nécessiteux** adj. et n. *Une personne* NÉCESSITEUSE manque même du nécessaire (= très pauvre).

nécrologie n. f. *J'ai lu dans le journal la* NÉCROLOGIE *de M. Dupuis,* un article sur cet homme qui vient de mourir.

nécropole n. f. Une NÉCROPOLE est un cimetière.

nectar n. m. **1.** *Les abeilles recueillent le* NECTAR *des fleurs,* le liquide sucré qu'elles contiennent. — **2.** *Ce vin est un* NECTAR, il est délicieux.

nef n. f. **1.** *La* NEF *d'une église* est l'espace qui va du portail au chœur. — **2.** NEF se disait autrefois pour *navire.* ▷ 148, 149

néfaste → FASTE 2.

négatif **1.** adj. *Il m'a donné une réponse* NÉGATIVE, il a refusé (≠ affirmatif, positif). — **2.** n. m. *Sur le* NÉGATIF *d'une photo, les parties claires correspondent aux teintes sombres, et inversement* (= pellicule). ◆ **négation** n. f. (sens 1) *« Non » est un adverbe de* NÉGATION, qui sert à nier (≠ affirmation).

négliger v. *Pierre* NÉGLIGE *son travail,* il ne s'en occupe pas avec soin (≠ s'intéresser). ◆ **négligé** n. m. *Il se fait remarquer par le* NÉGLIGÉ *de ses vêtements* (= laisser-aller). ◆ **négligeable** adj. *Écoute-le, ses conseils ne sont pas* NÉGLIGEABLES, il faut en tenir compte (≠ important). ◆ **négligence** n. f. *On lui a reproché sa* NÉGLIGENCE, son manque de soin (≠ application). ◆ **négligent** adj. *Marie est une élève* NÉGLIGENTE (≠ consciencieux). ◆ **négligemment** adv. *Il a répondu* NÉGLIGEMMENT *à mes questions,* sans s'appliquer (≠ soigneusement).

• **R.** Ne pas confondre *négligent* (adj.) et *négligeant* (participe) : [negliʒɑ̃].

négocier v. **1.** *Les deux pays* ONT NÉGOCIÉ *un traité de paix,* ils se sont mis d'accord pour faire la paix. — **2.** *M. Durand* A NÉGOCIÉ *des valeurs boursières,* il les a vendues. ◆ **négoce** n. m. (sens 2) se disait autrefois pour *commerce.* ◆ **négociant** n. (sens 2) *M. Dupont est* NÉGOCIANT *en* *vins,* il vend du vin en gros (≠ détaillant). ◆ **négociateur** n. (sens 1) *Les* NÉGOCIATEURS *du cessez-le-feu se sont rencontrés,* les diplomates chargés de négocier. ◆ **négociation** n. f. (sens 1) *L'échec des* NÉGOCIATIONS *a rouvert les hostilités* (= discussion).

nègre n. m., **négresse** n. f. sont des mots péjoratifs pour désigner des gens de race noire. ◆ **négrier** n. m. Les NÉGRIERS étaient des marchands d'esclaves noirs. ◆ **negro-spiritual** n. m. Un NEGRO-SPIRITUAL est un chant religieux des Noirs d'Amérique.

653, 652, 650 ◁ **neige** n. f. *La* NEIGE *tombe depuis ce matin en flocons blancs.* ◆ **neiger** v. *Il* A NEIGÉ *hier sur les Vosges.* ◆ **neigeux** adj. *On voit au loin les sommets* NEIGEUX *des Alpes,* couverts de neige. ◆ **être enneigé** v. *Les toits* SONT ENNEIGÉS, couverts de neige. ◆ **enneigement** n. m. *L'*ENNEIGEMENT *des pistes est insuffisant pour faire du ski,* la couche de neige.

73 ◁ **nénuphar** n. m. Le NÉNUPHAR est une plante à grandes fleurs qui pousse dans l'eau.

néologisme n. m. *« Informatique » est un* NÉOLOGISME, un mot nouveau dans la langue française.

néon n. m. *La pièce est éclairée par un tube au* NÉON, un gaz.

népotisme n. m. Pour un homme politique, le NÉPOTISME consiste à favoriser sa famille.

nerf n. m. **1.** *Les* NERFS *relient le cerveau au reste du corps et nous permettent de sentir, de voir, d'entendre, de toucher.* — **2.** *Jean est* À BOUT DE NERFS, il est très excité. — **3.** *Pierre a du* NERF, il est actif, dynamique. ◆ **nerveux** adj. (sens 1) *Le système* NERVEUX *est constitué par les nerfs, le cerveau et la moelle épinière.* • (sens 2) *Tu es trop* NERVEUSE, *détends-toi* (= excité, agité). • (sens 3) *M. Durand a une voiture* NERVEUSE (= rapide). ◆ **nerveusement** adv. (sens 2) *Jean s'agite* NERVEUSEMENT (≠ calmement). ◆ **nervosité** n. f. (sens 2) *Marie est d'une grande* NERVOSITÉ, elle est toujours surexcitée. ◆ **énerver** v. (sens 2) *Arrête de t'agiter, tu m'*ÉNERVES!, tu me rends nerveux. ◆ **énervement** n. m. (sens 2) *Il n'arrivait pas à cacher son* ÉNERVEMENT (= irritation).
• **R.** *Nerf* se prononce [nɛr].

655 ◁ **nervure** n. f. *Les* NERVURES *d'une feuille* sont des lignes qui ressortent à sa surface.

n'est-ce pas adv. sert à interroger, à demander un avis : *Ce café est bon,* N'EST-CE PAS?

net adj. **1.** *Le col de ta chemise n'est pas* NET (= propre). — **2.** *Cette photo est très* NETTE, on y voit tous les détails avec précision (≠ flou, brouillé). — **3.** *Son refus a été très* NET (= brutal; ≠ vague). — **4.** *Un prix* NET est un prix dont on a enlevé tous les frais supplémentaires (≠ brut). ◆ **net** adv. (sens 3) *La voiture s'est arrêtée* NET (= brutalement). ◆ **nettement** adv. **1.** (sens 2) *On voit* NETTEMENT *tous les détails de la photo* (= clairement). — **2.** *Cette voiture va* NETTEMENT *trop vite* (= beaucoup). ◆ **netteté** n. f. (sens 2) *Pierre parle avec* NETTETÉ (= précision).

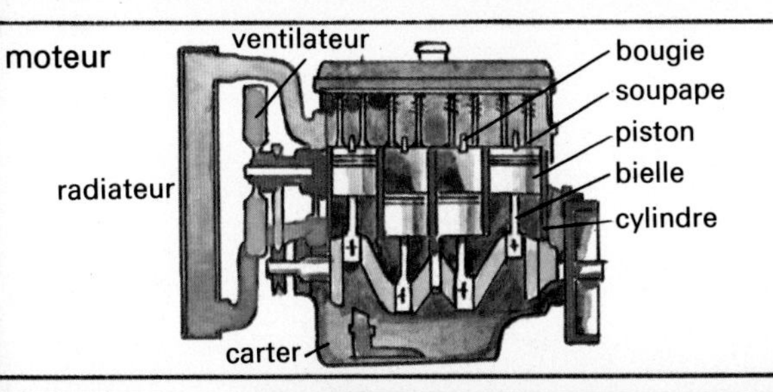
moteur
ventilateur
bougie
soupape
piston
bielle
cylindre
radiateur
carter

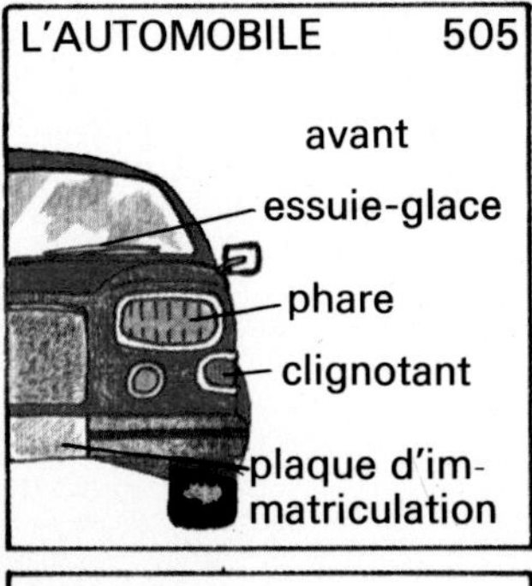
avant
essuie-glace
phare
clignotant
plaque d'im-
matriculation

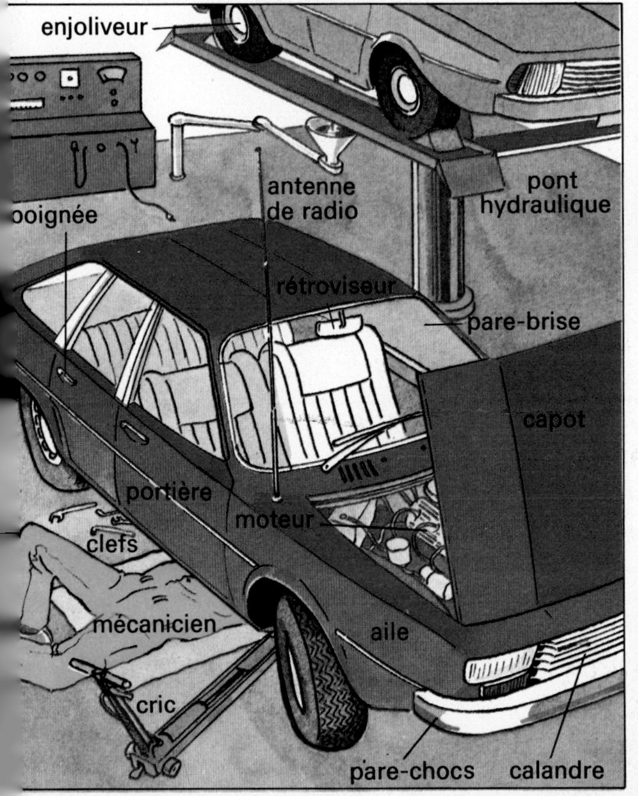
enjoliveur
antenne
de radio
pont
hydraulique
poignée
rétroviseur
pare-brise
capot
portière
moteur
clefs
mécanicien
aile
cric
pare-chocs
calandre

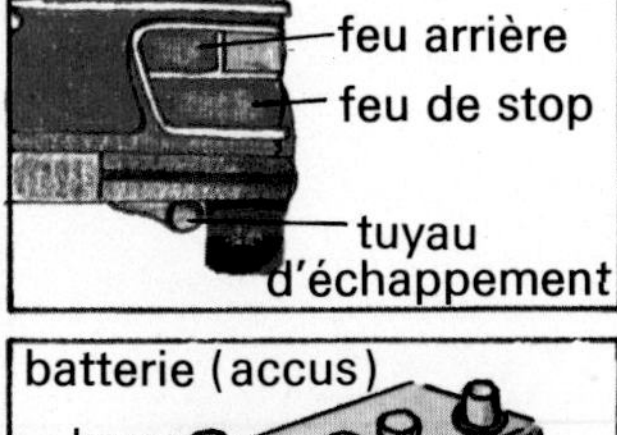
arrière
coffre
feu arrière
feu de stop
tuyau
d'échappement

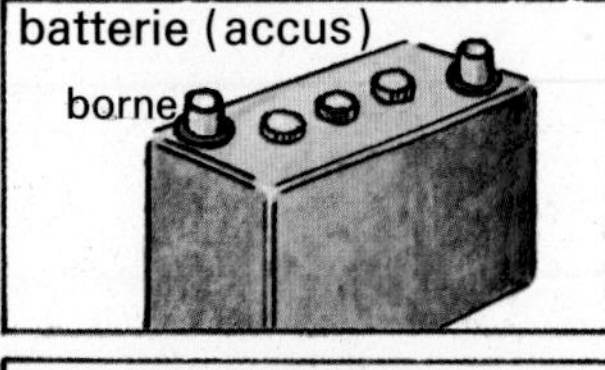
batterie (accus)
borne

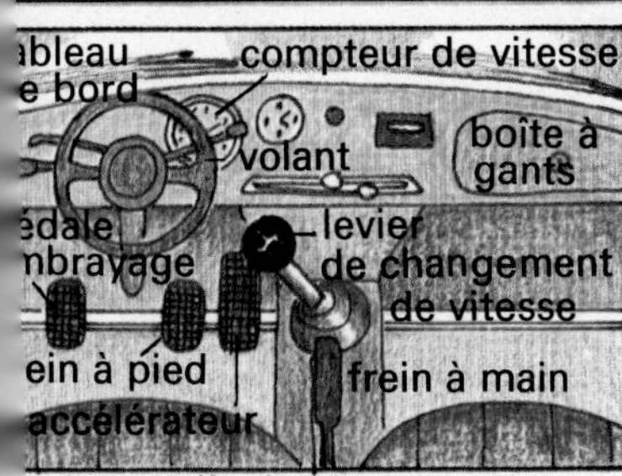
compteur de vitesse
volant
boîte à
gants
levier
de changement
de vitesse
frein à main

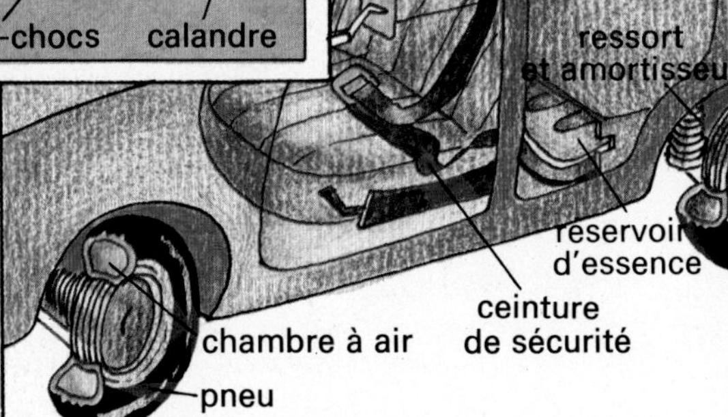
ressort
et amortisseur
reservoir
d'essence
ceinture
de sécurité
chambre à air
pneu

borne
kilométrique
semi-remorque
voiture de sport
(décapotable)
autocar
(car)

pique-nique
accotement
aire de
repos

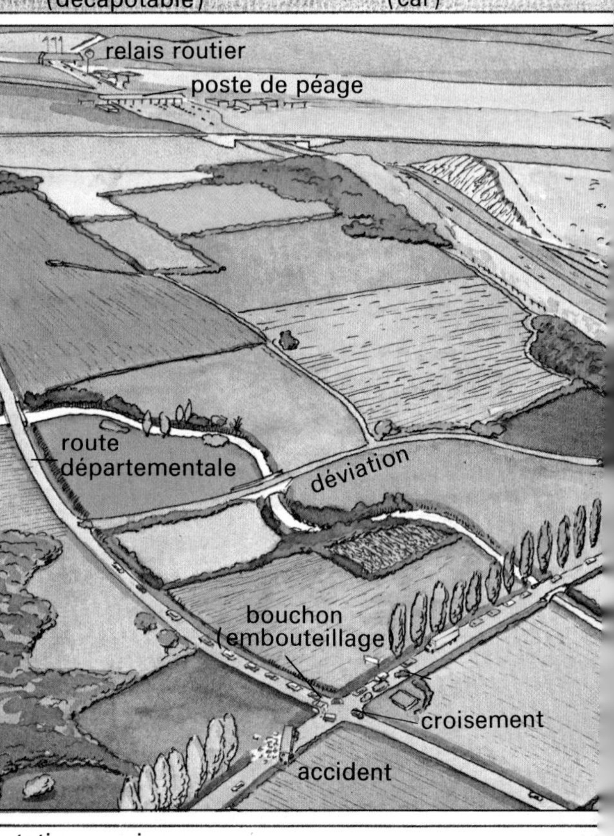
relais routier
poste de péage
route
départementale
déviation
bouchon
(embouteillage)
croisement
accident

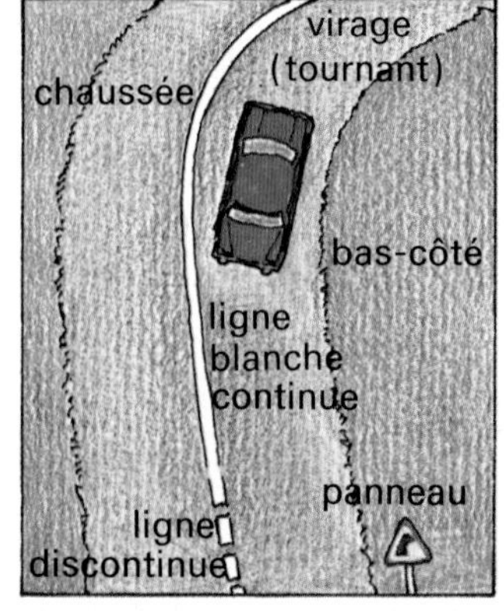
virage
(tournant)
chaussée
bas-côté
ligne
blanche
continue
panneau
ligne
discontinue

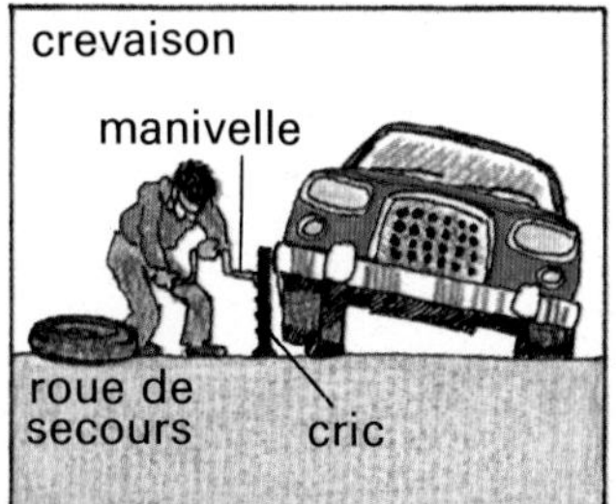
crevaison
manivelle
roue de
secours
cric

station-service
pompe à essence
compteur
tuyau
pompiste

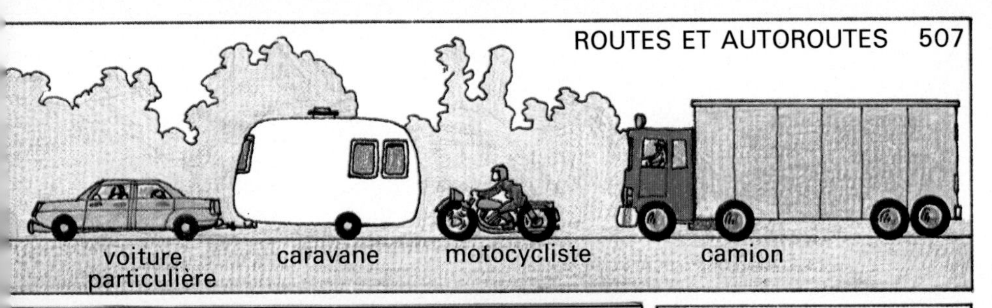

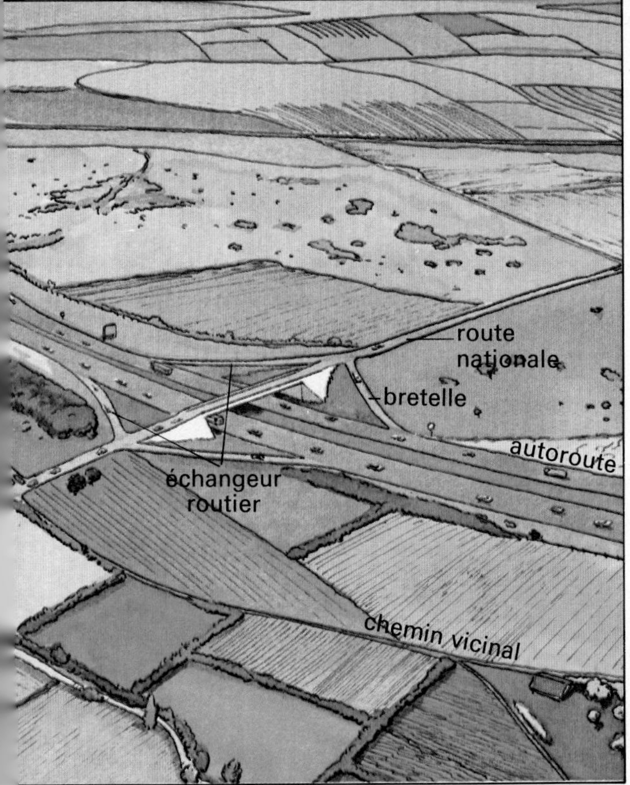

panneaux de signalisation

intersections

arrêt obligatoire

sens interdit

sens obligatoire

sens giratoire

stationnement interdit

fin d'interdiction de dépasser

avertisseur interdit

interdiction de tourner à gauche

passage à niveau non gardé

virage à gauche puis à droite

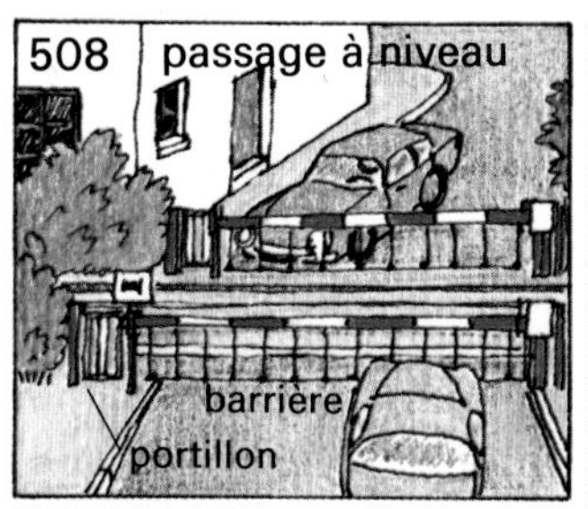
passage à niveau
barrière
portillon

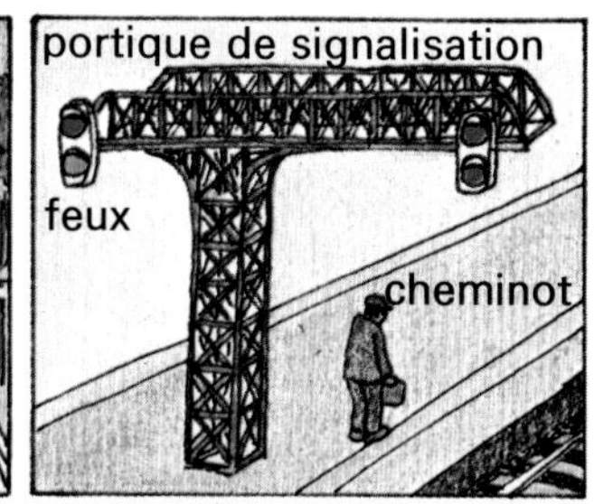
portique de signalisation
feux
cheminot

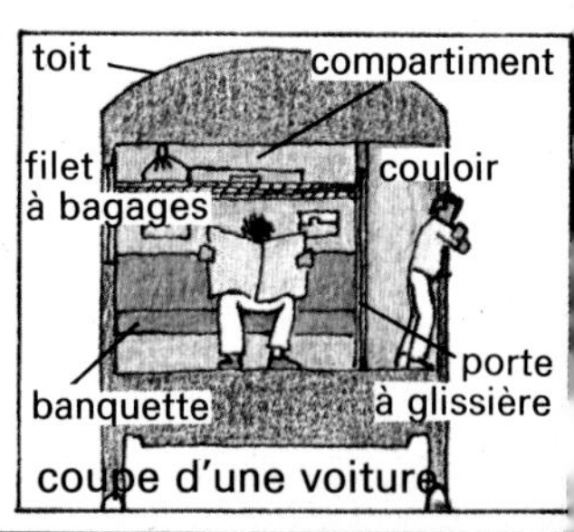
toit
compartiment
filet
à bagages
couloir
porte
à glissière
banquette
coupe d'une voiture

station de métro
rame
quai

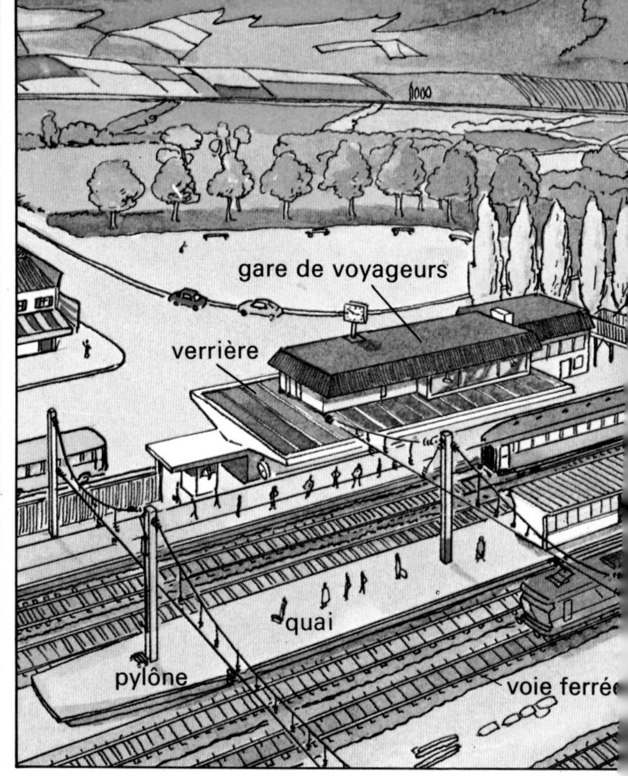
gare de voyageurs
verrière
quai
pylône
voie ferré

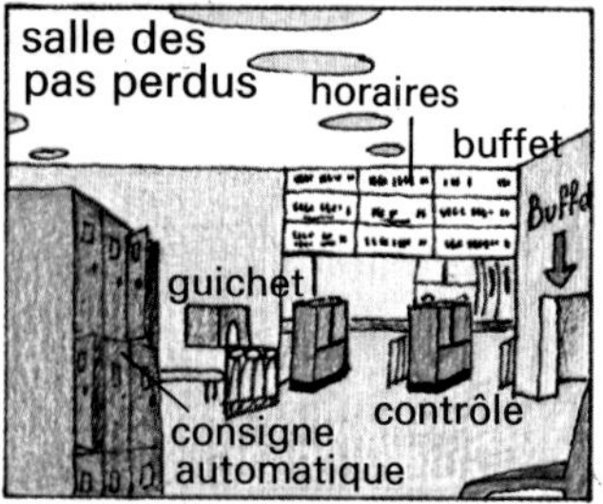
salle des
pas perdus
horaires
buffet
guichet
contrôle
consigne
automatique

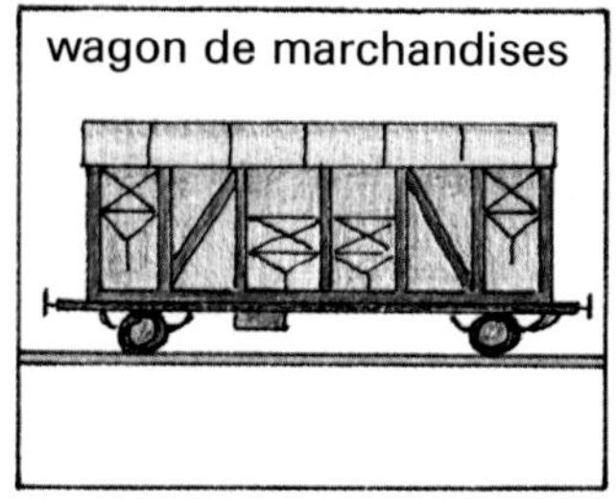
wagon de marchandises

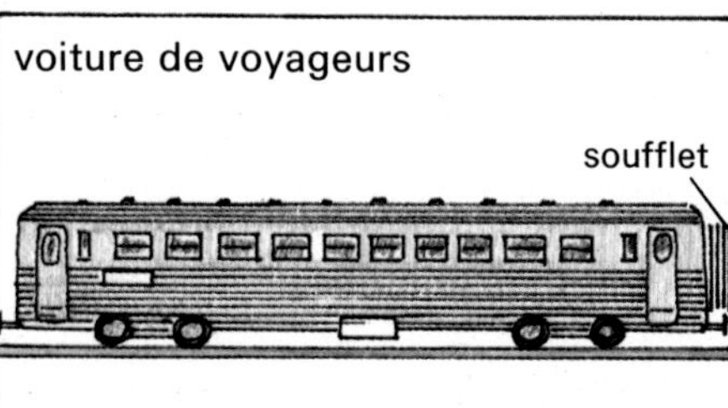
voiture de voyageurs
soufflet

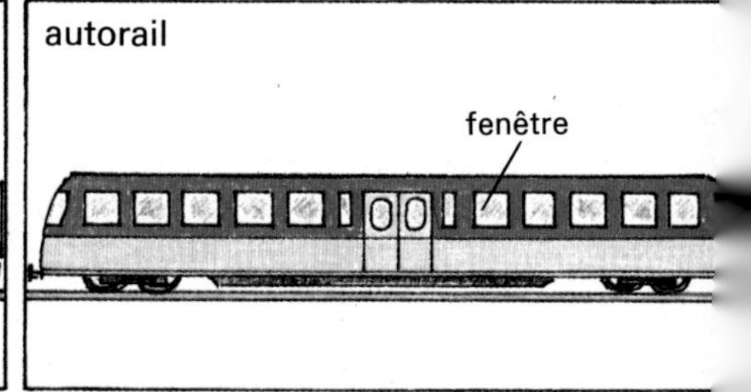
autorail
fenêtre

LA GARE ET LE TRAIN

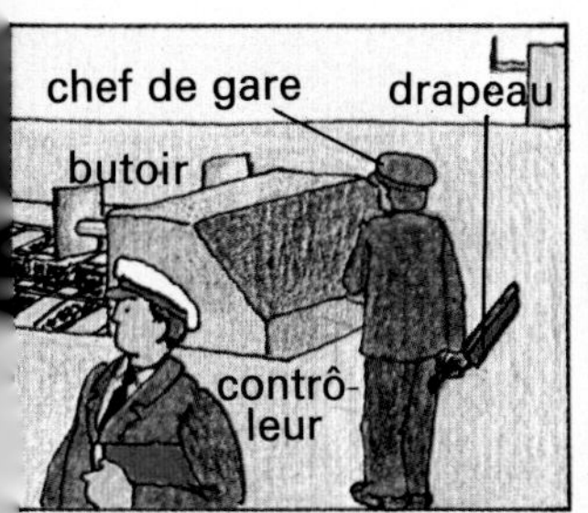

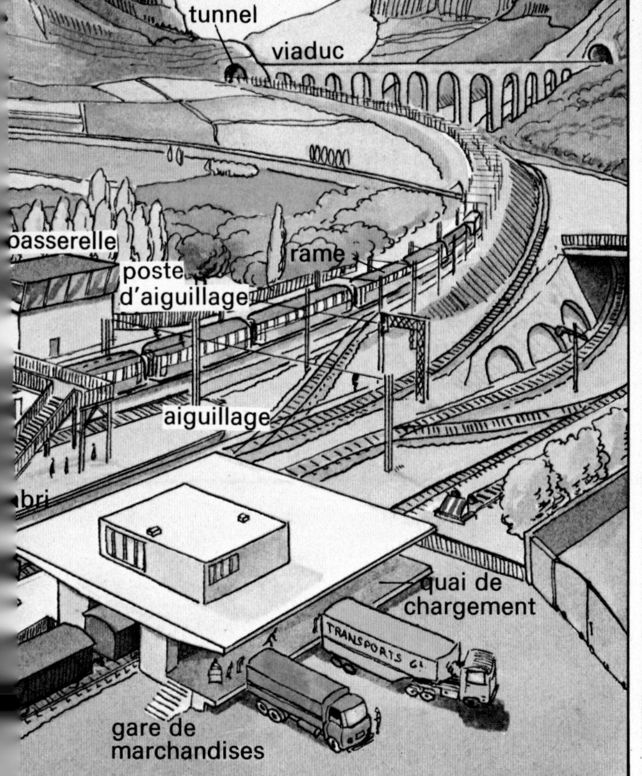

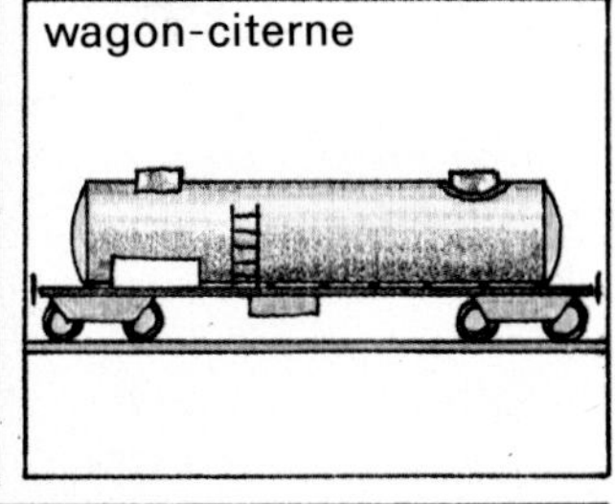

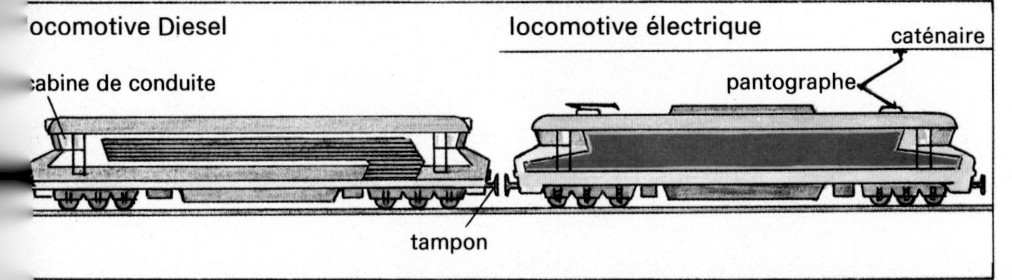

poste de pilotage
pare-brise
manche à balai
tableau de bord
radio
copilote
pilote
siège

personnel navigant
navigateur
commandant de bord
hôtesse de l'air
steward
pilote
radio

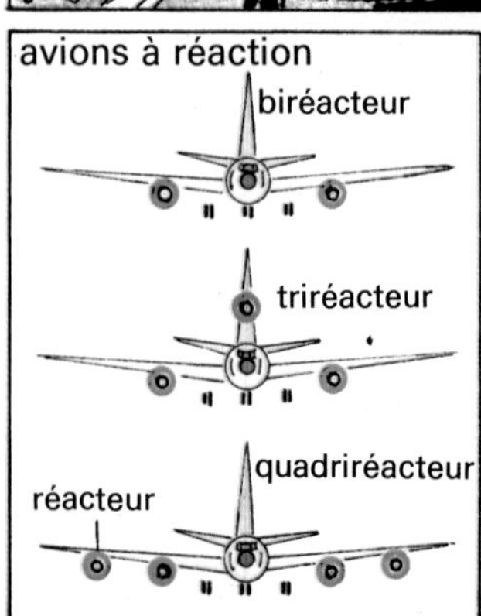
avions à réaction
biréacteur
triréacteur
quadriréacteur
réacteur

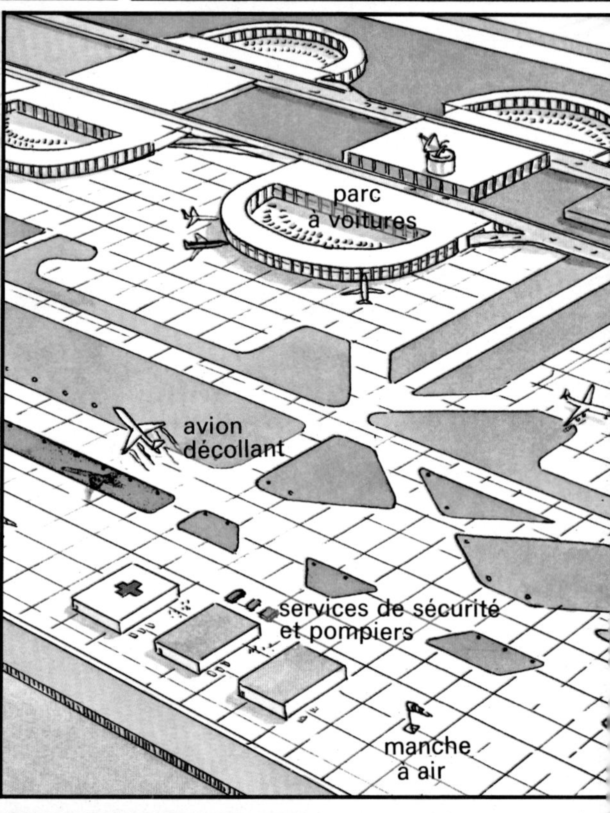
parc à voitures
avion décollant
services de sécurité et pompiers
manche à air

aérogare
horaire des vols
enregistrement des bagages

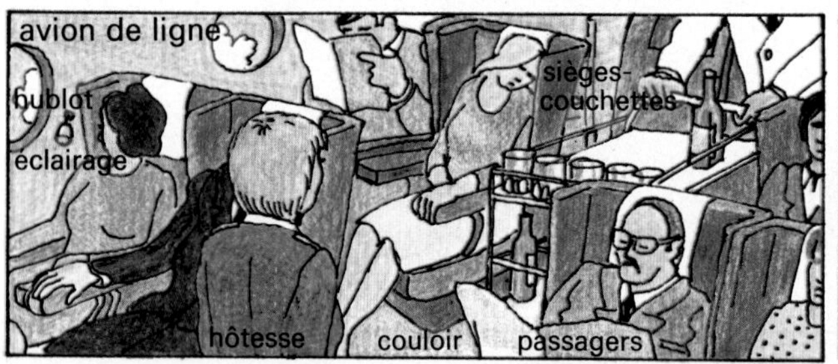
avion de ligne
hublot
éclairage
sièges-couchettes
hôtesse
couloir
passagers

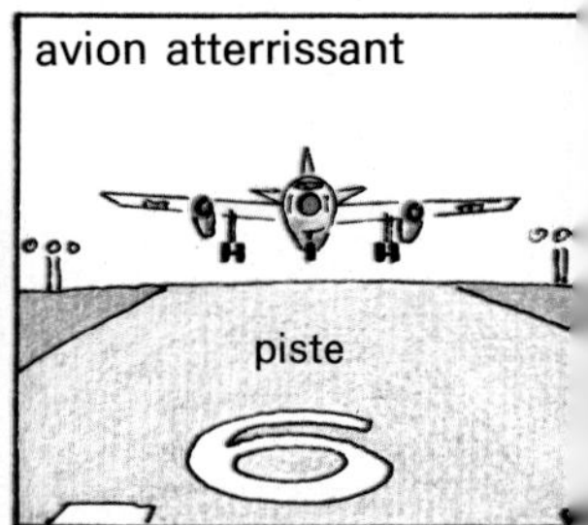
avion atterrissant
piste

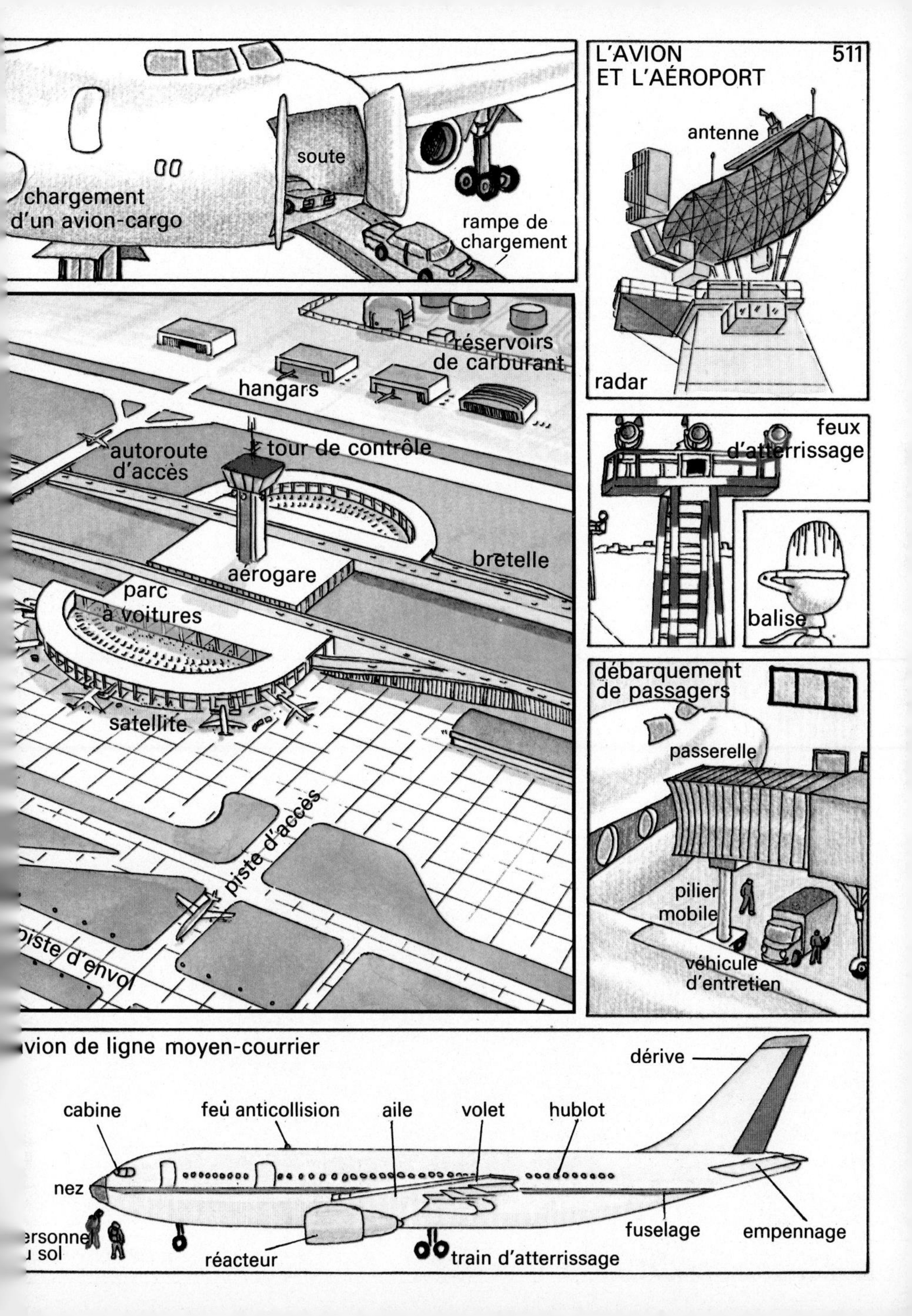
soute
chargement
d'un avion-cargo
rampe de
chargement
antenne
radar
réservoirs
de carburant
hangars
autoroute
d'accès
tour de contrôle
bretelle
aérogare
parc
à voitures
satellite
piste d'accès
piste d'envol
feux
d'atterrissage
balise
débarquement
de passagers
passerelle
pilier
mobile
véhicule
d'entretien
avion de ligne moyen-courrier
dérive
cabine
feu anticollision
aile
volet
hublot
nez
fuselage
empennage
personnel
au sol
réacteur
train d'atterrissage

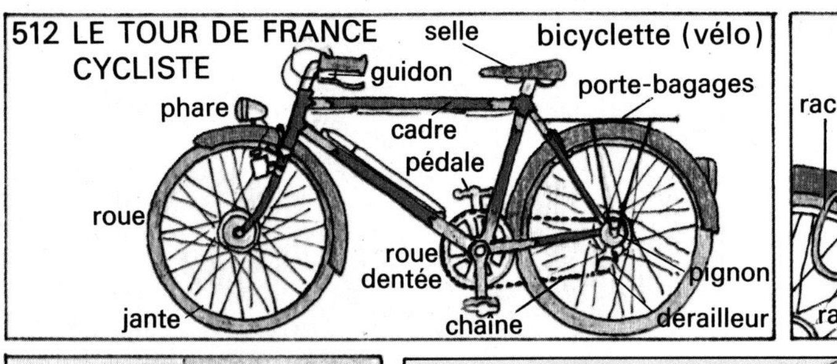
512 LE TOUR DE FRANCE CYCLISTE
bicyclette (vélo)
selle
guidon
phare
porte-bagages
cadre
pédale
roue
roue dentée
pignon
jante
chaîne
dérailleur

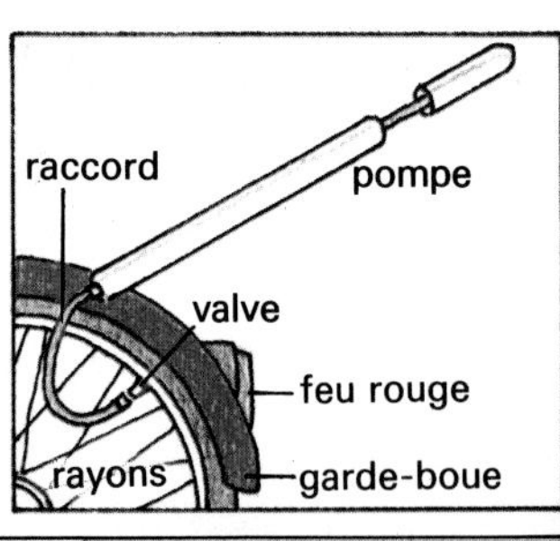
raccord
pompe
valve
feu rouge
rayons
garde-boue

banderole
ARRIVEE
vainqueur
bidon
ligne d'arrivée
cale-pied
boyau
l'arrivée à l'étape

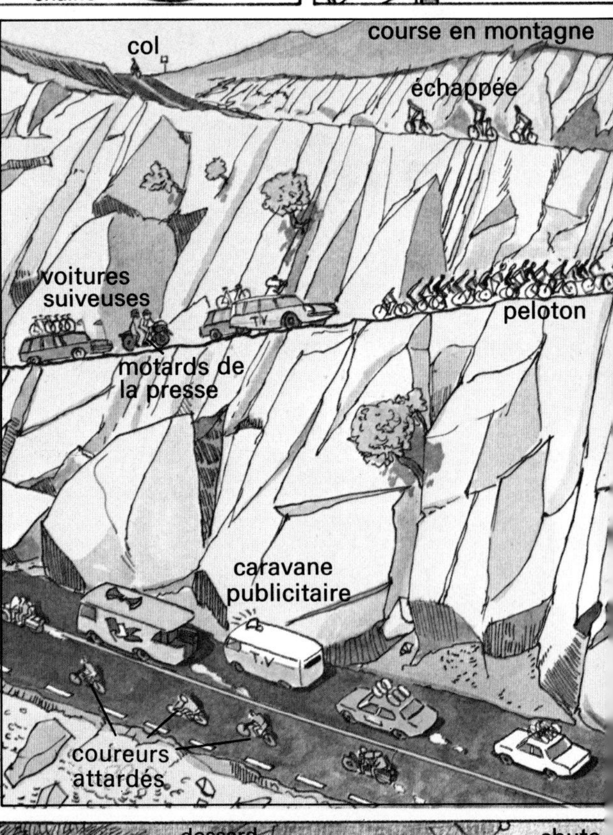
course en montagne
col
échappée
voitures suiveuses
peloton
motards de la presse
caravane publicitaire
coureurs attardés

le départ
casquette
maillot
musette
culotte

dossard
chute
supporter
coureur "en danseuse"

nettoyer v. *Nous avons passé la journée à* NETTOYER *la maison,* à la rendre propre (≠ salir). ◆ **nettoyage** n. m. *Le* NETTOYAGE *des meubles se fait avec un chiffon.* ▷ 218

1. neuf adj. *Pierre a* NEUF *ans.* ‖ *8 + 1 = 9.* ◆ **neuvième** adj. et n. *Septembre est le* NEUVIÈME *mois de l'année.*
• **R.** On prononce *neuf ans* [nœvɑ̃], *neuf heures* [nœvœr].

2. neuf adj. *Marie s'est acheté une robe* NEUVE (= nouveau; ≠ usé, vieux).

neurasthénie n. f. La NEURASTHÉNIE est une maladie qui se manifeste par une profonde tristesse. ◆ **neurasthénique** adj. *M. Durand est* NEURASTHÉNIQUE, il est toujours triste, abattu.

neutre adj. **1.** *La Suisse est un pays* NEUTRE, qui ne prend pas parti au cours des guerres. — **2.** *Le gris est une couleur* NEUTRE, sans éclat (≠ vif). ◆ **neutraliser** v. **1.** (sens 1) *Ce territoire* A ÉTÉ NEUTRALISÉ, placé hors du conflit. — **2.** *Ses efforts* ONT ÉTÉ NEUTRALISÉS (= annuler, paralyser). ◆ **neutralité** n. f. (sens 1) *Certains pays sont partisans de la* NEUTRALITÉ, ils veulent rester neutres.

neuvième → NEUF 1.

neveu n. m., **nièce** n. f. *Pierre est le* NEVEU *de M. Durand,* le fils du frère ou de la sœur de M. Durand. ‖ *Marie est sa* NIÈCE, la fille de son frère ou de sa sœur. ▷ 547 ▷ 547

nez n. m. **1.** *Respire profondément par le* NEZ. ‖ *M. Durand parle du* NEZ, comme s'il avait le nez bouché. — **2.** *Je me suis trouvé* NEZ À NEZ *avec Paul,* en face de lui. — **3.** *L'avion a piqué du* NEZ, de sa partie avant. ◆ **nasal** adj. (sens 1) *Les fosses* NASALES sont à l'intérieur du nez. ◆ **naseau** n. m. (sens 1) *Les* NASEAUX *d'un cheval,* ce sont ses narines. ◆ **nasiller** v. (sens 1) *Pierre est enrhumé, il* NASILLE, il parle du nez. ◆ **nasillard** adj. (sens 1) *Pierre a une voix* NASILLARDE. ▷ 33 ▷ 511, 766 ▷ 368
• **R.** *Nez* se prononce [ne] comme [*il est*] *né* (de *naître*).

ni conj. indique qu'on ajoute quelque chose de négatif : *Il n'est* NI *bon* NI *méchant.*
• **R.** V. NID.

niais adj. et n. *Jean est (un)* NIAIS, il est ignorant et sot. ◆ **niaiserie** n. f. *Il ne raconte que des* NIAISERIES (= sottise).

niche n. f. **1.** *Le chien dort dans sa* NICHE, une petite cabane. — **2.** *La statue est placée dans une* NICHE, un renfoncement du mur. — **3.** Fam. *Pierre a fait une* NICHE *à sa sœur,* il lui a joué un tour (= farce). ▷ 75 ▷ 148

nichée, nicher → NID.

nickel n. m. Le NICKEL est un métal très résistant. ◆ **nickelé** adj. *Un outil* NICKELÉ est recouvert de nickel.

nicotine n. f. La NICOTINE est un poison contenu dans le tabac.

nid n. m. *Il y a au bord du toit un* NID *d'hirondelles,* une sorte d'abri pour leurs œufs et leurs petits. ◆ **nicher** v. **1.** *Des corbeaux* NICHENT *dans ce grand arbre,* y ont fait leur nid. — **2.** *La bille est allée* SE NICHER *dans un* *trou* (= se mettre, se loger). ◆ **nichée** n. f. Une NICHÉE, ce sont des petits oiseaux qui sont encore au nid. ◆ **dénicher** v. **1.** *Pierre* A DÉNICHÉ *des œufs de corneille,* il les a pris dans le nid. — **2.** Fam. *Où* AS-*tu* DÉNICHÉ *ce stylo?* (= trouver).

• **R.** *Nid* se prononce [ni] comme *ni* et [*je*] *nie,* [*tu*] *nies* (de *nier*).

nièce → NEVEU.

nier v. *Je lui ai donné des preuves, mais il continue à* NIER, à dire que ce n'est pas vrai (≠ affirmer, avouer). ◆ **dénier** v. *On ne peut lui* DÉNIER *du courage,* dire qu'il n'est pas courageux (= refuser). ◆ **indéniable** adj. *Ce que tu me dis est* INDÉNIABLE, on ne peut pas le nier.

• **R.** V. NID.

nigaud n. m. *Pierre est un grand* NIGAUD, il est bête, trop naïf (≠ malin).

nippes n. f. pl. Fam. *Où t'es-tu acheté ces* NIPPES?, ces vieux vêtements. ◆ **nipper** v. *Il* EST NIPPÉ *comme un clochard,* mal habillé.

nippon adj. et n. est un équivalent de *japonais* (v. p. 376).

nitrate n. m. Les NITRATES sont de bons engrais.

nitroglycérine n. f. La NITROGLYCÉRINE est un explosif très violent qui sert à fabriquer la dynamite.

218 ◁ **niveau** n. m. **1.** *Le mont Blanc est à 4807 mètres au-dessus du* NIVEAU *de la mer,* de la surface horizontale de celle-ci. — **2.** *L'eau lui arrive* AU NIVEAU DES *genoux,* à la hauteur. — **3.** *Le* NIVEAU *des prix a encore monté,* 150 ◁ ils sont plus élevés. — **4.** Un NIVEAU est un instrument qui sert à vérifier qu'une surface est horizontale. — **5.** *Il cherche à améliorer son* NIVEAU DE VIE, ses conditions de vie. ◆ **niveler** v. (sens 1) *On* A NIVELÉ *le terrain,* on en a fait une surface horizontale, sans creux ni bosses. • (sens 3) *Certains pensent qu'il faut* NIVELER *les salaires,* les mettre au même niveau. ◆ **déniveler** v. (sens 1) *La route* EST DÉNIVELÉE *par rapport à la plaine,* elle ne se trouve pas au même niveau. ◆ **dénivellation** n. f. (sens 1) *Dans une plaine, les collines et les vallées forment des* DÉNIVELLATIONS, des différences de niveau.

• **R.** *Niveler, déniveler,* conj. n° 6.

noble 1. adj. et n. *Avant 1789, les* NOBLES *formaient la classe supérieure de la société* (= aristocrate, seigneur; ≠ roturier). — **2.** adj. *Son* NOBLE *caractère lui vaut l'amitié de tous,* digne d'admiration (= généreux; ≠ bas). ◆ **noblement** adv. (sens 2) *Il a pardonné* NOBLEMENT *à ses ennemis* (= généreusement). ◆ **noblesse** n. f. (sens 1) *«Duc», «marquis», «comte», «baron» sont des titres de* NOBLESSE. • (sens 2) *Il a montré une grande* NOBLESSE *d'âme* (≠ bassesse). ◆ **nobiliaire** adj. (sens 1) *«De» placé devant un nom propre est une particule* NOBILIAIRE, indiquant qu'on est noble. ◆ **anoblir** v. (sens 1) *Le roi pouvait* ANOBLIR *les bourgeois,* les faire nobles. ◆ **ennoblir** v. (sens 2) *On dit que le travail* ENNOBLIT *l'homme,* le rend noble.

noce n. f. *M. Durand a invité cent personnes à ses* NOCES, à la fête qu'il a donnée pour son mariage.

nocif → NUIRE. / **nocturne** → NUIT.

Noël n. m. *Nous avons fêté* NOËL *avec des amis,* le 25-Décembre, anniversaire de la naissance du Christ.

nœud n. m. **1.** *Fais un* NŒUD *très serré pour que le paquet soit solide,* bloque la ficelle en la nouant. — **2.** *Pierre sait faire les* NŒUDS *de cravate,* nouer sa cravate. — **3.** *Voilà le* NŒUD *de la question,* le point important. — **4.** *Cette ville est un important* NŒUD *routier,* beaucoup de routes s'y croisent. — **5.** *Cette planche est pleine de* NŒUDS, de parties de bois rondes et dures. — **6.** *Le bateau file 10* NŒUDS, sa vitesse est de 10 milles marins à l'heure (environ 18 kilomètres à l'heure). ◆ **nouer** v. **1.** (sens 1 et 2) NOUER *ses lacets de chaussures,* c'est les entrelacer pour les attacher ensemble. — **2.** *Une profonde amitié* S'EST NOUÉE *entre Pierre et Jean,* ils sont devenus très amis. ◆ **noueux** adj. **1.** (sens 5) *Ce vieux chêne a un tronc* NOUEUX, il y a des nœuds dans son bois. — **2.** *Mon grand-père a les doigts* NOUEUX, aux articulations saillantes. ◆ **dénouer** v. (sens 1 et 2) *Pierre* A DÉNOUÉ *ses lacets pour enlever ses chaussures,* il a défait les nœuds. • (sens 3) DÉNOUER *une question,* c'est en trouver le point important pour le résoudre. ◆ **dénouement** n. m. (sens 3) *Cette affaire a eu un heureux* DÉNOUEMENT, les difficultés ont été résolues et elle s'est bien terminée. ◆ **renouer** v. **1.** (sens 1 et 2) *Tu devrais* RENOUER *ta cravate,* refaire le nœud. — **2.** *Pierre et Paul* ONT RENOUÉ *leurs relations,* ils les ont reprises après une interruption.

• **R.** V. NOUS.

noir n. m. **1.** *Le* NOIR *est la couleur la plus foncée; c'est aussi la couleur représentant le mal, le deuil, la tristesse* (≠ blanc). — **2.** *Mon petit frère a peur dans le* NOIR, quand il fait sombre. — **3.** *Jean voit tout en* NOIR, il est pessimiste, triste. — **4.** *L'Afrique est peuplée en majorité par des* NOIRS, des gens à la peau très foncée. ◆ **noir** adj. (sens 1) *Le charbon est* NOIR. • (sens 2) *Nous sommes sortis à la nuit* NOIRE. • (sens 3) *Jean a des idées* NOIRES (= triste). • (sens 4) *Les Africains sont de race* NOIRE. ◆ **noirâtre** adj. (sens 1) *Tu as une tache* NOIRÂTRE *sur ta veste,* presque noire (= très foncée). ◆ **noircir** v. (sens 1) *Le plafond* EST NOIRCI *par la fumée,* taché de noir. ▷ 289

noise n. f. CHERCHER NOISE se disait pour se disputer.

noisette n. f. *Jean est allé cueillir des* NOISETTES, des fruits recouverts d'une coquille. ▷ 655 ◆ **noisetier** n. m. Le NOISETIER est un arbuste. ▷ 655

noix n. f. **1.** Une NOIX est un fruit recouvert d'une coquille. ▷ 365 — **2.** La NOIX DE COCO, la NOIX MUSCADE sont des fruits qui possèdent aussi une coquille. ▷ 580 ◆ **noyer** n. m. (sens 1) *Il y a un* NOYER *au fond du jardin.* ▷ 365

• **R.** *Noix* se prononce [nwa] comme [*je me*] *noie* (de *noyer*).

nom n. m. **1.** *Quel est ton* NOM? — *Je m'appelle Pierre Durand.* — **2.** *«France» et «Durand» sont des* NOMS PROPRES, ils désignent une seule chose, une seule personne; *«chien» et «table» sont des* NOMS COMMUNS, ils désignent un ensemble d'êtres ou de choses. — **3.** *Pierre a agi en mon* NOM, je suis responsable de ce qu'il a fait à ma place. ◆ **nommer** v. **1.** (sens 1) *Il* SE NOMME *Dupont,* c'est son nom (= s'appeler). — **2.** *M. Duval* A ÉTÉ NOMMÉ *préfet,* désigné à cette fonction. ◆ **nominal** adj. (sens 1) *Le professeur a fait l'appel* NOMINAL *des élèves,* il les a appelés par leur nom.

◆ **nomination** n. f. *M. Durand attend sa* NOMINATION *de professeur,* qu'on le nomme (sens 2) professeur. ◆ **dénommé** n. (sens 1) *Connaissez-vous le* DÉNOMMÉ *Pierre Durand?,* celui qui a ce nom. ◆ **prénom** n. m. (sens 1) *Durand est mon nom de famille et Pierre, mon* PRÉNOM. ◆ **surnom** n. m. (sens 1) *Tout le monde l'appelle Bobby, c'est son* SURNOM. ◆ **surnommer** v. (sens 1) *Ses camarades l'*ONT SURNOMMÉE *« Chèvre » à cause de sa voix bêlante,* ils lui ont donné ce surnom.

• **R.** *Nom* se prononce [nɔ̃] comme *non.*

nomade n. *Des* NOMADES *se sont installés à l'entrée du village,* des gens qui n'ont pas d'habitation fixe.

nombre n. m. **1.** *6 est un* NOMBRE *entre 5 et 10.* — **2.** *Quel est le* NOMBRE *d'habitants de cette ville?,* combien y en a-t-il? — **3.** *Il y a* UN GRAND NOMBRE DE *personnes sur la place,* beaucoup. — **4.** *Il compte* AU NOMBRE DE *mes amis,* parmi. — **5.** *Les soldats ont succombé sous* LE NOMBRE, la grande quantité, la masse. ◆ **nombreux** adj. (sens 3 et 5) *Pierre a de* NOMBREUX *amis,* il en a beaucoup (≠ rare). ◆ **numéral** adj. (sens 1) *2, 3, 4, etc., sont des adjectifs* NUMÉRAUX, qui désignent un nombre. ◆ **numération** n. f. (sens 1) *Les Romains avaient un système de* NUMÉRATION *différent du nôtre,* une manière de représenter les nombres. ◆ **numérique** adj. (sens 3 et 5) *La supériorité* NUMÉRIQUE *de l'ennemi était écrasante,* ils étaient plus nombreux. ◆ **numéro** n. m. **1.** (sens 1) *Mon billet de loterie porte le* NUMÉRO *3 720,* il y a ce nombre écrit dessus. — **2.** *Le prochain* NUMÉRO *de cette revue paraît dans un mois* (= exemplaire). — **3.** Au cirque, un NUMÉRO, c'est une partie du spectacle. ◆ **numéroter** v. (sens 1) *Jean* A NUMÉROTÉ *les pages de son cahier,* il a marqué chaque page d'un numéro. ◆ **dénombrer** v. (sens 2) *Il cherchait à* DÉNOMBRER *les gens qui étaient dans la salle,* à en évaluer le nombre (= compter). ◆ **dénombrement** n. m. (sens 2) *Le* DÉNOMBREMENT *de la population a lieu tous les six ans,* l'évaluation de son nombre. ◆ **innombrable** (sens 2, 3 et 5) *Les étoiles sont* INNOMBRABLES, si nombreuses qu'on ne peut les compter. ◆ **surnombre** n. m. (sens 2, 3 et 4) *Il y a deux voyageurs en* SURNOMBRE, en plus du nombre permis.

33 ◁ **nombril** n. m. Le NOMBRIL est un petit renfoncement arrondi que chacun a sur le ventre.

• **R.** On prononce [nɔ̃bri].

nominal, nomination, nommer → NOM.

non adv. sert à nier, à refuser, à s'opposer : *Veux-tu venir?* — NON (≠ oui).

• **R.** *Non* se place avec un trait d'union devant certains mots pour indiquer leur contraire (non-sens). ‖ V. NOM.

nonagénaire adj. *Mon arrière-grand-père est* NONAGÉNAIRE, il a quatre-vingt-dix ans.

nonce n. m. Un NONCE est un ambassadeur du pape.

nonchalant adj. *Marie est* NONCHALANTE, elle agit mollement (≠ actif, énergique). ◆ **nonchalance** n. f. *Pierre fait son travail avec* NONCHALANCE (= négligence; ≠ zèle).

Les nombres

CHIFFRES	NOMBRES CARDINAUX	NOMBRES ORDINAUX
1	un	premier
2	deux	deuxième (second)
3	trois	troisième
4	quatre	quatrième
5	cinq	cinquième
6	six	sixième
7	sept	septième
8	huit	huitième
9	neuf	neuvième
10	dix	dixième
11	onze	onzième
12	douze	douzième
13	treize	treizième
14	quatorze	quatorzième
15	quinze	quinzième
16	seize	seizième
17	dix-sept	dix-septième
18	dix-huit	dix-huitième
19	dix-neuf	dix-neuvième
20	vingt	vingtième
21	vingt et un	vingt et unième
22	vingt-deux	vingt-deuxième
29	vingt-neuf	vingt-neuvième
30	trente	trentième
40	quarante	quarantième
50	cinquante	cinquantième
60	soixante	soixantième
70	soixante-dix	soixante-dixième
71	soixante et onze	soixante et onzième
73	soixante-treize	soixante-treizième
80	quatre-vingts	quatre-vingtième
81	quatre-vingt-un	quatre-vingt-unième
90	quatre-vingt-dix	quatre-vingt-dixième
91	quatre-vingt-onze	quatre-vingt-onzième
100	cent	centième
101	cent un	cent unième
110	cent dix	cent dixième
200	deux cents	deux centième
220	deux cent vingt	deux cent vingtième
600	six cents	six centième
1 000	mille	millième
2 000	deux mille	deux millième
100 000	cent mille	cent millième
1 000 000	un million	millionième
1 000 000 000	un milliard	milliardième

R. Sur les nombres ordinaux, on forme, avec le suffixe *-ment,* des adverbes qui servent à énumérer ou à classer : *premièrement, deuxièmement, troisièmement,* etc.

FRACTIONS	MULTIPLES (multiplié par)	QUANTITÉ APPROXIMATIVE
	× 2 (le) double (adv. : doublement)	une huitaine (de jours)
$\frac{1}{2}$ un demi ; la moitié	× 3 (le) triple (adv. : triplement)	une dizaine
$\frac{1}{3}$ un (le) tiers	× 4 (le) quadruple	une douzaine
$\frac{1}{4}$ un (le) quart	× 5 (le) quintuple	une vingtaine
$\frac{1}{5}$ un (le) cinquième	× 6 (le) sextuple	une (la) trentaine
$\frac{1}{6}$ un (le) sixième	× 10 (le) décuple	une (la) quarantaine
$\frac{2}{3}$ (les) deux tiers	× 100 (le) centuple	une (la) cinquantaine
$\frac{3}{4}$ (les) trois quarts		une (la) soixantaine
$\frac{4}{5}$ (les) quatre cinquièmes, etc.		une (la) centaine ou un cent
		un (le) millier

non-lieu n. m. *L'accusé a bénéficié d'un* NON-LIEU, le juge a décidé d'arrêter les poursuites contre lui.

nonne n. f. se disait autrefois pour *religieuse.*

non-sens → SENS. / **non-violence, non-violent** → VIOLENCE.

728 ◁ **nord** n. m. *L'Angleterre est au* NORD *de la France,* plus près du pôle Nord
294 ◁ et plus loin de l'équateur (≠ sud). ◆ **nord** adj. inv. *Le pôle* NORD *est une région très froide.* ◆ **nordique** adj. *La Suède et la Norvège sont des pays* NORDIQUES, du nord de l'Europe.

• **R.** *Nord* se place avec un trait d'union devant *est (nord-est)* et *ouest (nord-ouest)* pour indiquer des directions intermédiaires entre ces points cardinaux.

normal adj. **1.** *Il a neigé en mai, ce n'est pas* NORMAL, c'est une exception (= habituel; ≠ bizarre). — **2.** *Une* ÉCOLE NORMALE *prépare les jeunes gens au métier d'instituteur.* ◆ **normalement** adv. (sens 1) NORMALEMENT, *il rentre chez lui à 5 heures* (= ordinairement). ◆ **normalien** n. (sens 2) Un NORMALIEN est un élève d'une école normale. ◆ **anormal** adj. (sens 1) *Le moteur fait un bruit* ANORMAL (= inhabituel). ◆ **anormalement** adv. (sens 1) *Il fait* ANORMALEMENT *chaud.*

normes n. f. pl. *Ce travail ne correspond pas aux* NORMES *prévues,* à ce qui avait été décidé (= règle).

nos → NOTRE.

nostalgie n. f. *Pierre a la* NOSTALGIE *des dernières vacances,* il est triste en y pensant. ◆ **nostalgique** adj. *Il m'a adressé un regard* NOSTALGIQUE (= triste).

notable 1. adj. *Jean a fait à l'école des progrès* NOTABLES, dignes d'être remarqués (= important). — **2.** n. m. *Le maire, le sous-préfet, le directeur de l'usine sont les* NOTABLES *de cette petite ville,* les gens importants.

notaire n. m. *Quand on signe un contrat, quand on vend ou qu'on achète une maison, on va chez le* NOTAIRE.

notamment adv. *Pierre est bon élève,* NOTAMMENT *en français* (= en particulier).

note n. f. **1.** *«Do», «ré», «mi», «fa», «sol», «la», «si» sont les sept*
438 ◁ NOTES *de la gamme,* les sons et les signes servant à composer la musique. — **2.** *Regarde la* NOTE *au bas de la page,* la remarque explicative. — **3.** *Pendant la conférence, Pierre a pris des* NOTES, il a écrit des remarques sur ce qu'il entendait. — **4.** *Jean a eu 6 sur 20 en français, c'est une mauvaise* NOTE, une appréciation de son travail. — **5.** *Le plombier nous a envoyé sa* NOTE, ce que nous devons payer pour son travail (= facture). ◆ **noter** v. **1.** (sens 3) AS-*tu* NOTÉ *ce que le professeur a dit?* (= écrire). • (sens 4) *Le maître* A NOTÉ *les devoirs,* il leur a mis une note. — **2.** *On* A NOTÉ *qu'il est arrivé en retard* (= remarquer). ◆ **notation** n. f. (sens 1) *La* NOTATION *musicale* est la représentation des sons par des notes.

notice n. f. *Cet appareil est vendu avec une* NOTICE, un texte qui explique comment s'en servir.

notifier v. *Il m'*A NOTIFIÉ *sa décision,* il me l'a fait connaître (= annoncer).

notion n. f. *Je n'ai aucune* NOTION *sur ce sujet* (= connaissance, idée).

notoire adj. *Sa vanité est* NOTOIRE, tout le monde la connaît (= connu, évident). ◆ **notoriété** n. f. *M. Durand jouit d'une grande* NOTORIÉTÉ, tout le monde le connaît (= réputation).

notre, nos adj. possessifs indiquent ce qui est à nous : NOTRE *père,* NOS *parents.* ◆ **nôtre (le, la), nôtres (les)** pron. possessifs. *Voici vos affaires et voilà* LES NÔTRES, celles qui sont à nous.

nouer, noueux → NŒUD.

nougat n. m. *Marie aime le* NOUGAT, une confiserie faite d'amandes et de miel.

nouilles n. f. pl. *Nous avons mangé des* NOUILLES *à la sauce tomate* (= pâtes).

nourrir v. **1.** *La mère* NOURRIT *son bébé,* elle lui donne son lait (= allaiter). — **2.** *Il* SE NOURRIT *surtout de légumes et de fruits* (= s'alimenter). — **3.** *M. Durand a cinq personnes à* NOURRIR, il doit leur procurer de quoi vivre (= entretenir). — **4.** *Il* NOURRISSAIT *l'espoir d'être reçu à l'examen,* il avait en lui cet espoir. ◆ **nourrissant** adj. (sens 2) *Le beurre est un aliment* NOURRISSANT, qui nourrit bien. ◆ **nourrice** n. f. (sens 1) Une NOURRICE est une femme qui nourrit un bébé autre que le sien. ◆ **nourrisson** n. m. (sens 1) Un NOURRISSON est un enfant qui tète encore sa mère. ◆ **nourriture** n. f. (sens 2) *Cette* NOURRITURE *est immangeable* (= aliments).

nous pron. pers. s'emploie pour représenter la personne qui parle *(moi)* et une ou plusieurs autres personnes *(toi, lui, vous, eux).* ▷ 11

• **R.** *Nous* se prononce [nu] comme [*je*] *noue* (de *nouer*).

nouveau adj. **1.** *Cette machine à laver est un modèle* NOUVEAU, qui n'existait pas auparavant (= récent; ≠ ancien). — **2.** *M. Durand a acheté une* NOUVELLE *voiture,* une voiture pour remplacer celle qu'il avait. ◆ **nouveau** n. (sens 1) *Un* NOUVEAU *vient d'arriver dans notre classe,* un nouvel élève. ◆ **de (à) nouveau** adv. *Pierre est* DE NOUVEAU *en retard,* encore une fois. ◆ **nouveauté** n. f. (sens 1) *Pierre aime la* NOUVEAUTÉ, les choses nouvelles (= changement).

• **R.** *Nouveau* devient *nouvel* devant une voyelle ou un *h* muet : *mon* NOUVEL *ami.*

nouveau-né → NAÎTRE.

nouvelle n. f. **1.** *Connais-tu la* NOUVELLE? *Jacques se marie,* ce qui vient d'arriver. — **2.** (au plur.) *On est sans* NOUVELLES *de Pierre,* sans renseignements sur lui. — **3.** Une NOUVELLE est un récit moins long qu'un roman.

novateur adj. *M. Durand est un esprit* NOVATEUR, il aime les idées nouvelles (≐ audacieux).

novembre n. m. *Il pleut souvent en* NOVEMBRE. ▷ 125

novice adj. et n. *M. Dupont est encore* NOVICE *dans son métier,* il n'a pas d'expérience (= débutant).

noyade → NOYER 1.

noyau n. m. **1.** *La pêche, la prune, la cerise sont des fruits à* NOYAU, contenant une partie dure au centre. — **2.** *L'ennemi a rencontré des* NOYAUX *de résistance,* des groupes qui résistaient. ◆ **dénoyauter** v. (sens 1) *Jeanne* DÉNOYAUTE *des olives,* enlève le noyau.

1. noyer v. *Trois personnes* SE SONT NOYÉES *dans cet étang,* sont mortes asphyxiées dans l'eau. ◆ **noyade** n. f. *On l'a sauvé de la* NOYADE, de la mort dans l'eau. ◆ **noyé** n. *On a repêché un* NOYÉ.

2. noyer → NOIX.

nu adj. **1.** *Pierre s'est mis tout* NU *pour se laver,* il a enlevé ses vêtements (≠ habillé). — **2.** *Jean se promène pieds* NUS, sans chaussures ni chaussettes. — **3.** *Les murs de cette chambre sont* NUS, sans ornements. — **4.** *Les microbes ne sont pas visibles* À L'ŒIL NU, il faut un instrument pour les voir. ◆ **nudité** n. f. (sens 1) *Il a mis une chemise pour cacher sa* NUDITÉ, son corps nu. ◆ **nudiste** n. (sens 1) *Les* NUDISTES *préfèrent vivre nus.* ◆ **dénuder** v. (sens 1) *Il* S'EST DÉNUDÉ *pour se baigner,* il s'est mis nu. • (sens 3) *L'arbre* EST DÉNUDÉ *de ses feuilles,* il n'en a plus (≠ couvert).

721 ◁ **nuage** n. m. **1.** *Le ciel est couvert de* NUAGES, *il va pleuvoir.* — **2.** *Un* NUAGE *de fumée s'échappe de la cheminée,* une masse. — **3.** *Ils ont connu un bonheur sans* NUAGES, sans difficultés. ◆ **nuageux** adj. (sens 1) *Le ciel est* NUAGEUX *aujourd'hui* (≠ clair).

nuance n. f. **1.** *Le bleu clair, le bleu marine, le bleu roi sont des* NUANCES *de la couleur bleue,* des degrés. — **2.** *Il y a des* NUANCES *entre leurs opinions,* de légères différences. ◆ **nuancer** v. (sens 2) *Il faut* NUANCER *ce jugement,* l'exprimer plus délicatement.

nucléaire adj. *L'énergie* NUCLÉAIRE est celle qui existe dans les atomes (= atomique).

nudiste, nudité → NU.

nuée n. f. *Une* NUÉE *de gens a pénétré dans la salle,* un très grand nombre (= multitude).

nuire v. *Jean a cherché à me* NUIRE, à me faire du tort. ‖ *La sécheresse* NUIT *aux cultures* (= abîmer). ◆ **nuisible** adj. *Ce climat est* NUISIBLE *à la santé* (= mauvais; ≠ favorable). ◆ **nocif** adj. *Attention! Ce produit est* NOCIF (= dangereux).
• **R.** Conj. n° 69. ‖ V. NUIT.

nuit n. f. *En hiver, les* NUITS *sont plus longues,* les périodes d'obscurité entre le coucher et le lever du soleil. ◆ **nocturne** adj. *Les voisins ont fait du tapage* NOCTURNE, pendant la nuit.
• **R.** *Nuit* se prononce [nɥi] comme [*il*] *nuit* (de *nuire*).

nul **1.** adj. et pron. indéfini. *Je n'ai* NUL *besoin de toi* (= aucun). ‖ NUL *n'a le droit d'entrer ici* (= personne). — **2.** adj. *Les deux équipes ont fait match* NUL, le match s'est terminé sans vainqueur ni vaincu. — **3.** adj. *Pierre est* NUL *en maths,* très mauvais (≠ brillant). ◆ **nullement** adv. (sens 1) *Il n'est* NULLEMENT *coupable,* en aucune façon. ◆ **nullité** n. f. (sens 3) *Cet élève est une* NULLITÉ, il est nul. ◆ **annuler** v. (sens 2) *Comme il était malade, il* A ANNULÉ *son rendez-vous* (= supprimer).

numéraire n. m. *On a tout payé en* NUMÉRAIRE, avec de l'argent (≠ chèque).

numéral, numération, numérique, numéro, numéroter → NOMBRE.

nuptial adj. *Nous avons assisté à la cérémonie* NUPTIALE, à la cérémonie du mariage.

nuque n. f. *Jean a mis un coussin sous sa* NUQUE, l'arrière de son cou. ▷ 33

nurse n. f. Une NURSE est une domestique chargée de garder les enfants.
• R. On prononce [nœrs].

nutritif adj. *La viande est un aliment* NUTRITIF (= nourrissant).

Nylon n. m. *Pierre a une chemise en* NYLON, une sorte de tissu artificiel.

nymphe n. f. Chez les anciens Grecs, les NYMPHES étaient des déesses des bois et des fontaines.

577 ◁ **oasis** n. f. *Dans les déserts, les* OASIS *sont les seuls lieux cultivés et habités, parce qu'il y a de l'eau.*
• **R.** On prononce [ɔazis].

obéir v. *Pierre* OBÉIT *à ses parents,* il fait ce qu'ils lui ordonnent. ◆ **obéissant** adj. *Marie est une fillette* OBÉISSANTE (= discipliné). ◆ **obéissance** n. f. *Ce soldat a été sanctionné pour refus d'*OBÉISSANCE (= soumission). ◆ **désobéir** v. *Il ne faut pas* DÉSOBÉIR *au règlement* (≠ obéir). ◆ **désobéissant** adj. *Pierre est* DÉSOBÉISSANT (= indocile). ◆ **désobéissance** n. f. *Sa* DÉSOBÉISSANCE *a été punie* (= indiscipline).

obélisque n. m. Un OBÉLISQUE est une grande pierre dressée en forme de colonne.

obèse adj. *M. Dupont est* OBÈSE, il est très gros. ◆ **obésité** n. f. *Il fait de la gymnastique contre l'*OBÉSITÉ (≠ maigreur).

objecter, objecteur → OBJECTION.

1. objectif n. m. **1.** *Pierre a atteint son* OBJECTIF, le but qu'il s'était fixé.
437 ◁ — **2.** *L'*OBJECTIF *d'un appareil photo,* ce sont ses lentilles.

2. objectif adj. *Ce journal est* OBJECTIF, il raconte les faits tels qu'ils se sont passés (= impartial; ≠ tendancieux). ◆ **objectivement** adv. *Il m'a décrit* OBJECTIVEMENT *la situation* (= honnêtement). ◆ **objectivité** n. f. *Il a parlé avec* OBJECTIVITÉ, sans parti pris.

objection n. f. *Il a fait plusieurs* OBJECTIONS *à mes demandes,* il s'y est opposé (= critique). ◆ **objecter** v. *Il n'*A *rien* OBJECTÉ *contre nos projets,* il n'a rien dit contre. ◆ **objecteur** n. m. Les OBJECTEURS DE CONSCIENCE refusent de faire leur service militaire.

objectivement, objectivité → OBJECTIF 2.

223, 149 ◁ **objet** n. m. **1.** *Pierre a des tas d'*OBJETS *dans ses poches* (= chose). — **2.** *Quel est l'*OBJET DE *ta visite?* (= but, sujet). — **3.** *Dans la phrase «Pierre regarde Paul», «Paul» est le* COMPLÉMENT D'OBJET *du verbe.*

obliger v. **1.** *On m'*A OBLIGÉ *à partir,* on m'a forcé à le faire. — **2.** *Vous m'*OBLIGERIEZ *en me prêtant ce livre,* vous me feriez plaisir. ◆ **obligation** n. f. (sens 1) *Je suis dans l'*OBLIGATION *d'aller à ce rendez-vous,* il faut que j'y aille (= nécessité). ◆ **obligatoire** adj. (sens 1) *Votre présence est*
507 ◁ OBLIGATOIRE (= indispensable; ≠ facultatif). ◆ **obligatoirement** adv.

(sens 1) *Il faut* OBLIGATOIREMENT *avoir un passeport pour aller dans ce pays* (= nécessairement). ◆ **obligeance** n. f. (sens 2) *Ayez l'*OBLIGEANCE *de parler moins fort!* (= amabilité). ◆ **obligeant** adj. (sens 2) *Pierre est un garçon très* OBLIGEANT, aimable et serviable. ◆ **désobliger** v. (sens 2) *Il m'*A DÉSOBLIGÉ *en ne venant pas* (= contrarier).

oblique adj. *Une ligne est* OBLIQUE *par rapport à une autre ligne quand elle s'en écarte.* ◆ **obliquer** v. *Vous allez jusqu'au pont, puis vous* OBLIQUEZ *à droite,* vous ne continuez pas en ligne droite. ▷ 348

oblitérer v. *Un timbre* OBLITÉRÉ *ne peut plus servir,* marqué par le cachet de la poste.

obnubiler v. *M. Durand* EST OBNUBILÉ *par ses soucis d'argent,* il ne pense qu'à ça (= obséder).

obole n. f. *Il a donné son* OBOLE *à la quête,* une petite somme d'argent.

obscène adj. *Une phrase* OBSCÈNE *était écrite sur le mur,* très grossière. ◆ **obscénité** n. f. *Arrête de dire des* OBSCÉNITÉS, des mots orduriers.

obscur adj. **1.** *Cette rue est très* OBSCURE, il n'y a pas de lumière (= sombre; ≠ éclairé). — **2.** *Il y a des passages* OBSCURS *dans ce livre,* difficiles à comprendre (≠ clair). — **3.** *Quel est cet écrivain* OBSCUR?, peu connu (≠ célèbre). ◆ **obscurité** n. f. (sens 1) *La maison est plongée dans l'*OBSCURITÉ (= noir, nuit). ◆ **obscurcir** v. (sens 1) *La nuit* S'OBSCURCIT *de plus en plus,* devient de plus en plus noire.

obséder v. *Pierre* EST OBSÉDÉ *par son échec à l'examen,* il y pense sans cesse (= obnubiler). ◆ **obsession** n. f. *Marie a l'*OBSESSION *de ne pas grossir* (= idée fixe).

obsèques n. f. pl. *Les* OBSÈQUES *de son grand-père ont lieu demain* (= enterrement).

obséquieux adj. *M. Duval a des manières* OBSÉQUIEUSES, il est d'une politesse exagérée (= servile).

observer v. **1.** *Pierre aime* OBSERVER *les fourmis,* les regarder attentivement pour les étudier (= examiner). — **2.** *Vous êtes prié d'*OBSERVER *le règlement,* de vous y conformer (= respecter, obéir). ◆ **observation** n. f. **1.** (sens 1) *Pierre a l'esprit d'*OBSERVATION, il sait observer. — **2.** *Le professeur lui a fait des* OBSERVATIONS *sur sa conduite* (= reproche, critique). ◆ **observateur 1.** adj. (sens 1) *Marie est très* OBSERVATRICE, elle sait observer. — **2.** n. *Un* OBSERVATEUR *participe à une réunion sans prendre de décision.* ◆ **observatoire** n. m. (sens 1) *Un* OBSERVATOIRE *sert à observer le ciel, les étoiles.*

obsession → OBSÉDER.

obstacle n. m. *Il n'a pas rencontré d'*OBSTACLE *dans ses études,* de difficulté l'empêchant de continuer.

s'obstiner v. *Il* S'OBSTINE *à continuer malgré les difficultés,* il continue quand même (= s'entêter, s'acharner). ◆ **obstination** n. f. *Il a réussi à force d'*OBSTINATION (= acharnement, persévérance, ténacité). ◆ **obstinément** adv. *Il refuse* OBSTINÉMENT *de partir* (= absolument).

obstruer v. *Le passage* EST OBSTRUÉ *par la foule,* on ne peut pas passer (= boucher). ◆ **obstruction** n. f. *Pierre fait de l'*OBSTRUCTION, il empêche les autres de parler, d'agir.

obtempérer v. *Jean ne veut pas* OBTEMPÉRER (= obéir).

obtenir v. *Paul a réussi à* OBTENIR *son examen* (= avoir).
• **R.** Conj. nº 22.

obtus adj. **1.** *Un* ANGLE OBTUS *est plus ouvert qu'un angle droit,* il mesure plus de 90 degrés (≠ aigu). — **2.** *Jeanne a l'esprit* OBTUS, elle est peu intelligente (≠ fin).

762 ◁ **obus** n. m. *Un* OBUS *a explosé sur la maison,* un projectile lancé par un canon.

oc n. m. *La* LANGUE D'OC *est parlée dans le midi de la France* (= provençal). ◆ **occitan 1.** n. m. L'OCCITAN est la langue d'oc. — **2.** adj. *Nous avons écouté des chansons* OCCITANES, en langue d'oc.

occasion n. f. **1.** *Je profite de l'*OCCASION *pour vous faire ce cadeau,* de la circonstance qui se présente. — **2.** À L'OCCASION DE *l'Ascension, il y a eu deux jours de congé* (= pour, à cause de). — **3.** *M. Durand a acheté une voiture* D'OCCASION, qui a déjà servi (≠ neuf). — **4.** *Cet appareil est une* OCCASION, son prix est intéressant. ◆ **occasionnel** adj. (sens 1) *Il fait un travail* OCCASIONNEL, qui s'est présenté par hasard (≠ habituel, durable). ◆ **occasionner** v. (sens 2) *M. Durand* A OCCASIONNÉ *un accident* (= causer, provoquer).

occident n. m. **1.** OCCIDENT se disait pour *ouest.* — **2.** *On appelle* OCCIDENT *les pays de l'Europe de l'Ouest* (≠ Orient). ◆ **occidental** adj. (sens 1 et 2) *La Bretagne est la partie la plus* OCCIDENTALE *de la France,* la plus à l'ouest (≠ oriental).

occitan → OC.

occulte adj. **1.** *Cet homme a un pouvoir* OCCULTE, secret et mystérieux. — **2.** *L'astrologie, l'alchimie, la magie sont des* SCIENCES OCCULTES, qui s'occupent de choses mystérieuses. ◆ **occultisme** n. m. (sens 2) *M. Dubois s'intéresse à l'*OCCULTISME, aux sciences occultes.

occuper v. **1.** *Pierre* S'EST OCCUPÉ *de sa sœur,* il lui a consacré son temps, son activité. — **2.** *Ils* OCCUPENT *tout le premier étage de cette maison,* ils y habitent. — **3.** *La table* OCCUPE *le milieu de la pièce,* elle s'y trouve. — **4.** *Pendant la guerre, les Allemands* ONT OCCUPÉ *la France,* ils y sont restés par la force. ◆ **occupant** adj. et n. m. (sens 2) *Comment s'appellent les* OCCUPANTS *de cet appartement? — Les Dupont.* • (sens 4) *Les* OCCUPANTS *ont été chassés du pays,* les ennemis qui l'occupaient. ◆ **occupation** n. f. (sens 1) *Sa principale* OCCUPATION *est la lecture,* il passe son temps à lire • (sens 4) *L'armée d'*OCCUPATION *a été vaincue,* celle qui occupait le pays. ◆ **occupé** adj. (sens 1) *Laissez-moi, je suis très* OCCUPÉ, je n'ai pas le temps (= pris). ◆ **inoccupé** adj. (sens 1) *Pour le moment, je suis* INOCCUPÉ, je n'ai rien à faire. • (sens 2) *Cette maison est* INOCCUPÉE, il n'y a pas d'habitants dedans.

océan n. m. *L'*OCÉAN *Atlantique sépare l'Europe de l'Amérique.* ◆ **océanique** adj. *Le climat* OCÉANIQUE est celui des régions proches de l'océan. ◆ **océanographie** n. f. L'OCÉANOGRAPHIE est la science des océans.

ocre adj. inv. et n. *Dans cette région, la terre est* OCRE, une couleur entre le jaune et le brun. ▷ 289

octobre n. m. *Les feuilles tombent en* OCTOBRE, *c'est l'automne.* ▷ 125

octogone n. m. Un OCTOGONE est une figure de géométrie à huit côtés. ▷ 348

octroi n. m. *Autrefois, il y avait des* OCTROIS *aux portes des villes,* des douanes pour les marchandises.

octroyer v. *On nous* A OCTROYÉ *deux jours de congé,* donné par faveur (= accorder).

oculaire, oculiste → ŒIL.

ode n. f. Une ODE est un long poème.

odeur n. f. *Sens-tu cette* ODEUR *de fumée?* ◆ **odorat** n. m. *Pierre a un bon* ODORAT, il sent bien les odeurs avec son nez. ◆ **odorant** adj. *Ces fleurs sont* ODORANTES, elles ont une bonne odeur. ◆ **désodorisant** n. m. *Jeanne utilise un* DÉSODORISANT, un produit pour chasser les odeurs désagréables. ◆ **inodore** adj. *L'eau est* INODORE, sans odeur. ◆ **malodorant** adj. *Cette poubelle est* MALODORANTE, elle sent mauvais.

odieux adj. *M. Dupont a un caractère* ODIEUX (= détestable; ≠ charmant).

odorant, odorat → ODEUR.

odyssée n. f. *Il m'a raconté son* ODYSSÉE, son voyage plein d'aventures.

œcuménique adj. *Le mouvement* ŒCUMÉNIQUE *veut rapprocher les différentes religions.*

œil n. m., **yeux** n. m. pl. **1.** *M. Durand ne voit pas de l'*ŒIL *gauche.* || *Pierre a les* YEUX *bleus.* — **2.** *Il a jeté un* COUP D'ŒIL *sur mon travail,* un regard rapide. — **3.** Fam. *Il travaille* À L'ŒIL, gratuitement. ◆ **oculaire** (sens 1) **1.** adj. *J'ai été témoin* OCULAIRE *de l'accident,* je l'ai vu. — **2.** n. m. *L'*OCULAIRE *d'une longue-vue* est l'endroit où l'on met son œil. ◆ **oculiste** n. (sens 1) Un OCULISTE est un médecin qui soigne les maladies des yeux (= ophtalmologiste). ◆ **œillade** n. f. (sens 2) *Pierre a lancé une* ŒILLADE *à Marie,* un coup d'œil aimable. ◆ **œillère** n. f. (sens 1) Les ŒILLÈRES sont des pièces de cuir qui empêchent les chevaux de regarder de côté. ▷ 33 ▷ 368

• **R.** On prononce *un œil* [œ̃nœj], *des yeux* [dezjø]. || V. OPTIQUE.

œillet n. m. *Ces* ŒILLETS *sentent très bon,* une fleur. ▷ 80

• **R.** On prononce [œjɛ].

œsophage n. m. *Les aliments passent par l'*ŒSOPHAGE *avant d'arriver à l'estomac.*

• **R.** On prononce [ezɔfaʒ].

œuf n. m. *La poule a pondu un* ŒUF *et Pierre l'a mangé à la coque.* ▷ 222

• **R.** On prononce *un œuf* [œ̃nœf], *des œufs* [dezø].

œuvre n. f. **1.** *Regarde ce dessin, c'est mon* ŒUVRE, c'est moi qui l'ai fait (= travail). — **2.** *J'ai lu plusieurs* ŒUVRES *de Victor Hugo,* des livres écrits par lui (= ouvrage). — **3.** *On* A *tout* MIS EN ŒUVRE *pour réussir* (= employer). ◆ **désœuvré** adj. (sens 1) *Pierre est* DÉSŒUVRÉ, il n'a rien à faire. ◆ **désœuvrement** n. m. (sens 1) *Il regardait les nuages par* DÉSŒUVREMENT (= inaction; ≠ activité).

offense n. f. se dit parfois pour *injure, insulte.* ◆ **offenser** v. *Il m'*A OFFENSÉ *sans le vouloir* (= blesser, froisser).

offensif adj. *Les armes* OFFENSIVES *servent à attaquer* (≠ défensif). ◆ **offensive** n. f. *L'ennemi a lancé une* OFFENSIVE, il a attaqué. ◆ **inoffensif** adj. *N'aie pas peur, ce chien est* INOFFENSIF (≠ dangereux).

office n. m. **1.** *Adressez-vous à l'*OFFICE *de tourisme,* à l'organisation qui renseigne les touristes. — **2.** *En l'absence de M. Dupont, M. Dubois* FAIT OFFICE DE *directeur,* il remplit cette fonction. — **3.** *Pierre a assisté à l'*OFFICE *de 10 heures,* à la cérémonie religieuse. — **4.** *Il a eu recours à nos* BONS OFFICES, à nos services. — **5.** *Jean a été désigné* D'OFFICE, sans qu'on lui demande son avis.

officiel **1.** adj. *Cette décision est* OFFICIELLE, elle a été prise par les autorités (≠ officieux). — **2.** n. m. *Les* OFFICIELS *sont sur la tribune,* les gens importants (= autorité). ◆ **officiellement** adv. (sens 1) *On l'a averti* OFFICIELLEMENT, de manière officielle.

officier n. m. **1.** *Un lieutenant, un capitaine, un colonel sont des* OFFICIERS, ils ont un grade élevé dans l'armée. — **2.** *Un* OFFICIER *municipal a une fonction dans l'administration de la commune.* ◆ **sous-officier** n. m. (sens 1) *Un sergent, un adjudant sont des* SOUS-OFFICIERS, des militaires de grade peu élevé.

762, 355 ◁
763, 355 ◁

officieux adj. *La démission du gouvernement est encore* OFFICIEUSE, elle n'a pas été confirmée par les autorités (≠ officiel).

offrir v. **1.** *Mes parents m'*ONT OFFERT *une montre,* ils m'en ont fait cadeau (= donner). — **2.** *Jean* A OFFERT *de nous aider,* il nous l'a proposé. — **3.** *Cette solution* OFFRE *de nombreux avantages* (= présenter). ◆ **offrande** n. f. (sens 1) *Acceptez ma modeste* OFFRANDE (= don, cadeau). ◆ **offre** n. f. (sens 2) *Il a refusé mon* OFFRE, ce que je lui proposais.
• **R.** Conj. n° 16.

offset n. m. inv. *Ce journal est imprimé en* OFFSET, un procédé d'imprimerie.
• **R.** On prononce [ɔfsɛt].

offusquer v. *Sa conduite nous* A *tous* OFFUSQUÉS, elle nous a beaucoup déplu (= choquer).

149, 146 ◁ **ogive** n. f. *Les fenêtres des cathédrales gothiques sont en* OGIVE, en forme d'arc brisé.

ogre n. m., **ogresse** n. f. *Pierre mange comme un* OGRE, un géant cruel des contes de fées.

oh! interj. sert à marquer la joie, la douleur, l'impatience, l'indignation.

oie n. f. **1.** *La fermière élève des* OIES, de gros oiseaux de basse-cour. — **2.** *Jeanne est une* OIE (= sotte). ▷ 362

oignon n. m. **1.** *Nous avons mangé une soupe à l'*OIGNON, un légume. — **2.** *L'*OIGNON *d'une tulipe,* c'est sa racine. ▷ 367
• **R.** On prononce [ɔɲɔ̃].

oïl n. m. *Autrefois, on parlait la* LANGUE D'OÏL *dans la partie nord de la France* (≠ langue d'oc).
• **R.** On prononce [ɔil].

oindre v. *Un prêtre* OINT *quelqu'un quand il le bénit,* il le touche avec de l'huile bénite.
• **R.** Conj. n° 82.

oiseau n. m. *Le moineau, le merle, la poule, l'aigle sont des* OISEAUX, des animaux munis d'ailes. ▷ 435

oiseux adj. *Tu poses des questions* OISEUSES, sans intérêt.

oisif adj. *M. Durand mène une vie* OISIVE, il ne travaille pas (≠ actif). ◆ **oisiveté** n. f. *Je n'aime pas rester dans l'*OISIVETÉ, sans rien faire.

O. K.! interj. se dit familièrement pour *d'accord.*
• **R.** On prononce [ɔke].

oléagineux adj. et n. m. *L'arachide, l'olive, le colza sont des plantes* OLÉAGINEUSES (*des* OLÉAGINEUX), on en tire de l'huile. ▷ 365

olfactif adj. *Le nez fait partie de l'appareil* OLFACTIF, qui sert à percevoir les odeurs.

olibrius n. m. Fam. *Qu'est-ce que c'est que cet* OLIBRIUS?, cet homme bizarre.

oligarchie n. f. Une OLIGARCHIE est un groupe de personnes qui accaparent le pouvoir.

olive n. f. *M*[me] *Durand fait la cuisine à l'huile d'*OLIVE, un petit fruit ovale. ▷ 578 ◆ **olivier** n. m. *Il y a des* OLIVIERS *dans le midi de la France.* ▷ 578

olympique adj. *Ce champion a remporté une médaille aux* JEUX OLYMPIQUES, *il a battu le titre* OLYMPIQUE.

ombilical adj. *La coupure du* CORDON OMBILICAL *laisse une cicatrice : le nombril,* du cordon qui reliait le fœtus à la mère.

ombre n. f. **1.** *Mets-toi à l'*OMBRE *de cet arbre,* ne reste pas au soleil. — **2.** *La lumière de la lampe dessine des* OMBRES *sur le mur,* des silhouettes sombres. ▷ 75 — **3.** *Pierre n'aime pas rester dans l'*OMBRE, il aime qu'on parle de lui (= obscurité). — **4.** *C'est lui que j'ai vu, il n'y a pas l'*OMBRE D'*un doute,* le plus petit doute. ◆ **ombrage** n. m. **1.** (sens 1) *Ce chêne donne un bel* OMBRAGE (= ombre). — **2.** *Il* A PRIS OMBRAGE *de mes paroles,* il s'en est vexé. ◆ **ombragé** adj. (sens 1) *Un chemin* OMBRAGÉ *mène à la rivière,* bordé d'arbres qui donnent de l'ombre. ◆ **ombrageux** adj. **1.** (sens 2) *Un cheval* OMBRAGEUX peut prendre peur d'une ombre qui bouge. — **2.** *Une personne* OMBRAGEUSE se vexe facilement. ◆ **ombrelle** n. f. (sens 1) *Marie se protège du soleil avec une* OMBRELLE. ▷ 224

omelette n. f. *Nous avons mangé une* OMELETTE *aux champignons,* un plat fait avec des œufs.

omettre v. *Il* A OMIS *de me dire son nom,* il ne l'a pas fait, volontairement ou non. ◆ **omission** n. f. *Il y a plusieurs* OMISSIONS *dans votre compte rendu* (= oubli, négligence).

• **R.** Conj. n° 57.

omnibus adj. et n. m. *Un (train)* OMNIBUS *s'arrête à toutes les gares* (≠ rapide, express).

• **R.** On prononce [ɔmnibys].

omnivore adj. *L'homme est* OMNIVORE, il peut manger à la fois de la viande (comme les carnivores) et des végétaux (comme les herbivores).

40 ◁ **omoplate** n. f. Les OMOPLATES sont les os plats de l'épaule.

on pron. indéfini **1.** ON *me l'a dit* (= quelqu'un, des gens). — **2.** ON *doit penser aux autres* (= chacun, tout le monde).

once n. f. **1.** L'ONCE est une ancienne mesure de poids (environ 30 grammes). — **2.** *Il n'y a pas* UNE ONCE DE *vérité dans ses paroles,* la plus petite partie.

547 ◁ **oncle** n. m. *M. Durand est l'*ONCLE *de Paul,* il est le frère de son père ou de sa mère.

onctueux adj. *Cette sauce est* ONCTUEUSE, douce à avaler (= moelleux).

onde n. f. **1.** *Quand on jette un caillou dans l'eau, il se produit des* ONDES, l'eau s'élève et s'abaisse en formant des cercles. — **2.** *Le son, l'électricité, la lumière sont constitués par des* ONDES, des sortes de vibrations. — **3.** *Quelle est la* LONGUEUR D'ONDE *de cette station de radio?,* le chiffre qui permet de la trouver sur le cadran du poste. ‖ (au plur.) *La nouvelle a été annoncée sur les* ONDES, à la radio. ◆ **onduler** v. (sens 1) *La tôle* ONDULÉE *ressemble à la surface d'une eau où il y a des ondes.* ◆ **ondulation** n. f. (sens 1) *Les* ONDULATIONS *de la route empêchent qu'on aille vite,* l'alternance des creux et des bosses.

ondée n. f. *Nous avons été trempés par une* ONDÉE, une pluie soudaine et courte (= averse).

on-dit n. m. inv. *Il ne faut pas se fier à ces* ON-DIT (= rumeur, racontar).

ondulation, onduler → ONDE.

onéreux adj. *Ces travaux sont très* ONÉREUX (= coûteux, cher; ≠ bon marché).

33 ◁ **ongle** n. m. *Pierre a les* ONGLES *sales et trop longs.* ◆ **onglée** n. f. *Avoir l'*ONGLÉE, c'est avoir mal au bout des doigts à cause du froid.

onguent n. m. Un ONGUENT est une sorte de pommade pharmaceutique.

onomatopée n. f. *« Coucou », « boum » sont des* ONOMATOPÉES, des mots imitant par leur son ce qu'ils représentent.

onyx n. m. *Cette broche est en* ONYX, une pierre rare.

onze 1. adj. *Pierre a* ONZE *ans.* ‖ *10 + 1 = 11.* — 2. n. m. *Le* ONZE *de France a gagné le match,* l'équipe de football. ◆ **onzième** adj. et n. (sens 1) *Pierre est* ONZIÈME *en maths.*

opale n. f. *Marie a une bague avec une* OPALE, une pierre précieuse qui brille à la lumière.

opaque adj. *Le bois, le fer, le carton sont des matières* OPAQUES, qui ne laissent pas passer la lumière (≠ transparent).

opéra n. m. 1. *Nous avons écouté un* OPÉRA *de Wagner,* une pièce de théâtre chantée. — 2. *Nous sommes allés à l'*OPÉRA *de Milan,* au théâtre où l'on joue des opéras. ◆ **opéra-comique** n. m. (sens 1) *Dans un* OPÉRA-COMIQUE, *il y a des passages chantés et des passages parlés.* ◆ **opérette** n. f. (sens 1) Une OPÉRETTE est un petit opéra à sujet amusant.

opération n. f. 1. *Vous pouvez essayer de réparer la voiture, mais c'est une* OPÉRATION *difficile* (= travail, action). — 2. *M. Durand a fait une mauvaise* OPÉRATION *financière* (= affaire). — 3. *Pierre a subi l'*OPÉRATION *de l'appendicite,* un chirurgien lui a enlevé l'appendice. — 4. *L'addition, la soustraction, la multiplication et la division sont les quatre* OPÉRATIONS. — 5. *Les* OPÉRATIONS *se sont terminées par la victoire de nos troupes* (= combats). ◆ **opérer** v. (sens 1) *Il rangeait ses papiers et* OPÉRAIT *avec rapidité* (= agir, travailler). • (sens 3) *Jean* A ÉTÉ OPÉRÉ *à l'hôpital de la ville.* ◆ **opérateur** n. (sens 1) Un OPÉRATEUR est un homme qui fait fonctionner un appareil.

▷ 39

opérette → OPÉRA.

ophtalmie n. f. *Pierre souffre d'une* OPHTALMIE, d'une maladie des yeux. ◆ **ophtalmologiste** n. *Pierre est allé chez l'*OPHTALMOLOGISTE, un médecin spécialiste des yeux (= oculiste).

opiner → OPINION.

opiniâtre adj. *Pierre a réussi au prix d'un travail* OPINIÂTRE (= acharné).

opinion n. f. 1. *Tout le monde a donné son* OPINION, dit ce qu'il pensait (= avis, idée). — 2. *Ce meurtre a indigné l'*OPINION (PUBLIQUE), la majorité des gens. ◆ **opiner** v. (sens 1) *Tout le monde* A OPINÉ *dans le même sens,* a donné son opinion.

opium n. m. L'OPIUM est une drogue dangereuse. ◆ **opiomane** n. Les OPIOMANES sont des drogués qui ne peuvent plus se passer d'opium.
• **R.** *Opium* se prononce [ɔpjɔm].

opportun adj. *Il a choisi le moment* OPPORTUN *pour partir,* le moment qui convenait (= propice, bon; ≠ déplacé, importun). ◆ **opportunément** adv. *Tu es arrivé* OPPORTUNÉMENT (= à propos). ◆ **opportunité** n. f. *Je ne vois pas l'*OPPORTUNITÉ *de cette démarche* (= utilité). ◆ **opportunisme** n. m. *On lui reproche son* OPPORTUNISME, d'agir sans scrupule en suivant ses seuls intérêts du moment. ◆ **opportuniste** n. et adj. *Cet homme politique est un* OPPORTUNISTE. ◆ **inopportun** adj. *Ton arrivée a été* INOPPORTUNE (= malencontreux, fâcheux).

opposer v. **1.** *Dans la discussion, Pierre* S'EST OPPOSÉ *à moi,* il est entré en lutte contre moi (= affronter). — **2.** *Je* M'OPPOSE *à ce que tu partes demain,* je ne veux pas, je suis contre (≠ permettre). — **3.** *Il n'a rien pu* OPPOSER *à mes arguments,* dire quelque chose contre eux. — **4.** *Dans son devoir, Paul* A OPPOSÉ *la ville et la campagne,* il a dit en quoi elles sont différentes (≠ rapprocher). ◆ **opposant** n. (sens 1, 2 et 3) *Le ministre a essayé de convaincre les* OPPOSANTS, ceux qui sont contre sa politique. ◆ **opposé** adj. et n. m. (sens 4) *Pierre et Jean sont d'avis* OPPOSÉS, très différents (= contraire). ‖ *L'*OPPOSÉ *du nord est le sud,* la direction contraire. ◆ **opposition** n. f. (sens 1, 2 et 3) *Il a fait* OPPOSITION *à mes projets,* il s'y est opposé. ‖ *L'*OPPOSITION *a voté contre le gouvernement,* ceux qui sont contre sa politique. • (sens 4) *L'*OPPOSITION *entre leurs caractères est totale* (= différence, contraste).

oppression n. f. **1.** *Le peuple s'est révolté contre l'*OPPRESSION, l'abus d'autorité. — **2.** *Le malade a de l'*OPPRESSION, de la difficulté à respirer. ◆ **opprimer** v. (sens 1) OPPRIMER *des gens,* c'est les soumettre à une autorité injuste, les empêcher de s'exprimer. ◆ **oppresser** v. (sens 2) *Jean* EST OPPRESSÉ *par la chaleur,* il respire difficilement. ◆ **oppresseur** n. m. (sens 1) *Les* OPPRESSEURS *ont été chassés du pouvoir* (= tyran). ◆ **oppressif** adj. (sens 1) *On a protesté contre ces mesures* OPPRESSIVES (= injuste).

opter → OPTION. / **opticien** → OPTIQUE.

optimiste adj. et n. *Pierre est un (garçon)* OPTIMISTE, il voit les choses du bon côté (≠ pessimiste). ◆ **optimisme** n. m. *M. Durand voit l'avenir avec* OPTIMISME (= confiance; ≠ pessimisme).

option n. f. *Tu as le choix entre plusieurs* OPTIONS, tu peux choisir. ◆ **opter** v. *M. Durand* A OPTÉ *pour la nationalité anglaise,* il l'a choisie.

optique n. f. **1.** *Les jumelles, la loupe, le microscope sont des instruments d'*OPTIQUE, permettant de mieux voir. — **2.** *Jean a une* OPTIQUE *différente de la mienne,* une manière de penser (= point de vue). ◆ **optique** adj. (sens 1) *Le nerf* OPTIQUE *relie l'œil et le cerveau.* ◆ **opticien** n. (sens 1) *Pierre est allé se faire faire des lunettes chez l'*OPTICIEN.

• **R.** Ne pas confondre l'*oculiste* et l'*opticien.*

opulent adj. *Être* OPULENT, c'est être très riche. ◆ **opulence** n. f. *M. Duval vit dans l'*OPULENCE (≠ misère).

opuscule n. m. Un OPUSCULE est un petit livre.

1. or n. m. **1.** *Marie a un bracelet en* OR, en métal précieux jaune. — 2. *Pierre a un* CŒUR D'OR, il est très généreux.

• **R.** *Or* se prononce [ɔr] comme *hors.*

2. or conj. relie les idées dans un raisonnement : *Nous devons partir,* OR *nous ne sommes pas prêts.*

oracle n. m. *Tout le monde l'écoute comme un* ORACLE, comme s'il annonçait la volonté d'un dieu.

365 ◁ **orage** n. m. **1.** *On entend du tonnerre, un* ORAGE *va éclater,* une pluie avec des éclairs et du vent. — **2.** *Ton père est furieux, il y a de l'*ORAGE

dans l'air, une dispute va éclater. ◆ **orageux** adj. (sens 1) *L'été a été* ORAGEUX, il y a eu beaucoup d'orages. • (sens 2) *Nous avons eu une discussion* ORAGEUSE (= agité; ≠ calme).

oral adj. *Il m'a donné une promesse* ORALE, non écrite (= verbal). ◆ **oral** n. m. *Pierre a été collé aux* ORAUX *de son examen,* aux épreuves orales (≠ écrit). ◆ **oralement** adv. *Répondez* ORALEMENT (≠ par écrit).

orange **1.** n. f. *Pierre m'a épluché une* ORANGE, une sorte de fruit. — **2.** adj. inv. *Marie a une robe* ORANGE, entre le jaune et le rouge. ▷ 289 ◆ **orangé** adj. et n. m. (sens 2) *Cette peinture a une teinte* ORANGÉE ▷ 721 (= orange). ◆ **orangeade** n. f. (sens 1) *Pour faire une* ORANGEADE, *il faut presser des oranges.* ◆ **oranger** n. m. (sens 1) *Les* ORANGERS *poussent dans les pays chauds.* ◆ **orangerie** n. f. (sens 1) *Nous avons visité l'*ORANGERIE *de Versailles,* un bâtiment où l'on cultive des orangers.

orang-outan ou **orang-outang** n. m. *Au zoo, nous avons vu un* ▷ 435 ORANG-OUTAN, un très grand singe.
• **R.** On prononce [ɔrɑ̃utɑ̃]. ‖ Noter le pluriel : des *orangs-outans.*

orateur n. m. *Laissez parler l'*ORATEUR, celui qui prononce un discours.

orbite n. f. **1.** *L'*ORBITE *d'un œil,* c'est la cavité où il se trouve. — **2.** *La* ▷ 40 *Terre décrit une* ORBITE *autour du Soleil,* une trajectoire courbe. ◆ **exorbité** adj. (sens 1) *Il me regarde avec des yeux* EXORBITÉS, très grands ouverts.

orchestre n. m. **1.** *Nous sommes allés écouter un* ORCHESTRE *de jazz,* un ▷ 438, 439 groupe de musiciens. — **2.** *Au théâtre, nous avions des fauteuils d'*ORCHESTRE, près de la scène (≠ balcon). ▷ 440
• **R.** On prononce [ɔrkɛstr].

orchidée n. f. *On lui a offert une gerbe d'*ORCHIDÉES, de fleurs rares. ▷ 80
• **R.** On prononce [ɔrkide].

ordinaire adj. **1.** *Il n'a pas aujourd'hui sa gaieté* ORDINAIRE (= habituel, normal; ≠ exceptionnel). — **2.** *Les Dupont sont des gens* ORDINAIRES, ils ne se distinguent pas des autres (= banal; ≠ distingué). ◆ **ordinaire** n. m. (sens 2) *Ce livre sort de l'*ORDINAIRE, il est supérieur aux autres. • (sens 1) D'ORDINAIRE, *je me lève à 7 heures* (= habituellement). ◆ **ordinairement** adv. (sens 1) ORDINAIREMENT, *il vient le jeudi* (= d'ordinaire, généralement). ◆ **extraordinaire** adj. (sens 1) *Le parti a tenu un congrès* EXTRAORDINAIRE (= exceptionnel). • (sens 2) *Jean a une mémoire* EXTRAORDINAIRE, très bonne (= remarquable).

ordinal adj. *Premier, second, dixième, centième sont des nombres* ▷ 517 ORDINAUX (≠ cardinal).

ordinateur n. m. Les ORDINATEURS sont des machines électroniques pouvant faire toutes sortes de calculs.

ordre n. m. **1.** *6, 9, 7, 4 : ces chiffres ne sont pas dans l'*ORDRE, ils ne sont pas rangés régulièrement, ils ne se suivent pas. — **2.** *Jean a mis de l'*ORDRE *dans ses affaires,* il les a rangées. — **3.** *Pierre a de l'*ORDRE, il range toujours ses affaires. — **4.** *La police a rétabli l'*ORDRE, elle a fait cesser les troubles. — **5.** *Il m'a donné l'*ORDRE *de partir,* il m'a dit qu'il fallait le faire (= commandement; ≠ interdiction). — **6.** *À quel* ORDRE *appartient ce moine?* (= groupement). ‖ *L'*ORDRE *des médecins regroupe tous les médecins* (= association). — **7.** L'ORDRE est un sacrement que l'on reçoit pour devenir prêtre. ◆ **ordonnance** n. f. **1.** (sens 1, 2 et 3) *Il a troublé l'*ORDONNANCE *de la cérémonie,* il y a mis du désordre (= organisation, arrangement). • (sens 5) *Une* ORDONNANCE *ministérielle contient des mesures qui doivent être appliquées.* ‖ *Le médecin a fait une* ORDONNANCE, il a indiqué les médicaments à prendre. — **2.** *Les officiers ont une* ORDONNANCE, un soldat qui leur sert de domestique. ◆ **ordonné** adj. (sens 2 et 3) *Jean est un garçon* ORDONNÉ, il a de l'ordre. ◆ **ordonner** v. (sens 1, 2 et 3) *Pierre ne sait pas* ORDONNER *ses idées,* les mettre en ordre (= classer). • (sens 5) *Je vous* ORDONNE *de sortir* (= commander). • (sens 7) *Le séminariste* A ÉTÉ ORDONNÉ *prêtre par l'évêque,* il a reçu le sacrement de l'ordre. ◆ **ordination** n. f. (sens 7) *Les prêtres reçoivent l'*ORDINATION, le sacrement de l'ordre. ◆ **contrordre** n. m. (sens 5) *Un* CONTRORDRE *nous a empêchés de partir,* un ordre contraire. ◆ **désordre** n. m. (sens 1, 2 et 3) *La maison est en* DÉSORDRE, *il faudrait la ranger.* ◆ **désordonné** adj. (sens 1, 2 et 3) *Cette maison est* DÉSORDONNÉE (≠ rangé).

217 ◁ **ordures** n. f. pl. *Le dépôt d'*ORDURES *sent mauvais* (= saletés, déchets). ◆ **ordurier** adj. *Il a un langage* ORDURIER, il dit des choses inconvenantes.

33 ◁ **oreille** n. f. *Il y avait tellement de bruit qu'il fallait se boucher les* OREILLES. ‖ *Jean a l'*OREILLE *fine,* il entend bien.

77, 38 ◁ **oreiller** n. m. *Marie aime mieux dormir sur un* OREILLER *que sur un traversin,* une sorte de coussin.

oreillons n. m. pl. *Pierre a eu les* OREILLONS, une maladie.

orfèvre n. m. *Les* ORFÈVRES *fabriquent des objets en métal précieux.* ◆ **orfèvrerie** n. f. *Ce vase d'argent est un beau travail d'*ORFÈVRERIE.

organe n. m. **1.** *Les yeux sont les* ORGANES *de la vue, les oreilles sont les* ORGANES *de l'ouïe,* les parties du corps qui servent à voir, à entendre. — **2.** *Ce journal est l'*ORGANE *du parti socialiste,* il exprime les idées de ce parti. ◆ **organique** adj. (sens 1) *Les matières* ORGANIQUES *proviennent des êtres vivants* (≠ chimique). ◆ **organisme** n. m. **1.** (sens 1) *L'ensemble des organes constitue l'*ORGANISME (= corps). — **2.** *M. Dupont travaille dans un* ORGANISME *de tourisme,* une association qui s'occupe de tourisme.

organisation n. f. **1.** *L'*ORGANISATION *de ton travail n'est pas bonne,* la manière dont tu l'organises. — **2.** *Les partis sont des* ORGANISATIONS *politiques* (= association, groupement). ◆ **organiser** v. (sens 1) *Cette agence* ORGANISE *des voyages à l'étranger,* elle les prépare pour qu'ils se passent bien. ◆ **organisateur** n. (sens 1) *Mme Durand est l'*ORGANISATRICE *de la fête,* elle l'a préparée. ◆ **désorganiser** v. (sens 1) *Il est venu* DÉSORGANISER *notre travail,* y mettre du désordre (= déranger). ◆ **réorganiser** v. (sens 1) *Il faut* RÉORGANISER *ce bureau,* y remettre de l'ordre.

organisme → ORGANE. / **organiste** → ORGUE.

364 ◁ **orge** n. f. *L'*ORGE *sert à alimenter le bétail et à fabriquer la bière,* une sorte de céréale.

orgelet n. m. *Pierre souffre d'un* ORGELET, d'un bouton sur la paupière.

orgie n. f. *La fête s'est terminée par une* ORGIE, les gens mangeaient et buvaient trop.

orgue n. m. *Dans cette église, il y a un* ORGUE *magnifique,* un grand instrument de musique à vent. ◆ **organiste** n. *L'*ORGANISTE *s'est assis devant son clavier,* le joueur d'orgue. ▷ 148 ▷ 148
• **R.** Au pluriel, *orgue* est féminin : *les grandes* ORGUES.

orgueil n. m. *Son* ORGUEIL *l'a fait détester par tout le monde,* sa trop grande fierté (≠ modestie). ◆ **orgueilleux** adj. et n. *Marie est* ORGUEILLEUSE (= prétentieux; ≠ humble). ◆ **s'enorgueillir** v. *Pierre* S'ENORGUEILLIT *de son succès,* il en est fier (= se vanter).
• **R.** *S'enorgueillir* se prononce [sɑ̃nɔrgœjir].

orient n. m. **1.** ORIENT se dit quelquefois pour *est* (≠ occident). — **2.** L'ORIENT, *ce sont les pays d'Asie,* les pays à l'est de l'Europe. ◆ **oriental** adj. *Strasbourg est sur la frontière* ORIENTALE *de la France* (≠ occidental).

orienter v. **1.** *Il est difficile de* S'ORIENTER *dans l'obscurité,* de trouver la bonne direction (= se diriger). — **2.** *On* A ORIENTÉ *Pierre vers la médecine,* on l'a poussé vers cette profession. ◆ **orientation** n. f. (sens 1) *Quelle est l'*ORIENTATION *de cette maison?,* comment est-elle disposée par rapport aux points cardinaux? ◆ **désorienter** v. (sens 1) *Il* A ÉTÉ DÉSORIENTÉ *par mes paroles,* il ne savait plus quoi faire (= déconcerter).

orifice n. m. *L'*ORIFICE *de la canalisation est bouché,* son ouverture vers l'extérieur.

originaire → ORIGINE.

original **1.** adj. *Pierre a des idées* ORIGINALES (= personnel, nouveau; ≠ banal, ordinaire). — **2.** adj. et n. m. *Ce dessin ressemble exactement à l'*ORIGINAL (*au dessin* ORIGINAL), à celui qui a servi de modèle (≠ copie). — **3.** n. *M. Durand est un* ORIGINAL, un personnage bizarre, excentrique. ◆ **originalité** n. f. (sens 1) *Cet écrivain manque d'*ORIGINALITÉ (= personnalité).

origine n. f. **1.** *Pour trouver l'erreur, on a repris les calculs à l'*ORIGINE, au point de départ (= début). — **2.** *Son travail est à l'*ORIGINE *de sa réussite,* il en est la cause. — **3.** *Ses parents sont d'*ORIGINE *anglaise,* ils sont nés anglais. ◆ **originaire** adj. (sens 3) *Pierre est* ORIGINAIRE *de Lyon,* il y est né (= natif). ◆ **originel** adj. (sens 1) *Le péché* ORIGINEL est le premier péché commis par l'homme, selon la Bible.

oripeaux n. m. pl. Des ORIPEAUX sont de vieux habits de mauvais goût.

orme n. m. *L'allée est bordée d'*ORMES, une sorte d'arbre. ▷ 655

orner v. *Ce livre* EST ORNÉ *de belles photos,* celles-ci l'embellissent (= décorer). ◆ **ornement** n. m. *Marie porte une robe sans aucun* ORNEMENT, sans bijou, sans élément décoratif. ◆ **ornemental** adj. *Marie a des plantes* ORNEMENTALES *sur son balcon,* servant à l'orner.

ornière n. f. *Le chemin est plein d'*ORNIÈRES, de trous creusés par des roues de voitures.

oronge n. f. L'ORONGE est une sorte de champignon.

orphelin n. *Claude est* ORPHELIN, ses parents sont morts. ◆ **orphelinat** n. m. Un ORPHELINAT est un établissement où l'on élève les orphelins.

33 ◁ **orteil** n. m. *Jean a mal au gros* ORTEIL (= doigt de pied).

orthodoxe 1. adj. *L'abbé Dupont a des idées peu* ORTHODOXES, peu conformes à la doctrine de l'Église (≠ hérétique). — **2.** adj. et n. Les ORTHODOXES sont les chrétiens d'Orient qui n'obéissent pas au pape.

orthographe n. f. *Si tu hésites sur l'*ORTHOGRAPHE *d'un mot, regarde dans le dictionnaire,* sur la manière de l'écrire. ◆ **orthographier** v. *Tu* AS *mal* ORTHOGRAPHIÉ *ce mot,* tu as fait une faute d'orthographe. ◆ **orthographique** adj. *Cette dictée contient plusieurs difficultés* ORTHOGRAPHIQUES.

orthopédique adj. *Jean boite et il doit porter un appareil* ORTHOPÉDIQUE, qui lui permet de mieux marcher.

ortie n. f. *Pierre s'est piqué en marchant dans les* ORTIES, une plante.

ortolan n. m. Les ORTOLANS sont de petits oiseaux à la chair très estimée.

orvet n. m. Un ORVET est un petit lézard sans pattes.

os n. m. *L'ensemble des* OS *forme le squelette.* ◆ **osselet** n. m. Un OSSELET est un petit os. ◆ **ossements** n. m. pl. Les OSSEMENTS sont les os décharnés d'un cadavre. ◆ **osseux** adj. *Mme Dupont a une maladie* OSSEUSE, des os. ◆ **ossuaire** n. m. *On conserve les ossements des morts dans un* OSSUAIRE, un local spécial. ◆ **désosser** v. *Mme Durand* A DÉSOSSÉ *un poulet,* elle a enlevé les os.

• **R.** On prononce *des os* [dezo] au pluriel.

osciller v. *Il est si fatigué qu'il* OSCILLE *d'avant en arrière* (= se balancer). ◆ **oscillation** n. f. *Les* OSCILLATIONS *du bateau l'ont rendu malade,* les mouvements de va-et-vient.

366 ◁ **oseille** n. f. *Pierre aime bien la soupe à l'*OSEILLE, un légume acide.

oser v. *Il* A OSÉ *dire ce qu'il pensait,* il en a eu le courage (≠ craindre).

osier n. m. *Mme Durand fait son marché avec un panier d'*OSIER, fait de branches de saule tressées.

osselet, ossements, osseux, ossuaire → OS.

ostensible adj. *Il est parti de façon* OSTENSIBLE, sans se cacher (≠ discret).

otage n. m. *Les pirates de l'air ont gardé les passagers comme* OTAGES, ils les ont gardés prisonniers pour obtenir quelque chose en échange.

433 ◁ **otarie** n. f. Une OTARIE est une sorte de phoque.

ôter v. **1.** *Il* A ÔTÉ *ses gants pour me dire bonjour* (= enlever; ≠ garder). — **2.** *La fatigue m'*ÔTE *tout mon courage* (= enlever; ≠ laisser).

otite n. f. *Marie a une* OTITE, une maladie des oreilles.

oto-rhino-laryngologiste n. Un OTO-RHINO-LARYNGOLOGISTE (ou un OTO-RHINO) est un médecin qui soigne les maladies des oreilles, du nez et de la gorge.

ou conj. sert à indiquer un choix, une équivalence : *Que préfères-tu : la pêche* OU *la poire?* ‖ *Je partirai demain* OU BIEN *après-demain.*
• **R.** *Ou* se prononce [u] comme *août, houe, houx* et *où.*

où 1. adv. sert à interroger sur le lieu, la direction : OÙ *es-tu?* ‖ OÙ *va-t-il?* — **2.** pron. relatif sert à représenter un complément de lieu : *La ville* OÙ *j'habite est Paris;* ou de temps : *Il part à l'heure* OÙ *j'arrive.*
• **R.** *Où* se distingue de *ou* par l'accent grave.

ouailles n. f. pl. *Les* OUAILLES *d'un curé,* ce sont les fidèles de sa paroisse.

ouate n. f. *Mme Durand a acheté un paquet d'*OUATE, de coton pour faire des pansements.

oublier v. **1.** *J'*AI OUBLIÉ *le nom de cette dame,* il m'est sorti de la mémoire (≠ se souvenir). — **2.** *Il* A OUBLIÉ *de porter cette lettre à la poste,* il n'a pas pensé à le faire (= négliger). ◆ **oubli** n. m. (sens 1 et 2) *Pierre a commis un* OUBLI *fâcheux* (= étourderie, négligence). ◆ **oubliettes** n. f. pl. (sens 1 et 2) *Autrefois, on laissait les prisonniers dans des* OUBLIETTES, des cachots. ◆ **oublieux** adj. (sens 2) *Jean est* OUBLIEUX *de ses devoirs,* il les oublie. ◆ **inoubliable** adj. (sens 1) *Nous avons passé une journée* INOUBLIABLE, nous nous en souviendrons.

ouest n. m. et adj. inv. *Aujourd'hui le vent vient de l'*OUEST. ‖ *Nous avons passé nos vacances sur la côte* OUEST (≠ est). ▷ 728

ouf! interj. exprime le soulagement : OUF! *c'est fini!*

oui adv. sert à affirmer, à accepter : *Tu viens?* — OUI.

ouïe n. f. **1.** *Jean a une bonne* OUÏE, il perçoit bien les sons, il a l'oreille fine. — **2.** (au plur.) *Pierre a pris le poisson par les* OUÏES, les trous qui sont de chaque côté de la tête. ◆ **ouï-dire** n. m. inv. (sens 1) *J'ai su la nouvelle par* OUÏ-DIRE, pour l'avoir entendu dire. ◆ **ouïr** v. (sens 1) se disait autrefois pour *entendre.*

ouistiti n. m. Un OUISTITI est un tout petit singe. ▷ 435

ouragan n. m. *Un* OURAGAN *a dévasté la côte,* une très violente tempête (= cyclone, typhon).

ourdir v. *Ils* AVAIENT OURDI *un complot contre le gouvernement* (= préparer, organiser).

ourlet n. m. *L'*OURLET *de ta robe est décousu,* la partie repliée et cousue sur le bord. ◆ **ourler** v. *Marie sait* OURLER *les mouchoirs,* leur faire un ourlet. ▷ 296

ours n. m. **1.** *Nous avons vu les* OURS *du zoo,* un animal sauvage. — **2.** *M. Duval est un* OURS, il a mauvais caractère. ◆ **ourson** n. m. (sens 1) Un OURSON est un petit ours. ▷ 584

722 ◁ **oursin** n. m. Les OURSINS sont des animaux marins dont la carapace est couverte de piquants.

ourson → OURS.

oust! interj. sert à chasser quelqu'un : *Allez* OUST!

367, 289 ◁ **outil** n. m. *Le marteau, la pioche, la pelle sont des* OUTILS, des objets servant à travailler. ◆ **outillage** n. m. *La truelle et le fil à plomb font partie de l'*OUTILLAGE *du maçon,* de ses outils. ◆ **outiller** v. *Je* SUIS *mal* OUTILLÉ *pour faire ce travail,* je n'ai pas les outils qu'il faut.
• **R.** *Outil* se prononce [uti].

outrage n. m. *Je ne lui pardonnerai jamais cet* OUTRAGE, cette grave injure (= offense). ◆ **outrager** v. *Pierre m'*A *gravement* OUTRAGÉ (= insulter).

outrance n. f. *Jean s'est excusé de ses* OUTRANCES *de langage* (= excès).

outre **1.** prép. OUTRE *leur chien, ils ont deux chats* (= en plus de). — **2.** adv. *Il est arrivé en retard,* et EN OUTRE *il ne s'est pas excusé* (= de plus). — **3.** adv. *Je lui ai dit mon avis, mais il* A PASSÉ OUTRE, il n'en a pas tenu compte.
• **R.** Placé devant un nom avec un trait d'union, *outre* signifie « au-delà de » *(outre-mer).*

outrecuidance n. f. *Jean s'est conduit avec* OUTRECUIDANCE (= insolence, effronterie).

outremer n. m. L'OUTREMER est une nuance de bleu.

outrepasser v. *M. Durand* A OUTREPASSÉ *ses droits,* il n'avait pas le droit d'agir ainsi.

outrer v. *Les paroles de Jean m'*ONT OUTRÉ (= indigner, scandaliser).
• **R.** Ce verbe ne s'emploie qu'au participe passé.

outsider n. m. *La course a été gagnée par un* OUTSIDER, par un concurrent inattendu (≠ favori).
• **R.** On prononce [awtsaidœr].

ouvert adj. **1.** *Il fait froid, ne laisse pas la fenêtre* OUVERTE (≠ fermé). — **2.** *La chasse est* OUVERTE *depuis hier,* on a pu commencer à chasser hier. — **3.** *Jean est un garçon* OUVERT, il est franc et cordial (≠ renfermé, secret). ◆ **ouvertement** adv. (sens 3) *Jean agit toujours* OUVERTEMENT, sans se cacher (≠ secrètement). ◆ **ouverture** n. f. **1.** (sens 1) *L'*OUVERTURE *de ce magasin a lieu à huit heures,* il ouvre à huit heures. • (sens 2) *L'*OUVERTURE *de la pêche a lieu demain* (= début). — **2.** *Il y a trois* OUVERTURES *dans ce mur* (= passage, trou). ◆ **ouvrir** v. (sens 1) *On frappe, va* OUVRIR *la porte* (≠ fermer). • (sens 2) *La police* A OUVERT *une enquête* (= commencer). ◆ **ouvre-boîtes** n. m. inv. (sens 1) *Un* OUVRE-BOÎTES *sert à ouvrir les boîtes de conserve.* ◆ **entrouvrir** v. (sens 1) *Marie* A ENTROUVERT *la fenêtre,* elle l'a ouverte un petit peu. ◆ **rouvrir** v. (sens 1) ROUVREZ *votre livre à la page 10.*
• **R.** *Ouvrir, entrouvrir, rouvrir,* conj. n° 16.

ouvrage n. m. 1. *Jean a terminé un* OUVRAGE *difficile* (= travail, tâche). — 2. *As-tu lu le dernier* OUVRAGE *de cet écrivain?* (= livre, œuvre). ◆ **ouvragé** adj. (sens 1) *Ce buffet est très* OUVRAGÉ, travaillé avec beaucoup de soin. ◆ **ouvrable** adj. (sens 1) *Les jours* OUVRABLES, ce sont les jours de travail (≠ férié).

ouvre-boîtes → OUVERT.

ouvreuse n. f. *As-tu laissé un pourboire à l'*OUVREUSE?, à la femme qui nous a placés au cinéma.

ouvrier adj. et n. *La classe* OUVRIÈRE *est formée par l'ensemble des* OUVRIERS, de ceux qui travaillent de leurs mains. ‖ *M. Duval est* OUVRIER *dans une usine.* ▷ 291

ouvrir → OUVERT.

ovale adj. *On joue au rugby avec un ballon* OVALE, en forme d'œuf. ▷ 35

ovation n. f. *Les acteurs ont reçu une* OVATION *du public,* ils ont été acclamés.

ovin adj. *La race* OVINE, c'est la race des moutons.

oxyder v. *Le fer* S'OXYDE *à l'humidité,* il rouille. ◆ **inoxydable** adj. *Ce couteau est en acier* INOXYDABLE, il ne peut pas rouiller.

oxygène n. m. *Les êtres vivants respirent de l'*OXYGÈNE, un gaz contenu dans l'air. ◆ **oxygéné** adj. *On met de l'*EAU OXYGÉNÉE *sur les écorchures,* un produit désinfectant. ▷ 38, 152

pacha n. m. *Ce gros paresseux se fait servir comme un* PACHA, comme un noble de l'ancienne Turquie.

pachyderme n. m. *L'éléphant, l'hippopotame, le rhinocéros sont des* PACHYDERMES.

pacifier, pacifique, pacifiste → PAIX.

223 ◁ **pacotille** n. f. *Tu t'es acheté une montre de* PACOTILLE, de mauvaise qualité.

pacte n. m. *Les deux pays ont signé un* PACTE, ils ont décidé de s'allier (= traité). ◆ **pactiser** v. *On l'accuse d'*AVOIR PACTISÉ *avec l'ennemi*, d'avoir trahi.

pactole n. m. *Il a trouvé le* PACTOLE! (= richesse).

paella n. f. La PAELLA est un plat de riz, de poissons et de viandes.
• **R.** On prononce [paela] ou [paelja].

581 ◁ **pagaie** n. f. *On fait avancer un canoë avec une* PAGAIE, une sorte de rame. ◆ **pagayer** v. *Pierre* PAGAIE *énergiquement* (= ramer).

pagaille ou **pagaye** n. f. Fam. *Qui a mis cette* PAGAILLE *dans mes affaires?* (= désordre).

paganisme → PAÏEN. / **pagayer** → PAGAIE.

221 ◁ **1. page** n. f. *Ouvrez votre livre à la* PAGE *100*, à la feuille marquée du numéro 100.

2. page n. m. *Autrefois, les seigneurs avaient des* PAGES, des jeunes gens qui les escortaient.

pagne n. m. *À Tahiti, on porte des* PAGNES, des sortes de jupes.

pagode n. f. En Extrême-Orient, les PAGODES sont les temples des dieux.

paie, paiement → PAYER.

païen adj. et n. *Les* PAÏENS *de l'Antiquité adoraient de nombreux dieux* (≠ chrétien). ◆ **paganisme** n. m. *Le christianisme a remplacé le* PAGANISME.

365 ◁ **paille** n. f. **1.** *Quand on bat le blé, on sépare le grain de la* PAILLE. — **2.** *Pierre boit sa limonade avec une* PAILLE, un petit tuyau. ◆ **paillasse** n. f. (sens 1) *Les réfugiés ont couché sur des* PAILLASSES, des sacs remplis de paille. ◆ **paillasson** n. m. (sens 1) *Essuie tes pieds sur le* PAILLASSON

avant d'entrer, le tapis de paille. ◆ **paillette** n. f. (sens 1) *Marie a une robe à* PAILLETTES *d'argent,* décorée de lamelles brillantes. ◆ **paillote** n. f. (sens 1) Une PAILLOTE est une cabane de paille. ◆ **empailler** v. (sens 1) *Pour* EMPAILLER *un animal, on remplit sa peau de paille.*

pain n. m. **1.** *Va acheter du* PAIN *chez le boulanger.* — **2.** *Prends un* PAIN *d'un kilo et une baguette.* — **3.** Le PAIN D'ÉPICE est un gâteau au miel. ◆ **pané** adj. (sens 1) *Nous avons mangé des escalopes* PANÉES, recouvertes de miettes de pain. ▷ 220

• **R.** *Pain* se prononce [pɛ̃] comme *pin* et [*il*] *peint* (de *peindre*).

1. pair adj. *2, 4, 6, 10 sont des nombres* PAIRS, divisibles par deux. ◆ **impair** adj. *3, 7, 11 sont des nombres* IMPAIRS.

• **R.** *Pair* se prononce [pɛr] comme *paire, père* et [*je*] *perds* (de *perdre*).

2. pair n. m. **1.** *Autrefois, les nobles étaient jugés par leurs* PAIRS, leurs égaux. — **2.** *M. Dubois est un menuisier* HORS (DE) PAIR, sans égal (= supérieur). — **3.** *Une jeune fille* AU PAIR *garde leurs enfants,* elle le fait en échange du logement et de la nourriture.

• **R.** V. PAIR 1.

paire n. f. **1.** *Une* PAIRE *de chaussures* est formée de deux chaussures. — **2.** *Une* PAIRE *de lunettes* est constituée de deux parties symétriques.

• **R.** V. PAIR 1.

paisible, paisiblement → PAIX.

paître v. *On fait* PAÎTRE *les vaches dans ce champ,* elles mangent l'herbe (= brouter).

• **R.** Conj. nº 80. ‖ V. PAIX.

paix n. f. **1.** *La* PAIX *est rétablie entre les deux pays,* la guerre est finie. — **2.** *Je voudrais bien dormir en* PAIX, dans le calme (≠ agitation). ◆ **pacifier** v. (sens 1) *L'armée* A PACIFIÉ *la région,* y a ramené l'ordre. ◆ **pacifique** adj. (sens 1) *Ce pays a une politique* PACIFIQUE, il veut la paix (≠ guerrier). • (sens 2) *Pierre est un garçon* PACIFIQUE (= tranquille). ◆ **pacifiste** n. (sens 1) *Les* PACIFISTES *ont manifesté contre la bombe atomique,* les partisans de la paix. ◆ **paisible** adj. (sens 2) *M. Durand mène une vie* PAISIBLE (= calme; ≠ agité). ◆ **paisiblement** adv. (sens 2) *Marie s'est endormie* PAISIBLEMENT (= tranquillement). ◆ **apaiser** v. (sens 2) *Sa colère* S'EST *enfin* APAISÉE (= calmer). ◆ **apaisement** n. m. (sens 2) *On lui a donné des* APAISEMENTS, des promesses pour le calmer.

• **R.** *Paix* se prononce [pɛ] comme [*il*] *paît* (de *paître*) et [*il*] *paie* (de *payer*).

palabres n. f. pl. *Ces* PALABRES *m'ennuient,* ces longues discussions sans intérêt. ◆ **palabrer** v. *Ils* PALABRENT *depuis deux heures* (= discuter, discourir).

palace n. m. *M. Duval passe ses vacances dans un* PALACE, un hôtel de luxe.

paladin n. m. *Les* PALADINS *du Moyen Âge* étaient d'héroïques chevaliers.

palais n. m. **1.** *Cette maison est un véritable* PALAIS, elle est grande et luxueuse (= château). — **2.** *En mangeant sa soupe, Pierre s'est brûlé le* PALAIS, l'intérieur de la bouche.
• **R.** V. PALET.

palan n. m. *Un* PALAN *sert à soulever des charges.*

577 ◁ **pale** n. f. *Une hélice est formée de* PALES.

pâle adj. **1.** *Pierre vient d'être malade, il est tout* PÂLE, son visage est blanc. — **2.** *Marie a une robe bleu* PÂLE (= clair; ≠ vif). ◆ **pâleur** n. f. (sens 1) *Ta* PÂLEUR *m'inquiète,* ton teint pâle (≠ couleurs). ◆ **pâlir** v. (sens 1) *Il* A PÂLI *de colère* (= blêmir). • (sens 2) *Les couleurs* PÂLISSENT *au soleil* (= ternir). ◆ **pâlot** ou **pâlichon** adj. (sens 1) *Marie est* PÂLOTTE (= pâle).

palefrenier n. m. *Le métier d'un* PALEFRENIER *consiste à s'occuper des chevaux.*

paléontologie n. f. La PALÉONTOLOGIE est la science des fossiles.

652, 294 ◁ **palet** n. m. *Jean a envoyé le* PALET *près du but,* la pierre plate et ronde qui sert à jouer.
• **R.** *Palet* se prononce [palɛ] comme *palais.*

paletot n. m. *Tu as mis ton* PALETOT *à l'envers,* un manteau court.

437 ◁ **palette** n. f. *Le peintre étale ses couleurs sur sa* PALETTE, une plaque de bois.

pâleur, pâlichon → PÂLE.

75 ◁ **palier** n. m. *Leurs appartements donnent sur le même* PALIER, la plate-forme qui est à chaque étage.
• **R.** *Palier* se prononce [palje] comme *pallier.*

pâlir → PÂLE.

palissade n. f. *Une* PALISSADE *sépare les deux champs,* une clôture de planches.

palissandre n. m. *Les Durand ont des meubles en* PALISSANDRE, un bois exotique très dur.

pallier v. *Il faudrait* PALLIER (À) *ces inconvénients par des mesures correctes,* y remédier. ◆ **palliatif** n. m. *Cette solution n'est qu'un* PALLIATIF, une mesure insuffisante.
• **R.** *Pallier à* est courant mais familier. ‖ V. PALIER.

palmarès n. m. *Pierre figure au* PALMARÈS *du championnat,* sur la liste de ceux qui ont eu un prix.

152 ◁ **palme** n. f. **1.** *Les feuilles du palmier s'appellent des* PALMES. — **2.** *Ce film a obtenu la* PALME *d'or,* la plus haute récompense. — **3.** *Jean nage avec des* PALMES, des nageoires de caoutchouc qui s'adaptent aux pieds. ◆ **palmé** adj. (sens 3) *Les canards ont les pattes* PALMÉES, en forme de nageoire. ◆ **palmeraie** n. f. (sens 1) Une PALMERAIE est une plantation de
577 ◁ palmiers. ◆ **palmier** n. m. (sens 1) *Les* PALMIERS *du Sahara donnent des dattes.* ◆ **palmipède** n. m. (sens 3) *Les canards, les cygnes, les mouettes sont des* PALMIPÈDES, ils ont les pattes palmées.

pâlot → PÂLE.

palourde n. f. *Nous avons mangé des huîtres et des* PALOURDES, une sorte de coquillage.

palper v. *Le médecin* A PALPÉ *le bras de Pierre,* touché avec la main (= tâter). ◆ **impalpable** adj. *Une poussière* IMPALPABLE *nous suffoque,* on ne peut la saisir entre ses doigts (= très fin).

palpiter v. *Mon cœur* PALPITE *de joie,* il bat très fort. ◆ **palpitant** adj. *Jean a vu un film* PALPITANT, très intéressant. ◆ **palpitations** n. f. pl. *M. Durand a des* PALPITATIONS, son cœur bat trop fort.

paludisme n. m. Le PALUDISME est une maladie des pays chauds causée par la piqûre d'un moustique.

se pâmer v. se disait autrefois pour *s'évanouir.*

pampa n. f. *On élève du bétail dans les* PAMPAS *d'Argentine* (= plaine).

pamphlet n. m. *M. Duval a écrit un* PAMPHLET *contre le gouvernement,* un petit livre qui l'attaque et s'en moque. ◆ **pamphlétaire** n. *M. Duval est un* PAMPHLÉTAIRE, il écrit des pamphlets.

pamplemousse n. m. *Marie mange un* PAMPLEMOUSSE *à son petit déjeuner,* un gros fruit jaune.

pan n. m. **1.** *Paul m'a retenu par un* PAN *de mon manteau,* sa partie flottante. — **2.** *Le tableau occupe un* PAN *de mur,* une partie du mur.
• **R.** *Pan* se prononce [pã] comme *paon* et [*il*] *pend* (de *pendre*).

panacée n. f. *Ce médicament n'est pas une* PANACÉE, il ne guérit pas toutes les maladies.

panache n. m. **1.** *Un* PANACHE *ornait le casque des chevaliers,* un assemblage de plumes. — **2.** *Un* PANACHE *de fumée sort de la cheminée,* une masse épaisse.

panaché adj. *Une glace* PANACHÉE est faite de plusieurs parfums.

panaris n. m. *J'ai un* PANARIS *au pouce,* un gros bouton plein de pus.
• **R.** On prononce [panari].

pancarte n. f. *Qu'est-ce qui est écrit sur cette* PANCARTE? — *Entrée interdite* (= écriteau, plaque).

pané → PAIN.

panégyrique n. m. *Jean m'a fait le* PANÉGYRIQUE *de son ami,* il m'en a dit beaucoup de bien (= éloge).

panier n. m. **1.** *Mme Durand met ses achats dans un* PANIER *d'osier,* un récipient à anses. — **2.** *Au basket-ball, il faut envoyer le ballon dans le* PANIER, le filet. ‖ *Jean a réussi un panier* (= but). ▷ 222, 363 ▷ 35

panique n. f. *L'explosion a provoqué la* PANIQUE, tout le monde a eu très peur (= affolement, terreur).

1. panne n. f. *Notre voiture est en* PANNE, elle ne fonctionne plus. ◆ **dépanner** v. *Le garagiste* A DÉPANNÉ *la voiture,* il l'a remise en route (= réparer). ◆ **dépannage** n. m. *Un ouvrier fera le* DÉPANNAGE *du réfrigérateur.*

2. panne n. f. La PANNE est de la graisse de porc.

294 ◁ 507, 506 ◁ 583 ◁ **panneau** n. m. **1.** *Les portes de l'armoire sont formées de deux* PANNEAUX, des surfaces planes entourées d'une bordure. — **2.** *Les* PANNEAUX *indicateurs* portent des indications, *les* PANNEAUX *publicitaires* portent des publicités. ◆ **panonceau** n. m. (sens 2) *Un* PANONCEAU *indique l'entrée de l'hôtel,* un panneau.

• **R.** *Panneau* a deux *n, panonceau,* un seul.

147 ◁ **panoplie** n. f. *Jean a reçu une* PANOPLIE *de pompier,* les objets qui forment l'équipement du pompier.

panorama n. m. *De la colline, on découvre un vaste* PANORAMA, une belle vue générale (= paysage). ◆ **panoramique** adj. *Du sommet, on a une vue* PANORAMIQUE (= d'ensemble).

panse n. f. Fam. *Ce goinfre est encore en train de se remplir la* PANSE (= ventre, estomac).

panser v. **1.** *Le médecin* A PANSÉ *ma blessure,* il m'a fait un pansement. — **2.** *Le palefrenier* PANSE *les chevaux,* il les soigne, leur brosse le poil.

39 ◁ ◆ **pansement** n. m. (sens 1) *Paul est guéri, on a enlevé ses* PANSEMENTS, les linges qui protègent sa blessure.

• **R.** *Panser* se prononce [pɑ̃se] comme *penser.*

pantagruélique adj. *On a fait un repas* PANTAGRUÉLIQUE, très abondant.

765, 36 ◁ **pantalon** n. m. *Resserre la ceinture de ton* PANTALON *sinon il va tomber,* de ta culotte longue.

pantelant adj. *Après sa course, Pierre était tout* PANTELANT, il respirait difficilement (= haletant).

434 ◁ **panthère** n. f. *Nous avons vu la* PANTHÈRE *du zoo,* un animal féroce à la fourrure tachetée.

pantin n. m. *Pierre s'agite comme un* PANTIN, un jouet articulé (= marionnette).

pantois adj. m. *Ses paroles m'ont laissé* PANTOIS (= stupéfait).

pantomime → MIME.

37 ◁ **pantoufle** n. f. *Le soir, M. Durand met ses* PANTOUFLES, ses chaussures d'intérieur (= chausson).

435 ◁ **paon** n. m. *Il y a des* PAONS *magnifiques dans le parc du château,* de grands oiseaux qui étalent leur queue.

• **R.** V. PAN.

papa n. m. *Bonjour* PAPA! ‖ *Comment s'appelle ton* PAPA? (= père).

pape n. m. Le PAPE est le chef de l'Église catholique (= souverain pontife). ◆ **papal** adj. *On a écouté le discours* PAPAL, du pape. ◆ **papauté** n. f. *La* PAPAUTÉ *de Jean XXIII a duré cinq ans* (= pontificat).

292, 290 ◁ **papier** n. m. **1.** *Prenez une feuille de* PAPIER *et écrivez votre nom.* — **2.** *Jean a perdu un* PAPIER *important* (= document). — **3.** (au plur.) *L'agent m'a demandé mes* PAPIERS *(d'identité),* ma carte d'identité, mon permis de conduire, etc. ◆ **paperasse** n. f. (sens 2) *Pierre a jeté des* PAPERASSES *à* *la poubelle,* des papiers sans valeur. ◆ **paperasserie** n. f. (sens 2) *Il se perd dans la* PAPERASSERIE, l'accumulation de papiers. ◆ **papeterie** n. f. (sens 1) *Pierre est allé à la* PAPETERIE *acheter un cahier,* à la boutique du papetier. ◆ **papetier** n. m. (sens 1) *Le* PAPETIER *vend du papier, des cahiers, des crayons, des stylos, etc.* ▷ 221

papille n. f. *La langue est recouverte de* PAPILLES, de petits points en saillie.

papillon n. m. **1.** *Paul fait collection de* PAPILLONS, d'insectes aux grandes ailes colorées. — **2.** *M. Durand a trouvé un* PAPILLON *sur son pare-brise,* un avis de contravention. — **3.** *M. Dupont porte un* NŒUD PAPILLON, une sorte de cravate. ◆ **papillonner** v. (sens 1) *Marie* PAPILLONNE *d'un sujet à l'autre,* elle va de l'un à l'autre sans se fixer. ◆ **papillote** n. f. (sens 1) *Jeanne s'amuse à faire des* PAPILLOTES, à plier des morceaux de papier en forme d'ailes. ◆ **papilloter** v. (sens 1) *Tu es fatigué, tes yeux* PAPILLOTENT, ils se ferment et s'ouvrent très vite, comme un battement d'ailes de papillon (= clignoter). ▷ 294, 581 ▷ 723

papoter v. *Jean et Marie passent leur temps à* PAPOTER (= bavarder).

papyrus n. m. *Les anciens Égyptiens écrivaient sur du* PAPYRUS, une sorte de plante.

- **R.** On prononce [papirys].

pâque n. f. La PÂQUE est une fête de la religion juive.

- **R.** Ne pas confondre la *pâque* et les *pâques.*

paquebot n. m. *Les Durand ont traversé l'Atlantique sur un* PAQUEBOT, un grand navire. ▷ 727

pâquerette n. f. *La pelouse est couverte de* PÂQUERETTES, une sorte de petite fleur.

Pâques n. m. *Cette année,* PÂQUES *tombe en mars,* la fête chrétienne qui rappelle la résurrection du Christ. ◆ **pascal** adj. *Les vacances* PASCALES *ont duré quinze jours,* de Pâques.

- **R.** V. PÂQUE.

paquet n. m. *Le facteur a apporté un* PAQUET, un ou plusieurs objets enveloppés dans un emballage. ◆ **paquetage** n. m. *Le soldat prépare son* PAQUETAGE, ses affaires. ◆ **dépaqueter** v. *Il faudrait* DÉPAQUETER *ces livres,* défaire le paquet qui les contient. ◆ **empaqueter** v. *Le vendeur* A EMPAQUETÉ *tous mes achats,* il en a fait un paquet.

par prép. indique un lieu : *Il est passé* PAR *la fenêtre;* un moyen : *Je voyage* PAR *le train;* une distribution : *Il gagne 100 francs* PAR *semaine;* un complément d'agent : *Il est aimé* PAR *ses amis.*

- **R.** *Par* se prononce [par] comme *part,* [*il*] *pare* (de *parer*) et [*je*] *pars* (de *partir*).

parabole n. f. *Le professeur nous a raconté une* PARABOLE, une histoire contenant un enseignement, une morale.

parachever v. *Jean* A PARACHEVÉ *son travail,* il l'a fini avec beaucoup de soin.

766 ◁ **parachute** n. m. *Les soldats ont sauté de l'avion en* PARACHUTE, avec un appareil servant à ralentir leur chute. ◆ **parachuter** v. *Des troupes* ONT ÉTÉ PARACHUTÉES *en pays ennemi,* lancées d'un avion. ◆ **parachutage** n. m. *Un* PARACHUTAGE *de médicaments a été réalisé.* ◆ **parachutiste** n.
766 ◁ *Il est soldat dans une compagnie de* PARACHUTISTES.

parade, parader → PARER.

paradis n. m. **1.** *Selon la religion, les justes vont au* PARADIS *après leur mort* (= ciel; ≠ enfer). — **2.** *Ce petit village est un* PARADIS, un endroit très beau, très agréable. ◆ **paradisiaque** adj. (sens 2) *Ils ont passé leurs vacances dans un endroit* PARADISIAQUE, très agréable (= enchanteur; ≠ infernal).

paradoxe n. m. *M. Durand aime soutenir des* PARADOXES, des idées bizarres, inattendues. ◆ **paradoxal** adj. *Ses idées* PARADOXALES *ont étonné tout le monde* (= bizarre; ≠ normal).

parafe, parafer → PARAPHE.

paraffine n. f. *La* PARAFFINE *sert à fabriquer les bougies.*

parages n. m. pl. *Est-ce que Pierre est* DANS LES PARAGES?, près d'ici (= environs).

paragraphe n. m. *Ce texte contient trois* PARAGRAPHES, on va trois fois à la ligne (= division, partie).

paraître v. **1.** *Le soleil* PARAÎT *à l'horizon,* il se montre (= apparaître; ≠ disparaître). — **2.** *Cette revue* PARAÎT *tous les mois,* elle est mise en vente. — **3.** *Cela* PARAÎT *facile* (= avoir l'air, sembler). — **4.** IL PARAÎT QUE *l'essence va augmenter,* on le dit. ◆ **reparaître** v. (sens 1) *Depuis sa maladie, Paul n'*A *pas* REPARU *à l'école.*

• **R.** Conj. n° 64.

348 ◁ **parallèle** **1.** adj. et n. f. *Deux (lignes)* PARALLÈLES *ne se croisent jamais.* — **2.** n. m. *Pierre a fait un* PARALLÈLE *entre ses deux amis,* il les a comparés. ◆ **parallèlement** adv. (sens 1) *Les arbres sont alignés* PARALLÈLEMENT *à la route.* ◆ **parallélépipède** n. m. (sens 1) *Une boîte à*
348 ◁ *chaussures est un* PARALLÉLÉPIPÈDE, un objet ayant six faces parallèles
348 ◁ deux à deux. ◆ **parallélogramme** n. m. (sens 1) Un PARALLÉLOGRAMME est une figure qui a quatre côtés parallèles deux à deux.

paralyser v. **1.** *M. Dupont* EST PARALYSÉ, il est atteint de paralysie. — **2.** *L'usine* EST PARALYSÉE *par la grève,* elle ne fonctionne plus (= bloquer). ◆ **paralysie** n. f. (sens 1) *M. Dupont est atteint de* PARALYSIE, d'une maladie qui l'empêche de bouger. ◆ **paralytique** adj. et n. (sens 1) *M. Dupont est (un)* PARALYTIQUE.

152 ◁ **parapet** n. m. *Pierre s'est accoudé au* PARAPET *du pont,* au petit mur qui empêche de tomber.

paraphe ou **parafe** n. m. *M. Durand a mis son* PARAPHE *à la fin de la lettre* (= signature). ◆ **parapher** ou **parafer** v. *On* A PARAPHÉ *le contrat* (= signer).

224 ◁ **parapluie** n. m. *Il commence à pleuvoir, ouvre ton* PARAPLUIE.

parasite n. m. **1.** *Le gui est un* PARASITE *du chêne,* il pousse sur les chênes. — **2.** *M. Duval est un* PARASITE, il vit sans travailler, aux dépens des autres. — **3.** (au plur.) *Les paroles du speaker étaient couvertes par des* PARASITES, des bruits, des crissements.

parasol n. m. *Il y a des* PARASOLS *à la terrasse du café,* des sortes de parapluies protégeant du soleil. ▷ 223, 723

paratonnerre n. m. *On a mis un* PARATONNERRE *sur le toit,* une grande aiguille protégeant de la foudre.

paravent n. m. *La chambre est divisée en deux par un* PARAVENT, une petite cloison mobile. ▷ 224

parbleu!, pardi! interj. servent à approuver : *Tu es content?* — PARBLEU! (= bien sûr!).

parc n. m. **1.** *Nous nous sommes promenés dans le* PARC *du château,* le très grand jardin avec des pelouses, des arbres. — **2.** *Le berger a enfermé ses moutons dans un* PARC, un terrain fermé par une clôture. — **3.** *Il n'y avait plus de place dans le* PARC DE STATIONNEMENT (= parking). ▷ 510
◆ **parquer** v. (sens 2) *Des bœufs* SONT PARQUÉS *dans le champ* (= enfermer). ◆ **parking** n. m. (sens 3) *Il y a un grand* PARKING *près de ce magasin,* un endroit pour garer les voitures. ▷ 219 ◆ **parcmètre** n. m. (sens 3) *Mets 1 franc dans le* PARCMÈTRE, dans l'appareil qui mesure le temps de stationnement. ▷ 218

parcelle n. f. **1.** *M. Dupuis cultive une* PARCELLE *de terrain,* un petit champ. — **2.** *Il n'y a pas une* PARCELLE *de vérité dans ses paroles,* la plus petite partie.

parce que conj. indique la cause : *Pourquoi êtes-vous rentrés?* — PARCE QU'*il pleuvait.*

parchemin n. m. *Autrefois on écrivait sur des* PARCHEMINS, des peaux de mouton. ◆ **parcheminé** adj. *Son grand-père a un visage* PARCHEMINÉ, qui a l'aspect du parchemin (= ridé).

parcimonie n. f. *M. Dupont prête son argent avec* PARCIMONIE, il en prête peu (≠ générosité). ◆ **parcimonieux** adj. *M. Dupont est un homme* PARCIMONIEUX, un peu avare.

parcmètre → PARC.

parcourir v. **1.** *Nous* AVONS PARCOURU *l'Italie,* nous sommes allés d'un bout à l'autre. — **2.** *Pierre* A PARCOURU *10 kilomètres à pied,* il a fait cette distance. — **3.** *Je n'ai fait que* PARCOURIR *ce livre,* l'examiner rapidement.
◆ **parcours** n. m. (sens 1 et 2) *Le* PARCOURS *de l'autobus passe devant la maison,* le chemin qu'il suit (= trajet).

• **R.** Conj. n° 29.

pardessus n. m. *Pierre, ton* PARDESSUS *n'est pas assez chaud* (= manteau).

pardi → PARBLEU.

pardon 1. n. m. *Pierre est venu demander* PARDON *de son retard,* demander qu'on l'excuse. — **2.** interj. *Tu m'as dérangé. — Oh!* PARDON!, excuse-moi! ◆ **pardonner** v. (sens 1) *Il ne t'*A *pas* PARDONNÉ *ton impolitesse* (= excuser). ◆ **pardonnable** adj. (sens 1) *Son erreur n'est pas* PARDONNABLE (= excusable). ◆ **impardonnable** adj. (sens 1) *Jean a commis une faute* IMPARDONNABLE, très grave.

pare-brise, pare-chocs → PARER.

pareil adj. **1.** *Ces deux statues sont* PAREILLES, elles se ressemblent exactement (= semblable, identique; ≠ différent). — **2.** *Pourquoi arrives-tu à une heure* PAREILLE? (= tel).

547 ◁ **parent 1.** n. m. pl. *Pierre aime ses* PARENTS, son père et sa mère. — **2.** adj. et n. *Mon père est le frère du tien, nous sommes* PARENTES, de la
547 ◁ même famille. ◆ **parenté** n. f. (sens 2) *Il y a un lien de* PARENTÉ *entre Jeanne et Marie,* elles sont parentes. ◆ **apparenté** adj. (sens 2) *Ils ont le même nom, mais ils ne sont pas* APPARENTÉS, ils ne sont pas parents. ◆ **s'apparenter** v. *L'aspect de la grenouille s'*APPARENTE *à celui du crapaud,* a des traits communs avec lui.

parenthèse n. f. (*Cette phrase est mise entre* PARENTHÈSES), entre les signes ( ).

parer v. **1.** *Marie* S'EST PARÉE *de sa plus belle robe,* elle l'a mise comme ornement. — **2.** *Le boxeur n'arrivait pas à* PARER *les coups,* à s'en protéger (= éviter). ◆ **parade** n. f. **1.** (sens 1) *M. Durand a mis un habit de* PARADE, destiné à servir d'ornement. • (sens 2) *Il a trouvé une bonne* PARADE *contre ces ennuis,* un moyen pour les éviter. — **2.** *Le 14-Juillet, il y a une* PARADE *militaire* (= défilé). ◆ **parader** v. (sens 1) *Il* PARADE *pour attirer l'attention* (= se montrer). ◆ **parure** n. f. (sens 1) *M*[me] *Dupont portait une* PARURE *de diamants,* des bijoux. ◆ **pare-brise** n. m. inv.
767, 505 ◁ (sens 2) *Le* PARE-BRISE *de la voiture est sale,* la plaque de verre qui protège
505 ◁ du vent. ◆ **pare-chocs** n. m. inv. (sens 2) *Les* PARE-CHOCS *d'une auto servent à la protéger des chocs.* ◆ **déparer** v. (sens 1) *Ce tas d'ordures* DÉPARE *le paysage,* le rend moins beau (= enlaidir). ◆ **imparable** adj. (sens 2) *Le goal a été battu par un tir* IMPARABLE, impossible à parer.
• **R.** V. PAR.

paresse n. f. *Pierre a des habitudes de* PARESSE, il n'aime pas travailler, faire des efforts (≠ énergie, courage). ◆ **paresseux** adj. *Marie est très* PARESSEUSE (= fainéant; ≠ travailleur). ◆ **paresser** v. *Pierre aime* PARESSER *dans son lit,* ne rien faire.

parfait adj. **1.** *Voilà un travail* PARFAIT, sans défaut (= excellent; ≠ mauvais). — **2.** *M. Dupuis est un* PARFAIT *imbécile* (= complet). ◆ **parfaitement** adv. (sens 1) *Paul joue* PARFAITEMENT *du violon,* très bien, à la perfection. ◆ **perfection** n. f. (sens 1) *Jean parle l'anglais* À LA PERFECTION, très bien. ◆ **perfectionner** v. (sens 1) *Il faudrait* TE PERFECTIONNER *en français,* devenir meilleur. ◆ **perfectionnement** n. m. (sens 1) *Marie suit des cours de* PERFECTIONNEMENT, pour se perfectionner. ◆ **imparfait 1.** adj. (sens 1) *Jacques a une connaissance* IMPARFAITE *de l'italien* (= incomplet). — **2.** n. m. *Dans «je partais», le*
12 ◁ *verbe est à l'*IMPARFAIT, un temps du passé. ◆ **imperfection** n. f. (sens 1) *Il y a des* IMPERFECTIONS *dans ce travail* (= défaut).

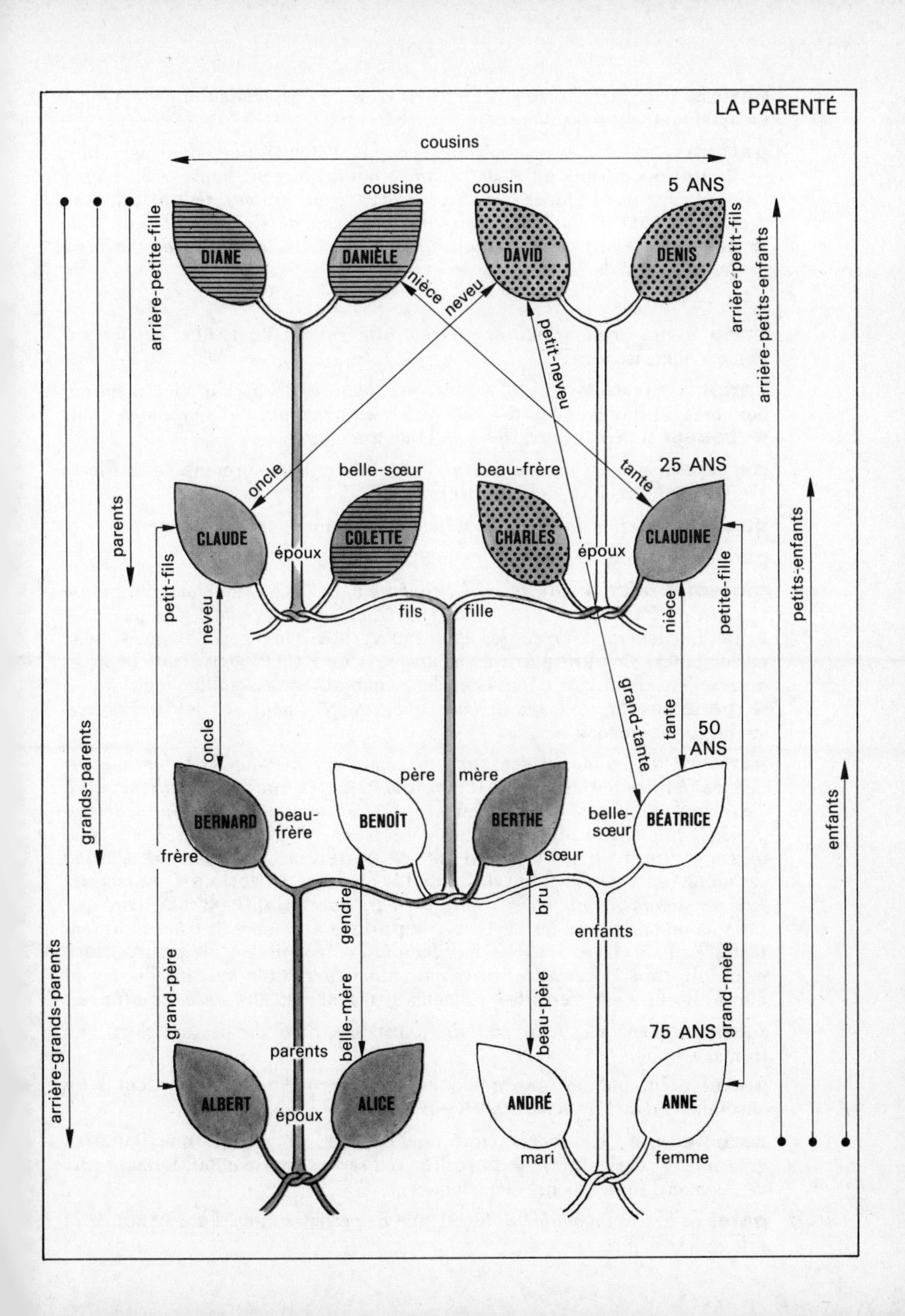
LA PARENTÉ
cousins
cousine
cousin
5 ANS
DIANE
DANIÈLE
DAVID
DENIS
nièce
neveu
petit-neveu
arrière-petite-fille
arrière-petit-fils
arrière-petits-enfants
oncle
belle-sœur
beau-frère
tante
25 ANS
CLAUDE
COLETTE
CHARLES
CLAUDINE
époux
époux
parents
petit-fils
petite-fille
petits-enfants
fils
fille
neveu
nièce
grand-tante
grands-parents
oncle
tante
50 ANS
BERNARD
beau-frère
BENOÎT
père
mère
BERTHE
belle-sœur
BÉATRICE
enfants
frère
sœur
gendre
bru
enfants
arrière-grands-parents
grand-père
belle-mère
beau-père
grand-mère
75 ANS
parents
ALBERT
ALICE
époux
ANDRÉ
ANNE
mari
femme

parfois adv. *Pierre arrive* PARFOIS *en retard à l'école,* de temps en temps (= quelquefois; ≠ souvent).

parfum n. m. **1.** *Ces roses ont beaucoup de* PARFUM, une odeur agréable. — **2.** *Marie s'est mis du* PARFUM, un produit qui sent bon. — **3.** *À quel* PARFUM *veux-tu ta glace? — À la fraise* (= goût, arôme). ◆ **parfumer** v. *Jeanne* A PARFUMÉ *son mouchoir avec de l'eau de Cologne,* il sent bon. ◆ **parfumerie** n. f. (sens 2) *Dans une* PARFUMERIE, *on achète des parfums et des produits de beauté.*

pari → PARIER.

paria n. m. *Jean se plaint d'être traité comme un* PARIA, comme un homme méprisé.

parier v. *Je te* PARIE *10 francs que Jean viendra,* s'il vient, tu me donneras 10 francs. ◆ **pari** n. m. *Jean n'est pas venu, j'ai perdu mon* PARI. ◆ **parieur** n. *On a payé les* PARIEURS *gagnants.*

parjure n. m. **1.** *Pierre a fait un* PARJURE, un faux serment. — **2.** *Pierre est un* PARJURE, il a violé son serment.

parka n. m. *Il fait froid, mets ton* PARKA, une sorte de manteau.

parking → PARC. / **parlant** → PARLER.

parlementaire **1.** adj. et n. *Les débats* PARLEMENTAIRES *ont duré toute la nuit,* du Parlement. ‖ *Les* PARLEMENTAIRES *se sont réunis* (= député). — **2.** n. *Le général a reçu les* PARLEMENTAIRES, les gens envoyés pour

298 ◁ parlementer. ◆ **parlement** n. m. (sens 1) *Le* PARLEMENT *a voté le projet de loi,* l'ensemble des députés et des sénateurs (= assemblée législative). ◆ **parlementer** v. (sens 2) *On* A PARLEMENTÉ *pour se mettre d'accord* (= discuter, négocier).

parler v. **1.** *Jeannot a deux ans, il commence à* PARLER, à exprimer sa pensée par des paroles. — **2.** *M. Durand* PARLE *le français et l'allemand,* il s'exprime dans ces deux langues. — **3.** AS-*tu* PARLÉ *à Jacques de nos projets?,* lui as-tu dit quelque chose à ce sujet. ◆ **parlant** adj. (sens 1) *Ce dessin est très* PARLANT (= expressif). ◆ **parleur** n. m. (sens 1) *M. Durand est un* BEAU PARLEUR, il fait des grandes phrases. ◆ **parloir** n. m. (sens 3) *Les pensionnaires du lycée reçoivent leurs parents au* PARLOIR, dans une salle où on parle avec les visiteurs. ◆ **parlote** n. f. (sens 3) *Ils passent leur temps en* PARLOTES, à parler inutilement (= bavardage). ◆ **pourparlers** n. m. pl. (sens 3) *Les adversaires ont entamé des* POURPARLERS, ils se sont mis à discuter. ◆ **reparler** v. (sens 3) *On* REPARLERA *de cette affaire.*

parmesan n. m. *Jean met du* PARMESAN *râpé sur ses spaghetti,* un fromage italien.

parmi prép. indique que quelque chose ou quelqu'un appartient à un ensemble : *On l'a choisi* PARMI *eux.*

parodie n. f. *Ce procès était une* PARODIE *de justice,* une imitation grossière (= caricature). ◆ **parodier** v. *Pierre s'amuse à* PARODIER *la voix de Jean,* à l'imiter pour s'en moquer.

649 ◁ **paroi** n. f. *Cet immeuble a des* PAROIS *de verre* (= mur). ‖ *La* PAROI *de la falaise est à pic.*

paroisse n. f. *Le curé a rassemblé les habitants de la* PAROISSE, du territoire dont il a la charge. ◆ **paroissial** adj. *L'église* PAROISSIALE *est sur la place du village.* ◆ **paroissien** n. Un PAROISSIEN est un chrétien d'une paroisse.

parole n. f. **1.** *Les animaux ne sont pas doués de la* PAROLE, ils ne peuvent pas parler (= langage). — **2.** *Pierre m'a dit des* PAROLES *aimables,* des mots ou des phrases. — **3.** *Jean a demandé la* PAROLE, le droit de parler. — **4.** *Il m'a donné sa* PAROLE *qu'il viendrait demain,* il me l'a promis. ◆ **porte-parole** n. m. inv. (sens 2) *Paul est le* PORTE-PAROLE *de ses camarades auprès des professeurs,* il parle en leur nom.

paronyme n. m. *« Allocution » et « allocation » sont des* PARONYMES, des mots qui se ressemblent.

paroxysme n. m. *La tempête a atteint son* PAROXYSME, son moment le plus violent.

parquer → PARC.

parquet n. m. **1.** *Mme Durand cire le* PARQUET *de la chambre* (= plancher). — **2.** *Le* PARQUET *est en train de délibérer,* l'ensemble des juges.

parrain n. m. *Le* PARRAIN *et la marraine portent l'enfant au moment de son baptême.* ▷ 148

parricide 1. n. *La police a arrêté un* PARRICIDE, quelqu'un qui a tué son père ou sa mère. — **2.** n. m. *L'accusé a commis un* PARRICIDE, il a tué son père ou sa mère.

parsemer v. *La pelouse* EST PARSEMÉE *de fleurs,* elle en est couverte çà et là.

part n. f. **1.** *Chacun a eu une* PART *de la tarte* (= morceau, portion, partie). — **2.** *Jean* A PRIS PART À *la réunion,* il y a participé. — **3.** *Pierre m'*A FAIT PART DE *ses projets,* il me les a annoncés. — **4.** *On a mis vos affaires* À PART, on les a séparées du reste. — **5.** À PART *lui, tout le monde était content* (= excepté). — **6.** *Voilà un livre* DE LA PART DE *Paul,* venant de lui. — **7.** *Je ne peux pas t'aider :* D'UNE PART *je n'y connais rien,* D'AUTRE PART *je n'ai pas le temps,* d'abord..., et puis aussi... — **8.** *As-tu vu mon manteau? — Oui, je l'ai vu* QUELQUE PART (= à un certain endroit). — *Dans l'armoire? — Non,* AUTRE PART (= dans un autre endroit, ailleurs). *Je ne le vois* NULLE PART (= en aucun endroit; ≠ partout). ◆ **partager** v. (sens 1) *Mme Durand* A PARTAGÉ *le gâteau,* elle en a fait des parts (= diviser). • (sens 2) *Je* PARTAGE *votre tristesse,* j'y prends part. ◆ **partage** n. m. (sens 1) *Ce* PARTAGE *n'est pas égal* (= division, répartition).

• **R.** V. PAR.

partance → PARTIR.

partenaire n. *Qui est ton* PARTENAIRE *au tennis?,* celui qui joue avec toi (≠ adversaire).

parterre n. m. *Ce* PARTERRE *de fleurs est magnifique,* cette partie de jardin.

parti n. m. **1.** *Les* PARTIS *présentent des candidats aux élections,* les groupes politiques. — **2.** *Jean a* PRIS PARTI *pour moi,* il m'a soutenu. ‖ *Pierre a un* PARTI PRIS *contre moi,* il m'est hostile (= préjugé). — **3.** *M*[me] *Dupont sait* TIRER PARTI DES *restes,* les utiliser. ◆ **partial** adj. (sens 2) *Ce professeur est* PARTIAL, il est hostile à certains élèves (= injuste). ◆ **partialité** n. f. (sens 2) *On l'a jugé avec* PARTIALITÉ (= injustice, parti pris). ◆ **impartial** adj. (sens 2) *Ce journal est* IMPARTIAL, il n'a pas de parti pris (= objectif). ◆ **impartialité** n. f. (sens 2) *J'ai confiance en votre* IMPARTIALITÉ.

• **R.** *Parti* se prononce [parti] comme *partie* et [*il*] *partit* (de *partir*).

participation → PARTICIPER.

12 ◁ **participe** n. m. *«Aimant» est un* PARTICIPE *présent, «aimé» est un* PARTICIPE *passé,* des formes du verbe.

participer v. *Pierre et Jean* ONT PARTICIPÉ À *la course,* ils l'ont faite avec d'autres (= prendre part à). ◆ **participant** n. *Il y avait quinze* PARTICIPANTS *à l'excursion,* quinze personnes y ont participé. ◆ **participation** n. f. *Je vous remercie de votre* PARTICIPATION (= collaboration).

particule → PARTIE.

particulier v. **1.** *Pierre a une manière* PARTICULIÈRE *de parler,* il ne parle pas comme les autres (= personnel, spécial; ≠ ordinaire). — **2.** *On a examiné les cas* PARTICULIERS (= individuel; ≠ général). — **3.** *J'aime les fruits,* EN PARTICULIER *les poires* (= surtout, spécialement). ◆ **particulier** n. m. (sens 1) *M. Durand est un simple* PARTICULIER, une personne comme les autres (≠ personnalité). ◆ **particulièrement** adv. **1.** (sens 3) *Jean aime lire,* PARTICULIÈREMENT *des romans* (= en particulier). — **2.** *Louis est particulièrement* BÊTE (= très). ◆ **particulariser** v. (sens 1) *Paul aime* SE PARTICULARISER, ne pas faire comme les autres. ◆ **particularité** n. f. (sens 1) *Cette maison a plusieurs* PARTICULARITÉS, des caractères particuliers.

partie n. f. **1.** *Jean consacre une* PARTIE *de son temps à la musique* (= part; ≠ totalité, tout). — **2.** *Pierre* FAIT PARTIE D'*un club sportif,* il en est membre (= appartenir à). — **3.** *Nous avons fait une* PARTIE *de tennis,* nous avons joué à ce jeu. — **4.** *Le juge a renvoyé les deux* PARTIES, les adversaires en présence. — **5.** *M. Durand* A ÉTÉ PRIS À PARTIE *par des voyous* (= attaquer). ◆ **particule** n. f. **1.** (sens 1) *Cette eau contient des* PARTICULES *de calcaire,* de très petits éléments. — **2.** *«De Monzie» est un nom à* PARTICULE, précédé de *de.* ◆ **partiel** adj. (sens 1) *Je n'ai en Pierre qu'une confiance* PARTIELLE (= incomplet; ≠ total). ◆ **partiellement** adv. (sens 1) *Jean a* PARTIELLEMENT *réussi,* en partie (≠ totalement).

• **R.** V. PARTI.

partir v. **1.** *Jean veut* PARTIR *demain pour Paris,* s'en aller (≠ arriver ou rester). — **2.** *Vous prenez la rue qui* PART DE *l'église* (= commencer; ≠ aboutir). — **3.** *Si vous appuyez sur la détente, le coup* PART (= exploser). — **4.** *Cette tache* PARTIRA *au lavage* (= disparaître). ◆ **à partir de** prép. (sens 2) *On habitera ici* À PARTIR DE *demain,* en commençant demain.

◆ **partance** n. f. (sens 1) *Le train* EN PARTANCE *pour Lyon est en gare,* celui qui va partir. ◆ **départ** n. m. (sens 1) *Le* DÉPART *de l'avion aura lieu dans une heure* (≠ arrivée). ◆ **repartir** v. (sens 1) *Arrivés à midi, nous* SOMMES REPARTIS *à deux heures.* ▷ 512

• **R.** Conj. n° 26. ‖ *Partir* se conjugue avec *être.* ‖ V. PARTI et PAR.

partisan n. **1.** *Le candidat est applaudi par tous ses* PARTISANS, ceux qui sont du même avis que lui (≠ adversaire). — **2.** *Des* PARTISANS *ont attaqué un convoi ennemi* (= maquisard). ◆ **partisan** adj. (sens 1) *Je suis* PARTISAN *de rester,* c'est mon avis.

partition n. f. *Le pianiste étudie sa* PARTITION, le morceau de musique qu'il doit jouer. ▷ 439

partout adv. *On l'a cherché* PARTOUT, dans tous les endroits (≠ nulle part).

parure → PARER.

parvenir v. *John ne* PARVIENT *pas à se faire comprendre* (= réussir, arriver). ◆ **parvenu** n. *M. Dupont est un* PARVENU, il s'est rapidement enrichi (= nouveau riche).

• **R.** Conj. n° 22. ‖ *Parvenir* se conjugue avec *être.*

parvis n. m. *Le* PARVIS *d'une église* est l'espace qui est devant la façade. ▷ 148

1. pas n. m. **1.** *Ma grand-mère marche à petits* PAS. ‖ *J'entends des* PAS *dans le couloir,* quelqu'un qui marche. ‖ *Il y a des* PAS *sur la neige,* les traces de quelqu'un qui a marché. — **2.** *Les soldats marchent au* PAS, ils avancent le même pied tous en même temps. — **3.** *Le* PAS *d'une porte* est l'espace qui est devant. — **4.** *Pierre est dans un* MAUVAIS PAS, dans une situation difficile.

2. pas adv. s'emploie avec *ne (n')* pour marquer la négation : *Il* N'*est* PAS *venu.*

pascal → PÂQUES.

passable adj. *10 sur 20, c'est une note* PASSABLE, ni bonne ni mauvaise (= moyen).

passage, passager, passant, passe, passé → PASSER.

passe-droit n. m. *C'était interdit, mais il a eu un* PASSE-DROIT (= faveur).

• **R.** Noter le pluriel : des *passe-droits.*

passe-montagne n. m. *Il fait froid, mets ton* PASSE-MONTAGNE, une sorte de bonnet.

• **R.** Noter le pluriel : des *passe-montagnes.*

passe-partout n. m. inv. *Le serrurier a ouvert la porte avec un* PASSE-PARTOUT, une clef pouvant ouvrir plusieurs serrures.

passe-passe n. m. inv. *Le prestidigitateur a fait un* TOUR DE PASSE-PASSE, il a fait disparaître un objet.

passeport n. m. *Le douanier nous a demandé nos* PASSEPORTS, nos papiers pour aller à l'étranger.

passer v. **1.** *Nous n'avons pas pu* PASSER, continuer à avancer. — **2.** *Pour aller de Paris à Marseille, il faut* PASSER PAR *Lyon* (= traverser). — **3.** *Nous* AVONS PASSÉ *la frontière,* nous sommes allés de l'autre côté. — **4.** *Le temps* PASSE *vite,* il s'écoule. — **5.** *Où* AS-*tu* PASSÉ *tes vacances?*, où étais-tu pendant ce temps? — **6.** *Tout* S'EST *bien* PASSÉ (= se dérouler). — **7.** *Jean* EST PASSÉ *en sixième,* il y a été admis. — **8.** *Marie* A PASSÉ *une visite médicale,* elle l'a subie. — **9.** *Ce film* PASSE *au cinéma voisin,* on le joue. — **10.** PASSE-*moi le sel,* donne-le-moi. — **11.** *Il faut* PASSER *le thé,* le filtrer. — **12.** *La douleur va* PASSER (= s'arrêter). — **13.** *M. Durand ne peut pas* SE PASSER DE *tabac,* il en a besoin (= se priver). — **14.** *Pierre* PASSE POUR *un spécialiste,* on le considère ainsi. — **15.** *Ce tissu* A PASSÉ *au soleil,* il a perdu sa couleur. ◆ **passage** n. m. **1.** (sens 1, 2 et 3) *Pierre attend le* PASSAGE *de l'autobus,* que celui-ci passe. ‖ *Tu bouches le* PASSAGE, 507, 508 ◁ l'endroit par où l'on passe. ‖ *Ce panneau annonce un* PASSAGE À NIVEAU, un croisement entre une route et une voie ferrée. — **2.** *Il m'a lu un* PASSAGE *du livre,* un extrait. ◆ **passager 1.** adj. (sens 4) *Il a eu un malaise* PASSAGER, qui a vite passé (= momentané; ≠ durable). — **2.** n. *Les* 510 ◁ PASSAGERS *sont montés dans l'avion* (= voyageur). ◆ **passant** n. (sens 1) *Pierre a demandé l'heure à un* PASSANT, quelqu'un qui passait dans la rue. ◆ **passe** n. f. **1.** (sens 1) *Connais-tu le* MOT DE PASSE?, le mot convenu pour qu'on te laisse passer. • (sens 10) *Jean a fait une* PASSE *au goal,* il lui a passé le ballon. — **2.** *Pierre est dans une* MAUVAISE PASSE (= situation). ‖ *Jean* EST EN PASSE DE *gagner* (= sur le point de). ◆ **passé** n. m. (sens 4) 754, 13 ◁ *L'imparfait est un temps du* PASSÉ (≠ présent ou futur). ◆ **passeur** n. m. (sens 1) *Un* PASSEUR *nous a fait traverser la rivière.* ◆ **passoire** n. f. 78 ◁ (sens 11) *Une* PASSOIRE *sert à filtrer les liquides.* ◆ **passe-temps** n. m. inv. (sens 4) *La lecture est mon* PASSE-TEMPS *favori* (= occupation).
• **R.** *Passer* se conjugue tantôt avec *être,* tantôt avec *avoir.*

passereau n. m. *Le moineau est un* PASSEREAU, un petit oiseau.

511, 509 ◁ **passerelle** n. f. *On traverse cette rivière sur une* PASSERELLE, un petit pont.

passe-temps, passeur → PASSER.

passible adj. *L'accusé est* PASSIBLE D'*une amende,* il l'a méritée.

passif 1. adj. *Pourquoi es-tu aussi* PASSIVE?, sans énergie (≠ actif). — 13 ◁ **2.** adj. et n. m. *«Il est aimé» est le* PASSIF *de «il aime»* (≠ actif). ◆ **passivement** adv. (sens 1) *Marie obéit* PASSIVEMENT, sans réagir.

passion n. f. **1.** *M. Durand aime sa femme avec* PASSION, un amour très fort. — **2.** *Pierre a la* PASSION *des échecs,* il s'y intéresse beaucoup. ◆ **passionner** v. (sens 2) *Ce roman m'*A PASSIONNÉ, beaucoup intéressé. ◆ **passionnant** adj. (sens 2) *J'ai vu un film* PASSIONNANT (= captivant). ◆ **passionnément** adv. (sens 1) *Il l'aime* PASSIONNÉMENT, avec passion.

passivement → PASSIF. / **passoire** → PASSER.

pastel n. m. *Ce dessin est fait au* PASTEL, avec une sorte de crayon de couleur.

578 ◁ **pastèque** n. f. *La* PASTÈQUE *est rafraîchissante,* une sorte de gros melon.

pasteur n. m. Chez les protestants, le PASTEUR est celui qui dirige le culte.

pasteuriser v. *Ils n'achètent que du lait* PASTEURISÉ, purifié de ses microbes.

pastiche n. m. *Jean a fait un* PASTICHE *amusant de son oncle* (= imitation).

pastille n. f. *Marie suce des* PASTILLES *de menthe,* des petits bonbons de forme ronde.

pastis n. m. Le PASTIS est un apéritif parfumé à l'anis.
• **R.** On prononce le *s* final : [pastis].

patate n. f. Fam. *Mme Durand a acheté deux kilos de* PATATES (= pomme de terre).

pataud adj. *Jacques est un gros garçon* PATAUD (= empoté, maladroit).

patauger v. *Les enfants* PATAUGENT *dans la boue,* ils y marchent.

pâte n. f. **1.** *Mme Durand fait une* PÂTE *à tarte,* elle mélange et pétrit de la farine avec de l'eau. — **2.** *Les* PÂTES *de fruits, la* PÂTE *dentifrice, la* PÂTE *à modeler sont des matières molles.* — **3.** (au plur.) *Nous avons mangé des* PÂTES (= nouilles). ◆ **pâteux** adj. (sens 2) *Ce gâteau est* PÂTEUX, trop mou.

pâté n. m. **1.** *Nous avons mangé un* PÂTÉ *de lapin,* du lapin haché cuit dans une terrine. — **2.** *Pierre habite dans ce* PÂTÉ DE MAISONS (= groupe). — **3.** *Les enfants font des* PÂTÉS *de sable avec un seau.* — **4.** *Jean a fait un* PÂTÉ *sur son cahier,* une tache d'encre. ▷ 222 ▷ 723

pâtée n. f. *Le chien mange sa* PÂTÉE, sa nourriture.

1. patelin adj. *M. Durand m'a parlé d'un ton* PATELIN, doux mais hypocrite.

2. patelin n. m. Fam. *Comment s'appelle ce* PATELIN? (= village).

patent adj. *Pierre a menti, c'est un fait* PATENT (= évident; ≠ douteux).

patente n. f. *Les commerçants paient une* PATENTE, une sorte d'impôt.

paternalisme, paternel, paternité → PÈRE. / **pâteux** → PÂTE.

pathétique adj. *Nous avons vu un film* PATHÉTIQUE, très émouvant.

pathologie n. f. La PATHOLOGIE est la science qui étudie les maladies. ◆ **pathologique** adj. *Pierre est dans un état* PATHOLOGIQUE, il est malade.

patibulaire adj. *Cet individu a une mine* PATIBULAIRE, il n'inspire pas confiance (= louche).

patient **1.** adj. *Marie a un caractère* PATIENT, elle est calme, persévérante (≠ irritable, emporté). — **2.** n. *Le médecin visite ses* PATIENTS, ses malades, ses clients. ◆ **patience** n. f. (sens 1) *Voilà deux heures que j'attends, ma* PATIENCE *a des limites* (= persévérance). ◆ **patiemment** adv. (sens 1) *Paul attendait* PATIEMMENT, sans s'énerver.

◆ **patienter** v. (sens 1) *Voulez-vous* PATIENTER *quelques instants?*, attendre calmement. ◆ **impatient** adj. (sens 1) *Pierre est* IMPATIENT *de te voir,* il veut te voir le plus vite possible. ◆ **impatience** n. f. (sens 1) *Jean a eu un mouvement d'*IMPATIENCE (= énervement). ◆ **impatiemment** adv. (sens 1) *Nous attendons* IMPATIEMMENT *votre arrivée.* ◆ **impatienter** v. (sens 1) *Dépêche-toi, je commence à* M'IMPATIENTER, à perdre patience.
• **R.** On prononce [pasjɑ̃, pasjamɑ̃, etc.].

patiner v. **1.** *Pierre apprend à* PATINER, à se servir de patins. — **2.** *Les roues* PATINENT *dans la boue,* elles tournent sans avancer. — **3.** *Le manche de ce marteau est* PATINÉ, la couleur montre qu'il a servi. ◆ **patin** n. m. (sens 1) *Marie fait du* PATIN *à glace, Pierre du* PATIN *à roulettes,* ils se déplacent en glissant grâce à des semelles spéciales. • (sens 2) *Un* PATIN *de frein sert à bloquer une roue.* ◆ **patinage** n. m. (sens 1) *Nous avons vu un spectacle de* PATINAGE. ◆ **patine** n. f. (sens 3) *Sur cette armoire, on voit la* PATINE *du temps,* une couleur foncée qui montre que l'armoire est ancienne. ◆ **patineur** n. (sens 1) *C'est une* PATINEUSE *suédoise qui a gagné la course.* ◆ **patinoire** n. f. (sens 1) *Les patineurs s'entraînent sur la* PATINOIRE, sur un endroit aménagé pour patiner.

652 ◁ 653, 652 ◁ 652 ◁

pâtir v. se disait pour *souffrir.*

pâtisserie n. f. **1.** *Va à la* PÂTISSERIE *acheter des gâteaux,* à la boutique du pâtissier. — **2.** *Nous avons mangé de la* PÂTISSERIE, des gâteaux. ◆ **pâtissier** n. *Mme Durand est bonne* PÂTISSIÈRE, elle fait bien les gâteaux. ‖ *M. Duval est* PÂTISSIER, il tient une pâtisserie.

220 ◁

patois n. m. *Les paysans du village parlent le* PATOIS *auvergnat,* une langue particulière.

patraque adj. Fam. *Marie se sent* PATRAQUE, un peu malade.

pâtre n. m. se disait pour *berger.*

patriarche n. m. *Abraham est un* PATRIARCHE *de la Bible,* un chef de famille qui a vécu très longtemps.

patricien n. Les PATRICIENS étaient les nobles de la Rome antique.
• **R.** Ne pas confondre *patricien* et *praticien.*

patrie n. f. *Pierre est français, la France est sa* PATRIE, son pays natal. ◆ **patriote** adj. et n. *M. Durand est* PATRIOTE, il aime sa patrie. ◆ **patriotique** adj. *«La Marseillaise» est un chant* PATRIOTIQUE, exprimant l'amour de la patrie. ◆ **patriotisme** n. m. Le PATRIOTISME est l'amour de la patrie. ◆ **apatride** adj. *Cet homme est* APATRIDE, il n'a pas de patrie. ◆ **compatriote** n. *En Italie, nous avons rencontré des* COMPATRIOTES, des gens du même pays que nous. ◆ **expatrier** v. *Il* S'EST EXPATRIÉ *à cause de ses idées politiques,* il a quitté son pays (= s'exiler). ◆ **rapatrier** v. *Les prisonniers* ONT ÉTÉ RAPATRIÉS, ramenés dans leur pays.

patrimoine n. m. *Le* PATRIMOINE *national,* c'est l'ensemble des richesses de la nation.

patriote, patriotique, patriotisme → PATRIE.

patron n. **1.** *M. Durand est le* PATRON *de l'usine,* il la dirige. — **2.** *Sainte Catherine est la* PATRONNE *des couturières,* la sainte qui les protège. — **3.** n. m. *Marie a fait sa robe d'après un* PATRON, un modèle en papier. ◆ **patronal** adj. (sens 1) *Le syndicat* PATRONAL *défend les intérêts* PATRONAUX. • (sens 2) *Une fête* PATRONALE est dédiée à un saint. ◆ **patronage** n. m. **1.** (sens 2) *Être sous le* PATRONAGE *de quelqu'un,* c'est être protégé par lui. — **2.** Un PATRONAGE est une organisation de loisirs pour les enfants. ◆ **patronat** n. m. (sens 1) *Les représentants du* PATRONAT *ont été reçus par le ministre,* de l'ensemble des patrons. ▷ 296

patrouille n. f. *Le bandit a été arrêté par une* PATROUILLE *de police,* un petit groupe de policiers. ◆ **patrouiller** v. *Des soldats* PATROUILLENT *dans les rues,* circulent par groupes pour surveiller.

patte n. f. *Les hommes ont des bras et des jambes, les animaux ont des* PATTES, des membres. ▷ 294

pâturage n. m. *La Normandie est une région de* PÂTURAGES, de champs couverts d'herbe (= prairie). ◆ **pâture** n. f. *Le chien cherche sa* PÂTURE *dans la poubelle,* sa nourriture. ▷ 364

paume n. f. **1.** *Jean m'a montré la* PAUME *de sa main,* le dedans (≠ dos). — **2.** *Le jeu de* PAUME *consiste à envoyer une balle contre un mur.* ▷ 33

paupière n. f. *Les cils bordent les* PAUPIÈRES, les replis de la peau qui protègent l'œil.

paupiette n. f. *Les* PAUPIETTES *de veau* sont des tranches roulées et farcies.

pause n. f. *Nous ferons une* PAUSE *à 10 heures,* nous nous arrêterons (= interruption).

• **R.** *Pause* se prononce [poz] comme *pose.*

pauvre adj. et n. **1.** *M. Dupont est un (homme)* PAUVRE, il n'a pas d'argent (≠ riche). — **2.** *Ayez pitié de ce* PAUVRE *homme!* (= malheureux). ‖ *Le* PAUVRE, *il a encore perdu!* ◆ **pauvrement** adv. (sens 1) *Les Dupont vivent* PAUVREMENT. ◆ **pauvreté** n. f. (sens 1) *Ce pays est d'une grande* PAUVRETÉ (≠ richesse). ◆ **appauvrir** v. (sens 1) *La guerre* A APPAUVRI *le pays,* l'a rendu pauvre (= ruiner; ≠ enrichir).

se pavaner v. *Marie* SE PAVANE *devant la glace,* elle se regarde avec orgueil.

pavé n. m. *Attention! les* PAVÉS *sont glissants,* les blocs de pierre qui recouvrent la rue. ◆ **paver** v. *On* A PAVÉ *la terrasse avec des dalles* (= recouvrir).

pavillon n. m. **1.** *Le bateau avait un* PAVILLON *anglais* (= drapeau). — **2.** *Les Dupont habitent un* PAVILLON *en banlieue,* une petite maison. ▷ 219

pavoiser v. *Le 14-Juillet, on* PAVOISE *les édifices publics,* on les orne de drapeaux.

pavot n. m. *Le coquelicot est une sorte de* PAVOT, une fleur. ▷ 80

payer v. **1.** *Jean* A PAYÉ *ce livre 10 francs,* il a donné cette somme pour l'avoir. — **2.** AS-*tu* PAYÉ *le boucher?,* lui as-tu versé l'argent que tu lui devais? — **3.** *Pierre* A ÉTÉ *mal* PAYÉ *de ses efforts* (= récompenser).

◆ **payant** adj. (sens 1) *Ce spectacle est* PAYANT (≠ gratuit). ◆ **payable** adj. (sens 1) *Vos achats sont* PAYABLES *à la sortie,* ils doivent être payés. ◆ **paye** ou **paie** n. f. (sens 2) *M. Durand touche sa* PAYE *à la fin du mois,* il est payé de son travail (= salaire). ◆ **paiement** n. m. (sens 2) *Mme Dubois fait ses* PAIEMENTS *par chèque,* elle paie (= versement). ◆ **payeur** n. m. (sens 2) *M. Dupont est un mauvais* PAYEUR, il ne paie pas ce qu'il doit.

• **R.** Conj. nº 4. ‖ V. PAIX.

pays n. m. **1.** *La France est un* PAYS *d'Europe* (= nation, territoire). — **2.** *La Savoie est un* PAYS *de montagnes* (= région).

584, 579 ◁ **paysage** n. m. *De la colline, on découvre un beau* PAYSAGE, une vue d'ensemble sur la région.

paysan n. *Pierre a passé ses vacances chez des* PAYSANS, des gens qui travaillent la terre (= cultivateur, agriculteur). ◆ **paysannerie** n. f. La PAYSANNERIE est l'ensemble des paysans.

506 ◁ **péage** n. m. *Nous avons pris une autoroute à* PÉAGE, sur laquelle il faut payer.

peau n. f. **1.** *Pierre a la* PEAU *brunie par le soleil.* — **2.** *Mme Durand a un manteau en* PEAU *de lapin* (= cuir). — **3.** *Avant de manger cette pêche, enlève la* PEAU. ◆ **peler** v. (sens 1) *Après son coup de soleil, son dos* A PELÉ, la peau est partie. • (sens 3) *Jean* A PELÉ *son orange avec un couteau,* il a enlevé la peau (= éplucher). ◆ **pelé** adj. (sens 2) *Ce chien a le cou* PELÉ, sans poils. ◆ **pellicule** n. f. **1.** (sens 1) *Pierre a des* PELLICULES *dans les cheveux,* des petits morceaux de peau desséchée. • (sens 3) *Les grains de raisin sont recouverts d'une* PELLICULE, d'une peau très mince. —
437 ◁ **2.** *Jean a mis une* PELLICULE *dans son appareil photo,* un film. ◆ **pelure** n. f. (sens 3) *Jette à la poubelle ces* PELURES *de pommes de terre* (= épluchure).

• **R.** *Peau* se prononce [po] comme *pot.* ‖ *Peler,* conj. nº 5. ‖ V. PELLE.

peccadille n. f. *Marie a été punie pour une* PECCADILLE, une très petite faute.

1. pêche n. f. *Cette* PÊCHE *est très juteuse,* un fruit. ◆ **pêcher** n. m. *M. Dupont a des* PÊCHERS *dans son jardin,* un arbre.

• **R.** V. PÉCHÉ.

728, 721 ◁ **2. pêche** n. f. *M. Durand va à la* PÊCHE *tous les dimanches,* il va essayer de prendre du poisson. ◆ **pêcher** v. *M. Durand* A PÊCHÉ *deux truites,* il
723, 721 ◁ les a prises. ◆ **pêcheur** n. m. *Des* PÊCHEURS *à la ligne sont assis au bord de l'eau,* des gens qui pêchent. ◆ **repêcher** v. **1.** *On* A REPÊCHÉ *un noyé,* on l'a retiré de l'eau. — **2.** *Pierre* A ÉTÉ REPÊCHÉ *à l'examen,* il a été reçu malgré des notes insuffisantes.

• **R.** V. PÉCHÉ.

péché n. m. *L'orgueil, la paresse, la gourmandise sont des* PÉCHÉS, des fautes contre la religion. ◆ **pécher** v. *Pierre* A PÉCHÉ *par ignorance,* commis un péché. ◆ **pécheur** n. *Les* PÉCHEURS *doivent se repentir,* ceux qui ont péché.

• **R.** Le féminin de *pécheur* est *pécheresse.* ‖ Ne pas confondre *pêcher* et *pécher, pêcheur* et *pécheur.* (V. PÊCHE 1 et 2.)

pécher → PÉCHÉ. / **pêcher** → PÊCHE 1 et 2. / **pécheur** → PÉCHÉ. / **pêcheur** → PÊCHE 2.

pectoral adj. et n. m. *Pierre a des (muscles)* PECTORAUX *très forts,* des muscles de la poitrine.

pécule n. m. *M. Durand a amassé un petit* PÉCULE, il a épargné de l'argent.

pécuniaire adj. *M. Duval a des ennuis* PÉCUNIAIRES, d'argent.

pédagogie n. f. La PÉDAGOGIE est la science de l'éducation des enfants. ◆ **pédagogique** adj. *Dans cette classe, on essaie de nouvelles méthodes* PÉDAGOGIQUES, d'enseignement. ◆ **pédagogue** n. *Ce professeur est un bon* PÉDAGOGUE, il enseigne bien.

pédale n. f. *La* PÉDALE *d'embrayage est à gauche,* le levier manœuvré avec le pied. ◆ **pédaler** v. *Pierre essayait de* PÉDALER *plus vite,* de manœuvrer les pédales de sa bicyclette. ◆ **pédalier** n. m. *Le* PÉDALIER *d'une bicyclette* est le mécanisme actionné par les pédales. ◆ **pédalo** n. m. Un PÉDALO est un petit bateau à pédales.

▷ 148, 505, 512

▷ 723

pédant adj. et n. *Marie a pris un ton* PÉDANT *pour me répondre; c'est une* PÉDANTE (= prétentieux). ◆ **pédantisme** n. m. *Son* PÉDANTISME *m'agace,* ses manières pédantes (≠ simplicité).

pédiatre n. Un PÉDIATRE est un médecin spécialiste des enfants.

pédicure n. *Pierre s'est fait enlever un cor au pied par un* PÉDICURE, un spécialiste des pieds.

pedigree n. m. *Ce chien a un bon* PEDIGREE, il est de bonne race.
• **R.** On prononce [pedigri].

pègre n. f. *Ce café est fréquenté par des gens de la* PÈGRE, des voleurs et des bandits.

peigne n. m. *Pierre se donne un coup de* PEIGNE *dans les cheveux avant de sortir.* ◆ **peigner** v. *Marie* SE PEIGNE *devant la glace,* elle arrange ses cheveux (= se coiffer). ◆ **dépeigner** v. *Le vent m'*A DÉPEIGNÉ (= décoiffer).

▷ 79

peignoir n. m. *En sortant du bain, Pierre met un* PEIGNOIR, un vêtement en tissu-éponge.

peindre v. **1.** *On* A PEINT *en jaune les murs de la chambre,* on les a recouverts d'une matière colorante. — **2.** *Connais-tu l'artiste qui* A PEINT *ce tableau?,* qui l'a fait. ◆ **peintre** n. m. (sens 1) *M. Durand est* PEINTRE *en bâtiment,* il peint les murs. • (sens 2) *Léonard de Vinci est un grand* PEINTRE (= artiste). ◆ **peinture** n. f. (sens 1 et 2) *Pierre a acheté des pots de* PEINTURE, de couleur pour peindre. • (sens 2) *Nous avons visité une exposition de* PEINTURE *moderne.* ◆ **peinturlurer** v. (sens 1) Fam. *Jean* S'EST PEINTURLURÉ *la figure,* barbouillé de peinture. ◆ **pictural** adj. (sens 2) *L'art* PICTURAL est l'art de la peinture. ◆ **repeindre** v. (sens 1) *On* A REPEINT *la salle de bains.*
• **R.** Conj. n° 55. ‖ V. PAIN.

▷ 289

▷ 437

peine n. f. **1.** *Jean a de la* PEINE *à se lever le matin,* il le fait difficilement, avec effort (= mal). — **2.** *Il n'est que huit heures, ce n'est pas la* PEINE *de se presser,* ce n'est pas utile. — **3.** *La mort de M. Dupuis nous a causé beaucoup de* PEINE (= chagrin, douleur; ≠ plaisir). — **4.** *L'accusé a été condamné à une* PEINE *de prison,* à subir ce châtiment. — **5.** *On y voit* À PEINE, presque pas, très peu. ◆ **peiner** v. (sens 1) *Les coureurs* PEINAIENT *dans la côte,* ils faisaient des efforts. • (sens 3) *Cette nouvelle nous* A *beaucoup* PEINÉS (= attrister; ≠ réjouir). ◆ **pénal** adj. (sens 4) *Le Code* PÉNAL fixe les peines applicables quand on enfreint la loi. ◆ **pénaliser** v. (sens 4) *Pierre* A ÉTÉ PÉNALISÉ *pour son retard* (= sanctionner, punir). ◆ **pénalité** n. f. (sens 4) *Ceux qui font cela s'exposent à des* PÉNALITÉS (= sanction). ◆ **pénible** adj. (sens 1) *M. Durand fait un travail* PÉNIBLE, difficile et fatigant. • (sens 3) *Pierre m'a aidé dans cette période* PÉNIBLE (= triste, douloureux). ◆ **péniblement** adv. (sens 1) *Mon grand-père marche* PÉNIBLEMENT, avec peine.

• **R.** *Peine* se prononce [pɛn] comme *pêne* et *penne.*

peintre, peinture, peinturlurer → PEINDRE.

péjoratif adj. *«Chauffard» est un mot* PÉJORATIF, il exprime une idée défavorable.

pelage n. m. *Ce chat a un beau* PELAGE (= poil).

pelé → PEAU. / **pêle-mêle** → MÊLER. / **peler** → PEAU.

pèlerinage n. m. *Lourdes est un lieu de* PÈLERINAGE *célèbre,* on y va dans un but religieux. ◆ **pèlerin** n. m. *À Pâques, il y avait beaucoup de* PÈLERINS *à Rome,* de personnes venues en pèlerinage.

pèlerine n. f. Une PÈLERINE est un manteau sans manches.

435 ◁ **pélican** n. m. Les PÉLICANS sont des oiseaux avec un gros bec, où ils mettent de la nourriture en réserve pour leurs petits.

pelisse n. f. *M. Durand a une* PELISSE *à col de mouton,* un manteau fourré.

723, 150, 78 ◁ **pelle** n. f. *Les ouvriers déchargent le camion de sable avec des* PELLES, des outils à long manche. ◆ **pelletée** n. f. *Mets une* PELLETÉE *de charbon dans le feu,* le contenu d'une pelle. ◆ **pelleter** v. *Il faudrait* PELLETER *ce tas de terre,* le déplacer avec des pelles. ◆ **pelleteuse** n. f. Une 151 ◁ PELLETEUSE est une machine qui sert à pelleter la terre.

• **R.** *Pelle* se prononce [pɛl] comme [*je*] *pèle* (de *peler*).

pellicule → PEAU.

296 ◁ **pelote** n. f. **1.** *Mme Durand a acheté une* PELOTE *de laine,* de la laine roulée en boule. — **2.** *Pierre sait jouer à la* PELOTE *basque,* il envoie une balle rebondir contre un mur.

512 ◁ **peloton** n. m. **1.** *Un coureur s'est échappé du* PELOTON, du groupe formé par les autres coureurs. — **2.** *Un* PELOTON *de soldats monte la garde* (= groupe).

se pelotonner v. *Le chat* S'EST PELOTONNÉ *dans le fauteuil,* il s'est roulé sur lui-même.

pelouse n. f. *Il est interdit de marcher sur la* PELOUSE, sur le terrain couvert de gazon. ▷ 35, 73, 75

peluche n. f. *Le bébé joue avec son ours en* PELUCHE, une sorte d'étoffe épaisse. ◆ **pelucheux** adj. *Ce tissu est* PELUCHEUX, poilu et duveteux.

pelure → PEAU. / **pénal, pénaliser, pénalité** → PEINE.

penalty n. m. *L'arbitre a sifflé un* PENALTY, une faute au football.
• **R.** Noter le pluriel : des *penalties.*

pénates n. m. pl. *Nous allons rejoindre nos* PÉNATES, rentrer chez nous.

penaud adj. *Pris en faute, Jean était tout* PENAUD (= honteux, confus; ≠ fier).

penchant n. m. *Pierre a un* PENCHANT *à la paresse,* il a un goût, une tendance.

pencher v. **1.** *Regarde l'arbre comme il* PENCHE!, il est incliné, oblique. — **2.** *Ne* TE PENCHE *pas par la fenêtre* (= s'incliner, se baisser). — **3.** *On va* SE PENCHER *sur ce problème,* on va l'examiner, l'étudier.

pendable, pendaison → PENDRE.

1. pendant → PENDRE.

2. pendant prép. indique le moment où se passe une action : *Il est arrivé* PENDANT *la nuit.* ▷ 754

pendre v. **1.** *Des fruits* PENDENT *aux branches de l'arbre,* sont suspendus. — **2.** *Pierre* A PENDU *son manteau* (= accrocher, suspendre). — **3.** *Autrefois, on* PENDAIT *les condamnés à mort,* on les suspendait par le cou. ◆ **pendaison** n. f. (sens 3) *Il est mort par* PENDAISON, on l'a pendu ou il s'est pendu. ◆ **pendant** n. m. (sens 1) *Marie a de jolis* PENDANTS D'OREILLES (= boucles d'oreilles). ◆ **pendentif** n. f. (sens 1) *Jeanne a un* PENDENTIF *en argent,* un bijou suspendu à une chaîne. ◆ **penderie** n. f. (sens 2) Une PENDERIE est un placard où l'on pend des vêtements. ▷ 77 ◆ **pendable** adj. (sens 3) *Pierre m'a joué un* TOUR PENDABLE, très méchant. ◆ **pendu** n. (sens 3) *Cette histoire de* PENDU *est horrible,* de personne qu'on a pendue ou qui s'est pendue.
• **R.** Conj. nº 50. ‖ V. PAN.

pendule n. f. *La* PENDULE *est arrêtée, il faut la remonter,* une sorte de petite horloge. ▷ 220 ◆ **pendulette** n. f. *Jean a une* PENDULETTE *auprès de son lit,* une petite pendule. ▷ 220, 292

pêne n. m. *Le* PÊNE *d'une serrure,* c'est la partie qui sert à la bloquer. ▷ 74
• **R.** V. PEINE.

pénétrer v. **1.** *Il est interdit de* PÉNÉTRER *dans cette pièce,* d'entrer dedans. — **2.** *Je n'ai pas réussi à* PÉNÉTRER *ses intentions,* à les comprendre. ◆ **pénétrant** adj. (sens 2) *M. Durand a un regard* PÉNÉTRANT (= perçant, clairvoyant). ◆ **pénétration** n. f. (sens 2) *Pierre a montré beaucoup de* PÉNÉTRATION, de facilité à comprendre (= intelligence). ◆ **impénétrable** adj. (sens 2) *Jean a eu un sourire* IMPÉNÉTRABLE, qui ne permet pas de comprendre ce qu'il pense (= mystérieux).

pénible, péniblement → PEINE.

727, 218 ◁ **péniche** n. f. *Les* PÉNICHES *servent à transporter les marchandises sur les fleuves,* de longs bateaux.

pénicilline n. f. *Le médecin a prescrit à Jean des piqûres de* PÉNICILLINE, une sorte de médicament.

725 ◁ **péninsule** n. f. *La Bretagne forme une* PÉNINSULE, une grande presqu'île.

pénitence n. f. **1.** *Pour faire* PÉNITENCE, *un catholique doit se repentir de ses fautes.* — **2.** *Comme* PÉNITENCE, *tu seras privé de dessert* (= punition). ◆ **pénitencier** n. m. (sens 2) Un PÉNITENCIER est une prison, un bagne. ◆ **pénitent** n. (sens 1) Un PÉNITENT est une personne qui va se confesser pour recevoir l'absolution. ◆ **pénitentiaire** adj. (sens 2) *L'organisation* PÉNITENTIAIRE, c'est l'organisation des prisons. ◆ **impénitent** adj. (sens 1) *Pierre est un menteur* IMPÉNITENT, il continue à mentir sans se repentir.

penne n. f. *Les* PENNES *d'un oiseau* sont les longues plumes de ses ailes et de sa queue.
• **R.** V. PEINE.

pénombre n. f. *La chambre est plongée dans la* PÉNOMBRE, la lumière y est faible.

1. pensée → PENSER.

2. pensée n. f. Les PENSÉES sont des fleurs ressemblant à des violettes.

penser v. **1.** *On ne sait si les animaux* PENSENT, forment des idées dans leur esprit (= réfléchir). — **2.** *Je* PENSE *que tu as raison,* c'est mon idée, mon opinion (= croire). — **3.** *Je* PENSE *souvent* À *toi,* je ne t'oublie pas (= songer). — **4.** *Jean* PENSE *venir demain,* il en a l'intention (= compter). ◆ **pensée** n. f. (sens 1) *Cela m'est venu à la* PENSÉE (= esprit). • (sens 2) *Jean m'a confié ses* PENSÉES (= idée, opinion). ◆ **penseur** n. m. **1.** (sens 1) *Einstein fut un grand* PENSEUR, un homme très intelligent. — **2.** *Les* LIBRES PENSEURS *pensent que Dieu n'existe pas.* ◆ **pensif** (sens 1) *Jean me regarde d'un air* PENSIF, il a l'air de réfléchir (= songeur). ◆ **arrière-pensée** n. f. (sens 2) *En faisant cela, il avait des* ARRIÈRE-PENSÉES, des idées cachées. ◆ **impensable** adj. (sens 2) *Ce que tu me dis est* IMPENSABLE (= incroyable).
• **R.** V. PANSER.

pension n. f. **1.** *Paul est en* PENSION, dans un établissement où il paie pour être nourri et logé. — **2.** *Mon grand-père touche une* PENSION *de vieillesse,* une somme d'argent (= allocation). ◆ **pensionnaire** n. (sens 1) *Les* PENSIONNAIRES *de l'hôtel sont très satisfaits,* les gens qui y sont en pension. ◆ **pensionnat** n. m. (sens 1) *Jacques est élève dans un* PENSIONNAT, une école qui reçoit des pensionnaires (= internat). ◆ **pensionner** v. (sens 2) *Mon grand-père* EST PENSIONNÉ *par le gouvernement,* il en reçoit une pension.

pensum n. m. *Ce devoir, quel* PENSUM!, quel travail ennuyeux!
• **R.** On prononce [pɛ̃sɔm].

pentagone n. m. Un PENTAGONE possède cinq côtés. ▷ 348

pente n. f. *La route est en* PENTE, elle est inclinée, elle monte (ou descend). ‖ *La* PENTE *est raide* (= côte).

Pentecôte n. f. *La fête de la* PENTECÔTE *est célébrée cinquante jours après Pâques.*

pénurie n. f. *Il y a une* PÉNURIE *de pétrole,* on en manque (≠ abondance).

pépier v. *Les moineaux* PÉPIENT *sur le balcon,* ils poussent leurs petits cris.

pépin n. m. *Les pommes et les poires ont des* PÉPINS, des petites graines. ◆ **pépinière** n. f. *Dans une* PÉPINIÈRE, *on fait pousser des arbres jeunes.*

pépite n. f. *Le chercheur d'or a trouvé une* PÉPITE, un morceau d'or pur.

péplum n. m. Chez les Romains, le PÉPLUM était une sorte de vêtement. ▷ 440
• **R.** On prononce [peplɔm].

percepteur, perceptible, perception → PERCEVOIR.

percer v. **1.** *On* A PERCÉ *le mur pour faire une fenêtre,* on y a fait un trou. — **2.** *Ce bruit nous* PERCE *les oreilles,* il est très aigu (= déchirer). — **3.** *On n'a pas réussi à* PERCER *le mystère* (= comprendre). ◆ **perçant** adj. (sens 2) *M*^me^ *Durand a une voix* PERÇANTE (= aigu). ◆ **percée** n. f. (sens 1) *Le chemin fait une* PERCÉE *dans la forêt* (= ouverture, trouée). ◆ **perceuse** n. f. (sens 1) Une PERCEUSE est un outil pour faire des trous. ▷ 289, 291 ◆ **perce-neige** n. f. inv. (sens 1) La PERCE-NEIGE est une fleur qui pousse à travers la neige. ◆ **transpercer** v. (sens 1 et 2) *La pluie* A TRANSPERCÉ *la toile de tente* (= traverser).

percevoir v. **1.** *Je* PERÇOIS *les battements de ton cœur,* je les sens. — **2.** *L'État* PERÇOIT *des taxes sur l'essence,* il les reçoit. ◆ **percepteur** n. m. (sens 2) Le PERCEPTEUR est chargé de percevoir les impôts. ◆ **perceptible** adj. (sens 1) *Le bateau n'est plus* PERCEPTIBLE *à l'œil nu* (= visible). ◆ **perception** n. f. (sens 1) *Les yeux, les oreilles, le nez sont des organes de la* PERCEPTION, des sens. • (sens 2) *M. Durand est allé payer ses impôts à la* PERCEPTION, au bureau du percepteur. ◆ **imperceptible** adj. (sens 1) *Il y a une différence* IMPERCEPTIBLE *entre ces deux couleurs* (= insensible, minime).
• **R.** Conj. n° 34. ‖ V. PRÉCEPTEUR.

perche n. f. **1.** La PERCHE est un poisson d'eau douce. — **2.** *Pierre pratique le saut à la* PERCHE, avec un long bâton. ▷ 721 ▷ 34

percher v. *Le moineau est allé* SE PERCHER *sur la branche* (= se poser). ◆ **perchoir** n. m. *Les poules dorment sur un* PERCHOIR.

perclus adj. *Mon grand-père est* PERCLUS DE *rhumatismes,* immobilisé par ceux-ci.

percuter v. *La voiture* A PERCUTÉ *(contre) un mur,* elle l'a heurté violemment. ◆ **percussion** n. f. *Le tambour, les cymbales sont des instruments à* PERCUSSION, on en joue en les frappant. ▷ 439

perdre v. **1.** *Jean* A PERDU *son stylo,* il ne l'a plus (≠ retrouver). — **2.** *Notre équipe* A PERDU *(le match),* elle a été vaincue (≠ gagner). — **3.** *Pierre vient de* PERDRE *son père,* celui-ci est mort. — **4.** *En restant ici, on* PERD *son temps,* on ne l'utilise pas bien (= gaspiller). — **5.** *Ils ont attendu longtemps mais ils n'*ONT *pas* PERDU *patience,* ils ont continué à être patients. — **6.** *Nous* NOUS SOMMES PERDUS *dans la forêt,* nous n'avons pas trouvé le bon chemin (= s'égarer). ◆ **perdant** adj. et n. (sens 2) *Dans cette affaire, nous avons été* PERDANTS (≠ gagnant). ◆ **perdition** n. f. (sens 3) *Le navire est* EN PERDITION, il va faire naufrage. ◆ **perdu** adj. (sens 3) *Le malade est* PERDU, il va mourir. • (sens 6) *Il habite dans un village* PERDU, difficile à atteindre. ◆ **perte** n. f. (sens 1) *Jean est désolé par la* PERTE *de son stylo.* • (sens 3) *L'ennemi a eu de nombreuses* PERTES, des soldats tués. • (sens 4) *Ce commerçant vend à* PERTE, il perd de l'argent (≠ gain).

• **R.** Conj. nº 52. ‖ V. PAIR 1.

perdrix n. f. *Le chasseur a abattu une* PERDRIX *qui s'envolait.* ◆ **perdreau** n. m. Un PERDREAU est une jeune perdrix.

perdu → PERDRE.

747 ◁ **père** n. m. **1.** *M. Durand est* PÈRE *de trois enfants.* — **2.** *J'ai rencontré le* PÈRE *François,* un vieil homme nommé François. — **3.** *On dit « mon* PÈRE *» à certains religieux.* ◆ **paternalisme** n. m. (sens 1) *Ce directeur traite ses employés avec* PATERNALISME, il se montre bienveillant pour renforcer son autorité. ◆ **paternel** adj. (sens 1) *Le professeur a eu pour Jean des paroles* PATERNELLES, dignes d'un père (= gentil). ◆ **paternité** n. f. (sens 1) *Qui a la* PATERNITÉ *de ce projet?,* qui en est l'auteur?

• **R.** V. PAIR 1.

pérégrination n. f. *Jean m'a raconté ses* PÉRÉGRINATIONS, ses déplacements, ses voyages.

péremptoire adj. *Paul m'a répondu d'un ton* PÉREMPTOIRE, sans réplique (= tranchant).

perfection, perfectionnement, perfectionner → PARFAIT.

perfide adj. *Il a été victime d'une machination* PERFIDE (= déloyal). ◆ **perfidie** n. f. *On lui a reproché sa* PERFIDIE (= fourberie, traîtrise).

perforer v. *Cette machine* PERFORE *automatiquement les billets,* y fait un trou. ◆ **perforation** n. f. *Il est mort d'une* PERFORATION *intestinale,* quelque chose lui a percé l'intestin.

performance n. f. *Le coureur a battu le record, c'est une belle* PERFORMANCE (= résultat, exploit).

pergola n. f. *Nous avons mangé sous la* PERGOLA, sous un petit abri dans le jardin.

péricliter v. *L'économie de ce pays est en train de* PÉRICLITER, elle va à la ruine (≠ prospérer).

péril n. m. *La tempête a mis le navire en* PÉRIL, en danger. ◆ **périlleux** adj. *Attention, le virage est* PÉRILLEUX! (= dangereux). ‖ *Faire un* SAUT PÉRILLEUX, c'est faire un tour complet sur soi-même.

périmé adj. *Ces tickets de métro sont* PÉRIMÉS, ils ne sont plus valables.

périmètre n. m. *Le* PÉRIMÈTRE *de mon jardin est de 100 mètres,* la somme de ses côtés.

période n. f. *Cela s'est passé pendant la* PÉRIODE *des vacances* (= temps, durée, intervalle). ◆ **périodique** adj. *Jean a des crises* PÉRIODIQUES *de bronchite,* à intervalles réguliers. ◆ **périodique** n. m. Un PÉRIODIQUE est un journal ou une revue qui paraît régulièrement. ◆ **périodiquement** adv. *Les hirondelles reviennent* PÉRIODIQUEMENT (= régulièrement).

péripétie n. f. *Notre voyage a été marqué par de nombreuses* PÉRIPÉTIES, des événements imprévus.
- R. On prononce [peripesi].

périphérie n. f. *La banlieue se trouve à la* PÉRIPHÉRIE *de la ville,* tout autour. ◆ **périphérique** adj. et n. m. *Il y a un encombrement sur le (boulevard)* PÉRIPHÉRIQUE, celui qui fait le tour de la ville.

périphrase n. f. *«Le plus fidèle ami de l'homme» est une* PÉRIPHRASE *désignant le chien* (= expression).

périple n. m. *Les Durand ont fait un* PÉRIPLE *en Italie,* un long voyage.

périr v. *Un si beau souvenir ne peut pas* PÉRIR (= disparaître, mourir). ◆ **périssable** adj. *On met les produits* PÉRISSABLES *au réfrigérateur,* ceux qui risquent de pourrir. ◆ **impérissable** adj. *Cet écrivain a laissé une œuvre* IMPÉRISSABLE, dont le souvenir ne peut disparaître.

périscope n. m. *Le* PÉRISCOPE *d'un sous-marin permet de regarder à la surface de la mer,* un appareil.

périssable → PÉRIR.

périssoire n. f. Une PÉRISSOIRE est un long canot.

péristyle n. m. *Les temples grecs étaient entourés d'un* PÉRISTYLE, d'une galerie à colonnes.

perle n. f. **1.** *Marie a un joli collier de* PERLES, de petites boules brillantes. — **2.** *Mme Durand est la* PERLE *des cuisinières,* une très bonne cuisinière. ◆ **perler** v. (sens 1) *La sueur* PERLE *sur son front,* forme des gouttes. ◆ **perlière** adj. f. (sens 1) *Dans les huîtres* PERLIÈRES, *on trouve des perles précieuses.*

permanent adj. *Cette machine fait un bruit* PERMANENT, qui ne cesse pas (= continu; ≠ provisoire). ◆ **permanence** n. f. **1.** *Le spectacle continue* EN PERMANENCE, sans s'arrêter. — **2.** *Un employé tient une* PERMANENCE *pour renseigner les visiteurs,* il reste à la même place.

perméable adj. *Le sable est une roche* PERMÉABLE, il laisse passer l'eau. ◆ **imperméable** adj. et n. m. *La toile cirée est un tissu* IMPERMÉABLE. ‖ *Il pleut, prends ton* IMPERMÉABLE, ton manteau de pluie. ▷ 36

permettre v. **1.** *Mon père m'*A PERMIS *de sortir,* m'en a donné l'autorisation (≠ défendre, interdire). — **2.** *Mon travail ne me* PERMET *pas de sortir,* ne m'en donne pas la possibilité (≠ empêcher). ◆ **permis** n. m. (sens 2) *Jean a passé son* PERMIS *de conduire,* il peut conduire.

◆ **permission** n. f. (sens 1) *Pierre est venu sans* PERMISSION (= autorisation). ◆ **permissionnaire** n. m. (sens 1) Un PERMISSIONNAIRE est un soldat qui a la permission de sortir de la caserne.
• R. Conj. n° 57.

permuter v. *En recopiant, Pierre* A PERMUTÉ *deux mots,* les a mis l'un à la place de l'autre.

pernicieux adj. *Paul m'a donné des conseils* PERNICIEUX (= mauvais, nuisible; ≠ salutaire).

40 ◁ **péroné** n. m. Le PÉRONÉ est un os de la jambe.

péronnelle n. f. Fam. *Jeanne est une* PÉRONNELLE, elle est sotte et prétentieuse.

pérorer v. *M. Durand* PÉRORE *devant ses invités,* il parle d'une manière prétentieuse.

perpendiculaire adj. *Deux lignes sont* PERPENDICULAIRES quand elles se coupent à angle droit.

perpétrer v. *L'accusé* AVAIT PERPÉTRÉ *un crime horrible,* il l'avait commis.

perpétuel adj. *Cette affaire nous a causé des ennuis* PERPÉTUELS, sans fin (= continuel; ≠ momentané). ◆ **perpétuellement** adv. *Il est* PERPÉTUELLEMENT *triste* (= toujours). ◆ **perpétuité** n. f. *L'accusé a été condamné à la prison* À PERPÉTUITÉ, pour toute sa vie.

perplexe adj. *Jean a l'air* PERPLEXE (= inquiet, embarrassé). ◆ **perplexité** n. f. *Ta question nous a plongés dans une grande* PERPLEXITÉ (= embarras).

perquisition n. f. *La police a fait une* PERQUISITION *chez le suspect,* elle a fouillé son logement. ◆ **perquisitionner** v. *Le juge a ordonné de* PERQUISITIONNER *chez M. Duval* (= fouiller).

74 ◁ **perron** n. m. *Le* PERRON *d'une maison* est un petit escalier qui se trouve devant la porte.

581 ◁ **perroquet** n. m. **1.** *Les* PERROQUETS *peuvent imiter la voix humaine,* une sorte d'oiseau. — **2.** Le PERROQUET est une des voiles d'un voilier. ◆ **perruche** n. f. (sens 1) Une PERRUCHE est un petit perroquet.

perruque n. f. *Mme Durand porte une* PERRUQUE *blonde,* de faux cheveux.

persécuter v. *Jean* EST PERSÉCUTÉ *par ses camarades,* ceux-ci le tourmentent, le martyrisent. ◆ **persécuteur** n. *Le chien a mordu ses* PERSÉCUTEURS. ◆ **persécution** n. f. *Les premiers chrétiens furent victimes de* PERSÉCUTIONS, de cruautés.

persévérer v. *Ne te décourage pas,* PERSÉVÈRE!, continue ton action (= s'obstiner; ≠ abandonner, renoncer). ◆ **persévérance** n. f. *Sa* PERSÉVÉRANCE *a été récompensée* (= ténacité, obstination).

74 ◁ **persienne** n. f. *La nuit tombe, il faut fermer les* PERSIENNES (= volet).

persifler v. *Il s'est permis de* PERSIFLER *son professeur,* de s'en moquer.

persil n. m. *Mme Durand met du* PERSIL *dans la salade de tomates,* une plante odorante. ▷ 367
• **R.** On prononce [pεrsi].

persister v. *Jean* PERSISTE *à penser qu'il a raison* (= continuer, s'obstiner; ≠ cesser). ◆ **persistant** adj. *Le froid est* PERSISTANT (= durable, tenace). ◆ **persistance** n. f. *La radio annonce la* PERSISTANCE *du mauvais temps* (≠ arrêt).

personne n. f. **1.** *Il y avait cinq* PERSONNES *dans le compartiment,* cinq êtres humains (hommes ou femmes). — **2.** *Il est venu* EN PERSONNE, lui-même. — **3.** *«Allons» est un verbe à la première* PERSONNE *du pluriel.* ▷ 11 ◆ **personne** pron. indéfini (sens 1) *As-tu vu quelqu'un? — Non, je* N'*ai vu* PERSONNE, aucun être humain. ◆ **personnage** n. m. (sens 1) *Napoléon est un* PERSONNAGE *historique,* une personne importante. ◆ **personnalité** n. f. (sens 1) *Jean a une forte* PERSONNALITÉ, c'est une personne de caractère. ‖ *Le préfet est une* PERSONNALITÉ *officielle,* une personne importante. ◆ **personnel** adj. (sens 1) *Jean ne pense qu'à son intérêt* PERSONNEL (= individuel; ≠ commun). • (sens 3) *L'indicatif est un mode* PERSONNEL, qui a des personnes. ◆ **personnel** n. m. (sens 1) *Cette usine engage du* PERSONNEL, des personnes pour y travailler. ◆ **personnellement** adv. (sens 2) *Je connais Pierre* PERSONNELLEMENT, en personne. ▷ 510 ◆ **personnifier** v. (sens 1) *Dans son tableau, le peintre* A PERSONNIFIÉ *le printemps,* l'a représenté par une personne. ◆ **impersonnel** adj. (sens 1) *Jean parlait d'un ton* IMPERSONNEL, sans caractère (≠ original). • (sens 3) *L'infinitif est un mode* IMPERSONNEL, sans personnes.

perspective n. f. **1.** *Cette maison est dessinée en* PERSPECTIVE, telle qu'on la voit. — **2.** *Tes* PERSPECTIVES *de réussite sont faibles* (= espérance).

perspicace adj. *Tu as deviné? Tu es* PERSPICACE (= intelligent). ◆ **perspicacité** n. f. *Ta réponse fait preuve de* PERSPICACITÉ, de finesse d'esprit.

persuader v. *M. Durand nous* A PERSUADÉS *qu'il avait raison,* nous l'avons admis (= convaincre). ◆ **persuasif** adj. *M. Durand est un homme* PERSUASIF, il sait persuader. ◆ **persuasion** n. f. *Il a parlé avec une grande force de* PERSUASION (= conviction).

perte → PERDRE.

pertinent adj. *Pierre a posé une question* PERTINENTE, qui montre son intelligence (= judicieux).

perturber v. *Jean* PERTURBE *la classe en bavardant,* il met du désordre (= troubler). ◆ **perturbateur** n. *Les* PERTURBATEURS *ont été expulsés de la salle.* ◆ **perturbation** n. f. *Une panne de courant a causé des* PERTURBATIONS (= trouble). ◆ **imperturbable** adj. *Jean est resté* IMPERTURBABLE, il ne s'est pas troublé (= calme; ≠ ému).

pervenche n. f. Les PERVENCHES sont des petites fleurs bleues. ▷ 654

pervers adj. *Une personne* PERVERSE *aime faire le mal* (≠ bon). ◆ **perversité** n. f. *Mme Duval a agi avec* PERVERSITÉ (= méchanceté). ◆ **pervertir** v. *Les mauvais exemples l'*ONT PERVERTI, poussé à faire le mal.

peser v. **1.** *Ce paquet* PÈSE *3 kilos,* il a ce poids. — **2.** *Le boulanger* A PESÉ *le pain sur sa balance,* il en a mesuré le poids. — **3.** *Ce sac me* PÈSE *sur les épaules,* il est lourd (= appuyer). — **4.** *Il* A *longuement* PESÉ *sa décision,* il a tout examiné avec attention. — **5.** *Son mensonge lui* PÈSE, est pénible à supporter. ◆ **pesamment** adv. (sens 3) *M. Dupont marche* PESAMMENT (= lourdement). ◆ **pesant** adj. (sens 1) *Tous les corps sont* PESANTS, ils ont un poids. • (sens 3) *Jean porte un sac* PESANT (= lourd; ≠ léger). ◆ **pesanteur** n. f. (sens 1) La PESANTEUR est une force qui entraîne les corps vers le bas et qui fait qu'ils ont un poids. ◆ **pesée** n. f. (sens 2) *On fait une* PESÉE *avec une balance,* on pèse les objets. • (sens 3) *Jean a exercé une* PESÉE *sur la fenêtre,* il a appuyé dessus (= poussée). ◆ **apesanteur** n. f. (sens 1) *Les astronautes s'exercent en* APESANTEUR, dans un endroit sans pesanteur. ◆ **s'appesantir** v. (sens 3) *Jean ne voulait pas* S'APPESANTIR *sur ce sujet* (= appuyer, insister).
• **R.** Attention : *s'appesantir* a deux *p, apesanteur* n'en a qu'un.

peseta n. f. La PESETA est la monnaie espagnole.
• **R.** On prononce [pezeta].

pessimiste adj. et n. *M. Dupont est (un homme)* PESSIMISTE, il pense que tout va mal (≠ optimiste). ◆ **pessimisme** n. m. *M. Dupont voit l'avenir avec* PESSIMISME, il n'a pas confiance.

peste n. f. **1.** *Autrefois, les épidémies de* PESTE *faisaient beaucoup de morts.* — **2.** *Marie est une petite* PESTE, elle est insupportable. ◆ **pestiféré** n. (sens 1) *On le fuit comme un* PESTIFÉRÉ, comme un malade de la peste.

pester v. *M. Durand* PESTE *contre le mauvais temps,* il parle avec colère (= jurer, grogner).

pestiféré → PESTE.

pestilentiel adj. *Il y a ici une odeur* PESTILENTIELLE (= infect).

294 ◁ **pétale** n. m. *Les marguerites ont des* PÉTALES *blancs, les coquelicots ont des* PÉTALES *rouges.*

578 ◁ **pétanque** n. f. *Jean et Pierre font une partie de* PÉTANQUE, de jeu de boules.

pétarade n. f. *On entend dans la rue une* PÉTARADE *de motos,* une suite de bruits très forts. ◆ **pétarader** v. *L'auto est partie* EN PÉTARADANT.

pétard n. m. *Le 14-Juillet, les enfants font éclater des* PÉTARDS, des petites charges explosives.

pétiller v. **1.** *Le feu* PÉTILLE *dans la cheminée,* fait des petits bruits. — **2.** *Le champagne* PÉTILLE, fait des petites bulles. — **3.** *Ses yeux* PÉTILLENT *d'impatience* (= briller).

petit adj. **1.** *Jean est plus* PETIT *que Pierre,* sa taille est moins haute (≠ grand). — **2.** *Jeannot est encore trop* PETIT *pour aller à l'école* (= jeune). — **3.** *Qu'est-ce qui fait ce* PETIT *bruit?* (= faible, léger; ≠ fort). — **4.** *M. Durand est un* PETIT *commerçant,* peu important (≠ gros). ◆ **petit** n. (sens 2) *Jeannot est dans la classe des* PETITS, des plus jeunes (≠ grand). ‖ *La chatte a eu des* PETITS, des chatons. ◆ **petitesse** n. f. (sens 1 et 3) *Il se plaint de la* PETITESSE *de son salaire* (= faiblesse). ◆ **rapetisser** v. (sens 1) *Mon pantalon* A RAPETISSÉ *au lavage* (≠ s'agrandir).

petit-fils n. m., **petite-fille** n. f., **petits-enfants** n. m. pl. *M. Durand a trois* PETITS-ENFANTS : *deux* PETITS-FILS *et une* PETITE-FILLE, il est leur grand-père. ▷ 547

pétition n. f. *Les employés ont signé une* PÉTITION *pour l'augmentation des salaires,* une demande écrite.

petit-lait → LAIT. / **petits-enfants** → PETIT-FILS.

petit-suisse n. m. Les PETITS-SUISSES sont des petits fromages blancs.

pétrifier v. *Pierre* ÉTAIT PÉTRIFIÉ *par l'émotion,* il ne bougeait plus (= immobiliser).

pétrir v. *Mme Durand* PÉTRIT *la pâte pour faire une tarte,* elle la presse et la remue avec ses mains. ◆ **pétrin** n. m. Un PÉTRIN est un grand récipient où les boulangers pétrissent le pain.

pétrole n. m. *La France importe beaucoup de* PÉTROLE, un produit qui sert de source d'énergie. ◆ **pétrolier** adj. et n. m. *L'essence, le mazout, le fuel sont des produits* PÉTROLIERS, à base de pétrole. ‖ *Un* PÉTROLIER *a fait naufrage,* un bateau transportant du pétrole. ▷ 577 ▷ 726

pétulant adj. *Pierre est un garçon* PÉTULANT (= vif, dynamique; ≠ mou).

pétunia n. m. *Mme Durand a des pots de* PÉTUNIA *sur son balcon,* une sorte de fleur. ▷ 80

peu adv. **1.** *Il y a* PEU *d'élèves dans la classe* (≠ beaucoup). ‖ *Paul est* PEU *attentif* (≠ très). — **2.** *Aimes-tu les carottes?* — UN PEU (≠ beaucoup). — **3.** PEU À PEU, *il fait des progrès* (= lentement).

• **R.** *Peu* se prononce [pø] comme [*je*] *peux,* [*il*] *peut* (de *pouvoir*).

peuple n. m. **1.** *Le* PEUPLE *français va voter dimanche,* l'ensemble des habitants du pays. — **2.** *M. Durand est issu du* PEUPLE, de la partie la plus nombreuse et la moins riche de la population (≠ bourgeoisie). ◆ **peuplade** n. f. (sens 1) Une PEUPLADE est un groupe de gens qui vivent en tribus. ◆ **peupler** v. (sens 1) *Cette région* EST PEUPLÉE *par des émigrés* (= habiter). ◆ **peuplement** n. m. (sens 1) *Le* PEUPLEMENT *de ce pays est très faible,* le nombre des habitants. ◆ **populace** n. f. (sens 2) POPULACE est un terme de mépris pour parler du *peuple.* ◆ **populaire** adj. **1.** (sens 2) *Les ouvriers et les paysans forment les classes* POPULAIRES (≠ bourgeois, privilégié). — **2.** *Jean est très* POPULAIRE *dans sa classe,* il est connu et aimé de tout le monde. ◆ **populariser** v. (sens 2) *Les journaux* ONT POPULARISÉ *son nom,* l'ont fait connaître de la majorité. ◆ **popularité** n. f. *Ce ministre a une grande* POPULARITÉ, il est populaire (sens 2) [= célébrité]. ◆ **population** n. f. (sens 1) *La* POPULATION *de la France* *dépasse 50 millions d'habitants,* le nombre des habitants. ◆ **populeux** adj. (sens 1) *Nous habitons un quartier* POPULEUX, très peuplé. ◆ **dépeupler** v. (sens 1) *Les campagnes* SE DÉPEUPLENT, elles perdent leur population. ◆ **dépeuplement** n. m. ou **dépopulation** n. f. (sens 1) *Cette région souffre d'un grave* DÉPEUPLEMENT, d'une diminution de sa population. ◆ **impopulaire** adj. (sens 2) *Ce pays a un gouvernement* IMPOPULAIRE, qui ne plaît pas à la majorité du peuple. ◆ **repeupler** v. (sens 1) *Depuis la guerre, le pays* S'EST REPEUPLÉ, peuplé de nouveau. ◆ **sous-peuplé** adj. (sens 1) *Cette région est* SOUS-PEUPLÉE, la population est insuffisante. ◆ **surpeuplé** adj. (sens 1) *Ils habitent un quartier* SURPEUPLÉ, trop peuplé. ◆ **surpeuplement** n. m. ou **surpopulation** n. f. (sens 1) *On craint en l'an 2000 un* SURPEUPLEMENT *de la Terre,* une population trop nombreuse.

655, 218 ◁ **peuplier** n. m. *Les arbres qui bordent cette route sont des* PEUPLIERS.

peur n. f. *Jean* A PEUR *dans le noir,* il est effrayé. ‖ *Tu m'as fait* PEUR, tu m'as effrayé. ‖ *Il a pu surmonter sa* PEUR (= crainte). ◆ **peureux** adj. *Marie est* PEUREUSE (= craintif; ≠ brave). ◆ **apeuré** adj. *Il a eu un geste* APEURÉ, causé par la peur.

peut-être adv. indique une possibilité : *Tu viendras?* — PEUT-ÊTRE.

phalange n. f. *Pierre s'est cassé une* PHALANGE *du pouce,* l'un des os.

pharaon n. m. Les PHARAONS étaient les rois de l'ancienne Égypte.

727 ◁ 512, 505 ◁ **phare** n. m. **1.** *Il y a un* PHARE *à l'entrée du port,* une tour lumineuse pour guider les navires. — **2.** *M. Durand a été ébloui par les* PHARES *d'une voiture,* ses lumières placées à l'avant.

• **R.** *Phare* se prononce [far] comme *fard.*

pharmacie n. f. **1.** *Jean fait des études de* PHARMACIE, il apprend à connaître les médicaments. — **2.** *Va à la* PHARMACIE *acheter des médicaments,* à la boutique qui en vend. ◆ **pharmacien** n. *M. Dupont est* PHARMACIEN, c'est son métier. ◆ **pharmaceutique** adj. *L'aspirine est un* PRODUIT PHARMACEUTIQUE, un médicament.

pharynx n. m. *Le* PHARYNX *se trouve au fond de la bouche* (= gosier).

phase n. f. **1.** *Le combat s'est déroulé en plusieurs* PHASES (= période). — **2.** *Les* PHASES *de la Lune* sont ses divers aspects (pleine Lune, quartier).

phénomène n. m. **1.** *Les marées sont des* PHÉNOMÈNES *naturels,* des faits naturels. — **2.** Fam. *M. Duval est un* PHÉNOMÈNE, un personnage bizarre, peu ordinaire. ◆ **phénoménal** adj. (sens 2) *Jacques est d'une force* PHÉNOMÉNALE (= extraordinaire).

philanthrope n. *Cet hôpital a été fondé par un* PHILANTHROPE, un homme généreux. ◆ **philanthropie** n. f. *M. Dupont agit par* PHILANTHROPIE, par amour des autres hommes.

philatélie n. f. *Jacques s'intéresse à la* PHILATÉLIE, à la collection des timbres. ◆ **philatéliste** n. *Jacques fait des échanges avec un autre* PHILATÉLISTE, un collectionneur de timbres.

philosophale adj. f. *Les alchimistes du Moyen Âge cherchaient la* PIERRE PHILOSOPHALE, une substance pour transformer le plomb en or.

philosophie n. f. **1.** La PHILOSOPHIE est une réflexion sur les grands problèmes de l'homme et de l'univers (Dieu, l'âme, le bien et le mal, etc.). — **2.** *Jean supporte sa maladie avec* PHILOSOPHIE, calme et fermeté. ◆ **philosophe** (sens 1) n. *Platon et Aristote sont de grands* PHILOSOPHES *grecs.* • (sens 2) adj. *Il se lamente sans arrêt, il n'est pas très* PHILOSOPHE. ◆ **philosophique** adj. (sens 1) *Pierre a acheté un ouvrage* PHILOSOPHIQUE, de philosophie. ◆ **philosophiquement** adv. (sens 2) *Jean a accepté* PHILOSOPHIQUEMENT *les critiques.*

philtre n. m. Un PHILTRE est une boisson magique.
• **R.** *Philtre* se prononce [filtr] comme *filtre.*

phlegmon n. m. *Certaines maladies donnent naissance à des* PHLEGMONS, des sortes d'abcès.

phobie n. f. *Pierre a la* PHOBIE *du feu,* une peur irraisonnée.

phonétique **1.** n. f. La PHONÉTIQUE est l'étude scientifique des sons du langage. — **2.** adj. *Les signes* PHONÉTIQUES *servent à transcrire les sons.* ▷ 6

phono ou **phonographe** n. m. *Jean nous a passé des disques sur un vieux* PHONO.
• **R.** Aujourd'hui, on dit *électrophone.*

phoque n. m. *Nous avons vu les* PHOQUES *du zoo,* des animaux venant des mers froides. ▷ 584

phosphate n. m. *Les* PHOSPHATES *sont de bons engrais,* des produits chimiques.

phosphore n. m. Le PHOSPHORE est un corps qui brille dans l'obscurité et brûle facilement. ◆ **phosphorescent** adj. *Pierre a une montre* PHOSPHORESCENTE, qui est lumineuse dans l'obscurité.

photo ou **photographie** n. f. **1.** *Pour faire de la* PHOTO, *il faut un appareil contenant une pellicule sensible à la lumière.* — **2.** *Jean regarde les* PHOTOS *des vacances* (= image, vue). ◆ **photographe** n. *Jean est* PHOTOGRAPHE, il fait de la photo. ◆ **photographier** v. *Jean* A PHOTOGRAPHIÉ *ses amis,* il les a pris en photo. ◆ **photographique** adj. *Jean a acheté des pellicules* PHOTOGRAPHIQUES. ◆ **photocopie** n. f. Une PHOTOCOPIE est une reproduction photographique d'un document. ◆ **photocopier** v. *Faites* PHOTOCOPIER *ce certificat* (= reproduire). ◆ **photo-électrique** adj. *Une* CELLULE PHOTO-ÉLECTRIQUE *sert à mesurer l'intensité de la lumière.* ◆ **photogénique** adj. *Marie est très* PHOTOGÉNIQUE, elle paraît toujours belle sur les photos. ▷ 437

phrase n. f. *« Viendras-tu demain? » est une* PHRASE *interrogative,* une suite de mots ayant un sens et finissant par un point.

phrygien adj. m. *Le* BONNET PHRYGIEN *était l'emblème des révolutionnaires de 1789.*

phylloxéra n. m. Le PHYLLOXÉRA est un insecte qui détruit la vigne.

physicien → PHYSIQUE.

physiologie n. f. La PHYSIOLOGIE est la science qui étudie les organes des êtres vivants. ◆ **physiologique** adj. *Pierre a des troubles* PHYSIOLOGIQUES, du corps.

physionomie n. f. **1.** *Marie a une* PHYSIONOMIE *intelligente,* un visage. — **2.** *La* PHYSIONOMIE *de la France a beaucoup changé en trente ans* (= aspect). ◆ **physionomiste** adj. (sens 1) *Pierre est très* PHYSIONOMISTE, il reconnaît les visages.

physique adj. **1.** *Le son, l'électricité, la lumière sont des phénomènes* PHYSIQUES, de la nature. — **2.** *Jean ressentait une grande fatigue* PHYSIQUE (= corporel; ≠ intellectuel ou moral). ‖ *Tous les matins, Pierre fait de la culture* PHYSIQUE, de la gymnastique. ◆ **physique** n. f. (sens 1) La PHYSIQUE est la science qui étudie les lois de la nature. ◆ **physique** n. m. (sens 2) *Marie a un* PHYSIQUE *agréable,* une apparence extérieure (≠ esprit). ◆ **physiquement** adv. (sens 2) PHYSIQUEMENT, *il est très beau,* par son physique. ◆ **physicien** n. (sens 1) *Les* PHYSICIENS *et les chimistes étudient la matière.*

piaffer v. *Les chevaux* PIAFFENT quand ils frappent le sol avec le pied.

piailler ou **piauler** v. Fam. *Les enfants* PIAILLENT *dans la cour,* ils poussent des cris. ◆ **piaillement** n. m. *On entend les* PIAILLEMENTS *des poules* (= cri).

439 ◁ **piano** n. m. *Marie apprend à jouer du* PIANO, d'un instrument de musique à clavier. ◆ **pianiste** n. *Nous sommes allés écouter un grand* PIANISTE. ◆ **pianoter** v. *Marie* PIANOTE *une valse,* elle la joue maladroitement.

piastre n. f. La PIASTRE est la monnaie de certains pays d'Orient.

piauler → PIAILLER.

649 ◁ **pic** n. m. **1.** *Le maçon démolit le mur avec un* PIC, un outil pointu. — **2.** *Les* PICS *des Alpes apparaissent au loin,* les sommets pointus. — **3.** *Le* PIC *frappe les troncs d'arbres de son bec pointu,* une sorte d'oiseau. — **4.** *La falaise tombe* À PIC *dans la mer,* verticalement. — **5.** Fam. *Pierre est tombé* À PIC *pour nous voir,* très bien (= à propos). ◆ **pivert** ou **picvert** n. m. (sens 3) Le PIVERT est une sorte de pic.

• **R.** *Pic* se prononce [pik] comme *pique* et [*il*] *pique* (de *piquer*).

pichenette n. f. *Marie m'a donné une* PICHENETTE *sur le nez* (= chiquenaude).

pichet n. m. *On a bu un* PICHET *de vin,* un petit broc.

pickpocket n. m. *Un* PICKPOCKET *lui a volé son portefeuille* (= voleur).

• **R.** On prononce [pikpɔkɛt].

pick-up n. m. inv. *Pierre met un disque sur le* PICK-UP (= électrophone).

• **R.** On prononce [pikœp].

picorer v. *Les moineaux* PICORENT *des miettes de pain,* ils les mangent en les piquant de leur bec.

picoter v. *Les yeux me* PICOTENT, me piquent légèrement. ◆ **picotement** n. m. *Je sens un* PICOTEMENT *sous les pieds* (= démangeaison).

picotin n. m. *Le cheval a eu son* PICOTIN *d'avoine,* sa ration.

pictural → PEINDRE. / **picvert** → PIC.

pie n. f. *Marie est bavarde comme une* PIE, un oiseau noir et blanc. ◆ **pie** adj. *Un cheval* PIE est noir et blanc.

pièce n. f. **1.** *Marie a un maillot de bain deux* PIÈCES, formé de deux parties. — **2.** *Une* PIÈCE *de bois* est un morceau de bois. — **3.** *Ces fruits coûtent 1 franc* PIÈCE, chacun. — **4.** *L'agent nous a demandé nos* PIÈCES *d'identité* (= document, papier). — **5.** *Nous habitons un appartement de quatre* PIÈCES, de quatre chambres ou salles. — **6.** *On m'a rendu la monnaie en* PIÈCES *de 1 franc* (≠ billet). — **7.** *Jean a une* PIÈCE *à son pantalon,* un morceau de tissu cousu. — **8.** *Au théâtre, nous avons vu une* PIÈCE *de Molière* (= œuvre). ◆ **piécette** n. f. (sens 6) *J'ai dans ma poche quelques* PIÉCETTES *de 10 centimes,* des petites pièces. ◆ **rapiécer** v. (sens 7) *Jean porte des vêtements* RAPIÉCÉS, réparés avec des pièces.
▷ 223 ▷ 221/296

pied n. m. **1.** *Pierre s'est tordu le* PIED *gauche en courant.* — **2.** *Jean a fait 10 kilomètres* À PIED, en marchant. — **3.** *Un des* PIEDS *de la table est cassé,* une des parties par laquelle elle s'appuie sur le sol. — **4.** *Nous nous sommes reposés au* PIED *de la montagne,* en bas (= base). — **5.** Le PIED est une ancienne mesure (environ 30 centimètres). — **6.** *L'alexandrin est un vers de 12* PIEDS (= syllabe). ◆ **piédestal** n. m. (sens 3) *La statue repose sur un* PIÉDESTAL (= support). ◆ **piéton** n. m. (sens 2) *Le trottoir est réservé aux* PIÉTONS, à ceux qui vont à pied. ◆ **piétiner** v. (sens 2) *Attention, tu vas* PIÉTINER *les fleurs,* marcher dessus.
▷ 33, 40 ▷ 76, 78 ▷ 217

piège n. m. **1.** *M. Durand a posé des* PIÈGES *à souris,* des engins pour les attraper. — **2.** *Fais attention, sa question cache un* PIÈGE, elle cherche à te tromper.

pierre n. f. **1.** *Cette maison est construite en* PIERRE. — **2.** *Ne lance pas des* PIERRES *à tes camarades* (= caillou). — **3.** *Les diamants et les rubis sont des* PIERRES PRÉCIEUSES. ◆ **pierreux** adj. (sens 2) *Ce chemin est* PIERREUX, couvert de pierres. ◆ **pierreries** n. f. pl. (sens 3) *Ce coffret est orné de* PIERRERIES, de pierres précieuses. ◆ **empierrer** v. (sens 2) *On* A EMPIERRÉ *le chemin,* recouvert d'une couche de pierres.
▷ 151

piété → PIEUX. / **piétiner, piéton** → PIED.

piètre adj. *Paul est un* PIÈTRE *chanteur* (= médiocre).

pieu n. m. *Le cheval est attaché à un* PIEU, à un morceau de bois enfoncé dans le sol (= piquet).

• **R.** V. PIEUX.

pieuvre n. f. La PIEUVRE est un animal marin possédant huit tentacules.
▷ 724

pieux adj. *Mme Durand est très* PIEUSE, très attachée à la religion. ◆ **piété** n. f. *Mme Durand est d'une grande* PIÉTÉ (= dévotion). ◆ **impie** adj. *Des paroles* IMPIES sont contraires à la religion. ◆ **impiété** n. f. *Il avait scandalisé ses voisins par son* IMPIÉTÉ.

• **R.** *Pieux* se prononce [pjø] comme *pieu.*

pigeon n. m. Les PIGEONS sont des oiseaux assez gros, au vol rapide. ◆ **pigeonnier** n. m. Un PIGEONNIER est un bâtiment pour les pigeons.
▷ 362 ▷ 362

pigment n. m. *La chlorophylle est le* PIGMENT *des feuilles,* la substance qui les colore.

pignon n. m. **1.** *Il y a dans cette rue de vieilles maisons à* PIGNON, dont le haut des façades a la forme d'un triangle. — **2.** *Le* PIGNON *d'une bicyclette* est une roue dentée qui est entraînée par la chaîne.
▷ 75 ▷ 512

152 ◁ **pile** n. f. **1.** *Il y a une* PILE *de livres sur la table,* des livres entassés (= tas). — **2.** *Les* PILES *d'un pont* sont les piliers qui le soutiennent. — **3.** *Jean a acheté des* PILES *pour son poste de radio,* des appareils donnant de l'électricité. — **4.** adj. *Le côté* PILE *d'une pièce de monnaie* est celui où est indiquée sa valeur (≠ face). — **5.** adv. *La voiture s'est arrêtée* PILE (= brusquement). ◆ **empiler** v. (sens 1) *Les maçons* ONT EMPILÉ *des briques* (= entasser).

piler v. *M*[me] *Dupont* PILE *des amandes dans un mortier,* elle les écrase avec un pilon. ◆ **pilon** n. m. Un PILON est un instrument à bout arrondi servant à écraser. ◆ **pilonner** v. *Les canons* ONT PILONNÉ *la ville,* écrasé sous les obus.

pileux adj. *Le système* PILEUX *est formé des poils, des cheveux, de la barbe.*

152, 149, 75 ◁ **pilier** n. m. *Le toit du hangar est soutenu par quatre* PILIERS *de béton* (= support, poteau, colonne).

piller v. *L'appartement* A ÉTÉ PILLÉ *par des voleurs,* ils ont tout emporté. ◆ **pillage** n. m. *Autrefois, les villes conquises étaient livrées au* PILLAGE, les soldats les pillaient. ◆ **pillard** adj. et n. m. *Des (soldats)* PILLARDS *ont tout saccagé.*

pilon, pilonner → PILER.

pilori n. m. *Autrefois, les condamnés étaient attachés au* PILORI, à un poteau sur la place publique.

767, 510 ◁ **pilote** n. m. *Le* PILOTE *de l'avion a réussi à se poser,* celui qui le conduit. ◆ **piloter** v. *Cette voiture est difficile à* PILOTER (= conduire). ◆ **pilotage**

510 ◁ n. m. *Le poste de* PILOTAGE *se trouve à l'arrière du bateau,* l'endroit d'où on le pilote.

581 ◁ **pilotis** n. m. *La maison est construite sur* PILOTIS, sur de gros piliers de bois.

pilule n. f. *Pierre prend des* PILULES *contre la toux,* des médicaments en forme de petites boules.

pimbêche n. f. *Marie est une* PIMBÊCHE, elle est prétentieuse et désagréable.

piment n. m. *On met du* PIMENT *dans les plats pour leur donner un goût piquant.* ◆ **pimenter** v. *Cette sauce est trop* PIMENTÉE (= piquant).

pimpant adj. *Jeanne a une toilette* PIMPANTE (= élégant, coquet).

655 ◁ **pin** n. m. *Nous nous sommes promenés dans un bois de* PINS, un arbre. ◆ **pinède** n. f. *Des* PINÈDES *ont brûlé dans le Midi,* des bois de pins.
• **R.** V. PAIN.

pinacle n. m. *Ses amis le* PORTENT AU PINACLE, ils disent beaucoup de bien de lui.

pince, pincé → PINCER.

295, 289 ◁ **pinceau** n. m. *Le peintre nettoie ses* PINCEAUX *avec de l'essence,* les instruments lui servant à peindre.

pincer v. **1.** *Jean m'*A PINCÉ *le bras,* il m'a serré la peau avec les doigts. — **2.** *Marie* PINCE *les lèvres, quand elle est en colère,* elle les serre. — **3.** Fam. *Le voleur s'est fait* PINCER *par la police* (= prendre, arrêter). ◆ **pince** n. f. (sens 1) Une PINCE est un instrument qui sert à serrer. ‖ *Les crabes, les homards, les écrevisses ont des* PINCES, des pattes qui peuvent serrer. ◆ **pincé** adj. (sens 2) *Marie a pris un air* PINCÉ *pour me répondre* (≠ souriant). ◆ **pincée** n. f. (sens 1) *Jean a pris une* PINCÉE *de sel entre ses doigts,* une petite quantité. ◆ **pincettes** n. f. pl. (sens 1) *On attise le feu avec des* PINCETTES, de longues pinces. ◆ **pinçon** n. m. (sens 1) *Pierre a un* PINÇON *noir sur le bras,* une marque faite en pinçant. ◆ **pince-sans-rire** n. inv. (sens 2) *Jeanne est une* PINCE-SANS-RIRE, elle plaisante sans sourire. ▷ 79, 289, 290 ▷ 224

pinède → PIN.

pingouin n. m. Les PINGOUINS sont des oiseaux des régions froides qui se tiennent dressés verticalement.

Ping-Pong n. m. *On joue au* PING-PONG *sur une table avec une balle légère et des raquettes.* ▷ 218

pingre adj. et n. *M. Duval est (un)* PINGRE, il est très avare.

pinson n. m. *Marie chante comme un* PINSON, un oiseau.

pintade n. f. *Nous avons mangé une* PINTADE *au chou,* une volaille. ▷ 362

pinte n. f. *M. Durand s'est servi une* PINTE *de bière,* un grand verre.

piocher v. **1.** *Les terrassiers* PIOCHENT *la chaussée,* ils la creusent avec une pioche. — **2.** Fam. *Pierre* PIOCHE *son examen,* il y travaille avec ardeur. ◆ **pioche** n. f. (sens 1) *Les ouvriers ont défoncé le sol à coups de* PIOCHE, avec un outil fait pour creuser. ▷ 150

piolet n. m. Un PIOLET est une sorte de canne utilisée par les alpinistes. ▷ 649

pion **1.** n. m. *On joue aux échecs et aux dames avec des* PIONS, de petites pièces. — **2.** n. Fam. *Sylvie est* PIONNE *dans un lycée de filles* (= surveillant). ▷ 436

pionnier n. **1.** *Des* PIONNIERS *ont défriché cette région déserte,* des gens qui s'y sont installés les premiers (= colon). — **2.** *Guynemer fut un* PIONNIER *de l'aviation,* un des premiers aviateurs.

pipe n. f. *Pierre ne fume ni la cigarette ni la* PIPE. ▷ 652

pipeau n. m. *Jean apprend à jouer du* PIPEAU, d'une sorte de petite flûte. ▷ 294

pipeline n. m. Un PIPELINE est une canalisation pour le transport du pétrole.

piper v. **1.** *Jean n'*A *pas* PIPÉ, il n'a rien dit. — **2.** *On l'accuse d'avoir joué avec des dés* PIPÉS (= truquer).

pipette n. f. Une PIPETTE est un tube de verre servant à prélever des liquides.

pipi n. m. Fam. *Bébé* FAIT PIPI *avant d'aller se coucher,* il urine.

piquant, pique, piqué → PIQUER.

pique-assiette n. inv. Un PIQUE-ASSIETTE est une personne qui cherche toujours à se faire inviter chez les autres.

506 ◁ **pique-nique** n. m. *Nous avons fait un* PIQUE-NIQUE *sur la plage,* un repas en plein air. ◆ **pique-niquer** v. *Les Durand vont* PIQUE-NIQUER *tous les dimanches,* manger en plein air.

• **R.** Noter le pluriel : des *pique-niques.*

piquer v. **1.** *Jean* S'EST PIQUÉ *le doigt avec un clou,* il s'est enfoncé la pointe dedans. ‖ *Marie* A ÉTÉ PIQUÉE *par une guêpe.* — **2.** *Pierre* A ÉTÉ PIQUÉ *contre la grippe,* on lui a fait une piqûre. — **3.** *M*[me] *Durand* PIQUE *à la machine* (= coudre). — **4.** *La fumée* PIQUE *les yeux,* elle produit une sensation désagréable. — **5.** *Paul* A PIQUÉ *une crise de colère,* il s'est mis en colère. — **6.** *L'avion* PIQUE *vers le sol,* il descend rapidement. — **7.** *Jeanne* SE PIQUE *de tout savoir,* elle le prétend. ◆ **piquant** (sens 1) n. m. *Les roses ont des* PIQUANTS (= épine). • (sens 4) adj. *Cette sauce est trop* PIQUANTE, elle pique la langue. ◆ **pique 1.** n. f. (sens 1) Une PIQUE est une 436 ◁ arme ancienne à bout pointu. — **2.** n. m. *Jean a joué l'as de* PIQUE, une des 766 ◁ couleurs aux cartes. ◆ **piqué** n. m. (sens 6) *L'avion descend en* PIQUÉ, il pique vers le sol. ◆ **piquette** n. f. (sens 4) *Ce vin, c'est de la* PIQUETTE, il pique la langue. ◆ **piqûre** n. f. (sens 1) *Marie gratte ses* PIQÛRES *de moustiques.* • (sens 2) *L'infirmière a fait une* PIQÛRE *au malade,* une 296 ◁ injection de médicament. • (sens 3) *La* PIQÛRE *de ton pantalon se découd* (= couture).

• **R.** V. PIC.

433, 366 ◁ **piquet** n. m. **1.** *Ne reste pas là planté comme un* PIQUET!, un pieu enfoncé dans le sol. — **2.** *Pierre a été mis au* PIQUET, debout dans un coin comme punition. — **3.** Un PIQUET DE GRÈVE, ce sont des grévistes qui surveillent l'exécution des consignes de grève.

piqueter v. *Ta chemise* EST PIQUETÉE *de taches* (= parsemer).

piquette, piqûre → PIQUER.

pirate n. m. *Autrefois, les navires pouvaient être attaqués par des* PIRATES, des bandits. ◆ **piraterie** n. f. *La flotte royale combattait la* PIRATERIE, le brigandage sur mer.

pire adj. et n. m. *Ce livre est mauvais, mais celui-là est encore* PIRE, plus mauvais (≠ meilleur). ‖ *Jacques est* MON PIRE *ennemi.* ‖ *On a réussi à éviter* LE PIRE, la plus mauvaise solution. ◆ **empirer** v. *L'état du malade* A EMPIRÉ (≠ s'améliorer).

581 ◁ **pirogue** n. f. *Les indigènes d'Océanie se servent de* PIROGUES, d'embarcations légères allongées.

pirouette n. f. *Pierre fait des* PIROUETTES *sur le sable,* il tourne vivement sur lui-même.

368 ◁ **1. pis** n. m. *Les* PIS *d'une vache ou d'une chèvre,* ce sont ses mamelles.

2. pis adv. *Les choses vont de mal en* PIS, de plus en plus mal.

pis-aller n. m. inv. *Il a fallu recourir à un* PIS-ALLER, à une solution adoptée faute de mieux.

• **R.** On prononce [pizale].

pisciculture n. f. La PISCICULTURE est l'élevage des poissons.

piscine n. f. *Les enfants sont partis se baigner à la* PISCINE. ▷ 218

pisé n. m. *Le mur de cette chaumière est en* PISÉ, en terre sèche.

pissenlit n. m. *Nous avons mangé une salade de* PISSENLITS, une plante. ▷ 366

pisser v. Fam. *Le chien* A PISSÉ *sur le tapis* (= uriner). ◆ **pisseux** adj. Fam. *Ce chiffon est d'un jaune* PISSEUX (= terne).

pistache n. f. *Les glaces à la* PISTACHE *sont parfumées avec les fruits du* PISTACHIER (un arbuste).

piste n. f. **1.** *Le chien a trouvé la* PISTE *du lapin,* la trace de son passage. — **2.** *Une* PISTE *de ski* est un terrain sur lequel on skie, *une* PISTE *d'atterrissage* est un endroit où atterrissent les avions. ◆ **dépister** v. (sens 1) **1.** *Les policiers* ONT DÉPISTÉ *le voleur,* ils ont découvert sa piste. — **2.** *Le voleur* A DÉPISTÉ *les policiers,* il leur a fait perdre sa piste. ▷ 34, 511, 652

pistil n. m. *Le* PISTIL *d'une fleur* est l'endroit où se trouve le pollen. ▷ 294

pistole n. f. La PISTOLE est une ancienne monnaie.

pistolet n. m. *Les gangsters ont tiré plusieurs coups de* PISTOLET (= revolver). ▷ 763

piston n. m. **1.** Dans un moteur, le PISTON est une pièce qui se déplace dans le cylindre. — **2.** Fam. *M. Durand a obtenu son poste par* PISTON, grâce à des protections. ▷ 505

pitance n. f. *Le chien réclame sa* PITANCE (= nourriture).

piteux adj. *Après l'accident, la voiture était en* PITEUX *état* (= mauvais, pitoyable).

pitié n. f. *Paul a eu* PITIÉ *de ce malheureux chien,* il a été ému par ses souffrances (= compassion). ◆ **pitoyable** adj. *Ces réfugiés sont dans une situation* PITOYABLE, ils font pitié. ◆ **apitoyer** v. *Jean a réussi à m'*APITOYER, à me faire pitié (= attendrir). ◆ **apitoiement** n. m. *Il ne suffit pas de verser des larmes d'*APITOIEMENT *sur le sort des sinistrés* (= pitié). ◆ **impitoyable** adj. *Le juge a été* IMPITOYABLE *pour l'accusé,* il n'a pas eu de pitié.

piton n. m. *M. Durand a planté un* PITON *dans le mur,* un clou coudé. ▷ 289, 649

pitoyable → PITIÉ.

pitre n. m. *Pierre fait le* PITRE *en classe,* il fait rire les autres (= clown). ◆ **pitrerie** n. f. *Pierre se fait remarquer par ses* PITRERIES.

pittoresque adj. *Ce village est très* PITTORESQUE, il attire l'attention par son originalité (≠ banal).

pivert → PIC.

pivoine n. f. La PIVOINE est une grosse fleur rouge ou blanche. ▷ 80

pivot n. m. *L'aiguille d'une boussole repose sur un* PIVOT, une pointe qui lui permet de tourner. ◆ **pivoter** v. *Pierre* A PIVOTÉ *sur ses talons* (= tourner).

pizza n. f. *Nous avons mangé une* PIZZA *dans un restaurant italien,* une sorte de tarte aux tomates.

• R. On prononce [pidza].

79 ◁ **placard** n. m. *Le balai est dans le* PLACARD *de la cuisine,* l'armoire aménagée dans le mur.

placarder v. *Des affiches* ONT ÉTÉ PLACARDÉES *sur les murs* (= mettre, coller).

place n. f. **1.** *Ce livre n'est pas à la bonne* PLACE (= endroit). — **2.** *Il y a huit* PLACES *assises dans le compartiment,* huit endroits pour s'asseoir. — **3.** *Pierre a eu la première* PLACE *en français,* il a été classé premier (= rang). — **4.** *M. Durand a perdu sa* PLACE (= emploi, poste). — **5.** *La* 219 ◁ *mairie se trouve sur la* PLACE *du village.* — **6.** *Cette ville est une* PLACE FORTE, elle est fortifiée. — **7.** *Paul viendra* À LA PLACE DE *Jean,* pour le remplacer. ◆ **placer** v. **1.** (sens 1) *J'*AVAIS PLACÉ *mon stylo sur la table,* je l'avais mis à cette place. • (sens 3) *Pierre* S'EST PLACÉ *premier* (= se classer). — **2.** PLACER *de l'argent,* c'est le prêter pour qu'il rapporte des intérêts. ◆ **placement** n. m. **1.** (sens 4) Un BUREAU DE PLACEMENT est chargé de fournir des emplois. — **2.** *M. Durand a fait un mauvais* PLACEMENT, il a mal placé son argent. ◆ **déplacer** v. (sens 1) *Qui* A DÉPLACÉ *mes affaires?,* les a changées de place (= déranger). ◆ **déplacé** adj. *Jean a eu des paroles* DÉPLACÉES (= inconvenant). ◆ **déplacement** n. m. (sens 1) *M. Dupont a fait un* DÉPLACEMENT *à Lyon,* il s'est déplacé (= voyage). ◆ **emplacement** n. m. (sens 1 et 2) *M. Durand cherche un* EMPLACEMENT *pour garer sa voiture* (= place). ◆ **replacer** v. (sens 1) AS-*tu* REPLACÉ *le livre au bon endroit?* (= ranger).

placide adj. *Ce paysan est un homme* PLACIDE, calme.

76 ◁ **plafond** n. m. **1.** *Des guirlandes sont suspendues au* PLAFOND *de la salle* (≠ plancher). — **2.** *Les prix ont atteint un* PLAFOND, une limite supérieure. ◆ **plafonner** v. (sens 2) *Cette voiture* PLAFONNE *à 100 kilomètres à l'heure,* c'est sa plus grande vitesse.

725, 723, 722 ◁ **plage** n. f. *Nous avons passé nos vacances sur une* PLAGE *de la Méditerranée.*

plagiat n. m. *Ce livre est un* PLAGIAT, une imitation d'un autre livre. ◆ **plagier** v. *On l'accuse d'*AVOIR PLAGIÉ *cet écrivain* (= copier).

plaider v. *L'accusé s'est adressé à un avocat pour* PLAIDER *sa cause,* pour la défendre en justice. ◆ **plaideur** n. m. *Les* PLAIDEURS *ne se sont pas mis d'accord,* les adversaires en justice. ◆ **plaidoirie** n. f. ou **plaidoyer** n. m. *L'avocat a fait une longue* PLAIDOIRIE, un discours devant le tribunal.

plaie n. f. *Pierre s'est coupé, et sa* PLAIE *s'est infectée* (= blessure).

plaindre v. **1.** *Marie est malade, je la* PLAINS, j'ai pitié d'elle. — **2.** *Marie* SE PLAINT *quand elle est malade,* elle exprime sa souffrance ou son mécontentement (= se lamenter, protester). ◆ **plaignant** n. (sens 2) *Le* PLAIGNANT *a perdu son procès,* celui qui avait déposé une plainte.

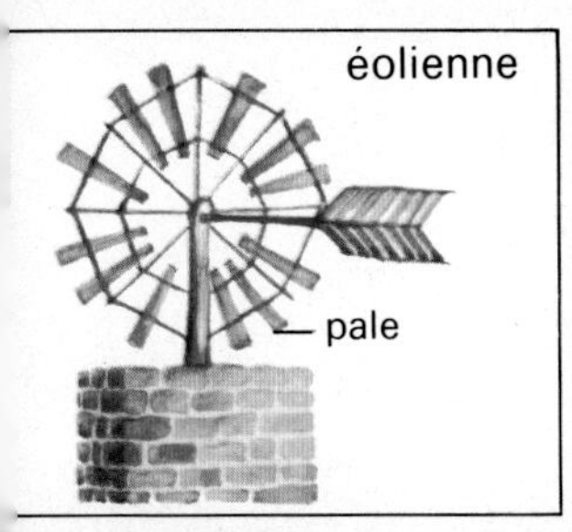
éolienne
pale

caravane
ballots
chamelier

oasis
camion
piste
dune
tente
burnous

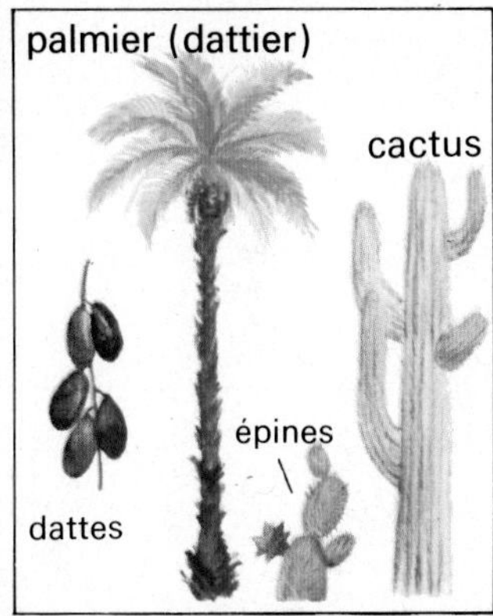
palmier (dattier)
cactus
épines
dattes

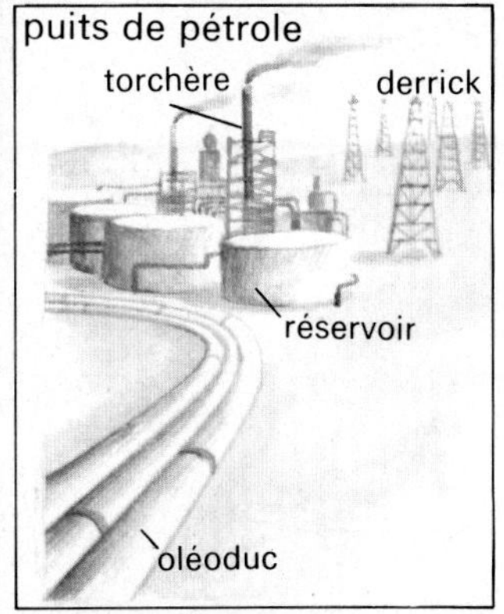
puits de pétrole
torchère
derrick
réservoir
oléoduc

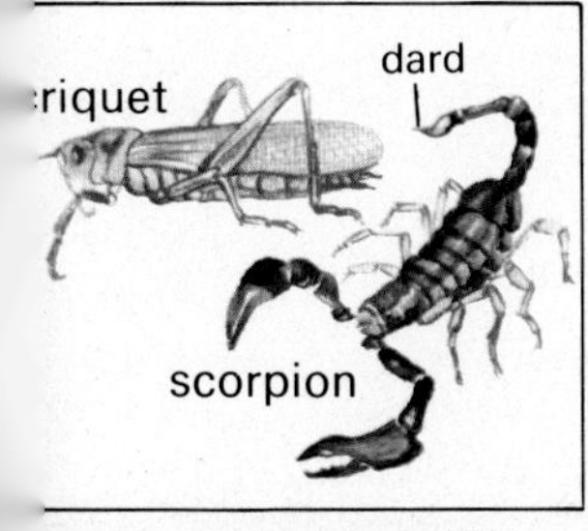
riquet
dard
scorpion

vipère des sables
fennec

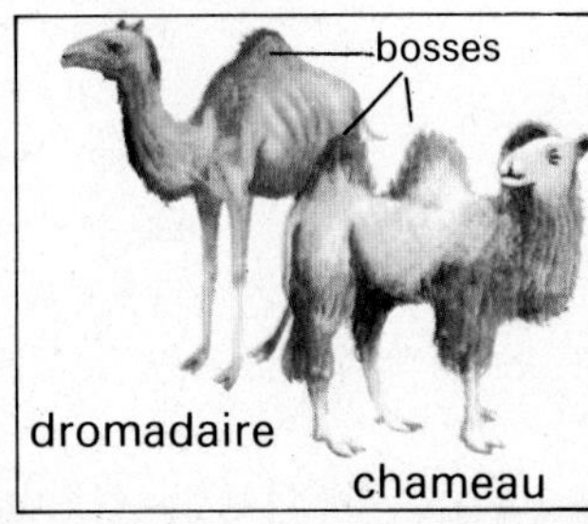
bosses
dromadaire
chameau

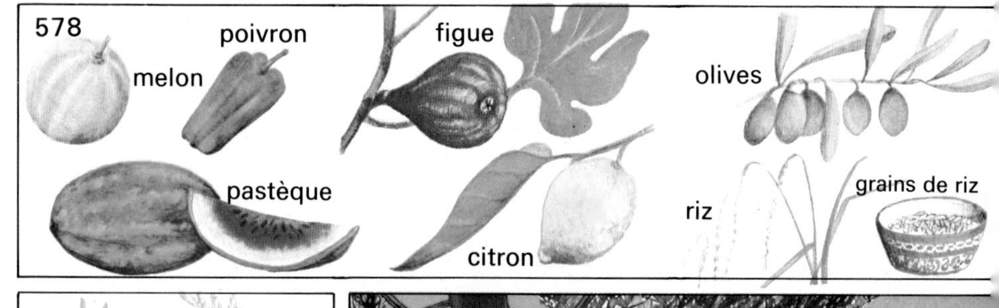
melon
poivron
figue
olives
pastèque
citron
riz
grains de riz

thym
mimosa
serpolet
lavande

la pétanque
boule
cochonnet

îlot
oliviers
culture
en terrasses
aloès

vignoble
vigneron
sulfatage

grappe
sécateur
cueillette
(vendange)
cep

hotte

PAYSAGE MÉDITERRANÉEN

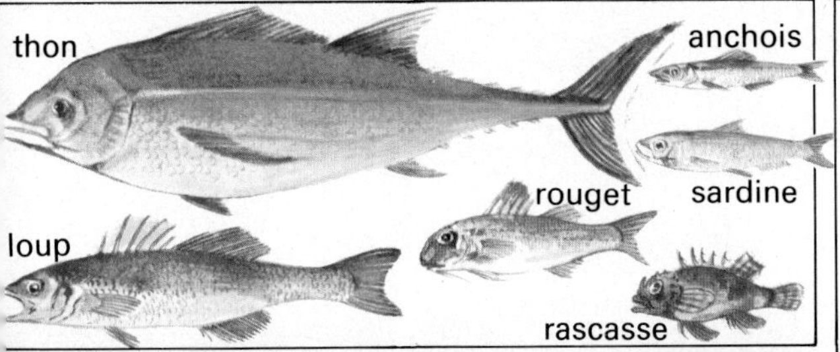

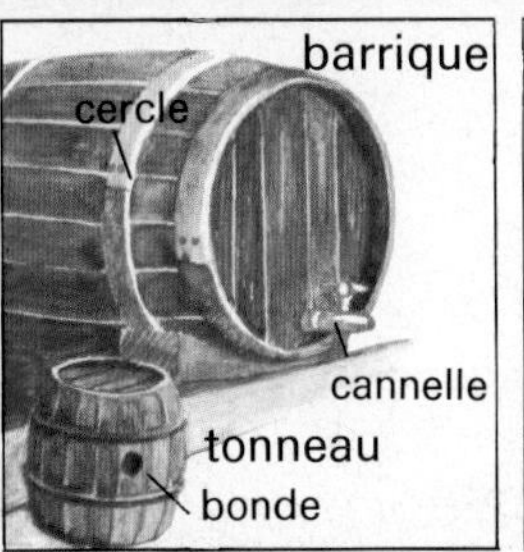

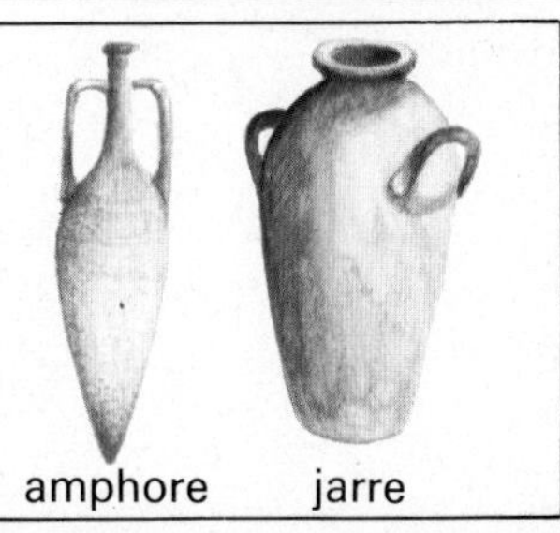

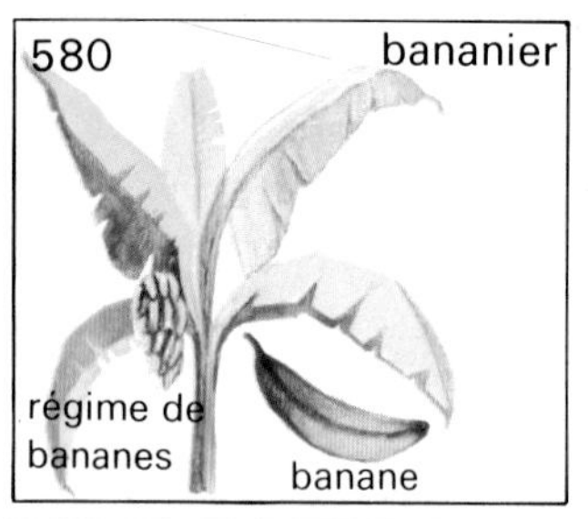
bananier
régime de
bananes
banane

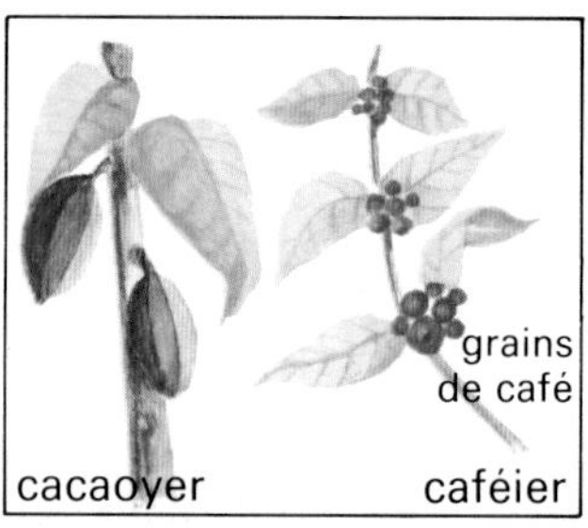
grains
de café
cacaoyer
caféier

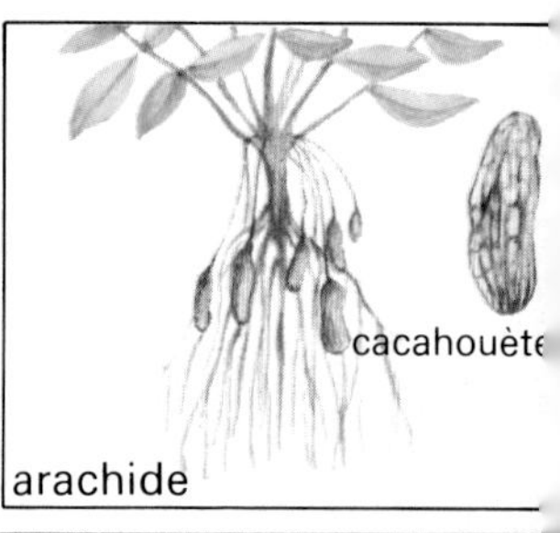
cacahouèt
arachide

cocotier
noix
de coco

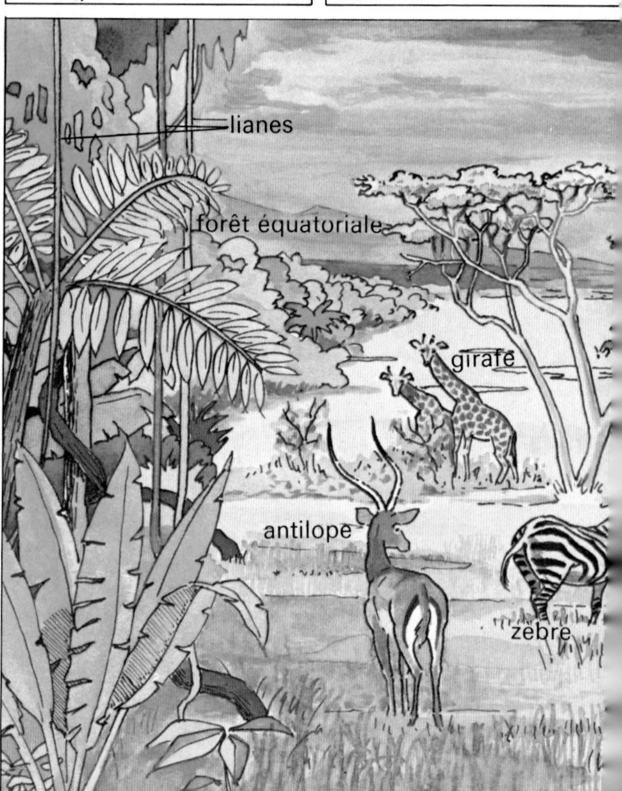
lianes
forêt équatoriale
girafe
antilope
zèbre

baobab

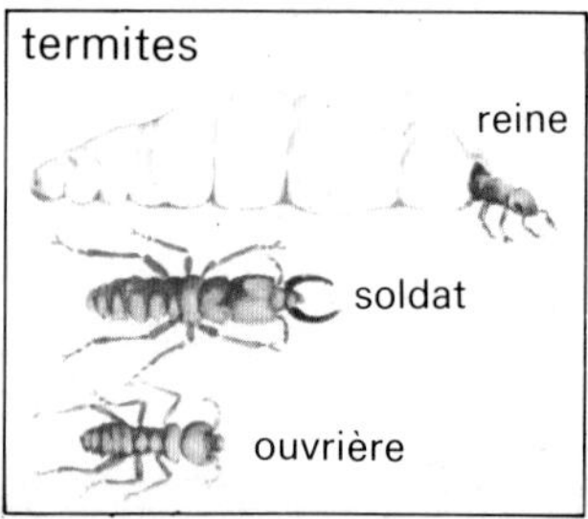
termites
reine
soldat
ouvrière

python
crocodile

gorille
chimpanzé

L'AFRIQUE TROPICALE ET ÉQUATORIALE

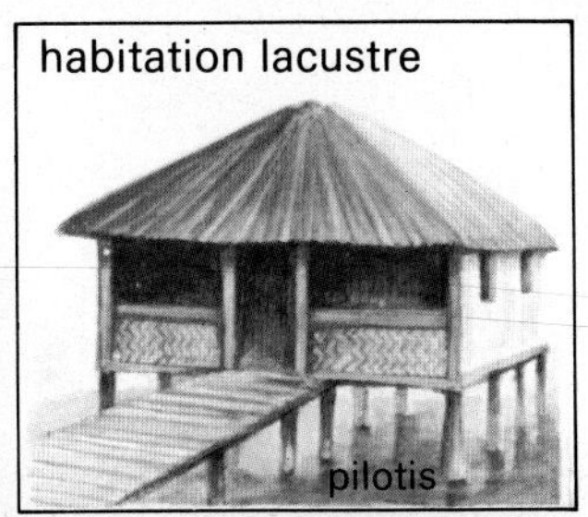

loup
loutre
castor
grizzli

fusée et rampe de lancement
tuyères

plateau
chutes
viaduc
autoroute

gratte-ciel
(buildings)

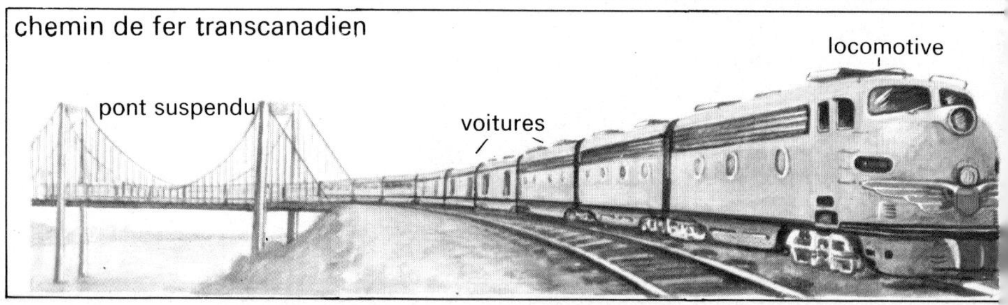
chemin de fer transcanadien
locomotive
pont suspendu
voitures

alligator
bison

flottage du bois

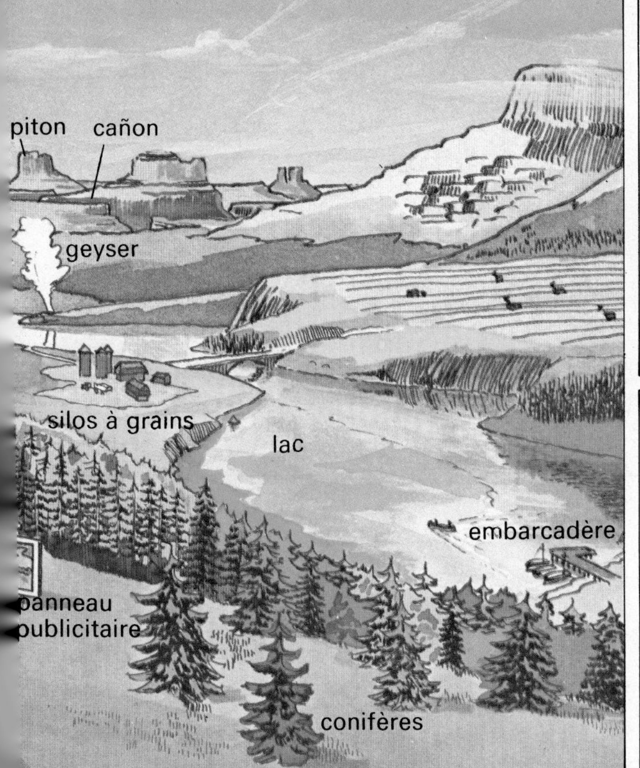
piton
cañon
geyser
silos à grains
lac
embarcadère
panneau publicitaire
conifères

Far-West
cow-boy
ranch
bœuf

grande culture
récolte du blé (moisson)

saignée
sucre d'érable
feuille d'érable
godet

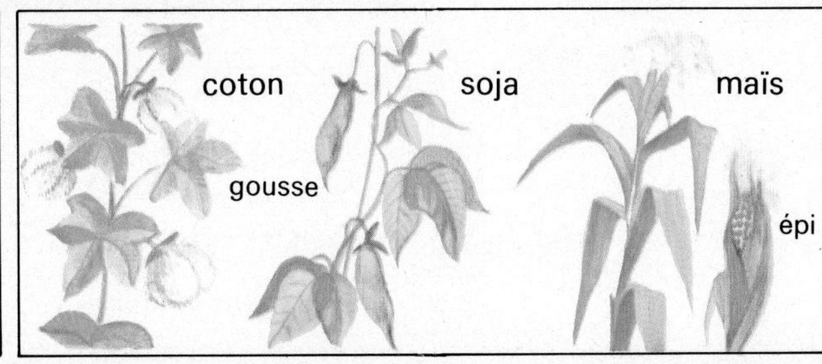
coton
soja
maïs
gousse
épi

PAYSAGE POLAIRE

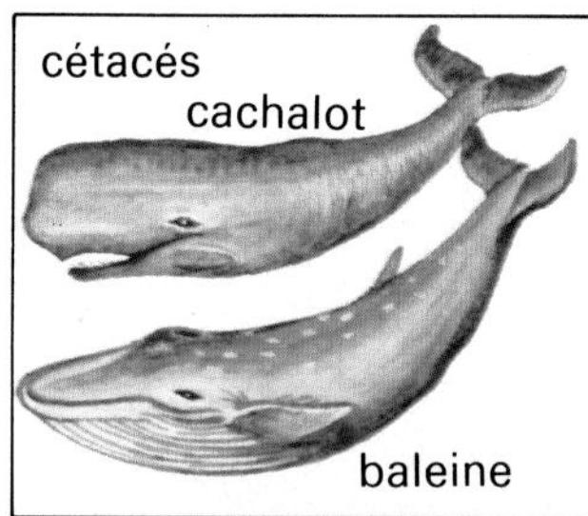

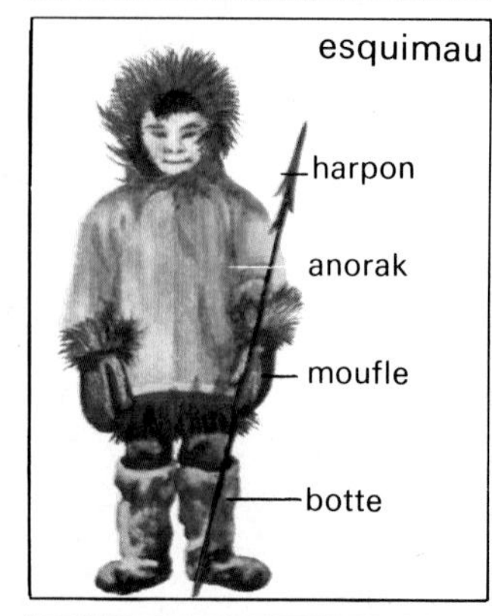

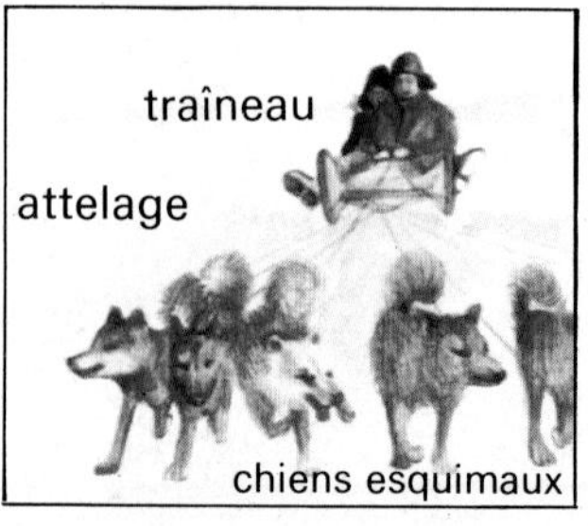

◆ **plainte** n. f. (sens 2) *Le chien pousse des* PLAINTES *déchirantes* (= gémissement). ‖ *M. Durand a déposé une* PLAINTE *contre M. Dupont,* il l'a accusé devant la justice. ◆ **plaintif** adj. (sens 2) *Marie parle d'une voix* PLAINTIVE (= geignard).

• **R.** Conj. nº 55. ‖ V. PLEIN.

plaine n. f. *La Beauce est une région de* PLAINE, le sol y est plat.

• **R.** V. PLEIN.

de plain-pied adv. *La cuisine et la salle à manger ne sont pas* DE PLAIN-PIED, au même niveau.

plainte, plaintif → PLAINDRE.

plaire v. **1.** *Est-ce que tes vacances t'*ONT PLU?, en es-tu content? (= satisfaire). ‖ *Jean ne* SE PLAÎT *pas à la campagne,* il n'est pas content d'y être. — **2.** S'IL TE (VOUS) PLAÎT, *passe(z)-moi le pain* (formule de politesse). ◆ **plaisir** n. m. (sens 1) *J'ai eu le* PLAISIR *de faire la connaissance de Jean* (= joie, contentement). ◆ **plaisance** n. f. (sens 1) *M. Durand pratique la navigation de* PLAISANCE, il navigue pour son plaisir. ◆ **plaisancier** n. m. (sens 1) Les PLAISANCIERS sont ceux qui font de la navigation de plaisance. ◆ **déplaire** v. (sens 1) *Ce film m'*A *beaucoup* DÉPLU, il m'a été désagréable. ◆ **déplaisant** adj. (sens 1) *Paul a un caractère* DÉPLAISANT (= désagréable, antipathique).

• **R.** Conj. nº 77. ‖ Attention : *plu* peut être le participe de *plaire* ou de *pleuvoir.*

plaisanter v. *Pierre était d'humeur à* PLAISANTER, à faire rire, à amuser les autres. ◆ **plaisant** adj. et n. m. *Il m'a raconté une histoire* PLAISANTE (= drôle, amusant). ‖ *Jean est un* MAUVAIS PLAISANT, il fait ou dit des plaisanteries de mauvais goût. ◆ **plaisanterie** n. f. *Sa* PLAISANTERIE *a fait rire tout le monde* (= blague). ◆ **plaisantin** n. m. *Ne l'écoutez pas, c'est un* PLAISANTIN (= farceur).

plaisir → PLAIRE.

plan n. m. **1.** *L'architecte a fait le* PLAN *de la maison,* un dessin qui en représente la disposition. — **2.** *Pierre a un* PLAN *pour réussir,* un projet. — **3.** *Quel est le* PLAN *de ton devoir?,* la disposition des différentes parties. — **4.** *Sur cette photo, tu vois Marie au premier* PLAN *et Paul au deuxième* PLAN, Marie est devant Paul. — **5.** *Ces deux affaires ne sont pas sur le même* PLAN, l'une est plus importante que l'autre (= niveau). — **6.** *Le toit forme un* PLAN *incliné,* une surface unie. ◆ **plan** adj. (sens 6) *Cette table est une surface* PLANE (= uni, plat). ◆ **planifier** v. (sens 2) *On* A PLANIFIÉ *la production d'acier,* on a prévu ce qu'elle devra être. ◆ **planification** n. f. (sens 2) *La* PLANIFICATION *de l'économie peut éviter des crises.* ◆ **aplanir** v. **1.** (sens 6) *On* A APLANI *le terrain pour faire une route,* on l'a rendu uni (= niveler). — **2.** *Les difficultés* ONT ÉTÉ APLANIES (= supprimer). ◆ **arrière-plan** n. m. (sens 4 et 5) *Ce projet est à l'*ARRIÈRE-PLAN *de nos préoccupations,* il est secondaire.

▷ 145, 148
▷ 78, 150

• **R.** *Plan* se prononce [plɑ̃] comme *plant.* ‖ Noter le pluriel : des *arrière-plans.*

291, 151 ◁ **planche** n. f. **1.** *Le menuisier rabote des* PLANCHES *pour faire une table,* de longues plaques de bois. — **2.** *Ce livre contient de belles* PLANCHES *en*
367 ◁ *couleurs,* des illustrations. — **3.** *M. Durand cultive une* PLANCHE *de salades,* une partie de son jardin. — **4.** *Jean sait* FAIRE LA PLANCHE, flotter sur le dos à la surface de l'eau. ◆ **plancher** n. m. (sens 1) *On a recouvert le* PLANCHER *d'un tapis,* le sol en planches (= parquet). ◆ **planchette** n. f. (sens 1) *Mme Durand découpe la viande sur une* PLANCHETTE, une petite planche.

plancton n. m. *Le* PLANCTON *sert de nourriture aux poissons,* des animaux microscopiques.

planer v. **1.** *Un épervier* PLANE *dans le ciel,* il vole sans agiter les ailes. — **2.** *M. Durand* PLANE *au-dessus de ces détails,* il les voit superficiellement.
437 ◁ ◆ **planeur** n. m. (sens 1) *Pierre apprend à piloter un* PLANEUR, un avion sans moteur qui plane dans l'air.

planète n. f. *La Terre est une des* PLANÈTES *du Soleil,* elle tourne autour. ◆ **planétaire** adj. *Une guerre* PLANÉTAIRE *pourrait détruire la Terre* (= mondial). ◆ **interplanétaire** adj. *Les voyages* INTERPLANÉTAIRES *sont-ils pour demain?,* entre les planètes.

planeur → PLANER. / **planification, planifier** → PLAN.

planisphère n. m. Un PLANISPHÈRE est une carte qui représente la Terre entière.

plant, plantation → PLANTER.

365, 38 ◁ **plante** n. f. **1.** *Les* PLANTES *sont fixées au sol par des racines,* les
33 ◁ végétaux. — **2.** *Jean a tellement marché qu'il a mal à la* PLANTE *des pieds,* la face inférieure. ◆ **plantaire** adj. (sens 2) *La voûte* PLANTAIRE est le dessous du pied.

planter v. **1.** *M. Dupont* A PLANTÉ *des salades,* il les a mises en terre pour qu'elles poussent. — **2.** *M. Durand* PLANTE *des clous dans le mur* (= enfoncer). — **3.** *Pierre* EST PLANTÉ *devant la fenêtre,* il reste debout, immobile. ◆ **plant** n. m. (sens 1) *M. Dupont a acheté des* PLANTS *de tomate,* des tomates jeunes pour les transplanter. ◆ **plantation** n. f. (sens 1) *La grêle a abîmé les* PLANTATIONS (= culture). ◆ **planteur** n. m. (sens 1) *Les* PLANTEURS *possédaient des plantations dans les colonies.* ◆ **transplanter** v. (sens 1) TRANSPLANTER *un rosier,* c'est le déterrer pour le planter ailleurs.
• **R.** V. PLAN.

plantureux adj. *Nous avons fait un repas* PLANTUREUX (= abondant; ≠ maigre).

plaque n. f. **1.** *Pierre a mis des photos sous une* PLAQUE *de verre,* une feuille plate, mince et rigide. — **2.** *Toutes les voitures doivent avoir une*
505 ◁ PLAQUE *d'immatriculation,* une pièce de métal portant leur numéro. — **3.** *Jean a des* PLAQUES *rouges sur la figure* (= tache). ◆ **plaquer** v. **1.** (sens 1) *Ce bracelet* EST PLAQUÉ *avec de l'or,* recouvert d'une couche d'or. — **2.** *Jean* A PLAQUÉ *Pierre contre le sol,* il l'y a jeté et appuyé avec force.

plastic n. m. Le PLASTIC est un explosif puissant. ◆ **plastiquer** v. *Des inconnus* ONT PLASTIQUÉ *une maison,* ils l'ont fait sauter avec du plastic.
• **R.** V. PLASTIQUE.

plastique adj. **1.** *L'argile est une roche* PLASTIQUE, on peut la pétrir, la modeler (= malléable). — **2.** *Les* ARTS PLASTIQUES *sont la peinture, la sculpture et l'architecture.* — **3.** adj. et n. m. *Le Nylon est une matière* PLASTIQUE, fabriquée artificiellement par des procédés chimiques. ‖ *Ces assiettes sont en* PLASTIQUE. ◆ **plastifier** v. (sens 3) *Ce livre a une couverture* PLASTIFIÉE, recouverte d'une mince couche de plastique. ▷ 223 ▷ 366
• **R.** Ne pas confondre *plastique* et *plastic :* [plastik].

plastiquer → PLASTIC.

plastron n. m. *Autrefois les chemises avaient un* PLASTRON, un devant rigide. ▷ 35

plat adj. **1.** *La Beauce est une région* PLATE, sans creux ni bosse (= horizontal; ≠ accidenté). — **2.** *On met les assiettes* PLATES *sous les assiettes à soupe* (≠ creux). — **3.** *La sole est un poisson* PLAT (≠ épais). — **4.** *Pierre écrit mal, son style est* PLAT (= banal; ≠ original). — **5.** *M. Duval est* PLAT *devant ses supérieurs* (= soumis, obséquieux). ◆ **plat** n. m. **1.** (sens 1) *J'aime marcher sur le* PLAT (≠ côte). • (sens 2) *On a apporté le rôti sur un* PLAT, une sorte de grande assiette. — **2.** *La bouillabaisse est un* PLAT *du Midi,* on en mange dans le Midi (= mets). ◆ **plateau** n. m. (sens 2) *Le garçon apporte les boissons sur un* PLATEAU, une sorte de grand plat. • (sens 1) *De la vallée, nous sommes montés sur le* PLATEAU, une région haute mais plate. ◆ **plate-bande** n. f. (sens 1) *Il est interdit de marcher sur les* PLATES-BANDES, les parties cultivées du jardin. ◆ **plate-forme** n. f. (sens 1) Une PLATE-FORME est une surface plate de laquelle on domine les environs. ◆ **platitude** n. f. (sens 4) *Pierre ne dit que des* PLATITUDES, des choses sans intérêt (= banalité). ◆ **aplatir** v. (sens 1) *On* A APLATI *la terre avec une pelle* (= écraser). • (sens 5) *M. Duval* S'APLATIT *devant ses supérieurs* (= s'humilier). ▷ 582, 650 ▷ 366 ▷ 152
• **R.** Noter le pluriel : des *plates-bandes,* des *plates-formes.*

platane n. m. *Les arbres de la place sont des* PLATANES.

plateau, plate-bande, plate-forme → PLAT.

1. platine n. m. *Marie a un bracelet en* PLATINE, un métal précieux de couleur grise.

2. platine n. f. *Jean met un disque sur la* PLATINE *de l'électrophone,* la plaque qui porte le disque.

platitude → PLAT.

plâtre n. m. **1.** *Le plafond est en* PLÂTRE. ‖ *Le* PLÂTRE *mélangé à l'eau forme une pâte qui durcit.* — **2.** (au plur.) *Les* PLÂTRES *de la maison sont finis,* les parties recouvertes de plâtre. — **3.** *Pierre s'est cassé la jambe, on lui a mis un* PLÂTRE, un bandage rigide en plâtre. ◆ **plâtras** n. m. (sens 1) *Des* PLÂTRAS *se détachent du plafond,* des morceaux de plâtre. ◆ **plâtrer** v. (sens 1) *Les ouvriers* ONT PLÂTRÉ *les murs,* recouvert de plâtre. • (sens 3) *On* A PLÂTRÉ *la jambe de Pierre.* ◆ **plâtrier** n. m. (sens 1) Un PLÂTRIER est un ouvrier qui sait travailler le plâtre. ◆ **replâtrer** v. (sens 1) *Il faudrait* REPLÂTRER *la cloison,* la réparer avec du plâtre. ▷ 150, 224 ▷ 151

plausible adj. *Pierre m'a raconté une histoire peu* PLAUSIBLE, difficile à admettre.

plèbe n. f. Dans la Rome antique, la PLÈBE était la classe populaire. ◆ **plébéien** adj. et n. *Les* PLÉBÉIENS *s'opposaient aux patriciens.*

plébiscite n. m. *Le gouvernement a organisé un* PLÉBISCITE, un vote populaire auquel on répond par « oui » ou par « non ».

plein adj. **1.** *Cette bouteille est* PLEINE *de vin* (= rempli; ≠ vide). — **2.** *Le ministre a reçu les* PLEINS *pouvoirs* (= total, complet; ≠ partiel). — **3.** *Ta chemise est* PLEINE DE *taches,* il y en a beaucoup. — **4.** *Jean a reçu un caillou* EN PLEINE *figure,* juste dans la figure. ◆ **plein** n. m. (sens 1) *M. Durand a fait le* PLEIN *d'essence,* il a rempli le réservoir. • (sens 2) *La fête* BAT SON PLEIN, elle est à son point maximum. ◆ **plein** prép. (sens 3) *Pierre a des billes* PLEIN *ses poches,* il en a beaucoup. ◆ **pleinement** adv. (sens 2) *Le professeur était* PLEINEMENT *satisfait* (= tout à fait, totalement). ◆ **plénier** adj. (sens 2) *Dans une réunion* PLÉNIÈRE, *tout le monde est présent.* ◆ **plénipotentiaire** n. m. (sens 2) *Le gouvernement a envoyé des* PLÉNIPOTENTIAIRES, des gens ayant les pleins pouvoirs. ◆ **trop-plein** n. m. (sens 1) *On a vidé le* TROP-PLEIN *du réservoir,* le liquide qui était en trop. ‖ *Un* TROP-PLEIN *évite que la baignoire déborde,* un dispositif.

79 ◁

• **R.** *Plein* se prononce [plɛ̃] comme [*je*] *plains* (de *plaindre*); *pleine* se prononce [plɛn] comme *plaine.*

pléonasme n. m. *« Monter en haut » est un* PLÉONASME, on exprime la même idée avec plusieurs mots.

pléthore n. f. *Il y a* PLÉTHORE *de raisin cette année,* il y en a trop (= surabondance; ≠ manque).

pleurer v. **1.** *Jean s'est fait mal, il* PLEURE, il verse des larmes. — **2.** *Jacques* PLEURE *la mort de son père,* il la regrette. ◆ **pleurs** n. m. pl. (sens 1) *Je l'ai trouvé en* PLEURS, en larmes. ◆ **pleurard** adj. (sens 1) Fam. *Jean parle d'une voix* PLEURARDE (= plaintif). ◆ **pleurnicher** v. (sens 1) *Pourquoi* PLEURNICHES-*tu sans arrêt?* (= pleurer, geindre). ◆ **éploré** adj. (sens 1) *Son visage* ÉPLORÉ *m'a fait pitié,* en larmes (= désolé).

pleurésie n. f. La PLEURÉSIE est une maladie des poumons.

pleurnicher, pleurs → PLEURER.

pleutre adj. et n. m. se disait pour *lâche.*

pleuvoir → PLUIE.

Plexiglas n. m. *La vitre est en* PLEXIGLAS, en matière plastique transparente.

• **R.** On prononce le *s* : [plɛksiglas].

plexus n. m. *Pierre a reçu un coup de poing dans le* PLEXUS SOLAIRE, au creux de l'estomac.

• **R.** On prononce le *s* : [plɛksys].

plier v. **1.** *Marie* A PLIÉ *une feuille de papier,* elle a rabattu une partie sur l'autre. — **2.** *On peut* PLIER *ce lit, il tiendra moins de place,* rapprocher les éléments qui le constituent. — **3.** *Il est si fort qu'il arrive à* PLIER *cette barre de fer,* à la rendre courbe. ‖ *Attention, la branche* PLIE!, elle se courbe (= fléchir). — **4.** *Jean est têtu, tu n'arriveras pas à le faire* PLIER

(= céder). ◆ **pli** n. m. **1.** (sens 1) *Peux-tu repasser le* PLI *de mon pantalon?,* l'endroit où le tissu a été plié. • (sens 3) *Le terrain fait des* PLIS (= ondulation). — **2.** *Pierre a fait tous les* PLIS *de la partie,* il a ramassé toutes les cartes (= levée). — **3.** *J'ai reçu un* PLI *recommandé* (= lettre). ◆ **pliable** adj. (sens 2) *Ce lit est* PLIABLE, on peut le plier. ◆ **pliant** n. m. (sens 2) Un PLIANT est un petit siège que l'on peut plier. ◆ **plisser** v. (sens 1) *Jeanne a une jupe* PLISSÉE, le tissu a de nombreux plis réguliers. • (sens 2) *Jean* PLISSE *les yeux,* il les ferme à demi. • (sens 3) *Les Alpes sont une région* PLISSÉE, le terrain fait des plis que les géographes appellent des PLISSEMENTS. ◆ **déplier** v. (sens 1) *M. Durand* DÉPLIE *son journal,* il l'ouvre. ◆ **dépliant** n. m. (sens 1) *On nous a remis un* DÉPLIANT *publicitaire,* une feuille pliée plusieurs fois. ◆ **replier** v. **1.** (sens 1) *Pierre* REPLIE *sa serviette,* il la plie après l'avoir dépliée. • (sens 2) *Les campeurs* ONT REPLIÉ *leur tente* (= ranger). — **2.** *Les soldats* SE SONT REPLIÉS *devant l'ennemi,* ils ont reculé. ◆ **repli** n. m. **1.** (sens 3) *Il s'est caché dans un* REPLI *du terrain* (= pli, ondulation). — **2.** *Le général a donné l'ordre de* REPLI, de se replier. ▷ 296

plinthe n. f. *Les fils électriques passent derrière les* PLINTHES, les planchettes posées au bas des cloisons.

plissement, plisser → PLIER.

plomb n. m. **1.** Le PLOMB est un métal très lourd qui sert à fabriquer des poids, des tuyaux, des cartouches. — **2.** *Il y a eu un court-circuit, les* PLOMBS *ont sauté,* les fusibles électriques. ◆ **plomber** v. **1.** (sens 1) PLOMBER *un objet,* c'est l'alourdir avec du plomb. — **2.** PLOMBER *une dent gâtée,* c'est la boucher. ◆ **plombage** n. m. *Le dentiste m'a fait un* PLOMBAGE, il m'a plombé une dent. ▷ 290

plombier n. m. *Il y a une fuite d'eau, il faut appeler le* PLOMBIER, l'ouvrier qui répare les tuyaux. ◆ **plomberie** n. f. *La* PLOMBERIE *est en mauvais état,* les tuyaux d'eau et de gaz. ▷ 290

plonger v. **1.** *Pierre* A PLONGÉ *dans la piscine,* il y a sauté la tête la première. — **2.** *Marie* A PLONGÉ *son bras dans l'eau,* elle l'y a mis (= enfoncer, tremper). — **3.** *Pierre* EST PLONGÉ *dans la lecture de son livre* (= absorber). — **4.** *Cette nouvelle nous* A PLONGÉS *dans la tristesse,* nous a rendus très tristes. ◆ **plongeant** adj. (sens 1) *D'ici, on a une vue* PLONGEANTE, de haut en bas. ◆ **plongée** n. f. (sens 2) *Le sous-marin est en* PLONGÉE, il est sous l'eau. ◆ **plongeoir** n. m. (sens 1) *Pierre a sauté du* PLONGEOIR *de 3 mètres* (= tremplin). ◆ **plongeon** n. m. (sens 1) *Pierre a fait un beau* PLONGEON, il a plongé. ◆ **plongeur** n. (sens 1) *Pierre est un bon* PLONGEUR. • (sens 2) *Des* PLONGEURS *sous-marins travaillent au fond de la mer.* ◆ **replonger** v. (sens 3) *Anne* S'EST REPLONGÉE *dans sa lecture.* ▷ 764 ▷ 218 ▷ 152

ployer v. *Attention, la planche* PLOIE *sous ton poids!* (= plier).

pluie n. f. **1.** *J'ai été tout trempé par cette* PLUIE *qui tombe à verse.* — **2.** *Une* PLUIE *de balles s'est abattue sur les attaquants,* un très grand nombre. ◆ **pleuvoir** v. (sens 1) *L'été,* IL PLEUT *rarement en Provence.* • (sens 2) *Les coups* PLEUVAIENT *sur lui* (= tomber). ◆ **pluvial** adj. (sens 1) *Les eaux* PLUVIALES sont les eaux de pluie. ◆ **pluvieux** adj. (sens 1) *Nous avons eu un automne* PLUVIEUX, il a beaucoup plu. ▷ 721

• **R.** *Pleuvoir,* conj. n° 47. ‖ V. PLAIRE.

651 ◁ 292 ◁ **plume** n. f. **1.** *Les oiseaux ont le corps couvert de* PLUMES. — **2.** *Pierre a cassé la* PLUME *de son stylo.* ◆ **plumage** n. m. (sens 1) *Le* PLUMAGE *du corbeau est noir,* ses plumes. ◆ **plumeau** n. m. (sens 1) *M*me *Dupont enlève la poussière avec un* PLUMEAU, un ustensile formé de plumes. ◆ **plumer** v. (sens 1) *Le cuisinier* A PLUMÉ *deux poulets,* il leur a enlevé les plumes. ◆ **plumet** n. m. (sens 1) *Certains soldats ont un* PLUMET *à leur chapeau,* une touffe de plumes. ◆ **plumier** n. m. (sens 2) Un PLUMIER est une petite boîte où les écoliers mettent leurs crayons, leur stylo. ◆ **porte-plume** n. m. inv. (sens 2) *Les stylos sont plus pratiques que les* PORTE-PLUME.

la plupart n. f. LA PLUPART DES *gens pensent comme moi,* la plus grande partie (≠ peu *ou* tous). ‖ LA PLUPART DU TEMPS, *c'est Pierre qui gagne,* le plus souvent, habituellement.

9 ◁ **pluriel** n. m. *On met un nom au* PLURIEL quand il désigne plusieurs êtres ou plusieurs choses (≠ singulier).

plus adv. **1.** *Marie est* PLUS *jeune* QUE *Jeanne.* ‖ *Marie est* LA PLUS *jeune* (≠ moins). ‖ *Pierre travaille beaucoup, mais Jean travaille encore* PLUS (= davantage). — **2.** *Il y a une heure* AU PLUS *qu'il est parti* (= au maximum). — **3.** *Sept* PLUS *deux font neuf* (7 + 2 = 9). — **4.** Précédé de *ne,* PLUS indique qu'une action ne continue pas : *Il* NE *vient* PLUS.

• **R.** *Plus* se prononce [plys] au sens 3 et [ply] au sens 4. Aux sens 1 et 2, on prononce [ply] devant une consonne, [plyz] devant une voyelle et [plys] en fin de phrase.

plusieurs adj. indéfini pl. *Jean a invité* PLUSIEURS *amis,* plus d'un (= quelques).

13 ◁ **plus-que-parfait** n. m. *« J'avais aimé » est le* PLUS-QUE-PARFAIT *du verbe « aimer »,* un des temps du verbe.

plutonium n. m. *Le* PLUTONIUM *sert à faire les bombes atomiques,* une sorte de métal.

• **R.** On prononce [plytɔnjɔm].

plutôt adv. **1.** *Viens demain* PLUTÔT *qu'aujourd'hui,* de préférence à. — **2.** *Marie est* PLUTÔT *belle* (= assez).

pluvial, pluvieux → PLUIE.

505 ◁ **pneu** n. m. **1.** *M. Durand a fait gonfler les* PNEUS *de sa voiture,* les tubes de caoutchouc des roues. — **2.** *Nous avons reçu un* PNEU (*un* PNEUMATIQUE) *de M*me *Dupont,* une sorte de télégramme. ◆ **pneumatique** adj. (sens 1)
726, 723 ◁ *Pierre pêche dans son canot* PNEUMATIQUE (= gonflable). ‖ *Un marteau* PNEUMATIQUE *fonctionne grâce à de l'air comprimé.*

pneumonie n. f. *Marie tousse, elle a une* PNEUMONIE, une maladie des poumons.

649 ◁ **poche** n. f. **1.** *Jean met son portefeuille dans la* POCHE *gauche de sa veste.* — **2.** *M. Dubois a des* POCHES *sous les yeux,* des replis de la peau. ◆ **pochette** n. f. (sens 1) **1.** *Pierre a acheté une* POCHETTE *de bonbons,* un petit sac. — **2.** Une POCHETTE est un petit mouchoir qui dépasse de la petite poche du veston. ◆ **empocher** v. (sens 1) *M. Durand* A EMPOCHÉ *une grosse somme,* il l'a reçue.

pocher v. **1.** *Mme Dupont fait* POCHER *des œufs,* cuire sans leur coquille dans l'eau bouillante. — **2.** *Jean a eu un* ŒIL POCHÉ *dans la bagarre,* son œil est bleu et enflé.

pochette → POCHE.

pochoir n. m. *Un dessin au* POCHOIR *est fait avec un carton à trous sur lequel on passe un pinceau.*

podium n. m. *Les vainqueurs sont montés sur le* PODIUM (= estrade).
• **R.** On prononce [pɔdjɔm].

1. poêle n. m. *La chambre est chauffée par un* POÊLE *à mazout* (= fourneau). ▷ 224
• **R.** V. POÊLE 2.

2. poêle n. f. *Mme Durand fait frire des poissons dans la* POÊLE. ▷ 78 ◆ **poêlée** n. f. *On a fait cuire une* POÊLÉE *de marrons,* le contenu d'une poêle. ◆ **poêlon** n. m. Un POÊLON est une sorte de casserole.
• **R.** On prononce [pwɑl] : ne pas confondre avec *poil* [pwal].

poésie n. f. **1.** La POÉSIE est l'art d'émouvoir en faisant des vers. — **2.** *Pierre nous a récité une jolie* POÉSIE, un texte en vers. — **3.** *Marie aime la* POÉSIE *des soirs d'automne* (= beauté). ◆ **poème** n. m. (sens 2) *Jean apprend un* POÈME *de Victor Hugo* (= poésie). ◆ **poète** n. m. (sens 1 et 2) *Victor Hugo est un grand* POÈTE, il a écrit des poésies. ◆ **poétique** adj. (sens 1) *M. Durand a acheté les œuvres* POÉTIQUES *de Victor Hugo,* ses poèmes. • (sens 3) *Ce paysage est très* POÉTIQUE (= émouvant).

poids n. m. **1.** *Le* POIDS *de cette table est de 50 kilos,* c'est ce qu'elle pèse. ▷ 795 — **2.** *L'épicier met un* POIDS *sur le plateau de la balance,* une masse ▷ 223 métallique servant à peser. — **3.** *Pierre s'exerce à lancer le* POIDS, une ▷ 34 boule de métal. — **4.** *Jean a un* POIDS *sur la conscience,* une charge pénible, un souci. — **5.** *M. Durand est un homme de* POIDS, important, influent. — **6.** *Il y avait beaucoup de* POIDS LOURDS *sur l'autoroute* (= camion). ◆ **contrepoids** n. m. (sens 2) *Il faut un* CONTREPOIDS *pour* ▷ 145, 150 *équilibrer le bateau,* un objet lourd.
• **R.** *Poids* se prononce [pwa] comme *pois, poix* et *pouah!*

poignant adj. *Pierre m'a raconté une histoire* POIGNANTE, très émouvante.

poignard n. m. *La victime a reçu un coup de* POIGNARD, d'une sorte de ▷ 147 couteau. ◆ **poignarder** v. *Henri IV est mort* POIGNARDÉ, d'un coup de poignard.

poignée n. f. **1.** *Jean m'a lancé une* POIGNÉE *de sable,* ce que peut contenir la main fermée. — **2.** *Pierre m'a donné une* POIGNÉE DE MAIN, il m'a serré la main. — **3.** *La* POIGNÉE *de la valise est cassée,* la partie qui ▷ 74, 289, 505 sert à la tenir. — **4.** *Il n'y avait dans la salle qu'une* POIGNÉE *d'hommes,* un petit nombre. ◆ **poigne** n. f. (sens 2) *Pierre a de la* POIGNE, de la force dans les mains. ◆ **poing** n. m. (sens 1) *Jean a reçu un coup de* POING *sur le nez,* un coup avec la main fermée. ◆ **empoigner** v. **1.** (sens 1 et 2) *Jacques m'*A EMPOIGNÉ *le bras,* saisi fortement avec la main. — **2.** *Ce livre m'*A EMPOIGNÉ, beaucoup ému.
• **R.** *Poing* se prononce [pwɛ̃] comme *point* et [*il*] *point* (de *poindre*).

33 ◁ **poignet** n. m. **1.** *Jean s'est cassé le* POIGNET, l'articulation entre la main et le bras. — **2.** *Les* POIGNETS *de ta chemise sont sales,* les bouts des manches.

289 ◁ **poil** n. m. *M. Durand a des* POILS *sur les jambes.* ‖ *Les* POILS *du pinceau sont usés.* ◆ **poilu** adj. *M. Durand a les jambes* POILUES (= velu).
• **R.** V. POÊLE 2.

poinçon n. m. *Le cordonnier perce le cuir avec un* POINÇON, une tige pointue. ◆ **poinçonner** v. *Le contrôleur* A POINÇONNÉ *nos billets,* il y a fait un trou.

poing → POIGNÉE.

1. point adv. se dit parfois au lieu de *ne... pas : Je* NE *le vois* POINT.
• **R.** V. POIGNÉE.

2. point n. m. **1.** *Le bateau n'était plus qu'un* POINT *au loin,* une petite tache. — **2.** *On met un* POINT *sur le « i » et sur le « j ».* — **3.** *Une phrase finit par un* POINT. — **4.** *Nous sommes revenus à notre* POINT *de départ* (= endroit, lieu). — **5.** *Le capitaine fait le* POINT, calcule l'endroit où se trouve le navire. — **6.** *Dans son discours, il a abordé plusieurs* POINTS (= question, problème). — **7.** *Je ne l'ai jamais vu en colère à ce* POINT (= degré). — **8.** *Pierre a eu 9 sur 20, il lui manque un* POINT *pour avoir la moyenne.* — **9.** *Pierre a gagné la partie de Ping-Pong par 21* POINTS *à 12.*
296 ◁ — **10.** *Les* POINTS *de cet ourlet sont espacés,* les piqûres faites avec une aiguille et du fil. — **11.** *Nous sommes partis au* POINT DU JOUR, au moment où le jour point. — **12.** *Il est arrivé* À POINT, au bon moment. ‖ *Le rôti est* À POINT, bien cuit. — **13.** *Notre projet est* AU POINT, bien organisé. — **14.** *Pierre est* MAL EN POINT, malade. — **15.** *Je suis* SUR LE POINT DE *partir,* je vais le faire. ◆ **poindre** v. (sens 11) *Le jour commence à* POINDRE, à se lever. ◆ **point de vue** n. m. **1.** (sens 4) *D'ici, nous avons un beau* POINT DE VUE, un endroit qui domine. — **2.** *Nous n'avons pas le même* POINT DE VUE *sur cette question* (= opinion, avis). ◆ **pointillé** n. m. (sens 1, 2 et 3) *Découpez en suivant le* POINTILLÉ, la ligne de petits points rapprochés.
• **R.** *Poindre,* conj. n° 82. ‖ V. POIGNÉE.

pointage → POINTER.

pointe n. f. **1.** *Jean taille la* POINTE *de son crayon,* le bout pointu. —
289 ◁ **2.** *M. Dupont a acheté un paquet de* POINTES *chez le quincaillier* (= clou). — **3.** *Il y a un phare sur la* POINTE (= cap). — **4.** *Marie a lancé une* POINTE *à Paul,* elle s'est moquée de lui. — **5.** *Il y avait une* POINTE DE *malice dans ses paroles,* un peu. — **6.** *Cette voiture atteint 150 kilomètres à l'heure* EN POINTE, au maximum. ◆ **pointu** adj. (sens 1) *Attention, ce couteau est* POINTU, il pique (= acéré; ≠ arrondi).

pointer v. **1.** *Le professeur* POINTE *chaque nom de la liste,* il marque un signe devant. — **2.** *M. Durand* POINTE *à l'entrée de l'usine,* il déclare son heure d'arrivée. — **3.** *Pierre* A POINTÉ *son doigt vers la porte* (= diriger). — **4.** *Le chien* POINTE *les oreilles,* il les dresse. ‖ *Le phare* POINTE *à l'horizon,* il se dresse. ◆ **pointage** n. m. (sens 1) *Le professeur a fait un* POINTAGE *des élèves,* il a contrôlé leur présence.

pointillé → POINT 2.

pointilleux adj. *Mme Durand est très* POINTILLEUSE, elle est minutieuse et exigeante (= tâtillon).

pointu → POINTE.

pointure n. f. *Quelle* POINTURE *chausses-tu? — Du 39,* quelle est la taille de tes chaussures?

poire n. f. *Au dessert, nous avons mangé des* POIRES, des fruits. ◆ **poirier** n. m. *Ce* POIRIER *donne beaucoup de poires,* un arbre. ▷ 367

poireau n. m. *Jean n'aime pas la soupe aux* POIREAUX, un légume. ▷ 367

poirier → POIRE.

pois n. m. **1.** Les PETITS POIS sont des légumes à grains ronds. — **2.** *M. Durand a une cravate* À POIS, décorée de petits ronds. ▷ 366
• **R.** V. POIDS.

poison n. m. **1.** *L'arsenic, l'opium, la nicotine sont des* POISONS, des substances dangereuses. — **2.** Fam. *C'est encore lui? Quel* POISON! (= ennui). ◆ **contrepoison** n. m. (sens 1) *Dans certains cas, le lait est un* CONTREPOISON, il combat l'effet des poisons. ◆ **empoisonner** v. **1.** (sens 1) *On peut* S'EMPOISONNER *avec certains champignons,* tomber malade ou mourir (= s'intoxiquer). • (sens 2) Fam. *Paul m'*A EMPOISONNÉ *toute la journée* (= ennuyer, assommer). — **2.** *Ce tas de fumier* EMPOISONNE *l'atmosphère,* il sent très mauvais. ◆ **empoisonnement** n. m. (sens 1) *On le soigne pour un* EMPOISONNEMENT *à l'arsenic* (= intoxication). ◆ **empoisonneur** n. (sens 1) *Le tribunal juge les crimes d'une* EMPOISONNEUSE.

poisser v. *Jean* S'EST POISSÉ *les mains avec de la confiture,* ses mains sont collantes. ◆ **poisseux** adj. *Marie a les cheveux* POISSEUX (= collant). ◆ **poix** n. f. La POIX est une substance collante.
• **R.** V. POIDS.

poisson n. m. *La truite, l'anguille, le requin, le thon sont des* POISSONS, des animaux qui vivent dans l'eau. ◆ **poissonnerie** n. f. *Dans cette* POISSONNERIE, *le poisson n'est pas frais,* le magasin du poissonnier. ◆ **poissonneux** adj. *Cette rivière est très* POISSONNEUSE, elle contient beaucoup de poissons. ◆ **poissonnier** n. *Les* POISSONNIERS *vendent du poisson, des coquillages, des crustacés.* ▷ 721, 728 ▷ 222

poitrine n. f. *La* POITRINE *contient le cœur et les poumons.* ◆ **poitrail** n. m. *Ce cheval a un large* POITRAIL, le devant de son corps. ▷ 33 ▷ 368

poivre n. m. *Tu as mis trop de* POIVRE *dans cette sauce, ça pique,* une épice produite par un arbuste appelé POIVRIER. ◆ **poivrer** v. *J'ai oublié de* POIVRER *la salade,* d'y mettre du poivre. ◆ **poivrière** n. f. *La* POIVRIÈRE *et la salière sont sur la table,* un récipient pour le poivre. ◆ **poivron** n. m. Le POIVRON est une sorte de piment doux. ▷ 78

poix → POISSER. ▷ 578

poker n. m. *Ils passent leur temps à jouer au* POKER, un jeu de cartes.
• **R.** On prononce [pɔkɛr].

polaire, polariser → PÔLE.

polder n. m. *Les Hollandais ont mis en valeur de nombreux* POLDERS, des régions conquises sur la mer.
• **R.** On prononce [pɔldɛr].

584, 294 ◁ **pôle** n. m. **1.** *Les* PÔLES *sont des régions très froides,* les parties de la Terre les plus au nord et les plus au sud. — **2.** *Paris est un* PÔLE D'ATTRACTION *pour les touristes,* un endroit qui les attire. ◆ **polaire** adj. (sens 1) *L'étoile* POLAIRE *indique la direction du pôle Nord.* ◆ **polariser** v. (sens 2) *L'attention* ÉTAIT POLARISÉE *sur lui* (= attirer, concentrer).

polémique n. f. *Les deux hommes politiques ont engagé une* POLÉMIQUE, une violente discussion.

poli adj. **1.** *Cette table est en bois* POLI, on l'a frotté pour le rendre lisse et brillant. — **2.** *Pierre est un garçon* POLI, bien élevé (≠ insolent, grossier). ◆ **poliment** adv. (sens 2) *Pierre m'a répondu* POLIMENT. ◆ **polir** v. (sens 1) *On* POLIT *le verre pour le rendre transparent* (= frotter). ◆ **politesse** n. f. (sens 2) *« Merci », « s'il vous plaît » sont des formules de* POLITESSE (= courtoisie). ◆ **dépolir** v. (sens 1) *Cette vitre est en verre* DÉPOLI (= opaque). ◆ **impoli** adj. et n. (sens 2) *Marie est* IMPOLIE (= insolent, impertinent). ◆ **impoliment** adv. (sens 2) *Il a refusé* IMPOLIMENT. ◆ **impolitesse** n. f. (sens 2) *On lui a reproché son* IMPOLITESSE. ◆ **malpoli** adj. et n. (sens 2) *Tais-toi, petit* MALPOLI!

36 ◁ **police** n. f. **1.** *Après le vol, on a appelé la* POLICE, ceux qui sont chargés de faire respecter la loi. — **2.** *M. Durand a souscrit une* POLICE D'ASSURANCE *pour sa voiture,* un contrat. ◆ **policier** n. m. (sens 1) *Les* POLICIERS *ont arrêté un suspect,* les gens de la police. ◆ **policier** adj. (sens 1) *Jean aime les films* POLICIERS, qui parlent de policiers et de bandits.

polichinelle n. m. *Jeannot a eu un* POLICHINELLE *pour Noël,* une sorte de pantin.

policier → POLICE. / **poliment** → POLI.

poliomyélite n. f. *Il a eu la* POLIOMYÉLITE, *il est paralysé des jambes,* une maladie grave.

polir → POLI.

polisson adj. et n. *Veux-tu obéir, petit* POLISSON!, enfant désobéissant. ◆ **polissonnerie** n. f. *J'en ai assez de tes* POLISSONNERIES (= bêtise).

politesse → POLI.

politique n. f. *M. Durand s'intéresse à la* POLITIQUE, à la manière dont le pays est gouverné. ◆ **politique** adj. *Les députés, les ministres sont des hommes* POLITIQUES, ils participent au gouvernement. ‖ *Un parti* POLITIQUE est une organisation qui veut gouverner. ◆ **politicien** n. m. POLITICIEN est un équivalent péjoratif de *homme politique.* ◆ **apolitique** adj. *Cette organisation est* APOLITIQUE, sans buts politiques.

polka n. f. La POLKA est une danse polonaise.

pollen n. m. *Le* POLLEN *des fleurs* est une fine poussière qui sert à leur reproduction.
• **R.** On prononce [pɔlɛn].

polluer v. *Cette plage* EST POLLUÉE *par du mazout,* salie, rendue malsaine. ◆ **pollution** n. f. *Près de l'usine, la* POLLUTION *de l'air est inquiétante* (≠ pureté).

polo n. m. **1.** *Les joueurs de* POLO *sont à cheval et poussent une balle avec un maillet.* — **2.** *Pierre a un* POLO *bleu,* une sorte de chemise.

poltron adj. et n. *Marie est (une)* POLTRONNE, elle manque de courage (= froussard; ≠ brave). ◆ **poltronnerie** n. f. *On s'est moqué de sa* POLTRONNERIE (= lâcheté; ≠ courage).

poly-, au début d'un mot, indique qu'il y a plusieurs choses : la *polycopie* est une reproduction en plusieurs copies.

polycopie, polycopier → COPIE. / **polygamie** → MONOGAMIE.

polyglotte adj. *M. Dubois est* POLYGLOTTE, il sait parler plusieurs langues.

polygone n. m. Un POLYGONE est une figure de géométrie qui a plusieurs côtés. ▷ 348

polytechnicien n. *Cet ingénieur est un ancien* POLYTECHNICIEN, élève d'une grande école scientifique appelée Polytechnique.

pommade n. f. *On a mis de la* POMMADE *sur sa brûlure,* un médicament gras. ◆ **pommader** v. *Jean a les cheveux* POMMADÉS, enduits d'une substance grasse.

pomme n. f. **1.** *Hélène aime la tarte aux* POMMES, un fruit. — **2.** La POMME DE PIN est le fruit du pin. — **3.** La POMME D'ADAM est un endroit en relief que les hommes ont sur la gorge. — **4.** La POMME D'ARROSOIR est le bout arrondi et percé de trous de l'arrosoir. ◆ **pommé** adj. (sens 1) *Cette laitue est bien* POMMÉE, arrondie comme une pomme. ◆ **pommier** n. m. (sens 1) *En Normandie, il y a beaucoup de* POMMIERS, des arbres. ▷ 363, 367 ▷ 654, 655/33 ▷ 366 ▷ 363

pommeau n. m. *Le* POMMEAU *d'une épée* est le bout arrondi de sa poignée. ‖ *Le cavalier s'accroche au* POMMEAU *de sa selle.* ▷ 368

pomme de terre n. f. *M*[me] *Durand épluche des* POMMES DE TERRE *pour faire des frites,* un légume. ▷ 367

pommelé adj. *Le ciel est* POMMELÉ, couvert de petits nuages ronds.

pommette n. f. *Jean a les* POMMETTES *toutes rouges,* le haut des joues.

pommier → POMME.

pompe n. f. **1.** *Jean gonfle sa bicyclette avec une* POMPE, un appareil qui envoie de l'air. — **2.** *Une* POMPE *à eau* envoie de l'eau, *une* POMPE *à essence* envoie de l'essence. — **3.** *Le mariage a été célébré* EN GRANDE POMPE, la cérémonie a eu beaucoup d'éclat. — **4.** (au plur.) *Les* POMPES FUNÈBRES *sont chargées d'organiser les enterrements.* ◆ **pomper** v. (sens 2) *On* A POMPÉ *l'eau de l'étang,* on l'a aspirée avec une pompe. ◆ **pompeux** adj. (sens 3) *M. Durand a fait un discours* POMPEUX (= solennel; ≠ simple). ◆ **pompier** n. m. (sens 2) *On a appelé les* POMPIERS *pour éteindre l'incendie.* ◆ **pompiste** n. (sens 2) *M. Durand a laissé un pourboire au* POMPISTE, à l'employé de la pompe à essence. ▷ 512 ▷ 219, 506, 761 ▷ 510, 761 ▷ 506

765, 652 ◁ **pompon** n. m. *Les marins ont un béret à* POMPON *rouge,* orné d'une boule de laine.

pomponner v. *Marie* SE POMPONNE *devant la glace,* elle soigne sa toilette.

poncer v. *Avant de peindre, il faut bien* PONCER *le mur,* le rendre lisse et propre. ◆ **ponce** adj. f. *Jean se récure les mains avec une* PIERRE PONCE, une roche dure et rugueuse.

ponction n. f. *Cette dépense représente une grosse* PONCTION *sur notre budget,* un prélèvement d'argent.

ponctuation → PONCTUER.

ponctuel adj. *Pierre est* PONCTUEL *à ses rendez-vous,* il arrive à l'heure (= exact; ≠ négligent). ◆ **ponctualité** n. f. *On lui a reproché son manque de* PONCTUALITÉ (= exactitude). ◆ **ponctuellement** adv. *Il arrive* PONCTUELLEMENT *à 8 heures.*

ponctuer v. *Paul ne sait pas* PONCTUER *ses devoirs,* mettre les signes de ponctuation. ◆ **ponctuation** n. f. *Le point, la virgule, le point-virgule, les parenthèses sont des signes de* PONCTUATION.

pondération n. f. *M. Dupont agit toujours avec* PONDÉRATION, modération et prudence. ◆ **pondéré** adj. *M. Dupont est un esprit* PONDÉRÉ (= calme; ≠ violent, impulsif).

pondre v. *Les oiseaux, les poissons, les insectes* PONDENT *des œufs.* ◆ **ponte** n. f. *La poule chante après la* PONTE, après avoir pondu. ◆ **pondeuse** n. f. *Cette poule est une bonne* PONDEUSE.

• **R.** Conj. nº 51. ‖ V. PONT.

poney n. m. *Paul se promène à dos de* PONEY, une sorte de petit cheval.

727, 726 ◁ 721, 582, 152 ◁ 146 ◁ **pont** n. m. **1.** *Les passagers se promènent sur le* PONT *du paquebot,* le plancher. — **2.** *On traverse la rivière sur un* PONT *de bois.* — **3.** *Le service des* PONTS ET CHAUSSÉES *est chargé d'entretenir les routes et les ponts.* — **4.** *À l'Ascension, nous avons fait le* PONT, nous avons eu un jour de congé supplémentaire entre deux jours fériés. ◆ **ponté** adj. (sens 1) *Ce bateau n'est pas* PONTÉ, il n'a pas de pont. ◆ **pont-levis** n. m. (sens 2) *Les châteaux forts avaient un* PONT-LEVIS, un pont que l'on pouvait lever. ◆ **ponton** n. m. (sens 2) *On traverse le fleuve en crue sur des* PONTONS, des bateaux accolés formant un pont. ◆ **pontonnier** n. m. (sens 2) Les PONTONNIERS sont des soldats chargés de construire des ponts. ◆ **entrepont** n. m. (sens 2) *M. Durand a une cabine dans l'*ENTREPONT, sous le pont du navire.

• **R.** *Pont* se prononce [pɔ̃] comme [*il*] *pond* (de *pondre*).

ponte → PONDRE. / **ponté** → PONT.

pontife n. m. **1.** Le SOUVERAIN PONTIFE est le pape. — **2.** *M. Durand parle comme un* PONTIFE, comme un personnage important. ◆ **pontifical** adj. (sens 1) *L'État* PONTIFICAL est le Vatican. ◆ **pontificat** n. m. (sens 1) *Le* PONTIFICAT *de Paul VI a commencé en 1963,* sa fonction de pape. ◆ **pontifier** v. (sens 2) *M. Durand* PONTIFIE *devant ses invités,* parle d'un ton prétentieux.

pont-levis, ponton, pontonnier → PONT.

pop adj. inv. *Pierre aime la musique* POP, une sorte de musique moderne.

pope n. m. *Les* POPES *ont le droit de se marier,* les prêtres de l'Église orthodoxe.

popeline n. f. *Jean a un imperméable en* POPELINE, un tissu.

popote n. f. Fam. *Les campeurs font leur* POPOTE *sur un réchaud,* ils cuisent leur nourriture.

populace, populaire, populariser, popularité, population, populeux → PEUPLE.

porc n. m. *Nous avons mangé un rôti de* PORC (= cochon). ◆ **porcelet** n. m. *La truie est suivie de ses* PORCELETS, de ses petits. ◆ **porcher** n. m. *Autrefois les porcs étaient gardés par des* PORCHERS. ◆ **porcherie** n. f. *Cette* PORCHERIE *répand une odeur infecte,* cette étable pour les porcs. ◆ **porcin** adj. *L'élevage* PORCIN est l'élevage des porcs. ◆ **pourceau** n. m. *Il est sale comme un* POURCEAU (= porc).

▷ 361
▷ 361
▷ 363

• **R.** *Porc* se prononce [pɔr] comme *port* et *pore.*

porcelaine n. f. *Les Durand ont des assiettes en* PORCELAINE, en une matière précieuse et fragile.

porcelet → PORC.

porc-épic n. m. *Les* PORCS-ÉPICS *ont le corps recouvert de piquants.*

• **R.** On prononce [pɔrkepik].

porche n. m. *Le* PORCHE *d'une église* est la partie couverte qui est à l'entrée.

▷ 148, 362

porcher, porcherie, porcin → PORC.

pore n. m. *Pierre transpire par tous les* PORES, les trous minuscules de la peau. ◆ **poreux** adj. *Cette roche est* POREUSE, elle a des trous minuscules qui laissent passer l'eau (= perméable).

• **R.** V. PORC.

pornographique adj. *Les films* PORNOGRAPHIQUES *sont interdits aux jeunes de moins de dix-huit ans,* ceux qui montrent des spectacles obscènes.

porphyre n. m. *L'église possède des colonnes en* PORPHYRE, une roche rouge.

porridge n. m. *Pierre mange du* PORRIDGE *au petit déjeuner,* de la bouillie d'avoine.

1. port n. m. *Marseille est un* PORT *maritime, Rouen est un* PORT *fluvial,* un endroit où s'arrêtent les navires. ◆ **portuaire** adj. *Les grues, les hangars, les docks font partie de l'équipement* PORTUAIRE, d'un port.

▷ 721, 724, 727

• **R.** V. PORC.

2. port → PORTER. / **portable** → PORTER. / **portail** → PORTE. / **portant, portatif** → PORTER.

508, 146, 74 ◁ **porte** n. f. **1.** *On frappe, va ouvrir la* PORTE. — **2.** *M. Durand* A ÉTÉ MIS À LA PORTE, renvoyé de son travail (= congédier). ◆ **portail** n. m. (sens 1) 148, 73 ◁ *Le* PORTAIL *de la cathédrale est ouvert,* la grande porte. ◆ **portier** n. m. (sens 1) *Il a donné un pourboire au* PORTIER *de l'hôtel,* à l'employé qui garde la porte. ◆ **portière** n. f. (sens 1) *Ne passe pas la tête par la* 505 ◁ PORTIÈRE!, la porte de la voiture. ◆ **portillon** n. m. (sens 1) *On entre dans* 508 ◁ *le jardin par un* PORTILLON, une petite porte.

• **R.** *Porte* se prononce [pɔrt] comme [*je*] *porte* (de *porter*).

porte-avions → AVION. / **porte-bagages** → BAGAGE. / **porte-bonheur** → BONHEUR. / **porte-cartes** → CARTE. / **porte-clefs** → CLEF. / **porte-documents** → DOCUMENT. / **portée** → PORTER.

portefeuille n. m. **1.** *M. Durand a sorti des billets de son* PORTEFEUILLE. — **2.** *Dans le nouveau gouvernement, ce député a reçu le* PORTEFEUILLE *des Finances,* il est devenu ministre des Finances.

portemanteau → MANTEAU. / **porte-monnaie** → MONNAIE. / **porte-parole** → PAROLE. / **porte-plume** → PLUME.

porter v. **1.** *Jean* PORTE *un paquet sur son dos,* il en supporte le poids (= transporter). — **2.** *Il* PORTE *une lourde responsabilité dans cette affaire* (= supporter). — **3.** *M. Durand* PORTE *de l'argent à la banque* (= apporter, amener). — **4.** *Marie* PORTE *une jupe bleue et un pull vert,* elle les a sur elle. — **5.** *M. Dupont* PORTE *la barbe,* il en a une. — **6.** *Quel nom* PORTE-*t-il?* (= avoir). — **7.** PORTER *secours,* c'est secourir, PORTER *plainte,* c'est se plaindre, PORTER *bonheur (malheur),* c'est causer un bonheur ou un malheur. — **8.** *La discussion* A PORTÉ SUR *le match de rugby,* elle a eu ce sujet. — **9.** *Le coup* A PORTÉ, il a atteint son but. — **10.** *Sa voix* PORTE *loin,* elle s'entend de loin. — **11.** *La chatte* PORTE *ses petits deux mois,* elle les a dans son ventre. — **12.** *Marie* SE PORTE *bien,* sa santé est bonne (= aller). ◆ **port** n. m. (sens 3) *Il faut payer le* PORT *de cette lettre,* le prix de son transport. • (sens 4 et 5) *Avoir un* PORT D'ARMES, c'est avoir la permission d'en avoir une. ◆ **portable** adj. (sens 1) *Un téléviseur* PORTABLE *peut être facilement transporté.* • (sens 4) *Cette jupe n'est plus* PORTABLE, elle est trop usée. ◆ **portant** adj. (sens 9) *Tirer un coup de feu* À BOUT PORTANT, c'est le tirer de très près. • (sens 12) *Marie est* BIEN PORTANTE, elle est en bonne santé. ◆ **portatif** adj. (sens 1) *Jean a un poste de radio* PORTATIF, que l'on peut transporter. ◆ **portée** n. f. **1.** (sens 9 et 10) *Quelle est la* PORTÉE *de ce fusil?,* à combien porte-t-il? ‖ *Il ne mesure pas la* PORTÉE *de ses paroles* (= effet, force). • (sens 11) *La* PORTÉE *d'une chienne,* c'est le nombre de ses petits. — **2.** *Ce livre est* À LA PORTÉE DE *ta main,* tu peux le prendre avec la main. — **3.** *On écrit les* 438 ◁ *notes de musique sur une* PORTÉE, des lignes. ◆ **porteur** n. et adj. 509 ◁ (sens 1) *Ces valises sont trop lourdes, va chercher un* PORTEUR, un homme pour les porter. • (sens 4) *L'assassin était* PORTEUR *d'un couteau,* il l'avait sur lui.

• **R.** V. PORC et PORTE.

porte-voix → VOIX. / **portier, portière, portillon** → PORTE.

portion n. f. **1.** *Pierre veut une autre* PORTION *de gâteau* (= part, morceau). — **2.** *Une* PORTION *de la population est mécontente* (= partie, fraction).

portique n. m. *La balançoire est accrochée à un* PORTIQUE, une barre soutenue par des poteaux. ▷ 73, 508

porto n. m. Le PORTO est un vin renommé.

portrait n. m. **1.** *On te reconnaît très bien sur ce* PORTRAIT, ce dessin, cette peinture ou cette photo. — **2.** *Jean est le* PORTRAIT *de son père,* il lui ressemble beaucoup.

portuaire → PORT 1.

poser v. **1.** POSE *le livre sur la table* (= mettre, placer, déposer). — **2.** *L'oiseau* S'EST POSÉ *sur une branche* (= se mettre; ≠ s'envoler). — **3.** *On a fait* POSER *de nouveaux rideaux* (= installer). — **4.** *Pierre m'*A POSÉ *une question embarrassante,* il m'a interrogé. — **5.** *Marie* POSE *devant le photographe,* elle reste immobile. — **6.** *Jean* POSE *devant ses amis,* il prend des airs prétentieux. ◆ **pose** n. f. (sens 3) *Le plombier est venu pour la* POSE *d'un chauffe-eau* (= installation). • (sens 5) *Pour cette photo, il faudra une* POSE *de trois secondes,* rester immobile pendant ce temps. • (sens 6) *Jean prend des* POSES *prétentieuses* (= attitude). ◆ **posé** adj. (sens 5) *Pierre est un garçon* POSÉ (= calme, sérieux). ◆ **posément** adv. (sens 5) *Il m'a répondu* POSÉMENT (= calmement). ◆ **poseur** n. (sens 6) *Jeanne est une* POSEUSE (= prétentieux).
• **R.** *Pose* se prononce [poz] comme *pause.*

positif adj. **1.** *M. Durand m'a donné une réponse* POSITIVE, il m'a dit oui (= affirmatif; ≠ négatif). — **2.** *Le résultat de ses démarches est* POSITIF, il a réussi. — **3.** *M. Durand est un esprit* POSITIF, il a du sens pratique (= réaliste; ≠ abstrait).

position n. f. **1.** *Dans quelle* POSITION *dors-tu? — Sur le ventre* (= attitude). — **2.** *Ce coureur est arrivé en cinquième* POSITION (= place). — **3.** *On lui a demandé de préciser sa* POSITION (= opinion, point de vue). — **4.** *L'ennemi occupe une* POSITION *fortifiée* (= emplacement). — **5.** *Le navire a fait connaître sa* POSITION, l'endroit où il se trouve. ▷ 653

posséder v. *M. Dupont* POSSÈDE *une maison de campagne,* elle lui appartient (= avoir). ◆ **possesseur** n. m. *Qui est le* POSSESSEUR *de ce bois?* (= propriétaire). ◆ **possessif** adj. *« Mon », « ton », « son » sont des adjectifs* POSSESSIFS. ◆ **possession** n. f. *Est-ce que tu as ces livres en ta* POSSESSION?, est-ce que tu les possèdes? ◆ **déposséder** v. *M. Durand* A ÉTÉ DÉPOSSÉDÉ *de sa fortune,* il l'a perdue.

possible adj. **1.** *Il est* POSSIBLE *de faire ce travail en deux heures,* on peut le faire (= réalisable). — **2.** *Est-ce qu'il viendra demain? — C'est* POSSIBLE, cela se peut (≠ certain). ◆ **possible** n. m. (sens 1) *Pierre a fait tout son* POSSIBLE, ce qu'il pouvait. ◆ **possibilité** n. f. (sens 1) *Je n'ai pas la* POSSIBILITÉ *de venir,* je ne peux pas. • (sens 2) *Il faut envisager toutes les* POSSIBILITÉS, les cas possibles. ◆ **impossible** adj. **1.** (sens 1 et 2) *Je ne peux pas aller plus vite, c'est* IMPOSSIBLE (= irréalisable). — **2.** *Cet enfant est* IMPOSSIBLE (= insupportable; ≠ sage). ◆ **impossible** n. m. (sens 1) *Il a fait l'*IMPOSSIBLE *pour arriver à l'heure.* ◆ **impossibilité** n. f. (sens 1) *Je suis dans l'*IMPOSSIBILITÉ *de partir,* je ne peux pas.

1. poste n. f. **1.** *Les* POSTES *et Télécommunications (P et T)* sont un service public chargé de distribuer le courrier. — **2.** *La* POSTE *est à côté de la mairie,* le bureau de poste (sens 1). — **3.** *Autrefois, les voitures de* POSTE *transportaient les voyageurs et le courrier.* ◆ **postal** adj. (sens 1 et 2) *Jean m'a écrit une carte* POSTALE, envoyée par la poste. ◆ **poster** v. (sens 1 et 2) AS-*tu* POSTÉ *la lettre pour Pierre?*, mis à la poste. ◆ **postier** n. (sens 1 et 2) *M. Dupont est* POSTIER, il travaille aux P et T. ◆ **postillon** n. m. **1.** (sens 3) *Le* POSTILLON *conduisait les voitures de poste.* — **2.** Fam. *M. Durand envoie des* POSTILLONS *quand il parle,* des gouttes de salive.

768 ◁

2. poste n. m. **1.** *Le soldat n'est pas resté à son* POSTE, à l'endroit où il devait rester. — **2.** *Un* POSTE *de police* est un endroit où se trouvent des policiers, *un* POSTE *de secours* est un endroit où l'on peut trouver du secours. — **3.** *M. Dupont occupe un* POSTE *important* (= emploi, charge, fonction). — **4.** *Les Durand ont un* POSTE *de radio et un* POSTE *de télévision,* un appareil. ◆ **poster** v. (sens 1) *Il* S'EST POSTÉ *à la fenêtre pour m'attendre,* il s'est mis à cet endroit.

510, 506 ◁

1. poster → POSTE 1 et 2.

2. poster n. m. *Jean a mis des* POSTERS *sur les murs de sa chambre,* de grandes photos.
• **R.** On prononce [pɔstɛr].

postérieur adj. **1.** *Mon arrivée est* POSTÉRIEURE *à la tienne,* elle a eu lieu après (≠ antérieur). — **2.** *Jean a reçu un coup sur la partie* POSTÉRIEURE *de la tête,* sur l'arrière. ◆ **postérieur** n. m. (sens 2) Fam. *Pierre a reçu un coup de pied dans le* POSTÉRIEUR, le derrière, les fesses. ◆ **postérité** n. f. (sens 1) *Il travaille pour la* POSTÉRITÉ, les gens qui vivront après lui.

posthume adj. *On a publié un roman* POSTHUME *de cet écrivain,* après sa mort.

postiche adj. *Pour se déguiser, Jean a mis une barbe* POSTICHE (= faux; ≠ naturel).

postier, postillon → POSTE 1.

post-scriptum n. m. inv. *Il y a un* POST-SCRIPTUM *à la fin de sa lettre,* quelques mots après la signature.
• **R.** On prononce [pɔstskriptɔm].

postuler v. *M. Dupont* POSTULE *un emploi,* il le demande. ◆ **postulant** n. *Il y a plusieurs* POSTULANTS *pour ce poste* (= candidat).

posture n. f. *Paul était en mauvaise* POSTURE (= position, situation).

289 ◁ **pot** n. m. **1.** *M*me *Dupont met des* POTS *de fleurs sur son balcon,* des récipients. — **2.** *Une fumée noire sort du* POT D'ÉCHAPPEMENT *de la voiture,* le dispositif par où sortent les gaz brûlés.
• **R.** V. PEAU.

potable adj. *Attention, eau non* POTABLE!, elle n'est pas bonne à boire (= buvable).

potache n. m. Fam. *Les* POTACHES *aiment bien leur professeur de maths* (= élève).

potage n. m. *Ce soir, il y a un* POTAGE *au vermicelle* (= soupe).

potager **1.** adj. *Les pommes de terre, les carottes, les haricots sont des* PLANTES POTAGÈRES (= légume). — **2.** n. m. et adj. *M. Durand cultive son* (JARDIN) POTAGER, un jardin pour les légumes. ▷ 367

potasse n. f. *La* POTASSE *est un bon engrais,* un produit chimique.

pot-au-feu n. m. inv. *Nous avons mangé un bon* POT-AU-FEU, de la viande et des légumes bouillis.

pot-de-vin n. m. *L'architecte avait reçu des* POTS-DE-VIN, des sommes d'argent illégales.

poteau n. m. *La route est bordée par des* POTEAUX *électriques,* des piliers soutenant des fils. ▷ 35

potée n. f. La POTÉE est un plat de charcuterie et de légumes cuits ensemble.

potelé adj. *Le bébé a des bras* POTELÉS (= dodu; ≠ maigre).

potence n. f. *Autrefois, on envoyait les condamnés à mort à la* POTENCE, on les pendait.

potentiel n. m. *Ce pays renforce son* POTENTIEL *militaire,* ses forces.

poterie n. f. **1.** *Pierre fait de la* POTERIE, il fabrique et cuit des objets en terre. — **2.** *Nous avons vu une exposition de* POTERIES, des vases, des assiettes, des plats (= terre cuite). ◆ **potier** n. m. *Le* POTIER *met un vase dans son four.* ▷ 437

poterne n. f. Une POTERNE est une petite porte dans une fortification. ▷ 147

potiche n. f. *Qui a cassé la* POTICHE *du salon?,* le grand vase de porcelaine.

potier → POTERIE.

potin n. m. Fam. **1.** *Il y a du* POTIN *dans la rue* (= bruit, vacarme). — **2.** (au plur.) *M. Durand aime raconter des* POTINS (= commérages, ragots).

potion n. f. *Pierre ne veut pas boire sa* POTION, son médicament.

potiron n. m. *Nous avons mangé une soupe au* POTIRON, une grosse citrouille.

pot-pourri n. m. *Les élèves ont chanté un* POT-POURRI, une chanson où plusieurs airs se mêlent.
- **R.** Noter le pluriel : des *pots-pourris.*

pou n. m. *Jean se gratte, il a attrapé des* POUX, des insectes qui vivent dans les cheveux.
- **R.** V. POULS.

pouah! interj. marque le dégoût : POUAH! *que c'est mauvais!*
- **R.** V. POIDS.

poubelle n. f. *Tous les matins, les éboueurs ramassent les* POUBELLES (= boîte à ordures). ▷ 78, 217

33 ◁ **pouce** n. m. **1.** *Jeannot suce encore son* POUCE, le doigt le plus gros. — **2.** Le POUCE est une ancienne mesure de longueur d'environ 3 centimètres. — **3.** *Pierre ne veut pas bouger d'un* POUCE, d'un tout petit espace. — **4.** interj. POUCE! *je ne joue plus!*, arrête.
• **R.** *Pouce* se prononce [pus] comme *pousse* et [*je*] *pousse* (de *pousser*).

poudre n. f. **1.** *Jean met du sucre en* POUDRE *dans son yogourt,* du sucre moulu très fin. — **2.** *Marie se met de la* POUDRE *sur les joues,* un produit de beauté. — **3.** *Dans les cartouches, il y a une charge de* POUDRE, de substance explosive. ◆ **poudrer** v. (sens 2) *Marie* SE POUDRE *le visage,* se met de la poudre. ◆ **poudreux** adj. (sens 1) *La neige est* POUDREUSE, fine comme de la poudre. ◆ **poudrier** n. m. (sens 2) *Mme Durand sort son* 221 ◁ POUDRIER *de son sac,* sa boîte à poudre. ◆ **poudrière** n. f. (sens 3) *Cet endroit est aussi dangereux qu'une* POUDRIÈRE, qu'un entrepôt de poudre.

1. pouf! interj. exprime un bruit sourd.

76 ◁ **2. pouf** n. m. *Jean s'est assis sur un* POUF, un siège bas et rembourré.

pouffer v. *Tout le monde* A POUFFÉ *de rire,* éclaté de rire malgré soi.

pouilleux adj. *Ils habitent un quartier* POUILLEUX, très sale (= misérable).

poulailler → POULE.

poulain n. m. *La jument galope suivie de son* POULAIN, son petit. ◆ **pouliche** n. f. Une POULICHE est une jument jeune.

362 ◁ **poule** n. f. **1.** *Les* POULES *picorent dans la basse-cour,* une sorte de volaille. — **2.** *Cette équipe joue en* POULE *A,* avec un groupe d'autres équipes. — **3.** *Pierre n'est qu'une* POULE MOUILLÉE, il n'est pas courageux. ◆ **poularde** n. f. (sens 1) Une POULARDE est une poule jeune et grasse. ◆ **poulet** n. m. (sens 1) *À midi, il y a du* POULET *rôti,* une jeune poule ou un jeune coq. ◆ **poulailler** n. m. **1.** (sens 1) *La fermière a enfermé les* 362 ◁ *poules dans le* POULAILLER, le local où elles logent. — **2.** *Au théâtre, nous* 440 ◁ *étions placés au* POULAILLER, aux places du haut.

pouliche → POULAIN.

362, 151 ◁ **poulie** n. f. *On s'est servi d'une* POULIE *pour monter les caisses,* d'une roue sur laquelle passe une corde.

724 ◁ **poulpe** n. m. *Le* POULPE *a de longs tentacules* (= pieuvre).

pouls n. m. *Pierre a couru, son* POULS *bat très vite,* le battement de ses artères au poignet.
• **R.** *Pouls* se prononce [pu] comme *pou.*

40 ◁ **poumon** n. m. *Jean respire à pleins* POUMONS *le bon air de la campagne.* ◆ **pulmonaire** adj. *La tuberculose est une maladie* PULMONAIRE, des poumons. ◆ **s'époumoner** v. *Tu* T'ÉPOUMONES *en criant comme ça* (= s'essouffler).

727 ◁ **poupe** n. f. *Le navire a le vent en* POUPE, le vent souffle sur l'arrière (≠ proue).

poupon n. m. *Elle porte un* POUPON *dans ses bras,* un bébé. ◆ **poupée** n. f. *Marie habille et déshabille sa* POUPÉE, un jouet à forme humaine. ◆ **poupin** adj. *Jeannot a une figure* POUPINE, ronde et joufflue comme celle d'un poupon. ◆ **pouponner** v. *Marie* POUPONNE *son petit frère* (= dorloter). ◆ **pouponnière** n. f. Une POUPONNIÈRE est un établissement où l'on garde les bébés.

▷ 76

pour prép. indique le but : *Il est parti tôt* POUR *arriver à l'heure;* le temps : *Il faut faire cela* POUR *demain;* la cause : *On l'a puni* POUR *avoir menti;* l'échange : *J'en ai eu* POUR *mon argent;* la comparaison : *Il est petit* POUR *son âge;* la conséquence : *Il est assez grand* POUR *travailler;* le remplacement : *Il a payé* POUR *moi.* ◆ **pour** n. m. inv. *Il a pesé* LE POUR *et le contre* (= avantage).

pourboire n. m. *M. Dupont a donné un* POURBOIRE *au garçon,* une somme d'argent en plus du prix.

pourceau → PORC. / **pourcentage** → CENT. / **pourchasser** → CHASSER. / **pourparlers** → PARLER.

pourpoint n. m. *Autrefois les hommes portaient un* POURPOINT, une sorte de veste.

pourpre **1.** adj. *De honte, Pierre est devenu* POURPRE, très rouge. — **2.** n. La POURPRE est un colorant rouge tiré d'un coquillage, le POURPRE. ◆ **s'empourprer** v. *Son visage* S'EST EMPOURPRÉ *de colère* (= rougir).

pourquoi adv. sert à interroger sur la cause : POURQUOI *es-tu parti?* — *Parce que j'étais pressé.* ◆ **c'est pourquoi** conj. explique la cause : *Il pleut,* C'EST POURQUOI *je reste.*

pourrir v. *Ces fruits commencent à* POURRIR, à devenir mauvais (= se gâter, se décomposer). ◆ **pourriture** n. f. *Il y a dans cette cuisine une odeur de* POURRITURE, de choses pourries.

poursuivre v. **1.** *Ce chien m'*A POURSUIVI *pour me mordre,* il a couru derrière moi. — **2.** *Jean* POURSUIT *ses efforts* (= continuer). — **3.** *M. Durand* A POURSUIVI *son voisin en justice,* il a porté plainte contre lui. ◆ **poursuite** n. f. (sens 1) *Il a couru à la* POURSUITE *du voleur.* • (sens 3) *Des* POURSUITES *ont été engagées contre lui* (= procès).
• **R.** Conj. nº 62.

pourtant adv. marque une opposition : *Il est malade,* POURTANT *il est venu,* malgré cela (= cependant).

pourtour → TOUR 2.

pourvoir v. T'ES-*tu* POURVU *d'argent?*, en as-tu en ta possession? (= se munir). ◆ **dépourvu** **1.** adj. *Ce livre est* DÉPOURVU *d'intérêt,* il n'en a pas. — **2.** n. m. *Il m'a pris* AU DÉPOURVU, quand je ne m'y attendais pas (= à l'improviste).
• **R.** Conj. nº 43.

pourvu que conj. indique un souhait : POURVU QU'*il vienne!;* une condition : *Il est content* POURVU QU'*il mange à sa faim.*

pousser v. **1.** *Jean* POUSSE *de toutes ses forces contre la porte,* il appuie dessus (≠ tirer). — **2.** *Marie est tombée quand Pierre l'*A POUSSÉE (= bousculer). — **3.** *La pluie nous* A POUSSÉS À *partir,* elle est la cause de notre départ (= engager, inciter; ≠ empêcher). — **4.** *Jacques m'*A POUSSÉ À BOUT, mis en colère, exaspéré. — **5.** *Marie* A POUSSÉ *un hurlement de terreur,* elle a hurlé. — **6.** *Mme Durand fait* POUSSER *des fleurs sur son balcon,* elle les cultive. ◆ **pousse** n. f. (sens 6) *Au printemps, les arbres ont des jeunes* POUSSES, de nouvelles branches qui poussent (= bourgeon). ◆ **poussée** n. f. **1.** (sens 1 et 2) *D'une* POUSSÉE, *il m'a envoyé par terre,* en me poussant. — **2.** *Pierre a eu une* POUSSÉE *de fièvre,* une fièvre brutale. ◆ **poussette** n. f. (sens 1) *Mme Durand promène bébé dans une* POUSSETTE, une voiture que l'on pousse à la main. 222 ◁

• **R.** V. POUCE.

poussière n. f. *Le vent soulevait des nuages de* POUSSIÈRE *qui nous faisait tousser,* de la terre en grains très fins. ◆ **poussiéreux** adj. *Cet appartement est* POUSSIÉREUX, plein de poussière, sale. ◆ **poussier** n. m. Le POUSSIER, c'est de la poussière de charbon. ◆ **dépoussiérer** v. *Mme Durand* DÉPOUSSIÈRE *les tapis,* enlève la poussière avec un aspirateur. ◆ **épousseter** v. *Il faudrait* ÉPOUSSETER *ces meubles,* enlever la poussière avec un plumeau.

• **R.** Épousseter, conj. nº 8.

poussif adj. *M. Dupont est un gros homme* POUSSIF, il s'essouffle vite.

poussin n. m. *La poule est suivie de ses* POUSSINS, ses petits.

74 ◁ **poutre** n. f. *Le toit est soutenu par des* POUTRES, des grosses pièces de bois. ◆ **poutrelle** n. f. Une POUTRELLE est une petite poutre en métal. 150 ◁

1. pouvoir n. m. **1.** *Les muets n'ont pas le* POUVOIR *de parler* (= faculté, possibilité). — **2.** *Cet homme a beaucoup de* POUVOIR (= puissance, autorité). — **3.** *Dans ce pays, l'armée a pris le* POUVOIR, elle gouverne. — **4.** (au plur.) Les POUVOIRS PUBLICS, c'est l'ensemble des gens qui gouvernent. — **5.** *Les Durand ont un faible* POUVOIR D'ACHAT, ils gagnent peu d'argent (= revenu).

2. pouvoir v. **1.** PEUX-*tu venir demain?,* en as-tu la possibilité? — **2.** *Je* PEUX *me tromper, mais je ne crois pas,* c'est possible. — **3.** *Pierre* PEUT *nager très longtemps,* il en est capable. — **4.** *Si tu es sage, tu* POURRAS *aller au cinéma,* tu auras la permission.

• **R.** Conj. nº 38. ‖ On dit *je peux* ou *je puis,* mais toujours *puis-je?* ‖ V. PEU, PUITS et PUS.

praire n. f. *Mme Durand a acheté des huîtres et des* PRAIRES, une sorte de coquillage.

prairie n. f. *La Normandie est une région de* PRAIRIES, de terrains couverts d'herbe (= pré).

praline n. f. *Marie aime beaucoup les* PRALINES, les amandes cuites dans du sucre. ◆ **praliné** adj. *Le chocolat* PRALINÉ *a un goût de praline.*

pratique n. f. **1.** *M. Durand a la* PRATIQUE *des affaires,* il en a l'expérience (≠ théorie). — **2.** *Il faut* METTRE EN PRATIQUE *vos belles résolutions,* les appliquer dans la vie. — **3.** *Il est indigné par les* PRATIQUES *de ses adversaires,* par ce qu'ils font (= agissements). — **4.** *La messe, les sacrements sont des* PRATIQUES *de la religion catholique.* ◆ **pratique** adj. **1.** (sens 1 et 2) *Pierre a du sens* PRATIQUE, il sait se débrouiller dans la vie (≠ théorique). — **2.** *Cet outil est très* PRATIQUE (= efficace, commode). ◆ **praticable** adj. (sens 1 et 2) *Ce projet n'est pas* PRATICABLE, il ne peut être mis en pratique (= réalisable). ◆ **praticien** n. m. (sens 1 et 2) *Mme Durand est allée consulter un grand* PRATICIEN (= médecin). ◆ **pratiquant** adj. (sens 4) *M. Dupont n'est pas* PRATIQUANT, il ne pratique pas. ◆ **pratiquement** adv. **1.** (sens 1 et 2) *Théoriquement, ça a l'air facile, mais* PRATIQUEMENT, *c'est difficile.* — **2.** *Il est* PRATIQUEMENT *8 heures* (= à peu près, presque). ◆ **pratiquer** v. (sens 1 et 2) *Jean* PRATIQUE *le tennis et la natation,* il s'exerce à ces sports. • (sens 3) *On* A PRATIQUÉ *un trou dans le mur,* on l'a fait. • (sens 4) *M. Dupont est catholique, mais il ne* PRATIQUE *pas,* il ne suit pas les pratiques de la religion. ◆ **impraticable** adj. (sens 1 et 2) *Ce chemin est* IMPRATICABLE, inutilisable.

• **R.** Ne pas confondre le *praticien* et le *patricien.*

pré n. m. *Les vaches broutent dans le* PRÉ (= prairie). ▷ 364

préalable **1.** adj. *Il est parti sans avis* PRÉALABLE, sans l'avoir dit à l'avance. — **2.** n. m. AU PRÉALABLE, *il faut remplir ce questionnaire,* avant de faire autre chose (= d'abord).

préambule n. m. *Après un long* PRÉAMBULE, *il a abordé le point principal* (= introduction).

préau n. m. *Les enfants jouent sous le* PRÉAU, la partie couverte de la cour de récréation. ▷ 294

préavis → AVIS.

précaire adj. *M. Durand est dans une situation* PRÉCAIRE (= incertain, fragile; ≠ solide, stable).

précaution n. f. *Il faut manipuler ce vase avec* PRÉCAUTION, en faisant attention.

précéder v. **1.** *Sa mort* A ÉTÉ PRÉCÉDÉE *par une longue maladie,* la maladie a eu lieu avant (≠ suivre). — **2.** *Pierre me* PRÉCÈDE *de quelques pas,* il marche devant moi. ◆ **précédent** adj. (sens 1) *Pierre est né en 1968, et Jean, l'année* PRÉCÉDENTE, en 1967 (= d'avant; ≠ suivant). ▷ 125 ◆ **précédent** n. m. (sens 1) *Cette catastrophe est sans* PRÉCÉDENT, sans exemple, auparavant. ◆ **prédécesseur** n. m. (sens 1) *M. Durand a fait l'éloge de son* PRÉDÉCESSEUR, de celui qui l'a précédé (≠ successeur).

précepte n. m. *Ces* PRÉCEPTES *sont sages* (= leçon, prescription).

précepteur n. m. *Autrefois les enfants riches avaient un* PRÉCEPTEUR, un professeur particulier.

• **R.** Ne pas confondre le *précepteur* et le *percepteur.*

prêcher v. **1.** *Dimanche, le curé* A PRÊCHÉ *sur l'Évangile,* il a fait un sermon à ce sujet. — **2.** *Mon grand-père me* PRÊCHE *l'obéissance,* il me recommande d'être obéissant. ◆ **prêche** n. m. (sens 1 et 2) *Quel* PRÊCHE *ennuyeux!* (= sermon). ◆ **prédicateur** n. m. (sens 1) *Le* PRÉDICATEUR *a fini son sermon,* celui qui prêche.

précieux adj. **1.** *L'or et l'argent sont des métaux* PRÉCIEUX, d'un grand prix, d'une grande valeur. — **2.** *Jean m'a donné de* PRÉCIEUX *conseils,* très utiles. — **3.** *Marie parle d'une manière* PRÉCIEUSE, un peu prétentieuse (≠ simple, naturel). ◆ **précieusement** adv. (sens 1) *Conserve cela* PRÉCIEUSEMENT, comme une chose de valeur (= soigneusement). ◆ **préciosité** n. f. (sens 3) *Marie parle avec* PRÉCIOSITÉ (≠ naturel).

précipice n. m. *L'autocar s'est écrasé au fond du* PRÉCIPICE, un trou très profond (= ravin, gouffre).

précipiter v. **1.** *Un homme* S'EST PRÉCIPITÉ *du cinquième étage* (= se jeter). — **2.** *Les gens* SE SONT PRÉCIPITÉS *vers le lieu de l'accident,* ils ont accouru. — **3.** *M. Dupont a dû* PRÉCIPITER *son départ,* il l'a hâté, accéléré (≠ retarder). ◆ **précipitamment** adv. (sens 3) *M. Dupont est parti* PRÉCIPITAMMENT (= brusquement; ≠ doucement). ◆ **précipitation** n. f. (sens 3) *Pierre a agi avec* PRÉCIPITATION, trop vite (= impatience).

précis adj. **1.** *Jean m'a donné des renseignements* PRÉCIS, exacts et détaillés (≠ vague). — **2.** *La séance commence à 8 heures* PRÉCISES, ni avant ni après. ◆ **précis** n. m. (sens 1) Un PRÉCIS est un livre qui donne des indications précises. ◆ **précisément** adv. (sens 1) *Où vas-tu,* PRÉCISÉMENT? (= exactement). ◆ **préciser** v. (sens 1) PRÉCISE-*moi ce que tu veux faire,* dis-le-moi de façon précise. ◆ **précision** n. f. (sens 1) *Pierre m'a demandé des* PRÉCISIONS, des détails plus précis. • (sens 2) *Paul a une montre* DE PRÉCISION, très exacte. ◆ **imprécis** adj. (sens 1) *J'ai un souvenir* IMPRÉCIS *de cette journée* (= incertain, confus). ◆ **imprécision** n. f. (sens 1) *Il y a des* IMPRÉCISIONS *dans ton récit.*

précoce adj. *L'hiver est* PRÉCOCE, *cette année,* il arrive tôt (≠ tardif). ◆ **précocité** n. f. *Cet enfant est d'une grande* PRÉCOCITÉ, il est en avance pour son âge.

préconçu → CONCEVOIR.

préconiser v. *M. Durand* PRÉCONISE *cette solution* (= recommander).

précurseur n. m. et adj. m. *Ces gros nuages sont les signes* PRÉCURSEURS *d'un orage,* ils l'annoncent.

prédécesseur → PRÉCÉDER. / **prédicateur** → PRÊCHER. / **prédiction** → PRÉDIRE.

prédilection n. f. *Voilà mon livre de* PRÉDILECTION, celui que je préfère.

prédire v. *On lui* A PRÉDIT *de grandes difficultés,* on les lui a annoncées à l'avance. ◆ **prédiction** n. f. *Tes* PRÉDICTIONS *ne se sont pas réalisées,* ce que tu prédisais (= prophétie).
• **R.** Conj. n° 72, sauf au participe passé : *prédi*T.

prédominer → DOMINER.

prééminence n. f. *Ce savant a la* PRÉÉMINENCE *en physique,* il est le premier (= supériorité).

préfabriqué → FABRIQUER.

4 ◁ **préface** n. f. *As-tu lu la* PRÉFACE *de ce dictionnaire?,* le texte de présentation placé au début.

préfectoral, préfecture → PRÉFET.

préférer v. *Pierre* PRÉFÈRE *les pommes aux poires,* il aime mieux les pommes. ◆ **préférable** adj. *Partez demain, c'est* PRÉFÉRABLE, cela vaut mieux. ◆ **préférence** n. f. *M. Durand a une* PRÉFÉRENCE *pour sa fille aînée,* il la préfère à ses autres enfants.

préfet n. m. *Les* PRÉFETS *sont nommés par le gouvernement pour administrer les départements.* ◆ **préfectoral** adj. *Le stationnement est interdit ici par décision* PRÉFECTORALE. ◆ **préfecture** n. f. **1.** *Bourg-en-Bresse est la* PRÉFECTURE *de l'Ain* (= chef-lieu). — **2.** *La* PRÉFECTURE *ferme à 5 heures,* les bureaux du préfet. ◆ **sous-préfet** n. m. *Un* SOUS-PRÉFET *administre un arrondissement.* ◆ **sous-préfecture** n. f. *Connais-tu les* SOUS-PRÉFECTURES *de la Manche?* ▷ 298 ▷ 298

préfixe n. m. *« Pré- » dans « prédire », « sur- » dans « surgeler » sont des* PRÉFIXES, des éléments placés au début d'un mot et servant à former un autre mot.

préhistoire, préhistorique → HISTOIRE.

préjudice n. m. *Votre retard m'a causé un grave* PRÉJUDICE, il m'a fait du tort. ◆ **préjudiciable** adj. *Cette erreur m'a été* PRÉJUDICIABLE (≠ avantageux).

préjugé, préjuger → JUGER.

se prélasser v. *Pierre* SE PRÉLASSE *dans son lit,* il y reste sans rien faire.

prélat n. m. *Les évêques, les archevêques, les cardinaux sont des* PRÉLATS.

prélever v. *Cette somme* SERA PRÉLEVÉE *sur votre compte en banque* (= enlever, retrancher). ◆ **prélèvement** n. m. *On a fait un* PRÉLÈVEMENT *de l'eau du puits,* on en a pris un peu.

préliminaire 1. adj. *Vous ne pouvez pas comprendre sans une explication* PRÉLIMINAIRE, donnée auparavant. — **2.** n. m. pl. *Après de longs* PRÉLIMINAIRES, *il a abordé le point principal* (≠ conclusion).

prélude n. m. **1.** *Ils se sont insultés, ce fut le* PRÉLUDE *d'une violente bagarre* (= commencement). — **2.** *Marie joue un* PRÉLUDE *de Chopin,* un morceau de musique. ◆ **préluder** v. (sens 1) *Des affiches publicitaires* ONT PRÉLUDÉ *à la sortie de ce film,* elles l'ont annoncée.

prématuré adj. *Votre départ est* PRÉMATURÉ, il se produit trop tôt. ◆ **prématurément** adv. *Tu t'es réjoui* PRÉMATURÉMENT (≠ tardivement).

préméditation, préméditer → MÉDITER.

premier adj. et n. **1.** *Demain, c'est le* PREMIER *jour du mois,* celui qui commence le mois (≠ dernier). — **2.** *Prends la* PREMIÈRE *porte à droite* (= prochain). — **3.** *Cet acteur a le* PREMIER *rôle dans le film,* le plus important. ‖ *Qui est le* PREMIER *en français?*, le meilleur. — **4.** *Le bois, le fer, le charbon sont des* MATIÈRES PREMIÈRES, ils servent à fabriquer des objets. ◆ **premièrement** adv. (sens 1) PREMIÈREMENT, *tu iras à l'épicerie, deuxièmement, à la boucherie* (= d'abord; ≠ enfin). ▷ 517

prémolaire → MOLAIRE.

prémonition n. f. *Jean prétend avoir eu une* PRÉMONITION *de l'accident,* avoir su qu'il se produirait.

prémunir v. *Prends ton imperméable pour* TE PRÉMUNIR *contre la pluie* (= se protéger).

prendre v. **1.** *Jean* A PRIS *un couteau dans le tiroir,* il l'a saisi et le tient dans sa main. — **2.** *En 1789, les Parisiens* ONT PRIS *la Bastille* (= s'emparer de). — **3.** *Le pêcheur* A PRIS *un poisson,* il l'a pêché. — **4.** *Je* PRENDRAIS *bien un peu de lait* (= boire). — **5.** *Pierre* PREND *l'autobus pour aller à l'école* (= utiliser). — **6.** PRENEZ *la première rue à droite* (= suivre). — **7.** *Tu* AS PRIS *un mauvais exemple* (= choisir). — **8.** PRENDRE *un bain,* c'est se baigner, PRENDRE *une photo,* c'est photographier, PRENDRE *la fuite,* c'est s'enfuir, etc. — **9.** *Qui* A PRIS *mon stylo?* (= enlever; ≠ rendre). — **10.** *Le menuisier nous* A PRIS *20 francs,* il nous a demandé cette somme. — **11.** *Tu me* PRENDS POUR *un imbécile?,* tu me considères ainsi? — **12.** *Ce travail m'*A PRIS *deux heures,* j'ai mis ce temps. — **13.** *Je* SUIS *très* PRIS *en ce moment* (= être occupé, absorbé). — **14.** *Le feu ne veut pas* PRENDRE, commencer à brûler. — **15.** *La mayonnaise* A *bien* PRIS, elle s'est durcie. — **16.** *Jean* S'EST PRIS *les doigts dans la porte* (= se coincer). — **17.** *Tu* T'Y ES *mal* PRIS, tu as agi avec maladresse. — **18.** *Pourquoi* T'EN PRENDS-*tu* À *moi?* (= critiquer, attaquer). ◆ **prenant** adj. (sens 12 et 13) *Ce livre est très* PRENANT (= intéressant). ◆ **preneur** n. m. (sens 10) *Ce paysan n'a pas trouvé* PRENEUR *pour sa vache* (= acheteur). ◆ **prise** n. f. **1.** (sens 1) *Pierre* A LÂCHÉ PRISE, il a lâché ce qu'il tenait. ‖ *Jean m'a fait une* PRISE *de judo,* il m'a saisi d'une certaine manière. • (sens 3) *Le pêcheur a fait une belle* PRISE, il a pris un beau poisson. • (sens 9) *On m'a fait une* PRISE DE SANG, on m'en a enlevé un peu. — **2.** *Branche la lampe à la* PRISE (DE COURANT), là où arrive le courant électrique.

290 ◁

• **R.** Conj. nº 54. ‖ V. PRIX.

prénom → NOM.

préoccuper v. *Sa santé le* PRÉOCCUPE, lui cause du souci (= inquiéter). ◆ **préoccupation** n. f. *M. Durand a de graves* PRÉOCCUPATIONS (= souci, inquiétude).

préparer v. **1.** *Jean* PRÉPARE *ses bagages pour partir en vacances,* il les arrange pour qu'ils soient prêts. — **2.** *Marie* SE PRÉPARE À *partir,* elle va le faire (= se disposer). — **3.** *Pierre* PRÉPARE *un examen,* il y travaille. ◆ **préparatifs** n. m. pl. (sens 1 et 2) *Les* PRÉPARATIFS *du départ sont terminés,* ce qui l'a préparé. ◆ **préparation** n. f. (sens 1, 2 et 3) *La* PRÉPARATION *du repas n'a pas été longue.* ◆ **préparatoire** adj. (sens 1 et 2) *Il a fallu faire un travail* PRÉPARATOIRE.

prépondérant adj. *Les États-Unis jouent un rôle* PRÉPONDÉRANT *dans le monde,* supérieur aux autres pays.

768 ◁ **préposé** n. *Donne ton manteau à la* PRÉPOSÉE *au vestiaire* (= employé).

préposition n. f. *« De », « dans », « chez », « sur », « pour », « contre », « vers » sont des* PRÉPOSITIONS, des mots placés devant un complément.

prérogative n. f. *Le droit de grâce est une* PRÉROGATIVE *du président de la République,* il n'appartient qu'à lui.

près adv. **1.** *Pierre habite tout* PRÈS, dans un endroit proche (= à côté; ≠ loin). — **2.** *Il est* À PEU PRÈS *10 heures* (= environ). ◆ **près de** prép. (sens 1) *Jean est* PRÈS DE *moi* (≠ loin de). • (sens 2) *Il est* PRÈS DE *8 heures* (= presque).

• **R.** *Près* se prononce [prɛ] comme *prêt.*

présager v. *Ces gros nuages ne* PRÉSAGENT *rien de bon,* ne laissent prévoir (= annoncer). ◆ **présage** n. m. *Crois-tu aux* PRÉSAGES?, aux signes qui annoncent l'avenir.

presbyte adj. *Mon grand-père est* PRESBYTE, il voit mal de près.

presbytère n. m. *Le* PRESBYTÈRE *est derrière l'église,* la maison du curé (= cure).

prescription n. f. **1.** *Il faut suivre les* PRESCRIPTIONS *du médecin,* ce qu'il a prescrit (≠ interdiction). — **2.** *Après un certain temps, il y a* PRESCRIPTION, la justice ne peut plus poursuivre le coupable. ◆ **prescrire** v. (sens 1) *Après sa maladie, on lui* A PRESCRIT *un long repos* (= ordonner).

• **R.** *Prescrire,* conj. nº 71.

préséance n. f. *On a placé les invités par ordre de* PRÉSÉANCE, selon leur rang, leur importance.

présent 1. adj. et n. *Il y a quinze (élèves)* PRÉSENTS *dans la classe,* ils sont là (≠ absent). — **2.** adj. et n. m. *Le (temps)* PRÉSENT *s'oppose au passé et à l'avenir.* ‖ À PRÉSENT, *tu peux partir* (= maintenant). — **3.** n. m. *Pierre m'a fait un* PRÉSENT (= cadeau). ◆ **présence** n. f. **1.** (sens 1) *Ta* PRÉSENCE *est indispensable* (≠ absence). — **2.** *Il a eu la* PRÉSENCE D'ESPRIT *de jeter de l'eau sur le feu,* il a réagi rapidement.

▷ 12, 754

▷ 754

présenter v. **1.** *Pierre* A PRÉSENTÉ *Paul à Marie,* il la lui a fait connaître. — **2.** *On est prié de* PRÉSENTER *ses papiers* (= montrer). — **3.** *Pierre* SE PRÉSENTE *à un examen,* il est candidat. — **4.** *Si l'occasion* SE PRÉSENTE, *passez nous voir* (= se produire, survenir). ◆ **présentable** adj. (sens 1) *Dans cette tenue, tu n'es pas* PRÉSENTABLE, digne d'être présenté. ◆ **présentation** n. f. (sens 1) [au plur.] *Pierre a fait les* PRÉSENTATIONS, il a présenté les gens. • (sens 2) *Il faut soigner la* PRÉSENTATION *de tes devoirs* (= apparence).

préserver v. *Ce manteau te* PRÉSERVERA *du froid,* te mettra à l'abri (= protéger).

présider v. *La réunion* EST PRÉSIDÉE *par M. Durand,* c'est lui qui dirige les débats. ◆ **président** n. *Le* PRÉSIDENT *du tribunal a demandé le silence,* celui qui préside. ◆ **présidence** n. f. *Les élections à la* PRÉSIDENCE *de la République auront lieu dans un mois,* pour la fonction de président. ◆ **présidentiel** adj. *Il y avait cinq candidats aux élections* PRÉSIDENTIELLES. ◆ **vice-président** n. *Aux États-Unis, le* VICE-PRÉSIDENT *est chargé de seconder le président.*

▷ 298

• **R.** Noter le pluriel : des *vice-présidents.*

présomption, présomptueux → PRÉSUMER.

presque adv. *Il est* PRESQUE *10 heures,* pas tout à fait (= à peu près).

presqu'île → ÎLE. / **pressant, presse, pressé, presse-citron** → PRESSER.

pressentir v. *Pierre* AVAIT PRESSENTI *la vérité,* senti à l'avance (= deviner, prévoir). ◆ **pressentiment** n. m. *J'ai eu le* PRESSENTIMENT *d'un malheur,* la pensée qu'il se produirait.
• **R.** Conj. nº 19.

presser v. **1.** *Pierre me* PRESSE *de terminer ce travail,* il me dit de le faire vite. — **2.** PRESSE-TOI, *nous sommes en retard* (= se dépêcher). — **3.** *Le temps* PRESSE, il faut se dépêcher. — **4.** *Jean* PRESSE *des citrons pour faire une citronnade,* il en fait sortir le jus. — **5.** *Il m'*A PRESSÉ *la main avec force,* il a appuyé dessus (= serrer). ◆ **pressant** adj. (sens 1, 2 et 3) *J'ai un* PRESSANT *besoin d'argent* (= urgent). ◆ **pressé** adj. (sens 1, 2 et 3) *Ce travail n'est pas* PRESSÉ, *il peut attendre demain* (= urgent). ◆ **presse** n. f. **1.** (sens 5) Une PRESSE est une machine qui sert à serrer, à comprimer, à écraser. — **2.** *Une* PRESSE *typographique* est une machine à imprimer. — **3.** *La* PRESSE *a annoncé un tremblement de terre en Orient,* l'ensemble des journaux. ◆ **pression** n. f. (sens 1) *Il a fait* PRESSION *sur moi pour me décider à partir,* il m'a pressé de partir. • (sens 5) *D'une* PRESSION *du doigt, j'ai refermé la boîte,* en appuyant avec le doigt. ‖ *La* PRESSION *atmosphérique diminue avec l'altitude,* le poids de l'air. ‖ Une PRESSION est une sorte de bouton sur lequel on appuie. ◆ **pressoir** n. m. (sens 4) *Le vigneron apporte son raisin au* PRESSOIR, à l'endroit où on le presse. ◆ **pressurer** v. (sens 5) *Le peuple* ÉTAIT PRESSURÉ, accablé d'impôts. ◆ **presse-citron** n. m. inv. (sens 4) *Un* PRESSE-CITRON *sert à préparer des citronnades et des orangeades.* ◆ **presse-papiers** n. m. inv. (sens 5) *Pierre se sert d'un morceau de plomb comme* PRESSE-PAPIERS. ◆ **s'empresser** v. (sens 1, 2 et 3) *Jean* S'EST EMPRESSÉ *de finir son travail,* il a fait vite. ◆ **empressement** n. m. (sens 1, 2 et 3) *Marie m'a répondu avec* EMPRESSEMENT (= ardeur, zèle).

289 ◁ 290 ◁ 579 ◁

prestance n. f. *M. Durand est un homme de belle* PRESTANCE, il est grand et fort (= allure, apparence).

preste adj. *Marie a des mouvements* PRESTES, rapides et adroits.

prestidigitateur n. *Le* PRESTIDIGITATEUR *a fait sortir un lapin de son chapeau* (= illusionniste). ◆ **prestidigitation** n. f. *Pierre sait faire quelques tours de* PRESTIDIGITATION (= escamotage).

prestige n. m. *Ce chef d'État a un grand* PRESTIGE, il est connu et admiré. ◆ **prestigieux** adj. *Rome est une ville* PRESTIGIEUSE (= magnifique).

présumer v. **1.** *Pierre* A PRÉSUMÉ DE *ses forces,* il s'est cru plus fort qu'il ne l'est. — **2.** *Je* PRÉSUME *que Jean a raison* (= penser, supposer). ◆ **présomption** n. f. (sens 1) *Pierre est plein de* PRÉSOMPTION, il a trop confiance en lui (= prétention; ≠ modestie). ◆ **présomptueux** adj. (sens 1) *Pierre est trop* PRÉSOMPTUEUX (= prétentieux).

1. prêt adj. *Je serai* PRÊT *à partir dans cinq minutes,* j'aurai fini de me préparer et je pourrai partir.
• **R.** V. PRÈS.

2. prêt → PRÊTER.

prétendre v. **1.** *Pierre* PRÉTEND *qu'il sait tout,* il l'affirme, mais c'est douteux (= soutenir). — **2.** *Jean* PRÉTEND *se faire respecter,* il en a l'intention (= vouloir). ◆ **prétendu** adj. (sens 1) *Comment s'appelle ce* PRÉTENDU *médecin?,* cet homme qui se prétend médecin. ◆ **prétention** n. f. (sens 2) *Il faudra diminuer vos* PRÉTENTIONS (= désir, exigence).
• **R.** Conj. n° 50.

prétentieux adj. et n. *Marie est trop* PRÉTENTIEUSE (= orgueilleux, vaniteux; ≠ modeste). ◆ **prétention** n. f. *Marie parle avec* PRÉTENTION (≠ simplicité).

prétention → PRÉTENDRE et PRÉTENTIEUX.

prêter v. **1.** *J'*AI PRÊTÉ *mon stylo à Pierre,* je le lui ai donné à condition qu'il me le rende (≠ emprunter). — **2.** PRÊTER *serment,* c'est jurer, PRÊTER *de l'importance à quelque chose,* c'est lui en donner, PRÊTER *son aide,* c'est aider. — **3.** *On me* PRÊTE *des paroles que je n'ai pas dites* (= attribuer). ◆ **prêt** n. m. (sens 1) *M. Durand a demandé un* PRÊT *pour acheter une maison,* qu'on lui prête de l'argent (≠ emprunt). ◆ **prêteur** adj. et n. (sens 1) *Pierre n'est pas* PRÊTEUR, il n'aime pas prêter.
• **R.** V. PRÈS.

prétexte n. m. *Il a dit qu'il était malade, mais c'était un* PRÉTEXTE *pour ne pas venir,* une fausse raison. ◆ **prétexter** v. *Pierre* A PRÉTEXTÉ *un mal de tête pour partir,* pris ce prétexte.

prêtre n. m. *Les* PRÊTRES *catholiques célèbrent la messe.* ◆ **prêtrise** n. f. La PRÊTRISE est la fonction du prêtre. ▷ 148

preuve → PROUVER.

preux n. m. *Les* PREUX *du Moyen Âge* étaient de vaillants chevaliers.

prévaloir v. **1.** *C'est son opinion qui* A PRÉVALU, qui a eu le plus d'importance (= l'emporter). — **2.** *M. Durand aime* SE PRÉVALOIR *de son habileté,* la faire remarquer (= se vanter).
• **R.** Conj. n° 40.

prévenir v. **1.** *Pierre m'*A PRÉVENU *de son arrivée,* il me l'a fait savoir à l'avance (= avertir, informer). — **2.** *On dit qu'il vaut mieux* PRÉVENIR *que guérir,* prendre des précautions. — **3.** *Quand il était malade, sa mère* PRÉVENAIT *tous ses désirs,* elle allait au-devant d'eux. — **4.** *On l'*A PRÉVENU CONTRE *moi,* on lui a dit du mal de moi. ◆ **prévenance** n. f. (sens 3) *Pierre est plein de* PRÉVENANCES *pour sa grand-mère* (= attention, gentillesse). ◆ **prévenant** adj. (sens 3) *Pierre est un garçon gentil et* PRÉVENANT (≠ indifférent). ◆ **préventif** adj. (sens 2) *On a pris des mesures* PRÉVENTIVES, destinées à éviter des accidents. ◆ **prévention** n. f. (sens 2) *La* PRÉVENTION *routière est chargée de prévenir les accidents de la route.* • (sens 4) *Pourquoi as-tu des* PRÉVENTIONS *contre moi?* (= préjugé). ◆ **préventorium** n. m. (sens 2) *Dans un* PRÉVENTORIUM, *on suit un traitement préventif contre la tuberculose.*
• **R.** Conj. n° 22. ‖ *Préventorium* se prononce [prevɑ̃tɔrjɔm].

prévenu n. Un PRÉVENU est une personne inculpée par la police.

prévoir v. *Il était facile de* PRÉVOIR *qu'il raterait son examen*, de le savoir d'avance (= deviner). ◆ **prévisible** adj. *Son échec était* PRÉVISIBLE. ◆ **prévision** n. f. *Pierre écoute les* PRÉVISIONS *météorologiques à la radio*, le temps prévu. ◆ **prévoyant** adj. *M. Dupont est* PRÉVOYANT (= prudent). ◆ **prévoyance** n. f. *Tu as manqué de* PRÉVOYANCE, tu n'as pas su prévoir. ◆ **imprévisible** adj. *L'accident était* IMPRÉVISIBLE, on ne pouvait s'y attendre. ◆ **imprévoyant** adj. *Marie a été* IMPRÉVOYANTE *en dépensant tout son argent*. ◆ **imprévoyance** n. f. *Marie a fait preuve d'*IMPRÉVOYANCE. ◆ **imprévu** adj. *Son arrivée était* IMPRÉVUE (= inattendu).
• **R.** Conj. n° 42.

prier v. **1.** *On va à la messe pour* PRIER *Dieu*, s'adresser à lui et l'adorer. — **2.** *Pierre m'*A PRIÉ *de venir demain*, il me l'a demandé avec insistance. — **3.** *Donnez-moi ce livre*, JE VOUS PRIE, s'il vous plaît. ◆ **prière** n. f. (sens 1) *Jean récite ses* PRIÈRES, les textes par lesquels il s'adresse à Dieu. • (sens 2) PRIÈRE *de ne pas marcher sur les pelouses*, on est prié de ne pas le faire. ◆ **prie-Dieu** n. m. inv. (sens 1) *Jean s'est agenouillé sur le* PRIE-DIEU, une sorte de chaise basse.
149 ◁
• **R.** V. PRIX.

primaire adj. *On est dans l'enseignement* PRIMAIRE *jusqu'à l'entrée en sixième* (≠ secondaire).

primauté n. f. *Ce pays possède la* PRIMAUTÉ *économique*, le premier rang (= supériorité).

1. prime adj. DE PRIME ABORD, *je ne vous avais pas reconnu*, d'abord.

2. prime n. f. **1.** *À la fin de l'année, les employés reçoivent une* PRIME, une somme d'argent en plus de leur salaire. — **2.** *Si vous payez d'un coup, on vous donne un livre en* PRIME, en supplément. ◆ **primer** v. **1.** (sens 1) *Le jury* A PRIMÉ *la plus belle vache*, l'a récompensée par une prime. — **2.** *Ce qui* PRIME *chez lui, c'est le courage* (= dominer).

primesautier adj. *Marie est une jeune fille* PRIMESAUTIÈRE, elle suit son premier mouvement (= spontané).

primeur n. f. **1.** *J'ai eu la* PRIMEUR *de cette nouvelle*, je l'ai apprise le premier. — **2.** (au plur.) *On cultive des* PRIMEURS *dans ces serres*, des légumes qui mûrissent avant la saison.

655 ◁ **primevère** n. f. *Les* PRIMEVÈRES *poussent au printemps*, une sorte de fleur.

primitif adj. **1.** *On a remis la maison dans son état* PRIMITIF, celui où elle était au début (= ancien, initial). — **2.** *Les sociétés* PRIMITIVES *ne connaissent pas l'écriture ni l'agriculture* (≠ civilisé).

primo-infection n. f. La PRIMO-INFECTION est la première atteinte, sans gravité, de la tuberculose.

primordial adj. *Cet événement est d'une importance* PRIMORDIALE, il est très important (= capital; ≠ secondaire).

prince n. m., **princesse** n. f. *Monaco est gouverné par un* PRINCE. ‖ *Marie est habillée comme une* PRINCESSE, la fille d'un souverain ou la femme d'un prince. ◆ **princier** adj. *M. Durand est d'une élégance* PRINCIÈRE, digne d'un prince. ◆ **principauté** n. f. *Monaco est une* PRINCIPAUTÉ, un État gouverné par un prince.

principal adj. et n. m. *Quel est l'acteur* PRINCIPAL *de ce film?*, le plus important (≠ secondaire). ‖ *On a presque fini, le* PRINCIPAL *est fait* (= essentiel). ◆ **principalement** adv. *Il faut* PRINCIPALEMENT *faire ce travail* (= surtout).

principauté → PRINCE.

principe n. m. **1.** *M. Dupont ne boit pas d'alcool, c'est contraire à ses* PRINCIPES, ses règles de vie (= idée). — **2.** *Je vais t'expliquer le* PRINCIPE *d'Archimède,* la loi scientifique. — **3.** EN PRINCIPE, *Pierre sera là demain,* selon les prévisions (= théoriquement; ≠ pratiquement).

printemps n. m. *Les arbres fleurissent, c'est le* PRINTEMPS. ◆ **printanier** adj. *Les violettes sont des fleurs* PRINTANIÈRES, du printemps. ▷ 125

priorité n. f. *Au croisement, les voitures venant de la droite ont la* PRIORITÉ, elles passent les premières. ◆ **prioritaire** adj. *Une ambulance est un véhicule* PRIORITAIRE, les autres doivent la laisser passer.

prise → PRENDRE. / **priser** → PRIX.

prisme n. m. *Un* PRISME *de verre décompose la lumière du soleil,* un objet ayant des faces en rectangles ou en parallélogrammes. ▷ 348

prison n. f. *Le coupable a été condamné à dix ans de* PRISON, à être enfermé, privé de liberté. ◆ **prisonnier** n. *À l'armistice, les* PRISONNIERS *de guerre ont été libérés,* ceux que l'ennemi avait enfermés. ◆ **emprisonner** v. *Le meurtrier* A ÉTÉ EMPRISONNÉ, mis en prison (= enfermer; ≠ libérer). ◆ **emprisonnement** n. m. *Son* EMPRISONNEMENT *a duré dix ans,* sa peine de prison.

privation → PRIVER.

privé adj. **1.** *Défense d'entrer, chemin* PRIVÉ (≠ public). — **2.** *Il n'aime pas qu'on s'occupe de sa vie* PRIVÉE (= personnel, intime). — **3.** *M. Durand est professeur dans l'enseignement* PRIVÉ, celui qui ne dépend pas de l'État (≠ public).

priver v. **1.** *Pour le punir, son père l'*A PRIVÉ *de dessert,* a décidé qu'il n'en aurait pas. — **2.** *Un accident l'*A PRIVÉ *de sa jambe,* la lui a enlevée. ◆ **privation** n. f. (sens 1) *Pendant la guerre, on a souffert de* PRIVATIONS, de ne pas avoir certaines choses.

privilège n. m. *Autrefois les nobles avaient de nombreux* PRIVILÈGES, des droits que les autres n'avaient pas (= avantage). ◆ **privilégié** adj. et n. *Cet hôtel de luxe est réservé à des* PRIVILÉGIÉS (≠ défavorisé).

prix n. m. **1.** *Le* PRIX *du pain a encore augmenté,* ce qu'il coûte (= valeur). — **2.** *Jean veut venir* À TOUT PRIX (= absolument, coûte que coûte). — **3.** *Ce film a obtenu le premier* PRIX *au concours,* la plus haute récompense. ◆ **priser** v. (sens 1) *M. Dupont* PRISE *beaucoup l'honnêteté,* il lui donne une grande valeur (= apprécier, estimer).

• **R.** *Prix* se prononce [pri] comme [*il*] *prit* (de *prendre*) et [*il*] *prie* (de *prier*).

probable adj. *Il est* PROBABLE *que nos amis arriveront demain,* ce n'est pas sûr mais presque (= vraisemblable; ≠ certain). ◆ **probablement** adv. *Pierre viendra* PROBABLEMENT (= sans doute). ◆ **probabilité** n. f. *La* PROBABILITÉ *qu'il réussisse est faible,* les chances. ◆ **improbable** adj. *Il est* IMPROBABLE *qu'il pleuve demain* (= douteux).

probant → PROUVER.

probe adj. se disait pour *honnête.* ◆ **probité** n. f. *M. Durand est d'une grande* PROBITÉ (= honnêteté, droiture).

problème n. m. **1.** *Jean doit faire un* PROBLÈME *d'arithmétique,* trouver la solution des questions posées. — **2.** *Le dimanche soir, il y a de graves* PROBLÈMES *de circulation* (= difficulté). ◆ **problématique** adj. (sens 2) *Son succès à l'examen est* PROBLÉMATIQUE (= douteux; ≠ certain).

procédé n. m. **1.** *Pour démonter le moteur, il y a plusieurs* PROCÉDÉS, plusieurs manières d'agir (= méthode, façon). — **2.** *Ses* PROCÉDÉS *à mon égard m'ont choqué,* sa manière de se conduire. ◆ **procéder** v. (sens 1) *Il faut* PROCÉDER *au nettoyage de la maison,* faire cette action. ‖ *Comment allons-nous* PROCÉDER? (= agir, s'y prendre).

procédure n. f. La PROCÉDURE est l'ensemble des règles qu'il faut appliquer en justice.

procès n. m. *M. Durand a gagné un* PROCÈS *contre son voisin,* une action en justice.

procession n. f. *La* PROCESSION *est allée de l'église au cimetière,* le défilé religieux.

processus n. m. *L'affaire a suivi un* PROCESSUS *compliqué* (= marche, développement).

• **R.** On prononce [prɔsɛsys].

procès-verbal n. m. **1.** *M. Durand a eu un* PROCÈS-VERBAL *pour stationnement interdit* (= amende). — **2.** *Après la réunion, on a relu le* PROCÈS-VERBAL, le résumé de la réunion (= compte rendu). ◆ **verbaliser** v. (sens 1) *L'agent de police* A VERBALISÉ, il a mis un procès-verbal.

• **R.** Noter le pluriel : des *procès-verbaux.*

125 ◁ **prochain** adj. **1.** *Nous nous reverrons la semaine* PROCHAINE, celle qui vient après (≠ dernier). — **2.** *Au* PROCHAIN *carrefour, tournez à droite,* au plus proche. ◆ **prochain** n. m. *Chacun doit aimer son* PROCHAIN, les autres hommes. ◆ **prochainement** adv. (sens 1) *Pierre reviendra*
754 ◁ PROCHAINEMENT (= bientôt).

proche adj. **1.** *Ce village est* PROCHE *de la mer,* il en est près (= voisin; ≠ éloigné). — **2.** *Les vacances sont* PROCHES, elles vont bientôt arriver. — **3.** *Le français est* PROCHE *de l'italien,* ils se ressemblent. ◆ **approcher** v. (sens 1) APPROCHE *ta chaise de la table,* mets-la plus près (≠ éloigner). • (sens 2) *La nuit* APPROCHE, *il faut rentrer,* elle va arriver. ◆ **approchant** adj. m. (sens 3) *Il s'appelle Durand, ou quelque chose d'*APPROCHANT, qui y ressemble. ◆ **approche** n. f. (sens 1) *Il s'est enfui à mon* APPROCHE, quand je me suis approché. ‖ (au plur.) AUX APPROCHES DE *la côte, la mer devient moins profonde* (= près de). ◆ **rapprocher** v. (sens 1)

RAPPROCHE-TOI, *je ne t'entends pas,* mets-toi plus près (= s'éloigner). • (sens 2) *Chaque jour nous* RAPPROCHE *des vacances.* • (sens 3) *Ils ont des idées* RAPPROCHÉES, qui se ressemblent (≠ opposer). ◆ **rapprochement** n. m. (sens 3) *Le juge a essayé un* RAPPROCHEMENT *des adversaires* (≠ opposition).

proclamer v. **1.** *Napoléon* A ÉTÉ PROCLAMÉ *empereur en 1804,* déclaré solennellement. — **2.** *L'accusé* PROCLAMAIT *qu'il n'était pas coupable* (= crier, affirmer). ◆ **proclamation** n. f. (sens 1) *Une* PROCLAMATION *du gouvernement a été affichée* (= déclaration).

procuration n. f. *Je lui ai donné une* PROCURATION, un papier l'autorisant à agir à ma place.

procurer v. *Pourrais-tu me* PROCURER *ce livre?,* me le faire obtenir (= fournir).

procureur n. m. *Le* PROCUREUR *a demandé un an de prison pour l'accusé,* le magistrat chargé de l'accusation.

prodigalité → PRODIGUER.

prodige n. m. **1.** *L'ascension de cette montagne a été un* PRODIGE *d'endurance,* une action extraordinaire (= miracle). — **2.** *Mozart fut un petit* PRODIGE, une personne extraordinaire (= génie). ◆ **prodigieux** adj. (sens 1) *Ce livre a eu un succès* PRODIGIEUX (= extraordinaire, incroyable). ◆ **prodigieusement** adv. (sens 1) *Il est* PRODIGIEUSEMENT *riche* (= extrêmement).

• **R.** V. PRODIGUER.

prodiguer v. *Mon père m'*A PRODIGUÉ *ses recommandations,* il m'en a donné beaucoup. ◆ **prodigue** adj. *M. Durand est* PRODIGUE *avec ses amis,* il dépense sans compter (≠ avare). ◆ **prodigalité** n. f. *Sa* PRODIGALITÉ *l'a ruiné,* ses dépenses excessives (= gaspillage).

• **R.** Ne pas confondre *prodige* et *prodigue.*

produire v. **1.** *Certains acides* PRODUISENT *des brûlures sur la peau* (= causer, provoquer). — **2.** *Comment* S'EST PRODUIT *l'accident?* (= avoir lieu, arriver). — **3.** *Le Canada* PRODUIT *beaucoup de blé* (= fournir; ≠ consommer). ◆ **producteur** n. (sens 3) *Les* PRODUCTEURS *de blé sont mécontents de la baisse des prix* (≠ consommateur). ◆ **productif** adj. (sens 3) *Ce sol est peu* PRODUCTIF, il rapporte peu. ◆ **production** n. f. (sens 3) *Il faut augmenter la* PRODUCTION *de riz,* en produire plus. ◆ **produit** n. m. **1.** (sens 3) *Le blé est un* PRODUIT *agricole, l'acier est un* PRODUIT *industriel.* — **2.** *12 est le* PRODUIT *de 6 par 2,* le résultat de la multiplication. ◆ **improductif** adj. (sens 3) *Les marais sont des terres* IMPRODUCTIVES (= stérile). ◆ **sous-produit** n. m. (sens 3) *Le goudron est un* SOUS-PRODUIT *de la fabrication du gaz,* un produit secondaire. ◆ **surproduction** n. f. (sens 3) *Il y a une* SURPRODUCTION *d'acier,* on en produit trop.

• **R.** Conj. n° 70.

proéminent adj. *M. Dupont a un nez* PROÉMINENT, qui pointe en avant (= saillant).

profanation → PROFANER.

profane adj. et n. *Excusez-moi, je suis* PROFANE *en géographie,* je n'y connais rien (= incompétent; ≠ savant).

profaner v. PROFANER *une chose sacrée,* c'est ne pas la respecter. ◆ **profanation** n. f. *La* PROFANATION *des sépultures est punie par la loi.*

proférer v. *Il est parti en* PROFÉRANT *des menaces,* en les disant violemment.

professer → PROFESSION.

professeur n. m. *M. Durand est* PROFESSEUR *de français,* il enseigne cette matière. ◆ **professoral** adj. *Il parle d'un ton* PROFESSORAL (= doctoral, grave). ◆ **professorat** n. m. *Pierre se destine au* PROFESSORAT (= enseignement).

profession n. f. **1.** *M. Dupont est avocat, c'est sa* PROFESSION (= métier). — **2.** *M. Dubois fait* PROFESSION *d'idées socialistes,* il les déclare ouvertement. ◆ **professer** v. (sens 2) *Il* PROFESSE *des opinions bizarres* (= déclarer). ◆ **professionnel** adj. et n. (sens 1) *M. Durand a commis une faute* PROFESSIONNELLE, dans son métier. ‖ *Cette équipe de football est composée de* PROFESSIONNELS, le football est leur métier (≠ amateur).

professoral, professorat → PROFESSEUR.

profil n. m. *Sur cette photo, on te voit de* PROFIL, de côté (≠ de face). ◆ **profiler** v. *Les montagnes* SE PROFILENT *à l'horizon* (= se découper, se détacher).

profit n. m. **1.** *Ce commerçant a fait des* PROFITS, il a gagné de l'argent (= bénéfice; ≠ perte). — **2.** *Son voyage en Allemagne lui a été d'un grand* PROFIT, lui a été utile. ◆ **profiter** v. (sens 2) *Le prisonnier* A PROFITÉ *de la nuit pour s'enfuir,* il a saisi cette occasion. ◆ **profitable** adj. (sens 2) *Jean a fait un voyage* PROFITABLE (= avantageux, utile). ◆ **profiteur** n. m. (sens 1) *À bas les* PROFITEURS!, ceux qui font des profits sur les autres.

profond adj. **1.** *Ici, la mer est* PROFONDE *de 1 000 mètres,* le fond est à 1 000 mètres sous la surface. — **2.** *Jean a un* PROFOND *amour pour sa mère,* très grand (≠ faible). — **3.** *M. Durand est un esprit* PROFOND, il va au fond des choses (= pénétrant; ≠ superficiel). ◆ **profondément** adv. (sens 1) *Le couteau a pénétré* PROFONDÉMENT. • (sens 2) *Pierre est* PROFONDÉMENT *ému* (= très). ◆ **profondeur** n. f. (sens 1) *Quelle est la* PROFONDEUR *de ce puits?,* sa dimension de haut en bas. ◆ **approfondir** v. (sens 1) *On* A APPROFONDI *le fossé,* augmenté sa profondeur. • (sens 3) *Il faut* APPROFONDIR *cette question,* l'étudier plus soigneusement.

profusion n. f. *Cette année, il y a des fruits à* PROFUSION, en grande quantité.

programme n. m. **1.** *Nous achetons toutes les semaines le* PROGRAMME *de la télévision,* la liste des émissions. — **2.** *Le candidat aux élections a annoncé son* PROGRAMME (= plan, projets). — **3.** *Cette question n'est pas au* PROGRAMME *de l'examen,* dans la liste des questions à étudier. ◆ **programmer** v. (sens 1) *Ce cinéma* PROGRAMME *de beaux films,* il les met à son programme.

progresser v. **1.** *L'inondation* PROGRESSE *de plus en plus,* elle va plus loin (= avancer, augmenter; ≠ reculer). — **2.** *Pierre* A PROGRESSÉ *en français,* il a fait des progrès. ◆ **progrès** n. m. **1.** (sens 2) *Pierre fait des* PROGRÈS, il se perfectionne, s'améliore. — **2.** *M. Durand croit au* PROGRÈS, que les hommes sont de plus en plus heureux. ◆ **progressif** adj. (sens 1) *Ces exercices sont de difficulté* PROGRESSIVE, ils sont de plus en plus difficiles. ◆ **progression** n. f. (sens 1) *La* PROGRESSION *des troupes n'a pu être arrêtée,* la marche en avant. ◆ **progressiste** adj. et n. *M. Durand est* PROGRESSISTE, il est partisan du progrès (au sens 2). ◆ **progressivement** adv. (sens 1) *La chaleur diminue* PROGRESSIVEMENT, peu à peu.

prohiber v. *Le trafic de la drogue* EST PROHIBÉ *par la loi* (= interdire; ≠ autoriser). ◆ **prohibitif** adj. *Le prix des fruits est* PROHIBITIF, si élevé qu'on ne peut les acheter.

proie n. f. **1.** *Le tigre s'est jeté sur sa* PROIE, sur l'animal qu'il chassait. — **2.** *L'aigle, le vautour, le faucon sont des* OISEAUX DE PROIE, qui se nourrissent d'autres animaux. — **3.** *La maison est la* PROIE *des flammes,* les flammes sont en train de la détruire. — **4.** *Pierre est* EN PROIE À *l'inquiétude,* il est inquiet.

projeter v. **1.** *Le choc nous* A PROJETÉS *en avant,* jetés avec force. — **2.** *Pierre* PROJETTE *de partir demain,* il en a l'intention. — **3.** *Nous* PROJETTERONS *des photos,* nous les ferons apparaître sur un écran grâce à un projecteur. ◆ **projecteur** n. m. (sens 3) *La lumière du* PROJECTEUR *est très forte,* de l'appareil qui projette des rayons lumineux. ◆ **projectile** n. m. (sens 1) *Les gamins lançaient toutes sortes de* PROJECTILES, d'objets. ◆ **projection** n. f. (sens 3) *Toute la classe a assisté à la* PROJECTION *du film.* ◆ **projet** n. m. (sens 2) *Quels sont tes* PROJETS *pour les vacances?,* qu'est-ce que tu comptes faire? (= intention, plan).

▷ 34, 440, 762

▷ 440

• **R.** Conj. nº 8.

prolétaire n. Un PROLÉTAIRE est une personne qui n'a que son salaire pour vivre (≠ capitaliste, propriétaire, bourgeois). ◆ **prolétariat** n. m. Le PROLÉTARIAT est l'ensemble des prolétaires.

proliférer v. *Avec cette chaleur, les mouches se sont mises à* PROLIFÉRER, à devenir très nombreuses (= se multiplier). ◆ **prolifération** n. f. *La* PROLIFÉRATION *des bombes atomiques est dangereuse.* ◆ **prolifique** adj. *Le lapin est un animal* PROLIFIQUE, il se reproduit rapidement.

prolixe adj. *M. Durand est très* PROLIXE *ce soir,* il parle beaucoup.

prologue n. m. *Dans son* PROLOGUE, *l'écrivain remercie ceux qui l'ont aidé* (= introduction, préface).

prolonger v. **1.** *On* A PROLONGÉ *la réunion d'une heure,* on l'a fait durer une heure de plus. — **2.** *La route* A ÉTÉ PROLONGÉE *de 2 kilomètres* (= allonger, continuer). ◆ **prolongation** n. f. (sens 1) *La* PROLONGATION *du match a duré dix minutes,* le temps en plus du temps fixé. ◆ **prolongement** n. m. (sens 2) *La maison est dans le* PROLONGEMENT *de la rue,* dans la direction qui la prolonge.

se promener v. *Pierre est parti* SE PROMENER *à pied,* faire un tour (= se balader). ◆ **promenade** n. f. *Nous avons fait une longue* PROMENADE *dans les bois* (= balade). ◆ **promeneur** n. *Par ce beau temps, il y a beaucoup de* PROMENEURS *sur les boulevards.*

promettre v. **1.** *Jean m'*A PROMIS *de venir demain,* il m'a dit qu'il le ferait (= jurer, s'engager à). — **2.** *Pierre* S'EST PROMIS *de travailler,* il a décidé de le faire. ◆ **promesse** n. f. (sens 1) *Jean n'a pas tenu sa* PROMESSE (= parole, serment). ◆ **prometteur** adj. (sens 1) *Voilà des débuts* PROMETTEURS!, qui laissent espérer de beaux résultats.
• **R.** Conj. n° 57.

promiscuité n. f. *M. Durand n'aime pas la* PROMISCUITÉ *du métro,* le voisinage désagréable d'autres gens.

725 ◁ **promontoire** n. m. *Il y a un phare sur le* PROMONTOIRE, sur le cap qui domine la mer.

promouvoir v. **1.** *M. Durand* A ÉTÉ PROMU *directeur,* on l'a élevé à ce poste. — **2.** *La publicité essaie de* PROMOUVOIR *ce nouveau savon,* d'augmenter sa vente. ◆ **promoteur** n. m. (sens 2) Un PROMOTEUR est un homme d'affaires qui finance et vend des immeubles. ◆ **promotion** n. f. (sens 1) *M. Durand a été nommé à ce poste, c'est une* PROMOTION (= avancement).
• **R.** Conj. n° 36.

prompt adj. se disait pour *rapide.* ◆ **promptitude** n. f. *Pierre a répondu avec* PROMPTITUDE (= rapidité).

promulguer v. *Les lois* SONT PROMULGUÉES *au «Journal officiel»,* rendues publiques. ◆ **promulgation** n. f. *De quand date la* PROMULGATION *de cette loi?*

prôner v. *Tu oses* PRÔNER *de pareilles idées?* (= recommander, louer).

11 ◁ **pronom** n. m. *«Je», «tu», «il», «se» sont des* PRONOMS *personnels; «on», «chacun» sont des* PRONOMS *indéfinis.* ◆ **pronominal** adj. *«Regarder» est à la forme active, «se regarder» est à la forme* PRONOMINALE.

prononcer v. **1.** *M. Durand* A PRONONCÉ *un discours,* il l'a dit. — **2.** *Dans «sculpteur», le «p» ne* SE PRONONCE *pas,* on ne le dit pas (= s'articuler). — **3.** *Le tribunal* S'EST PRONONCÉ *en faveur de M. Martin,* il a pris parti pour lui (= se décider). ◆ **prononciation** n. f. (sens 2) *«Pan» et «paon» ont la même* PRONONCIATION.

pronostic n. m. *Pierre ne s'est pas trompé dans ses* PRONOSTICS, quand il a annoncé ce qui allait se passer (= prévision). ◆ **pronostiquer** v. *Les spécialistes* ONT PRONOSTIQUÉ *la victoire de ce boxeur,* ils l'ont annoncée à l'avance.

propager v. *La nouvelle* S'EST PROPAGÉE *très vite,* elle s'est répandue dans le public (= se diffuser). ◆ **propagande** n. f. *Avant les élections, les partis font de la* PROPAGANDE, ils propagent leurs idées. ◆ **propagation** n. f. *Les médecins luttent contre la* PROPAGATION *de l'épidémie* (= développement).

propane n. m. *Ce fourneau fonctionne au* PROPANE, une sorte de gaz.

propension n. f. *Pierre a une* PROPENSION *à se moquer de tout,* un penchant naturel (= tendance).

prophète n. m. **1.** *Mahomet est le* PROPHÈTE *de la religion musulmane,* il l'a prêchée le premier. — **2.** *M. Durand est un* PROPHÈTE *de malheur,* il annonce des événements malheureux. ◆ **prophétie** n. f. (sens 2) *Je ne crois pas à tes* PROPHÉTIES (= prédiction, oracle). ◆ **prophétique** adj. (sens 2) *Jean dit qu'il a fait un rêve* PROPHÉTIQUE, dans lequel il prévoyait l'avenir. ◆ **prophétiser** v. (sens 2) *Ce journaliste* AVAIT PROPHÉTISÉ *les événements* (= annoncer, prédire).
• **R.** *Prophétie* se prononce [prɔfesi].

propice adj. *Jean a agi au moment* PROPICE, quand il le fallait (= bon, favorable; ≠ fâcheux).

proportion n. f. **1.** *À l'examen, la* PROPORTION *des reçus était de dix pour cent,* le rapport entre les reçus et le total (= pourcentage). — **2.** *Cette voiture a de belles* PROPORTIONS, le rapport entre ses dimensions est harmonieux. — **3.** (au plur.) *Ce château a des* PROPORTIONS *gigantesques* (= dimensions). ◆ **proportionné** adj. (sens 2) *Voilà un athlète admirablement* PROPORTIONNÉ, dont les membres ont des proportions harmonieuses. ◆ **proportionnel** adj. (sens 2) *Le prix de cet objet est* PROPORTIONNEL *au temps passé à le fabriquer* (= en rapport). ◆ **disproportion** n. f. (sens 1) *Il y a une* DISPROPORTION *de taille entre Jeanne et Marie,* une trop grande différence. ◆ **disproportionné** adj. (sens 1) *Paul a des bras* DISPROPORTIONNÉS, trop grands par rapport à son corps.

proposer v. **1.** *Jean m'*A PROPOSÉ *de m'accompagner à la gare* (= offrir). — **2.** *Pierre* SE PROPOSE *de partir demain,* il en a l'intention. ◆ **propos** n. m. **1.** (sens 2) *Mon* PROPOS *n'est pas de vous ennuyer* (= intention). — **2.** *Il a eu des* PROPOS *blessants à mon égard* (= parole, mot). — **3.** *Ils se sont disputés* À PROPOS D'*argent* (= au sujet de). — **4.** *Paul est arrivé* À PROPOS, au bon moment. ◆ **proposition** n. f. **1.** (sens 1) *J'ai refusé la* PROPOSITION *de Jean,* ce qu'il me proposait (= offre). — **2.** *La phrase « je crois qu'il vient » contient deux* PROPOSITIONS, deux parties et deux verbes.

propre adj. **1.** *M. Dupont possède sa* PROPRE *voiture,* qui lui appartient personnellement, particulièrement. — **2.** *« Paris, « Jean », « Dupont » sont des* NOMS PROPRES, ils désignent un être ou une chose particuliers (≠ nom commun). — **3.** *Ce bateau n'est pas* PROPRE À *la navigation lointaine,* il ne convient pas pour cela. — **4.** *Ta chemise n'est pas* PROPRE, *il faut la laver* (≠ sale). ◆ **propre** n. m. (sens 1) *On dit que le rire est le* PROPRE *de l'homme,* son caractère particulier. ◆ **proprement** adv. (sens 4) *Essaie de manger* PROPREMENT, sans te salir. ◆ **propreté** n. f. (sens 4) *Mme Dupont aime la* PROPRETÉ (≠ saleté, crasse). ◆ **impropre** adj. (sens 3) *M. Durand est* IMPROPRE *à ce travail,* il n'est pas capable de le faire. ◆ **malpropre** adj. (sens 4) *Cet appartement est* MALPROPRE (= sale). ◆ **malpropreté** n. f. (sens 4) *Ils vivent dans la* MALPROPRETÉ (= saleté).

propriété n. f. **1.** *Les Durand ont une* PROPRIÉTÉ *à la campagne,* une maison ou une terre qui leur appartient. — **2.** *L'eau a la* PROPRIÉTÉ *de bouillir à 100 degrés,* c'est son caractère particulier. ◆ **propriétaire** n. (sens 1) *Qui est le* PROPRIÉTAIRE *de cette maison?,* à qui appartient-elle? (= possesseur). ◆ **copropriété** n. f. (sens 1) *Notre immeuble est en* COPROPRIÉTÉ, il appartient en commun à plusieurs personnes. ◆ **copropriétaire** n. (sens 1) *Les* COPROPRIÉTAIRES *se sont réunis.* ◆ **exproprier** v. (sens 1) *On* A EXPROPRIÉ *plusieurs personnes pour construire la route,* on leur a pris leur propriété en les indemnisant.

propulser v. *Les bateaux* SONT PROPULSÉS *par des hélices,* ils avancent par ce moyen. ◆ **propulsion** n. f. *Un sous-marin à* PROPULSION *nucléaire avance grâce à l'énergie nucléaire.*

proroger v. *La date limite* A ÉTÉ PROROGÉE *de deux jours* (= prolonger).

prosaïque adj. *M. Dupont a des goûts* PROSAÏQUES, sans élégance (= commun; ≠ original).

proscrire v. *Il faut* PROSCRIRE *cette mauvaise habitude* (= chasser, condamner). ◆ **proscrit** n. Un PROSCRIT est un homme chassé de son pays.

• **R.** Conj. nº 71.

prose n. f. *Les romans sont écrits en* PROSE (≠ en vers).

prosélytisme n. m. *Cette religion fait du* PROSÉLYTISME, elle cherche à convertir les gens.

prospecter v. *On* PROSPECTE *dans la région pour trouver du pétrole,* on étudie le terrain. ◆ **prospection** n. f. *Cette société fait de la* PROSPECTION *géologique* (= recherche).

prospectus n. m. *Au courrier, il n'y avait que des* PROSPECTUS, des feuilles publicitaires.

• **R.** On prononce [prɔspɛktys].

prospère adj. *Cette région est* PROSPÈRE, très riche (= florissant; ≠ misérable). ◆ **prospérer** v. *Le blé* PROSPÈRE *sur cette terre,* il pousse bien (= réussir). ◆ **prospérité** n. f. *La crise a mis fin à la* PROSPÉRITÉ (= succès, richesse).

se prosterner v. *Autrefois, on* SE PROSTERNAIT *devant le roi,* on se courbait jusqu'à terre.

prostré adj. *Jean est resté* PROSTRÉ *sur sa chaise* (= accablé, effondré). ◆ **prostration** n. f. *Depuis sa maladie, il reste dans un état de* PROSTRATION, d'abattement profond.

protagoniste n. m. *Dans cette affaire, M. Durand est le principal* PROTAGONISTE, il y a joué le rôle principal.

protéger v. **1.** *Son chef l'*A PROTÉGÉ *contre les attaques de ses ennemis* (= défendre, secourir). — **2.** *Prends un manteau pour* TE PROTÉGER *du froid* (= se préserver). ◆ **protecteur** adj. et n. (sens 1) *La Société* PROTECTRICE *des animaux les défend et les protège.* ‖ *Son chef est son* PROTECTEUR. ◆ **protection** n. f. (sens 1) *Son chef l'a pris sous sa* PROTECTION, il le protège. ◆ **protectorat** n. m. *Le Maroc et la Tunisie étaient des* PROTECTORATS *français,* des sortes de colonies.

protéine n. f. *La viande et le fromage contiennent des* PROTÉINES, des substances nourrissantes.

protestant adj. et n. *En Suède, il y a beaucoup de* PROTESTANTS, de chrétiens qui n'obéissent pas au pape (≠ catholique). ◆ **protestantisme** n. m. *Il s'est converti au* PROTESTANTISME, à la religion protestante.

protester v. **1.** *Les paysans* PROTESTENT *contre les impôts,* ils s'y opposent (≠ approuver). — **2.** *L'accusé* A PROTESTÉ DE *son innocence,* il l'affirme. ◆ **protestation** n. f. (sens 1) *Jean est parti malgré nos* PROTESTATIONS (≠ approbation).

prothèse n. f. *Une* PROTHÈSE *dentaire* est un appareil qui remplace une ou plusieurs dents.

protocole n. m. *La cérémonie s'est déroulée selon un* PROTOCOLE *très strict,* des règles officielles (= cérémonial).

prototype n. m. *Cet avion est un* PROTOTYPE, un modèle unique qui n'est pas encore fabriqué en série.

protubérance n. f. *La pomme d'Adam forme une* PROTUBÉRANCE *sur le cou,* elle est en relief (= saillie).

proue n. f. *La* PROUE *des bateaux est pointue pour fendre la mer,* l'avant (≠ poupe). ▷ 727

prouesse n. f. *Jean se vante de ses* PROUESSES *sportives* (= exploit).

prouver v. *Jean m'*A PROUVÉ *qu'il avait raison,* j'ai reconnu que c'était vrai (= démontrer). ◆ **preuve** n. f. *L'accusé a apporté la* PREUVE *de son innocence* (= démonstration). ‖ *Paul* FAIT PREUVE D'*un grand courage,* il l'a montré. ◆ **probant** adj. *Tes arguments sont* PROBANTS (= convaincant).

provenir v. *Ces marchandises* PROVIENNENT *d'Amérique,* elles en viennent. ◆ **provenance** n. f. *Le train en* PROVENANCE *de Lyon entre en gare,* qui en vient.
• **R.** Conj. n° 22.

proverbe n. m. *« L'argent ne fait pas le bonheur » est un* PROVERBE, une vérité générale (= sentence, maxime). ◆ **proverbial** adj. *M. Durand est d'une avarice* PROVERBIALE, bien connue (= légendaire).

providence n. f. *Les chrétiens croient à la* PROVIDENCE *divine,* que Dieu est bon et les protège. ◆ **providentiel** adj. *J'ai fait une rencontre* PROVIDENTIELLE, très heureuse (= inespéré).

province n. f. **1.** *La Normandie et la Bretagne sont des* PROVINCES *françaises,* des divisions de la France. — **2.** *Les Dubois habitent la* PROVINCE, ailleurs qu'à Paris. ◆ **provincial** adj. et n. (sens 2) *M*me *Dubois est une* PROVINCIALE, elle habite la province (≠ parisien).

proviseur n. m. *Le* PROVISEUR *du lycée a réuni les professeurs,* celui qui dirige le lycée.

provision n. f. **1.** *M*me *Durand fait* PROVISION *de sucre,* elle en achète pour en avoir en réserve. — **2.** (au plur.) *M*me *Durand va faire ses* PROVISIONS, acheter ce qu'il lui faut (= commissions). — **3.** *M. Dupont a* *fait un chèque sans* PROVISION, sans avoir assez d'argent en réserve à la banque. ◆ **approvisionner** v. (sens 1, 2 et 3) *M. Dupont* A APPROVISIONNÉ *son compte en banque,* il y a mis de l'argent en réserve. ◆ **approvisionnement** n. m. (sens 1, 2 et 3) *Pendant la guerre, il y avait des difficultés d'*APPROVISIONNEMENT, pour se fournir en choses nécessaires.

provisoire adj. *Les combattants ont conclu un accord* PROVISOIRE (= temporaire; ≠ définitif). ◆ **provisoirement** adv. *Ils habitent* PROVISOIREMENT *à Lyon,* pour quelque temps.

provoquer v. **1.** *Son insolence* A PROVOQUÉ *ma colère* (= causer, entraîner). — **2.** *Quand Pierre l'*A PROVOQUÉ, *Jean l'a giflé* (= défier, exciter). ◆ **provocant** adj. (sens 2) *Pierre avait une attitude* PROVOCANTE (= agressif; ≠ apaisant). ◆ **provocateur** adj. et n. (sens 2) *Un (agent)* PROVOCATEUR est une personne qui pousse les autres à la violence. ◆ **provocation** n. f. (sens 2) *Ne réponds pas à ses* PROVOCATIONS (= défi).
• **R.** Ne pas confondre *provocant* (adj.) et *provoquant* (participe).

proximité n. f. *La poste est à* PROXIMITÉ *de la mairie,* elle en est proche (≠ distance).

prude adj. *Une personne est* PRUDE *quand elle montre trop de pudeur.*

prudent adj. *Sois* PRUDENT *en traversant la rue,* fais attention. ◆ **prudemment** adv. *M. Durand ne conduit pas* PRUDEMMENT (= sagement). ◆ **prudence** n. f. *M. Dupont avait eu la* PRUDENCE *de s'assurer contre le vol* (= précaution). ◆ **imprudent** adj. *Pierre a prononcé des paroles* IMPRUDENTES (= imprévoyant). ◆ **imprudemment** adv. *N'agis pas* IMPRUDEMMENT, sans réfléchir. ◆ **imprudence** n. f. *Beaucoup d'accidents sont dus à l'*IMPRUDENCE.

367 ◁ **prune** n. f. *Les mirabelles sont des* PRUNES *jaunes, les quetsches sont des* PRUNES *violettes,* un fruit. ◆ **prunier** n. m. *Les* PRUNIERS *ont des fleurs blanches.* ◆ **pruneau** n. m. *Jean est noir comme un* PRUNEAU, une prune séchée. ◆ **prunelle** n. f. **1.** Les PRUNELLES sont de petites prunes bleu foncé. — **2.** La PRUNELLE est le petit rond noir au centre de l'œil (= pupille).

psaume n. m. Un PSAUME est un chant religieux.

pseudonyme n. m. *Ce poète écrit sous un* PSEUDONYME, un faux nom.

psychanalyse n. f. La PSYCHANALYSE est une méthode pour guérir certaines maladies mentales. ◆ **psychanalyser** v. *M. Magnon se fait* PSYCHANALYSER, soigner par un psychanalyste. ◆ **psychanalyste** n. Un PSYCHANALYSTE est un médecin spécialiste de psychanalyse.

psychiatrie n. f. La PSYCHIATRIE est la partie de la médecine qui s'occupe des maladies nerveuses et mentales. ◆ **psychiatre** n. *Certains* PSYCHIATRES *sont en même temps psychanalystes.* ◆ **psychiatrique** adj. *M. Magnon a été interné dans un hôpital* PSYCHIATRIQUE, réservé aux malades mentaux.

psychologie n. f. **1.** *La* PSYCHOLOGIE *étudie scientifiquement la vie de l'esprit.* — **2.** *M. Martin manque de* PSYCHOLOGIE, il ne comprend pas l'état d'esprit des autres (= intuition, finesse). ◆ **psychologue** (sens 1) n. *M. Dupuis est* PSYCHOLOGUE *scolaire,* il s'occupe des difficultés psychologiques des élèves. • (sens 2) adj. *Tu n'es pas très* PSYCHOLOGUE, tu manques de psychologie. ◆ **psychologique** adj. (sens 1) *Paul a des difficultés* PSYCHOLOGIQUES, dans son esprit (= mental). ◆ **psychothérapie** n. f. (sens 1) *Paul suit une* PSYCHOTHÉRAPIE, un traitement psychologique.

puanteur → PUER.

puberté n. f. *Au moment de la* PUBERTÉ, *la voix des garçons devient plus grave,* à la fin de l'enfance et au début de l'adolescence.

public n. m. **1.** *Ce chemin est interdit au* PUBLIC, à l'ensemble des gens. ‖ *Pierre n'aime pas chanter* EN PUBLIC, devant tout le monde. — **2.** *À la fin de la pièce, le* PUBLIC *a applaudi,* les spectateurs. ◆ **public** adj. (sens 1) *Tout le monde peut se promener, dans un jardin* PUBLIC (≠ privé). ▷ 219 ◆ **publiquement** adv. (sens 1) *Le ministre a annoncé* PUBLIQUEMENT *sa démission,* en public (≠ secrètement). ◆ **publicité** n. f. (sens 1) *Cette marque de voiture fait beaucoup de* PUBLICITÉ *à la radio,* elle veut se faire connaître du public. ◆ **publicitaire** adj. (sens 1) *Des affiches* PUBLICITAIRES *sont collées sur de grands panneaux.* ▷ 512, 583 ◆ **publier** v. (sens 1) *Ce livre* A ÉTÉ PUBLIÉ *en 1970,* répandu dans le public (= éditer). ◆ **publication** n. f. (sens 1) **1.** *La* PUBLICATION *de ce livre a eu lieu en 1970.* — **2.** *Les livres, les journaux, les revues sont des* PUBLICATIONS.

puce n. f. *Le chien gratte ses* PUCES, des insectes qui vivent sur lui. ◆ **puceron** n. m. Les PUCERONS sont des insectes très petits qui vivent sur les plantes. ▷ 366

pudeur n. f. *Ce spectacle blesse la* PUDEUR, il provoque un sentiment de gêne ou de honte. ◆ **pudique** adj. *Marie est* PUDIQUE, elle montre beaucoup de retenue (= décent, réservé). ◆ **pudibond** adj. *Une personne* PUDIBONDE est trop pudique.

puer v. *Ce vieux fromage* PUE, il sent très mauvais. ◆ **puanteur** n. f. *Les œufs pourris dégagent une* PUANTEUR *insupportable.*
• **R.** V. PUS.

puéril adj. *Jacques a des idées* PUÉRILES (= enfantin; ≠ sérieux). ◆ **puérilité** n. f. *Jacques a un raisonnement d'une* PUÉRILITÉ *déconcertante* (= naïveté). ◆ **puériculture** n. f. *Hélène suit des cours de* PUÉRICULTURE, elle apprend à s'occuper des jeunes enfants.

pugilat n. m. *La dispute s'est terminée par un* PUGILAT, une bagarre à coups de poing.

puis adv. *Jean a fait ses devoirs,* PUIS *il est allé jouer* (= ensuite, après).
• **R.** V. PUITS.

puiser v. *Pierre est allé* PUISER *de l'eau à la source* (= prendre).

puisque conj. indique une cause : PUISQUE *tu sors, ramène du pain* (= comme).

puissance n. f. **1.** *Napoléon voulut soumettre l'Europe à sa* PUISSANCE (= pouvoir, autorité). — **2.** *Cet athlète donne une impression de* PUISSANCE, de très grande force. — **3.** *La* PUISSANCE *de cette voiture est de 10 chevaux* (= force). — **4.** *L'U. R. S. S. et les États-Unis sont les deux plus grandes*

PUISSANCES *du monde* (= pays, État). ◆ **puissant** adj. (sens 1) *Ce banquier est un homme riche et* PUISSANT, il a du pouvoir. • (sens 3) *L'éclairage n'est pas assez* PUISSANT (= fort). ◆ **impuissance** n. f. (sens 1 et 2) *Les sauveteurs étaient réduits à l'*IMPUISSANCE, ils ne pouvaient plus rien faire. ◆ **impuissant** adj. (sens 1 et 2) *Les pompiers sont restés* IMPUISSANTS *devant l'incendie* (= désarmé). ◆ **tout-puissant** adj. (sens 1) *Louis XIV fut un roi* TOUT-PUISSANT, il avait tout le pouvoir.

577, 362 ◁ **puits** n. m. Un PUITS est un trou dans le sol, d'où l'on tire de l'eau, du pétrole (PUITS *de pétrole*), du minerai (PUITS *de mine*).
• **R.** *Puits* se prononce [pɥi] comme *puis* et [*je*] *puis* (de *pouvoir*).

36 ◁ **pull-over** ou **pull** n. m. *Il fait froid, mets un* PULL-OVER, un tricot de laine qu'on enfile par la tête (= chandail).

pulluler v. *Avec cette chaleur, les mouches* PULLULENT, elles sont très nombreuses (= grouiller).

pulmonaire → POUMON.

pulpe n. f. *La* PULPE *de ces pêches est très juteuse* (= chair).

pulvériser v. **1.** *Marie* PULVÉRISE *du parfum sur ses cheveux,* elle le projette en fines gouttelettes. — **2.** *La voiture* A ÉTÉ PULVÉRISÉE *par le choc,* détruite complètement. ◆ **pulvérisateur** n. m. (sens 1) *Ce produit*
362 ◁ *insecticide est vendu dans un* PULVÉRISATEUR, un appareil pour le pulvériser.

puma n. m. *Nous avons vu des* PUMAS, *à la ménagerie du cirque,* un animal féroce.

punaise n. f. **1.** *Pierre a été piqué par des* PUNAISES, un insecte parasite.
295 ◁ — **2.** *Jean fixe un poster au mur avec des* PUNAISES, une sorte de clou.

punch n. m. **1.** Le PUNCH est une boisson faite avec du rhum et du sirop de sucre. — **2.** *Ce boxeur a du* PUNCH, il est efficace.
• **R.** On prononce [pɔ̃ʃ] au sens 1 et [pœnʃ] au sens 2.

punir v. *Jean* A ÉTÉ PUNI *de son insolence,* il a subi un châtiment (= châtier, sanctionner). ◆ **punition** n. f. *Le professeur a infligé une* PUNITION *générale* (≠ récompense). ◆ **punitif** adj. *Une expédition* PUNITIVE est destinée à punir des révoltés. ◆ **impuni** adj. *Le crime est resté* IMPUNI, le coupable n'a pas été puni. ◆ **impunément** adv. *Tu ne feras pas cela* IMPUNÉMENT, sans être puni.

pupille 1. n. Un PUPILLE est un enfant orphelin (≠ tuteur). — **2.** n. f. *Les*
33 ◁ PUPILLES *des yeux se rétrécissent face à la lumière* (= prunelle).

768, 439 ◁ **pupitre** n. m. Un PUPITRE est un petit meuble sur lequel on écrit ou sur lequel on pose le livre qu'on lit ou la musique qu'on joue.

pur adj. **1.** *Pierre n'aime pas le vin* PUR, qui n'est pas mélangé à de l'eau. — **2.** *Il m'a assuré que ses intentions étaient* PURES (= honnête, désintéressé). — **3.** *Je suis ici par un* PUR *hasard,* uniquement par hasard. ◆ **purement** adv. (sens 3) *Il m'a dit «non»,* PUREMENT *et simplement* (= vraiment). ◆ **pureté** n. f. (sens 1) *À la montagne, la* PURETÉ *de l'air est très grande* (≠ saleté). ◆ **purifier** v. (sens 1) *Il faudrait* PURIFIER *cette eau,* enlever ce qui la salit. ◆ **pur-sang** adj. et n. m. inv. (sens 1) *Un (cheval)*

PUR-SANG *est de race pure.* ◆ **épurer** v. (sens 1) *On* ÉPURE *les eaux d'égout* (= purifier). ◆ **épuration** n. f. (sens 1) *Une station d'*ÉPURATION *filtre les eaux du fleuve.* ◆ **impur** adj. (sens 1) *Ils travaillent dans une atmosphère* IMPURE. ◆ **impureté** n. f. (sens 1) *En le filtrant, on débarrasse l'air des* IMPURETÉS *qu'il contient* (= saleté).

purée n. f. *On a mangé une* PURÉE *de pommes de terre,* des pommes de terre cuites et écrasées.

purement, pureté → PUR.

purger v. **1.** PURGER *quelqu'un,* c'est lui donner un médicament purgatif. — **2.** *Le voleur* PURGE *une peine d'un an de prison,* il la subit. ◆ **purgatif** adj. et n. m. (sens 1) *Un (médicament)* PURGATIF est destiné à lutter contre la constipation. ◆ **purge** n. f. (sens 1) Une PURGE est un médicament purgatif. ◆ **purgatoire** n. m. (sens 2) Dans la religion catholique, le PURGATOIRE est un lieu où les âmes des morts purgent leurs péchés.

purifier → PUR.

purin n. m. Le PURIN est le liquide qui s'écoule des tas de fumier. ▷ 368

puritain adj. *Mme Dupont est très* PURITAINE, elle a une morale très rigoureuse (= austère).

pur-sang → PUR.

pus n. m. *Ton bouton s'est infecté, il est plein de* PUS, d'un liquide jaunâtre. ◆ **purulent** adj. *Il a une plaie* PURULENTE *au bras,* pleine de pus. ◆ **pustule** n. f. *Cette maladie se manifeste par des* PUSTULES, des boutons pleins de pus.

• **R.** *Pus* se prononce [py] comme [*il*] *pue* (de *puer*) et [*il a*] *pu,* [*il*] *put* (de *pouvoir*).

putois n. m. *Arrête de crier comme un* PUTOIS!, un petit animal sauvage.

putréfier v. *Le tas de feuilles mortes commence à* SE PUTRÉFIER (= pourrir, se décomposer). ◆ **putréfaction** n. f. *Une odeur de* PUTRÉFACTION *s'échappe de la poubelle* (= pourriture). ◆ **putride** adj. *Il y a ici une odeur* PUTRIDE, très mauvaise. ◆ **imputrescible** adj. *Les matières plastiques sont* IMPUTRESCIBLES, elles ne pourrissent pas.

putsch n. m. *Les militaires ont fait un* PUTSCH *et pris le pouvoir,* un coup d'État.

• **R.** On prononce [putʃ].

puzzle n. m. *Pierre s'amuse à reconstituer un* PUZZLE, une sorte de jeu de patience.

• **R.** On prononce [pœzl].

pygmée n. m. *M. Duval est un véritable* PYGMÉE, il est très petit.

pyjama n. m. *Pierre dort en* PYJAMA, *Marie en chemise de nuit.* ▷ 36

pylône n. m. *La route est bordée par des* PYLÔNES *électriques* (= poteau). ▷ 508, 652

pyramide n. f. *Les Égyptiens ont construit de gigantesques* PYRAMIDES, de grands monuments à sommet pointu. ▷ 348

Pyrex n. m. *Mme Durand fait cuire le rôti dans un plat en* PYREX, en verre très résistant.

pyrogravure n. f. *Faire de la* PYROGRAVURE, c'est dessiner sur du bois avec un fer rouge.

580 ◁ **python** n. m. Le PYTHON est un très grand serpent.

quadragénaire adj. et n. *M. Dupont est (un)* QUADRAGÉNAIRE, il a entre quarante et cinquante ans.
• **R.** On prononce [kwadraʒenɛr].

quadriennal adj. *Les jeux Olympiques sont* QUADRIENNAUX, ils ont lieu tous les quatre ans.
• **R.** On prononce [kwadrijenal].

quadrilatère n. m. *Le carré, le rectangle, le losange sont des* QUADRILATÈRES, des figures à quatre côtés. ▷ 348
• **R.** On prononce [kwadrilatɛr ou kadrilatɛr].

quadrillage → QUADRILLER.

quadrille n. m. *Autrefois on dansait le* QUADRILLE, une danse à quatre couples.

quadriller v. **1.** *Le papier de mon cahier est* QUADRILLÉ, divisé en carreaux. — **2.** *Les policiers* QUADRILLENT *le quartier,* il y en a partout (= contrôler). ◆ **quadrillage** n. m. (sens 1) *Sur le plan, les rues de la ville forment un* QUADRILLAGE, des carrés.

quadrimoteur → MOTEUR.

quadrupède n. m. *Le chien, le cheval, le lion sont des* QUADRUPÈDES, ils ont quatre pattes.
• **R.** On prononce [kwadrypɛd].

quadruple n. m. *12 est le* QUADRUPLE *de 3,* il vaut quatre fois plus. ▷ 517
◆ **quadrupler** v. *La production d'acier* A QUADRUPLÉ, elle a été multipliée par quatre.
• **R.** On prononce [kwadrypl].

quai n. m. **1.** *Nous attendons Jean sur le* QUAI *de la gare,* le bord de la voie où le train arrive. — **2.** *Nous nous sommes promenés sur les* QUAIS *de la Seine,* la maçonnerie construite au bord du fleuve. ▷ 508, 509 ▷ 727, 728

qualifier v. **1.** *On l'*A QUALIFIÉ *d'imbécile,* on lui a donné ce nom (= traiter). — **2.** *M. Duval n'*EST *pas* QUALIFIÉ *pour faire ce travail,* il n'en est pas capable. — **3.** *L'équipe de France* S'EST QUALIFIÉE *pour la finale,* elle peut participer à la finale. ◆ **qualificatif** **1.** n. m. (sens 1) *« Imbécile » est un* QUALIFICATIF *injurieux* (= terme). — **2.** adj. *L'adjectif* QUALIFICATIF *précise le nom.* ◆ **qualification** n. f. (sens 2) *M. Durand a acquis sa*

QUALIFICATION *dans une école.* • (sens 3) *L'équipe de France a gagné le match de* QUALIFICATION. ◆ **disqualifier** v. (sens 3) *Le coureur* A ÉTÉ DISQUALIFIÉ, il n'a plus le droit de continuer (= éliminer). ◆ **disqualification** n. f. (sens 3) *Cette faute entraîne la* DISQUALIFICATION. ◆ **inqualifiable** adj. (sens 1) *Pierre a eu une conduite* INQUALIFIABLE (= scandaleux).

qualité n. f. **1.** *Ces meubles sont de bonne* QUALITÉ, ils sont bons, solides. — **2.** *Chacun a des* QUALITÉS *et des défauts* (= mérite, vertu). — **3.** *M. Dupont a agi* EN QUALITÉ DE *directeur,* du fait qu'il est directeur (= comme, en tant que).

quand **1.** adv. sert à interroger sur le temps : QUAND *viendra-t-il?,* à quel moment. — **2.** conj. indique le temps : *Il viendra* QUAND *il aura fini* (= lorsque, au moment où).

• **R.** *Quand* se prononce [kɑ̃] comme *camp.*

quand même adv. *Il est venu* QUAND MÊME, malgré tout.

quant à prép. *Faites ce que vous voulez;* QUANT À *moi, je m'en vais,* en ce qui me concerne, pour ma part.

quant-à-soi n. m. inv. *Pierre se tient sur son* QUANT-À-SOI, il ne dit pas ce qu'il pense.

quantité n. f. **1.** *Quelle est la* QUANTITÉ *de vin contenue dans cette bouteille?,* combien y en a-t-il? — **2.** *Pierre lit des* QUANTITÉS *de livres,* un grand nombre, beaucoup. ◆ **quantième** n. m. (sens 1) *Quel* QUANTIÈME *du mois sommes-nous? — Le 10* (= le combien).

517 ◁ **quarante** adj. *Il y a* QUARANTE *élèves dans la classe.* ‖ $10 \times 4 = 40$.

517 ◁ ◆ **quarantaine** n. f. **1.** *M. Durand a une* QUARANTAINE *d'années,* environ quarante ans. — **2.** *Ses camarades l'*ONT MIS EN QUARANTAINE, ils le tiennent à l'écart sans lui parler. ◆ **quarantième** adj. et n. *M. Durand*

517 ◁ *est dans sa* QUARANTIÈME *année.*

517 ◁ **quart** n. m. **1.** *25 est le* QUART *de 100,* il est quatre fois plus petit

763 ◁ (≠ quadruple). — **2.** *Les campeurs boivent dans un* QUART, un gobelet. — **3.** *Il est cinq heures et* QUART, cinq heures et quinze minutes. — **4.** *Le marin a pris le* QUART, il est de garde pour quatre heures.

• **R.** *Quart* se prononce [kar] comme *car.*

quartier n. m. **1.** *Le boucher transporte un* QUARTIER *de bœuf,* un gros morceau. — **2.** *Dans quel* QUARTIER *de Paris habite Paul?,* quelle partie de la ville. — **3.** *Le* QUARTIER GÉNÉRAL *de l'armée se trouve dans ce château,* l'endroit d'où l'armée est commandée. — **4.** *La lune est dans son premier* QUARTIER, on n'en voit qu'une partie. — **5.** *Les vainqueurs n'*ONT *pas* FAIT *de* QUARTIER, ils ont tué tout le monde.

quartier-maître n. m. *Les marins répondent à l'appel du* QUARTIER-

765, 355 ◁ MAÎTRE.

• **R.** Noter le pluriel : des *quartiers-maîtres.*

650 ◁ **quartz** n. m. *Le sable contient des morceaux de* QUARTZ, d'une roche très dure.

• **R.** On prononce [kwarts].

quasiment adv. *Il m'a* QUASIMENT *conseillé de partir* (= à peu près, presque). ◆ **quasi** adv. se disait pour *quasiment.*

quatorze adj. *Pierre a* QUATORZE *ans.* ‖ *10 + 4* = 14. ◆ **quatorzième** adj. et n. *Jean est le* QUATORZIÈME *en français, il est arrivé au* QUATORZIÈME *rang.* ▷ 517 ▷ 517

quatre adj. **1.** *Il y a* QUATRE *saisons dans l'année.* ‖ *2 + 2* = 4. — **2.** *Il* S'EST MIS EN QUATRE *pour nous faire plaisir,* il a fait beaucoup d'efforts. ▷ 517
◆ **quatrième** adj. et n. (sens 1) *Nous habitons au* QUATRIÈME *étage.* ▷ 517
◆ **quatrain** n. m. (sens 1) Un QUATRAIN est un groupe de quatre vers.
◆ **quatuor** n. m. (sens 1) Un QUATUOR est un groupe de quatre musiciens qui jouent ensemble. ▷ 438
• **R.** On prononce [katr] mais [kwatɥɔr].

quatre-saisons n. f. inv. Une MARCHANDE DE QUATRE-SAISONS vend des fruits et des légumes dans une petite voiture à bras. ▷ 223

quatre-vingts adj. *Tu me dois* QUATRE-VINGTS *francs.* ‖ *20* × *4* = 80. ▷ 517
• **R.** Suivi d'un autre nombre, *quatre-vingts* ne prend pas d'*s* : *quatre-vingt-dix.*

quatrième, quatuor → QUATRE.

que **1.** pron. relatif est complément : *L'homme* QUE *j'ai vu.* — **2.** pron. interrogatif : QUE *se passe-t-il?* — **3.** conj. relie deux propositions ou deux mots : *Il a dit* QU'*il viendrait.* ‖ *Il est plus grand* QUE *moi.* ‖ *Je* N'*ai* QU'*un livre,* seulement un. — **4.** adv. d'exclamation : QUE *tu es grand!* (= comme).

quel adj. sert pour l'interrogation : QUEL *livre lis-tu?;* pour l'exclamation : QUELLE *jolie maison!*

quelconque **1.** adj. indéfini *Il a refusé en donnant un prétexte* QUELCONQUE, n'importe lequel. — **2.** adj. *Ce livre est* QUELCONQUE, sans intérêt (= médiocre).

quelques adj. indéfini pluriel *Il a dit* QUELQUES *mots et il est parti,* des mots peu nombreux. ◆ **quelque chose** pron. indéfini masculin *Veux-tu manger* QUELQUE CHOSE? ‖ *J'ai vu* QUELQUE CHOSE *d'étonnant,* une chose. ◆ **quelquefois** adv. *Je vais* QUELQUEFOIS *chez ma grand-mère,* de temps en temps (= parfois; ≠ souvent). ◆ **quelqu'un** pron. indéfini masculin QUELQU'UN *m'a conseillé de venir,* une personne (= on). ◆ **quelques-uns** pron. indéfini pluriel QUELQUES-UNS *des élèves ont été punis,* un petit nombre.

quémander v. *Pierre est venu me* QUÉMANDER *de l'argent,* me prier de lui en donner.

qu'en-dira-t-on n. m. inv. *M*[me] *Dupont se moque du* QU'EN-DIRA-T-ON, de ce que les gens disent d'elle.

quenelle n. f. *Nous avons mangé des* QUENELLES *de volaille,* un plat particulier à la viande de volaille.

quenotte n. f. Fam. *Bébé a mal à ses* QUENOTTES (= dent).

quenouille n. f. *Autrefois, on filait la laine avec une* QUENOUILLE. ▷ 224

querelle n. f. *Pierre a eu une* QUERELLE *avec Jean* (= dispute). ◆ **quereller** v. *Pierre et Jean* SE SONT QUERELLÉS (= se disputer, se chamailler). ◆ **querelleur** adj. *Pierre est un garçon* QUERELLEUR (= bagarreur; ≠ doux).

quérir v. se disait pour *chercher.*
• **R.** *Quérir* ne s'emploie qu'à l'infinitif.

question n. f. **1.** *Il est difficile de répondre à cette* QUESTION (= demande, interrogation). — **2.** *On a déjà parlé de cette* QUESTION (= sujet, problème, difficulté). — **3.** IL EST QUESTION DE *partir demain,* on en parle. ◆ **questionner** v. (sens 1) *Pierre m'*A QUESTIONNÉ *sur mes vacances,* il m'a posé des questions (= interroger). ◆ **questionnaire** n. m. (sens 1) *Veuillez remplir ce* QUESTIONNAIRE, cette liste de questions.

quête n. f. **1.** *Une* QUÊTE *pour les aveugles a été faite dans la rue,* on a demandé de l'argent aux gens (= collecte). — **2.** *M. Durand s'est mis* EN QUÊTE D'*un logement,* il s'est mis à le rechercher. ◆ **quêter** v. (sens 1) *On* QUÊTE *pour les pauvres,* on fait la quête.

quetsche n. f. Les QUETSCHES sont de grosses prunes violettes.
• **R.** On prononce [kwɛtʃ].

368 ◁ 218 ◁ 766 ◁
queue n. f. **1.** *Les chiens, les chats, les vaches, les chevaux ont une* QUEUE *au bas du dos.* — **2.** *La* QUEUE *de la casserole est cassée,* la partie qui dépasse (= manche). — **3.** *Il y a une longue* QUEUE *devant le cinéma,* une file de personnes qui attendent. ‖ *Mettez-vous à la* QUEUE, au dernier rang de la file. — **4.** *Ce wagon est en* QUEUE *du train,* à l'arrière. — **5.** *Les enfants marchent* À LA QUEUE LEU LEU, l'un derrière l'autre.

qui **1.** pron. relatif est sujet du verbe : *L'homme* QUI *est venu est M. Durand.* — **2.** pron. interrogatif : QUI *est là?* ‖ QUI *cherchez-vous?,* quelle personne.

quiche n. f. *Nous avons mangé une* QUICHE, une sorte de tarte au lard.

quiconque pron. indéfini *Je sais cela mieux que* QUICONQUE, n'importe qui.

quidam n. m. *Qui est ce* QUIDAM?, cette personne dont je ne sais pas le nom.
• **R.** On prononce [kɥidam].

quiétude n. f. *Tu peux me parler en toute* QUIÉTUDE (= tranquillité).

quignon n. m. *Pierre a emporté un* QUIGNON *de pain pour son goûter* (= morceau).

727 ◁
quille n. f. **1.** *Pierre et Jean jouent aux* QUILLES, à renverser des bouts de bois avec une boule. — **2.** *Le canot s'est renversé la* QUILLE *en l'air,* la partie inférieure.

221 ◁
quincaillerie n. f. **1.** *Les outils, les clous, les vis, les écrous sont des articles de* QUINCAILLERIE. — **2.** *Il y a une* QUINCAILLERIE *dans la rue voisine,* un magasin. ◆ **quincaillier** n. *Va chez le* QUINCAILLIER *acheter une boîte de clous.*

quinconce n. m. *Les arbres sont plantés en* QUINCONCE, par groupes de cinq, dont quatre aux angles d'un carré et un au milieu.

quinine n. f. La QUININE est un médicament qui calme la fièvre.

quinquagénaire adj. et n. *Mme Martin est (une)* QUINQUAGÉNAIRE, elle a entre cinquante et soixante ans.
- **R.** On prononce [kɛ̃kwaʒenɛr].

quinquennal adj. *Un plan* QUINQUENNAL est un plan qui dure cinq ans.

quintal n. m. *Le fermier a récolté 5* QUINTAUX *de blé,* cinq fois 100 kilos. ▷ 795

quinte n. f. *Mon grand-père a souvent des* QUINTES *de toux,* il se met à tousser brusquement.

quintessence n. f. *Il a résumé la* QUINTESSENCE *de ce livre,* ce qu'il y a de plus important dedans.

quintette n. m. Un QUINTETTE est un groupe de cinq musiciens qui jouent ensemble.

quintuple n. m. *100 est le* QUINTUPLE *de 20,* il est cinq fois plus grand. ▷ 517
◆ **quintupler** v. *Le prix des fruits* A QUINTUPLÉ, il a été multiplié par cinq.

quinze adj. *Le rugby se joue à* QUINZE *joueurs.* ‖ *10 + 5* = 15. ◆ **quinzaine** n. f. *Nous nous reverrons dans une* QUINZAINE *de jours,* environ quinze. ◆ **quinzième** adj. et n. *Pierre habite dans le* QUINZIÈME *arrondissement de Paris.* ▷ 517 ▷ 125, 517 ▷ 517

quiproquo n. m. *Je croyais parler à M. Dupont, mais c'était un* QUIPROQUO (= erreur, malentendu).

quittance n. f. *Après avoir payé, demandez une* QUITTANCE, un papier prouvant que vous avez payé.

quitte adj. *Je te rends les 10 francs que tu m'as prêtés, je suis* QUITTE, je n'ai plus de dette.

quitter v. **1.** *Les Durand* ONT QUITTÉ *la France,* ils en sont partis. — **2.** *Pierre et Jean* SE SONT QUITTÉS *sans se dire au revoir* (= se séparer).

qui-vive n. m. inv. *Il est resté toute la nuit* SUR LE QUI-VIVE, en faisant attention, sur ses gardes.

quoi **1.** pron. interrogatif : *Je voudrais quelque chose.* — QUOI? ‖ *De* QUOI *parliez-vous?,* de quelle chose. — **2.** pron. relatif : *Je n'ai pas de* QUOI *m'habiller,* ce qu'il faut.

quoique conj. exprime l'opposition : *Il est venu,* QUOIQU'*on le lui ait défendu* (= bien que).

quolibet n. m. *Son discours a été interrompu par les* QUOLIBETS *des auditeurs* (= raillerie, injure).

quorum n. m. *La réunion ne peut avoir lieu, il n'y a pas le* QUORUM, assez de personnes présentes.
- **R.** On prononce [kwɔrɔm] ou [kɔrɔm].

quote-part n. f. *Chacun a payé sa* QUOTE-PART, ce qu'il devait.
- **R.** Noter le pluriel : des *quotes-parts.*

quotidien **1.** adj. *Il faut que je fasse mon travail* QUOTIDIEN, de chaque jour. — **2.** n. m. *Ce journal est un* QUOTIDIEN *du matin,* il paraît tous les jours (≠ hebdomadaire).

quotient n. m. *Le* QUOTIENT *de 20 par 5 est 4,* le résultat de la division.

rabâcher v. *Mon grand-père* RABÂCHE *ses souvenirs,* il les répète sans arrêt. ◆ **rabâchage** n. m. *Tu m'ennuies avec tes* RABÂCHAGES (= radotage).

rabais, rabaisser → BAS 1.

rabattre v. **1.** *Pour fermer la boîte,* RABATTEZ *le couvercle* (= abaisser). — **2.** *Il a dû* RABATTRE *ses exigences,* exiger moins (= diminuer). — **3.** *Faute de viande, on* S'EST RABATTU *sur du poisson,* on a accepté d'en manger. — **4.** *Les chiens* RABATTENT *le gibier vers les chasseurs,* le font aller dans cette direction. ◆ **rabat** n. m. (sens 1) *La poche se ferme par un* RABAT, une pièce qui se replie dessus. ◆ **rabat-joie** n. m. inv. (sens 2) *Pierre est un* RABAT-JOIE (= trouble-fête). ▷ 649

• **R.** Conj. nº 56.

rabbin n. m. *Le* RABBIN *célèbre les cérémonies de la religion juive.*

rabiot n. m. Fam. *Pierre voudrait un peu de* RABIOT, un peu plus à manger (= supplément).

râble n. m. *Nous avons mangé un* RÂBLE *de lièvre,* le bas du dos. ◆ **râblé** adj. *M. Dupont est un homme* RÂBLÉ, il a le dos large et musclé.

rabot n. m. *Le menuisier aplanit une planche avec son* RABOT, un outil. ▷ 291 ◆ **raboter** v. *Le bas de la porte frotte, il faut la* RABOTER. ◆ **raboteux** adj. *Le sol du sentier est* RABOTEUX (= inégal, rugueux).

rabougri adj. *Au bord de la mer, les arbres sont* RABOUGRIS, peu développés (= chétif).

rabrouer v. *Jean s'est fait* RABROUER *par son père,* traiter durement (= rembarrer, disputer).

racaille n. f. *Ne fréquente pas cette* RACAILLE!, ces gens malhonnêtes.

raccommoder v. **1.** *Peux-tu me* RACCOMMODER *mes chaussettes?* (= réparer, repriser). — **2.** Fam. *Pierre et Paul* SE SONT RACCOMMODÉS (= réconcilier; ≠ fâcher). ◆ **raccommodage** n. m. (sens 1) *Ce* RACCOMMODAGE *est très bien fait.*

• **R.** Attention à l'orthographe : 2 *c,* 2 *m.*

raccompagner → ACCOMPAGNER.

raccorder v. *Un passage souterrain* RACCORDE *les deux bâtiments* (= relier). ◆ **raccord** n. m. *On a fait des* RACCORDS *de peinture,* on en a remis là où elle manquait. ◆ **raccordement** n. m. *Une voie de* RACCORDEMENT *relie les deux autoroutes* (= liaison).

raccourci, raccourcir → COURT. / **raccrocher** → ACCROCHER.

race n. f. **1.** *Il y a beaucoup de gens de* RACE *noire aux États-Unis d'Amérique,* des gens ayant la peau noire. — **2.** *Ce chien n'est pas de* RACE *pure,* son père et sa mère sont des chiens différents. ◆ **racé** adj. (sens 2) *Ce cheval est* RACÉ, de race pure. ◆ **racial** adj. (sens 1) *M. Duval a des préjugés* RACIAUX, il n'aime pas les gens de certaines races. ◆ **racisme** n. m. (sens 1) *Le* RACISME *est contraire à la dignité humaine,* le mépris pour les autres races. ◆ **raciste** adj. et n. (sens 1) *Certains pays mènent une politique* RACISTE.

rachat, racheter → ACHETER.

rachitique adj. *Cet enfant est* RACHITIQUE, ses os se sont mal développés.

racial → RACE.

656 ◁ **racine** n. f. *Ce chêne a des* RACINES *énormes,* les parties qui s'enfoncent dans le sol. ◆ **déraciner** v. *La tempête* A DÉRACINÉ *plusieurs arbres* (= abattre). ◆ **enraciner** v. **1.** *L'arbre a du mal à* S'ENRACINER *sur les rochers,* à développer ses racines. — **2.** *Cette mauvaise habitude* EST ENRACINÉE *en lui,* fixée profondément.

racisme, raciste → RACE.

raclée n. f. Fam. *Pierre a reçu une* RACLÉE, des coups (= volée).

racler v. *Mme Durand* RACLE *le fond de la casserole,* elle le gratte pour le nettoyer.

racoler v. *Ce commerçant essaie de* RACOLER *des clients,* de les attirer par tous les moyens.

racontar, raconter → CONTE. / **racornir** → CORNE.

726, 511 ◁ **radar** n. m. *Par temps de brouillard, le bateau se dirige au* RADAR, un appareil qui signale les obstacles.

726 ◁ **rade** n. f. *Le bateau a jeté l'ancre dans la* RADE, un grand bassin abrité.

radeau n. m. *Nous avons traversé la rivière en* RADEAU, un engin fait de planches assemblées.

505 ◁ 76 ◁ **radiateur** n. m. **1.** *Le* RADIATEUR *de la voiture est percé,* l'appareil qui refroidit le moteur. — **2.** *Il y a deux* RADIATEURS *dans cette pièce,* deux appareils de chauffage.

radiation n. f. **1.** *Les corps radioactifs émettent des* RADIATIONS, des rayons invisibles. — **2.** *Sa* RADIATION *est due à une faute professionnelle,* on l'a radié. ◆ **radier** v. (sens 2) *On l'*A RADIÉ *de la liste des participants* (= barrer, rayer).

radical 1. adj. *J'ai proposé un changement* RADICAL (= complet, total). — **2.** adj. et n. m. *Les* RADICAUX (*le parti* RADICAL) *ont voté contre le gouvernement,* un parti politique. — **3.** n. m. *«Chant-» est le* RADICAL *du verbe chanter,* la partie du mot qui ne change pas. ◆ **radicalement** adv. (sens 1) *Il a refusé* RADICALEMENT (= totalement, absolument).

radieux adj. **1.** *Il fait un soleil* RADIEUX (= brillant; ≠ pâle). — **2.** *Elle m'a fait un sourire* RADIEUX (= joyeux; ≠ triste).

radio- est un préfixe qui indique : **1.** un système de transmission des sons à distance; **2.** un système qui permet de voir à l'intérieur du corps; **3.** la propriété qu'ont certains corps d'émettre des rayons dangereux. ◆ **radio** n. f. (sens 1) *Jean écoute la* RADIO, une émission. ‖ *Qui a cassé la* RADIO?, le poste. • (sens 2) *Pierre a passé une* RADIO *des poumons,* on a examiné ses poumons. ◆ **radio** n. m. (sens 1) *Le* RADIO *de l'avion appelle la tour de contrôle.* ◆ **radioactif** adj. (sens 3) *Les déchets* RADIOACTIFS *sont très dangereux,* ils projettent des rayons dangereux. ◆ **radioactivité** n. f. (sens 3) *La* RADIOACTIVITÉ *de l'uranium a été découverte récemment.* ◆ **radiodiffuser** v. (sens 1) *Ce concert sera* RADIODIFFUSÉ *demain,* transmis par la radio. ◆ **radiodiffusion** n. f. (sens 1) est un équivalent savant de *radio.* ◆ **radiographie** et **radioscopie** n. f. (sens 2) sont des équivalents savants de *radio.* ◆ **radiologue** n. (sens 2) Un(e) RADIOLOGUE est un médecin spécialiste de radio. ◆ **radiophonique** adj. (sens 1) *Les programmes* RADIOPHONIQUES *se sont améliorés,* de radio. ◆ **radium** n. m. (sens 3) Le RADIUM est un métal radioactif.

▷ 510

▷ 38

radis n. m. *Jean aime les* RADIS *avec du pain beurré,* un légume rouge. ▷ 367

radium → RADIO-.

radoter v. *À soixante ans, il* RADOTE *déjà,* il dit des bêtises à cause de la vieillesse. ◆ **radotage** n. m. *Ses* RADOTAGES *sont ennuyeux.*

radoucir → DOUX.

rafale n. f. **1.** *Le vent souffle par* RAFALES, par coups brusques. — **2.** *Les bandits ont tiré une* RAFALE *de mitraillette,* une série de coups très rapprochés.

raffermir → FERME 2.

raffiner v. **1.** *L'essence est du pétrole* RAFFINÉ, rendu plus pur. — **2.** *Mme Dupont* RAFFINE *sur la nourriture,* elle y fait très attention. ◆ **raffinage** n. m. (sens 1) *Le* RAFFINAGE *du sucre le rend blanc.* ◆ **raffiné** adj. (sens 2) *Mme Dupont est une femme* RAFFINÉE (= élégant; ≠ simple). ◆ **raffinement** n. m. (sens 2) *Jean s'exprime avec* RAFFINEMENT, il choisit soigneusement ses mots. ◆ **raffinerie** n. f. (sens 1) *La* RAFFINERIE *de pétrole se trouve au bord du fleuve,* une usine.

raffoler v. *Marie* RAFFOLE *du chocolat,* elle l'aime beaucoup.

raffut n. m. Fam. *Le chien a fait du* RAFFUT *toute la nuit,* beaucoup de bruit (= vacarme, tapage).

rafistoler v. Fam. *M. Dupont essaie de* RAFISTOLER *la voiture,* de la réparer tant bien que mal.

rafler v. Fam. *Qui* A RAFLÉ *ce qui était sur la table?,* qui l'a pris et emporté? ◆ **rafle** n. f. *La police a fait une* RAFLE *dans ce café,* elle a emmené tout le monde.

rafraîchir, rafraîchissant, rafraîchissement → FRAIS 1. / **ragaillardir** → GAILLARD.

rage n. f. **1.** *Cette nouvelle l'a mis en* RAGE, dans une grande colère (= fureur). — **2.** *Pierre a une* RAGE *de dents,* un violent mal de dents. — **3.** *La tempête* FAIT RAGE, se déchaîne. — **4.** *Pasteur a inventé un vaccin contre la* RAGE, une grave maladie. ◆ **rager** v. (sens 1) *Échouer si près du but, ça me fait* RAGER, ça me met en colère. ◆ **rageur** adj. (sens 1) *Il m'a répondu d'un ton* RAGEUR (= furieux, hargneux). ◆ **rageusement** adv. (sens 1) *Il a refusé* RAGEUSEMENT. ◆ **enrager** v. (sens 1) *Ne fais pas* ENRAGER *ta sœur,* ne la mets pas en colère (= agacer, irriter). ◆ **enragé** adj. **1.** (sens 4) *On a dû tuer le chien* ENRAGÉ, malade de la rage. — **2.** *C'est un joueur* ENRAGÉ (= passionné).

ragot n. m. Fam. *N'écoute pas ces* RAGOTS!, ces bavardages malveillants (= médisance).

ragoût n. m. *Nous avons mangé un* RAGOÛT *de mouton,* de la viande cuite avec des légumes.

ragoûtant adj. *Ce plat est peu* RAGOÛTANT, on n'a pas envie de le manger (= appétissant).

rai → RAYON.

raid n. m. *L'aviation a fait un* RAID *en territoire ennemi,* une attaque par surprise.

• **R.** *Raid* se prononce [rɛd] comme *raide.*

raide adj. **1.** *Mon poignet foulé est* RAIDE, difficile à plier (= rigide; ≠ souple). — **2.** *Le sentier est* RAIDE, il monte beaucoup (= abrupt). — **3.** *L'équilibriste marche sur la corde* RAIDE (= tendu). — **4.** adv. *Il est tombé* RAIDE *mort* (= brusquement). ◆ **raideur** n. f. (sens 1) *J'ai une* RAIDEUR *au genou,* il est engourdi. ◆ **raidillon** n. m. (sens 2) *On a monté péniblement le* RAIDILLON, la pente raide. ◆ **raidir** v. (sens 1) *Jean* RAIDIT *ses muscles* (= tendre, contracter).

• **R.** V. RAID.

raie n. f. **1.** *Jean a une chemise blanche à* RAIES *bleues* (= bande, ligne, rayure). — **2.** *Pierre a une* RAIE *sur le côté,* une ligne séparant ses cheveux. — **3.** *Nous avons mangé de la* RAIE, un poisson de mer. ◆ **rayer** v. (sens 1) *La carrosserie de la voiture* EST RAYÉE, abîmée par des raies. ‖ *Il* A RAYÉ *deux mots dans son devoir,* barré d'un trait. ◆ **rayure** n. f. (sens 1) *Les zèbres ont des* RAYURES *sur le corps* (= raie).

728 ◁

rail n. m. *Les trains roulent sur des* RAILS, des barres d'acier. ◆ **dérailler** v. *Un train* A DÉRAILLÉ, il est sorti des rails. ◆ **déraillement** n. m. *Le* DÉRAILLEMENT *a fait de nombreux morts.* ◆ **dérailleur** n. m. *Le* DÉRAILLEUR *d'un vélo sert à faire passer la chaîne d'une roue dentée sur une autre.*

509 ◁ 512 ◁

raillerie n. f. *Pierre ne supporte pas les* RAILLERIES, qu'on se moque de lui (= plaisanterie, sarcasme). ◆ **railler** v. *Arrête de le* RAILLER, de te moquer de lui. ◆ **railleur** adj. *Il m'a répondu d'un ton* RAILLEUR (= ironique, moqueur).

rainette n. f. *Entends-tu le chant des* RAINETTES?, de petites grenouilles.

• **R.** *Rainette* se prononce [rɛnɛt] comme *reinette.*

rainure n. f. *L'épingle est tombée dans une* RAINURE *du parquet,* une mince fente.

raisin n. m. *On fait le vin avec le jus du* RAISIN.

raison n. f. **1.** *L'homme est un être doué de* RAISON (= esprit, intelligence, pensée, bon sens). — **2.** *M. Magron a perdu la* RAISON, il est devenu fou. — **3.** *Julien a l'âge de* RAISON, celui où l'on se conduit comme un adulte. — **4.** *Je pense que tu* AS RAISON, que tu ne te trompes pas (≠ tort). — **5.** *Connais-tu la* RAISON *de son absence?* (= cause, motif). — **6.** *Tes* RAISONS *ne m'ont pas convaincu* (= argument, explication, excuse). — **7.** *Il est payé* À RAISON DE *500 francs par semaine,* au prix de. ◆ **raisonnable** adj. (sens 1, 2 et 3) *Voilà une décision* RAISONNABLE! (= sage, sensé; ≠ excessif, fou). ◆ **raisonnablement** adv. (sens 1, 2 et 3) *Tu as agi* RAISONNABLEMENT (= bien). ◆ **raisonnement** n. m. (sens 1) *Un* RAISONNEMENT *simple te donnera la solution,* l'activité de ton intelligence. ◆ **raisonner** v. (sens 1) *Tu* AS *bien* RAISONNÉ (= penser). • (sens 6) *Quand on lui fait des reproches, il* RAISONNE, il donne des arguments (= discuter). ◆ **rationnel** adj. (sens 1) *Ton projet n'est pas* RATIONNEL, conforme au bon sens. ◆ **rationnellement** adv. (sens 1) *Il organise son travail* RATIONNELLEMENT (= intelligemment, méthodiquement). ◆ **déraisonnable** adj. (sens 1, 2 et 3) *Ta conduite est* DÉRAISONNABLE (= absurde, bête). ◆ **déraisonner** v. (sens 2) *Qu'est-ce que tu dis? tu* DÉRAISONNES!, tu deviens fou. ◆ **irraisonné** adj. (sens 5) *Il a eu une peur* IRRAISONNÉE, sans raison. ◆ **irrationnel** adj. (sens 1) *Ses actes sont* IRRATIONNELS, contraires à la raison.

• **R.** Ne pas confondre *raisonner* [rɛzɔne] et *résonner* [rezɔne].

rajeunir, rajeunissement → JEUNE. / **rajouter** → AJOUTER. / **rajustement, rajuster** → AJUSTER. / **râle** → RÂLER. / **ralenti, ralentir, ralentissement** → LENT.

râler v. **1.** *Les mourants* RÂLENT, ils font entendre un bruit rauque. — **2.** Fam. *Arrête de* RÂLER! (= rouspéter, grogner). ◆ **râle** n. m. (sens 1) Le RÂLE est un bruit produit par les poumons. ◆ **râleur** n. Fam. (sens 2) *Anne est une* RÂLEUSE, elle est toujours en colère.

rallier v. **1.** *Le discours du ministre* A RALLIÉ *certains opposants,* il les a convaincus. — **2.** *On* S'EST RALLIÉ *à cette solution,* on l'a approuvée. — **3.** RALLIER *des gens dispersés,* c'est les regrouper. ◆ **ralliement** n. m. (sens 1) *Son* RALLIEMENT *à ce parti est récent* (= adhésion). • (sens 3) *On a fixé un point de* RALLIEMENT (= rassemblement).

rallonge, rallonger → LONG. / **rallumer** → ALLUMER.

rallye n. m. *Jacques a participé à un* RALLYE *automobile,* une sorte de course.

ramage n. m. *Entends-tu le* RAMAGE *des oiseaux?* (= chant).

ramasser v. **1.** RAMASSE *ce que tu as laissé tomber!,* prends-le par terre. — **2.** *Le car* RAMASSE *les enfants pour les emmener à l'école,* il les prend à divers endroits. — **3.** *Le chien* SE RAMASSE *pour sauter,* se met en boule. ◆ **ramassage** n. m. (sens 1 et 2) *C'est le moment du* RAMASSAGE *des pommes de terre* (= récolte). ◆ **ramassis** n. m. (sens 1) *Il y a ici un* RAMASSIS *de vieux papiers,* un ensemble confus.

75 ◁ **rambarde** n. f. *Attention! la* RAMBARDE *du pont est cassée* (= rampe, garde-fou).

721, 437 ◁ **rame** n. f. **1.** *Un bateau à* RAMES *est manœuvré par la force des bras.* —
290 ◁ **2.** *J'ai acheté une* RAME *de papier,* un ensemble de 500 feuilles. — **3.** *La*
509, 508 ◁ *dernière* RAME *de métro passe à minuit,* la file de wagons attachés les uns aux autres. ◆ **ramer** v. (sens 1) *Il faut* RAMER *en cadence,* manœuvrer les rames. ◆ **rameur** n. (sens 1) *Après la course, les* RAMEURS *étaient très fatigués.*

rameau n. m. *Une branche porte des* RAMEAUX *et un* RAMEAU *porte des brindilles ou des feuilles.* ◆ **ramifier** v. *Les nervures de la feuille sont* RAMIFIÉES, elles se divisent en rameaux qui se divisent à leur tour. ◆ **ramification** n. f. *Les vaisseaux sanguins forment des* RAMIFICATIONS.

ramener → AMENER. / **ramer, rameur** → RAME.

ramier n. m. *Les* RAMIERS *roucoulent sur la branche* (= pigeon).

ramification, ramifier → RAMEAU. / **ramollir** → MOU.

ramoner v. *Il faut faire* RAMONER *la cheminée* (= nettoyer). ◆ **ramonage** n. m. *Le* RAMONAGE *consiste à enlever la suie.* ◆ **ramoneur** n. m. *Le* RAMONEUR *est monté sur le toit.*

511 ◁ **rampe** n. f. **1.** *On accède au garage par une* RAMPE, une surface en pente
221, 75 ◁ (= plan incliné). — **2.** *La* RAMPE *de l'escalier est en fer forgé,* une sorte de
440 ◁ balustrade. — **3.** *La scène du théâtre est éclairée par une* RAMPE, une rangée de lampes.

ramper v. **1.** *Les serpents* RAMPENT, ils avancent en se traînant sur le ventre. — **2.** *M. Duval* RAMPE *devant ses chefs,* il se conduit servilement.

rancart n. m. *On a mis ces vieux meubles* AU RANCART, on s'en est débarrassé.

rance adj. *Ce beurre est* RANCE, il a pris un mauvais goût en vieillissant. ◆ **rancir** v. *Le lard* A RANCI, son odeur et son goût sont mauvais.

583 ◁ **ranch** n. m. *Le soir, les cow-boys rentrent au* RANCH, à la ferme.
• **R.** On prononce [rɑ̃tʃ].

rancir → RANCE.

rancœur n. f. *J'ai de la* RANCŒUR *contre Pierre,* je lui en veux de m'avoir déçu (= rancune).

rançon n. f. *Les ravisseurs de l'enfant ont demandé une* RANÇON, de l'argent. ◆ **rançonner** v. *Autrefois, les pirates* RANÇONNAIENT *les navires marchands,* ils ne les relâchaient que contre une rançon.

rancune n. f. *Depuis que tu l'as trompé, il a de la* RANCUNE *contre toi,* il veut se venger (= ressentiment, rancœur). ◆ **rancunier** adj. *Je ne le savais pas si* RANCUNIER (= vindicatif; ≠ indulgent).

randonnée n. f. *Nous avons fait une* RANDONNÉE *dans la campagne,* une longue promenade.

ranger v. **1.** *Les soldats* SE SONT RANGÉS *par 10,* se sont mis en rangs par 10. — **2.** *Il faudrait* RANGER *tous ces papiers,* les mettre en ordre. — **3.** *M. Dupont* SE RANGE *le long du trottoir,* il se met sur le côté (= se garer). ◆ **rang** n. m. **1.** (sens 1) *Mettez-vous en* RANGS!, sur une même ligne. — **2.** *Jean occupe le premier* RANG *en maths* (= place, position). ◆ **rangée** n. f. (sens 1) *Il y a 5* RANGÉES *de tables dans la classe* (= rang). ◆ **rangement** n. m. (sens 2) *Ce placard sert au* RANGEMENT *des vêtements,* à les ranger. ◆ **déranger** v. **1.** (sens 2) *Qui a* DÉRANGÉ *mes affaires?,* les a mises en désordre (= déplacer; ≠ ordonner). — **2.** *Si je vous* DÉRANGE, *je reviendrai demain,* si je vous gêne dans vos occupations (= ennuyer, importuner). ◆ **dérangement** n. m. *Excusez-moi du* DÉRANGEMENT! ▷ 295

ranimer → ANIMER.

rapace 1. adj. *M. Duval est un homme d'affaires* RAPACE, il aime l'argent (= avide, cupide). — **2.** n. m. *L'aigle, le vautour, le faucon sont des* RAPACES, des oiseaux de proie. ▷ 650

rapatrier → PATRIE.

râper v. **1.** *On a mangé des carottes* RÂPÉES, réduites en petits morceaux avec une râpe. — **2.** *Ton veston* EST RÂPÉ *au coude* (= user). ◆ **râpe** n. f. (sens 1) *Le menuisier se sert d'une* RÂPE, un instrument rugueux. ◆ **râpeux** adj. (sens 1) *Mon grand-père a les mains* RÂPEUSES (= rugueux, rêche; ≠ doux). ▷ 291

rapetasser v. Fam. *Il faudrait* RAPETASSER *ces chaussettes,* les réparer (= rapiécer).

rapetisser → PETIT. / **râpeux** → RÂPER.

raphia n. m. *Jean a tissé un sac en* RAPHIA, une fibre tirée du palmier de ce nom.

rapide adj. **1.** *Ce cheval va gagner, c'est le plus* RAPIDE, il va le plus vite (≠ lent). — **2.** *Il faut prendre une décision* RAPIDE, sans tarder (= prompt). ◆ **rapide** n. m. (sens 1) *M. Durand a pris le* RAPIDE *Paris-Marseille,* le train le plus rapide. ‖ *J'ai descendu les* RAPIDES *en canoë,* un tronçon de rivière à très fort courant. ◆ **rapidement** adv. *Marche plus* RAPIDEMENT! (= vite; ≠ lentement). ◆ **rapidité** n. f. *Le lapin est parti avec la* RAPIDITÉ *d'une flèche* (= vitesse).

rapiécer → PIÈCE.

rapière n. f. Une RAPIÈRE était une longue épée.

rapines n. f. pl. *Les pirates vivaient de* RAPINES (= vol, pillage).

rappeler v. **1.** *Je l'*AI RAPPELÉ *pour lui demander un renseignement,* je l'ai appelé de nouveau. — **2.** *Je ne* ME RAPPELLE *plus votre nom* (= se souvenir de; ≠ oublier). ‖ RAPPELEZ-*moi votre nom,* redites-le-moi. ◆ **rappel** n. m. **1.** (sens 1) *Le gouvernement a décidé le* RAPPEL *de l'ambassadeur,* de le faire revenir. • (sens 2) *J'ai reçu une lettre de* RAPPEL, pour me rappeler que je devais payer. — **2.** *Les alpinistes descendent en* RAPPEL, avec une corde double. ▷ 649

• **R.** Conj. nº 6.

rapporter v. **1.** *Mon père m'*A RAPPORTÉ *un cadeau de son voyage* (= apporter, ramener). — **2.** *Ce travail* RAPPORTE *beaucoup,* fait gagner de l'argent. — **3.** *On m'*A RAPPORTÉ *que tu avais menti* (= dire, répéter). — **4.** *Les élèves qui* RAPPORTENT *sont mal vus,* qui dénoncent leurs camarades. — **5.** *Ta réponse ne* SE RAPPORTE *pas à ma question,* n'est pas en rapport avec elle (= correspondre, s'appliquer). ◆ **rapport** n. m. (sens 2) *Cette terre est d'un bon* RAPPORT (= profit, rendement). • (sens 3) *Le ministre a fait un* RAPPORT *sur la situation économique* (= exposé, compte rendu). • (sens 5) *Quel est le* RAPPORT *entre ces deux faits?,* le lien qui les unit (= relation, point commun, ressemblance). ‖ (au plur.) *Je suis en bons* RAPPORTS *avec Jacques,* je m'entends bien avec lui (= relations). ‖ *Pierre est petit* PAR RAPPORT À *Jean,* en comparaison de lui. ◆ **rapporteur** adj. (sens 4) *Sophie est méchante et* RAPPORTEUSE. ◆ **rapporteur** n. m. **1.** (sens 3) *Ce député est le* RAPPORTEUR *du budget,* il a fait un rapport à ce sujet. — **2.** *Un* RAPPORTEUR *sert à mesurer les angles,* un instrument de géométrie.

rapprochement, rapprocher → PROCHE. / **rapt** → RAVIR.

35 ◁ **raquette** n. f. **1.** *On joue au tennis avec une balle et une* RAQUETTE. — **2.** *Les Esquimaux se déplacent sur la neige avec des* RAQUETTES.

rare adj. *J'ai trouvé un timbre* RARE, qu'on ne voit pas souvent (≠ courant, fréquent). ◆ **rarement** adv. *Jean arrive* RAREMENT *en retard* (≠ souvent). ◆ **raréfier** v. *Ces animaux* SE RARÉFIENT, deviennent plus rares. ◆ **rareté** n. f. *Ce livre est très cher à cause de sa* RARETÉ. ◆ **rarissime** adj. *Ce vase est* RARISSIME, très rare.

raser v. **1.** *M. Dupont* SE RASE *tous les matins,* se coupe la barbe. — **2.** *La maison* A ÉTÉ RASÉE, détruite totalement. — **3.** *Le ballon m'*A RASÉ *la tête,* est passé tout près (= frôler). — **4.** Fam. *Tu me* RASES *avec tes questions* (= ennuyer). ◆ **ras** adj. (sens 1) *Pierre porte les cheveux* RAS, coupés très court. • (sens 2) *Il faut faire* TABLE RASE *de ces préjugés,* les rejeter complètement. • (sens 3) *Le verre est rempli à* RAS BORD, au niveau du bord. ‖ *L'avion est passé* AU RAS DU *sol,* très près. ◆ **rasade** n. f. (sens 3) *Il m'a servi une* RASADE *de bière,* un verre rempli à ras bord.
766 ◁ ◆ **rase-mottes** n. m. inv. (sens 3) *L'avion vole en* RASE-MOTTES, tout près du sol. ◆ **raseur** n. (sens 4) Fam. *Ce Paul, quel* RASEUR!, il est ennuyeux.
79 ◁ ◆ **rasoir** n. m. (sens 1) *M. Dupont se sert d'un* RASOIR *électrique,* un appareil pour se raser.

rassasier v. *Nous sommes sortis* RASSASIÉS *du restaurant,* nous n'avions plus faim.

rassemblement, rassembler → ASSEMBLER. / **rasseoir** → ASSEOIR.

rasséréner v. *Quand il a su la nouvelle, ça l'*A RASSÉRÉNÉ (= calmer; ≠ troubler).

rassis adj. *Ce pain est* RASSIS, un peu dur (≠ frais).

rassurer v. *Ta lettre nous* A RASSURÉS (= tranquilliser; ≠ inquiéter, effrayer).

363 ◁ **rat** n. m. *Il y a des* RATS *dans la cave,* des animaux nuisibles. ◆ **raton** n. m. Le RATON LAVEUR est un petit animal d'Amérique qui ressemble au rat.

ratatiner v. *Les pommes de terre* SE RATATINENT *en vieillissant,* deviennent petites et ridées.

rate n. f. *Je sens une douleur du côté de la* RATE, un organe situé à gauche de l'estomac.

raté → RATER. / **râteau** → RATISSER.

râtelier n. m. *Le fermier met du foin dans le* RÂTELIER *du cheval,* une sorte d'échelle posée en biais. ▷ 368

rater v. **1.** *Le chasseur* A RATÉ *le lapin,* il ne l'a pas atteint (= manquer). — **2.** *Jean* A RATÉ *son coup,* il n'a pas réussi. ◆ **raté** n. m. *Le moteur a des* RATÉS, il fait des bruits anormaux.

ratifier v. *Les traités doivent* ÊTRE RATIFIÉS *par le président de la République* (= approuver, confirmer). ◆ **ratification** n. f. *Ce contrat ne sera valable qu'après sa* RATIFICATION (= confirmation).

ration n. f. *Les soldats ont emporté des* RATIONS *pour huit jours,* des portions de nourriture. ◆ **rationner** v. *L'essence va* ÊTRE RATIONNÉE, chacun n'en aura qu'une quantité limitée. ◆ **rationnement** n. m. *Le gouvernement a pris des mesures de* RATIONNEMENT.

rationnel, rationnellement → RAISON.

ratisser v. **1.** *Pierre* RATISSE *les allées du jardin,* les nettoie avec un râteau. — **2.** *Les policiers* ONT RATISSÉ *le quartier* (= fouiller). ◆ **râteau** n. m. (sens 1) *Le jardinier ramasse les feuilles avec un* RÂTEAU, un outil. ▷ 362, 723
◆ **ratissage** n. m. (sens 1 et 2) *Le voleur s'est fait prendre au cours d'un* RATISSAGE.

• **R.** *Râteau* a un accent circonflexe, *ratisser* et *ratissage* n'en ont pas.

raton → RAT. / **rattachement, rattacher** → ATTACHER.

rattraper v. **1.** *Les gendarmes* ONT RATTRAPÉ *le voleur* (= reprendre, rejoindre). — **2.** *Jean n'a pas pu* RATTRAPER *son retard* (= regagner, compenser). ◆ **rattrapage** n. m. (sens 2) *Jean va suivre des cours de* RATTRAPAGE, pour rattraper son retard.

rature n. f. *Ton devoir est plein de* RATURES, de mots barrés. ◆ **raturer** v. *Jean* A RATURÉ *une phrase* (= rayer).

rauque adj. *M. Durand a la voix* RAUQUE, grave et voilée.

ravage n. m. *La tempête a fait des* RAVAGES, des dégâts importants (= destruction). ◆ **ravager** v. *Les oiseaux* ONT RAVAGÉ *les récoltes* (= détruire, saccager).

ravaler v. *Les maçons* ONT RAVALÉ *le mur de la maison,* ils ont nettoyé la pierre. ◆ **ravalement** n. m. *Cette façade a besoin d'un* RAVALEMENT.

rave n. f. *La betterave, le navet sont des* RAVES, des racines comestibles.

ravier n. m. *On sert les hors-d'œuvre dans des* RAVIERS, des petits plats creux et allongés.

ravin n. m. *Un ruisseau coule au fond du* RAVIN, d'une vallée étroite et très profonde. ◆ **raviner** v. *Les torrents* RAVINENT *les pentes,* y creusent de profonds sillons.

ravioli n. m. inv. *Jean aime les* RAVIOLI, des pâtes carrées remplies de viande.

ravir v. **1.** *Je* SUIS RAVI *de vous rencontrer,* très heureux (= enchanter). — **2.** RAVIR *quelqu'un* signifiait l'enlever par la force. ◆ **rapt** n. m. (sens 2) *On recherche cet homme pour le* RAPT *d'un enfant* (= enlèvement). ◆ **ravissant** adj. (sens 1) *Marie est* RAVISSANTE, très jolie. ◆ **ravissement** n. m. (sens 1) *Ce spectacle nous a plongés dans le* RAVISSEMENT (= enchantement). ◆ **ravisseur** n. (sens 2) *Les* RAVISSEURS *ont demandé une rançon,* les auteurs du rapt.

se raviser v. *Jean* S'EST RAVISÉ *au dernier moment,* il a changé d'avis.

ravissant, ravissement, ravisseur → RAVIR.

ravitailler v. *Un avion* A RAVITAILLÉ *les naufragés,* leur a fourni de quoi vivre. ◆ **ravitaillement** n. m. *Nous avons du* RAVITAILLEMENT *pour huit jours,* des provisions.

raviver → VIF. / **rayer** → RAIE.

rayon n. m. **1.** *Un* RAYON *de lumière passe sous la porte,* une ligne de lumière. — **2.** *Les corps radioactifs émettent des* RAYONS, des phénomènes physiques invisibles. — **3.** *Le* RAYON *de ce cercle mesure 5 centimètres,* la ligne qui va du centre au bord. — **4.** *Les roues de bicyclette ont des* RAYONS, des tiges d'acier qui partent du centre. — **5.** *Cet avion a un grand* RAYON *d'action,* il peut aller loin. — **6.** *Le livre est sur le* RAYON *du haut de la bibliothèque,* la planche du haut. — **7.** *Mme Durand fait ses achats au* RAYON *d'alimentation,* dans une partie du magasin. ◆ **rai** n. m. se disait pour *rayon* (sens 1). ◆ **rayonnage** n. m. (sens 6) *On a rangé les livres sur des* RAYONNAGES (= étagère). ◆ **rayonner** v. **1.** (sens 3) *Les rues* RAYONNENT *à partir de la place,* partent dans toutes les directions. • (sens 5) *Nous* AVONS RAYONNÉ *à partir de Paris,* nous nous sommes promenés dans la région. — **2.** *Son visage* RAYONNE *de joie,* il exprime vivement ce sentiment.

348 ◁

512 ◁

rayure → RAIE.

raz de marée n. m. *Un* RAZ DE MARÉE *a inondé la côte,* une vague énorme et très violente.

razzia n. f. *Des brigands ont fait une* RAZZIA *dans le village,* une expédition de pillage.

ré n. m. est la deuxième note de la gamme.

réaction n. f. **1.** *Si tu l'ennuies, tu vas voir sa* RÉACTION, comment il va répondre à ton action (= attitude, comportement). — **2.** *Un avion à* RÉACTION *avance grâce à des moteurs à* RÉACTION, qui projettent des gaz derrière eux. — **3.** *Ce parti lutte contre la* RÉACTION, ceux qui s'opposent au progrès (= droite). ◆ **réacteur** n. m. (sens 2) *Le pilote a mis les* RÉACTEURS *en marche,* les moteurs à réaction. ◆ **réactionnaire** adj. (sens 3) *Le gouvernement a pris des mesures* RÉACTIONNAIRES (= conservateur). ◆ **réagir** v. (sens 1) *Quand il a su la nouvelle, il* A RÉAGI *violemment,* il a pris une attitude violente. ‖ *Il faut* RÉAGIR *contre ta paresse* (= lutter, résister).

766 ◁

511, 510 ◁

réadapter → ADAPTER.

réaliser v. **1.** *Ce coureur* A RÉALISÉ *un exploit* (= accomplir, faire). — **2.** Fam. *Je n'*AI *pas* RÉALISÉ *comment tu as pu faire* (= comprendre). ◆ **réalisable** adj. (sens 1) *Ce projet n'est pas* RÉALISABLE (= possible). ◆ **réalisateur** n. (sens 1) *Qui est le* RÉALISATEUR *de ce film?*, celui qui a dirigé les opérations. ◆ **réalisation** n. f. (sens 1) *La* RÉALISATION *de ses projets demandera beaucoup d'argent* (= exécution). ◆ **irréalisable** adj. (sens 1) *Tes souhaits sont* IRRÉALISABLES (= impossible).

réaliste, réalité → RÉEL. / **réanimation** → ANIMER. / **réapparaître, réapparition** → APPARAÎTRE.

rébarbatif adj. *M. Duval a un visage* RÉBARBATIF (= désagréable; ≠ affable, attrayant).

rebattre v. *Arrête de me* REBATTRE *les oreilles avec tes récriminations!*, de les répéter sans arrêt. ◆ **rebattu** adj. *C'est un sujet* REBATTU, dont on a beaucoup parlé.

• **R.** Conj. nº 56.

rebelle n. *Les* REBELLES *se sont emparés du pouvoir,* des gens qui s'étaient révoltés. ◆ **se rebeller** v. *Les élèves* SE SONT REBELLÉS *contre la discipline* (= se révolter). ◆ **rébellion** n. f. *La* RÉBELLION *a été vaincue* (= révolte).

se rebiffer v. *Quand on embête le chat, il* SE REBIFFE (= résister, se défendre).

reboiser → BOIS. / **rebond, rebondi, rebondir, rebondissement** → BOND. / **rebord** → BORD. / **reboucher** → BOUCHER 1.

à rebours adv. *Sais-tu compter* À REBOURS? — *Oui : 10, 9, 8, 7, 6,* dans le sens contraire, à l'envers.

rebrousser v. **1.** *Le vent lui* A REBROUSSÉ *les cheveux,* les lui a relevés dans le sens contraire. — **2.** *Pierre* A REBROUSSÉ CHEMIN, il est reparti dans le sens inverse. ◆ **à rebrousse-poil** adv. (sens 1) *Ne caresse pas le chat* À REBROUSSE-POIL, *il va te griffer,* en rebroussant ses poils.

rebuffade n. f. *Jean a reçu une* REBUFFADE, un refus méprisant.

rébus n. m. *Peux-tu trouver ce* RÉBUS?, cette devinette en images.

• **R.** On prononce [rebys].

rebut n. m. *On a mis ces vieux meubles au* REBUT, on s'en est débarrassé.

rebuter v. *Son accueil désagréable m'*A REBUTÉ (= décourager, dégoûter). ◆ **rebutant** adj. *Il fait un travail* REBUTANT (≠ attrayant).

récalcitrant adj. *Jean a un caractère* RÉCALCITRANT, il ne se laisse pas faire (= indiscipliné; ≠ docile).

récapituler v. RÉCAPITULONS *la suite des événements!*, répétons-la en résumant. ◆ **récapitulation** n. f. *À la fin de son discours, il a fait une* RÉCAPITULATION (= résumé).

receler v. **1.** *Cette boîte* RECÈLE *un secret* (= contenir, renfermer). — **2.** RECELER *des objets volés,* c'est les garder illégalement. ◆ **recel** n. m. (sens 2) *Le* RECEL *est puni par la loi.* ◆ **receleur** n. (sens 2) *Les policiers ont arrêté un* RECELEUR.
• **R.** Conj. nº 5.

récemment → RÉCENT.

recenser v. *On* A RECENSÉ *la population de la France* (= compter, dénombrer). ◆ **recensement** n. m. *Le* RECENSEMENT *de la population a lieu tous les six ans.*

récent adj. *La pénicilline est une découverte* RÉCENTE (= nouveau; ≠ ancien). ◆ **récemment** adv. *J'ai vu Paul* RÉCEMMENT, il y a peu de temps.

754 ◁

récépissé n. m. *Si tu lui prêtes de l'argent, demande-lui un* RÉCÉPISSÉ, un papier signé (= reçu).

récepteur, réception → RECEVOIR.

recette n. f. **1.** *Le commerçant compte ses dépenses et ses* RECETTES, l'argent qu'il a reçu. — **2.** *Quelle est la* RECETTE *de ce pâté?,* comment le prépare-t-on?

recevoir v. **1.** *J'*AI REÇU *une lettre de Paul,* il me l'a envoyée. — **2.** *Pierre* A REÇU *un coup de poing,* on le lui a donné. — **3.** *Mme Durand* REÇOIT *ses invités,* elle les accueille chez elle. — **4.** *Jean* A ÉTÉ REÇU *à l'examen,* il a été admis (≠ coller). ◆ **récepteur** n. m. (sens 1) *Un* RÉCEPTEUR *téléphonique permet de recevoir des communications.* ◆ **réception** n. f. (sens 1) *La* RÉCEPTION *de cette lettre m'a réjoui.* • (sens 3) *Mme Durand a donné une* RÉCEPTION, elle a reçu des amis. ‖ *On vous attend à la* RÉCEPTION *de l'hôtel,* à l'endroit où l'on reçoit les gens. ◆ **recevable** adj. (sens 1) *Ta demande n'est pas* RECEVABLE (= acceptable, admissible). ◆ **receveur** n. (sens 1) *On paie ses impôts au* RECEVEUR, à celui qui est chargé de les recevoir. ◆ **reçu** n. m. (sens 1) *Le facteur m'a fait signer un* REÇU, un papier prouvant que j'ai reçu quelque chose.
• **R.** Conj. nº 34.

rechange → CHANGER. / **recharge, recharger** → CHARGE. / **réchaud, réchauffement, réchauffer** → CHAUD.

rêche adj. *Ce tissu est* RÊCHE, rude au toucher (= rugueux; ≠ doux).

recherche, rechercher → CHERCHER.

rechigner v. *Paul* RECHIGNE *à travailler,* il y met de la mauvaise volonté.

rechute n. f. *Le malade a fait une* RECHUTE, sa maladie s'est de nouveau aggravée.

récidiver v. *Si tu* RÉCIDIVES, *tu seras puni,* si tu recommences la même faute. ◆ **récidive** n. f. *La* RÉCIDIVE *aggrave la faute.* ◆ **récidiviste** n. *L'accusé est un* RÉCIDIVISTE, il est déjà allé en prison.

récif n. m. *Le bateau s'est échoué sur des* RÉCIFS, des rochers à fleur d'eau.

récipient n. m. *Les bidons, les bouteilles, les vases sont des* RÉCIPIENTS.

réciproque adj. et n. f. *Leur amour est* RÉCIPROQUE, ils s'aiment l'un l'autre (= mutuel). ‖ *Si tu as confiance en moi, la* RÉCIPROQUE *n'est pas vraie,* l'inverse. ◆ **réciproquement** adv. *Je l'ai aidé et,* RÉCIPROQUEMENT, il m'a aidé (= vice versa).

récit n. m. *Jean m'a fait le* RÉCIT *de son voyage,* il me l'a raconté.

récital n. m. *La chanteuse a donné un* RÉCITAL, une représentation, un spectacle.

réciter v. *Jean* RÉCITE *sa leçon,* il la dit à haute voix. ◆ **récitation** n. f. *Jean a appris une* RÉCITATION, un texte qu'il doit savoir par cœur.

réclamation → RÉCLAMER.

réclame n. f. *Ce commerçant fait de la* RÉCLAME, il fait connaître ses produits pour les vendre (= publicité).

réclamer v. *Pierre m'*A RÉCLAMÉ *ce qu'il m'avait prêté,* demandé avec insistance (= exiger). ◆ **réclamation** n. f. *On n'a pas tenu compte de mes* RÉCLAMATIONS (= demande, revendication).

reclasser → CLASSER.

réclusion n. f. *L'accusé a été condamné à la* RÉCLUSION *perpétuelle* (= emprisonnement). ◆ **reclus** adj. *Elle vit* RECLUSE *dans sa maison* (= enfermé, isolé).

recoiffer → COIFFER. / **recoin** → COIN. / **recoller** → COLLE.

récolter v. *Nous* AVONS RÉCOLTÉ *beaucoup de raisin* (= ramasser, cueillir). ◆ **récolte** n. f. *La* RÉCOLTE *de blé a été bonne,* l'ensemble du blé récolté. ▷ 363, 583

recommander v. **1.** *Il m'*A RECOMMANDÉ *la prudence,* il m'a dit d'être prudent (= conseiller). — **2.** *M. Durand* EST RECOMMANDÉ *par son directeur,* celui-ci a dit du bien de lui. — **3.** RECOMMANDER *une lettre,* c'est payer un supplément pour qu'elle soit remise personnellement au destinataire. ◆ **recommandable** adj. (sens 2) *Cet homme n'est pas* RECOMMANDABLE (= estimable). ◆ **recommandation** n. f. (sens 1) *Il n'a pas tenu compte de mes* RECOMMANDATIONS (= conseil, exhortation).

recommencer → COMMENCER.

récompenser v. *Voilà un cadeau pour te* RÉCOMPENSER *de ton aide* (≠ punir). ◆ **récompense** n. f. *Une* RÉCOMPENSE *est promise à qui retrouvera le chien perdu* (= gratification; ≠ châtiment).

réconciliation, réconcilier → CONCILIER. / **reconduire** → CONDUIRE.

réconforter v. **1.** *Ton amitié nous* A RÉCONFORTÉS, nous a donné du courage (= soutenir; ≠ décourager). — **2.** *Ce repas m'*A RÉCONFORTÉ, m'a donné des forces (≠ affaiblir). ◆ **réconfort** n. m. (sens 1) *Jean est triste, il a besoin de* RÉCONFORT (= encouragement, consolation).

reconnaître v. **1.** *Il a tellement changé que je ne l'*AI *pas* RECONNU, je n'ai pas pu dire son nom. — **2.** *Je* RECONNAIS *que je me suis trompé* (= admettre, avouer; ≠ nier). — **3.** *Les soldats* RECONNAISSENT *le terrain,* y vont pour l'examiner. — **4.** *Ce nouveau gouvernement* A ÉTÉ RECONNU *par la France,* admis officiellement. ◆ **reconnaissable** adj. (sens 1) *Michel est* RECONNAISSABLE *par ses longs cheveux roux,* on peut le reconnaître facilement. ◆ **reconnaissance** n. f. **1.** (sens 1) *Marie m'a fait un signe de* RECONNAISSANCE, qui montre qu'elle me reconnaît. • (sens 3) *Les soldats font une* RECONNAISSANCE *en pays ennemi* (= exploration). — **2.** *J'éprouve de la* RECONNAISSANCE *pour les services qu'il m'a rendus* (= gratitude). ◆ **reconnaissant** adj. *Je lui suis très* RECONNAISSANT *de son aide,* j'ai de la reconnaissance (au sens 2) [≠ ingrat].

• **R.** Conj. n° 64.

reconquérir → CONQUÉRIR. / **reconstituer** → CONSTITUTION. / **reconstruction, reconstruire** → CONSTRUIRE. / **recopier** → COPIE.

record n. m. *Le* RECORD *du monde de saut en hauteur a été battu,* la meilleure performance.

recoucher → COUCHER. / **recoudre** → COUDRE. / **recoupement, recouper** → COUPER. / **recourber** → COURBE.

recourir v. *Il* A RECOURU *à mes services,* il m'a demandé mon aide (= faire appel). ◆ **recours** n. m. *On pourra faire cela en dernier* RECOURS, comme dernière solution.

• **R.** Conj. n° 29.

recouvrer v. *Il voudrait* RECOUVRER *l'argent qu'on lui doit* (= reprendre, récupérer). ◆ **recouvrement** n. m. *Le percepteur est chargé du* RECOUVREMENT *des impôts* (= perception).

• **R.** Ne pas confondre *recouvrer* et *recouvrir.*

recouvrir → COUVRIR.

295 ◁ **récréation** n. f. *Les enfants jouent dans la* COUR DE RÉCRÉATION, l'endroit prévu pour s'amuser.

se récrier v. *Quand on l'a accusé, il* S'EST RÉCRIÉ, il a protesté.

récriminer v. *Il passe son temps à* RÉCRIMINER contre moi (= protester). ◆ **récrimination** n. f. *Tu m'ennuies avec tes* RÉCRIMINATIONS (= réclamation, plainte).

se recroqueviller v. *Le chat* S'EST RECROQUEVILLÉ *dans un coin,* il s'est replié sur lui-même (= se tasser).

recrudescence n. f. *La radio annonce une* RECRUDESCENCE *du froid* (= augmentation, reprise).

recruter v. *Cette entreprise* RECRUTE *des employés* (= engager, embaucher). ◆ **recrue** n. f. *Les jeunes* RECRUES sont les soldats récemment engagés. ◆ **recrutement** n. m. *Dans un bureau de* RECRUTEMENT, *on peut s'engager dans l'armée.*

348 ◁ **rectangle** n. m. *Notre jardin forme un* RECTANGLE *de 12 mètres de large sur 25 mètres de long.* ◆ **rectangulaire** adj. *Les pages de ce livre sont* RECTANGULAIRES.

recteur n. m. *Une université est dirigée par un* RECTEUR.

rectifier v. AS-*tu* RECTIFIÉ *tes erreurs?* (= corriger). ◆ **rectification** n. f. *Ce travail demande quelques* RECTIFICATIONS (= correction).

rectiligne adj. *Les allées du parc sont* RECTILIGNES, en ligne droite.

recto n. m. *Remplissez le* RECTO *du questionnaire!*, la page du devant (≠ verso).

reçu → RECEVOIR.

recueillir v. **1.** *Il* A RECUEILLI *des documents pour écrire son livre* (= rassembler, réunir). — **2.** *Jean* A RECUEILLI *un chien abandonné*, il s'en est chargé. — **3.** *Les croyants* SE RECUEILLENT *pour prier*, ils restent immobiles et silencieux. ◆ **recueil** n. m. (sens 1) *Ce livre est un* RECUEIL *de poésies*, un ensemble. ◆ **recueillement** n. m. (sens 3) *Jean écoute avec* RECUEILLEMENT, beaucoup d'attention.

• **R.** Conj. nº 24.

reculer v. **1.** RECULE *un peu ta chaise!*, mets-la plus loin en arrière. ‖ *Jean* A RECULÉ *d'un mètre*, il est allé en arrière. — **2.** *On* A RECULÉ *la date du départ*, on l'a remise à plus tard (= reporter). — **3.** *Il est normal de* RECULER *devant le danger*, de faire marche arrière (= céder). ◆ **recul** n. m. (sens 1) *Jean a eu un mouvement de* RECUL, en arrière. ◆ **reculade** n. f. (sens 3) *Il a accepté après des* RECULADES (= hésitation). ◆ **à reculons** adv. (sens 1) *Pierre s'est éloigné* À RECULONS, en marchant en arrière.

récupérer v. **1.** AS-*tu* RÉCUPÉRÉ *ce que tu lui avais prêté?* (= retrouver, reprendre). — **2.** *Le chiffonnier* RÉCUPÈRE *des vieux papiers pour les vendre* (= recueillir, ramasser). — **3.** *Après son effort, il a mis une heure à* RÉCUPÉRER, à retrouver des forces.

récurer v. *Jacques* RÉCURE *des casseroles*, les nettoie en les frottant.

récuser v. *On lui a offert ce poste, mais il* S'EST RÉCUSÉ, il a refusé. ◆ **irrécusable** adj. *Il a apporté des preuves* IRRÉCUSABLES *de son innocence*, qu'on ne peut refuser (= incontestable).

rédacteur, rédaction → RÉDIGER. / **reddition** → RENDRE.

rédemption n. f. *Le dogme chrétien de la* RÉDEMPTION *enseigne que le Christ a sauvé les hommes.* ◆ **rédempteur** n. m. *Le Christ est appelé le* RÉDEMPTEUR, le sauveur du genre humain.

redescendre → DESCENDRE. / **redevable, redevance** → DEVOIR.

rédiger v. *Le journaliste* RÉDIGE *son article*, il l'écrit. ◆ **rédaction** n. f. *Pierre a fait une* RÉDACTION *où il raconte ses vacances* (= narration). ◆ **rédacteur** n. *Mme Durand est* RÉDACTRICE *dans un journal*, elle y écrit.

redingote n. f. La REDINGOTE est une ancienne veste d'homme.

redire, redite → DIRE. / **redoublant, redoublement, redoubler** → DOUBLER.

redoute n. f. Une REDOUTE était un petit ouvrage de fortification.

redouter v. *Il ne faut pas* REDOUTER *l'avenir*, en avoir peur (= craindre). ◆ **redoutable** adj. *Jean est un joueur de tennis* REDOUTABLE, très fort (= dangereux; ≠ inoffensif).

redresser v. **1.** *Jean a ramassé la balle et il* S'EST REDRESSÉ, il s'est remis droit (= relever; ≠ incliner, renverser). — **2.** *M. Durand* A REDRESSÉ *la situation,* il l'a remise dans la bonne voie (= rectifier). ◆ **redressement** n. m. (sens 2) *Après la guerre, le* REDRESSEMENT *de l'Allemagne a été rapide* (= relèvement). ◆ **redresseur** n. m. (sens 2) *Les* REDRESSEURS DE TORTS *veulent rétablir le droit et la justice.*

réduire v. **1.** *Il faudrait* RÉDUIRE *nos dépenses* (= diminuer, restreindre, limiter). — **2.** *Mes arguments l'*ONT RÉDUIT AU *silence* (= contraindre, forcer). — **3.** *Le bois* S'EST RÉDUIT EN *cendres* (= transformer). ◆ **réduction** n. f. (sens 1) *Cette carte est une* RÉDUCTION *de celle qui est au mur,* c'est la même en plus petit (≠ agrandissement). ‖ *Le commerçant m'a fait une* RÉDUCTION, un prix plus bas. ◆ **irréductible** adj. (sens 2) *Son opposition à ce projet est* IRRÉDUCTIBLE, impossible à forcer.

• **R.** Conj. nº 70.

réduit n. m. *Cette chambre est un* RÉDUIT, elle est très petite.

rééditer → ÉDITER. / **rééducation, rééduquer** → ÉDUCATION.

réel adj. *L'histoire que je te raconte est* RÉELLE, elle s'est passée (= vrai; ≠ inventé). ◆ **réellement** adv. *Que penses-tu* RÉELLEMENT? (= vraiment, en fait). ◆ **réalité** n. f. **1.** *Les rêves n'ont pas de* RÉALITÉ, ce ne sont pas des faits réels (= existence). — **2.** *Il se croit le plus malin,* EN RÉALITÉ *c'est moi* (= en fait). ◆ **réaliste** adj. et n. *M. Durand est (un)* RÉALISTE, il s'intéresse aux choses réelles (≠ rêveur). ◆ **irréel** adj. *Dans le brouillard, le paysage a un aspect* IRRÉEL (= imaginaire, fantastique).

réélire → ÉLIRE. / **refaire, réfection** → FAIRE.

réfectoire n. m. *Les demi-pensionnaires mangent au* RÉFECTOIRE *du lycée,* une grande salle à manger.

référence n. f. *Les dictionnaires sont des ouvrages de* RÉFÉRENCE, que l'on consulte pour se renseigner. ◆ **se référer** v. *Pour comprendre ce mot,* RÉFÈRE-*toi au dictionnaire,* regarde-le (= se reporter).

référendum n. m. *La Constitution a été modifiée par un* RÉFÉRENDUM, un vote de tous les électeurs.

• **R.** On prononce [referɛ̃dɔm].

se référer → RÉFÉRENCE. / **refermer** → FERMER.

réfléchir v. **1.** RÉFLÉCHIS *bien avant de répondre!,* pense à ce que tu vas dire. — **2.** *Les miroirs* RÉFLÉCHISSENT *les objets,* en renvoient l'image. ◆ **réflexion** n. f. **1.** (sens 1) *Laisse-moi le temps de la* RÉFLEXION!, de réfléchir (= méditation). • (sens 2) *L'écho est causé par la* RÉFLEXION *du son par les parois,* celles-ci renvoient le son. — **2.** *Jean m'a fait des* RÉFLEXIONS *désagréables* (= remarque, observation). ◆ **réfléchi** adj. (sens 1) *Pierre est un garçon* RÉFLÉCHI (= prudent, sage; ≠ étourdi). ◆ **reflet** n. m. (sens 2) *Le soleil fait des* REFLETS *sur la mer,* sa lumière s'y reflète. ◆ **refléter** v. **1.** (sens 2) *Son image* SE REFLÈTE *dans l'eau du lac,* s'y réfléchit. — **2.** *Ses paroles* REFLÈTENT *son mauvais caractère* (= exprimer, traduire). ◆ **irréfléchi** adj. (sens 1) *Jean a eu un geste* IRRÉFLÉCHI (= étourdi; ≠ raisonnable).

refleurir → FLEUR.

refuge
glacier
sentier

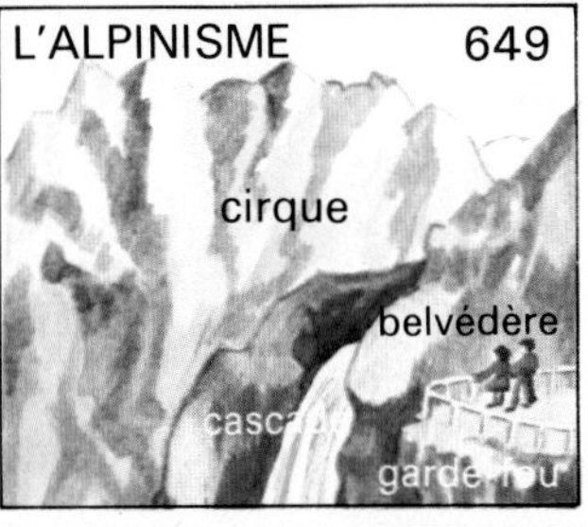
cirque
belvédère

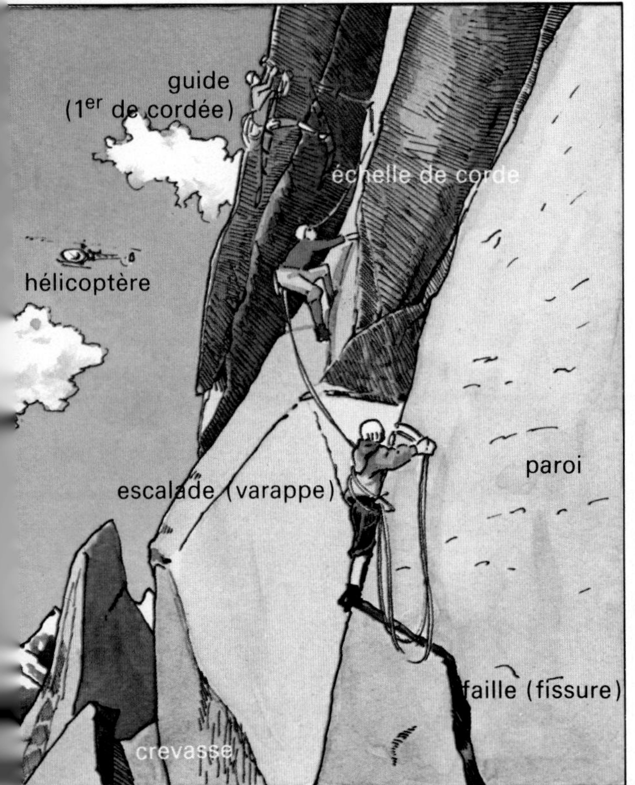
guide
(1er de cordée)
échelle de corde
hélicoptère
escalade (varappe)
paroi
faille (fissure)
crevasse

descente en rappel

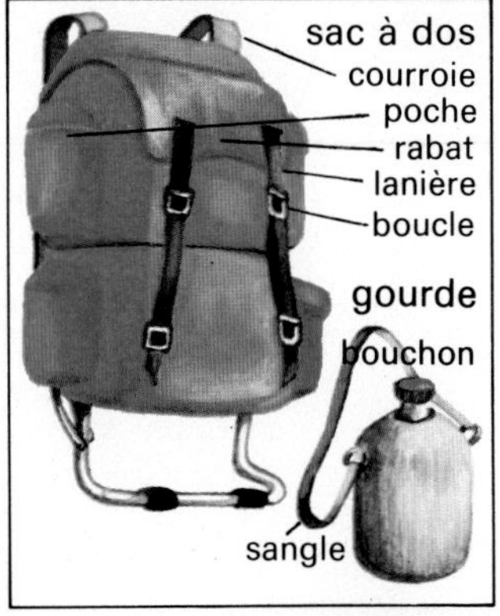
sac à dos
courroie
poche
rabat
lanière
boucle
gourde
bouchon
sangle

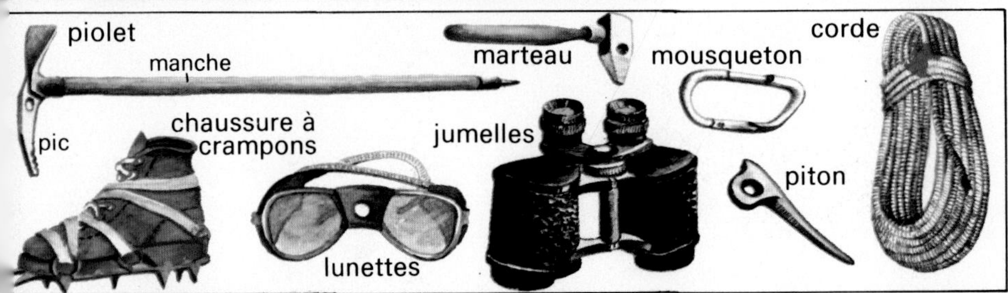
piolet
manche
pic
marteau
mousqueton
corde
chaussure à crampons
jumelles
lunettes
piton

rapaces
aigle
serres
buse
vautour
chouette

mélèze
épicéa

sommet
arête
neiges éternelles
plateau
falaise
versan
troupeau
vallé
chèvre
chale
alpage

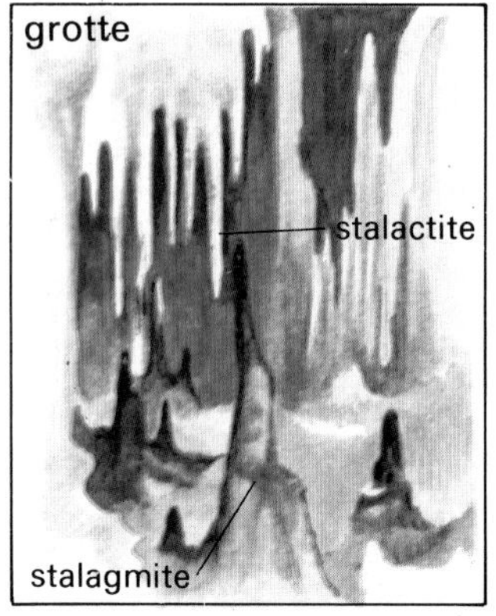
grotte
stalactite
stalagmite

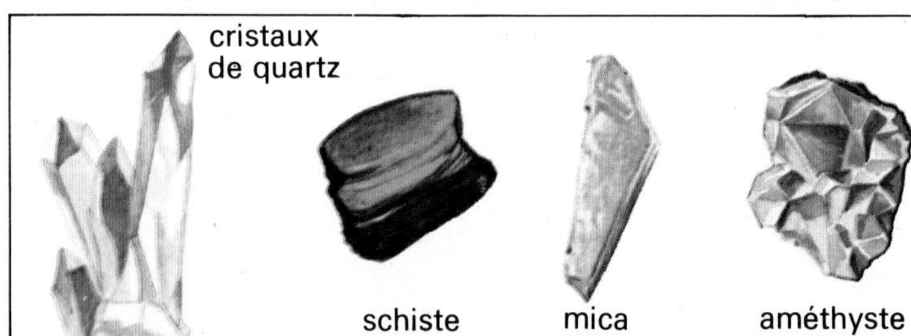
cristaux
de quartz
schiste
mica
améthyste

granite

LA MONTAGNE EN ÉTÉ

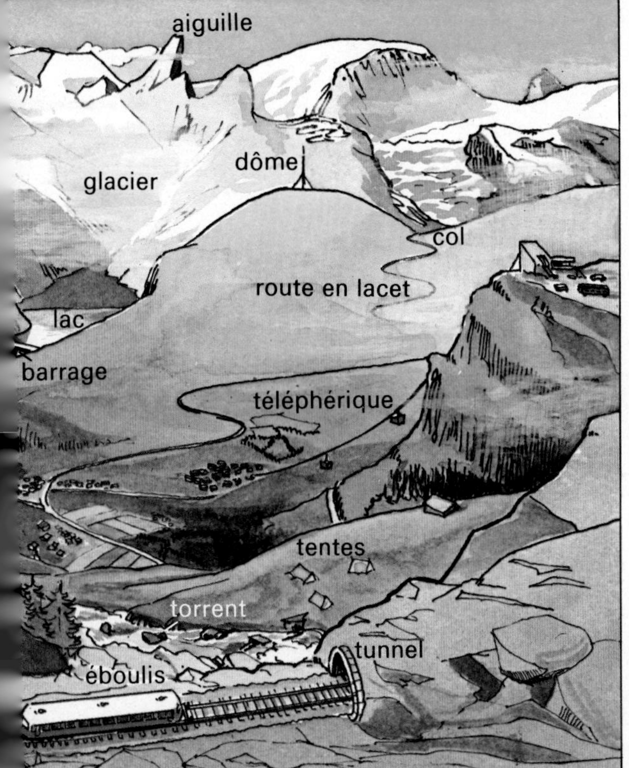

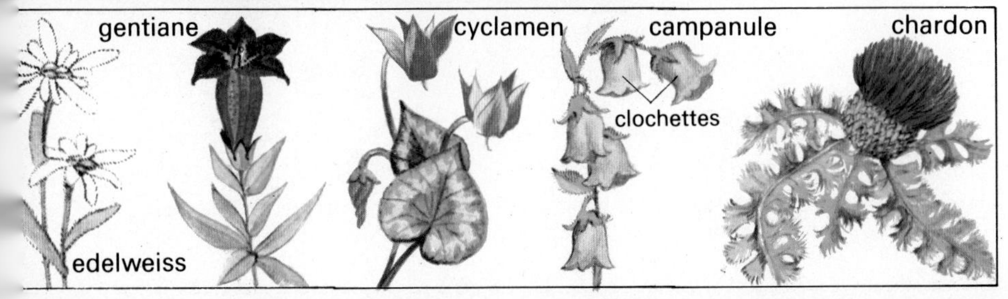

patinage artistique

hockey
sur glace
but
patins
crosse
palet

pompon
bonnet
balai
pipe
bonhomme de neige

c h a î n e
couloir
d'avalanche
téléphérique
station
piste de slalom
patinoire
flocons
de neige

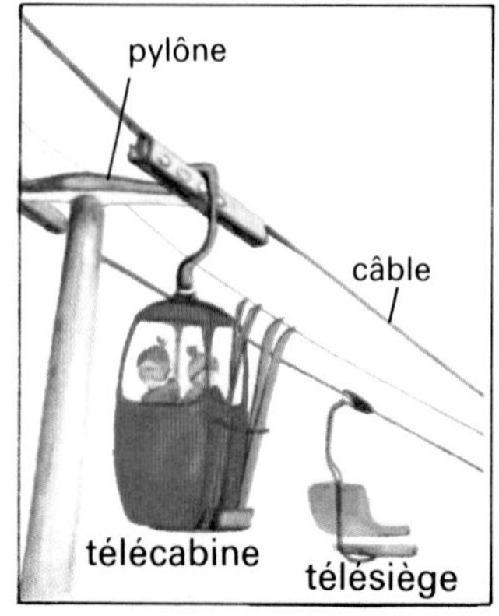
pylône
câble
télécabine
télésiège

chasse-neige

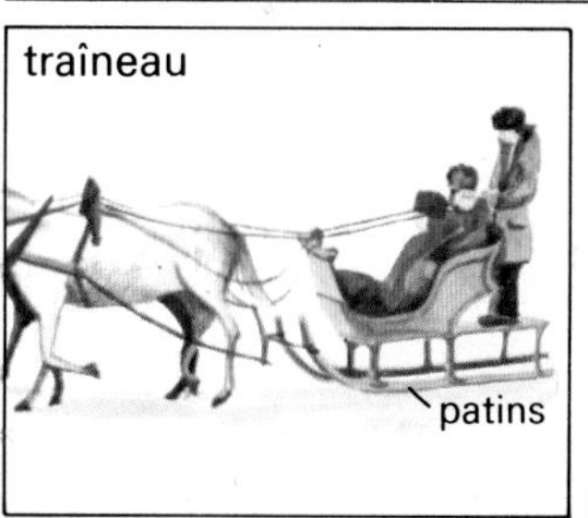
traîneau
patins

skieur de fond

patinage de vitesse

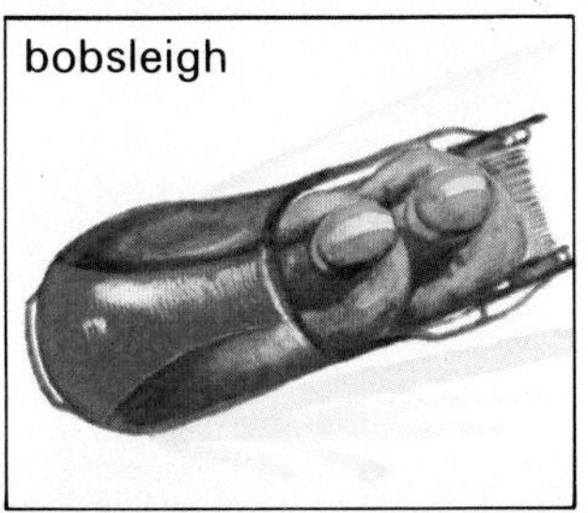
bobsleigh

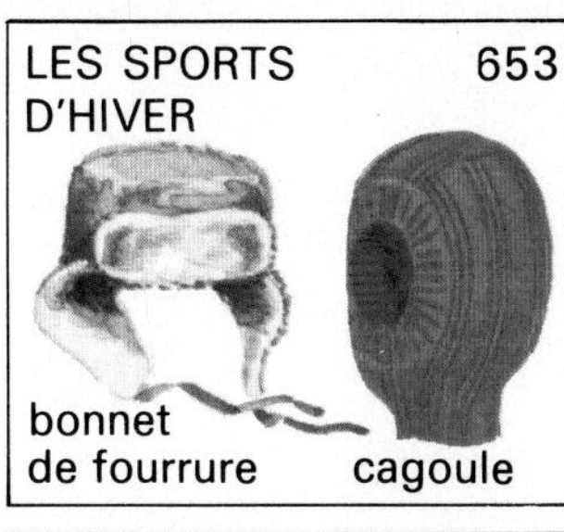
bonnet
de fourrure
cagoule

e montagnes
perche
tremplin
de saut
piste
de
descente
remonte-pente
luge

cristaux de neige

skieur
casque
anorak
gants
position
de
chasse-
neige

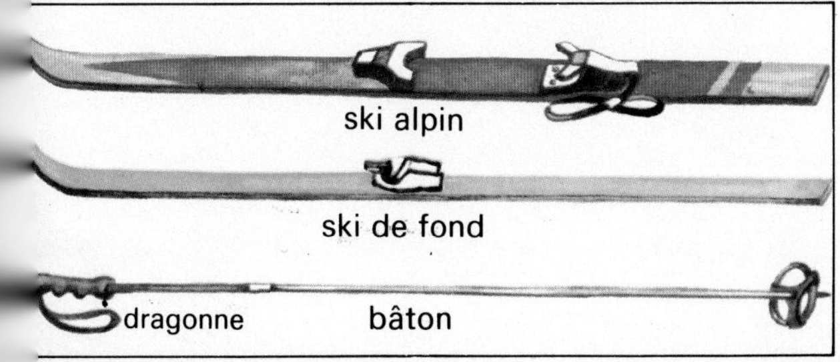
ski alpin
ski de fond
dragonne
bâton

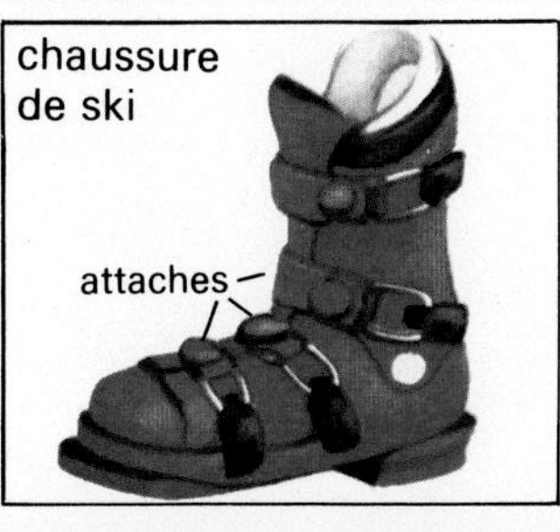
chaussure
de ski
attaches

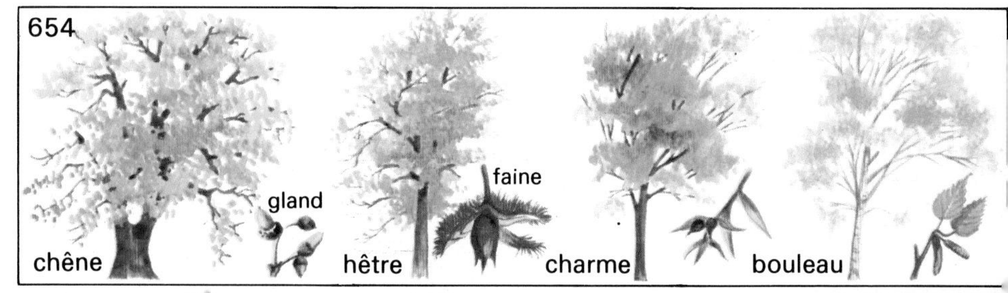
gland
faine
chêne
hêtre
charme
bouleau

frêne
sapin
pomme

futaie
fourche
branche
fourrés
taillis
tige
humus
chemin forestier

muguet
bruyère
digitale
pervenche

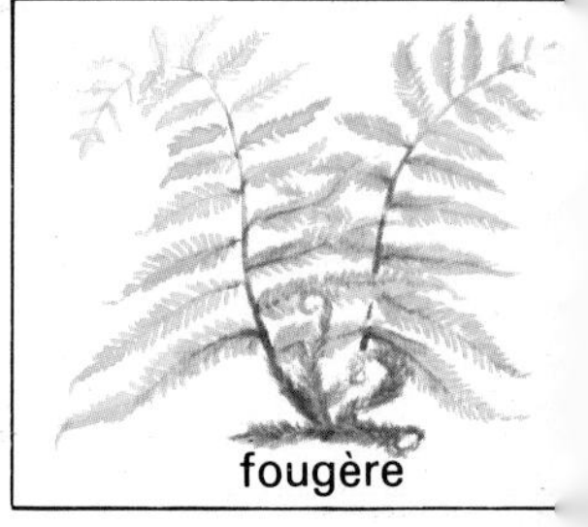
fougère

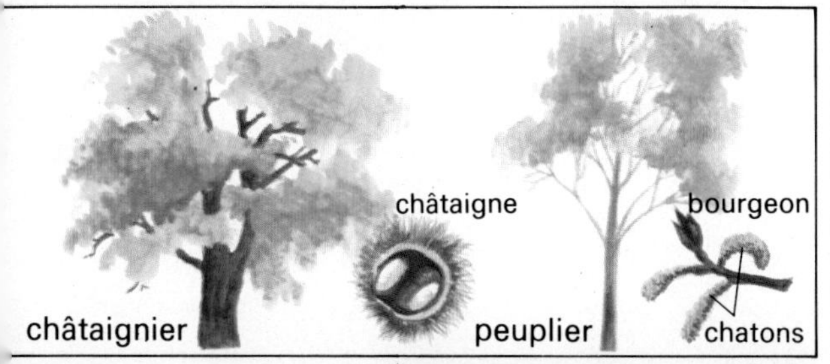
châtaignier
châtaigne
peuplier
bourgeon
chatons

tronçonneuse
bûches
coin
cognée
rondin
masse
orme
pin
pomme
aiguilles

sous-bois
bûcheron

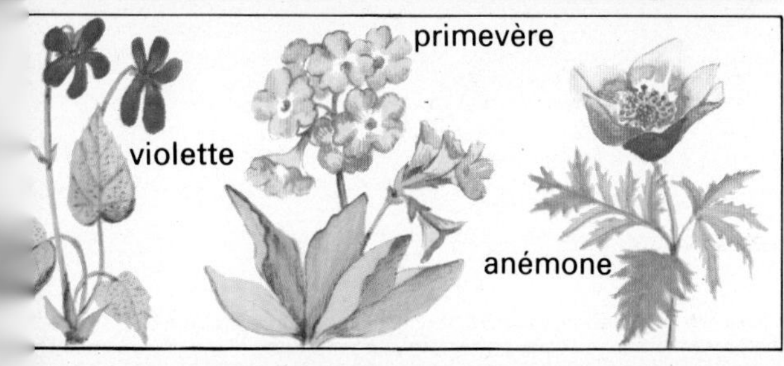
primevère
violette
anémone

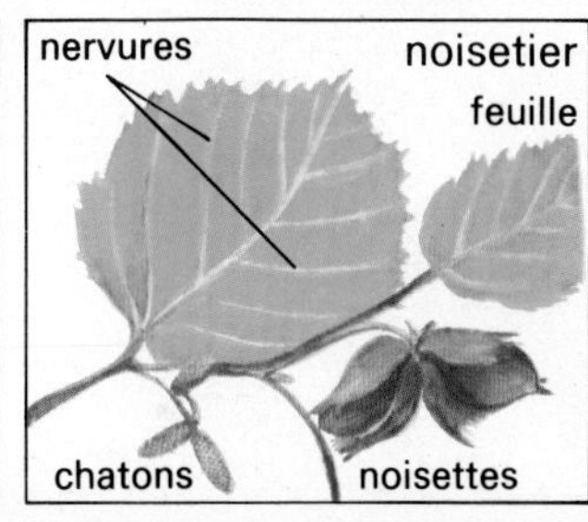
nervures
noisetier
feuille
chatons
noisettes

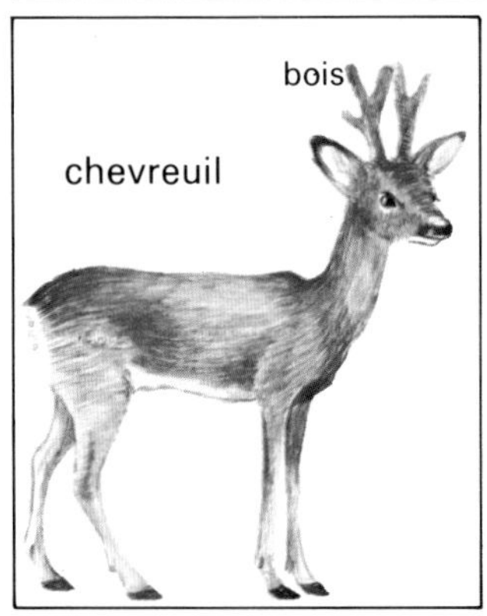

champignons comestibles

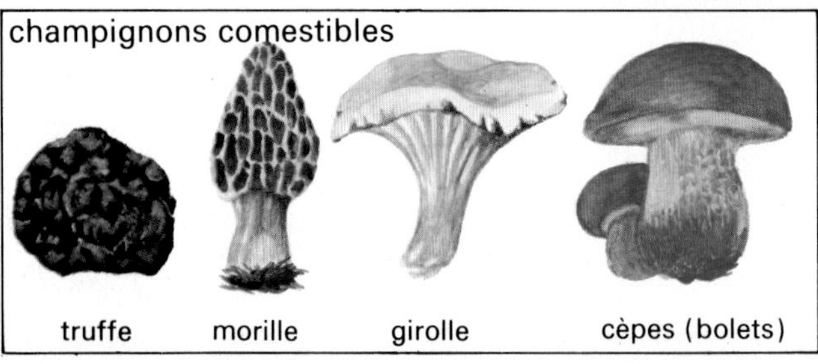

champignons vénéneux

amanite phalloïde

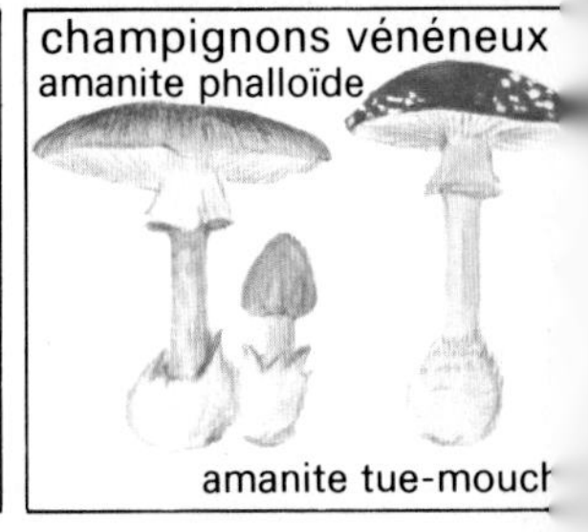

réflexe n. m. *M. Dupont a freiné à temps, il a de bons* RÉFLEXES, il réagit vite et bien.

réflexion → RÉFLÉCHIR.

refluer v. *À la fin du match, les spectateurs* REFLUENT *vers la sortie,* s'y dirigent en masse (≠ affluer). ◆ **reflux** n. m. *Le* REFLUX *de la mer commence à midi,* la marée descendante (≠ flux).

refondre v. *Ce livre* A ÉTÉ REFONDU, entièrement refait.
• R. Conj. n° 51.

réforme n. f. **1.** *Ce parti propose une* RÉFORME *de la société,* un changement profond pour l'améliorer. — **2.** *Jacques est passé devant une commission de* RÉFORME, des médecins l'ont examiné pour voir s'il était apte au service militaire. — **3.** La RÉFORME, c'est le mouvement religieux des protestants. ◆ **réformateur** adj. (sens 1) *Ce parti a un esprit* RÉFORMATEUR, il veut des réformes. ◆ **réformé** adj. (sens 3) *La religion* RÉFORMÉE est la religion protestante. ◆ **réformer** v. (sens 1) *Cette loi* A ÉTÉ RÉFORMÉE *par un vote de l'Assemblée* (= changer). • (sens 2) *Jacques* A ÉTÉ RÉFORMÉ *à cause de sa myopie,* dispensé du service militaire. ◆ **réformiste** adj. (sens 1) *Ce parti est* RÉFORMISTE, il veut des réformes.

refouler v. **1.** *La police* A REFOULÉ *les curieux,* les a fait reculer (= repousser). — **2.** *Marie tente de* REFOULER *ses larmes,* de ne pas pleurer (= réprimer, retenir).

réfractaire adj. **1.** *Jean est* RÉFRACTAIRE *à toute autorité,* il la refuse (= rebelle; ≠ docile). — **2.** *La brique* RÉFRACTAIRE *supporte des températures très élevées.*

refrain n. m. *Tout le monde a repris le* REFRAIN *de la chanson,* les paroles qui se répètent après chaque couplet.

réfréner v. *Paul n'arrive pas à* RÉFRÉNER *son impatience* (= contenir, retenir).

réfrigérateur n. m. *Remets le beurre au* RÉFRIGÉRATEUR!, l'appareil qui produit du froid (= frigo). ▷ 78

refroidir, refroidissement → FROID.

refuge n. m. **1.** *Nous avons cherché un* REFUGE *contre l'orage,* un endroit pour nous protéger. — **2.** *Les alpinistes ont couché dans un* REFUGE, une maison en haute montagne. ◆ **se réfugier** v. (sens 1) *Les opposants au dictateur* SE SONT RÉFUGIÉS *à l'étranger,* ils s'y sont mis en sécurité. ◆ **réfugié** n. (sens 1) *Ce pays accueille les* RÉFUGIÉS *politiques,* des gens qui ont quitté leur pays, où ils étaient en danger. ▷ 217 ▷ 649

refuser v. **1.** *Jean* A REFUSÉ *mon invitation* (= repousser; ≠ accepter). — **2.** *Je* REFUSE DE (*je* ME REFUSE À) *partir,* je ne veux pas le faire. ◆ **refus** n. m. *Quel est le motif de ton* REFUS? (≠ accord, consentement).

réfuter v. *Pierre* A RÉFUTÉ *mes arguments,* il a prouvé qu'ils étaient faux. ◆ **irréfutable** adj. *Cette preuve est* IRRÉFUTABLE (= inattaquable).

regagner, regain → GAGNER.

régal n. m. *Le chocolat est pour moi un* RÉGAL, je l'aime beaucoup. ◆ **se régaler** v. *Nous* NOUS SOMMES RÉGALÉS, nous avons mangé quelque chose de bon.

regarder v. **1.** *Nous* AVONS REGARDÉ *le match à la télé,* nous l'avons vu. — **2.** *Cette maison* REGARDE *vers le nord,* elle est tournée dans cette direction. — **3.** *Mes affaires ne te* REGARDENT *pas,* tu n'as pas à t'en mêler (= concerner, intéresser). — **4.** *M. Dupont* REGARDE *trop à la dépense,* il y fait trop attention. ◆ **regard** n. m. (sens 1) *Je l'ai suivi du* REGARD, des yeux.

regarnir → GARNIR.

régate n. f. Une RÉGATE est une course de bateaux.

régence n. f. *Quand un roi est trop jeune, un* RÉGENT *est nommé pour exercer la* RÉGENCE, le gouvernement.

régenter v. *M. Dubois* RÉGENTE *son entourage,* il le dirige avec autorité.

régie n. f. *La* RÉGIE *des tabacs* est l'administration chargée de les fabriquer et de les vendre.

régime n. m. **1.** *La France a un* RÉGIME *républicain,* une forme de gouvernement (= institution). — **2.** *Le médecin me fait suivre un* RÉGIME, je ne peux manger que certains aliments. — **3.** *Le* RÉGIME *d'un moteur,* c'est la vitesse à laquelle il tourne. — **4.** *Des* RÉGIMES DE BANANES *pendent du bananier,* des bananes en grappes.

580 ◁

régiment n. m. *Un* RÉGIMENT *est commandé par un colonel,* une unité militaire composée de plusieurs bataillons.

298 ◁ **région** n. f. *Pierre habite dans la* RÉGION *parisienne,* dans le territoire qui entoure Paris (= zone). ◆ **régional** adj. *Connais-tu cette coutume* RÉGIONALE?, d'une certaine région.

registre n. m. *Le trésorier note ses dépenses et ses recettes dans un* REGISTRE, un gros cahier.

réglage → RÉGLER.

295, 145 ◁ **règle** n. f. **1.** *On trace des traits droits avec une* RÈGLE, un instrument allongé. — **2.** *Jean ne connaît pas les* RÈGLES *de la politesse,* ce qu'il faut faire pour être poli (= principe, convention, prescription). ‖ *Apprends-moi la* RÈGLE *de ce jeu!,* comment il faut jouer. — **3.** *Tes papiers ne sont pas* EN RÈGLE, en accord avec les lois. ◆ **règlement** n. m. (sens 2 et 3) *Ta conduite est contraire au* RÈGLEMENT *du lycée,* à l'ensemble des règles qu'il faut appliquer. ◆ **réglementaire** adj. (sens 2 et 3) *Ce que tu fais n'est pas* RÉGLEMENTAIRE, conforme au règlement. ◆ **réglementer** v. (sens 2 et 3) *La circulation est* RÉGLEMENTÉE, soumise à certains règlements. ◆ **réglementation** n. f. (sens 2 et 3) *La* RÉGLEMENTATION *sur l'alcool est très stricte* (= législation).

règlement → RÈGLE et RÉGLER.

régler v. **1.** *Cette montre a besoin d'*ÊTRE RÉGLÉE, mise au point. — **2.** *Il faut* RÉGLER *cette affaire,* la terminer. — **3.** *M. Dupont* A RÉGLÉ *le montant de ses impôts* (= payer). ◆ **réglable** adj. (sens 1) *Le fauteuil du dentiste* *est* RÉGLABLE, il peut se mettre dans différentes positions. ◆ **réglage** n. m. (sens 1) *Le mécanicien a fait le* RÉGLAGE *du moteur.* ◆ **règlement** n. m. (sens 2 et 3) *M. Dupont a fait un* RÈGLEMENT *par chèque* (= paiement). ◆ **dérégler** v. (sens 1) *Cette machine* EST DÉRÉGLÉE, son fonctionnement est mauvais (= détraquer).

réglisse n. f. *Jean suce un bonbon de* RÉGLISSE, fait avec la racine de cette plante. ▷ 38

règne n. m. **1.** *Cela s'est passé pendant le* RÈGNE *de Louis XIV,* pendant qu'il était roi. — **2.** *L'homme fait partie du* RÈGNE *animal, les plantes du* RÈGNE *végétal,* de cette division des sciences naturelles. ◆ **régner** v. **1.** (sens 1) *Louis XIV* A RÉGNÉ *de 1643 à 1715.* — **2.** *La confiance* RÈGNE *entre nous* (= exister, durer).

regonfler → GONFLER.

regorger v. *Cette rivière* REGORGE *de poisson,* en contient beaucoup.

régresser v. *La production* A RÉGRESSÉ *par rapport à l'année dernière* (= reculer; ≠ progresser). ◆ **régression** n. f. *La production est en* RÉGRESSION.

regret n. m. **1.** *Je suis parti sans* REGRET, j'étais content (= tristesse). — **2.** *Sur la tombe était écrit : «*REGRETS *éternels»* (= douleur, peine). ◆ **regretter** v. *Je* REGRETTE *de ne pas pouvoir venir,* j'en suis triste, mécontent. ◆ **regrettable** adj. (sens 1) *Tu as fait une erreur* REGRETTABLE (= fâcheux; ≠ souhaitable).

regrouper → GROUPE.

régulier adj. **1.** *Ses papiers ne sont pas en situation* RÉGULIÈRE, conformes à la règle, à la loi (≠ anormal, illégal). — **2.** *Le train roule à vitesse* RÉGULIÈRE, toujours la même (= constant; ≠ inégal). — **3.** *Jean me fait des visites* RÉGULIÈRES (= habituel). — **4.** *Marie a un visage* RÉGULIER (= symétrique; ≠ difforme). — **5.** *M. Durand est* RÉGULIER *dans son travail* (= exact, ponctuel; ≠ négligent). ◆ **régularité** n. f. (sens 2 et 3) *Ce bruit se répète avec* RÉGULARITÉ. • (sens 5) *Il montre une grande* RÉGULARITÉ *dans ses habitudes.* ◆ **régulariser** v. (sens 2) *Ce barrage* A RÉGULARISÉ *le fleuve,* a rendu son courant régulier. ◆ **régulièrement** adv. *M. Dupont paie* RÉGULIÈREMENT *son loyer.* ◆ **irrégulier** adj. (sens 1) *«Œil» a un pluriel* IRRÉGULIER, qui ne suit pas la règle générale (= anormal). • (sens 2) *Ses absences sont* IRRÉGULIÈRES. ◆ **irrégulièrement** adv. (sens 2) *Jean travaille* IRRÉGULIÈREMENT, pas toujours de la même façon. ◆ **irrégularité** n. f. (sens 1) *L'élection est annulée à cause d'une* IRRÉGULARITÉ.

réhabiliter v. *Par sa conduite exemplaire, il* S'EST RÉHABILITÉ, il a retrouvé l'estime des gens.

rein n. m. *M. Durand a mal aux* REINS, au bas du dos. ▷ 33, 40

reine → ROI.

reine-claude n. f. *Jean aime les* REINES-CLAUDES, une sorte de prune.

reinette n. f. *Les* REINETTES *sont les pommes que je préfère.*
• **R.** *Reinette* se prononce [rɛnɛt] comme *rainette.*

réintégrer v. *Le chien* A RÉINTÉGRÉ *sa niche,* il y est retourné.

réitérer v. *Il a dû* RÉITÉRER *sa question,* la répéter.

rejeter v. **1.** *Ce poisson est trop petit, il faut le* REJETER *à l'eau,* l'y remettre. — **2.** *M. Dupont* A REJETÉ *ma demande* (= repousser; ≠ admettre). ◆ **rejet** n. m. (sens 2) *Le* REJET *de son plan l'a attristé.* • **R.** Conj. nº 8.

rejeton n. m. Fam. *Voilà M. Durand et ses deux* REJETONS (= enfant).

rejoindre → JOINDRE.

réjouir v. *Je* ME RÉJOUIS *de ton arrivée,* j'en suis joyeux (≠ désoler). ◆ **réjouissance** n. f. *La victoire fut suivie de* RÉJOUISSANCES, de manifestations de joie (= fête). ◆ **réjouissant** adj. *Cette nouvelle n'est pas* RÉJOUISSANTE (= gai; ≠ triste, désolant).

relâcher v. **1.** *Le prisonnier* A ÉTÉ RELÂCHÉ, remis en liberté. — **2.** *La discipline* SE RELÂCHE, devient moins sévère (≠ renforcer). — **3.** *Les cordes* SE SONT RELÂCHÉES (= desserrer). — **4.** *Le navire* A RELÂCHÉ *dans le port,* il y a fait escale. ◆ **relâche** n. f. **1.** (sens 2) *Jean travaille* SANS RELÂCHE, sans s'arrêter, sans trêve. — **2.** *Le théâtre fait* RELÂCHE *au mois d'août,* il ferme. ◆ **relâchement** n. m. (sens 2) *Le professeur n'admet aucun* RELÂCHEMENT (= négligence, laisser-aller).

relais n. m. **1.** *Notre équipe a gagné le* RELAIS *quatre fois 100 mètres,* quatre coureurs ont couru à tour de rôle 100 mètres. — **2.** *Qui* PRENDRA LE RELAIS *de Jean?,* qui le remplacera? — **3.** *Il y a un* RELAIS *de télévision sur la colline,* un dispositif qui retransmet les images. ◆ **relayer** v. (sens 2) *Nous* NOUS SOMMES RELAYÉS *pour porter la valise,* nous l'avons portée à tour de rôle.

relancer → LANCER.

relater v. *Jean m'*A RELATÉ *ce qui s'était passé,* me l'a raconté en détail.

relatif adj. **1.** *Je lis un livre* RELATIF À *la vie des poissons,* qui concerne ce sujet. — **2.** *Mes connaissances en anglais sont* RELATIVES (= incomplet, imparfait). — **3.** adj. et n. *«Qui», «lequel», «dont» sont des (pronoms)* RELATIFS; *ils introduisent une (proposition)* RELATIVE. ◆ **relativement** adv. *Jean est* RELATIVEMENT *grand pour son âge* (= assez).

relation n. f. **1.** *La France a rompu les* RELATIONS *diplomatiques avec ce pays* (= rapport, lien). — **2.** (au plur.) *M. Dubois a des* RELATIONS, il connaît des gens importants.

relativement → RELATIF.

se relaxer v. *Jean* SE RELAXE *après l'effort* (= se reposer, se détendre, se décontracter). ◆ **relaxation** n. f. *Le soir j'ai besoin d'un moment de* RELAXATION (= repos).

relayer → RELAIS.

reléguer v. *On va* RELÉGUER *ces vieux meubles au grenier,* les y mettre.

relent n. m. *Sens-tu ces* RELENTS *de friture?,* ces mauvaises odeurs.

relever v. **1.** *Jean est tombé et il* S'EST RELEVÉ *aussitôt*, il s'est remis debout. — **2.** *Il fait froid*, RELÈVE *ton col!*, mets-le plus haut (≠ abaisser, rabattre). — **3.** *M. Durand veut qu'on* RELÈVE *son salaire* (= augmenter, hausser; ≠ diminuer). — **4.** *J'*AI RELEVÉ *plusieurs fautes dans ton devoir* (= remarquer, noter). — **5.** *Il faudrait du sel pour* RELEVER *la sauce*, lui donner plus de goût. — **6.** *On* RELÈVE *les sentinelles toutes les quatre heures* (= remplacer). — **7.** *On l'*A RELEVÉ *de ses fonctions*, on les lui a enlevées. ◆ **relève** n. f. (sens 6) *La sentinelle attend la* RELÈVE, qu'on la remplace. ◆ **relevé** n. m. (sens 4) *J'ai fait un* RELEVÉ *de mes dépenses*, je les ai notées par écrit. ◆ **relèvement** n. m. (sens 3) *Il y a un* RELÈVEMENT *de la température* (= augmentation; ≠ baisse).

relief n. m. **1.** *Le* RELIEF *des Alpes est montagneux*, la forme du terrain. — **2.** *Il y a au plafond des sculptures* EN RELIEF, qui dépassent, qui sont en saillie (≠ en creux). — **3.** *Ce que tu dis* MET EN RELIEF *ta bêtise*, la fait apparaître. ◆ **bas-relief** n. m. (sens 2) Un BAS-RELIEF est une sorte de sculpture.

relier v. **1.** *Ce livre* EST RELIÉ *en cuir rouge*, son dos et sa couverture sont en cuir rouge. — **2.** *Ce chemin* RELIE *les deux villages*, fait le lien entre eux (= joindre). ◆ **reliure** n. f. (sens 1) *Tes livres ont de belles* RELIURES, des couvertures rigides. ◆ **relieur** n. (sens 1) *Ce* RELIEUR *est un artiste*, cet artisan qui relie les livres.

▷ 221

religion n. f. *Le christianisme, l'islām, le bouddhisme sont des* RELIGIONS, des croyances en un dieu. ◆ **religieux** adj. et n. *La messe est une cérémonie* RELIGIEUSE. ‖ *Les moines, les prêtres, les évêques sont des* RELIGIEUX. ◆ **religieusement** adv. *Pierre écoute* RELIGIEUSEMENT *la musique*, avec recueillement.

reliquat n. m. *As-tu payé le* RELIQUAT *de tes dettes?*, ce qui te restait à payer (= reste).

relique n. f. *Il y a dans cette chapelle des* RELIQUES *d'un saint*, ce qui en reste, des os.

relire → LIRE 2. / **reliure** → RELIER. / **reluire** → LUIRE. / **remâcher** → MÂCHER. / **remanier** → MANIER. / **remarier** → MARIER.

remarquer v. AS-*tu* REMARQUÉ *sa nouvelle robe?*, y as-tu fait attention? (= observer). ◆ **remarquable** adj. *Il a accompli un exploit* REMARQUABLE (= extraordinaire; ≠ banal, médiocre). ◆ **remarquablement** adv. *Marie chante* REMARQUABLEMENT, très bien. ◆ **remarque** n. f. *Jean m'a fait des* REMARQUES *désagréables* (= observation, réflexion). ‖ *Il y a des* REMARQUES *après certains articles de ce dictionnaire*, des points auxquels il faut faire attention (= note).

remballer → EMBALLER. / **rembarquer** → EMBARQUER.

rembarrer v. Fam. *Quand je lui ai dit bonjour, il m'a* REMBARRÉ, il m'a repoussé brutalement.

remblayer → DÉBLAYER. / **rembourrer** → BOURRE. / **remboursement, rembourser** → BOURSE.

se rembrunir v. *Quand il a su la nouvelle, son visage* S'EST REMBRUNI, est devenu soucieux (= s'attrister).

remède n. m. *Ce sirop est un bon* REMÈDE *contre la toux,* il la soigne (= médicament). ◆ **remédier** v. *Il faut* REMÉDIER *à cet inconvénient,* y trouver une solution. ◆ **irrémédiable** adj. *La mort de ce savant est une perte* IRRÉMÉDIABLE (= irréparable).

remémorer → MÉMOIRE. / **remerciement, remercier** → MERCI.

remettre v. **1.** REMETS *ce livre à sa place!,* mets-l'y de nouveau (= replacer). — **2.** *Le facteur m'*A REMIS *un paquet* (= laisser, donner). — **3.** *La réunion* A ÉTÉ REMISE *à la semaine prochaine,* renvoyée à cette date (= reporter). — **4.** *Jean* S'EST REMIS *à parler,* il a recommencé à le faire. — **5.** *Après ma maladie, j'ai mis longtemps à* ME REMETTRE, à retrouver la santé (= se rétablir). — **6.** *Je* M'EN REMETS À *vous,* je vous laisse faire (= faire confiance). ◆ **remise** n. f. **1.** (sens 2) *La* REMISE *des décorations a eu lieu dans la cour d'honneur,* on les a remises. — **2.** *L'épicier m'a fait une* REMISE, une diminution du prix (= réduction, rabais). — **3.** *Le jardinier met ses outils dans la* REMISE, un local de rangement. ◆ **remiser** v. *Le tracteur est remisé dans le hangar* (= ranger).

• **R.** *Remettre,* conj. n° 57.

rémission n. f. *Il a été puni sans* RÉMISSION, sans possibilité d'y échapper.

remontant, remontée, remonte-pente, remonter, remontoir → MONTER.

remontrer v. *Il a voulu m'*EN REMONTRER, me donner des leçons. ◆ **remontrances** n. f. pl. *Le professeur m'a fait des* REMONTRANCES (= reproches, blâmes).

remords n. m. *J'ai des* REMORDS *d'avoir agi ainsi,* je le regrette (= repentir).

• **R.** Attention au *s* final : remord*s*.

remorque n. f. **1.** *La dépanneuse a pris la voiture en* REMORQUE, elle l'a remorquée. — **2.** *Une* REMORQUE *est accrochée à l'arrière du camion,* un véhicule sans moteur. — **3.** *Jean est* À LA REMORQUE *de son frère,* il l'imite. ◆ **remorquer** v. (sens 1 et 2) *La voiture* REMORQUE *une caravane,* elle la tire derrière elle. ◆ **remorqueur** n. m. (sens 1) *Les péniches sont tirées par des* REMORQUEURS, des bateaux qui les tirent. ◆ **semi-remorque** n. m. (sens 2) *Le camionneur conduit un énorme* SEMI-REMORQUE, un camion formé d'une remorque et d'un tracteur.

365 ◁ 727 ◁ 506 ◁

rémouleur n. m. *Le métier du* RÉMOULEUR *est d'aiguiser les couteaux.*

721 ◁

remous n. m. *À cet endroit, la rivière fait des* REMOUS, l'eau est agitée (= tourbillon).

rempart n. m. **1.** *La ville est entourée de* REMPARTS, de murailles fortifiées. — **2.** *Il m'a fait un* REMPART *de son corps,* il m'a protégé.

remplacer v. **1.** *Pendant sa maladie, son adjoint l'*A REMPLACÉ, il a fait le travail à sa place. — **2.** *Il faudrait* REMPLACER *le carreau cassé,* en mettre un autre à la place. ◆ **remplaçant** n. (sens 1) *On lui a désigné un* REMPLAÇANT, quelqu'un pour le remplacer. ◆ **remplacement** n. m. (sens 1) *M. Durand fait un* REMPLACEMENT, il remplace quelqu'un. ◆ **irremplaçable** adj. (sens 1) *Le directeur est* IRREMPLAÇABLE, personne ne peut le remplacer.

remplir v. **1.** *Veux-tu* REMPLIR *mon verre de vin?* (= emplir; ≠ vider). — **2.** *Il faut* REMPLIR *ce questionnaire,* répondre aux questions. — **3.** *Cette nouvelle m'*A REMPLI *de joie,* m'a rendu joyeux. — **4.** *M. Dupont* REMPLIT *la fonction de directeur* (= exercer, occuper). ◆ **remplissage** n. m. (sens 1) *Le* REMPLISSAGE *de la citerne demande deux heures.*

remporter → EMPORTER.

remuer v. **1.** *Arrête de* REMUER *sans arrêt!,* de te déplacer (= bouger). — **2.** *Cette table est difficile à* REMUER (= déplacer, soulever). ◆ **remuant** adj. (sens 1) *Pierre est un garçon* REMUANT (= agité; ≠ calme). ◆ **remue-ménage** n. m. inv. (sens 1) *Ce* REMUE-MÉNAGE *nous a réveillés* (= agitation, mouvement).

rémunérer v. *Ce travail* EST *mal* RÉMUNÉRÉ (= payer). ◆ **rémunération** n. f. *On lui a offert une grosse* RÉMUNÉRATION *pour ses services,* de l'argent pour le payer ou le récompenser. ◆ **rémunérateur** adj. *Il fait un métier* RÉMUNÉRATEUR, bien payé.

renâcler v. *Jean a accepté de partir en* RENÂCLANT, contre son gré (= rechigner).

renaissance, renaître → NAÎTRE.

renard n. m. *Paul est rusé comme un* RENARD, un petit animal sauvage.

renchérir v. *Quand je lui ai donné mon avis, il* A RENCHÉRI, il a dit la même chose que moi.

rencontrer v. *J'*AI RENCONTRÉ *Jacques dans la rue,* je me suis trouvé en sa présence. ◆ **rencontre** n. f. *Vous ici! quelle* RENCONTRE *inattendue!* ‖ *Il est venu à ma* RENCONTRE, au devant de moi.

rendement → RENDRE.

rendez-vous n. m. *J'ai* RENDEZ-VOUS *avec Pierre à 8 heures devant la gare,* je dois le rencontrer.

rendormir → DORMIR.

rendre v. **1.** RENDS-*moi l'argent que je t'ai prêté!* (= redonner, remettre; ≠ garder). — **2.** *Jean* A RENDU *son repas* (= vomir). — **3.** *Ces oranges* RENDENT *beaucoup de jus* (= produire). — **4.** *Ce repas m'*A RENDU *malade,* m'a fait devenir malade. — **5.** *Jean m'*A RENDU *visite,* il est venu me voir. — **6.** *Nous* NOUS SOMMES RENDUS *à Lyon,* nous y sommes allés. — **7.** *Les soldats* SE SONT RENDUS, ils ont abandonné le combat (= capituler). ◆ **reddition** n. f. (sens 7) *L'ennemi a exigé une* REDDITION immédiate (= capitulation). ◆ **rendement** n. m. (sens 3) *Les engrais améliorent le* RENDEMENT *des terres,* ils font qu'elles produisent plus.

• **R.** Conj. n° 50.

rêne n. f. *Le cavalier tire sur les* RÊNES *de son cheval,* les courroies qui servent à le diriger. ▷ 368, 437

• **R.** *Rêne* se prononce [rɛn] comme *reine* et *renne.*

renégat → RENIER.

renfermer v. **1.** *Cette valise* RENFERME *toutes mes affaires* (= contenir). — **2.** *Jean* SE RENFERME *sur lui-même,* il cache ses sentiments. ◆ **renfermé** n. m. *Ça sent le* RENFERMÉ *ici,* une mauvaise odeur de pièce fermée.

renflé adj. *Ce vase a une forme* RENFLÉE (= bombé).

renflouer v. RENFLOUER *un navire échoué,* c'est le remettre à l'eau.

renfoncer v. *Il* A RENFONCÉ *son chapeau sur sa tête,* il l'a enfoncé encore plus. ◆ **renfoncement** n. m. *Le chat s'est caché dans un* RENFONCEMENT (= coin, recoin).

renforcer v. *On* A RENFORCÉ *le mur qui menaçait de tomber,* on l'a rendu plus résistant (= consolider). ◆ **renfort** n. m. *Le général a demandé des* RENFORTS, de nouveaux soldats pour renforcer l'armée.

renfrogné adj. *Pourquoi as-tu cet air* RENFROGNÉ? (= mécontent, fâché).

rengaine n. f. *Il chante toujours la même* RENGAINE, la même chanson très connue.

se rengorger v. *Quand on lui fait des compliments il* SE RENGORGE, il prend un air fier de lui.

renier v. *M. Dupont* A RENIÉ *ses idées,* il en a changé (= désavouer). ◆ **reniement** n. m. *On lui a reproché son* RENIEMENT. ◆ **renégat** n. m. *On l'a traité de* RENÉGAT (= traître).

renifler v. *Arrête de* RENIFLER, *mouche-toi!,* de faire du bruit avec ton nez.

584 ◁ **renne** n. m. *Les* RENNES *vivent dans les pays froids.*
• **R.** V. RÊNE.

renom n. m., ou **renommée** n. f. *La* RENOMMÉE *de ce restaurant est très grande,* il est très connu (= célébrité, réputation). ◆ **renommé** adj. *La Bourgogne est* RENOMMÉE *pour son vin* (= célèbre).

renoncer v. *Jean* A RENONCÉ *à tous ses projets,* il les a abandonnés.

renoncule n. f. *Le bouton-d'or est une sorte de* RENONCULE, une fleur.

renouer → NŒUD.

renouveler v. **1.** *On* A RENOUVELÉ *les membres de l'assemblée,* on les a remplacés par des membres nouveaux (= changer). — **2.** *Jean* A RENOUVELÉ *sa question,* il l'a posée une deuxième fois (= recommencer). ‖ *Que cette erreur ne* SE RENOUVELLE *pas!* (= se reproduire). ◆ **renouveau** n. m. (sens 2) *Ce livre connaît un* RENOUVEAU *de succès,* un nouveau succès. ◆ **renouvellement** n. m. (sens 1) *Jean a demandé le* RENOUVELLEMENT *de son passeport,* qu'on lui donne un nouveau passeport (= changement). ◆ **renouvelable** adj. (sens 1) *Ce passeport est* RENOUVELABLE *tous les trois ans,* il doit être renouvelé.
• **R.** Conj. n° 6.

rénover v. *Ce magasin* A ÉTÉ RÉNOVÉ, remis à neuf. ◆ **rénovation** n. f. *On a entrepris des travaux de* RÉNOVATION (= modernisation).

renseigner v. *Peux-tu me* RENSEIGNER *sur l'heure du train?*, me la faire connaître (= informer). ◆ **renseignement** n. m. *Demande le* RENSEIGNEMENT *à la gare* (= indication, information).

rentable adj. *Cette affaire est* RENTABLE, elle rapporte de l'argent (= payant). ◆ **rentabilité** n. f. *La* RENTABILITÉ *de cette entreprise est insuffisante,* ses bénéfices.

rente n. f. *M. Durand vit de ses* RENTES, de revenus que lui rapporte un capital qu'il a placé.

rentrer v. **1.** *Après l'école, Jean* RENTRE *chez lui* (= revenir, retourner). — **2.** *Il faut* RENTRER *la voiture au garage,* l'y remettre (≠ sortir). — **3.** Fam. *L'auto* EST RENTRÉE *dans un arbre,* s'est jetée violemment dessus. — **4.** *Cette clef ne* RENTRE *pas dans la serrure* (= pénétrer, s'enfoncer). ◆ **rentrée** n. f. (sens 1) *La* RENTRÉE *des grandes vacances a lieu en septembre,* on retourne au travail.

• **R.** *Rentrer* se conjugue avec ÊTRE, sauf au sens 2.

renverser v. **1.** *Jean* A RENVERSÉ *son verre,* il l'a fait tomber (≠ redresser). — **2.** *Le gouvernement* A ÉTÉ RENVERSÉ, il a dû démissionner. — **3.** *Un piéton* A ÉTÉ RENVERSÉ *par une voiture,* jeté à terre. ◆ **renversant** adj. *Voilà une nouvelle* RENVERSANTE!, très étonnante. ◆ **à la renverse** adv. (sens 1) *Paul a failli tomber* À LA RENVERSE, sur le dos. ◆ **renversement** n. m. *Il a réussi un* RENVERSEMENT *de la situation,* un changement complet (= retournement).

renvoyer v. **1.** *On m'*A RENVOYÉ *chez moi,* on m'a fait y retourner. — **2.** *Des employés* ONT ÉTÉ RENVOYÉS, mis à la porte (= congédier). — **3.** *Jean m'*A RENVOYÉ *la balle* (= relancer). — **4.** *On* A RENVOYÉ *la réunion à la semaine prochaine,* on l'a remise à plus tard (= reporter, remettre). ◆ **renvoi** n. m. **1.** (sens 1) *Son* RENVOI *de l'école a été décidé* (= expulsion) • (sens 4) *Dans un livre, un* RENVOI *indique qu'il faut se reporter à une autre page.* — **2.** *Jean a eu un* RENVOI, il a rejeté des gaz par la bouche.

réorganiser → ORGANISATION. / **réouverture** → OUVERT.

repaire n. m. *On a surpris les bandits dans leur* REPAIRE, le lieu qui leur servait de refuge.

• **R.** *Repaire* se prononce [rəpɛr] comme *repère.*

se repaître v. *Le chien* SE REPAÎT *des restes du repas,* il les mange. ◆ **repu** adj. *Après ce bon dîner, je suis* REPU (= rassasié).

• **R.** Conj. n° 80.

répandre v. **1.** *Le contenu de la bouteille* S'EST RÉPANDU *sur la table,* y a coulé. — **2.** *Ce fromage* RÉPAND *une odeur forte* (= produire, dégager). — **3.** *La nouvelle* S'EST RÉPANDUE *rapidement* (= s'étendre, se propager).

• **R.** Conj. n° 50.

reparaître → PARAÎTRE.

réparer v. **1.** *Le garagiste* A RÉPARÉ *la voiture,* il l'a remise en bon état (= arranger). — **2.** *Je voudrais* RÉPARER *ma négligence,* en supprimer les conséquences (= corriger). ◆ **réparable** adj. (sens 1) *Ces chaussures ne sont pas* RÉPARABLES. ◆ **réparation** n. f. (sens 1) *La* RÉPARATION *de la*

▷ 727, 728

voiture nous a coûté cher. ◆ **réparateur** adj. (sens 1) *Il s'est endormi d'un sommeil* RÉPARATEUR, qui a réparé ses forces. ◆ **irréparable** adj. (sens 1) *Cette montre est* IRRÉPARABLE. • (sens 2) *Sa mort est une perte* IRRÉPARABLE.

reparler → PARLER.

repartie n. f. *Ta* REPARTIE *est très spirituelle* (= réponse, riposte).
• **R.** On prononce [reparti].

repartir → PARTIR.

répartir v. *On* A RÉPARTI *le travail entre tous les présents* (= partager, distribuer). ◆ **répartition** n. f. *Cette* RÉPARTITION *est injuste* (= partage).
• **R.** Ne pas confondre *répartir* et *repartir.*

repas n. m. *Nous avons fait un bon* REPAS, nous avons bien mangé.

repasser v. **1.** *Je* REPASSERAI *demain à la même heure,* je passerai de nouveau (= revenir). — **2.** *Jean* REPASSE *ses leçons,* il les apprend une nouvelle fois (= étudier). — **3.** *On* REPASSE *le linge avec un fer à* REPASSER (≠ froisser). — **4.** *Les couteaux ont besoin d'*ÊTRE REPASSÉS (= aiguiser). ◆ **repassage** n. m. (sens 3) *Le* REPASSAGE *m'a pris une heure.*

79 ◁

repêcher → PÊCHE 2. / **repeindre** → PEINDRE.

se repentir v. *Il* SE REPENT *d'être arrivé trop tard* (= regretter). ◆ **repentir** n. m. *Il a montré un* REPENTIR *sincère* (= regret, remords).
• **R.** Conj. n° 19.

répercuter v. *La hausse des prix* SE RÉPERCUTE *sur le niveau de vie,* a des conséquences. ◆ **répercussion** n. f. *Sa décision a eu de graves* RÉPERCUSSIONS (= conséquence).

repère n. m. *On a pris le clocher comme point de* REPÈRE, comme endroit pour ne pas se perdre. ◆ **repérer** v. *Je n'arrive pas à* ME REPÉRER *dans cette forêt* (= se retrouver).
• **R.** V. REPAIRE.

293 ◁ **répertoire** n. m. *J'ai écrit ton adresse dans mon* RÉPERTOIRE, un carnet alphabétique.

répéter v. **1.** *Ne* RÉPÈTE *pas cela, c'est un secret,* ne le dis pas aux autres. — **2.** *On* RÉPÈTE *le refrain après chaque couplet,* on le dit de nouveau. — **3.** *Il* A RÉPÉTÉ *les mêmes erreurs* (= refaire). — **4.** *Les acteurs sont en train de* RÉPÉTER, d'apprendre leur rôle. ◆ **répétition** n. f. (sens 2) *Il y a des* RÉPÉTITIONS *dans ton devoir,* tu dis plusieurs fois la même chose. • (sens 3) *Une arme à* RÉPÉTITION *peut tirer plusieurs fois de suite sans être rechargée.* • (sens 4) *Les acteurs ont fait de nombreuses* RÉPÉTITIONS *avant de jouer en public.*

repeupler → PEUPLE.

repiquer v. *Le jardinier* REPIQUE *des salades* (= transplanter).

répit n. m. *Mon travail ne me laisse pas de* RÉPIT (= repos, détente).

replacer → PLACE. / **replâtrer** → PLÂTRE.

replet adj. *Mme Durand est une femme* REPLÈTE, un peu grasse.

repli, replier → PLIER.

réplique n. f. *Jean a eu une* RÉPLIQUE *intelligente,* une réponse brève. ◆ **répliquer** v. *Il* A RÉPLIQUÉ *qu'il ne partirait pas* (= répondre).

replonger → PLONGER.

répondre v. **1.** *Peux-tu* RÉPONDRE *à cette question?*, me dire ton avis (≠ interroger). — **2.** *Il n'*A *pas* RÉPONDU *à ma lettre* (= récrire). — **3.** *Je* RÉPONDS DE *l'honnêteté de Jean,* je garantis qu'il est honnête. ◆ **répondant** n. m. (sens 3) *Je suis le* RÉPONDANT *de Jean,* je réponds de lui. ◆ **réponse** n. f. (sens 1) *Il m'a donné une* RÉPONSE *affirmative.*

• **R.** Conj. nº 51.

1. reporter v. **1.** *La séance* A ÉTÉ REPORTÉE, renvoyée à plus tard (= remettre). — **2.** REPORTEZ-VOUS *à l'introduction!*, allez la regarder. ◆ **report** n. m. (sens 1) *On a décidé le* REPORT *de la réunion* (= renvoi).

2. reporter n. m. *Le journal a envoyé un* REPORTER *sur les lieux du crime,* un journaliste. ◆ **reportage** n. m. *As-tu lu le* REPORTAGE *sur l'accident?*, le récit des événements.

• **R.** On prononce [rəpɔrtɛr].

reposer v. **1.** *Il a bu et il* A REPOSÉ *son verre,* il l'a posé après l'avoir soulevé. — **2.** *Vivement les vacances qu'on puisse* SE REPOSER!, cesser de travailler (= délasser; ≠ fatiguer). — **3.** *Je* ME REPOSE *sur lui pour faire ce travail,* je lui fais confiance (= compter). — **4.** *Tes arguments ne* REPOSENT *sur rien* (= être fondé). ◆ **repos** n. m. (sens 2) *J'ai besoin d'un peu de* REPOS (= délassement; ≠ fatigue). ◆ **reposant** adj. (sens 2) *Nous avons passé un week-end* REPOSANT (≠ fatigant).

repousser v. **1.** *Jean* A REPOUSSÉ *sa chaise pour se lever,* il l'a poussée en arrière. — **2.** *Les soldats* ONT REPOUSSÉ *l'ennemi,* fait reculer. — **3.** *On* A REPOUSSÉ *sa demande* (= refuser; ≠ accepter). — **4.** *Ces fleurs* REPOUSSERONT *au printemps,* pousseront de nouveau. ◆ **repoussant** adj. *Il est d'une saleté* REPOUSSANTE (= répugnant; ≠ attirant).

répréhensible adj. *Jean a commis des actes* RÉPRÉHENSIBLES (= blâmable, condamnable).

reprendre v. **1.** *Marie* A REPRIS *de la viande,* en a pris une seconde fois. — **2.** *Le prisonnier* A ÉTÉ REPRIS, pris de nouveau. — **3.** *J'*AI REPRIS *le travail* (= recommencer). — **4.** *Voyant qu'il s'était trompé, il* S'EST REPRIS, il a rectifié. ◆ **reprise** n. f. **1.** (sens 3) *La* REPRISE *des cours a lieu en octobre.* — **2.** *Il s'est trompé à* PLUSIEURS REPRISES, plusieurs fois. — **3.** *Cette auto a de bonnes* REPRISES, elle accélère bien. — **4.** *Un match de boxe se déroule en plusieurs* REPRISES (= partie). ◆ **repris** n. m. (sens 2) Un REPRIS DE JUSTICE est une personne qui a déjà été condamnée.

• **R.** Conj. nº 54.

représailles n. f. pl. *Par* REPRÉSAILLES, *l'ennemi a fusillé des otages,* pour se venger.

représenter v. **1.** *Cette photo* REPRÉSENTE *la tour Eiffel* (= montrer). — **2.** *Les notes de la gamme* REPRÉSENTENT *des sons*, sont des signes qui leur correspondent. — **3.** *Cet achat* REPRÉSENTE *une grosse dépense*, y correspond (= constituer, équivaloir à). — **4.** *Les ambassadeurs* REPRÉSENTENT *la France à l'étranger*, agissent en son nom. — **5.** *Les acteurs* REPRÉSENTENT *une comédie* (= jouer). ◆ **représentant** n. (sens 4) *Le président a envoyé un* REPRÉSENTANT (= délégué). ◆ **représentation** n. f. (sens 4) *Le Parlement assure la* REPRÉSENTATION *du peuple.* • (sens 5) *C'est la première* REPRÉSENTATION *de cette pièce.*

réprimande n. f. *Son père lui a fait une* RÉPRIMANDE, il l'a disputé (≠ compliment). ◆ **réprimander** v. *Pourquoi* AS-*tu* ÉTÉ RÉPRIMANDÉ? (= gronder, disputer; ≠ féliciter).

réprimer v. *Il n'a pas pu* RÉPRIMER *sa colère*, l'empêcher de se manifester. ◆ **répression** n. f. *La police est chargée de la* RÉPRESSION *des crimes.*

repris → REPRENDRE. / **reprise** → REPRENDRE et REPRISER.

repriser v. *Marie* REPRISE *des chaussettes* (= raccommoder). ◆ **reprise** n. f. *Peux-tu faire une* REPRISE *à mon pantalon?*, le repriser.

296 ◁

réprobateur, réprobation → RÉPROUVER.

reproche n. m. *Sa conduite mérite des* REPROCHES (= blâme; ≠ compliment, félicitations). ◆ **reprocher** v. *On lui* A REPROCHÉ *son retard*, on l'a blâmé pour cela. ◆ **irréprochable** adj. *Sa conduite est* IRRÉPROCHABLE, sans reproche (= impeccable).

reproduire v. **1.** *Cette erreur ne doit pas* SE REPRODUIRE, se produire de nouveau (= recommencer, renouveler). — **2.** *Un magnétophone* REPRODUIT *les sons*, les répète après les avoir enregistrés. — **3.** *Les êtres vivants* SE REPRODUISENT, donnent naissance à d'autres êtres vivants. ◆ **reproduction** n. f. (sens 2) *Cette image est la* REPRODUCTION *d'un tableau* (= copie, imitation). • (sens 3) *La* REPRODUCTION *des êtres vivants se fait de différentes manières selon les espèces.* ◆ **reproducteur** adj. (sens 3) *Le pistil est un des organes* REPRODUCTEURS *de la fleur.*
• **R.** Conj. n° 70.

réprouver v. *Il* A RÉPROUVÉ *ma conduite* (= condamner, blâmer; ≠ approuver). ◆ **réprobation** n. f. *Des actes semblables méritent la* RÉPROBATION *générale* (= blâme). ◆ **réprobateur** adj. *Il m'a lancé un regard* RÉPROBATEUR.

434 ◁ **reptile** n. m. *Les serpents, les lézards, les crocodiles sont des* REPTILES, des animaux qui rampent.

repu → REPAÎTRE.

298 ◁ **république** n. f. *La France est une* RÉPUBLIQUE, un État gouverné par des représentants élus par le peuple (≠ monarchie). ◆ **républicain** adj. et n. *La France a un régime* RÉPUBLICAIN. ‖ *Les* RÉPUBLICAINS *s'opposaient aux royalistes.*

répudier v. *Il* A RÉPUDIÉ *ses engagements*, il y a renoncé (= rejeter).

répugnance n. f. *Il a avalé son repas avec* RÉPUGNANCE (= dégoût, répulsion). ◆ **répugnant** adj. *Quelle est cette odeur* RÉPUGNANTE? (= infect). ◆ **répugner** v. *Le mensonge me* RÉPUGNE (= dégoûter).

répulsion n. f. *De tels actes inspirent de la* RÉPULSION (= répugnance, dégoût).

réputation n. f. *M. Durand a bonne* RÉPUTATION, les gens pensent du bien de lui. ◆ **réputé** adj. *Ce restaurant est* RÉPUTÉ (= connu, célèbre).

requérir v. *On* A REQUIS *une lourde peine contre l'accusé* (= réclamer). ◆ **requête** n. f. *Faites connaître votre* REQUÊTE! (= demande, réclamation).
• **R.** Conj. n° 21.

requiem n. m. Un REQUIEM est un chant religieux en l'honneur des morts.
• **R.** On prononce [rekɥiɛm].

requin n. m. *Il est dangereux de se baigner ici à cause des* REQUINS, de grands poissons de mer.

réquisitionner v. *En cas de besoin, le gouvernement peut* RÉQUISITIONNER *les choses et les gens,* les utiliser d'autorité.

réquisitoire n. m. *Le procureur prononce le* RÉQUISITOIRE *contre l'accusé,* le discours d'accusation.

rescapé n. *Un avion a secouru les* RESCAPÉS *du naufrage,* ceux qui ont échappé à la mort (= survivant; ≠ victime).

à la rescousse adv. *Pierre est arrivé à la* RESCOUSSE, pour nous secourir, nous aider.

réseau n. m. *Un* RÉSEAU *routier* est un ensemble de routes, *un* RÉSEAU *téléphonique* est un ensemble de lignes téléphoniques.

réséda n. m. Le RÉSÉDA est une fleur jaune et parfumée.

réserve n. f. **1.** *Mme Durand a fait des* RÉSERVES *de sucre,* elle en a gardé pour plus tard (= provision). — **2.** (au plur.) *On a fait des* RÉSERVES *sur son projet,* on ne l'a pas approuvé (= restrictions). — **3.** *Paul manque de* RÉSERVE, de modération dans son attitude (= retenue). — **4.** *En cas de guerre, on fait appel à la* RÉSERVE, aux soldats qui ne sont pas en service actif. — **5.** *La Camargue est une* RÉSERVE *d'animaux,* ceux-ci y sont protégés. ◆ **réservé** adj. (sens 3) *Marie est très* RÉSERVÉE (= discret; ≠ effronté). ◆ **réserver** v. **1.** (sens 1) *Il* S'EST RÉSERVÉ *la meilleure place,* il l'a gardée pour lui. — **2.** AS-*tu* RÉSERVÉ *les places de théâtre?* (= retenir). — **3.** *La voie de droite* EST RÉSERVÉE *aux autobus,* ils ont seuls le droit d'y aller (= destiner). ◆ **réserviste** n. m. (sens 4) *On a fait appel aux* RÉSERVISTES, à la réserve. ◆ **réservoir** n. m. (sens 1) *Le* RÉSERVOIR *de la voiture est plein,* l'endroit où l'on met l'essence en réserve. ▷ 505, 511, 577

résider v. *Les Durand* RÉSIDENT *à Paris* (= habiter, demeurer). ◆ **résidence** n. f. *Ils ont une* RÉSIDENCE *secondaire à la campagne* (= maison). ◆ **résidentiel** adj. *Ils habitent un ensemble* RÉSIDENTIEL, constitué par des habitations. ▷ 219

résidu n. m. *La cendre est le* RÉSIDU *du bois qui a brûlé,* ce qui en reste.

se résigner v. *Il* S'EST RÉSIGNÉ *à partir,* il a accepté sans protester. ◆ **résignation** n. f. *Il accepte son malheur avec* RÉSIGNATION (= soumission; ≠ révolte).

résilier v. *Le locataire* A RÉSILIÉ *son contrat,* il y a mis fin (= annuler).

résine n. f. *De la* RÉSINE *coule de l'écorce des pins,* une substance collante. ◆ **résineux** adj. et n. m. *Le pin, le sapin sont des (arbres)* RÉSINEUX, qui produisent de la résine.

résister v. **1.** *La branche pourrie n'*A *pas* RÉSISTÉ *à son poids,* elle ne l'a pas supporté et a cassé. — **2.** *Les soldats* ONT RÉSISTÉ *à l'ennemi,* ils ont combattu jusqu'au bout (≠ céder). ◆ **résistant** adj. et n. (sens 1) *Jean est très* RÉSISTANT (= fort, robuste, endurant). • (sens 2) *L'ennemi a fusillé des* RÉSISTANTS, des combattants qui leur résistaient. ◆ **résistance** n. f. (sens 1) *La* RÉSISTANCE *de ce tissu est très grande* (= solidité). • (sens 2) *Pendant la guerre, des mouvements de* RÉSISTANCE *se sont créés,* d'opposition à l'occupant. ◆ **irrésistible** adj. (sens 1) *J'ai une fatigue* IRRÉSISTIBLE, je ne peux y résister (= insurmontable).

résolu, résolument, résolution → RÉSOUDRE.

résonner v. *On entend des pas* RÉSONNER *dans le couloir,* faire du bruit (= retentir). ◆ **résonance** n. f. *Quand on tape sur une cloche, elle entre en* RÉSONANCE, elle résonne.

• **R.** Attention, *résonner* a 2 *n, résonance* un seul. ‖ V. RAISON.

résorber v. *Le gouvernement essaie de* RÉSORBER *le chômage,* de le faire disparaître.

résoudre v. **1.** AS-*tu* RÉSOLU *ce problème difficile?,* trouvé sa solution. — **2.** *Il* S'EST RÉSOLU À (ou *il* A RÉSOLU DE) *partir* (= décider). ◆ **résolution** n. f. (sens 2) *Il a pris la* RÉSOLUTION *de venir* (= décision). ‖ *Henri a agi avec* RÉSOLUTION (= fermeté, énergie). ◆ **résolu** adj. (sens 2) *Henri est un garçon* RÉSOLU (= décidé, énergique). ◆ **résolument** adv. (sens 2) *Il s'est mis* RÉSOLUMENT *au travail.* ◆ **irrésolu** adj. (sens 2) *Jean est* IRRÉSOLU (= hésitant). ◆ **irrésolution** n. f. (sens 2) *On lui a reproché son* IRRÉSOLUTION (= indécision, hésitation).

• **R.** Conj. nº 61.

respect n. m. **1.** *J'ai un grand* RESPECT *pour M. Durand,* je le considère avec admiration, déférence (≠ mépris). — **2.** *On m'a appris le* RESPECT *de la vérité,* à ne pas mentir. — **3.** (au plur.) *Je lui ai présenté mes* RESPECTS, des marques de politesse. ◆ **respecter** v. (sens 1) RESPECTE *tes grands-parents!* (≠ mépriser). • (sens 2) *Silence!* RESPECTEZ *le sommeil des autres!,* faites-y attention. ◆ **respectable** adj. (sens 1) *C'est un homme* RESPECTABLE (= honorable). ◆ **respectueux** adj. (sens 1) *Il s'est montré* RESPECTUEUX *envers moi* (≠ insolent).

• **R.** On prononce [rɛspɛ].

respectif adj. *Retournez à vos places* RESPECTIVES!, chacun à la vôtre.

respectueux → RESPECT.

respirer v. **1.** *Le malade* RESPIRE *avec difficulté,* il inspire et expire l'air. — **2.** *Son visage* RESPIRE *la franchise* (= exprimer). ◆ **respiration** n. f. (sens 1) *On ne peut pas retenir longtemps sa* RESPIRATION. ◆ **respiratoire** adj. (sens 1) *Faites quelques mouvements* RESPIRATOIRES!, de respiration. ◆ **irrespirable** adj. (sens 1) *L'air est* IRRESPIRABLE *ici.*

▷ 761
▷ 761

resplendir v. *Les vitres* RESPLENDISSENT *au soleil,* brillent d'un vif éclat. ◆ **resplendissant** adj. *Son visage est* RESPLENDISSANT *de santé* (≠ pâle).

responsable adj. et n. **1.** *Qui est (le)* RESPONSABLE *de l'accident?,* la personne qui l'a causé. — **2.** *Les parents sont* RESPONSABLES DE *leurs enfants mineurs,* ils en sont chargés. ◆ **responsabilité** n. f. *Chacun doit prendre ses* RESPONSABILITÉS, accepter les conséquences de ses actes. ◆ **irresponsable** adj. *Jacques est* IRRESPONSABLE, il agit sans réfléchir.

resquiller v. Fam. *Jean* A RESQUILLÉ *dans l'autobus,* il a voyagé sans payer.

ressac n. m. *Entends-tu le bruit du* RESSAC?, le choc des vagues contre la côte.

se ressaisir v. *Paul a failli pleurer, mais il* S'EST RESSAISI, il a repris son calme.

ressembler v. *Marie* RESSEMBLE *à sa mère,* elles ont des traits communs (≠ différer de). ◆ **ressemblance** n. f. *As-tu remarqué leur* RESSEMBLANCE? (≠ différence). ◆ **ressemblant** adj. *Ce portrait de Jean est très* RESSEMBLANT, on voit que c'est lui.

ressemeler → SEMELLE.

ressentiment n. m. *Il me garde un vif* RESSENTIMENT, il m'en veut (= rancune).

ressentir → SENTIR. / **resserrer** → SERRER. / **resservir** → SERVIR.

ressort n. m. **1.** *La porte se ferme automatiquement grâce à un* RESSORT, un mécanisme élastique. — **2.** *Depuis sa maladie, Jeanne manque de* RESSORT (= force, énergie). — **3.** *Cette affaire est du* RESSORT *de la police,* c'est à elle de s'en occuper (= compétence).

▷ 74, 505

ressortir v. **1.** *Il* EST RESSORTI *de la maison,* il en est sorti après y être entré. — **2.** *Que* RESSORT-*il de ses paroles?,* quelle en est la conséquence? (= résulter). — **3.** *Le jaune* RESSORT *bien sur le rouge,* apparaît nettement, est bien visible (= trancher).

• **R.** Conj. nº 28. ‖ *Ressortir* se conjugue avec l'auxiliaire *être.*

ressortissant n. *Cette nouvelle concerne les* RESSORTISSANTS *français aux États-Unis d'Amérique,* les Français qui sont là-bas.

ressources n. f. pl. **1.** *Cette famille est sans* RESSOURCES, sans moyens d'existence. — **2.** *Les* RESSOURCES *de la France en pétrole sont faibles,* elle a peu de pétrole.

ressusciter v. *L'Évangile raconte que le Christ est* RESSUSCITÉ, est revenu à la vie. ◆ **résurrection** n. f. *La* RÉSURRECTION *du Christ aurait eu lieu le troisième jour après sa mort.*

restant → RESTER.

restaurer v. **1.** *Ce vieux château a été* RESTAURÉ, remis en bon état (= réparer). — **2.** *Nous* NOUS RESTAURONS *avant de continuer la promenade,* nous mangeons pour reprendre des forces. ◆ **restaurant** n. m. (sens 2) *Nous avons mangé dans un bon* RESTAURANT, un établissement qui sert des repas. ◆ **restauration** n. f. (sens 1) *Depuis leur* RESTAURATION, *ces fauteuils semblent neufs.*

rester v. **1.** *Jean* EST RESTÉ *huit jours en Angleterre,* il a été là-bas pendant ce temps (≠ partir). — **2.** *Il me* RESTE *10 francs,* je les ai encore. ◆ **restant 1.** n. m. (sens 2) *Je prendrai le* RESTANT *demain,* ce qui reste. — **2.** adj. (sens 1) *Écris-moi* POSTE RESTANTE *à Paris,* la lettre restera à la poste jusqu'à ce que j'aille la chercher. ◆ **reste** n. m. **1.** (sens 2) *Peux-tu me rendre le* RESTE *de ce que tu me dois,* ce que tu me dois encore. ‖ (au plur.) *On a mangé des* RESTES, ce qui restait d'un repas précédent. — **2.** *Il est parti,* DU RESTE *je m'y attendais* (= d'ailleurs).

• **R.** *Rester* se conjugue avec l'auxiliaire *être.*

restituer v. *Il m'a* RESTITUÉ *ce qu'il me devait* (= rendre).

restreindre v. **1.** *Il faut* RESTREINDRE *nos dépenses* (= diminuer, réduire). — **2.** *Jean n'aime pas* SE RESTREINDRE (= se priver). ◆ **restriction** n. f. **1.** (sens 2) *Pendant la guerre, il y avait des* RESTRICTIONS, on mangeait moins (= privation). — **2.** *On a accepté son plan sans* RESTRICTION, on l'a accepté totalement (= condition, réserve).

• **R.** Conj. n° 55.

résultat n. m. *Quel est le* RÉSULTAT *du match?,* comment a-t-il fini? ◆ **résulter** v. *Il n'est rien* RÉSULTÉ *de mes efforts,* ils n'ont pas abouti.

résumer v. *Peux-tu me* RÉSUMER *ce livre?,* me dire ce qu'il contient en peu de mots. ◆ **résumé** n. m. *J'ai lu un* RÉSUMÉ *des nouvelles* (= abrégé).

résurrection → RESSUSCITER.

rétablir v. **1.** *La police* A RÉTABLI *l'ordre,* l'a fait exister de nouveau (= ramener). — **2.** *Après sa maladie, il* S'EST *vite* RÉTABLI, il a retrouvé la santé. ◆ **rétablissement** n. m. **1.** (sens 1) *J'exige le* RÉTABLISSEMENT *de la vérité.* • (sens 2) *Je vous souhaite un rapide* RÉTABLISSEMENT (= guérison). — **2.** *D'un* RÉTABLISSEMENT, *je me suis hissé en haut du mur,* d'un effort des bras.

retarder v. **1.** *La pluie nous* A RETARDÉS, nous a fait arriver plus tard. — **2.** *Jean* A RETARDÉ *son départ,* l'a remis à plus tard (= repousser; ≠ hâter). — **3.** *Ma montre* RETARDE *de cinq minutes,* marque cinq minutes de moins que l'heure juste (≠ avancer). ◆ **retard** n. m. (sens 1 et 3) *J'ai dix minutes de* RETARD (≠ avance). ◆ **retardataire** adj. et n. (sens 1) *Les (élèves)* RETARDATAIRES *seront punis.* ◆ **retardement** n. m. (sens 1) *Les bombes* À RETARDEMENT *explosent après un certain temps.*

retenir v. **1.** *Il m'*A RETENU *dix minutes,* empêché de partir. — **2.** *Je me* SUIS RETENU *à son bras,* je m'y suis accroché pour ne pas tomber. — **3.** *J'*AI RETENU *des places de théâtre* (= réserver, louer). — **4.** *Faisons l'addition : 7 et 5 font 12, je pose 2 et je* RETIENS *1.* — **5.** *On lui* RETIENT *une partie de son salaire pour payer ses dettes* (= garder). — **6.** *Je n'ai pas pu* RETENIR *son nom,* le garder dans ma mémoire (= se souvenir de). — **7.** *Je n'ai pas*

pu ME RETENIR *de rire* (= s'empêcher; ≠ se laisser aller). ◆ **retenue** n. f. (sens 1) *Jean a eu deux heures de* RETENUE, on l'a retenu à l'école pour le punir. • (sens 4) *Si on oublie la* RETENUE, *l'addition est fausse.* • (sens 5) *Il gagne 5000 francs, moins les* RETENUES. • (sens 7) *Paul montre beaucoup de* RETENUE *dans ses paroles* (= discrétion, modération; ≠ laisser-aller).
• **R.** Conj. n° 22.

retentissant adj. **1.** *Il a une voix* RETENTISSANTE, très forte. — **2.** *Ce film a eu un succès* RETENTISSANT très grand (= éclatant). ◆ **retentir** v. (sens 1) *Les cloches* RETENTISSENT, font beaucoup de bruit. ◆ **retentissement** n. m. (sens 2) *Cette nouvelle a eu un grand* RETENTISSEMENT, on en a beaucoup parlé.

retenue → RETENIR.

réticence n. f. *Jean a accepté mon plan sans* RÉTICENCE (= hésitation, réserve).

rétif adj. *Il a cravaché son cheval* RÉTIF, qui refusait d'avancer.

rétine n. f. *Les images que nous voyons se forment sur la* RÉTINE, le fond de l'œil.

retirer v. **1.** RETIRE *cette valise du passage!* (= enlever, ôter; ≠ mettre). — **2.** *Jean m'*A RETIRÉ *sa confiance,* il ne me fait plus confiance (≠ accorder, donner). — **3.** *J'*AI RETIRÉ *du plaisir de mes vacances* (= obtenir). — **4.** *M. Dupont* S'EST RETIRÉ *à la campagne,* il est allé y vivre. ◆ **retiré** adj. *Il habite dans un endroit* RETIRÉ (= éloigné, isolé). ◆ **retrait** n. m. **1.** (sens 2) *Cette infraction est punie par le* RETRAIT *du permis de conduire.* — **2.** *Cette maison est en* RETRAIT, en arrière des autres. ◆ **retraite** n. f. **1.** (sens 4) *M. Dupont a pris sa* RETRAITE, il ne travaille plus et s'est retiré. ‖ *Il touche une* RETRAITE, de l'argent parce qu'il est trop vieux pour travailler. — **2.** *L'armée bat en* RETRAITE, elle recule devant l'ennemi. ◆ **retraité** n. (sens 4) *M. Dupont est un* RETRAITÉ, il a pris sa retraite.

retombées, retomber → TOMBER.

rétorquer v. *Il m'*A RÉTORQUÉ *qu'il ne voulait pas venir* (= répondre, répliquer).

retors adj. *M. Duval est un homme* RETORS, très rusé.

retoucher v. *Cette photo* A ÉTÉ RETOUCHÉE, corrigée pour l'améliorer. ◆ **retouche** n. f. *Le peintre a fait quelques* RETOUCHES *à son tableau.*

retourner v. **1.** *Marie* RETOURNE *le bifteck dans la poêle,* le tourne de l'autre côté. — **2.** *Quand je l'ai appelé, il* S'EST RETOURNÉ, il s'est tourné vers moi. — **3.** *Jean* EST RETOURNÉ *chez lui,* il y est allé de nouveau (= repartir, rentrer). — **4.** *On lui a* RETOURNÉ *sa lettre* (= renvoyer). ◆ **retour** n. m. **1.** (sens 3) *Connais-tu la date de son* RETOUR?, quand il est revenu (≠ départ). • (sens 4) *Réponds-moi par* RETOUR *du courrier,* aussitôt après avoir reçu ma lettre. — **2.** *Que veux-tu* EN RETOUR *de mes services?,* en échange.

retracer v. *Jean m'*A RETRACÉ *ses aventures* (= raconter).

rétracter v. **1.** *Il m'avait promis son aide, puis il* S'EST RÉTRACTÉ, il est revenu en arrière. — **2.** *Le chat* RÉTRACTE *ses griffes* (= rentrer).

retrait, retraite → RETIRER.

retrancher v. **1.** *Si on* RETRANCHE *5 de 8, il reste 3* (= enlever, soustraire). — **2.** *L'ennemi* S'EST RETRANCHÉ *dans la montagne,* il s'y est mis à l'abri. ◆ **retranchement** n. m. (sens 2) *Les troupes ont établi des* RETRANCHEMENTS *solides* (= fortification, défense).

retransmettre, retransmission → TRANSMETTRE. / **rétrécir** → ÉTROIT.

rétribuer v. *Ce travail est mal* RÉTRIBUÉ (= payer). ◆ **rétribution** n. f. *Il a reçu la* RÉTRIBUTION *de ses efforts* (= récompense, paiement).

rétrograde adj. **1.** *Un mouvement* RÉTROGRADE est un mouvement qui se fait vers l'arrière. — **2.** *M. Dupont est un esprit* RÉTROGRADE, opposé au progrès. ◆ **rétrograder** v. (sens 1) *Jean ne cesse de* RÉTROGRADER *en maths* (= reculer, régresser).

rétrospectif adj. *J'ai fait une étude* RÉTROSPECTIVE *des événements,* portant sur le passé. ◆ **rétrospectivement** adv. RÉTROSPECTIVEMENT, *j'ai eu peur,* après coup.

retrousser v. *Pierre* RETROUSSE *ses manches* (= replier, relever).

retrouvailles, retrouver → TROUVER.

505 ◁ **rétroviseur** n. m. *Avant de doubler, regarde dans le* RÉTROVISEUR, le miroir qui montre la route vers l'arrière.

réunir v. **1.** *On* A RÉUNI *de l'argent pour lui venir en aide* (= recueillir, rassembler). — **2.** *Ils* SE SONT RÉUNIS *pour discuter du projet* (= se rencontrer, se rassembler; ≠ se séparer). ◆ **réunion** n. f. (sens 2) *M. Durand est allé à une* RÉUNION *électorale* (= assemblée).

réussir v. *Jean* A RÉUSSI *(à) son examen,* il a eu un bon résultat (≠ échouer). ◆ **réussite** n. f. **1.** *Jean a fêté sa* RÉUSSITE (= succès; ≠ échec). — **2.** *Il passe le temps en faisant des* RÉUSSITES, en jouant tout seul aux cartes.

revaloir v. *Tu m'as rendu service et je te* REVAUDRAI *cela,* je te rendrai la pareille.

• **R.** Conj. n° 50.

revanche n. f. **1.** *Paul a agi par esprit de* REVANCHE (= vengeance). — **2.** *Marie a gagné une partie et perdu la* REVANCHE, la deuxième partie. — **3.** *Jean est petit,* EN REVANCHE *il court vite* (= mais).

rêvasser, rêve, rêvé → RÊVER.

revêche adj. *Il m'a regardé d'un air* REVÊCHE (= hargneux; ≠ aimable, doux).

réveiller v. *Un bruit m'*A RÉVEILLÉ *au milieu de la nuit,* tiré du sommeil (≠ endormir). ◆ **réveil** n. m. **1.** *À son* RÉVEIL, *il était de mauvaise*
220 ◁ *humeur.* — **2.** *Le* RÉVEIL *a sonné à 8 heures,* une petite pendule.

réveillon n. m. *Pour le* RÉVEILLON *de Noël, nous avons mangé une dinde,* le repas de fête. ◆ **réveillonner** v. *Le jour de l'an, nous* AVONS RÉVEILLONNÉ *chez Jacques.*

révéler v. *Pierre n'a pas voulu* RÉVÉLER *ses projets,* les faire connaître (= dévoiler; ≠ cacher). ◆ **révélation** n. f. *J'ai une* RÉVÉLATION *à te faire.* ◆ **révélateur** adj. *Cette lettre est* RÉVÉLATRICE *de ses intentions.*

revenant → REVENIR.

revendiquer v. *Les ouvriers* ONT REVENDIQUÉ *une augmentation de salaire* (= réclamer). ◆ **revendication** n. f. *Leurs justes* REVENDICATIONS *ont été satisfaites* (= demande).

revendre → VENDRE.

revenir v. **1.** *Après un an d'absence, il* EST REVENU *chez lui* (= rentrer, retourner). — **2.** *Le docteur m'a dit de* REVENIR *demain,* de venir une autre fois. — **3.** *Le blessé* EST REVENU À LUI, il a cessé d'être évanoui. — **4.** *Je* N'EN REVIENS PAS, je suis très surpris. — **5.** *Sa figure ne me* REVIENT *pas,* ne m'inspire pas confiance (= plaire). — **6.** *Cet argent me* REVIENT, doit m'être donné. — **7.** *À combien* REVIENT *cette voiture?,* combien coûte-t-elle? — **8.** *Pierre fait* REVENIR *des oignons dans la poêle,* cuire dans de la graisse. — **9.** *Cela* REVIENT AU MÊME, c'est la même chose. ◆ **revenant** n. m. (sens 1) *Il a raconté une histoire de* REVENANTS, de morts qui reviennent (= fantôme). ◆ **revenu** n. m. (sens 6) *Il faut chaque année déclarer ses* REVENUS *au fisc,* l'argent qu'on reçoit. ◆ **revient** n. m. (sens 7) *Le* PRIX DE REVIENT *d'un objet,* c'est ce qu'il coûte en totalité.
• **R.** Conj. n° 23. ‖ *Revenir* se conjugue avec ÊTRE.

rêver v. **1.** *J'*AI RÊVÉ *cette nuit que j'étais un oiseau,* je l'ai vu dans mon sommeil. — **2.** *M. Dupont* RÊVE *de s'acheter une voiture,* il le désire vivement. — **3.** *Jean* RÊVE *au lieu d'écouter,* il est distrait, dans la lune. ◆ **rêve** n. m. (sens 1) *Bonne nuit, fais de beaux* RÊVES! • (sens 2) *Son* RÊVE *est de partir en vacances* (= désir). ◆ **rêvé** adj. (sens 2) *Voilà la solution* RÊVÉE! (= souhaitable). ◆ **rêvasser** v. (sens 3) *Il passe son temps à* RÊVASSER (= rêver). ◆ **rêverie** n. f. (sens 3) *Jean est perdu dans ses* RÊVERIES (= songerie). ◆ **rêveur** adj. et n. (sens 3) *Il m'a regardé d'un air* RÊVEUR (= distrait). ‖ *Jean est un rêveur.*

réverbère n. m. *Les* RÉVERBÈRES *de l'avenue sont allumés,* les lampes qui l'éclairent.

réverbérer v. *Les vitres* RÉVERBÈRENT *le soleil,* renvoient sa lumière (= réfléchir).

reverdir → VERT.

révérence n. f. *Elle a fait une* RÉVÉRENCE *avant de partir,* un salut cérémonieux.

révérer v. *Les chrétiens* RÉVÈRENT *Dieu,* le respectent profondément.

rêverie → RÊVER.

revers n. m. **1.** *Écris sur le* REVERS *de la feuille,* sur l'autre côté (= dos, verso; ≠ face, recto). — **2.** *Il a une* DÉCORATION *au revers de son veston,* sur la partie qui fait un pli. — **3.** *Tous ces* REVERS *l'ont démoralisé* (= échec, défaite; ≠ succès). — **4.** *Il porte une décoration sur le* REVERS *de son veston,* sur la partie qui forme un pli. ▷ 36, 37

revêtir v. **1.** *Jean* A REVÊTU *son plus beau costume,* il l'a mis. — **2.** *On* A REVÊTU *le mur d'une couche de ciment* (= recouvrir). ◆ **revêtement** n. m. (sens 2) *Le* REVÊTEMENT *de la route est en mauvais état,* la couche de matériaux qui la recouvre.
- **R.** Conj. nº 27.

rêveur → RÊVER. / **revient** → REVENIR.

revigorer v. *Ce verre de vin m'*A REVIGORÉ, redonné des forces.

revirement n. m. *Son* REVIREMENT *m'a étonné,* son changement d'opinion.

réviser v. **1.** *Marie* RÉVISE *ses leçons,* elle les étudie de nouveau. — **2.** *Il faut faire* RÉVISER *la voiture,* l'examiner pour la réparer. ◆ **révision** n. f. (sens 1) *As-tu fini tes* RÉVISIONS?

revivre → VIE. / **révocation** → RÉVOQUER. / **revoir** → VOIR.

révolter v. **1.** *Les gens* SE SONT RÉVOLTÉS *contre le tyran* (= se soulever). — **2.** *Cette injustice me* RÉVOLTE (= indigner). ◆ **révoltant** adj. (sens 2) *Ce qu'il a dit est* RÉVOLTANT (= choquant). ◆ **révolte** n. f. (sens 1) *Une* RÉVOLTE *a éclaté dans ce pays* (= insurrection). • (sens 2) *Un sentiment de* RÉVOLTE *m'envahit* (= indignation).

révolu adj. *Jacques a dix-huit ans* RÉVOLUS (= passé).

révolution n. f. **1.** *La* RÉVOLUTION *française a renversé la royauté,* un changement brutal de régime. — **2.** *Cette découverte est une* RÉVOLUTION *scientifique,* une nouveauté totale (= bouleversement). ◆ **révolutionnaire** adj. et n. (sens 1) *1789 est le début de la période* RÉVOLUTIONNAIRE. ‖ *Les* RÉVOLUTIONNAIRES *ont pris la Bastille.* • (sens 2) *Cette auto est* RÉVOLUTIONNAIRE, très nouvelle. ◆ **révolutionner** v. (sens 2) *L'invention de l'électricité* A RÉVOLUTIONNÉ *le monde,* l'a beaucoup changé.

revolver n. m. *Le bandit a tiré un coup de* REVOLVER, une arme à feu.
- **R.** On prononce [revɔlvɛr].

révoquer v. *Le préfet* A ÉTÉ RÉVOQUÉ, chassé de son poste. ◆ **révocation** n. f. *Cette* RÉVOCATION *est injuste* (= renvoi). ◆ **irrévocable** adj. *Ma décision est* IRRÉVOCABLE, je n'en changerai pas.

revue n. f. **1.** *On a* PASSÉ EN REVUE *tous les détails de l'affaire,* on les a examinés l'un après l'autre. — **2.** *As-tu assisté à la* REVUE *du 14-Juillet?,* au défilé des soldats. — **3.** *M. Durand est abonné à plusieurs revues,* des publications périodiques.

se révulser v. *Ses yeux* SE SONT RÉVULSÉS, on n'en voyait plus que le blanc.

217 ◁ **rez-de-chaussée** n. m. *Les Durand habitent au* REZ-DE-CHAUSSÉE, au niveau du sol.

rhabiller → HABILLER.

rhétorique n. f. La RHÉTORIQUE est l'art de bien parler.

581 ◁ **rhinocéros** n. m. *Le* RHINOCÉROS *d'Afrique a deux cornes sur le nez.*

rhododendron n. m. *Les* RHODODENDRONS *en fleur sont magnifiques,* une sorte d'arbuste.

rhubarbe n. f. *Jean aime la compote de* RHUBARBE, une sorte de plante.

rhum n. m. *M. Durand a bu un petit verre de* RHUM, de l'alcool de canne à sucre.
• **R.** On prononce [rɔm].

rhumatisme n. m. *Mon grand-père a des* RHUMATISMES, des douleurs aux articulations. ◆ **rhumatisant** n. *Mon grand-père est* RHUMATISANT.

rhume n. m. *Quand on a un rhume, on éternue et on tousse,* une maladie pas très grave. ◆ **s'enrhumer** v. *Couvre-toi, sinon tu vas t'*ENRHUMER, attraper un rhume.

ribambelle n. f. Fam. *Les Durand ont une* RIBAMBELLE *d'enfants,* un grand nombre.

ricaner v. *Pourquoi* RICANES-TU *ainsi?*, ris-tu bêtement. ◆ **ricanement** n. m. *Tu m'agaces avec tes* RICANEMENTS.

riche adj. et n. **1.** *M. Duval est* RICHE, il a de l'argent, des biens (≠ pauvre). ‖ *C'est un nouveau* RICHE, il est riche depuis peu. — **2.** *Ce pays est* RICHE *en pétrole,* il en a beaucoup. ◆ **richesse** n. f. (sens 1) *Sa* RICHESSE *est très grande* (= fortune; ≠ pauvreté). • (sens 2) *Les* RICHESSES *naturelles d'un pays,* ce sont ses ressources. ◆ **richissime** adj. (sens 1) *Ce banquier est* RICHISSIME, extrêmement riche. ◆ **richard** n. m. (sens 1) *Un* RICHARD *possède toute cette forêt,* un homme très riche. ◆ **enrichir** v. (sens 1) *Il s'est* ENRICHI *en faisant de bonnes affaires,* il est devenu riche.

ricocher v. *La balle* A RICOCHÉ *contre le mur* (= rebondir). ◆ **ricochet** n. m. *Jean fait des* RICOCHETS *sur le lac,* il lance des pierres plates qui rebondissent à la surface de l'eau. ▷ 721

rictus n. m. *Il avait un* RICTUS *de souffrance sur son visage* (= expression, grimace).

ride n. f. *Ma grand-mère a des* RIDES, sa peau fait des plis. ◆ **rider** v. *Quand il est soucieux son front* SE RIDE (= plisser). ◆ **dérider** v. *Sa plaisanterie* A DÉRIDÉ *ses amis,* ils ont quitté leur air soucieux (= égayer).

rideau n. m. *Peux-tu fermer les* RIDEAUX?, les pièces de tissu placées devant la fenêtre. ▷ 76, 440

rider → RIDE.

ridicule adj. et n. m. *Jacques porte un chapeau* RIDICULE (= risible, grotesque). ‖ *On l'a tourné en* RIDICULE, on s'est moqué de lui. ◆ **ridiculiser** v. *Il* SE RIDICULISE *en s'habillant ainsi,* il se rend ridicule.

rien **1.** pron. indéfini *Il fait noir, je* NE vois RIEN, aucune chose (≠ quelque chose). — **2.** n. m. *Ils se sont fâchés pour un* RIEN, une chose sans importance.

rieur → RIRE.

rigide adj. **1.** *Ce livre a une couverture* RIGIDE, qui ne plie pas (= raide; ≠ mou). — **2.** *M. Durand est très* RIGIDE (= sévère; ≠ indulgent).

rigolade → RIRE.

368 ◁ **rigole** n. f. *Cette* RIGOLE *permet l'évacuation des eaux de pluie,* ce petit canal.

rigoler, rigolo → RIRE.

rigueur n. f. **1.** *Les prisonniers ont été traités avec* RIGUEUR, une grande sévérité. — **2.** *La* RIGUEUR *du froid a augmenté* (= dureté). — **3.** *La* RIGUEUR *de ses raisonnements est très grande* (= exactitude, précision). — **4.** *Ici, la cravate est* DE RIGUEUR (= obligatoire). — **5.** À LA RIGUEUR, *je peux venir demain,* si c'est indispensable. ◆ **rigoureux** adj. (sens 1) *Cette punition est trop* RIGOUREUSE. • (sens 2) *L'hiver a été* RIGOUREUX. • (sens 3) *Son analyse est* RIGOUREUSE. ◆ **rigoureusement** adv. (sens 4) *Il est* RIGOUREUSEMENT *interdit de fumer* (= absolument).

rillettes n. f. pl. *Le charcutier vend des* RILLETTES *d'oie,* une sorte de pâté.

rimer v. **1.** *«Bonheur» rime avec «malheur»,* se termine de la même manière. — **2.** *Cela* NE RIME À RIEN, n'a aucun sens. ◆ **rime** n. f. (sens 1) *À la fin de chaque vers il y a une* RIME, un son qui est répété à la fin d'un autre vers.

rincer v. RINCE *bien les verres avant de les essuyer!,* passe-les dans l'eau propre. ◆ **rinçage** n. m. *Un seul* RINÇAGE *ne suffit pas, il reste du savon dans le linge.*

ring n. m. *Les boxeurs sont montés sur le* RING, sur l'estrade où a lieu le combat.

ripaille n. f. *Nous avons fait* RIPAILLE, beaucoup mangé.

riposter v. *Il* A RIPOSTÉ *à son adversaire par des injures* (= répondre). ◆ **riposte** n. f. *Quand on embête le chat, sa* RIPOSTE *est immédiate, il griffe* (= réaction, contre-attaque).

rire v. **1.** *Nous* AVONS *beaucoup* RI *de ses plaisanteries,* cela nous a rendus gais (≠ pleurer). — **2.** *Jean a dit cela pour* RIRE (= plaisanter, s'amuser). — **3.** *Je n'aime pas qu'on* RIE DE *moi* (= se moquer). ◆ **rire** n. m. (sens 1) *On entend des éclats de* RIRE *à côté.* ◆ **rieur** adj. et n. (sens 1) *Marie a les yeux* RIEURS (= gai). ‖ *Il a mis les* RIEURS *de son côté,* ceux qui rient. ◆ **rigoler** v. est un équivalent familier de *rire.* ◆ **rigolade** n. f. (sens 1) Fam. *Quelle* RIGOLADE, *quand il raconte des histoires!,* on rit. ◆ **rigolo** adj. (sens 1) Fam. *Elle est* RIGOLOTE *avec son chapeau* (= drôle). ◆ **risible** adj. (sens 3) *Il est habillé de manière* RISIBLE, on rit de lui (= ridicule). ◆ **risée** n. f. (sens 3) *Il est la* RISÉE *de ses camarades,* ils se moquent de lui. ◆ **dérision** n. f. (sens 3) *Il a eu un sourire de* DÉRISION (= moquerie, raillerie; ≠ respect). ◆ **dérisoire** adj. (sens 3) *Cela coûte un prix* DÉRISOIRE (= ridicule, insignifiant).
• **R.** Conj. n° 67. ‖ V. RIZ.

ris n. m. **1.** *Nous avons mangé du* RIS *de veau,* un organe de cet animal. — **2.** *Larguez les* RIS!, pliez le bord des voiles.
• **R.** V. RIZ.

risée, risible → RIRE.

risquer v. **1.** *Il* A RISQUÉ *sa vie pour me sauver,* il l'a mise en danger (= exposer). — **2.** *Attention, tu* RISQUES DE *tomber et* DE *te faire mal,* cela pourrait t'arriver. ◆ **risque** n. m. *Cette entreprise comporte des* RISQUES (= danger). ◆ **risque-tout** n. m. inv. *Ces alpinistes sont des* RISQUE-TOUT, ils sont téméraires, imprudents.

rissoler v. *Marie fait* RISSOLER *des pommes de terre,* cuire dans l'huile à feu vif.

ristourne n. f. *L'épicier m'a fait une* RISTOURNE *de 10 pour 100* (= réduction, remise).

rite n. m. *Cette religion a des* RITES *bizarres,* l'organisation de ces cérémonies. ◆ **rituel** adj. *Il arrive toujours à 8 heures, c'est* RITUEL, cela se passe toujours ainsi.

ritournelle n. f. *Jean chante toujours la même* RITOURNELLE (= refrain, chanson).

rituel → RITE. / **rivage** → RIVE.

rival n. *Jean bat tous ses* RIVAUX *aux échecs,* ceux qui lui sont opposés (= adversaire). ◆ **rivaliser** v. *Tu ne peux* RIVALISER *avec lui* (= se battre, lutter). ◆ **rivalité** n. f. *Il y a une* RIVALITÉ *commerciale entre ces deux pays* (= opposition, concurrence).

rive n. f. *Nous habitons sur la* RIVE *droite du fleuve* (= côté, bord). ▷ 721 ◆ **rivage** n. m. *Le bateau s'éloigne du* RIVAGE, du bord de la mer (= côte, littoral). ▷ 725 ◆ **riverain** n. m. *Les* RIVERAINS *de la Loire ont fui devant l'inondation,* ceux qui habitent au bord.

river v. **1.** *Les anneaux de la chaîne* SONT RIVÉS, attachés avec des rivets. — **2.** *Il a les yeux* RIVÉS *sur moi* (= attacher, fixer). ◆ **rivet** n. m. *Je n'arrive pas à poser ce* RIVET, une sorte de clou.

riverain → RIVE.

rivière n. f. *Nous nous sommes baignés dans la* RIVIÈRE, un cours d'eau. ▷ 152, 721

rixe n. f. *M. Dupont a été blessé dans une* RIXE, une violente bagarre.

riz n. m. *Nous avons mangé une poule au* RIZ, une céréale. ◆ **rizière** n. f. *Le riz pousse dans des* RIZIÈRES, des terrains humides. ▷ 578

- **R.** *Riz* se prononce [ri] comme *ris* et [*il*] *rit* (de *rire*).

robe n. f. **1.** *Marie a une* ROBE *rouge,* un vêtement féminin. — **2.** *Les magistrats portent des* ROBES, des vêtements d'apparat. — **3.** *Quand il se lève le matin, Paul enfile sa* ROBE DE CHAMBRE, un vêtement d'intérieur. ▷ 37

robinet n. m. *L'eau coule, ferme le* ROBINET! ▷ 79

robot n. m. *Il travaille comme un* ROBOT, une machine automatique pouvant faire le travail de l'homme.

robuste adj. *Jean est un garçon* ROBUSTE (= fort, résistant; ≠ fragile, délicat).

roc n. m. *Pierre est resté ferme comme un* ROC (= rocher). ◆ **rocaille** n. f. *Rien ne pousse dans cette* ROCAILLE, ces cailloux. ◆ **rocailleux** adj. *Ce sentier est* ROCAILLEUX (= caillouteux).

rocambolesque adj. *Il m'est arrivé une aventure* ROCAMBOLESQUE (= extraordinaire).

roche n. f. *Quand on creuse le sol, on arrive à la* ROCHE (= pierre).
724, 434 ◁ ◆ **rocher** n. m. *Nous sommes montés sur un énorme* ROCHER, un bloc de pierre. ◆ **rocheux** adj. *La côte est* ROCHEUSE, formée de rochers.

rodage n. m. *Ne va pas trop vite, la voiture est en* RODAGE, les pièces encore neuves seraient abîmées par des efforts trop violents. ◆ **roder** v. *M. Durand met beaucoup de soin à* RODER *son moteur,* à faire le rodage.

rôder v. *Il y a des chiens qui* RÔDENT *dans la rue,* qui vont et viennent (= errer). ◆ **rôdeur** n. *La police a arrêté un* RÔDEUR (= vagabond).
• **R.** Ne pas confondre *rôder* [rode] et *roder* [rɔde].

rogner v. *M. Dupont* ROGNE *sur la nourriture,* il ne veut pas dépenser beaucoup pour cela.

rognon n. m. *Nous avons mangé des* ROGNONS *de veau,* les reins de cet animal.

roi n. m. **1.** *Autrefois, la France était gouvernée par un* ROI, un souverain héréditaire (= monarque). — **2.** *Jean a joué le* ROI *de cœur,* une des figures aux cartes. ◆ **reine** n. f. (sens 1) *La* REINE *d'Angleterre a rencontré le président de la République.* ◆ **royal** adj. (sens 1) *Le pouvoir* ROYAL *était sans limites légales.* ◆ **royalement** adv. *On nous a traités* ROYALEMENT, très bien. ◆ **royaliste** n. (sens 1) *Les* ROYALISTES *veulent le renversement de la République.* ◆ **royaume** n. m. (sens 1) *Le* ROYAUME *de France s'est agrandi peu à peu,* le territoire gouverné par le roi. ◆ **royauté** n. f. (sens 1) *La* ROYAUTÉ *était héréditaire,* la dignité de roi.

roitelet n. m. *Des* ROITELETS *se sont envolés de la haie,* des petits oiseaux.

rôle n. m. **1.** *M. Durand a joué un* RÔLE *important dans cette affaire,* il a eu une influence (= action, fonction). — **2.** *L'acteur apprend son* RÔLE, ce qu'il doit dire et faire sur scène.

75 ◁ **romain** adj. **1.** *I, V, X sont des chiffres* ROMAINS. — **2.** *Les synonymes et* 290 ◁ *les contraires sont écrits en caractères* ROMAINS, en lettres d'imprimerie droites (≠ italique).

1. roman adj. **1.** *Le français, l'italien, l'espagnol sont des langues* ROMANES, qui viennent du latin. — **2.** *Cette église est de style* ROMAN, elle date du milieu du Moyen Âge (≠ gothique).

2. roman n. m. *Ce* ROMAN *est très intéressant,* ce livre qui raconte une histoire imaginée. ◆ **romancier** n. *Quel est le nom du* ROMANCIER?, de l'auteur du roman. ◆ **romanesque** adj. *Il a eu des aventures* ROMANESQUES, dignes d'un roman (= fantastique).

romance n. f. *Marie chante une* ROMANCE *bretonne,* une chanson.

romancier, romanesque → ROMAN 2.

romanichel n. *Des* ROMANICHELS *campent à l'entrée du village,* des gens qui vivent dans des roulottes (= bohémien, gitan).

romantique adj. *Claude a une imagination* ROMANTIQUE, elle est sentimentale, exaltée.

romarin n. m. *Hélène a mis du* ROMARIN *dans le civet,* une plante qui sent bon.

rompre v. **1.** *Jean* S'EST ROMPU *une jambe en faisant du ski* (= casser, briser). — **2.** *Marie* A ROMPU *le silence* (= interrompre, troubler). — **3.** *M. Duval* A ROMPU *avec sa femme,* ils se sont séparés. — **4.** *Je* SUIS ROMPU *à ce genre de travail,* j'y suis très exercé. ◆ **rupture** n. f. (sens 1) *La* RUPTURE *de la corde est due à l'usure.* • (sens 3) *Quelle est la cause de leur* RUPTURE? (= séparation, brouille).
• **R.** Conj. nº 53. ‖ V. ROND.

ronce n. f. *Jean s'est égratigné dans les* RONCES, des plantes à épines. ▷ 364

ronchonner v. *Quel mauvais caractère, il* RONCHONNE *tout le temps!* (= protester, râler).

rond adj. **1.** *Nous mangeons autour d'une table* RONDE (= circulaire). — **2.** *La Terre est* RONDE (= sphérique). — **3.** *Pierrot a un visage tout* ROND (= arrondi; ≠ anguleux). — **4.** *Mme Dubois est une femme* RONDE, grosse et petite (≠ maigre). — **5.** *10 est un chiffre* ROND, sans décimales. — **6.** adv. *Le moteur tourne* ROND, vite et bien. ◆ **rond** n. m. (sens 1) *Jean fait des* RONDS *avec son compas* (= cercle). ◆ **ronde** n. f. **1.** (sens 1) *Les enfants dansent une* RONDE, ils se tiennent par la main et tournent en rond. — **2.** *Les soldats ont fait leur* RONDE, leur tournée d'inspection. — **3.** *Il n'y a personne à dix kilomètres* À LA RONDE, tout autour. ◆ **rondement** adv. (sens 6) *L'affaire a été menée* RONDEMENT (= vite). ◆ **rondeur** n. f. (sens 4) *Mme Dubois a des* RONDEURS, certaines parties de son corps sont grosses. ◆ **rondelet** adj. (sens 4) *Mme Dubois est* RONDELETTE (= grassouillet). ◆ **rondelle** n. f. (sens 1) *Veux-tu une* RONDELLE *de saucisson?,* une tranche ronde. ◆ **rondin** n. m. (sens 1) *Le bûcheron coupe la branche en* RONDINS, en morceaux ronds. ◆ **rond-point** n. m. (sens 1) *Au* ROND-POINT, *tu tourneras à droite,* à la place ronde. ◆ **arrondir** v. (sens 3) *Les galets ont une forme* ARRONDIE, à peu près ronde. • (sens 5) *Vous me devez 101 francs, 100 en* ARRONDISSANT, en donnant un chiffre rond. ▷ 34 ▷ 294 ▷ 146 ▷ 655 ▷ 217
• **R.** *Rond* se prononce [rɔ̃] comme [*je*] *romps* (de *rompre*).

ronfler v. *Quand tu dors, tu* RONFLES, tu fais un bruit en respirant. ◆ **ronflement** n. m. *Entends-tu ce* RONFLEMENT *de moteur?,* ce bruit sourd et continu. ◆ **ronflant** adj. *Paul emploie des mots* RONFLANTS (= pompeux; ≠ simple).

ronger v. **1.** *Le chien* RONGE *son os,* il le grignote avec ses dents. — **2.** *M. Durand est* RONGÉ *par le chagrin* (= tourmenter). ◆ **rongeur** n. m. (sens 1) *Les rats, les lapins, les écureuils sont des* RONGEURS, des animaux qui se nourrissent en rongeant leurs aliments.

ronronner v. *Le chat* RONRONNE *quand il est content,* il fait entendre un bruit spécial. ◆ **ronronnement** n. m. *Entends-tu le* RONRONNEMENT *de l'ascenseur?,* le bruit doux et continu.

roquefort n. m. *Jean aime beaucoup le* ROQUEFORT, un fromage.

roquet n. m. *Encore ce sale* ROQUET *qui aboie!* (= chien).

148 ◁ **rosace** n. f. *La* ROSACE *de cette cathédrale est magnifique,* le grand vitrail rond.

rosbif n. m. *Le* ROSBIF *était trop cuit,* le rôti de bœuf.

80 ◁ **rose 1.** n. f. *Ces* ROSES *embaument toute la pièce,* une sorte de fleur. —
289 ◁ **2.** adj. et n. m. *Marie porte une robe* ROSE; *elle aime s'habiller en* ROSE (= rouge clair). ◆ **rosé** adj. et n. m. (sens 2) *Ce vigneron fait du (vin)* ROSÉ, rouge clair. ◆ **roseraie** n. f. (sens 1) *Dans la* ROSERAIE, *il y a des roses de toutes les couleurs,* la plantation de rosiers. ◆ **rosier** n. m. (sens 1) *Ce* ROSIER *donne des roses rouges.*

721 ◁ **roseau** n. m. *Pierre s'est fait une flûte en* ROSEAU, une plante à tige creuse.

rosée n. f. *Ce matin, le pré était couvert de* ROSÉE, de gouttelettes d'eau.

roseraie → ROSE.

rosette n. f. *Il porte la* ROSETTE *de la Légion d'honneur,* le petit insigne de cette décoration.

rosier → ROSE.

rosse adj. Fam. *Le professeur est* ROSSE *avec ses élèves,* très sévère (= méchant). ◆ **rosserie** n. f. *Jean m'a encore fait une* ROSSERIE (= méchanceté). ◆ **rosser** v. *Il s'est fait* ROSSER *par des voyous* (= battre, frapper). ◆ **rossée** n. f. *Il a reçu une* ROSSÉE, des coups.

rossignol n. m. *Marie a une voix de* ROSSIGNOL, belle comme le chant de cet oiseau.

rotation n. f. *La* ROTATION *de la Terre autour du Soleil dure un an,* le mouvement tournant.

rôti → RÔTIR.

rotin n. m. *Les élèves tressent des objets en* ROTIN, avec les tiges d'une plante.

rôtir v. *Jeanne a mis un poulet à* RÔTIR, à cuire à la broche ou au four.
222 ◁ ◆ **rôti** n. m. *Nous avons mangé un* RÔTI *de veau.* ◆ **rôtissoire** n. f. *On a mis le rôti dans la* RÔTISSOIRE *électrique* (= four).

40 ◁ **rotule** n. f. *Paul s'est cassé la* ROTULE *en tombant,* l'os du genou.

roturier n. *Sous la royauté, les* ROTURIERS *étaient défavorisés,* ceux qui n'étaient pas nobles.

rouage n. m. *Un* ROUAGE *de ma montre est cassé,* un élément du mécanisme.

roublard n. f. Fam. *Méfie-toi de Jacques, c'est un* ROUBLARD, il est malin, rusé. ◆ **roublardise** n. f. *On s'est laissé prendre à ses* ROUBLARDISES.

rouble n. m. Le ROUBLE est la monnaie de l'U. R. S. S.

roucouler v. *Les pigeons* ROUCOULENT, poussent leur cri.

721, 512, 506 ◁ **roue** n. f. *Les autos ont quatre* ROUES, *les bicyclettes ont deux* ROUES. ◆ **deux-roues** n. m. inv. *Les vélos, les cyclomoteurs, les motos sont des* DEUX-ROUES.

roué adj. *Marie est très* ROUÉE (= malin, rusé). ◆ **rouerie** n. f. *On se méfie de sa* ROUERIE (= ruse).

rouet n. m. *Autrefois on filait la laine avec un* ROUET, un instrument. ▷ 224

rouge adj. et n. m. *Le drapeau de l'U. R. S. S. est* ROUGE. ‖ *Ne passe pas, le feu est au* ROUGE! ◆ **rougeâtre** adj. *Jean a des taches* ROUGEÂTRES *sur les bras,* un peu rouges. ◆ **rougeaud** adj. *M. Dupont est un gros homme* ROUGEAUD, au visage rouge. ◆ **rougeur** n. f. *Jeanne a des* ROUGEURS *sur la figure,* des taches rouges. ◆ **rougir** v. *Anne est timide, elle* ROUGIT *souvent,* elle devient rouge. ◆ **rouge-gorge** n. m. *Des* ROUGES-GORGES *se sont posés sur ma fenêtre,* des petits oiseaux. ◆ **rougeole** n. f. *Jeanne a la* ROUGEOLE, une maladie marquée par des plaques rouges. ◆ **rougeoyer** v. *Le feu* ROUGEOIE, il est rouge. ◆ **rouget** n. m. *Le poissonnier m'a vendu des* ROUGETS, des poissons de mer de couleur rose. ▷ 289, 721 ▷ 579

rouille n. f. *Cette barre de fer est couverte de* ROUILLE, d'une croûte brune. ◆ **rouiller** v. *L'humidité fait* ROUILLER *le fer et l'acier,* ils s'abîment en se couvrant de rouille.

rouler v. **1.** *La bille* A ROULÉ *en bas de l'escalier,* a avancé en tournant. — **2.** *Le train* ROULE *à 100 kilomètres à l'heure,* avance sur ses roues. — **3.** *On entend le tonnerre* ROULER *au loin,* faire un bruit sourd et continu. — **4.** *Veux-tu* ROULER *la toile cirée,* la plier en rouleau (= enrouler). — **5.** *Il* S'EST ROULÉ *dans une couverture* (= envelopper). — **6.** Fam. *Tu as payé 100 francs? Tu t'es fait* ROULER (= tromper). ◆ **roulant** adj. (sens 2) *L'infirme se déplace dans un fauteuil* ROULANT. • (sens 3) *Un feu* ROULANT est un tir continu d'armes à feu. ◆ **roulé** adj. (sens 4) *Jean a un pull à col* ROULÉ. ◆ **rouleau** n. m. (sens 1) *Marie aplatit la pâte avec un* ROULEAU *à pâtisserie.* ‖ *On égalise la route avec un* ROULEAU *compresseur.* • (sens 4) *Le papier peint se vend en* ROULEAUX (= cylindre). ◆ **roulement** n. m. **1.** (sens 1) *Un* ROULEMENT À BILLES *sert à diminuer les frottements,* un mécanisme contenant des billes qui roulent les unes sur les autres. • (sens 3) *Entends-tu les* ROULEMENTS *du tambour?* — **2.** *Les ouvriers travaillent par* ROULEMENT, ils se remplacent. ◆ **roulette** n. f. **1.** (sens 2) *Jean fait du patin à* ROULETTES, des patins ayant des petites roues. — **2.** *Il a perdu une fortune à la* ROULETTE, un jeu de hasard. ◆ **roulis** n. m. *Le* ROULIS *du bateau me rend malade,* le mouvement d'un côté sur l'autre (≠ tangage). ◆ **roulotte** n. f. (sens 2) *Les gens du cirque habitent dans des* ROULOTTES, de grandes voitures. ◆ **dérouler** v. **1.** (sens 4) *Le chat* A DÉROULÉ *la pelote de laine* (≠ rouler). — **2.** *L'action du film* SE DÉROULE *en Amérique* (= se passer). ◆ **déroulement** n. m. *Je ne comprends pas le* DÉROULEMENT *des faits,* comment ils se sont déroulés (au sens 2) [= enchaînement]. ◆ **enrouler** v. (sens 4) *Le serpent* S'EST ENROULÉ *autour du bâton,* s'est tourné sur lui-même. ▷ 36/367 ▷ 152 ▷ 223 ▷ 292 ▷ 433

round n. m. *Le boxeur a abandonné au troisième* ROUND, à la troisième partie du match.
• **R.** On prononce [rund] ou [rawnd].

roupie n. f. La ROUPIE est la monnaie de l'Inde.

rouquin → ROUX.

rouspéter v. *Pour un rien, il se met à* ROUSPÉTER (= protester, râler).

rousseur, roussi → ROUX.

651, 507, 152 ◁ **route** n. f. **1.** *Nous sommes allés à Lyon par la* ROUTE *nationale,* une voie large et goudronnée (≠ chemin). — **2.** *Jean n'a pas pu retrouver sa* ROUTE, la direction qu'il devait prendre (= chemin). — **3.** *Nous* NOUS METTRONS EN ROUTE *à 8 heures* (= partir). ◆ **routier** adj. et n. m. (sens 1) *Le dimanche, la circulation* ROUTIÈRE *est intense.* ‖ *Nous avons mangé dans un restaurant de* ROUTIERS, de conducteurs de camions.

routine n. f. *Je voudrais bien échapper à la* ROUTINE, à la répétition des mêmes actes. ◆ **routinier** adj. *M. Dubois mène une vie* ROUTINIÈRE, il fait tous les jours la même chose.

rouvrir → OUVERT.

roux adj. et n. **1.** *À l'automne, les arbres deviennent* ROUX, d'une couleur entre le jaune et le rouge. — **2.** *Marie est une belle* ROUSSE, elle a les cheveux ROUX. ◆ **rouquin** n. (sens 2) *Marie est une* ROUQUINE. ◆ **rousseur** n. f. (sens 2) *Elle a des taches de* ROUSSEUR *sur la figure.* ◆ **roussi** n. m. *Ça sent le* ROUSSI *dans la cuisine,* une odeur de brûlé.

royal, royalement, royaliste, royaume, royauté → ROI. / **ruade** → RUER.

763, 296 ◁ **ruban** n. m. *Jeanne a un* RUBAN *dans les cheveux,* une bande étroite de tissu.

rubéole n. f. *Ne t'approche pas d'Annette, elle a la* RUBÉOLE, une maladie contagieuse qui ressemble à la rougeole.

rubicond adj. *M. Duval a un visage* RUBICOND, très rouge.

rubis n. m. *Anne a une bague de* RUBIS, une pierre précieuse rouge.

rubrique n. f. *Pierre lit toujours la* RUBRIQUE *sportive du journal,* les articles sur le sport.

362 ◁ **ruche** n. f. *On élève les abeilles dans des* RUCHES, des sortes de cabanes.

rude adj. **1.** *L'hiver a été* RUDE, difficile à supporter (= froid, dur; ≠ doux). — **2.** *La montée au sommet est* RUDE (= difficile, pénible). — **3.** *M. Martin m'a parlé* RUDEMENT (= brutalement). ◆ **rudesse** n. f. (sens 3) *Je n'aime pas la* RUDESSE *de sa voix* (= brusquerie; ≠ douceur). ◆ **rudoyer** v. (sens 3) *M. Martin m'*A RUDOYÉ (= brutaliser).

rudiments n. m. pl. *Je ne connais que les* RUDIMENTS *de cette science,* les notions élémentaires. ◆ **rudimentaire** adj. *Il a des connaissances* RUDIMENTAIRES *en maths,* très faibles.

218, 217 ◁ **rue** n. f. *Jean habite dans la* RUE *d'à côté,* une voie bordée de maisons. ◆ **ruelle** n. f. *La fenêtre donne sur une* RUELLE, une petite rue.

ruer v. **1.** *Attention! ce cheval* RUE, il lance violemment ses pattes en arrière. — **2.** *Deux hommes* SE SONT RUÉS *sur moi* (= se lancer, se jeter). ◆ **ruade** n. f. (sens 1) *Le cheval a lancé une* RUADE. ◆ **ruée** n. f. (sens 2) *À 4 heures, c'est la* RUÉE *des élèves vers la sortie,* ils se précipitent.

35 ◁ **rugby** n. m. *Qui a gagné le match de* RUGBY?, un sport de ballon.

rugir v. *Le lion* RUGIT, il pousse son cri. ◆ **rugissement** n. m. *Il pousse des* RUGISSEMENTS *de colère.*

rugueux adj. *Cet arbre a une écorce* RUGUEUSE, elle est dure au toucher (= râpeux; ≠ lisse, uni).

ruine n. f. **1.** *La maison* TOMBE EN RUINE, elle s'écroule. ‖ *Après l'incendie, les sauveteurs ont fouillé les* RUINES, ce qui reste du bâtiment détruit (= débris, décombres). — **2.** *M. Dupont est au bord de la* RUINE, il va perdre tous ses biens. ◆ **ruiner** v. (sens 2) *M. Dupont* EST RUINÉ, il a perdu sa fortune (≠ s'enrichir). ◆ **ruineux** adj. (sens 2) *Tu as des goûts* RUINEUX, très coûteux. ▷ 579

ruisseau n. m. *Les enfants pêchent dans le* RUISSEAU, le petit cours d'eau. ◆ **ruisseler** v. *La pluie* RUISSELLE *sur le mur* (= couler). ▷ 721
- **R.** *Ruisseler,* conj. n° 6.

rumeur n. f. **1.** *On dit qu'il est mort, mais ce n'est qu'une* RUMEUR, une nouvelle peu sûre. — **2.** *Il y a des* RUMEURS *de mécontentement dans la salle,* des bruits confus.

ruminer v. **1.** *Les vaches* RUMINENT *dans le pré,* elles remâchent une deuxième fois l'herbe qu'elles ont mangée. — **2.** *Jean* RUMINE *son échec à l'examen,* il le passe et le repasse dans sa tête. ◆ **ruminant** n. m. (sens 1) *Les bœufs, les moutons, les chameaux sont des* RUMINANTS, des animaux qui ruminent grâce à leur estomac spécial.

rupestre adj. *Ces grottes contiennent des gravures* RUPESTRES, peintes sur la pierre.

rupture → ROMPRE.

rural adj. *M. Dupuis possède un domaine* RURAL, à la campagne (= agricole, campagnard; ≠ urbain).

ruse n. f. *Jean a obtenu ce qu'il voulait par la* RUSE, par des moyens habiles. ◆ **rusé** adj. *Jean est* RUSÉ (= malin). ◆ **ruser** v. *Il sait* RUSER *pour avoir ce qu'il veut,* agir avec ruse (= manœuvrer).

rush n. m. *À la fin de la séance, c'est le* RUSH *vers la sortie* (= ruée).
- **R.** On prononce [rœʃ].

rustine n. f. *Jean répare sa chambre à air avec une* RUSTINE, une pastille de caoutchouc collant.

rustique adj. *Les Durand ont des meubles* RUSTIQUES, de forme simple et de style campagnard.

rustre n. m. *Quel est ce* RUSTRE *qui m'a bousculé?,* cet homme mal élevé.

rutilant adj. *Les chromes de l'auto sont* RUTILANTS, ils brillent vivement.

rythme n. m. **1.** *Les danseurs dansent en* RYTHME, en suivant le mouvement de la musique (= cadence). — **2.** *Le* RYTHME *de sa respiration s'est accéléré* (= allure, vitesse, mouvement). ◆ **rythmer** v. *Il* RYTHME *sa chanson en tapant du pied,* il indique le rythme. ◆ **rythmique** adj. (sens 1) *Marie apprend la danse* RYTHMIQUE, une sorte de danse où le rythme compte beaucoup.

s' → SE et SI. / **sa** → SON 1.

sabbat n. m. **1.** *Chez les juifs, le samedi est le jour du* SABBAT, du repos. — **2.** *Dans certains contes, on décrit des* SABBATS, des réunions de sorciers.

723, 721, 150 ◁ **sable** n. m. *La plage est couverte de* SABLE *fin,* une roche formée de grains très fins. ◆ **sabler** v. *On* SABLE *les routes verglacées,* on y jette du sable. ◆ **sableux** adj. *Une eau* SABLEUSE *contient du sable.* ◆ **sablonneux** adj. *Nous campons sur un terrain* SABLONNEUX, couvert de sable. ◆ **sablière** n. f. *Ce camion vient de la* SABLIÈRE, du lieu où l'on extrait du sable. ◆ **sablier** n. m. *Je mesure le temps de cuisson des œufs à la coque avec un* SABLIER, un petit appareil contenant du sable. ◆ **ensabler** v. *L'entrée du port* EST ENSABLÉE, le sable s'y est accumulé.

saborder v. *Le capitaine* A SABORDÉ *son navire,* il l'a coulé volontairement.

368 ◁ **sabot** n. m. **1.** *Les paysans portent parfois des* SABOTS, des chaussures de bois. — **2.** *Les chevaux, les bœufs ont des* SABOTS, de la corne au bout de leurs pieds.

saboter v. **1.** *Le pylône de télévision* A ÉTÉ SABOTÉ, abîmé ou cassé volontairement. — **2.** *Ce travail* EST SABOTÉ, il est mal fait. ◆ **sabotage** n. m. (sens 1) *L'accident de chemin de fer est dû au* SABOTAGE *de la voie,* au fait que la voie a été sabotée. ◆ **saboteur** n. (sens 1) *Le pont a été détruit par des* SABOTEURS, des gens qui l'ont saboté.

sabre n. m. *Autrefois on se battait avec un* SABRE, une sorte d'épée à un seul tranchant.

509, 223, 150 ◁ 649 ◁ 37 ◁ **sac** n. m. *Les pommes de terre sont transportées dans des* SACS *de toile,* des récipients souples. ‖ *Les campeurs rangent leurs affaires dans leur* SAC À DOS. ‖ *Qu'y a-t-il dans ton* SAC À MAIN? — *Mes papiers, mon argent, mes clés.* ◆ **sachet** n. m. *Les bonbons se vendent en* SACHETS *de papier,* en petits sacs. ◆ **sacoche** n. f. *Ma moto a des* SACOCHES *de cuir,* des sacs fermés suspendus au porte-bagages.

saccade n. f. *La voiture avance par* SACCADES, par petits bonds (= à-coup, secousse). ◆ **saccadé** adj. *Ses gestes sont* SACCADÉS, ils se font par saccades (= brusque).

saccager v. *La ville* A ÉTÉ SACCAGÉE *par les ennemis,* pillée et dévastée. ◆ **saccage** n. m. *Les voleurs ont fait un véritable* SACCAGE *dans la maison,* ils ont tout cassé.

sacerdoce n. m. *Depuis vingt ans, ce prêtre exerce son* SACERDOCE, ses fonctions religieuses. ◆ **sacerdotal** adj. *Les vêtements* SACERDOTAUX sont ceux que le prêtre met pour dire la messe.

sachet, sacoche → SAC.

sacrer v. *Les rois de France* ÉTAIENT SACRÉS *à Reims,* ils étaient déclarés rois au cours d'une cérémonie religieuse. ◆ **sacre** n. m. *Le* SACRE *des rois était fastueux,* la cérémonie au cours de laquelle ils étaient sacrés. ◆ **sacrement** n. m. *Le baptême est un* SACREMENT, un acte religieux. ◆ **sacré** adj. **1.** *Ce lieu est* SACRÉ, il a un caractère religieux (= saint). — **2.** *Pour Jacques, l'amitié est* SACRÉE, on doit absolument la respecter.

sacrifice n. m. **1.** *Les Romains faisaient des* SACRIFICES *à leurs dieux,* des offrandes. — **2.** *Ils font des* SACRIFICES *pour élever leurs enfants,* ils se privent. ◆ **sacrifier** v. (sens 1) *Les Romains* SACRIFIAIENT *des animaux,* ils les tuaient pour les offrir à leurs dieux. • (sens 2) *Il* SACRIFIE *ses loisirs à son travail,* il se prive de loisirs pour travailler. ‖ *Elle* SE SACRIFIE *à ses enfants* (= se dévouer).

sacrilège n. m. **1.** *Voler des objets dans une église est un* SACRILÈGE, un crime contre une chose sacrée. — **2.** *Jouer aussi mal cette musique est un* SACRILÈGE, un manque de respect pour elle.

sacristie n. f. *Les objets du culte sont rangés dans la* SACRISTIE, une partie de l'église. ◆ **sacristain** n. m. *Le* SACRISTAIN *s'occupe de l'entretien de l'église,* c'est son rôle.

sadique adj. et n. *Adolphe est* SADIQUE, il prend plaisir à faire souffrir les autres. ◆ **sadisme** n. m. *Adolphe agit par* SADISME.

safari n. m. *Ils participent à un* SAFARI *en Afrique,* une expédition de chasse.

safran n. m. *Nous avons mangé du riz au* SAFRAN, assaisonné d'une poudre jaune extraite de cette plante.

sagace adj. *C'est un homme* SAGACE (= perspicace, clairvoyant). ◆ **sagacité** n. f. *Sa* SAGACITÉ *lui a fait deviner le piège* (= subtilité).

sagaie n. f. *Le chasseur africain est armé d'une* SAGAIE, une sorte de javelot.

sage 1. adj. et n. *M. Dubois est un homme* SAGE, plein de bon sens (= raisonnable, prudent, sérieux; ≠ fou). — **2.** adj. *Jean est un enfant* SAGE, doux et obéissant (= docile). ◆ **sagesse** n. f. (sens 1) *Cette décision est pleine de* SAGESSE (= bon sens). • (sens 2) *Mon fils est d'une* SAGESSE *étonnante* (= obéissance, tranquillité). ◆ **assagir** v. (sens 2) *Mon fils* S'EST ASSAGI, il est devenu sage.

sage-femme n. f. *Les* SAGES-FEMMES *aident les mamans à accoucher,* c'est leur métier.

sagesse → SAGE. / **saignant, saigner, saignement** → SANG.

saillir v. *L'athlète fait* SAILLIR *ses muscles,* il les gonfle. ◆ **saillant** adj. *Le nez est une partie* SAILLANTE *du visage,* il dépasse (= proéminent). ◆ **saillie** n. f. *Le balcon est en* SAILLIE *sur la façade,* il dépasse de la façade.

• **R.** Conj. nº 33.

sain adj. **1.** *Jean est* SAIN *de corps et d'esprit,* en bonne santé (≠ malade). — **2.** *L'air de la montagne est* SAIN, il est bon pour la santé (≠ pollué). — **3.** *Tu as de* SAINES *lectures,* tu lis de bons livres. ◆ **assainir** v. (sens 2) ASSAINIR *l'air d'une pièce,* c'est le rendre sain (= purifier). ◆ **assainissement** n. m. (sens 2) *On procède à l'*ASSAINISSEMENT *des marais,* on les assainit. ◆ **malsain** adj. (sens 2) *Il travaille dans les mines, c'est un métier* MALSAIN, dangereux pour la santé.

• **R.** V. SAINT et SCÈNE.

saindoux n. m. *Les rillettes sont couvertes de* SAINDOUX, de graisse de porc fondue.

365 ◁ **sainfoin** n. m. *Le paysan coupe le* SAINFOIN, une plante qui fournit du fourrage.

saint adj. **1.** *La Bible et les Évangiles sont des livres* SAINTS, consacrés à la religion (= sacré). — **2.** *M. Dupont est un* SAINT *homme,* il est bon et juste. — **3.** n. *Le calendrier donne la liste des* SAINTS, des personnes qui, après leur mort, ont été reconnues par l'Église catholique dignes d'un culte. ◆ **sainteté** n. f. *M. Dupont a une réputation de* SAINTETÉ (= perfection).

• **R.** *Saint* se prononce [sɛ̃] comme *sain, sein* et [*il*] *ceint* (de *ceindre*).

saint-bernard n. m. inv. *Les alpinistes égarés ont été retrouvés par des* SAINT-BERNARD, des gros chiens de montagne.

sainteté → SAINT.

saisir v. **1.** *Jean m'*A SAISI *par le bras,* il m'a attrapé le bras rapidement avec la main (= empoigner). ‖ *Le voleur* S'EST SAISI DE *mon sac* (= s'emparer de). — **2.** *Je* SAISIS *mal votre explication* (= comprendre). — **3.** *J'*AI ÉTÉ SAISI *par le froid,* le froid m'a fait un choc désagréable (= surprendre). — **4.** *Parce qu'ils ne payaient pas leurs dettes, la justice* A SAISI *les meubles de ces gens,* elle les leur a pris. ◆ **saisie** n. f. (sens 4) *La* SAISIE *d'un journal,* c'est la confiscation des exemplaires imprimés. ◆ **saisissant** adj. (sens 3) *La tempête était un spectacle* SAISISSANT (= frappant, surprenant). ◆ **saisissement** n. m. (sens 3) *Il est resté muet de* SAISISSEMENT, parce qu'il était saisi. ◆ **dessaisir** v. *Je* ME SUIS DESSAISI DE *ce document,* je ne l'ai plus (= se défaire de). ◆ **insaisissable** adj. (sens 1) *Nous nous battons contre un ennemi* INSAISISSABLE, qu'on ne peut attraper.

saison n. f. *Le printemps, l'été, l'automne, l'hiver sont les quatre*
125 ◁ SAISONS, les quatre divisions de l'année. ◆ **saisonnier** adj. *Il fait un travail* SAISONNIER, qui ne se fait qu'à certaines saisons.

367 ◁ **salade** n. f. **1.** *La laitue est une* SALADE, un légume vert dont on mange les feuilles crues. — **2.** *Nous avons mangé une* SALADE DE *tomates,* des tomates à la vinaigrette. — **3.** *Au dessert, il y avait une* SALADE DE FRUITS, des fruits mélangés. ◆ **saladier** n. m. *La salade est servie dans un*
78 ◁ SALADIER, un plat grand et profond.

salaire n. m. *L'ouvrier reçoit son* SALAIRE *à la fin du mois,* l'argent qui paie son travail. ◆ **salarié** adj. et n. *M. Dupont est (un)* SALARIÉ, il reçoit un salaire.

salaisons → SEL.

salamalecs n. m. pl. Fam. *Ne faites pas tant de* SALAMALECS, de politesses exagérées.

salami n. m. Le SALAMI est un gros saucisson sec italien.

salant → SEL. / **salarié** → SALAIRE.

sale adj. **1.** *Tu as les mains* SALES, *lave-les,* couvertes de crasse, de poussière (≠ propre). — **2.** *Il fait un* SALE *temps,* il fait mauvais (= vilain). ◆ **salement** adv. (sens 1) *Ne mange pas aussi* SALEMENT! (≠ proprement). ◆ **saleté** n. f. (sens 1) *Tes chaussures sont d'une* SALETÉ *repoussante,* elles sont très sales. ‖ *Le trottoir est plein de* SALETÉS, de choses sales (= ordures). ◆ **salir** v. (sens 1) *Tu vas* SALIR *tes gants,* les rendre sales (= tacher). ◆ **salissant** adj. (sens 1) *Le jaune est une couleur* SALISSANTE, qui se salit facilement. ‖ *Le travail du mécanicien est* SALISSANT, il rend sale.

• **R.** *Sale* se prononce [sal] comme *salle* et [*il*] *sale* (de *saler*).

salé, saler, salière, salin → SEL.

salive n. f. *Je mouille le timbre de* SALIVE, du liquide qu'on a dans la bouche. ◆ **salivaire** adj. *Les glandes* SALIVAIRES *produisent la salive.*

salle n. f. **1.** *Les enfants sont dans la* SALLE *à manger,* la pièce où l'on mange. ‖ *Il y a deux* SALLES *de cinéma dans cette rue.* — **2.** *Toute la* SALLE *applaudit le chanteur,* les spectateurs présents. ▷ 39, 77, 508

salon n. m. **1.** *Nous prenons le café dans le* SALON, la pièce où l'on reçoit les visiteurs. — **2.** *Un* SALON *de coiffure* est le magasin d'un coiffeur. — **3.** *Le* SALON *de l'automobile a lieu tous les ans,* l'exposition des nouvelles voitures.

salopette n. f. *Le mécanicien porte une* SALOPETTE, un vêtement de travail à bretelles (= bleu). ▷ 36, 289

salpêtre n. m. *Sur les murs des pièces humides, il se forme du* SALPÊTRE, une poudre blanche qui ressemble à de la moisissure.

salsifis n. m. *On a servi le rôti avec des* SALSIFIS, un légume. ▷ 366

saltimbanque n. m. *Le jour de la foire, il est venu des* SALTIMBANQUES, des gens qui font des tours d'adresse dans la rue.

salubre adj. *Le climat de cette région est* SALUBRE, bon pour la santé (= sain). ◆ **insalubre** adj. *Cette maison est* INSALUBRE (= malsain).

saluer v. **1.** *Jean m'*A SALUÉ *quand je l'ai rencontré,* il m'a dit bonjour ou bonsoir. — **2.** *L'arrivée du coureur* EST SALUÉE *par des cris* (= accueillir). ◆ **salut** n. m. **1.** (sens 1) *Il m'a fait un* SALUT *de la main,* il m'a salué. — **2.** *Il a dû son* SALUT *à la fuite,* il a sauvé sa vie en fuyant. ◆ **salutations** n. f. pl. (sens 1) *Je vous adresse mes* SALUTATIONS, je vous salue.

salutaire adj. *Ses vacances lui ont été* SALUTAIRES, elles lui ont redonné une bonne santé (= bienfaisant).

salutations → SALUER.

salve n. f. *L'artillerie a tiré une* SALVE, un ensemble de coups de canon.

samedi n. m. SAMEDI *prochain, nous allons à la campagne.* ▷ 125

sanatorium n. m. Un SANATORIUM est un établissement où l'on soigne les tuberculeux.
• **R.** On prononce [sanatɔrjɔm].

sanction n. f. **1.** *Le projet de loi a obtenu la* SANCTION *du Parlement,* le Parlement l'a approuvé. — **2.** *Le maître inflige une* SANCTION *à Jean,* une punition. ◆ **sanctionner** v. (sens 1) *Le directeur* A SANCTIONNÉ *le projet* (= approuver). • (sens 2) *Plusieurs élèves* ONT ÉTÉ SANCTIONNÉS (= punir).

sanctuaire n. m. *Lourdes est un* SANCTUAIRE, un lieu saint.

37 ◁ **sandale** n. f. *L'été, je porte des* SANDALES, des chaussures plates et légères. ◆ **sandalette** n. f. *Jean s'est acheté une paire de* SANDALETTES, des sandales légères.

sandwich n. m. *Je mange un* SANDWICH, deux tranches de pain entre lesquelles il y a de la viande, du pâté, du fromage, etc.
• **R.** On prononce [sɑ̃dwitʃ]. ‖ Au pluriel : des *sandwichs* ou des *sandwiches.*

39 ◁ **sang** n. m. *Le blessé a perdu beaucoup de* SANG, le liquide rouge qui circule dans les veines et les artères. ◆ **saigner** v. **1.** *Je* SAIGNE *du nez,* du sang coule de mon nez. — **2.** *Le cuisinier* SAIGNE *un poulet,* il le vide de son sang. — **3.** *Ils* SE SAIGNENT *pour payer leur appartement,* ils donnent presque tout ce qu'ils gagnent. ◆ **saignant** adj. *J'aime le bifteck* SAIGNANT, à peine cuit. ◆ **saignement** n. m. *Paul a eu un* SAIGNEMENT *de nez,* il a saigné du nez. ◆ **sanglant** adj. *Il a un pansement* SANGLANT *sur sa blessure,* taché de sang (= ensanglanté). ‖ *Le combat a été* SANGLANT, il a fait beaucoup de victimes (= meurtrier). ◆ **sanguin** adj. *Le sang circule dans les vaisseaux* SANGUINS. ‖ *M. Dupont a un visage* SANGUIN, rouge. ◆ **sanguinaire** adj. *Le tigre est un animal* SANGUINAIRE, qui aime tuer (= cruel). ◆ **sanguinolent** adj. *Sa plaie est* SANGUINOLENTE, il en coule un peu de liquide rougeâtre. ◆ **ensanglanter** v. *Le boucher a les mains* ENSANGLANTÉES, pleines de sang (= sanglant). ◆ **exsangue** adj. *Le blessé était* EXSANGUE, il avait perdu beaucoup de sang.
• **R.** V. SANS.

sang-froid n. m. *Le conducteur a conservé son* SANG-FROID, il est resté maître de lui (= calme, présence d'esprit).

sanglant → SANG.

649 ◁ **sangle** n. f. *La valise est entourée d'une* SANGLE, d'une bande de cuir ou de tissu qui la serre.

656 ◁ **sanglier** n. m. *Les chasseurs ont tué un* SANGLIER, un porc sauvage.

sanglot n. m. *L'enfant a éclaté en* SANGLOTS, il s'est mis à pleurer très fort. ◆ **sangloter** v. *Paul* SANGLOTE, il pleure fort.

sangsue n. f. *Dans les mares, il y a des* SANGSUES, des gros vers munis de ventouses et qui sucent le sang.

sanguin, sanguinaire, sanguinolent → SANG.

sanitaire adj. **1.** *Une équipe* SANITAIRE *comprend des médecins et des infirmiers.* — **2.** *Les lavabos, les éviers sont des appareils* SANITAIRES, qui font partie de l'installation d'eau d'une maison.

sans prép. indique le manque, la privation. *Il est sorti* SANS *son chapeau* (≠ avec). ◆ **sans que** conj. *Il est parti* SANS QU'*on s'en aperçoive,* on ne s'en est pas aperçu.

• **R.** *Sans* se prononce [sã] comme *cent, sang* et [*il*] *sent* (de *sentir*).

sans-abri → ABRI. / **sans-gêne** → GÊNE.

sansonnet n. m. *L'étourneau s'appelle aussi le* SANSONNET, un oiseau.

santé n. f. **1.** *Fais du sport, c'est bon pour la* SANTÉ, le bon état du corps (≠ maladie). — **2.** *M. Dupré est en mauvaise* SANTÉ, il est souvent malade. ▷ 39

santon n. m. *La crèche de Noël est décorée de* SANTONS, de petits personnages en plâtre peint.

saoul, saouler → SOÛL.

saper v. *La mer* SAPE *les falaises,* elle en creuse le bas et les détruit petit à petit.

saphir n. m. **1.** *Sa bague est ornée d'un* SAPHIR, d'une pierre précieuse bleue. — **2.** *Le bras de l'électrophone est muni d'un* SAPHIR, d'une pointe très fine et dure.

sapin n. m. *Il y a, sur la montagne, une forêt de* SAPINS, un arbre résineux à aiguilles. ▷ 73, 654

sarabande n. f. *Les enfants font la* SARABANDE, ils jouent en faisant beaucoup de bruit (= tapage).

sarbacane n. f. *Les enfants lancent des boulettes de papier avec leur* SARBACANE, un petit tuyau dans lequel on souffle.

sarcasme n. m. *Ils ont accablé les vaincus de* SARCASMES, de moqueries méchantes. ◆ **sarcastique** adj. *Pierre a eu un rire* SARCASTIQUE, moqueur et méchant (= sardonique).

sarcler v. *M. Dupont* SARCLE *son jardin,* il arrache les mauvaises herbes.

sarcophage n. m. *Les momies égyptiennes sont dans des* SARCOPHAGES, des cercueils richement décorés.

sardine n. f. *Nous avons mangé des* SARDINES *grillées,* un petit poisson de mer. ◆ **sardinerie** n. f. Les SARDINERIES sont des usines où l'on fait des conserves de sardines. ▷ 579

sardonique adj. *Je n'aime pas son rire* SARDONIQUE, ironique et méchant (= sarcastique).

sarment n. m. Les SARMENTS sont les jeunes tiges qui poussent chaque année sur la vigne.

sarrasin n. m. *En Bretagne, on fait des crêpes à la farine de* SARRASIN, une céréale appelée aussi « blé noir ». ▷ 364

sas n. m. *Le cosmonaute sort de la capsule en passant par un* SAS, un espace fermé compris entre deux portes.

• **R.** On prononce [sas].

satané adj. *C'est un* SATANÉ *farceur,* il est très farceur.

satanique adj. *Un rire* SATANIQUE *fait penser au diable* (= diabolique, démoniaque).

satellite n. m. **1.** *La Lune est le* SATELLITE *de la Terre,* une planète qui tourne autour de la Terre. — **2.** *Un* SATELLITE *artificiel* est un engin lancé de la Terre et qui tourne autour.

satiété n. f. *Mangez à* SATIÉTÉ, jusqu'à ce que vous n'ayez plus faim. ◆ **insatiable** adj. *Ce chien est* INSATIABLE, on ne peut pas le rassasier.

satin n. m. *La doublure de mon manteau est en* SATIN, une étoffe lisse et brillante. ◆ **satiné** adj. *Cette peinture est* SATINÉE, elle a un aspect légèrement brillant.

satire n. f. *Ce livre fait la* SATIRE *de notre société,* il la critique en la ridiculisant. ◆ **satirique** adj. *Un journal* SATIRIQUE *fait de la satire.*

satisfaire v. **1.** *Son travail le* SATISFAIT, il en est content. — **2.** AS-*tu* SATISFAIT *ton appétit?,* assez mangé (= assouvir). — **3.** *Il* A SATISFAIT À *ma demande* (= accepter). ◆ **satisfaisant** adj. (sens 1) *Ta réponse n'est pas* SATISFAISANTE (= acceptable; ≠ insuffisant). ◆ **satisfait** adj. (sens 1) *Je suis* SATISFAIT, je suis content. • (sens 2) *Ma curiosité est* SATISFAITE, je sais ce que je voulais savoir. ◆ **satisfaction** n. f. (sens 1) *La lecture procure des* SATISFACTIONS (= joie, plaisir). • (sens 3) *Les grévistes ont obtenu* SATISFACTION, ils ont reçu ce qu'ils demandaient.

• **R.** Conj. n° 76.

saturé adj. **1.** *L'air est* SATURÉ *d'humidité,* il y a trop d'humidité dans l'air. — **2.** *Je suis* SATURÉ *de cinéma,* je n'ai plus envie d'y aller (= rassasié).

sauce n. f. *Cette* SAUCE *est trop salée,* un liquide qui sert à accompagner certains plats. ◆ **saucière** n. f. *On sert la sauce dans une* SAUCIÈRE, un récipient spécial. ◆ **saucer** v. *Jean* SAUCE *son assiette avec du pain,* il éponge la sauce.

222 ◁ **saucisse** n. f. *J'ai mangé une* SAUCISSE *avec des frites,* de la viande de porc hachée et placée dans un boyau. ◆ **saucisson** n. m. *Je voudrais un*
222 ◁ *sandwich au* SAUCISSON, de la saucisse séchée.

1. sauf adj. *Les otages ont eu la vie* SAUVE, ils ont échappé à la mort. ‖ *Il est sorti* SAIN ET SAUF *de l'accident,* il n'est pas blessé.

• **R.** Le féminin *sauve* se prononce [sov] comme [*il*] *sauve* (de *sauver*).

2. sauf prép. *Tout le monde est venu,* SAUF *deux personnes,* deux personnes ne sont pas venues (= excepté, à l'exception de, hormis).

80 ◁ **sauge** n. f. La SAUGE est une plante qui peut servir d'assaisonnement.

saugrenu adj. *Tu as des idées* SAUGRENUES (= bizarre, inattendu, absurde; ≠ normal).

721, 73 ◁ **saule** n. m. *Il y a des* SAULES *au bord de la rivière,* une sorte d'arbre.

saumâtre adj. *L'eau de la mare est* SAUMÂTRE, elle a un léger goût d'eau de mer (= salé).

saumon n. m. Le SAUMON est un poisson à la chair rose. ▷ 721

saumure n. f. *Le lard baigne dans la* SAUMURE, un liquide très salé.

saupoudrer v. *Je* SAUPOUDRE *mon gâteau de sucre,* j'y répands du sucre en poudre.

saur adj. *Un* HARENG SAUR est un hareng salé et fumé.
- **R.** *Saur* se prononce [sɔr] comme *sort* et [*je*] *sors* (de *sortir*).

saurien n. m. *Les lézards, les orvets, les caméléons sont des* SAURIENS, des sortes de reptiles.

sauter v. **1.** *L'oiseau* SAUTE *de branche en branche* (= bondir). ‖ *Le nageur* SAUTE *du plongeoir,* il s'élance dans l'eau. ‖ *Le chat* SAUTE *le mur,* il le franchit d'un saut. — **2.** *J'*AI SAUTÉ *un mot,* je l'ai oublié. — **3.** *Je fais* SAUTER *des pommes de terre,* je les fais cuire à feu vif en les remuant. — **4.** *Pendant la guerre, des trains* ONT SAUTÉ, ils ont été détruits par l'explosion de mines. ◆ **saut** n. m. (sens 1) *Il franchit le fossé d'un* SAUT, d'un bond. ◆ **saute** n. f. (sens 1) *Il y a eu une* SAUTE *de vent,* le vent a changé brusquement de direction. ◆ **saute-mouton** n. m. (sens 1) *Nous jouons à* SAUTE-MOUTON, chaque joueur saute par-dessus un autre. ◆ **sautiller** v. (sens 1) *L'oiseau* SAUTILLE, il fait des petits sauts. ◆ **sauterelle** n. f. (sens 1) La SAUTERELLE est un insecte qui fait de grands bonds. ▷ 34, 653
- **R.** V. SCELLER.

sauvage adj. **1.** *Le renard, la belette, le lièvre sont des animaux* SAUVAGES, qui vivent en liberté dans la nature (≠ domestique, apprivoisé). — **2.** *Mon chat est* SAUVAGE, il ne se laisse pas approcher facilement (= farouche; ≠ sociable). — **3.** *Un prunier* SAUVAGE *pousse librement,* sans être cultivé. — **4.** *Cette région est* SAUVAGE, l'homme ne l'a pas transformée (≠ civilisé). — **5.** adj. et n. *Il s'est conduit comme un* SAUVAGE, comme un homme barbare, cruel. ◆ **sauvagerie** n. f. (sens 5) *Ils ont traité leurs prisonniers avec* SAUVAGERIE (= cruauté, barbarie).

sauvegarde n. f. *Ce réfugié est sous la* SAUVEGARDE *de la police,* la police le protège. ◆ **sauvegarder** v. SAUVEGARDONS *la forêt!,* défendons-la contre la destruction (= préserver).

sauver v. **1.** *M. Dupont* A SAUVÉ *un nageur qui se noyait,* il l'a mis hors de danger. — **2.** *Le chien* SE SAUVE, *il faut le rattraper,* il s'enfuit à toute vitesse (= s'échapper). ◆ **sauveur** n. m. (sens 1) *Ce médecin est mon* SAUVEUR, il m'a sauvé la vie. ◆ **sauvetage** n. m. (sens 1) *Réussir un* SAUVETAGE, c'est réussir à sauver quelqu'un. ◆ **sauveteur** n. m. (sens 1) *L'alpiniste a été retrouvé par les* SAUVETEURS, les gens partis pour le sauver. ▷ 727
- **R.** V. SAUF 1.

savane n. f. *En Afrique, il y a de vastes* SAVANES, des prairies de hautes herbes avec des arbres. ▷ 581

savant → SAVOIR.

savate n. f. *Le clochard marchait en traînant ses* SAVATES, ses vieilles chaussures.

saveur n. f. *Les dattes ont une* SAVEUR *sucrée* (= goût). ◆ **savourer** v. *Je* SAVOURE *mon gâteau,* je le mange lentement pour bien le goûter (= déguster). ◆ **savoureux** adj. *Cette crème est* SAVOUREUSE (= délicieux).

savoir v. **1.** SAIS-*tu la nouvelle?,* la connais-tu? (= être au courant de). — **2.** *Jean* SAIT *sa leçon,* il l'a apprise et peut la répéter. — **3.** *Marie* SAIT *nager,* elle est capable de nager. ‖ *Paul* SAIT *l'anglais,* il peut le parler. ◆ **savoir** n. m. (sens 2) *Cet homme a un vaste* SAVOIR, il sait beaucoup de choses. ◆ **savant** adj. et n. (sens 2) *Les découvertes scientifiques ont été faites par des* SAVANTS, des gens qui ont de grandes connaissances. ‖ *Un chien* SAVANT *est dressé à faire des exercices difficiles.* ‖ *Le pilote a réussi à atterrir grâce à une manœuvre* SAVANTE (= habile, adroit). ◆ **savoir-faire** n. m. inv. (sens 3) *Cet artisan a beaucoup de* SAVOIR-FAIRE, il est très habile dans son métier (= adresse). ◆ **savoir-vivre** n. m. inv. (sens 1) *Cet individu manque de* SAVOIR-VIVRE, il ne connaît pas les règles de la politesse (= éducation).

• **R.** Conj. nº 39. ‖ V. SUER.

savon n. m. *Je me lave avec du* SAVON, un produit qui nettoie. ‖ *J'achète* 223 ◁ *un* SAVON, un morceau de savon dur. ◆ **savonnette** n. f. Une SAVONNETTE est un petit savon parfumé. ◆ **savonner** v. *Jean* SE SAVONNE *la figure,* il la frotte avec du savon. ◆ **savonneux** adj. *De l'eau* SAVONNEUSE contient du savon dissous.

savourer, savoureux → SAVEUR.

439 ◁ **saxophone** n. m. *Pierre joue du* SAXOPHONE, un instrument de musique à vent.

scabreux adj. **1.** *Une telle opération financière est* SCABREUSE, risquée, peu sûre. — **2.** *Il a raconté une histoire* SCABREUSE, qui peut choquer.

scalp n. m. *Les Indiens conservaient le* SCALP *de leurs ennemis,* leur chevelure détachée du crâne avec la peau. ◆ **scalper** v. *L'Indien* SCALPE *son ennemi,* il détache le scalp avec un couteau.

scalpel n. m. *Le chirurgien utilise un* SCALPEL, un couteau très tranchant.

scalper → SCALP.

scandale n. m. *Cette escroquerie a provoqué un* SCANDALE, tout le monde en parle en la désapprouvant. ◆ **scandaleux** adj. *Il a fait des bénéfices* SCANDALEUX (= honteux, révoltant). ◆ **scandaliser** v. *Je* SUIS SCANDALISÉ *par sa conduite,* très choqué.

scander v. *Les manifestants* SCANDENT *des slogans,* ils les crient en séparant les syllabes.

scaphandre n. m. *On explore le fond de la mer avec un* SCAPHANDRE, un équipement qui permet de respirer sous l'eau. ◆ **scaphandrier** n. m. *Les travaux sous l'eau étaient exécutés par des* SCAPHANDRIERS, des hommes équipés d'un scaphandre.

scarabée n. m. Le SCARABÉE est un insecte voisin du hanneton.

scarlatine n. f. *Jeannot a la* SCARLATINE, une maladie contagieuse.

scarole n. f. *Le maraîcher vend des* SCAROLES, une sorte de salade.

scélérat adj. et n. *Ce trafiquant est un* SCÉLÉRAT (= bandit, criminel).

sceller v. **1.** *Le maçon* SCELLE *un crochet dans le mur,* il le fixe avec du ciment. — **2.** *L'enveloppe de la lettre* EST SCELLÉE, elle porte un sceau sur sa fermeture afin que personne ne l'ouvre. ◆ **sceau** n. m. (sens 2) *Ce diplôme porte le* SCEAU *de l'université,* le cachet officiel imprimé dans la cire. ◆ **scellés** n. m. pl. (sens 2) *L'huissier met les* SCELLÉS *sur la porte de l'appartement,* il la scelle avec de la cire. ◆ **scellement** n. m. (sens 1) *Le maçon fait un* SCELLEMENT, il scelle quelque chose. ◆ **desceller** v. (sens 1) *Fais attention, la balustrade* S'EST DESCELLÉE!

• **R.** *Sceller* se prononce [sɛle] comme *seller.* ‖ *Sceau* se prononce [so] comme *saut, seau* et *sot.* ‖ V. SEL.

scénario n. m. *Le* SCÉNARIO *de ce film est compliqué,* l'histoire que raconte le film.

scène n. f. **1.** *Les acteurs sont sur la* SCÈNE, la partie du théâtre où ils jouent. — **2.** *Chaque acte d'une pièce de théâtre est divisé en plusieurs* SCÈNES, plusieurs parties marquées par l'entrée ou la sortie de personnages. — **3.** *La* SCÈNE *se situe à Paris,* l'action se déroule à Paris. — **4.** *J'ai assisté dans la rue à une* SCÈNE *comique,* un événement comique (= spectacle). — **5.** *Jean m'a fait une* SCÈNE, il s'est mis en colère contre moi. ▷ 440

• **R.** *Scène* se prononce [sɛn] comme *saine,* féminin de *sain.*

sceptique adj. et n. *Tu me dis que nous serons à l'heure, je suis* SCEPTIQUE, je ne le crois pas, j'en doute.

• **R.** *Sceptique* se prononce [sɛptik] comme *septique.*

sceptre n. m. *Le roi tient à la main son* SCEPTRE, le bâton qui est l'insigne de la royauté.

schéma n. m. *Je fais le* SCHÉMA *d'un os,* le dessin simplifié. ◆ **schématique** adj. *Un plan* SCHÉMATIQUE est simplifié.

schisme n. m. *Il y a eu un* SCHISME *dans ce parti politique,* il s'est divisé.

schiste n. m. *L'ardoise est du* SCHISTE, une roche feuilletée. ▷ 650

scie n. f. *Pour couper le bois, le métal, j'ai une* SCIE, un outil d'acier muni de dents. ◆ **scier** v. SCIER *une planche,* c'est la couper avec une scie. ◆ **scierie** n. f. Une SCIERIE est une usine où le bois est débité en planches. ◆ **sciure** n. f. *Sous la scie, il y a un tas de* SCIURE, de poussière tombée du bois qu'on scie. ▷ 38, 289 ▷ 289

• **R.** *Scie* se prononce [si] comme *si, six* et *ci.*

sciemment adv. *J'ai employé ce mot* SCIEMMENT, volontairement (= exprès).

• **R.** On prononce [sjamɑ̃].

science n. f. **1.** *La biologie est une* SCIENCE, elle décrit avec précision ce qu'elle étudie. — **2.** *La* SCIENCE *fait des progrès,* les connaissances des hommes. — **3.** (au plur.) *Il est doué pour les* SCIENCES, pour les matières où le calcul et l'observation ont une grande part. ◆ **scientifique** (sens 1 et 2) adj. *M. Durand lit des revues* SCIENTIFIQUES, qui parlent de sciences. ‖ *Une méthode* SCIENTIFIQUE *utilise l'observation et le calcul.* • (sens 3) adj. et n. *Jean est un* SCIENTIFIQUE, il étudie les sciences.

science-fiction → FICTIF. / **scier, scierie** → SCIE.

scinder v. *Le groupe* S'EST SCINDÉ, il s'est divisé. ◆ **scission** n. f. *La* SCISSION *de ce parti politique l'a affaibli* (= division).
• **R.** Ne pas confondre la *scission* et la *session.*

scintiller v. *Les étoiles* SCINTILLENT, elles brillent en lançant par moments des éclats (= étinceler).

scission → SCINDER. / **sciure** → SCIE.

sclérose n. f. **1.** *Grand-père souffre de* SCLÉROSE *des artères,* ses artères durcissent. — **2.** *Il est atteint de* SCLÉROSE, il n'accepte pas les idées nouvelles.

scolaire adj. *Les bâtiments* SCOLAIRES sont ceux de l'école. ‖ *L'année* SCOLAIRE *commence en septembre.* ◆ **scolarité** n. f. *La* SCOLARITÉ *est obligatoire de six à seize ans,* le fait d'aller à l'école.

scoliose n. f. *Jacques a une* SCOLIOSE, sa colonne vertébrale est déformée.

scorbut n. m. *Autrefois, les marins attrapaient le* SCORBUT, une maladie qui fait tomber les dents.

score n. m. *Notre équipe a gagné par le* SCORE *de trois buts à deux,* le nombre de points obtenus.

scories n. f. pl. *Quand on fait fondre du minerai, le métal se sépare des* SCORIES, des déchets.

577 ◁ **scorpion** n. m. *La piqûre de certains* SCORPIONS *est mortelle,* un petit animal.

scout adj. et n. *Le mouvement* SCOUT *regroupe des jeunes pour des activités physiques dans la campagne.* ‖ *Une troupe de* SCOUTS *a campé près de la rivière.* ◆ **scoutisme** n. m. *Paul fait du* SCOUTISME, il est scout.

scribe n. m. *Dans l'Antiquité, les* SCRIBES *gagnaient leur vie en écrivant pour les autres.*

script-girl n. f. *Quand on tourne un film, la* SCRIPT-GIRL *note les détails techniques de chaque prise de vues.*
• **R.** On prononce [skriptgœrl].

scrupule n. m. *J'ai des* SCRUPULES *à mentir,* j'hésite à le faire, car je sais que c'est mal. ◆ **scrupuleux** adj. *Elle est* SCRUPULEUSE *dans son travail,* elle le fait le mieux possible (= consciencieux).

scruter v. *Le marin* SCRUTE *l'horizon,* il le parcourt du regard avec attention (= observer).

scrutin n. m. *Le candidat a été élu au deuxième tour du* SCRUTIN, de l'opération électorale (= vote).

sculpter v. *Voici une statuette* SCULPTÉE *dans le bois,* taillée dans le bois. ◆ **sculpteur** n. m. *Cette statue est l'œuvre d'un grand* SCULPTEUR, d'un artiste qui sculpte. ◆ **sculpture** n. f. *Cet artiste fait de la* SCULPTURE, il sculpte. ‖ *La façade est ornée de* SCULPTURES, de choses sculptées, de statues.

• **R.** On ne prononce pas le *p :* [skylte, skyltœr, skyltyr].

se pron. pers. **1.** *Pierre* SE *regarde dans la glace,* il regarde lui-même. — **2.** *Pierre et Paul* SE *regardent,* chacun regarde l'autre. ▷ 11

• **R.** *Se* devient *s'* devant une voyelle ou un *h* muet : *il s'habille.*

séance n. f. **1.** *La* SÉANCE *est ouverte,* la réunion pour discuter. — **2.** *La* SÉANCE *de cinéma commence à 8 heures,* le spectacle de cinéma.

séant n. m. *Le chien est* SUR SON SÉANT, il est assis.

seau n. m. *Il transporte de l'eau dans un* SEAU, un récipient muni d'une anse. ▷ 150, 723

• **R.** V. SCELLER.

sébile n. f. *Le mendiant tend sa* SÉBILE, un petit récipient dans lequel les passants mettent de l'argent.

sec adj. **1.** *Le linge est* SEC, il ne contient pas d'eau (≠ humide, mouillé). — **2.** *Maman achète des haricots* SECS (≠ frais). — **3.** *Il m'a fait une réponse* SÈCHE, courte et peu aimable (= dur). — **4.** *M*[me] *Lepic est une personne au corps* SEC, maigre. ◆ **sécher** v. (sens 1) *Marie* SE SÈCHE *les cheveux,* elle les rend secs. ‖ *Le sol* A SÉCHÉ, il est devenu sec. ◆ **sécheresse** n. f. (sens 1) *Nous sommes dans une période de* SÉCHERESSE, où il ne pleut pas. • (sens 3) *Elle m'a répondu avec* SÉCHERESSE (= brusquerie). ◆ **séchage** n. m. (sens 1) *Le temps de* SÉCHAGE *d'une peinture est celui qu'il lui faut pour sécher.* ◆ **séchoir** n. m. (sens 1) *Je sèche mes cheveux avec un* SÉCHOIR, un appareil qui sèche. ◆ **assécher** v. (sens 1) *On* A ASSÉCHÉ *cette région marécageuse,* on a enlevé l'eau du sol. ◆ **dessécher** v. (sens 1) *Le soleil* DESSÈCHE *la peau,* il lui fait perdre son humidité naturelle. ◆ **dessèchement** n. m. (sens 1) *La chaleur a provoqué le* DESSÈCHEMENT *de l'herbe.* ▷ 366 ▷ 79, 362

• **R.** *Sèche* (féminin de *sec*), [*il*] *sèche* (de *sécher*) se prononcent [sɛʃ] comme *seiche.*

sécateur n. m. *Les vendangeurs coupent les grappes avec des* SÉCATEURS, des sortes de gros ciseaux. ▷ 366, 578

séchage, sécher, sécheresse, séchoir → SEC.

second adj. **1.** *J'habite au* SECOND *étage,* au-dessus du premier (= deuxième). — **2.** *Il est* SECOND *vendeur,* il a un poste moins important que le premier vendeur. — **3.** n. m. *Voici mon* SECOND, celui qui m'aide (= assistant, collaborateur). ◆ **secondaire** adj. (sens 1) *L'enseignement* SECONDAIRE vient après le primaire. • (sens 2) *Cet acteur n'a qu'un rôle* SECONDAIRE, peu important. ◆ **seconder** v. (sens 3) *Mon collaborateur me* SECONDE *dans mon travail* (= aider). ▷ 517

seconde n. f. **1.** *Dans une minute il y a 60* SECONDES. — **2.** *Attends une* SECONDE!, très peu de temps (= instant). ▷ 795

seconder → SECOND.

secouer v. **1.** *Il* SECOUE *le prunier pour en faire tomber les fruits* (= agiter). ‖ *Je* SECOUE *la poussière de mon chiffon,* j'agite le chiffon pour en chasser la poussière. — **2.** *Cette nouvelle l'*A SECOUÉ, lui a fait un choc (= ébranler). ◆ **secousse** n. f. (sens 1) *Le train part sans* SECOUSSE, sans mouvement brusque.

secourir v. **1.** *On* A SECOURU *les blessés,* on leur a donné des soins urgents. — **2.** SECOURIR *une personne dans la misère,* c'est l'aider. ◆ **secours** n. m. **1.** (sens 1) *Il faut porter* SECOURS *aux blessés,* les secourir (= assistance). • (sens 2) *Ma mémoire m'est d'un grand* SECOURS, elle m'aide. — **2.** *Une roue de* SECOURS est destinée à remplacer une roue crevée. ◆ **secourisme** n. m. (sens 1) *Je suis des cours de* SECOURISME, j'apprends comment porter secours aux gens en danger. ◆ **secouriste** n. (sens 1) *Une équipe de* SECOURISTES *a pris soin des blessés.* ◆ **secourable** adj. (sens 2) *C'est une personne* SECOURABLE, prête à secourir les autres. • **R.** Conj. nº 29.

761 ◁ 506 ◁ 761 ◁

secousse → SECOUER.

secret n. m. **1.** *Je vais te confier un* SECRET, une chose qu'il ne faut dire à personne. — **2.** *Je vais te donner le* SECRET *pour réussir ce gâteau,* le moyen caché pour le faire (= truc, astuce). ◆ **secret** adj. (sens 1) *Nous utilisons un code* SECRET, qui n'est connu que de nous.

secrétaire **1.** n. *Le directeur a une* SECRÉTAIRE, une employée qui s'occupe du courrier. — **2.** n. m. *J'écris sur un* SECRÉTAIRE, une sorte de bureau. ◆ **secrétariat** n. m. (sens 1) *Dans une école de* SECRÉTARIAT, *on apprend le métier de secrétaire.*

292 ◁ 77 ◁

sécréter v. *Les glandes salivaires* SÉCRÈTENT *la salive,* elles produisent ce liquide. ◆ **sécrétion** n. f. *La résine est une* SÉCRÉTION *du pin,* un liquide sécrété par le pin.

sectaire adj. et n. *Pierre est* SECTAIRE, il n'accepte pas les idées des autres (= intolérant).

secte n. f. *Une* SECTE *religieuse* est un groupe de personnes qui ont des croyances différentes de celles de la religion commune.

secteur n. m. *Ils n'habitent pas dans le même* SECTEUR, le même endroit (= quartier, région).

section n. f. **1.** *Il y a une* SECTION *syndicale dans cette entreprise,* un groupe de gens inscrits à un syndicat. — **2.** *Dans l'armée, une* SECTION *est commandée par un lieutenant,* un petit groupe d'hommes. — **3.** *Il y a des travaux sur cette* SECTION *de route,* sur cette partie du trajet.

sectionner v. SECTIONNER *un câble,* c'est le couper.

séculaire → SIÈCLE. / **sécurité** → SÛR.

sédatif adj. et n. m. *J'ai pris un* SÉDATIF, un médicament qui calme.

sédentaire **1.** adj. et n. *Une (personne)* SÉDENTAIRE *ne sort presque pas de chez elle.* — **2.** adj. *Un emploi* SÉDENTAIRE *n'exige pas de déplacements.*

sédiment n. m. *Au fond de la mer, il y a des* SÉDIMENTS, des débris qui s'y sont déposés. ◆ **sédimentaire** adj. *Le calcaire, l'argile sont des roches* SÉDIMENTAIRES, formées de sédiments.

sédition n. f. Une SÉDITION est une révolte. ◆ **séditieux** adj. *Des paroles* SÉDITIEUSES poussent à la révolte.

séduire v. *Ce projet me* SÉDUIT, m'attire (= tenter, plaire). ◆ **séduction** n. f. *Cette personne a de la* SÉDUCTION, elle séduit (= charme). ◆ **séduisant** adj. *Une femme* SÉDUISANTE *attire par son charme, sa beauté.* ◆ **séducteur** **1.** adj. *Elle a un sourire* SÉDUCTEUR, qui séduit. — **2.** n. *Cet homme est un* SÉDUCTEUR, il aime séduire les femmes.
• **R.** Conj. n° 70.

segment n. m. *Tracez un* SEGMENT *de droite sur votre cahier,* une ligne droite limitée par deux points.

ségrégation n. f. *Dans certains pays, on pratique la* SÉGRÉGATION *raciale,* certaines personnes sont persécutées à cause de leur race.

seiche n. f. *L'oiseau aiguise son bec sur un os de* SEICHE, un animal marin. ▷ 724
• **R.** V. SEC.

seigle n. m. *Marie a acheté un pain de* SEIGLE, une céréale.

seigneur n. m. Au Moyen Âge et sous l'Ancien Régime, un SEIGNEUR était un noble qui possédait de vastes terres. ◆ **monseigneur** n. m. *Lorsqu'on parle à un évêque, on dit* « MONSEIGNEUR».

sein n. m. **1.** *La maman donne le* SEIN *à son bébé,* elle l'allaite (= mamelle). — **2.** *Paul vit* AU SEIN DE *sa famille,* parmi sa famille. ▷ 33
• **R.** V. SAINT.

séisme n. m. *Le* SÉISME *a fait beaucoup de morts,* le tremblement de terre. ◆ **sismique** adj. *On a ressenti une secousse* SISMIQUE, la secousse d'un séisme.

seize adj. *Quinze plus un font* SEIZE. ‖ *10 + 6 = 16.* ◆ **seizième** adj. et n. *J'habite le* SEIZIÈME *arrondissement de Paris.*

séjourner v. *Nous* AVONS SÉJOURNÉ *en Suisse,* nous y sommes restés quelque temps. ◆ **séjour** n. m. **1.** *J'aimerais faire un* SÉJOUR *à la mer,* y séjourner. — **2.** *La famille regarde la télévision dans la* SALLE DE SÉJOUR, une des pièces de la maison.

sel n. m. **1.** *L'eau de mer contient du* SEL, une substance qui sert à assaisonner les aliments. — **2.** *Ses plaisanteries sont pleines de* SEL, d'esprit (= piquant). ◆ **saler** v. (sens 1) SALE *la soupe,* mets-y du sel. ‖ *Les pêcheurs* SALENT *le poisson,* ils l'imprègnent de sel pour le conserver. ◆ **salant** adj. (sens 1) *On récolte le sel de mer dans les* MARAIS SALANTS. ◆ **salé** (sens 1) **1.** adj. *Du beurre* SALÉ est imprégné de sel. — **2.** n. m. *On nous a servi du* SALÉ, de la viande de porc salée. ◆ **salaisons** n. f. pl. (sens 1) *Le jambon, le lard sont des* SALAISONS, des aliments qu'on a salés pour les conserver. ◆ **salière** n. f. (sens 1) *Le sel est présenté à table dans une* SALIÈRE, un récipient spécial. ◆ **salin** adj. (sens 1) *L'eau du puits est* SALINE, elle contient du sel. ◆ **dessaler** v. (sens 1) *Pour* DESSALER *la morue, on l'a fait tremper dans l'eau.* ▷ 724 ▷ 724 ▷ 78
• **R.** *Sel* se prononce [sɛl] comme *selle* et [*il*] *scelle* (de *sceller*).

sélection n. f. *Il a fallu faire une* SÉLECTION *parmi les candidats,* choisir les meilleurs. ◆ **sélectionner** v. *Le capitaine* A SÉLECTIONNÉ *les joueurs,* il a fait une sélection parmi eux.

512, 437, 368 ◁ **selle** n. f. **1.** *La* SELLE *d'une bicyclette, d'un cheval* est un petit siège. — **2.** (au plur.) Les SELLES sont les excréments humains. ◆ **seller** v. (sens 1) SELLER *un cheval,* c'est mettre une selle sur son dos. ◆ **sellier** n. m. (sens 1) Le SELLIER fabrique ou vend des selles et tout ce qui équipe les chevaux. ◆ **desseller** v. (sens 1) DESSELLE *le cheval!,* ôte-lui sa selle.
• **R.** V. SCELLER et SEL. ‖ *Sellier* se prononce [sɛlje] comme *cellier.*

sellette n. f. *Pierre est* SUR LA SELLETTE, on l'interroge, on examine son cas attentivement.

sellier → SELLE.

selon prép. **1.** *Il doit faire beau,* SELON *les journaux,* d'après ce qu'ils disent. — **2.** *Le montage a été fait* SELON *les instructions,* comme le disaient les instructions (= d'après, suivant). — **3.** SELON *le temps, le bateau partira ou non,* son départ dépendra du temps (= en fonction de, suivant).

semailles → SEMER.

125 ◁ **semaine** n. f. **1.** *Nous avons pris une* SEMAINE *de vacances,* sept jours. — **2.** *Le magasin est ouvert en* SEMAINE, tous les jours, sauf le dimanche.

723 ◁ **sémaphore** n. m. *Aux approches de certains ports, il y a des* SÉMAPHORES, des appareils pour faire des signaux aux navires.

semblable 1. adj. *Ces deux objets sont* SEMBLABLES (= pareil, identique, analogue; ≠ différent). — **2.** n. m. *Il recherche ses* SEMBLABLES, ceux qui lui ressemblent. ◆ **similitude** n. f. (sens 1) *La* SIMILITUDE *entre ces deux objets est parfaite,* ils sont parfaitement semblables (= ressemblance). ◆ **similaire** adj. (sens 1) *Ces deux médicaments ont un effet* SIMILAIRE, a peu près semblable.

sembler v. **1.** *Tu* SEMBLES *fatigué,* tu as l'air fatigué (= paraître). — **2.** IL *me* SEMBLE QUE *tu te trompes,* je le crois, j'en ai l'impression. ◆ **semblant** n. m. (sens 1) *Jean* FAIT SEMBLANT *de dormir,* il fait comme s'il dormait (= feindre).

semelle n. f. *Mes chaussures ont des* SEMELLES *épaisses,* leur dessous est épais. ◆ **ressemeler** v. *Le cordonnier* RESSEMELLE *mes chaussures,* il remplace les semelles.
• **R.** *Ressemeler,* conj. nº 6.

366 ◁ **semer** v. **1.** *On* SÈME *des graines,* on les met en terre pour les faire germer. — **2.** *On* A SEMÉ *des clous sur le chemin,* on les y a jetés çà et là. ◆ **semence** n. f. (sens 1) Les SEMENCES sont des graines à semer. ◆ **semailles** n. f. pl. (sens 1) *L'époque des* SEMAILLES est celle où l'on sème. ◆ **semis** n. m. (sens 1) *Le jardinier arrose ses* SEMIS *de salades,* la terre ensemencée. ◆ **semeur** n. (sens 1) *Le* SEMEUR *lance les graines à la volée,* celui qui sème. ◆ **ensemencer** v. (sens 1) *Le cultivateur* ENSEMENCE *le champ,* il y met des graines.

semestre n. m. *L'année est composée de deux* SEMESTRES, de deux périodes de six mois. ◆ **semestriel** adj. *Une revue* SEMESTRIELLE *paraît chaque semestre.* ▷ 125

semeur → SEMER.

semi-, au début de certains mots, signifie « à moitié », « à demi » : une machine *semi-automatique.*

séminaire n. m. **1.** *André est dans un* SÉMINAIRE, dans un établissement où l'on prépare les futurs prêtres. — **2.** *Un* SÉMINAIRE *de savants* est une réunion où des savants travaillent ensemble. ◆ **séminariste** n. m. (sens 1) *André est* SÉMINARISTE, il est élève dans un séminaire.

semi-remorque → REMORQUE. / **semis** → SEMER.

semonce n. f. *Jean a reçu une* SEMONCE, il s'est fait gronder (= réprimande).

semoule n. f. *Je fais un gâteau avec de la* SEMOULE, une sorte de farine.

sénat n. m. Un SÉNAT est une assemblée politique. ◆ **sénateur** n. m. *M. Durand est* SÉNATEUR, il est membre du Sénat. ▷ 298 ▷ 298

sénile adj. *Mme Dupuis a une voix* SÉNILE, de vieillard. ◆ **sénilité** n. f. *Cet homme est atteint de* SÉNILITÉ, son corps et son esprit sont ceux d'un vieillard.

sens n. m. **1.** *La vue, l'ouïe, l'odorat, le goût, le toucher sont les cinq* SENS, ce qui nous permet de voir, d'entendre, etc. — **2.** *Quel est le* SENS *de ce mot?,* ce qu'il veut dire (= signification). — **3.** *Pierre a le* SENS *des affaires,* il sait faire des affaires. — **4.** *Hélène a du* BON SENS, elle sait ce qu'il faut faire. — **5.** *Les fugitifs couraient dans tous les* SENS, dans toutes les directions. ◆ **sensé** adj. (sens 4) *Hélène est* SENSÉE, elle a du bon sens. ◆ **sensuel** adj. (sens 1) *Bien manger est un plaisir* SENSUEL, des sens. ◆ **insensé** adj. (sens 4) *Ce projet est* INSENSÉ, contraire au bon sens (= déraisonnable). ◆ **contresens** n. m. (sens 2) *Vous faites un* CONTRESENS *sur ce mot,* vous l'interprétez mal. • (sens 5) *La voiture roulait* À CONTRESENS *de la circulation,* en sens contraire. ◆ **non-sens** n. m. *Une telle supposition est un* NON-SENS (= absurdité). ▷ 217, 507

sensation n. f. **1.** *J'ai une* SENSATION *de froid,* je sens le froid (= impression). — **2.** *Son arrivée* A FAIT SENSATION, a produit beaucoup d'intérêt, de surprise. ◆ **sensationnel** adj. (sens 2) *Les journaux ont annoncé un événement* SENSATIONNEL (= extraordinaire, remarquable; ≠ banal).

sensé → SENS.

sensible adj. **1.** *Pierre est un enfant* SENSIBLE, il est vite ému (= émotif, impressionnable). — **2.** *J'ai la gorge* SENSIBLE, j'ai souvent mal à la gorge. ‖ *Paul est* SENSIBLE *à la chaleur,* il la supporte mal. — **3.** *La hausse de la température est* SENSIBLE, assez importante (= notable). — **4.** *Une balance* SENSIBLE est très précise. ◆ **sensibilité** n. f. (sens 1) *Cet homme n'a aucune* SENSIBILITÉ, on ne peut pas l'émouvoir. • (sens 2) *Paul est d'une grande* SENSIBILITÉ *au froid,* il le craint beaucoup. • (sens 4) *La*

SENSIBILITÉ *du thermomètre médical est grande* (= précision). ◆ **sensiblement** adv. **1.** (sens 3) *Il a* SENSIBLEMENT *grandi* (= notablement). — **2.** *Ils sont* SENSIBLEMENT *égaux* (= à peu près). ◆ **insensible** adj. (sens 1) *M. Dupont est un homme* INSENSIBLE (= dur). • (sens 2) *Cette piqûre rendra ta dent* INSENSIBLE, tu ne sentiras plus la douleur. • (sens 3) *Ses progrès sont* INSENSIBLES, peu importants. ◆ **insensibilité** n. f. (sens 1) *Il est peu aimé à cause de son* INSENSIBILITÉ (= froideur, dureté). • (sens 2) *Son* INSENSIBILITÉ *au froid est grande* (= résistance). ◆ **insensibiliser** v. (sens 2) *Le dentiste* A INSENSIBILISÉ *ma gencive,* il l'a rendue insensible à la douleur. ◆ **insensiblement** adv. (sens 3) *L'ombre s'est déplacée* INSENSIBLEMENT, sans que cela se remarque (= imperceptiblement).

sensuel → SENS.

sentence n. f. **1.** *Le juge a rendu sa* SENTENCE, sa décision (= verdict, jugement). — **2.** *«Bien mal acquis ne profite jamais» est une* SENTENCE, une pensée morale. ◆ **sentencieux** adj. (sens 2) *Une personne* SENTENCIEUSE *emploie souvent des sentences.*

649 ◁ **sentier** n. m. *Un* SENTIER *s'enfonce dans la forêt,* un chemin étroit.

sentiment n. m. **1.** *L'affection, l'amour, la peur, la haine sont des* SENTIMENTS, on les ressent au fond de soi-même. — **2.** *J'ai le* SENTIMENT *que je me trompe,* j'en ai l'impression. ◆ **sentimental** adj. (sens 1) *J'aime les chansons* SENTIMENTALES, qui parlent d'amour. ‖ *Une personne* SENTIMENTALE *donne beaucoup de place aux sentiments amoureux.*

762 ◁ **sentinelle** n. f. *À l'entrée de la caserne, il y a une* SENTINELLE, un soldat qui monte la garde.

sentir v. **1.** *Je* SENS *la chaleur du soleil,* j'éprouve une impression de chaleur. — **2.** *Je* SENS *qu'il va faire beau,* je le devine (= pressentir). — **3.** *Je* SENS *l'odeur des roses,* je la perçois grâce à mon nez. — **4.** *Cette rose* SENT *bon,* elle répand une odeur agréable. ◆ **ressentir** v. (sens 1) *Je* RESSENS *une grande fatigue* (= sentir, éprouver).

• **R.** Conj. n° 19. ‖ V. SANS.

séparer v. **1.** *Le professeur* A SÉPARÉ *Paul et Jacques,* il les a éloignés l'un de l'autre. ‖ *Nous devons* NOUS SÉPARER, nous quitter. — **2.** *La rivière* SE SÉPARE *en deux* (= se diviser). — **3.** *Un mur* SÉPARE *les deux jardins,* il est entre les deux. ◆ **séparation** n. f. (sens 1) *Leur* SÉPARATION *a été brutale,* ils se sont séparés brutalement. • (sens 3) *Une cloison sert de* SÉPARATION *entre deux pièces,* elle les sépare. ◆ **séparément** adv. (sens 1) *Travaillons* SÉPARÉMENT, chacun de notre côté (≠ ensemble). ◆ **inséparable** adj. (sens 1) *Ces deux amis sont* INSÉPARABLES, ils sont toujours ensemble.

sept adj. *Il y a* SEPT *jours dans une semaine.* ‖ *6 + 1 = 7.* ◆ **septième** adj. et n. *J'habite le* SEPTIÈME *étage.*

• **R.** *Sept* se prononce [sɛt] comme *cet, cette, set.*

125 ◁ **septembre** n. m. *Les vacances finissent en* SEPTEMBRE.

septennat n. m. *Le président de la République est élu pour un* SEPTENNAT, une période de sept ans.

septentrional adj. *Lille est dans la partie* SEPTENTRIONALE *de la France* (= nord; ≠ méridional).

septième → SEPT.

septique adj. *Dans une fosse* SEPTIQUE, les matières fécales sont liquéfiées par une fermentation.
• **R.** V. SCEPTIQUE.

septuagénaire adj. et n. *Mon grand-père est* SEPTUAGÉNAIRE, il a entre soixante-dix et quatre-vingts ans.

sépulture n. f. *Où se trouve la* SÉPULTURE *de ton arrière-grand-père?*, le lieu où il est enterré. ◆ **sépulcre** n. m. *Un tombeau est quelquefois appelé un* SÉPULCRE. ◆ **sépulcral** adj. *M. Dupont a une voix* SÉPULCRALE, qui semble sortir d'un tombeau (= caverneux).

séquelle n. f. *Je souffre des* SÉQUELLES *de l'accident*, des troubles qui persistent après la guérison.

séquence n. f. *J'ai beaucoup aimé cette* SÉQUENCE *du film* (= scène).

séquestrer v. *Des bandits l'ont* SÉQUESTRÉ, ils l'ont enfermé sans en avoir le droit. ◆ **séquestration** n. f. *Le gangster est accusé de* SÉQUESTRATION *d'enfant*, d'avoir séquestré un enfant.

sérail n. m. *Autrefois, les princes turcs enfermaient leurs épouses dans le* SÉRAIL, une partie de leur palais.

serein adj. **1.** *Le ciel est* SEREIN, pur et calme (≠ nuageux). — **2.** *Son visage est* SEREIN (= tranquille; ≠ inquiet, troublé). ◆ **sérénité** n. f. (sens 2) *Les deux amis discutent avec* SÉRÉNITÉ (= calme).

sérénade n. f. Une SÉRÉNADE était autrefois un concert donné la nuit sous les fenêtres de la femme aimée.

sérénité → SEREIN.

serf n. *Les* SERFS *devaient obéir et payer des redevances au seigneur*, des paysans du Moyen Âge.

sergent n. m. *Ce militaire a le grade de* SERGENT, le premier grade de sous-officier. ▷ 355, 763, 767

série n. f. **1.** *Le professeur a posé une* SÉRIE *de questions*, plusieurs questions (= suite). — **2.** *Mme Dupont a acheté une* SÉRIE *de casseroles*, un ensemble de casseroles qui vont ensemble. — **3.** *On fabrique ces assiettes en* SÉRIE, en un grand nombre d'exemplaires identiques.

sérieux adj. **1.** *Jean est* SÉRIEUX *dans son travail*, il le fait bien. ‖ *Voilà un travail* SÉRIEUX!, bien fait. — **2.** *Marie a un visage* SÉRIEUX, qui ne sourit pas (= grave). — **3.** *Cette maladie est* SÉRIEUSE (= grave). ◆ **sérieux** n. m. (sens 2) *Tâche de garder ton* SÉRIEUX, de ne pas rire. • (sens 3) *On devrait* PRENDRE *cette menace* AU SÉRIEUX, y croire (≠ à la légère). ◆ **sérieusement** adv. (sens 1) *Jean ne travaille pas* SÉRIEUSEMENT. • (sens 3) *Le blessé est* SÉRIEUSEMENT *atteint* (= gravement).

serin n. m. *Jean a un* SERIN *dans une cage*, un petit oiseau jaune. ◆ **seriner** v. *Cesse de* SERINER *cette chanson!*, de la répéter sans cesse.

38 ◁ **seringue** n. f. *On fait des piqûres avec une* SERINGUE, une petite pompe munie d'une aiguille.

serment n. m. *Il a fait le* SERMENT *de ne plus fumer,* il l'a juré.

sermon n. m. **1.** *Le curé a fait un* SERMON, il a parlé aux fidèles réunis dans l'église (= prêche). — **2.** *Ma mère m'a fait un* SERMON, des remontrances longues et ennuyeuses. ◆ **sermonner** v. (sens 2) *Je vais le* SERMONNER, lui faire des remontrances.

serpe n. f. *Jean coupe des branches avec une* SERPE, un outil à lame recourbée.

435 ◁ **serpent** n. m. *La vipère, la couleuvre sont des* SERPENTS, des animaux sans pattes qui avancent en rampant.

serpenter v. *Le sentier* SERPENTE *dans les bois,* il tourne tantôt dans un sens, tantôt dans l'autre.

serpentin n. m. *À la fête, on a lancé des* SERPENTINS, des petits rouleaux de papier coloré qui se déroulent quand on les lance.

serpillière n. f. *Je lave mon carrelage avec une* SERPILLIÈRE, une grosse toile pour laver le sol.

578 ◁ **serpolet** n. m. *Sens-tu cette odeur de* SERPOLET? (= thym).

serrage → SERRER.

366 ◁ **serre** n. f. *Ces plantes poussent en* SERRE, dans un endroit fermé et vitré où elles sont à l'abri du froid.

serrer v. **1.** *Elle* SERRE *la poignée de son sac,* elle la tient fermement. — **2.** *Les voyageurs* SONT SERRÉS *dans le métro,* ils sont les uns contre les autres. ‖ *Les enfants* SE SERRENT *sur le banc,* ils se rapprochent les uns des autres. — **3.** SERRE *ton nœud de cravate,* tire sur les extrémités. ‖ SERRE *bien cette vis,* tourne-la jusqu'à ce qu'elle soit bloquée. — **4.** *Ce vêtement me* SERRE, je suis à l'étroit dedans. ◆ **serrage** n. m. (sens 3) *Le mécanicien vérifie le* SERRAGE *des écrous,* s'ils sont serrés. ◆ **serrement** n. m. (sens 1) *Ils se saluent d'un* SERREMENT *de main,* en se serrant la
650 ◁ main. ◆ **serres** n. f. pl. (sens 1) *L'aigle a des* SERRES, des griffes qui serrent sa proie. ◆ **serré** adj. **1.** (sens 2) *Ton écriture est* SERRÉE, les lettres sont rapprochées. — **2.** *La lutte est* SERRÉE, les adversaires sont de force égale. ◆ **desserrer** v. (sens 3) *Il faut* DESSERRER *cet écrou,* faire qu'il soit moins serré. ◆ **enserrer** v. (sens 2) *Les montagnes* ENSERRENT *la ville,* elles l'entourent en lui laissant peu de place. ◆ **resserrer** v. (sens 3) *Jean* A RESSERRÉ *son nœud de cravate,* il l'a serré davantage.

- **R.** [*Je*] *serre* se prononce [sɛr] comme [*je*] *sers,* [*il*] *sert* (de *servir*).

74 ◁ **serrure** n. f. *La clef est dans la* SERRURE, le dispositif qui permet de fermer ou d'ouvrir la porte. ◆ **serrurier** n. m. *Le* SERRURIER *fait ou répare des serrures, des clefs.* ◆ **serrurerie** n. f. *Il apprend la* SERRURERIE, le métier de serrurier.

sertir v. *Le joaillier* SERTIT *un diamant,* il le fixe sur un bijou.

38 ◁ **sérum** n. m. *Le sang est composé de globules et de* SÉRUM, un liquide jaunâtre.

- **R.** On prononce [serɔm].

servante, serveur, serviable, service → SERVIR.

serviette n. f. **1.** *Pour s'essuyer, on utilise des* SERVIETTES *de table et des* SERVIETTES *de toilette.* — **2.** *L'écolier porte sa* SERVIETTE, son cartable. ▷ 79

servile adj. *M. Duval est* SERVILE, il a un caractère trop soumis (= obséquieux).

servir v. **1.** *Le garçon* SERT *les clients du bar,* il apporte ce qu'ils ont commandé. — **2.** *Sa mémoire l'*A SERVI, elle l'a aidé. — **3.** *Cet outil lui* A SERVI, il lui a été utile. — **4.** *À quoi* SERT *cette machine?,* que fait-on avec? — **5.** *Ma voiture* SERT *souvent,* elle est souvent utilisée. ‖ *Je* ME SERS *de la voiture,* je l'utilise. ‖ *Ce meuble me* SERT *de bureau,* je l'utilise comme bureau. ◆ **service** n. m. **1.** (sens 1) *Le* SERVICE *est rapide,* le garçon sert vite. ‖ *Au* LIBRE-SERVICE, *on se sert seul,* un magasin. ‖ *Le* SERVICE *est compris* (= pourboire). ‖ *Un* SERVICE *à café* est un assortiment de vaisselle pour servir le café. • (sens 2) *Jean m'a rendu* SERVICE, il m'a été utile, il m'a aidé. — **2.** *Jacques fait son* SERVICE *militaire,* il est soldat pour un certain temps. — **3.** *Les* SERVICES *d'une administration* sont ses bureaux. ◆ **serveur** n. (sens 1) *Nicole est* SERVEUSE *dans un bar,* elle sert les clients. ◆ **serviteur** n. m. (sens 1) Un SERVITEUR est un domestique. ◆ **servante** n. f. (sens 1) *Autrefois, une bonne s'appelait une* SERVANTE. ◆ **serviable** adj. (sens 2) *Marie est* SERVIABLE, elle aime à rendre service. ◆ **desservir** v. **1.** (sens 1) *Après le repas, on* DESSERT *la table,* on enlève ce qui est dessus. • (sens 2) *Sa réputation le* DESSERT, elle lui nuit. — **2.** *Ce village n'*EST *pas* DESSERVI *par le train,* le train n'y passe pas. ◆ **desserte** n. f. **1.** (sens 1) *Pose les assiettes sur la* DESSERTE, une petite table servant à desservir. — **2.** *Ce car assure la* DESSERTE *des hameaux,* il les dessert, sert de moyen de communication. ◆ **resservir** v. (sens 1) *Jean* S'EST RESSERVI *de soupe,* il en a repris. • (sens 5) *Ce cahier pourra* RESSERVIR, servir de nouveau.

• **R.** *Servir, desservir, resservir,* conj. n° 20. ‖ V. SERRER.

servitude n. f. **1.** *Ce peuple vécut longtemps dans la* SERVITUDE (= esclavage). — **2.** *Les* SERVITUDES *d'un métier,* c'est tout ce que ce métier oblige à faire (= contrainte).

ses → SON 1.

session n. f. *La* SESSION *d'un examen* est la période pendant laquelle se déroule cet examen.

set n. m. *Nous avons gagné le match de volley par 3* SETS *à 2* (= manche).
• **R.** V. SEPT.

seuil n. m. **1.** *Franchir le* SEUIL *d'une maison,* c'est entrer dans la maison. — **2.** *Nous sommes au* SEUIL *de l'hiver,* au début. ▷ 75

seul adj. **1.** *C'est mon* SEUL *chapeau,* je n'en ai qu'un (= unique). — **2.** *J'ai fait cela* SEUL, sans personne. — **3.** SEULS *deux arbres restaient,* il ne restait que deux arbres (= seulement). ◆ **seulement** adv. **1.** (sens 3) *Ils sont* SEULEMENT *trois,* ils ne sont que trois. — **2.** *Je voudrais bien lui écrire,* SEULEMENT *je n'ai pas son adresse* (= mais).

sève n. f. La SÈVE est le liquide qui circule dans les végétaux.

sévère adj. **1.** *Son père est* SÉVÈRE, sans indulgence (= dur, exigeant). — **2.** *À l'enterrement, il portait un costume* SÉVÈRE, sans ornement (= strict). — **3.** *Notre équipe a essuyé une défaite* SÉVÈRE (= grave). ◆ **sévérité** n. f. (sens 1) *Le maître fait preuve de* SÉVÉRITÉ, il est sévère. ◆ **sévèrement** adv. (sens 1) *Pierre a été puni* SÉVÈREMENT (= durement).

sévices n. m. pl. *On l'accusait d'avoir exercé des* SÉVICES *sur un enfant,* de l'avoir frappé (= violences).

sévir v. **1.** *On* A SÉVI *contre les coupables,* on les a punis sévèrement. — **2.** *Une épidémie de grippe* SÉVIT, elle atteint beaucoup de monde.

sevrer v. *La maman* A SEVRÉ *son bébé,* elle a commencé à lui donner d'autres aliments que du lait.

sexagénaire adj. et n. *Mon oncle est* SEXAGÉNAIRE, il a entre soixante et soixante-dix ans.

sexe n. m. **1.** *Jean est du* SEXE *masculin, Marie est du* SEXE *féminin.* — 33 ◁ **2.** Le SEXE est un des organes de la reproduction. ◆ **sexuel** adj. *Un livre d'éducation* SEXUELLE *explique la reproduction des êtres humains.* ‖ *Les organes* SEXUELS *sont différents chez les hommes et chez les femmes* (= reproducteur).

sextant n. m. *Pour savoir à quel endroit ils se trouvent, les navigateurs* 764 ◁ *utilisent un* SEXTANT, un appareil spécial.

sexuel → SEXE.

seyant adj. *Vous avez une robe très* SEYANTE, qui vous va très bien.

shampooing n. m. **1.** *On se lave les cheveux avec un* SHAMPOOING, un produit moussant. — **2.** *Jean se fait un* SHAMPOOING, il se lave la tête.
• **R.** On prononce [ʃɑ̃pwɛ̃].

shérif n. m. *Dans ce western, le* SHÉRIF *est le personnage principal,* le chef des policiers.

short n. m. *Les sportifs portent souvent un* SHORT, une culotte courte.
• **R.** On prononce [ʃɔrt].

1. si 1. conj. SI *le temps est beau, je sortirai,* à cette condition. ‖ *Pardonne-moi* SI *je ne t'ai pas répondu,* de ne pas t'avoir répondu. — **2.** adv. *Il est* SI *beau!* (= tellement). ‖ *Il n'est pas* SI *riche* QUE *toi* (= aussi). ‖ SI *grand* QU'*il soit, il fait des bêtises,* bien qu'il soit grand. — **3.** adv. sert à interroger : *Il demande* SI *tu sais ta leçon,* est-ce que tu la sais? — **4.** adv. sert à affirmer : *Personne ne manque?* — SI. ‖ *Je ne le connais pas.* — *Mais* SI! (≠ non).
• **R.** Aux sens 1 et 3, *si* devient *s'* devant *il* et *ils : S'il veut.* ‖ V. SCIE.

2. si n. m. SI est la septième note de la gamme.

sibyllin adj. *Il a prononcé des paroles* SIBYLLINES, difficiles à comprendre (= obscur, mystérieux).

sidérer v. *Je suis* SIDÉRÉ *par son audace,* stupéfait.

sidérurgie n. f. La SIDÉRURGIE est la transformation du minerai de fer en fonte, en fer et en acier. ◆ **sidérurgique** adj. *Il y a des usines* SIDÉRURGIQUES *en Lorraine.*

siècle n. m. **1.** *Il y a un* SIÈCLE, *l'automobile n'existait pas,* cent ans. — **2.** *Nous sommes au XX*ᵉ SIÈCLE, c'est notre époque. ◆ **séculaire** adj. *Il y a dans ce parc des arbres* SÉCULAIRES, qui existent depuis plus de cent ans.

siège n. m. **1.** *Une chaise, un fauteuil, un tabouret sont des* SIÈGES, des meubles sur lesquels on s'asseoit. — **2.** *Le palais Bourbon est le* SIÈGE *de l'Assemblée nationale,* l'endroit où elle se réunit. — **3.** *Aux élections, ce parti a obtenu cent* SIÈGES *de députés,* cent membres de ce parti ont été élus députés. — **4.** *Le* SIÈGE *d'une douleur,* c'est l'endroit où l'on a mal. — **5.** *L'ennemi a fait le* SIÈGE *de la ville,* il a essayé de s'en emparer militairement. ◆ **siéger** v. (sens 2 et 3) *Les députés* SIÈGENT *à l'Assemblée nationale,* ils s'y réunissent. ◆ **assiéger** v. (sens 5) *Les ennemis* ONT ASSIÉGÉ *la ville,* ils en ont fait le siège. ◆ **assiégeant** n. (sens 5) *La ville se défend contre ses* ASSIÉGEANTS, ceux qui l'assiègent. ▷ 292, 767

sien **1.** pron. possessif *Ce livre n'est pas à toi, c'est* LE SIEN, il est à lui ou à elle. — **2.** n. m. pl. *Il est entouré de l'affection* DES SIENS, de ses parents. — **3.** n. f. pl. *Jacques a encore fait* DES SIENNES, des sottises.

sieste n. f. *Ma grand-mère fait la* SIESTE, elle dort l'après-midi.

siffler v. **1.** *Paul* SIFFLE *en travaillant,* il produit un son aigu avec la bouche. — **2.** *Il* SIFFLE *son chien,* il l'appelle en sifflant. — **3.** *Le merle* SIFFLE, il pousse son cri. — **4.** *Les spectateurs* SIFFLENT *la pièce,* ils sifflent pour montrer qu'elle ne leur a pas plu (= huer). — **5.** *L'arbitre* SIFFLE *la fin de la partie,* il l'annonce en sifflant avec un sifflet. ◆ **sifflement** n. m. *On entend le* SIFFLEMENT *du vent,* on l'entend siffler. ◆ **sifflet** n. m. (sens 5) *L'agent de police a un* SIFFLET, un petit instrument pour siffler. ◆ **siffloter** v. (sens 1) *Jean* SIFFLOTE *un air connu,* il le siffle négligemment.

sigle n. m. *« E. D. F. » est un* SIGLE, une abréviation formée par la première lettre de chaque mot (Électricité de France). ▷ 768

signal n. m. *Chaque panneau du Code de la route est un* SIGNAL, il donne un avertissement ou un ordre. ◆ **signaler** v. *Le cycliste* SIGNALE *qu'il tourne,* il l'annonce. ◆ **signalisation** n. f. *La* SIGNALISATION *d'une voie ferrée,* c'est l'ensemble des signaux qui y sont placés. ◆ **signalement** n. m. *On a le* SIGNALEMENT *du voleur,* sa description. ▷ 217, 507, 727

signataire, signature → SIGNER.

signe n. m. **1.** *Il a de la fièvre, c'est* SIGNE *qu'il est malade,* cela veut dire qu'il est malade (= indication). — **2.** *Je lui fais* SIGNE *de venir,* je le lui fais comprendre d'un geste. — **3.** *En entrant dans l'église, il a fait un* SIGNE DE CROIX, un geste particulier. — **4.** *Le* SIGNE + *signifie « plus », le signe* × *signifie « multiplié par »* (= dessin, symbole). || *Le point, la virgule sont des* SIGNES *de ponctuation.* ◆ **se signer** v. (sens 3) *Les fidèles* SE SIGNENT, font un signe de croix.

signer v. *Jean a* SIGNÉ *sa lettre,* il a écrit son nom au bas de la lettre. ◆ **signature** n. f. *Sa* SIGNATURE *est illisible,* on ne peut lire son nom. ◆ **signataire** n. *Les* SIGNATAIRES *du contrat sont M. Durand et M. Dubois,* ils le signent. ◆ **soussigné** adj. *Je* SOUSSIGNÉ *M. Durand m'engage à payer 100 francs à M. Dubois,* c'est M. Durand qui signe.

signifier v. **1.** *Que* SIGNIFIE *ce mot?*, que veut-il dire? quel est son sens? — **2.** *Le patron* A SIGNIFIÉ *son renvoi à son employé,* il lui a annoncé sa décision de le renvoyer. ◆ **signification** n. f. (sens 1) *La* SIGNIFICATION *de cette phrase est obscure* (= sens). ◆ **significatif** adj. (sens 1) *Il a fait un geste* SIGNIFICATIF, qui exprimait nettement ce qu'il pensait.

silence n. m. **1.** *J'aime le* SILENCE *de la forêt,* l'absence de bruit (= calme, paix; ≠ tapage). — **2.** *Jean garde le* SILENCE, il se tait. ◆ **silencieux** adj. (sens 1) *La maison est* SILENCIEUSE (≠ bruyant). • (sens 2) *Jean est resté* SILENCIEUX *toute la soirée,* il n'a pas parlé (= muet). ◆ **silencieusement** adv. (sens 1) *Les chats marchent* SILENCIEUSEMENT, sans faire de bruit.

silex n. m. *Les hommes préhistoriques faisaient des outils en* SILEX, une roche très dure.

silhouette n. f. *Dans la brume, j'aperçois des* SILHOUETTES, des formes dont on ne voit que les contours.

silice n. f. *Le sable contient de la* SILICE, une matière très dure.

sillage n. m. *On voit le* SILLAGE *du bateau,* la trace qu'il laisse derrière lui en avançant.

364 ◁ **sillon** n. m. *La charrue trace des* SILLONS *dans le champ,* de longues fentes.

sillonner v. *Nous* AVONS SILLONNÉ *la forêt,* nous l'avons parcourue dans tous les sens.

583, 363 ◁ **silo** n. m. *On conserve le blé dans un* SILO *à blé,* un grand réservoir.

simagrées n. f. pl. *Ne fais pas tant de* SIMAGRÉES! (= manière, façons).

simiesque → SINGE.

similaire, similitude → SEMBLABLE.

simoun n. m. Le SIMOUN est un vent chaud du désert.

simple adj. **1.** *J'écris sur une feuille* SIMPLE, seule (≠ double). — **2.** *Le présent, l'imparfait, le passé* SIMPLE *sont des temps* SIMPLES *du verbe,* ils s'écrivent en un seul mot (≠ composé). — **3.** *Ce travail est* SIMPLE (= facile; ≠ compliqué). — **4.** *Marie a une robe* SIMPLE, sans ornement. — **5.** *M. Durand est un homme* SIMPLE, il ne fait pas de manières (≠ compliqué). — **6.** *Ce n'est qu'une* SIMPLE *erreur,* c'est seulement une erreur. ◆ **simplement** adv. (sens 4 et 5) *Marie est habillée* SIMPLEMENT. • (sens 6) *Je suis* SIMPLEMENT *parti dix minutes* (= seulement). ◆ **simplicité** n. f. (sens 3) *Ce problème est d'une grande* SIMPLICITÉ (= facilité). • (sens 4 et 5) *Il nous a reçus avec* SIMPLICITÉ, sans luxe, sans faire de manières. ◆ **simplifier** v. (sens 3) SIMPLIFIER *un problème,* c'est le rendre plus simple. ◆ **simplification** n. f. (sens 3) *Par souci de* SIMPLIFICATION, *on a arrondi les chiffres,* pour que ce soit plus simple.

simuler v. *Il* SIMULE *une maladie,* il fait semblant d'être malade (= feindre). ◆ **simulacre** n. m. *Au cinéma, les combats sont des* SIMULACRES, on fait semblant de se battre. ◆ **simulateur** n. et adj. *C'est une* SIMULATRICE, une personne qui simule. ◆ **simulation** n. f. *C'est de la* SIMULATION, ce n'est pas vrai (= comédie).

simultané adj. *Deux événements* SIMULTANÉS se produisent en même temps. ◆ **simultanément** adv. *Ils arrivent* SIMULTANÉMENT *aujourd'hui,* en même temps (= ensemble; ≠ successivement).

sincère adj. **1.** *Je suis* SINCÈRE, je dis ce que je pense (= franc; ≠ hypocrite). — **2.** *Une amitié* SINCÈRE *les unit* (= réel). ◆ **sincérité** n. f. (sens 1) *Je vous parle avec* SINCÉRITÉ, avec franchise. • (sens 2) *Je crois à la* SINCÉRITÉ *de ton amitié,* que ton amitié est sincère.

sinécure n. f. *M. Durand a trouvé une* SINÉCURE, un emploi où il n'a presque rien à faire.

singe n. m. *Le chimpanzé, le gorille sont des* SINGES. ◆ **singer** v. *Nicolas* SINGE *son professeur,* il l'imite par moquerie. ◆ **singerie** n. f. *Arrête tes* SINGERIES!, tes grimaces et tes gestes comiques (= pitrerie). ◆ **simiesque** adj. *Il a une allure* SIMIESQUE, l'allure d'un singe.

▷ 434, 435

singulier **1.** adj. *Il m'arrive une aventure* SINGULIÈRE (= bizarre, étrange). — **2.** adj. et n. m. *« Le chat » est au* SINGULIER, *« les chats » est au pluriel.* ◆ **singulièrement** adv. **1.** (sens 1) *Il s'habille* SINGULIÈREMENT (= bizarrement). — **2.** *Il fait* SINGULIÈREMENT *froid* (= très). ◆ **se singulariser** v. (sens 1) *Pierre aime* SE SINGULARISER, se faire remarquer. ◆ **singularité** n. f. (sens 1) *Cet objet a une* SINGULARITÉ, quelque chose de particulier.

sinistre **1.** adj. *Ce paysage désertique est* SINISTRE (= effrayant, triste). — **2.** n. m. *Un incendie, une inondation sont des* SINISTRES, des événements catastrophiques. ◆ **sinistré** adj. et n. (sens 2) *Cette région est* SINISTRÉE, il s'y est produit un sinistre. ‖ *Les* SINISTRÉS *ont été secourus,* les victimes du sinistre.

sinon conj. *Mange,* SINON *tu auras faim,* si tu ne manges pas, tu auras faim (= sans quoi, autrement).

sinueux adj. *La route est* SINUEUSE, elle a beaucoup de virages (≠ droit, direct). ◆ **sinuosité** n. f. *Nous suivons les* SINUOSITÉS *de la route* (= courbe, lacet).

siphon n. m. **1.** *Sous l'évier est placé un* SIPHON, un tuyau d'écoulement en forme d'U. — **2.** *Pour transvaser un liquide d'un récipient dans un autre, on utilise un* SIPHON, un tube recourbé.

sire n. m. **1.** *Autrefois, on s'adressait au roi en disant* « SIRE ». — **2.** *Au Moyen Âge,* « SIRE » *signifiait « seigneur ».* ◆ **messire** n. m. *Autrefois, on disait* « MESSIRE » *au lieu de « monsieur ».*

sirène n. f. **1.** Les SIRÈNES sont des êtres imaginaires moitié femmes, moitié poissons. — **2.** *Une* SIRÈNE *annonce l'incendie,* un appareil qui fait un bruit fort et prolongé.

sirocco n. m. *Le* SIROCCO *souffle du Sahara,* un vent brûlant.

sirop n. m. *Jean aime le* SIROP *de fraise,* le jus de fraise très sucré. ◆ **sirupeux** adj. *Ce liquide est* SIRUPEUX, il a la consistance du sirop (= visqueux).

siroter v. *Georges* SIROTE *son café,* il le boit lentement, en le savourant.

sirupeux → SIROP. / **sismique** → SÉISME.

site n. m. *Ce château est dans un* SITE *grandiose* (= paysage).

sitôt adv. se disait pour *aussitôt.*

situation n. f. **1.** *La* SITUATION *de la mairie est centrale,* le lieu où elle se trouve (= emplacement, position). — **2.** *La* SITUATION *politique a changé,* les circonstances. — **3.** *Il a une belle* SITUATION (= métier, emploi). ◆ **situer** v. (sens 1) *Cette ville* EST SITUÉE *en Normandie,* elle s'y trouve (= placer).

517 ◁ **six** adj. *M. Durand est parti pour* SIX *mois.* ‖ *4 + 2 = 6.* ◆ **sixième**
517 ◁ **1.** adj. et n. *Il est classé* SIXIÈME. — **2.** n. f. *Il entre en* SIXIÈME, la première classe de l'enseignement secondaire.

• **R.** *Six* se prononce [si] devant une consonne : *six jours* [siʒur]; [siz] devant une voyelle ou un *h* muet : *six hommes* [sizɔm]; [sis] en fin de phrase.

sketch n. m. *Les élèves ont inventé et joué un* SKETCH, une courte pièce comique.

722, 653 ◁ **ski** n. m. *On se déplace sur la neige avec des* SKIS, des patins longs et étroits. ‖ *J'aime faire du ski,* me déplacer avec des skis. ◆ **skier** v. *Jean*
653, 652 ◁ *apprend à* SKIER, à faire du ski. ◆ **skieur** n. *Marie est bonne* SKIEUSE, elle skie bien. ◆ **skiable** adj. *La piste est-elle* SKIABLE?, est-ce qu'on peut y skier?

652 ◁ **slalom** n. m. *C'est Jean qui a gagné le* SLALOM, une course à skis pleine de virages.

36 ◁ **slip** n. m. *On va à la piscine, prends ton* SLIP *de bain,* une petite culotte.

slogan n. m. *Les manifestants crient des* SLOGANS, des phrases courtes qui retiennent l'attention.

smoking n. m. *Les invités étaient en* SMOKING, un costume de cérémonie.

snob adj. et n. *Marie-Chantal est* SNOB, elle cherche à passer pour quelqu'un de distingué. ◆ **snobisme** n. m. *Il fait cela par* SNOBISME, parce qu'il est snob.

sobre adj. **1.** *M. Durand est* SOBRE, il évite de trop boire et manger. — **2.** *Jean a un costume* SOBRE, sans ornement (= simple; ≠ excentrique). ◆ **sobriété** n. f. (sens 1) *Cet athlète est d'une grande* SOBRIÉTÉ. ◆ **sobrement** adv. (sens 1) *Buvez* SOBREMENT, en évitant les excès. • (sens 2) *Jean est habillé* SOBREMENT.

sobriquet n. m. *Son* SOBRIQUET *était «Poil de Carotte»,* son surnom moqueur.

soc n. m. *Le* SOC *de la charrue,* c'est le fer large et pointu qui laboure la terre.

société n. f. **1.** *Les individus ont des devoirs envers la* SOCIÉTÉ, l'ensemble des hommes avec qui ils vivent. — **2.** *Les fourmis vivent en* SOCIÉTÉ, en groupes organisés (= collectivité). — **3.** *J'aime la* SOCIÉTÉ *de ces gens,* j'aime les fréquenter (= compagnie). — **4.** *Il travaille dans une* SOCIÉTÉ *commerciale,* une maison de commerce (= entreprise, établissement). ◆ **sociable** adj. (sens 3) *Marie est* SOCIABLE, elle aime la compagnie. ◆ **social** adj. (sens 1) *Les sciences* SOCIALES étudient les sociétés humaines. ‖ *Une loi* SOCIALE *améliore les conditions de vie des gens.* ◆ **socialisme** n. m. (sens 1) Le SOCIALISME est une doctrine qui accorde plus d'importance à l'intérêt collectif qu'aux intérêts particuliers. ◆ **socialiste** adj. et n. (sens 1) *Les députés* SOCIALISTES *ont proposé d'augmenter les allocations familiales.* ◆ **sociétaire** adj. (sens 4) *Les* SOCIÉTAIRES *ont touché leur part des bénéfices,* les membres de la société. ◆ **sociologie** n. f. (sens 1) La SOCIOLOGIE est une science qui étudie les sociétés humaines.

socle n. m. *La statue est posée sur un* SOCLE (= support). ▷ 293

soda n. m. *Je bois un* SODA, de l'eau gazeuse additionnée de sirop de fruits.

sœur n. f. **1.** *Christiane est ma* SŒUR, elle a le même père et la même mère que moi (≠ frère). — **2.** *C'est une* (BONNE) SŒUR *qui m'a fait la piqûre,* une religieuse. ▷ 547

sofa n. m. *Je m'allonge sur mon* SOFA, une sorte de lit.

soi pron. pers. *On aime parler de* SOI, de sa personne. ‖ *Après la classe, chacun rentre chez* SOI.

• **R.** *Soi* se prononce [swa] comme *soie, soit* et [*qu'il*] *soit* (de *être*).

soi-disant **1.** adj. inv. *Ce* SOI-DISANT *médecin est un charlatan,* cet homme qui prétend être médecin. — **2.** adv. *Il devait* SOI-DISANT *revenir,* d'après ce qu'il disait.

soie n. f. **1.** *Marie a un corsage en* SOIE, un tissu léger, fin et doux. — **2.** *Cette brosse est en* SOIES *de sanglier* (= poil). ◆ **soierie** n. f. (sens 1) *M*^me^ *Dupont tient un magasin de* SOIERIES, de tissus de soie. ◆ **soyeux** adj. (sens 1) *Jeanne a des cheveux* SOYEUX, doux et fins comme de la soie.

• **R.** V. SOI.

soif n. f. **1.** *J'ai* SOIF, j'ai besoin de boire. — **2.** *J'ai* SOIF *de grand air,* j'en ai très envie.

soin n. m. **1.** *Son travail est fait avec* SOIN, il y a fait très attention (= application). — **2.** *Je prends* SOIN *de mes vêtements,* je les conserve en bon état. — **3.** (au plur.) *Je confie mon chien à vos* SOINS, je vous charge de veiller sur lui. — **4.** (au plur.) *L'infirmière donne des* SOINS *à un blessé,* elle le soigne. ◆ **soigner** v. (sens 1) SOIGNE *ton travail,* fais-le avec soin. • (sens 2) *Je* SOIGNE *mes plantes,* je m'en occupe bien. • (sens 4) *Le médecin* SOIGNE *ses malades,* il essaie de les guérir. ◆ **soigné** adj. (sens 1 et 2) *Marie a des ongles* SOIGNÉS, propres (≠ négligé). ◆ **soigneux** adj. (sens 1 et 2) *Marie est* SOIGNEUSE, elle fait tout avec soin, elle prend soin de ses affaires (≠ négligent). ◆ **soigneusement** adv. (sens 1 et 2) *Range* SOIGNEUSEMENT *tes livres!,* avec soin. ◆ **soigneur** n. m. (sens 3) *Les sportifs ont leur* SOIGNEUR, quelqu'un qui leur donne les soins nécessaires.

soir n. m. *Le* SOIR, *je suis fatigué,* au moment où la journée s'achève. ◆ **soirée** n. f. **1.** *Nous avons passé la* SOIRÉE *à jouer aux cartes,* du coucher du soleil jusqu'à minuit. — **2.** *Je suis invité à une* SOIRÉE, un spectacle, une fête, une réunion qui a lieu le soir.

soit conj. **1.** *Utilisez* SOIT *du beurre,* SOIT *de l'huile,* ou bien du beurre, ou bien de l'huile. — **2.** *Il a payé le prix indiqué,* SOIT *10 francs,* c'est-à-dire 10 francs.
• **R.** V. SOI.

517 ◁ **soixante** adj. *Six fois dix font* SOIXANTE. ‖ *6 × 10 = 60.* ◆ **soixantième**
517 ◁ adj. et n. *Il est dans sa* SOIXANTIÈME *année,* il va avoir soixante ans.
517 ◁ ◆ **soixantaine** n. f. *Le voyage coûte une* SOIXANTAINE *de francs,* environ 60 francs. ‖ *Il a la* SOIXANTAINE, il a environ soixante ans.

583 ◁ **soja** n. m. *On fabrique de l'huile et de la farine à partir des graines de* SOJA, une sorte de haricot.

1. sol n. m. **1.** *Il est assis sur le* SOL *de la chambre,* par terre. — **2.** *Le* SOL *de cette région est argileux,* le terrain. ◆ **sous-sol** n. m. (sens 1) *On met le charbon au* SOUS-SOL, dans la partie de la maison située au-dessous du rez-de-chaussée (= cave). • (sens 2) *Il y a du pétrole dans le* SOUS-SOL *de ce pays,* dans les profondeurs du sol.
• **R.** V. SOLE.

2. sol n. m. SOL est la cinquième note de la gamme.
• **R.** V. SOLE.

solaire → SOLEIL.

355 ◁ **soldat** n. m. *Il est* SOLDAT, il est dans l'armée (= militaire).

1. solde n. f. *Les militaires touchent une* SOLDE, un salaire.

2. solde n. m. **1.** *Vous versez 100 francs et payez le* SOLDE *à la livraison,* le reste du prix. — **2.** *Ces vêtements sont en* SOLDE, vendus au rabais. ◆ **solder** v. (sens 2) SOLDER *une marchandise,* c'est la vendre en solde.

728 ◁ **sole** n. f. La SOLE est un poisson de mer plat.
• **R.** *Sole* se prononce [sɔl] comme *sol.*

soleil n. m. **1.** *La Terre tourne autour du* SOLEIL, de l'astre qui nous envoie la lumière et la chaleur. — **2.** *Je me fais bronzer au* SOLEIL, à la lumière qui vient du soleil. ◆ **solaire** adj. *Une loupe concentre les rayons* SOLAIRES, du soleil. ◆ **ensoleillé** adj. (sens 2) *La pièce est* ENSOLEILLÉE, le soleil y pénètre.

solennel adj. **1.** *Cet enterrement a été une cérémonie* SOLENNELLE, sérieuse et célébrée avec apparat. — **2.** *Il a pris un engagement* SOLENNEL, public et définitif. ◆ **solennité** n. f. (sens 1) *Il parle avec* SOLENNITÉ (= gravité, emphase).
• **R.** On prononce [sɔlanɛl, sɔlanite].

solfier v. *En classe, on apprend à* SOLFIER, à chanter en disant les notes. ◆ **solfège** n. m. *J'apprends le* SOLFÈGE, à solfier.

solidaire adj. **1.** *Je suis* SOLIDAIRE *de mon frère,* j'approuve ce qu'il fait et je le défends. — **2.** *Les deux parties de cet objet sont* SOLIDAIRES, elles sont fixées l'une à l'autre. ◆ **solidarité** n. f. *J'ai agi par* SOLIDARITÉ *avec lui,* parce que j'étais solidaire de lui.

solide adj. **1.** *Cette table est très* SOLIDE, elle résiste aux chocs, à l'usure (≠ fragile, cassant). — **2.** *Jean est un garçon* SOLIDE, il résiste à la fatigue et à la maladie (= robuste; ≠ faible). — **3.** adj. et n. m. *Le fer est un* SOLIDE, une matière qui n'est ni liquide ni gazeuse. ◆ **solidité** n. f. (sens 1) *Ce meuble manque de* SOLIDITÉ, il n'est pas solide. ◆ **solidifier** v. (sens 3) *Le froid* SOLIDIFIE *l'eau,* il la rend solide. ◆ **consolider** v. (sens 1) *Le maçon* CONSOLIDE *le mur,* il le rend plus solide.

soliste → SOLO.

solitaire 1. adj. *Mon grand-père vit* SOLITAIRE *à la campagne,* il reste seul (= isolé). — **2.** n. m. *Jeanne a une bague ornée d'un* SOLITAIRE, d'un gros diamant. ◆ **solitude** n. f. (sens 1) *Le berger aime la* SOLITUDE, être seul.

solive n. f. *Dans une maison, le plancher des étages est porté par des* SOLIVES, de grandes barres de bois posées sur les murs (= poutre).

solliciter v. *Je* SOLLICITE *l'autorisation de m'absenter* (= demander).

sollicitude n. f. *Sa femme l'a soigné avec* SOLLICITUDE, une attention affectueuse.

solo n. m. *Le concert commence par un* SOLO *de violon,* un morceau de musique joué par un violon seul. ◆ **soliste** n. *Ce musicien est un* SOLISTE, il joue des solos.

solstice n. m. *Le* SOLSTICE *d'été est le jour le plus long de l'année, le* SOLSTICE *d'hiver est le jour le plus court* (21 juin et 21 décembre).

solution n. f. **1.** *Une* SOLUTION *de sel,* c'est de l'eau dans laquelle du sel est dissous. — **2.** *J'ai trouvé la* SOLUTION *du problème,* la réponse permettant de le résoudre (= résultat). ◆ **soluble** adj. (sens 1) *Le sucre est* SOLUBLE *dans l'eau,* il s'y dissout. ◆ **solubilisé** adj. (sens 1) *Du café* SOLUBILISÉ a été rendu soluble. ◆ **insoluble** adj. (sens 2) *Ce problème est* INSOLUBLE, il n'a pas de solution.

solvable adj. *Cet homme est* SOLVABLE, il peut payer ce qu'il doit. ◆ **insolvable** adj. *Il est* INSOLVABLE, il ne peut pas payer ses dettes.

sombre adj. **1.** *Ma chambre est* SOMBRE, peu éclairée (= obscur; ≠ clair). — **2.** *Jean porte un costume vert* SOMBRE (= foncé; ≠ clair, pâle). — **3.** *Tu as l'air* SOMBRE, triste. — **4.** *L'avenir paraît* SOMBRE, inquiétant. ◆ **assombrir** v. (sens 1) *Les rideaux* ASSOMBRISSENT *la pièce,* ils la rendent sombre. • (sens 3) *Son visage* S'ASSOMBRIT, il devient triste.

sombrer v. **1.** *Le bateau* A SOMBRÉ, il a coulé. — **2.** *Il* SOMBRE *dans l'alcoolisme,* il se laisse aller à boire trop.

sommaire adj. **1.** *Votre explication est* SOMMAIRE, trop simple (= superficiel). — **2.** *Une exécution* SOMMAIRE n'a pas été précédée d'un jugement. — **3.** n. m. *Le* SOMMAIRE *d'un livre,* c'est sa table des matières. ◆ **sommairement** adv. (sens 1) *Ces sauvages sont* SOMMAIREMENT *vêtus,* très peu vêtus.

sommation → SOMMER.

1. somme n. f. **1.** *La* SOMME *de deux plus trois est cinq* (= addition, total). — **2.** *J'ai une grosse* SOMME *à payer,* une grande quantité d'argent.

2. somme n. f. *L'âne est une* BÊTE DE SOMME, il est utilisé pour porter des charges.

3. somme → SOMMEIL.

sommeil n. m. **1.** *Le téléphone a sonné pendant mon* SOMMEIL, pendant que je dormais. — **2.** *J'ai* SOMMEIL *ce soir,* envie de dormir. — **3.** *Ce volcan est en* SOMMEIL, il ne se manifeste pas (≠ activité). ◆ **sommeiller** v. (sens 1) *Paul* SOMMEILLE, il dort d'un sommeil léger. ◆ **somnifère** n. m. (sens 1) Un SOMNIFÈRE est un médicament qui fait dormir. ◆ **somme** n. m. (sens 1) *Le malade a fait un* SOMME, il a dormi un petit moment. ◆ **ensommeillé** adj. (sens 2) *Les voyageurs sont* ENSOMMEILLÉS, ils ont sommeil. ◆ **insomnie** n. f. (sens 1) *C'est la nervosité qui cause tes* INSOMNIES, qui fait que tu ne peux pas t'endormir.

sommelier n. m. *Dans certains restaurants, le vin est servi par un* SOMMELIER, une personne chargée des vins et des liqueurs.

sommer v. *L'agent l'*A SOMMÉ *de circuler,* il le lui a ordonné. ◆ **sommation** n. f. *Il a fallu obéir à la* SOMMATION, à l'ordre impératif.

650 ◁ **sommet** n. m. *Les alpinistes ont atteint le* SOMMET *de la montagne,* son point le plus haut (= cime; ≠ base, pied).

77 ◁ **sommier** n. m. *Le matelas est posé sur un* SOMMIER, un cadre muni de ressorts.

sommité n. f. *Ce médecin est une* SOMMITÉ, c'est un très grand médecin.

somnambule n. et adj. *Pierre est* SOMNAMBULE, il marche, il parle en dormant.

somnifère → SOMMEIL.

somnolence n. f. *Ce médicament provoque la* SOMNOLENCE, un demi-sommeil. ◆ **somnolent** adj. *M. Dupont est* SOMNOLENT *après les repas,* à moitié endormi. ◆ **somnoler** v. *Le chat* SOMNOLE *près du feu,* il dort à demi.

somptueux adj. *Cet appartement est* SOMPTUEUX, beau et luxueux.

1. son, sa, ses adj. possessifs indiquent ce qui est à lui, ce qui lui appartient : SON *manteau,* SA *veste,* SES *chaussures.*

• **R.** On emploie *son* au lieu de *sa* devant un nom féminin commençant par une voyelle ou un *h* muet : SON *oreille.* ‖ *Son* se prononce [sɔ̃] comme [*ils*] *sont* (de *être*); *sa* se prononce [sa] comme *ça; ses* se prononce [se] comme *ces.*

2. son n. m. *On entend le* SON *d'une cloche,* son bruit. ◆ **sonner** v. **1.** *On* SONNE *à la porte,* on fait marcher la sonnette. — **2.** *Le réveil* SONNE, il produit un son prolongé. — **3.** *On* SONNE *la fin de la récréation,* on
220 ◁ l'annonce par une sonnerie. ◆ **sonnerie** n. f. *J'entends la* SONNERIE *du réveil,* le bruit qu'il fait quand il sonne. ◆ **sonnette** n. f. *Le visiteur*
74, 38 ◁ *actionne la* SONNETTE, un mécanisme qui produit un son assez fort. ◆ **sonneur** n. m. *Le* SONNEUR *fait sonner les cloches d'une église.*

◆ **sonore** adj. **1.** *Ce métal est* SONORE, il produit un son quand on le frappe. — **2.** *Cette chapelle est* SONORE, le moindre son y devient plus fort. ◆ **sonorité** n. f. *Ce piano a une bonne* SONORITÉ, il produit des sons agréables. ◆ **sonoriser** v. **1.** *On* A SONORISÉ *la salle de théâtre,* on l'a munie de haut-parleurs. — **2.** SONORISER *un film,* c'est l'accompagner de musique, de paroles. ◆ **insonore** adj. *Le plomb est* INSONORE, il ne laisse pas passer les sons. ◆ **insonoriser** v. *Cet appartement* EST INSONORISÉ, les bruits ne traversent pas les murs. ◆ **supersonique** adj. *Un avion* SUPERSONIQUE *va plus vite que le son.*

3. son n. m. *On nourrit les porcs avec du* SON, l'enveloppe des grains de céréales.

sonate n. f. *Le pianiste interprète une* SONATE, un morceau de musique.

sonder v. **1.** *Le marin* SONDE *la mer,* il mesure la profondeur de l'eau. — **2.** *J'*AI SONDÉ *mon ami,* j'ai cherché à savoir ce qu'il pensait. ◆ **sonde** n. f. (sens 1) *On mesure la profondeur de l'eau à l'aide d'une* SONDE, un appareil. ◆ **sondage** n. m. (sens 1) *Les* SONDAGES *indiquent une grande profondeur.* • (sens 2) *On fait des* SONDAGES *d'opinion,* on essaie de connaître l'opinion de la population en interrogeant un petit nombre de gens. ◆ **insondable** adj. (sens 1) *Ce gouffre est* INSONDABLE, on ne peut pas en connaître la profondeur.

songer v. *Je* SONGE *à mes amis,* je pense à eux. ◆ **songe** n. m. *Jean paraît plongé dans un* SONGE, dans ses pensées (= rêve). ◆ **songeur** adj. *Cette nouvelle l'a laissé* SONGEUR, pensif, rêveur.

sonner, sonnerie → SON 2.

sonnet n. m. Un SONNET est un poème de 14 vers en 4 strophes.

sonnette, sonneur, sonore, sonoriser, sonorité → SON 2.

soporifique adj. et n. m. *Ce médicament est (un)* SOPORIFIQUE, il endort.

soprano n. m. *Les femmes qui chantent très haut sont des* SOPRANOS.

sorbet n. m. Un SORBET est une glace aux fruits. ◆ **sorbetière** n. f. Une SORBETIÈRE est un appareil qui sert à faire des glaces.

sorcellerie, sorcier → SORT.

sordide adj. **1.** *Cette maison est* SORDIDE, très sale. — **2.** *Mon voisin est d'une avarice* SORDIDE (= honteux, répugnant).

sornettes n. f. pl. *Tu nous racontes des* SORNETTES, tu dis n'importe quoi (= sottises).

sort n. m. **1.** *Je suis content de mon* SORT, de la façon dont mon existence se passe. — **2.** *Le gagnant est tiré au* SORT, désigné par le hasard. — **3.** *Il croit qu'on lui a jeté un* SORT, que quelqu'un a attiré, par magie, un malheur sur lui. ◆ **sortilège** n. m. (sens 3) *Croire aux* SORTILÈGES, c'est croire qu'il existe des événements magiques. ◆ **sorcier** n. (sens 3) *En Afrique, les* SORCIERS *jouaient un rôle important,* les personnes qui jetaient des sorts (= magicien). ◆ **sorcellerie** n. f. (sens 3) *C'est de la* SORCELLERIE, quelque chose que seul un sorcier pourrait faire. ◆ **ensorceler** v. (sens 3) ENSORCELER *quelqu'un,* c'est exercer sur lui une influence magique.

• **R.** *Ensorceler,* conj. n° 6. ‖ V. SAUR.

sorte n. f. **1.** *Marie a fait un bouquet avec plusieurs* SORTES *de fleurs,* plusieurs variétés (= genre, catégorie, espèce). — **2.** *Il a travaillé* DE TELLE SORTE *qu'il a réussi,* il a si bien travaillé qu'il a réussi (= de telle manière).

sortilège → SORT.

sortir v. **1.** *M. Durand* SORT *de sa maison,* il va au dehors (≠ entrer). — **2.** *Nous* SORTONS *ce soir,* nous allons en visite, au spectacle, en promenade. — **3.** *Il* SORT *son chien,* il le promène. — **4.** *Ce livre vient de* SORTIR, d'être mis en vente. ◆ **sortie** n. f. (sens 1) *C'est bientôt l'heure de la* SORTIE, l'heure où l'on sort. ‖ *Je l'attends à la* SORTIE, à l'endroit par où l'on sort. • (sens 2 et 3) *Nous avons fait une* SORTIE, une promenade.

• **R.** Conj. nº 28. ‖ *Sortir* se conjugue avec l'auxiliaire *être* aux sens 1, 2 et 4, avec l'auxiliaire *avoir* au sens 3. ‖ V. SAUR.

S. O. S. n. m. *Le bateau en détresse lance un* S. O. S. *par radio,* un appel au secours.

sosie n. m. *Cet homme est mon* SOSIE, il me ressemble parfaitement.

sot adj. et n. *Cette fille est* SOTTE (= bête, idiot, imbécile). ◆ **sottise** n. f. **1.** *Je me rends compte de sa* SOTTISE (= stupidité). — **2.** *André a fait une* SOTTISE (= bêtise).

• **R.** V. SCELLER.

sou n. m. **1.** Le SOU était une pièce de monnaie de peu de valeur. — **2.** *J'ai des* SOUS, de l'argent.

• **R.** V. SOÛL.

soubassement n. m. *Le* SOUBASSEMENT *d'une maison repose sur les fondations,* le bas des murs (= base).

soubresaut n. m. *La fièvre lui fait faire des* SOUBRESAUTS, des mouvements brusques et involontaires du corps (= sursaut).

656 ◁ **souche** n. f. **1.** *En forêt, je me suis assis sur une* SOUCHE, la partie de l'arbre qui reste dans le sol quand il a été coupé. — **2.** *Notre famille est de* SOUCHE *anglaise,* d'origine anglaise. — **3.** *Quand on détache un chèque du carnet, il reste la* SOUCHE, un petit rectangle de papier portant le numéro du chèque.

1. souci n. m. Le SOUCI est une plante à fleurs jaunes.

2. souci n. m. **1.** *Je me fais du* SOUCI, je m'inquiète (= tourment, tracas). — **2.** *J'ai des* SOUCIS, des sujets d'inquiétude. ◆ **se soucier** v. *Je ne* ME SOUCIE *pas de cela,* je ne m'en inquiète pas. ◆ **soucieux** adj. *Vous paraissez* SOUCIEUX, avoir du souci (= inquiet, préoccupé). ◆ **insouciant** adj. *Un enfant* INSOUCIANT *ne s'inquiète de rien.* ◆ **insouciance** n. f. *Il est d'une grande* INSOUCIANCE, il est très insouciant.

soucoupe n. f. *La tasse est posée sur une* SOUCOUPE, une petite assiette.

soudain **1.** adj. *Une pluie* SOUDAINE *s'est mise à tomber,* arrivée tout à coup (= subit, imprévu). — **2.** adv. *Le ballon* SOUDAIN *a éclaté* (= tout à coup, brusquement). ◆ **soudainement** adv. SOUDAINEMENT, *il s'est mis à pleuvoir* (= soudain, subitement).

souder v. *Le plombier* SOUDE *deux tuyaux,* il les réunit à l'aide d'une soudure. ◆ **soudeur** n. m. *Le* SOUDEUR *porte un masque pour se protéger le visage,* celui qui soude. ◆ **soudure** n. f. *Le plombier fait une* SOUDURE *avec un chalumeau,* il réunit deux pièces de métal avec du métal fondu.

▷ 290
▷ 290

soudoyer v. *Les gangsters* AVAIENT SOUDOYÉ *le portier,* ils l'avaient payé pour le faire agir malhonnêtement.

souffler v. **1.** *Le vent* SOUFFLE, l'air se déplace. — **2.** SOUFFLEZ *dans ce ballon,* envoyez-y de l'air avec votre bouche. ‖ SOUFFLE *la bougie,* éteins-la avec ton souffle. — **3.** *Laissez-moi* SOUFFLER, reprendre ma respiration. — **4.** *Ne lui* SOUFFLEZ *pas la réponse,* ne la lui dites pas pour l'aider. — **5.** Fam. *Je* SUIS SOUFFLÉ, très étonné (= stupéfait). ◆ **souffle** n. m. (sens 1) *Je sens un* SOUFFLE *d'air frais,* de l'air qui se déplace. • (sens 2) *Les assistants, anxieux, retenaient leur* SOUFFLE (= respiration). ◆ **soufflé** n. m. Un SOUFFLÉ est un plat qui gonfle beaucoup en cuisant au four. ◆ **soufflet** n. m. **1.** (sens 2) *J'active le feu avec un* SOUFFLET, un appareil qui envoie de l'air. — **2.** *Les wagons sont réunis par un* SOUFFLET, un couloir en forme d'accordéon. — **3.** SOUFFLET était un équivalent de gifle. ◆ **souffleur** n. m. (sens 4) *Au théâtre, le* SOUFFLEUR *aide les acteurs qui ne savent plus leur texte.* ◆ **essouffler** v. (sens 3) *Je* SUIS ESSOUFLLÉ *d'avoir couru,* je respire difficilement.

▷ 224
▷ 508
▷ 440

souffrir v. **1.** *Il* SOUFFRE *de sa blessure,* il a très mal. — **2.** *Les légumes* ONT SOUFFERT *du gel,* ils ont été abîmés. — **3.** *Je ne peux pas le* SOUFFRIR, je le déteste (= sentir). ◆ **souffrance** n. f. **1.** (sens 1) *L'aspirine calme la* SOUFFRANCE (= douleur). — **2.** *Ce colis reste* EN SOUFFRANCE, personne ne le réclame. ◆ **souffrant** adj. (sens 1) *Marie est* SOUFFRANTE (= malade). ◆ **souffreteux** adj. (sens 1) *Une personne* SOUFFRETEUSE est souvent malade. ◆ **souffre-douleur** n. m. inv. (sens 1) *Cet enfant est le* SOUFFRE-DOULEUR *de ses camarades,* ils le maltraitent.

• **R.** Conj. nº 16. ‖ V. SOUFRE.

soufre n. m. *Le* SOUFRE *brûle en produisant une fumée suffocante,* une substance de couleur jaune. ◆ **soufrer** v. *Le vigneron* SOUFRE *ses tonneaux,* il y fait brûler du soufre pour les désinfecter.

• **R.** *Soufre* se prononce [sufr] comme [*je*] *souffre* (de *souffrir*).

souhaiter v. **1.** *Je* SOUHAITE *qu'il fasse beau,* je le désire. — **2.** *Je viens vous* SOUHAITER *la bonne année,* vous offrir mes vœux de bonheur. ◆ **souhait** n. m. (sens 1) *Il a réalisé son* SOUHAIT (= désir, vœu). ◆ **souhaitable** adj. (sens 1) *Il est* SOUHAITABLE *que tu fasses des progrès,* il le faudrait.

souiller v. *La serviette* EST SOUILLÉE *par du cambouis* (= salir). ◆ **souillon** n. *Annie est une* SOUILLON, elle est malpropre.

souk n. m. Un SOUK est un marché arabe.

soûl ou **saoul** adj. **1.** *Le chauffeur était* SOÛL, il avait trop bu d'alcool (= ivre). — **2.** *Il y a tant de bruit que j'en suis* SOÛLE, j'ai la tête qui tourne. ◆ **soûl** n. m. *Mange tout ton* SOÛL, autant que tu veux. ◆ **soûler** ou **saouler** v. *Il* S'EST SOÛLÉ *au cognac,* il en a bu jusqu'à être soûl.

• **R.** *Soûl* et *saoul* se prononcent [su] comme *sou* et *sous.*

soulager v. **1.** *Ce médicament* SOULAGE *la douleur* (= diminuer, calmer; ≠ aggraver). — **2.** *Je* SUIS SOULAGÉ *de le savoir guéri,* je ne suis plus inquiet (= apaiser). ◆ **soulagement** n. m. *Il a poussé un soupir de* SOULAGEMENT (= apaisement; ≠ accablement).

soûler → SOÛL.

soulever v. **1.** *La cuisinière* SOULÈVE *le couvercle de la casserole,* elle le lève un peu. — **2.** *Ce projet* SOULÈVE *l'enthousiasme* (= provoquer, déchaîner). — **3.** *Le peuple* SE SOULÈVE (= se révolter). — **4.** *Cette odeur me* SOULÈVE LE CŒUR, m'écœure. ◆ **soulèvement** n. m. (sens 3) Un SOULÈVEMENT est une révolte.

soulier n. m. *Mes* SOULIERS *me font mal aux pieds* (= chaussure).

souligner v. **1.** SOULIGNEZ *le titre,* tirez un trait dessous. — **2.** *Je tiens à* SOULIGNER *un détail,* à le mettre en valeur.

soumettre v. **1.** *Les salaires* SONT SOUMIS *à l'impôt,* on est obligé de payer l'impôt dessus. — **2.** *Les révoltés* SE SONT SOUMIS, ils se sont rendus, ils obéissent. ◆ **soumis** adj. (sens 2) *Jeanne est une enfant* SOUMISE (= docile, obéissant). ◆ **soumission** n. f. (sens 2) *Ce chef exige une* SOUMISSION *totale à ses décisions* (= obéissance). ◆ **insoumis** adj. (sens 2) *Un soldat* INSOUMIS *refuse de faire son service militaire.* ◆ **insoumission** n. f. (sens 2) L'INSOUMISSION, c'est la désobéissance.
• **R.** Conj. nº 57.

505 ◁ **soupape** n. f. *Les moteurs de voitures ont des* SOUPAPES, des pièces mobiles qui se soulèvent pour laisser passer les gaz.

soupçon n. m. **1.** *La police a des* SOUPÇONS *contre lui,* elle pense qu'il est coupable. — **2.** *Je ne boirai qu'*UN SOUPÇON DE *vin,* un tout petit peu. ◆ **soupçonner** v. (sens 1) *On le* SOUPÇONNE *de vol,* on pense qu'il a commis un vol (= suspecter).

soupe n. f. *On mange sa* SOUPE *avec une cuiller,* un aliment liquide 78 ◁ (= potage). ◆ **soupière** n. f. *On sert la soupe dans une* SOUPIÈRE, un récipient creux.

souper n. m. *Après le* SOUPER, *nous irons nous coucher,* un repas du soir (= dîner). ◆ **souper** v. *Nous* AVONS SOUPÉ *dans un petit bistrot,* nous avons mangé le soir (= dîner).

soupeser v. SOUPÈSE *cette valise,* soulève-la avec la main pour juger de son poids.

soupière → SOUPE.

75 ◁ **soupirail** n. m. *Les caves sont aérées par des* SOUPIRAUX, des petites fenêtres.

soupirer v. **1.** *Les auditeurs* SOUPIRENT *d'ennui,* ils poussent des soupirs. — **2.** *Il* SOUPIRE *après ses vacances,* il les attend avec impatience. ◆ **soupir** n. m. (sens 1) *À cette nouvelle, Pierre a poussé un* SOUPIR *de soulagement,* une respiration forte et prolongée. ◆ **soupirant** n. m. (sens 2) *Cette femme a des* SOUPIRANTS, des hommes qui lui font la cour.

souple adj. **1.** *Les noisetiers ont des branches* SOUPLES, qui se plient facilement (= élastique, flexible; ≠ rigide, raide). — **2.** *Jean a un caractère* SOUPLE, il s'entend bien avec les gens, car il s'adapte à eux. ◆ **souplesse** n. f. (sens 1) *Le chat est un animal d'une grande* SOUPLESSE (= agilité; ≠ raideur). • (sens 2) *Dans cette affaire, il faut manœuvrer avec* SOUPLESSE (= adresse, diplomatie). ◆ **assouplir** v. (sens 1) *J'*ASSOUPLIS *mes chaussures,* je les rends plus souples.

source n. f. **1.** *Ici, il y a une* SOURCE *d'eau très pure,* de l'eau sort du sol. — **2.** *Une lampe est une* SOURCE *de lumière,* elle fournit de la lumière. — **3.** *La maladie est la* SOURCE *de mes ennuis* (= cause). ◆ **sourcier** n. (sens 1) *M. Dupuis est* SOURCIER, il a le don de découvrir des sources. ▷ 721

sourcil n. m. *Paul, surpris, lève les* SOURCILS, les lignes de poils situées au-dessus des yeux. ◆ **sourciller** v. *Il se laissa injurier sans* SOURCILLER, sans émotion apparente. ◆ **sourcilière** adj. f. L'ARCADE SOURCILIÈRE est l'endroit où poussent les sourcils. ▷ 33

• **R.** On ne prononce pas le *l* final [sursi].

sourd adj. et n. **1.** *Mon grand-père est* SOURD, il n'entend pas. — **2.** *Il est resté* SOURD *à mes prières,* il n'a pas voulu m'écouter. — **3.** *Le paquet est tombé avec un bruit* SOURD (= étouffé). ‖ *J'ai une douleur* SOURDE *dans la tête,* faible mais continue (≠ aigu). ◆ **surdité** n. f. (sens 1) *Sa* SURDITÉ *l'oblige à porter un appareil dans l'oreille.* ◆ **sourdement** adv. (sens 3) *Le tonnerre gronde* SOURDEMENT, en faisant un bruit sourd. ◆ **sourd-muet** adj. et n. (sens 1) *Elle est* SOURDE-MUETTE, elle ne peut ni entendre ni parler. ◆ **assourdir** v. (sens 1) *Ce bruit m'*ASSOURDIT, me fait mal aux oreilles. • (sens 3) *Le tapis* ASSOURDIT *les pas,* il les rend moins sonores.

• **R.** Attention au pluriel : *des sourd*S*-muet*S.

sourdine n. f. *On entend une musique* EN SOURDINE (= faiblement).

sourd-muet → SOURD.

sourdre v. *De l'eau* SOURD *dans ce vallon,* elle sort de terre.

• **R.** Conj. n° 84.

souriceau, souricière → SOURIS.

sourire v. **1.** *Maman* SOURIT, elle rit doucement, en silence. — **2.** *Cette idée me* SOURIT, elle me plaît. ◆ **souriant** adj. (sens 1) *Une personne* SOURIANTE *sourit souvent.* ◆ **sourire** n. m. (sens 1) *Fais-moi un* SOURIRE, souris-moi un instant.

• **R.** Conj. n° 67. ‖ V. SOURIS.

souris n. f. *Une* SOURIS *a grignoté le fromage,* un petit animal rongeur. ◆ **souriceau** n. m. Le SOURICEAU est le petit de la souris. ◆ **souricière** n. f. *Paul a posé des* SOURICIÈRES *dans le grenier* (= piège). ▷ 363

• **R.** *Souris* se prononce [suri] comme [*je*] *souris,* [*il*] *sourit* (de *sourire*).

sournois adj. *Méfie-toi de lui, il est* SOURNOIS, il fait des mauvaises actions en se dissimulant (≠ franc).

sous prép. **1.** *Le tapis est* SOUS *la table,* on a mis la table dessus. — **2.** *La lettre est* SOUS *enveloppe,* dans une enveloppe. — **3.** *La Fontaine vivait* SOUS *Louis XIV,* à l'époque de Louis XIV. — **4.** *La branche plie* SOUS *le poids des fruits,* à cause de leur poids.

• **R.** V. SOÛL.

sous alimentation, sous-alimenté → ALIMENT. / **sous-bois** → BOIS.

souscrire v. **1.** *M. Durand a* SOUSCRIT *à une encyclopédie,* il s'est engagé à acheter les volumes qui paraîtront. — **2.** *Je ne peux pas* SOUSCRIRE *à vos déclarations,* m'y associer. ◆ **souscription** n. f. (sens 1) *Cette série de livres est vendue en* SOUSCRIPTION, les acheteurs souscrivent. ◆ **souscripteur** n. m. (sens 1) *Cet emprunt a attiré de nombreux* SOUSCRIPTEURS, des personnes qui y ont souscrit.
• **R.** Conj. n° 71.

sous-cutané adj. *Une piqûre* SOUS-CUTANÉE se fait sous la peau.

sous-entendre v. *Il n'a pas dit qu'il viendrait, mais c'*ÉTAIT SOUS-ENTENDU, il l'a fait comprendre sans le dire. ◆ **sous-entendu** n. m. *Tes* SOUS-ENTENDUS *sont déplaisants* (= insinuation, allusion).
• **R.** Conj. n° 50.

sous-estimer → ESTIMER. / **sous-marin** → MARIN. / **sous-officier** → OFFICIER. / **sous-peuplé** → PEUPLE. / **sous-préfecture, sous-préfet** → PRÉFET. / **sous-produit** → PRODUIRE. / **soussigné** → SIGNER. / **sous-sol** → SOL 1. / **sous-titre, sous-titrer** → TITRE.

soustraire v. **1.** *Quand je* SOUSTRAIS *5 de 20, il reste 15* (= retrancher, ôter; ≠ ajouter). — **2.** *Je ne veux pas* ME SOUSTRAIRE *à mes devoirs,* y échapper. ◆ **soustraction** n. f. (sens 1) Une SOUSTRACTION est une opération qui consiste à retrancher un nombre d'un autre.
• **R.** Conj. n° 79.

sous-vêtement n. m. → VÊTEMENT.

soutane n. f. *Les prêtres portaient la* SOUTANE, une grande robe noire.

511 ◁ **soute** n. f. La SOUTE est la partie d'un bateau, d'un avion où l'on met le matériel, les bagages.

soutenir v. **1.** *Les piliers* SOUTIENNENT *le plafond* (= porter, retenir). — **2.** *Jacques* SOUTIENT *son frère,* il prend son parti. — **3.** *Il faut* SOUTENIR *notre attention,* rester attentifs. — **4.** *Je* SOUTIENS *que tu te trompes* (= affirmer, assurer, prétendre). ◆ **soutien** n. m. **1.** (sens 2) *Dans son malheur, il a besoin d'un* SOUTIEN, d'une aide morale. — **2.** *Il est* SOUTIEN DE FAMILLE, c'est lui qui fait vivre sa famille. ◆ **soutènement** n. m. (sens 1) *Les murs de* SOUTÈNEMENT *qui soutiennent la terrasse sont très épais.* ◆ **insoutenable** adj. **1.** (sens 4) *Une opinion* INSOUTENABLE *ne peut être justifiée* (= indéfendable). — **2.** *Une douleur* INSOUTENABLE est insupportable.
• **R.** Conj. n° 22.

souterrain **1.** adj. *On peut changer de trottoir par un passage* 509 ◁ SOUTERRAIN, qui passe sous terre. — **2.** n. m. *Le château a des* SOUTERRAINS, des galeries sous terre.

soutien → SOUTENIR.

soutirer v. **1.** SOUTIRER *du vin,* c'est le transvaser d'un tonneau dans un autre pour que la lie reste au fond du premier. — **2.** *Il m'*A SOUTIRÉ *de l'argent,* il m'a amené par la ruse à lui en donner.

inondations
pont
digue
crue

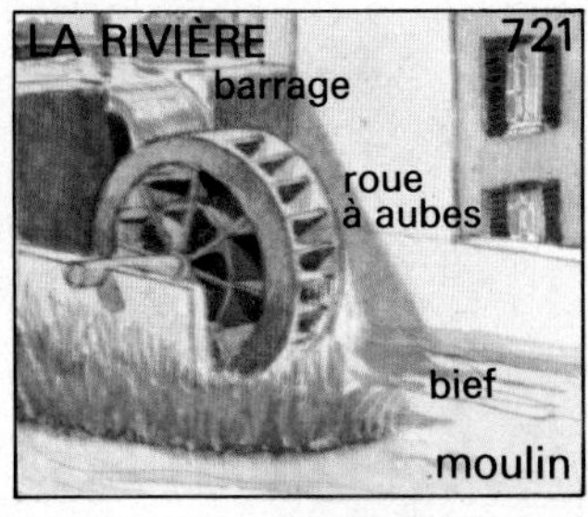
barrage
roue
à aubes
bief
moulin

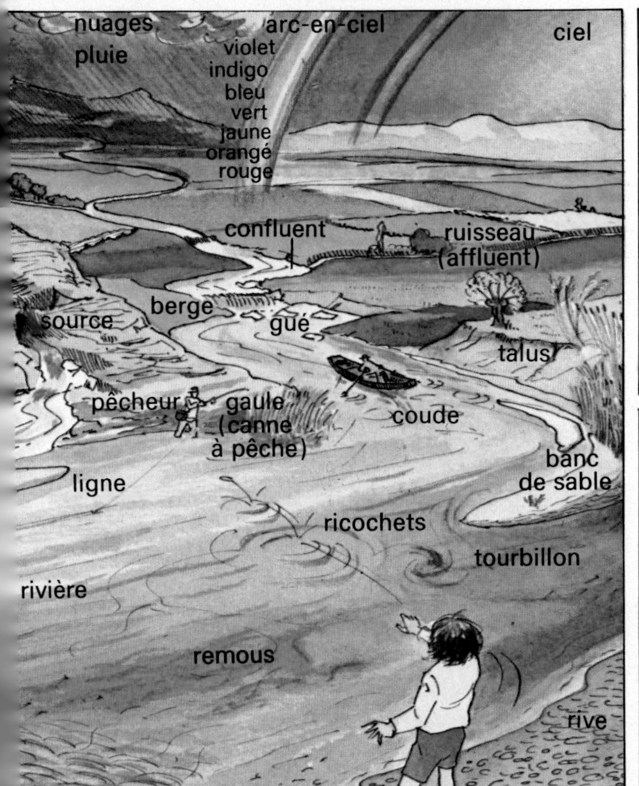
nuages
arc-en-ciel
ciel
pluie
violet
indigo
bleu
vert
jaune
orangé
rouge
confluent
ruisseau
(affluent)
berge
source
gué
talus
pêcheur
gaule
(canne
à pêche)
coude
banc
de sable
ligne
ricochets
tourbillon
rivière
remous
rive

saule
roseau
cresson

rame
barque
canoë
kayak

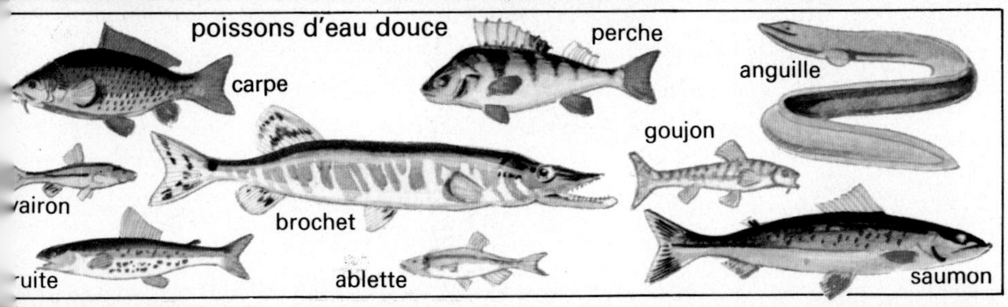
poissons d'eau douce
perche
anguille
carpe
goujon
airon
brochet
uite
ablette
saumon

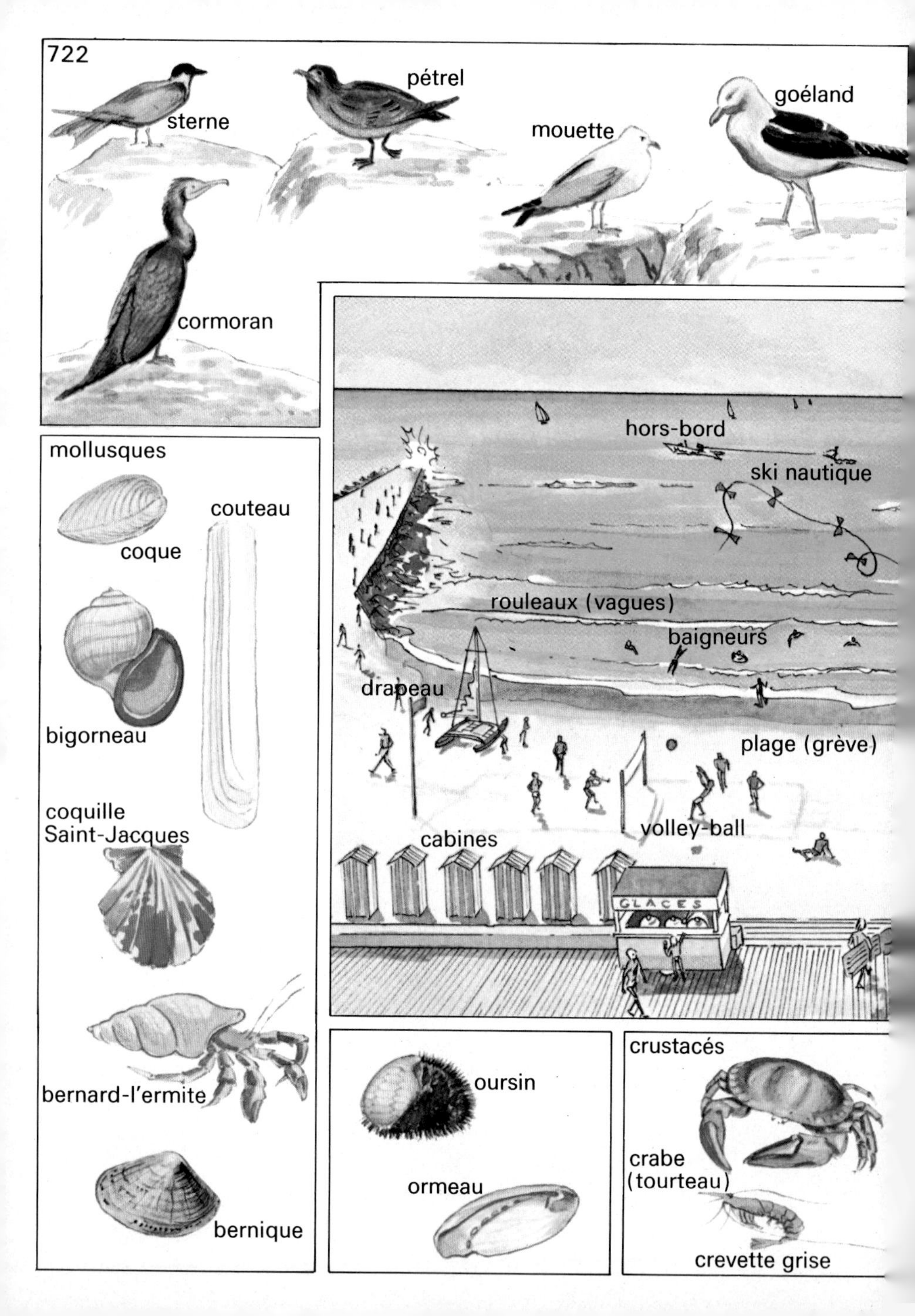
sterne
pétrel
mouette
goéland
cormoran
hors-bord
ski nautique
rouleaux (vagues)
baigneurs
drapeau
plage (grève)
volley-ball
cabines
GLACES
mollusques
couteau
coque
bigorneau
coquille
Saint-Jacques
bernard-l'ermite
bernique
oursin
ormeau
crustacés
crabe
(tourteau)
crevette grise

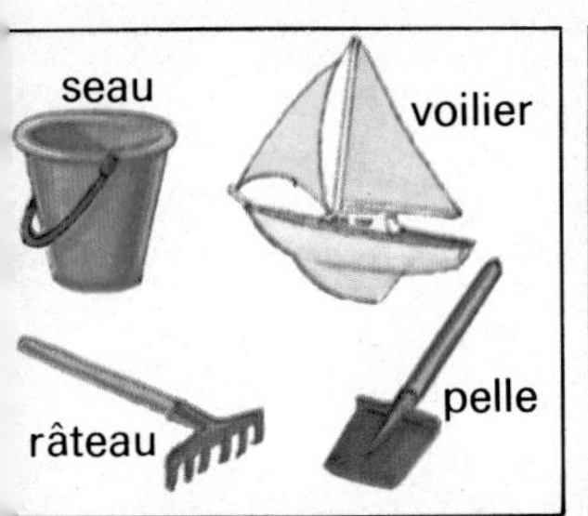

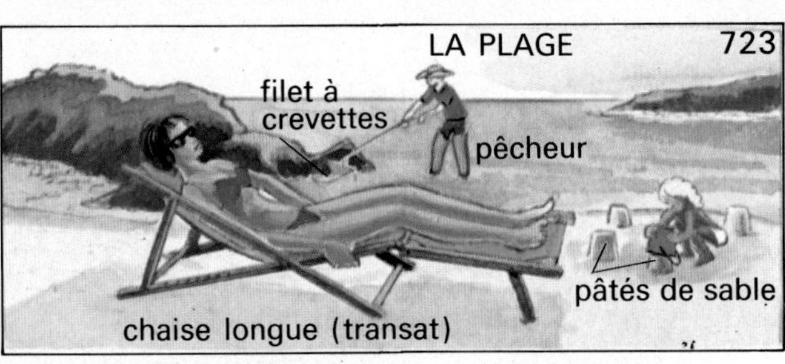

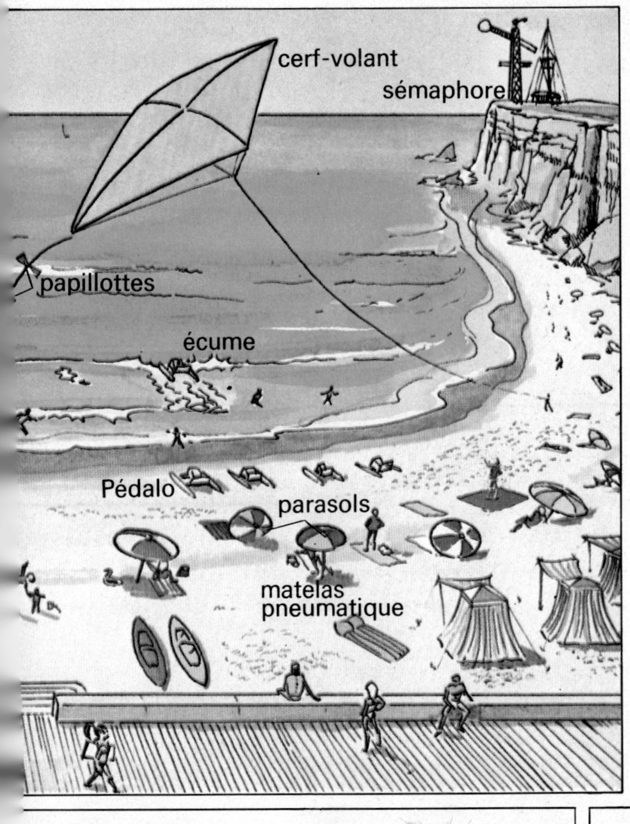

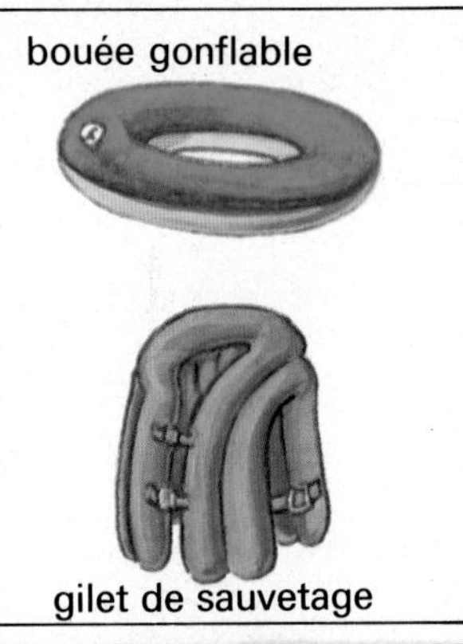

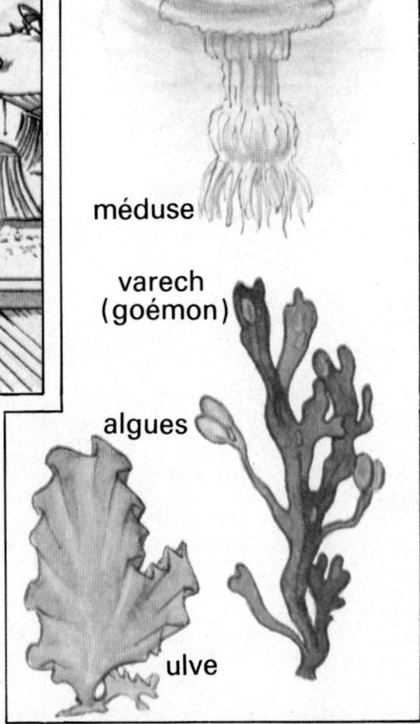

homard

langouste

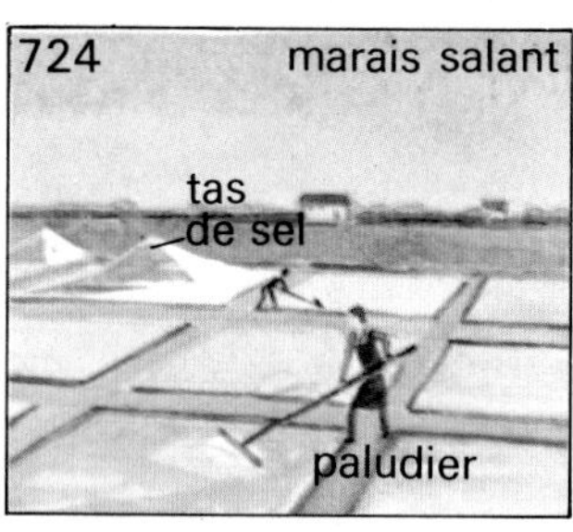
724
marais salant
tas
de sel
paludier

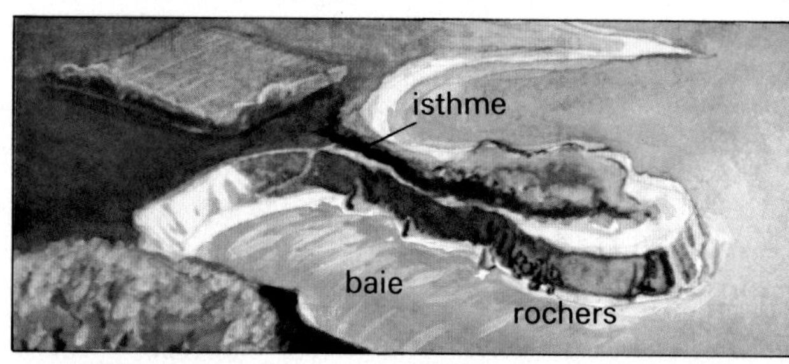
isthme
baie
rochers

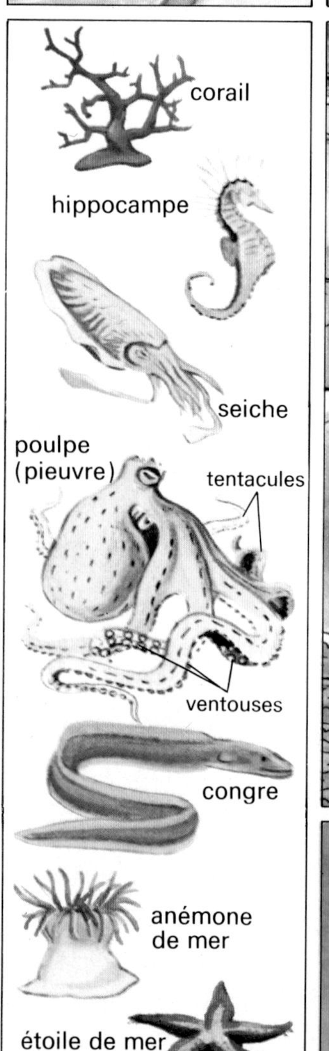
corail
hippocampe
seiche
poulpe
(pieuvre)
tentacules
ventouses
congre
anémone
de mer
étoile de mer

cap
pleine mer (large)
golfe
île
goulet
port

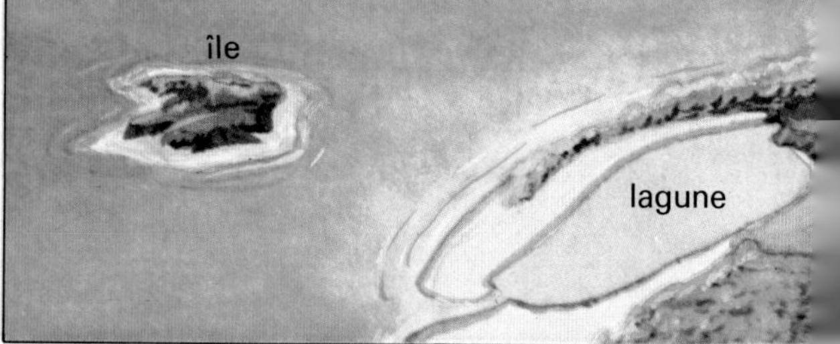
île
lagune

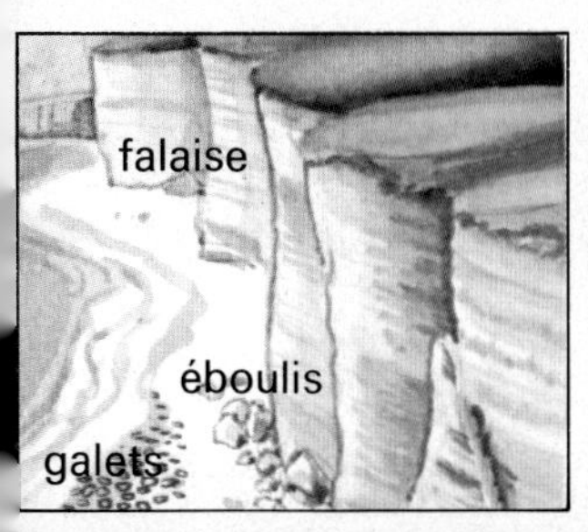
falaise
éboulis
galets

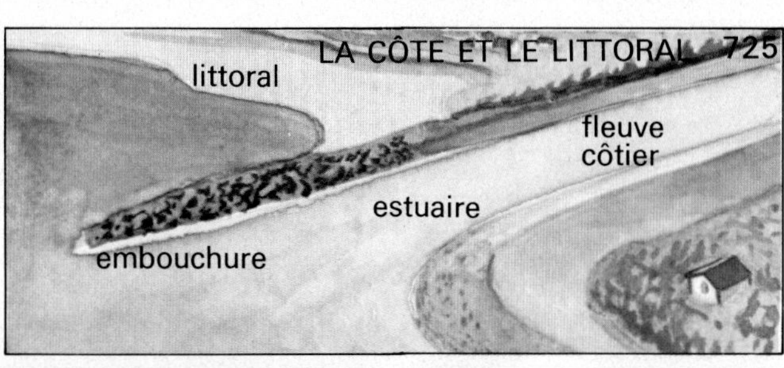
littoral
fleuve
côtier
estuaire
embouchure

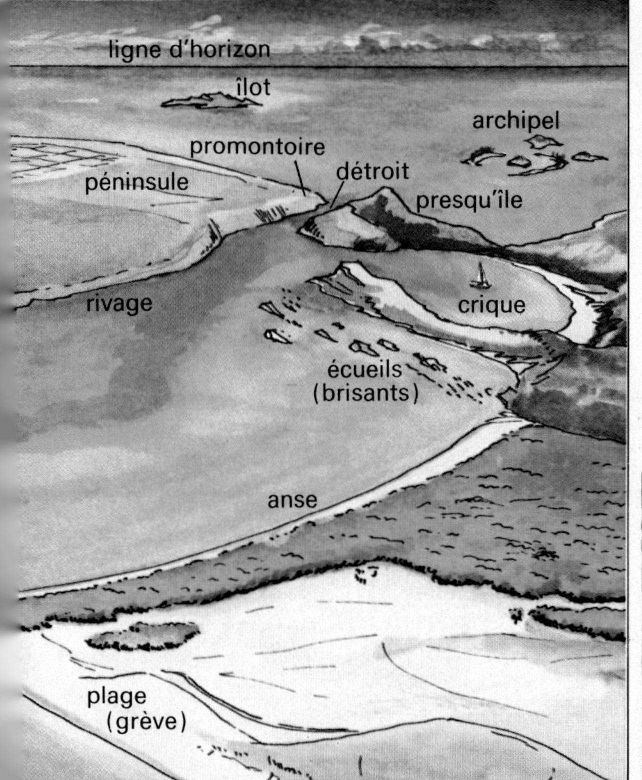
ligne d'horizon
îlot
archipel
promontoire
détroit
péninsule
presqu'île
rivage
crique
écueils
(brisants)
anse
plage
(grève)

marée basse

marée haute

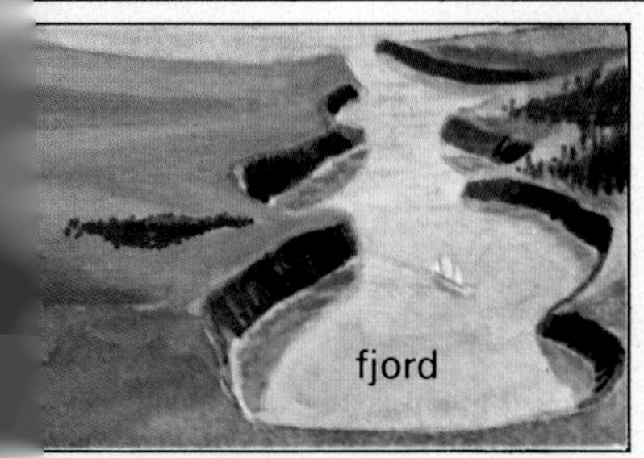
fjord

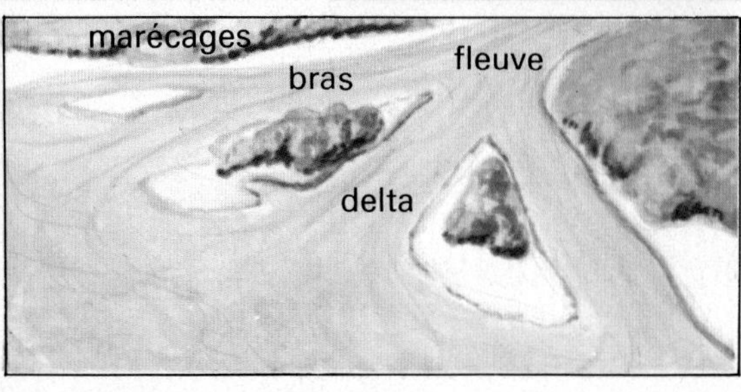
marécages
bras
fleuve
delta

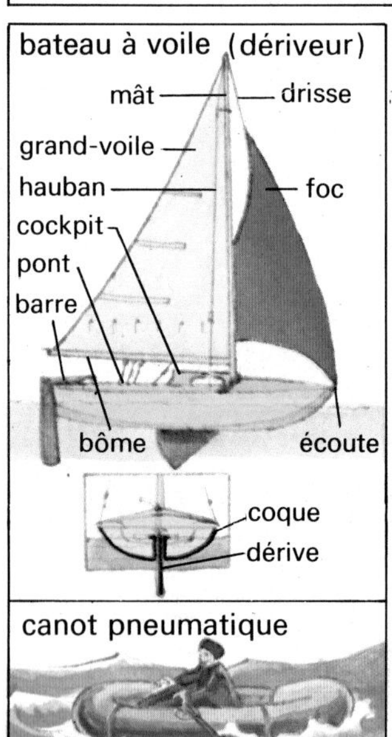

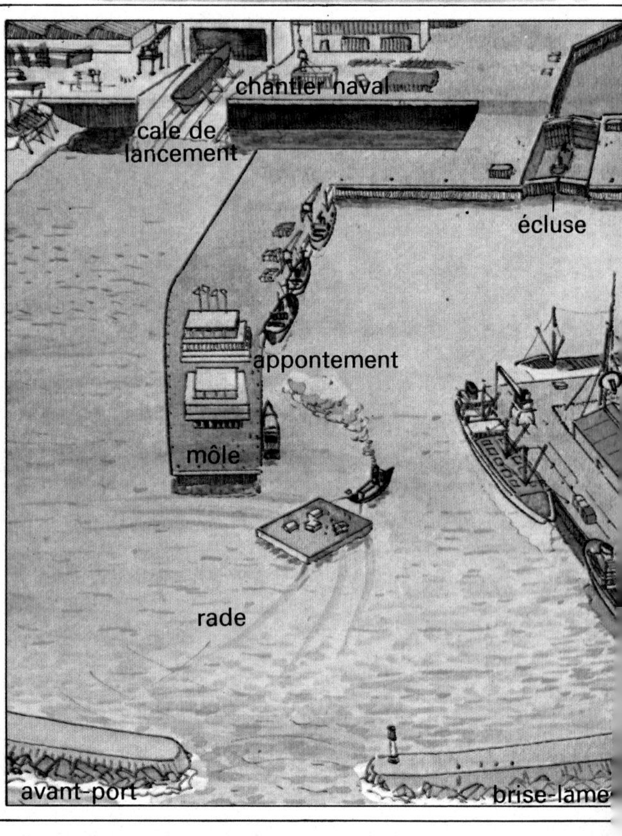

canot pneumatique

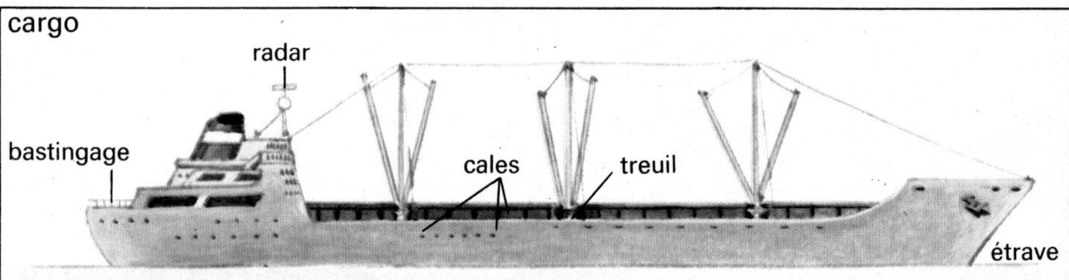

LE PORT DE COMMERCE

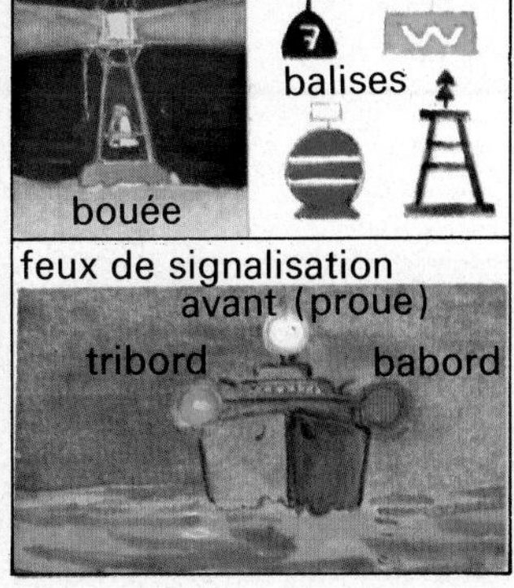

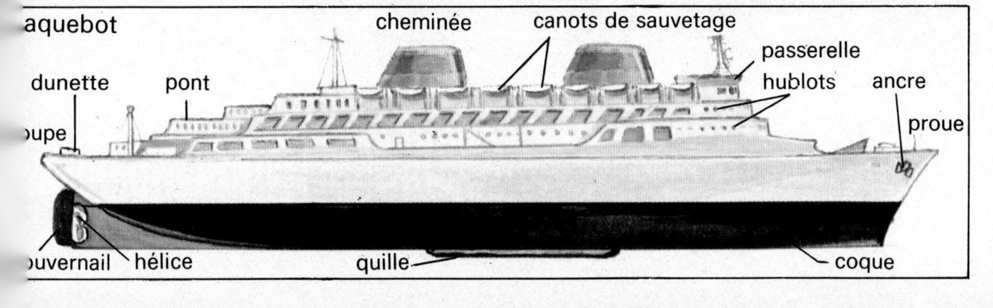

LE PORT DE PÊCHE

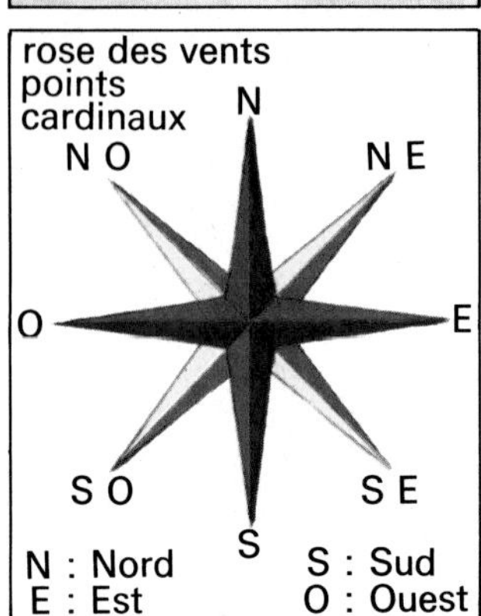

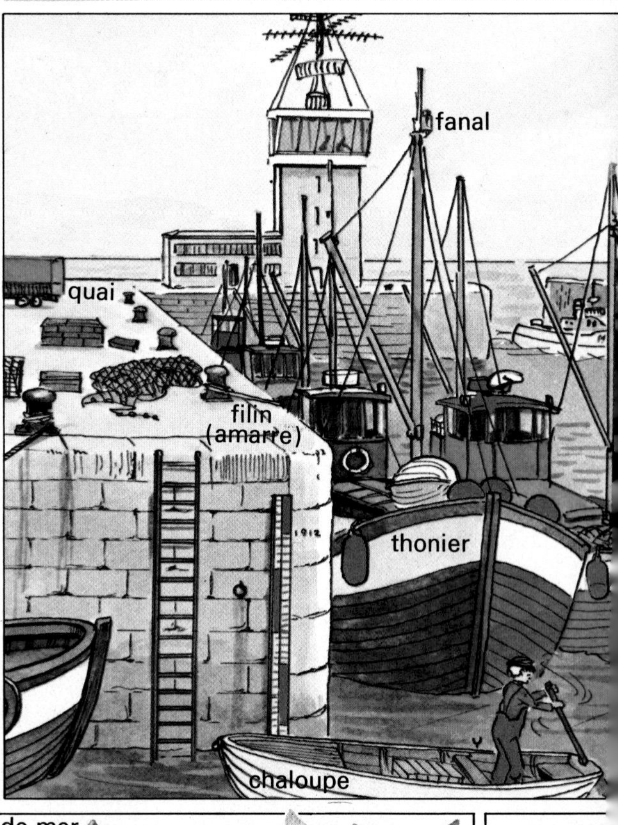

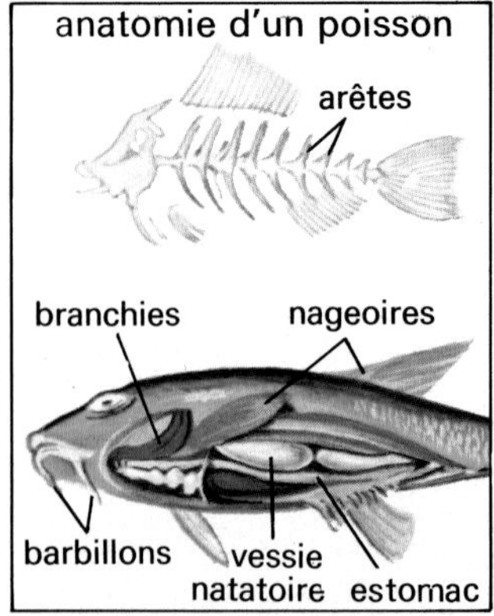

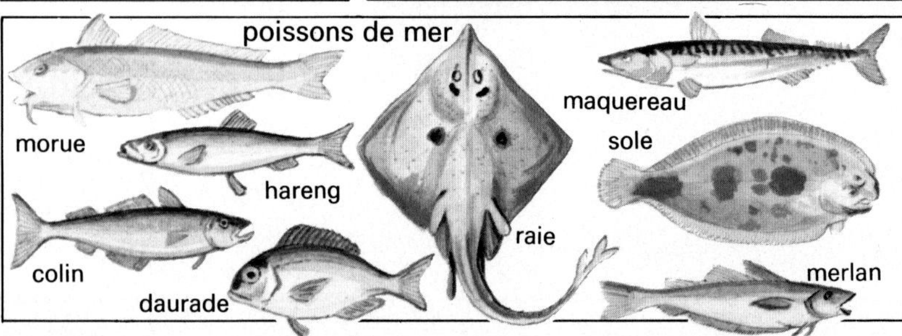

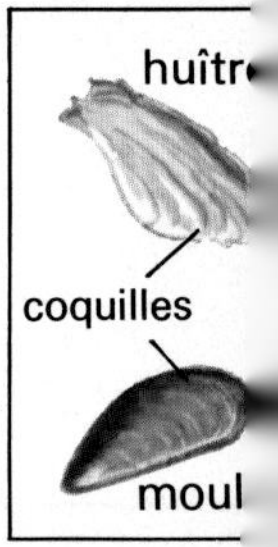

se souvenir v. *Je* ME SOUVIENS *de cette aventure,* elle est restée dans ma mémoire (= se rappeler, se remémorer; ≠ oublier). ◆ **souvenir** n. m. **1.** *Mon grand-père aime raconter ses* SOUVENIRS, les moments de sa vie dont il se souvient. — **2.** *J'ai rapporté des* SOUVENIRS *de Grèce,* des objets qui me rappelleront mon voyage.
• **R.** Conj. nº 22.

souvent adv. *En automne, il pleut* SOUVENT, la pluie tombe à intervalles rapprochés (= fréquemment; ≠ rarement).

souverain **1.** n. *Un roi, un empereur, un monarque sont des* SOUVERAINS, ils exercent le pouvoir. — **2.** adj. *Dans une démocratie, le peuple est* SOUVERAIN, il est seul à décider. — **3.** adj. *Ce médicament est* SOUVERAIN *contre la grippe,* très efficace (= radical). ◆ **souverainement** adv. (sens 3) *Il est* SOUVERAINEMENT *intelligent,* extrêmement. ◆ **souveraineté** n. f. (sens 1 et 2) *Le peuple exerce sa* SOUVERAINETÉ, son pouvoir.

soyeux → SOIE. / **spacieux** → ESPACE.

spaghetti n. m. pl. *Jean aime les* SPAGHETTI *à la sauce tomate,* une variété de nouilles.

sparadrap n. m. *Son pansement tient avec du* SPARADRAP, du tissu collant.

spartiate n. f. *L'été, je porte des* SPARTIATES, des sandales faites de lanières croisées.

spasme n. m. Un SPASME est une contraction involontaire d'un muscle.

spatial → ESPACE.

spatule n. f. *J'étends de la colle avec une* SPATULE, une petite pelle plate.

speaker n. *À la télévision et à la radio, le* SPEAKER (*la* SPEAKERINE) *annonce les programmes,* c'est son métier.
• **R.** On prononce [spikœr, spikrin].

spécial adj. **1.** *J'écris sur l'ardoise avec un crayon* SPÉCIAL, fait exprès pour cela (= particulier). — **2.** *Cet objet a une forme* SPÉCIALE, qui ne ressemble à aucune autre (≠ ordinaire). ◆ **spécialement** adj. (sens 1) *Je viens* SPÉCIALEMENT *pour vous voir* (= exprès). ◆ **se spécialiser** v. (sens 1) *Ce médecin* EST SPÉCIALISÉ *dans les maladies de cœur,* il ne soigne que ces maladies. ◆ **spécialiste** n. et adj. (sens 1) *C'est un* SPÉCIALISTE *du cœur,* il s'est spécialisé dans ce domaine. ◆ **spécialité** n. f. **1.** (sens 1) *Sa* SPÉCIALITÉ, *c'est l'histoire,* ce qu'il connaît le mieux. — **2.** *Le cassoulet est une* SPÉCIALITÉ *toulousaine,* un plat de la région de Toulouse.

spécifier v. *Le contrat* SPÉCIFIE *les conditions de vente de la maison,* il les indique précisément.

spécifique adj. *L'eau bout à 100 degrés, c'est une propriété* SPÉCIFIQUE, qui lui est particulière.

spécimen n. m. *Ce chien est un beau* SPÉCIMEN *de sa race,* il représente bien sa race (= modèle).
• **R.** On prononce [spesimɛn].

spectacle n. m. **1.** *Je suis émerveillé par le* SPECTACLE *de la mer,* par ce que je vois : la mer. — **2.** *Ce soir nous allons au* SPECTACLE, au théâtre, ou au cinéma, ou au cirque, etc. ◆ **spectateur** n. (sens 1) *Elle a été la* SPECTATRICE *d'un accident,* elle a vu un accident. • (sens 2) *Les acteurs*
35 ◁ *sont applaudis par les* SPECTATEURS, les gens qui regardent le spectacle. ◆ **spectaculaire** adj. (sens 2) *Les acrobates font un numéro* SPECTACULAIRE, qui surprend les spectateurs par son audace.

spectre n. m. **1.** *John prétend avoir vu un* SPECTRE *dans le château* (= fantôme). — **2.** *Le* SPECTRE *de la lumière,* c'est l'ensemble des couleurs de l'arc-en-ciel qui composent la lumière du soleil.

spéculation n. f. *Il s'est enrichi par des* SPÉCULATIONS *malhonnêtes,* en exploitant les variations de prix des produits (= manœuvre). ◆ **spéculer** v. *Ce banquier* A SPÉCULÉ *sur le prix des terrains,* il a fait de la spéculation. ◆ **spéculateur** n. *Des* SPÉCULATEURS *ont fait monter le prix du sucre.*

spéléologie n. f. *Pierre fait de la* SPÉLÉOLOGIE, il explore les grottes souterraines pour les étudier. ◆ **spéléologue** n. *Une équipe de* SPÉLÉOLOGUES *a découvert de nouvelles grottes.*

sperme n. m. Le SPERME est le liquide émis par les glandes reproductrices mâles.

348 ◁ **sphère** n. f. **1.** *La Terre est une* SPHÈRE, elle a la forme d'une boule. — **2.** *Cet homme est très apprécié dans sa* SPHÈRE, dans le milieu où il est connu. ◆ **sphérique** adj. (sens 1) *La Terre est* SPHÉRIQUE, elle a la forme d'une sphère (= rond).

sphinx n. m. **1.** *Un* SPHINX *a un corps de lion et une tête humaine,* un animal imaginaire. — **2.** *Tu es un* SPHINX, on ne peut pas deviner ce que tu penses.

348 ◁ **spirale** n. f. *Un escalier en* SPIRALE tourne sans arrêt dans le même sens. ◆ **spire** n. f. *Ce ressort a vingt* SPIRES, le fil de fer fait vingt tours sur lui-même.

spiritisme, spirituel → ESPRIT.

spiritueux n. m. Les SPIRITUEUX sont des boissons alcoolisées.

splendide adj. *Quel temps* SPLENDIDE!, très beau (= magnifique, superbe). ◆ **splendeur** n. f. *Cette décoration est une* SPLENDEUR!, elle est splendide.

spolier v. *On l'*A SPOLIÉ *de son héritage,* on l'en a privé par des procédés malhonnêtes (= déposséder).

spongieux adj. *On s'enfonce dans ce sol* SPONGIEUX, mou et imbibé d'eau.

spontané adj. **1.** *Le coupable a fait des aveux* SPONTANÉS, sans y être forcé. — **2.** *Hélène est une fillette* SPONTANÉE, elle ne cherche pas à dissimuler ses sentiments (= franc). ◆ **spontanéité** n. f. *J'aime la* SPONTANÉITÉ, qu'on soit spontané. ◆ **spontanément** adv. *Il a proposé son aide* SPONTANÉMENT, sans qu'on la lui demande.

sport n. m. *La course, le rugby, le football, la natation sont des* SPORTS, des exercices exigeant un effort physique. ◆ **sportif** adj. et n. **1.** *Un journal* SPORTIF parle de sport. — **2.** *Un (garçon)* SPORTIF fait du sport. ▷ 34 et 35, 653

sprint n. m. *Ce coureur a gagné au* SPRINT, en allant très vite à la fin de la course. ◆ **sprinter** n. m. *Ce coureur est un bon* SPRINTER, il sait aller très vite en fin de course. ▷ 34

• **R.** On prononce [sprint, sprintœr].

square n. m. Un SQUARE est un petit jardin public. ▷ 219

squelette n. m. Le SQUELETTE, c'est l'ensemble des os du corps. ◆ **squelettique** adj. *Le malade était* SQUELETTIQUE, très maigre.

stable adj. **1.** *La chaise a un pied cassé, elle n'est pas* STABLE, elle bouge, elle n'est pas en équilibre (≠ branlant). — **2.** *Le temps est* STABLE *depuis une semaine,* il ne change pas. ◆ **stabilité** n. f. *Nous souhaitons la* STABILITÉ *des prix,* que les prix soient stables. ◆ **stabiliser** v. *Le gouvernement s'efforce de* STABILISER *les prix.* ◆ **instable** adj. (sens 1) *Ce vase est en équilibre* INSTABLE, il risque de tomber. • (sens 2) *Jacques est un garçon* INSTABLE, il change souvent d'idée (≠ équilibré).

1. stade n. m. *On peut faire du sport sur un* STADE, un terrain équipé d'installations sportives. ▷ 35, 219

2. stade n. m. *Sa maladie en est au* STADE *aigu,* au moment où elle est aiguë (= phase).

stage n. m. *Faire un* STAGE *dans une entreprise,* c'est y rester quelque temps pour apprendre son métier. ◆ **stagiaire** adj. et n. *Un (instituteur)* STAGIAIRE *fait un stage dans notre école.*

stagner v. **1.** *L'eau* STAGNE *dans les flaques,* elle ne coule pas. — **2.** *Le chiffre des ventes* STAGNE, il reste le même. ◆ **stagnant** adj. (sens 1) *Une flaque, c'est de l'eau* STAGNANTE. ◆ **stagnation** n. f. (sens 2) *La* STAGNATION *du commerce,* c'est son manque d'activité (= arrêt).

• **R.** On prononce [stagne, stagnasjɔ̃].

stalactite n. f., **stalagmite** n. f. *Dans la grotte, il y a des* STALACTITES, des colonnes de calcaire qui tombent du plafond, *et des* STALAGMITES, des colonnes de calcaire qui montent du sol. ▷ 650 ▷ 650

stalle n. f. **1.** *Le cheval est dans sa* STALLE, l'emplacement qui lui est réservé dans l'écurie (= box). — **2.** *Il y a des* STALLES *dans le chœur de l'église,* des sièges en bois.

stand n. m. *Au Salon de l'auto, chaque marque de voiture a son* STAND, son emplacement réservé. ▷ 436

standard 1. adj. inv. *L'équipement* STANDARD *d'une voiture,* c'est celui qu'ont toutes les voitures du même type. — **2.** n. m. *Quand je téléphone au bureau de mon père, c'est le* STANDARD *qui me répond,* les gens qui mettent les postes téléphoniques intérieurs en relation avec l'extérieur. ◆ **standardiser** v. (sens 1) *La fabrication de ce modèle de voiture* EST STANDARDISÉE, toutes les voitures sont identiques. ◆ **standardisation** n. f. (sens 1) *La* STANDARDISATION *accélère la production.* ◆ **standardiste** n. (sens 2) *J'ai demandé le poste de mon père à la* STANDARDISTE, l'employée du standard (= téléphoniste).

star n. f. *Une* STAR *de cinéma* est une actrice très connue.

starter n. m. **1.** *Le* STARTER *a donné le signal du départ de la course,* c'est son rôle. — **2.** *Le moteur est froid, il faut mettre le* STARTER, le dispositif qui facilite la mise en marche.

• **R.** On prononce [startɛr].

station n. f. **1.** *Les marcheurs font une* STATION, ils s'arrêtent un moment (= halte, pause). — **2.** *L'autobus arrive à la* STATION, l'endroit où il s'arrête (= arrêt). — **3.** *Chamonix est une* STATION *de sports d'hiver,* une ville où on les pratique. ◆ **stationner** v. (sens 1) *La voiture* STATIONNE, elle est arrêtée. ◆ **stationnement** n. m. (sens 1) *Le* STATIONNEMENT *est interdit dans cette rue,* il est interdit de stationner. ◆ **stationnaire** adj. (sens 1) *Le temps est* STATIONNAIRE, il ne change pas. ◆ **station-service** n. f. (sens 1) *Dans les* STATIONS-SERVICE, *on peut acheter de l'essence, faire laver et graisser sa voiture.*

508 ◁ 652 ◁ 507 ◁ 506 ◁

statistique n. f. *Faire la* STATISTIQUE *des naissances de l'année,* c'est les compter pour faire des comparaisons avec les naissances des autres années.

148 ◁ **statue** n. f. *Le sculpteur exécute des* STATUES, des œuvres d'art en pierre, en bois, en métal, représentant des êtres vivants. ◆ **statuette** n. f. Une STATUETTE est une petite statue.

• **R.** V. STATUT.

statuer v. *Il faut* STATUER *sur le cas de cet employé,* prendre une décision à son sujet.

• **R.** V. STATUT.

statuette → STATUE.

statu quo n. m. *Par prudence, on a maintenu le* STATU QUO, on n'a rien changé à la situation.

stature n. f. *Un géant est un homme d'une grande* STATURE (= taille).

statut n. m. *Les* STATUTS *de l'association n'ont pas été respectés,* les règles qui fixent son organisation.

• **R.** *Statut* se prononce [staty] comme *statue* et [*il*] *statue* (de *statuer*).

stèle n. f. *À l'emplacement de la bataille, on a élevé une* STÈLE, une pierre qui porte une inscription.

sténographie ou **sténo** n. f. *Écrire en* STÉNOGRAPHIE (en STÉNO), c'est écrire à la vitesse de la parole au moyen de signes particuliers. ◆ **sténographe** n. Un STÉNOGRAPHE est une personne qui sait écrire en sténographie. ◆ **sténographier** v. *Le texte du discours* A ÉTÉ STÉNOGRAPHIÉ, noté en sténo. ◆ **sténodactylo** n. f. *Le patron dicte le courrier à la* STÉNODACTYLO, une employée qui connaît la dactylographie et la sténographie.

stentor n. m. *M. Martin a une voix de* STENTOR, très forte.

steppe n. f. *La* STEPPE *s'étend à l'infini,* une grande plaine herbeuse.

stéréophonie n. f. *Le concert radiophonique est diffusé en* STÉRÉOPHONIE, par un procédé qui donne à l'auditeur l'impression d'être dans la salle de concerts.

stéréotypé adj. *Les formules de politesse sont* STÉRÉOTYPÉES, elles ont toujours la même forme.

stérile adj. **1.** *Un animal* STÉRILE ne peut pas avoir de petits (≠ fécond). — **2.** *Cette discussion est* STÉRILE, elle ne mène à rien (= vain; ≠ efficace, utile). — **3.** *On a mis un pansement* STÉRILE *sur sa blessure,* sans microbes. ◆ **stérilité** n. f. (sens 1) *Guérir la* STÉRILITÉ *d'une personne,* c'est faire qu'elle puisse avoir des enfants. ◆ **stériliser** v. (sens 1) STÉRILISER *une chatte,* c'est la rendre stérile. • (sens 3) *On* STÉRILISE *le lait en le faisant bouillir,* on tue les microbes qui s'y trouvent.

sternum n. m. Le STERNUM est l'os plat situé au milieu de la poitrine. ▷ 40
• R. On prononce [stɛrnɔm].

stéthoscope n. m. *Le médecin ausculte les gens avec un* STÉTHOSCOPE, un appareil qui amplifie les bruits du corps. ▷ 39

stimuler v. *La présence du public* STIMULE *les sportifs,* elle les encourage, les excite. ◆ **stimulant** adj. et n. m. *Le café est un* STIMULANT (= excitant).

stipuler v. *Le contrat* STIPULE *que le prix est définitif,* cette condition est écrite dans le contrat (= indiquer, préciser).

stock n. m. *Le commerçant a des* STOCKS, de la marchandise en réserve. ◆ **stocker** v. STOCKER *du sucre,* c'est en mettre beaucoup en réserve.

stoïque adj. *Il reste* STOÏQUE *sous la pluie,* il la supporte sans se plaindre (= impassible).

stopper v. **1.** *Le mécanicien* STOPPE *la machine,* il l'arrête. ‖ *La voiture* STOPPE, elle s'arrête. — **2.** *Mon pantalon neuf a un accroc, je vais le faire* STOPPER, réparer en refaisant le tissage. ◆ **stop!** interj. (sens 1) *Il y a un accident!* STOP!, arrêtez-vous! ◆ **stop** n. m. **1.** (sens 1) *Les voitures s'arrêtent au* STOP, au niveau du panneau routier qui ordonne de stopper. — **2.** *Les* STOPS *d'une voiture s'allument quand on freine,* des lumières rouges placées derrière. ◆ **stoppage** n. m. (sens 2) *Le* STOPPAGE *de tes bas est invisible* (= réparation). ▷ 505

store n. m. *Baisse le* STORE!, une sorte de rideau qui protège du soleil. ▷ 75, 76, 217

strabisme n. m. *Georges est atteint de* STRABISME, il louche.

strangulation n. f. *Le chien a failli mourir par* STRANGULATION, mourir étranglé.

strapontin n. m. *Dans des salles de spectacle, il y a des* STRAPONTINS *au bord des allées,* des sièges qui se replient.

stratagème n. m. *Pierre a imaginé un* STRATAGÈME *pour entrer gratuitement,* un moyen habile.

strate → STRATIFIÉ.

stratégie n. f. *Le commandant en chef a décidé de la* STRATÉGIE *à adopter,* de la manière de conduire les opérations. ◆ **stratégique** adj. *Nos troupes occupent une position* STRATÉGIQUE, elles sont bien placées.

stratifié adj. *Des roches* STRATIFIÉES *sont formées de couches superposées appelées* STRATES.

stratosphère n. f. La STRATOSPHÈRE est la couche supérieure de l'atmosphère.

strict adj. **1.** *Le capitaine a donné des ordres très* STRICTS, qui doivent être respectés rigoureusement. — **2.** *Je vous ai dit la* STRICTE *vérité* (= exact). — **3.** *Le directeur est très* STRICT *sur les horaires,* il en exige le respect absolu (= sévère, exigeant).

strident adj. *Annie a poussé un cri* STRIDENT *en voyant l'araignée* (= aigu, perçant).

strie n. f. *Ce coquillage a des* STRIES *sur sa surface,* des lignes parallèles. ◆ **strié** adj. *Ce coquillage est* STRIÉ.

strophe n. f. *Certains poèmes sont divisés en plusieurs* STROPHES, en plusieurs parties ayant chacune quelques vers.

structure n. f. *La* STRUCTURE *d'une phrase* est la manière dont ses éléments sont organisés.

studieux → ÉTUDE.

studio n. m. **1.** *J'habite un* STUDIO, un petit logement d'une pièce. — **2.** *Le photographe travaille dans son* STUDIO, son atelier. — **3.** *Un* STUDIO *de cinéma, de télévision, de radio* est un local où l'on tourne des films, où l'on fait des émissions.

stupéfaction n. f. *Son visage exprime la* STUPÉFACTION, un très grand étonnement. ◆ **stupéfait** adj. *Je suis* STUPÉFAIT *par ce que tu me dis,* très étonné. ◆ **stupéfier** v. *Cette nouvelle m'*A STUPÉFIÉ (= abasourdir, atterrer, consterner). ◆ **stupéfiant** n. m. *L'opium est un* STUPÉFIANT, une substance qui rend hébété (= drogue).

stupeur n. f. *Ce spectacle horrible l'a plongée dans la* STUPEUR, l'a laissée sans réaction (= stupéfaction).

stupide adj. *Ce garçon ne comprend rien, il est* STUPIDE (= idiot; ≠ intelligent). ◆ **stupidité** n. f. *Ce garçon est d'une* STUPIDITÉ *incroyable* (≠ intelligence). ‖ *Arrête de dire des* STUPIDITÉS, des choses stupides (= ânerie, bêtise).

style n. m. **1.** *Cet écrivain emploie souvent un* STYLE *familier,* une manière d'écrire. — **2.** *Ce coureur a du* STYLE, il court bien, avec élégance. — **3.** *M. Durand a des meubles de* STYLE *Louis XV,* faits comme ceux de l'époque de Louis XV. ◆ **stylé** adj. (sens 2) *Un serveur* STYLÉ est celui qui a bien appris son métier. ◆ **styliser** v. *Sa robe est ornée de fleurs* STYLISÉES, qu'on a dessinées en les simplifiant.

292 ◁ **stylo** n. m. *J'écris avec un* STYLO, un porte-plume ayant un réservoir d'encre.

suave adj. *Les lis répandent un parfum* SUAVE, doux et agréable. ◆ **suavité** n. f. *Sylvie a une voix pleine de* SUAVITÉ, de douceur.

subalterne adj. et n. *M. Martin est un employé* SUBALTERNE, il est sous les ordres d'un chef.

subdivision → DIVISER.

subir v. *J'*AI SUBI *l'opération de l'appendicite,* on m'a opéré. ‖ *La maison* A SUBI *des dégâts,* des dégâts lui ont été causés.

subit adj. *Une piqûre de guêpe cause une douleur* SUBITE, qui apparaît tout à coup (= soudain). ◆ **subitement** adv. *Il est parti* SUBITEMENT (= tout à coup, soudain).

subjectif adj. *Sa critique est* SUBJECTIVE, il critique en ne tenant compte que de ses idées et de ses goûts (≠ objectif).

subjonctif n. m. *Dans la phrase «je veux que tu viennes», le verbe «venir» est au* SUBJONCTIF, un mode du verbe. ▷ 12

subjuguer v. *L'orateur* SUBJUGUE *son auditoire,* celui-ci l'écoute avec admiration (= fasciner).

sublime adj. *Il a fait preuve d'un dévouement* SUBLIME (= extraordinaire, admirable).

submerger v. **1.** *Ces rochers* SONT SUBMERGÉS *à marée haute,* recouverts d'eau. — **2.** *Je* SUIS SUBMERGÉ *de travail,* j'en ai trop (= déborder). ◆ **submersible** n. m. (sens 1) Un SUBMERSIBLE est un sous-marin. ◆ **insubmersible** adj. (sens 1) *Un bateau* INSUBMERSIBLE *a porté secours aux naufragés,* qui ne peut pas couler.

subordonner v. *Le départ du bateau* EST SUBORDONNÉ *au temps,* il dépend du temps. ◆ **subordonné 1.** n. *Le directeur réunit ses* SUBORDONNÉS, ceux qui sont sous ses ordres. — **2.** n. f. et adj. *En grammaire, une* (PROPOSITION) SUBORDONNÉE *dépend d'une autre proposition.* ◆ **subordination** n. f. *Une conjonction de* SUBORDINATION *(comme «que», «quand») relie une proposition subordonnée à celle dont elle dépend.* ◆ **insubordination** n. f. *Ce soldat fait preuve d'*INSUBORDINATION (= indiscipline).

subrepticement adv. *Le malin avait quitté la salle* SUBREPTICEMENT, de façon à ne pas se faire remarquer.

subside n. m. *Nous avons reçu des* SUBSIDES, une aide sous forme d'argent.

subsidiaire adj. *Il y a une question* SUBSIDIAIRE *pour départager les candidats* (= supplémentaire, accessoire).

subsister v. **1.** *Dans le texte, il* SUBSISTE *une erreur,* il en reste une. — **2.** *Une allocation lui permet tout juste de faire* SUBSISTER *sa famille,* de lui fournir de quoi vivre. ◆ **subsistance** n. f. (sens 2) *L'animal cherche sa* SUBSISTANCE, sa nourriture.

substance n. f. **1.** *Le caoutchouc est une* SUBSTANCE *élastique* (= matière, corps). — **2.** *Résumez-nous la* SUBSTANCE *de votre discours,* ses idées essentielles.

substantiel adj. **1.** *Un repas* SUBSTANTIEL est nourrissant. — **2.** *Une augmentation* SUBSTANTIELLE est importante.

substantif n. m. *«Chien», «crayon», «Jean» sont des* SUBSTANTIFS (= nom).

substituer v. SUBSTITUER *un mot à un autre,* c'est mettre ce mot à la place de l'autre. ‖ SE SUBSTITUER *à quelqu'un,* c'est le remplacer. ◆ **substitution** n. f. *Il y a eu une* SUBSTITUTION *de sacs,* on a substitué un sac à un autre.

subterfuge n. m. *Pour échapper à une invitation qui l'ennuyait, il a utilisé un* SUBTERFUGE, un moyen habile.

subtil adj. *Annie est une fille* SUBTILE, fine et intelligente. ◆ **subtilité** n. f. *Son raisonnement est plein de* SUBTILITÉ, très subtil. ‖ *Ne discutons pas sur des* SUBTILITÉS, des points de peu d'importance.

subtiliser v. *On lui* A SUBTILISÉ *son sac,* on le lui a volé adroitement.

subvenir v. *Il est maintenant en âge de* SUBVENIR *à ses besoins,* de gagner sa vie (= pourvoir).
• **R.** Conj. n° 22.

subvention n. f. *La commune a reçu une* SUBVENTION *de l'État,* de l'argent (= subside). ◆ **subventionner** v. SUBVENTIONNER *un théâtre,* c'est l'aider en lui donnant une subvention.

subversif adj. *L'orateur a prononcé des paroles* SUBVERSIVES, qui visent à bouleverser les idées et les lois (= révolutionnaire). ◆ **subversion** n. f. *On l'a accusé de* SUBVERSION, de dire des choses subversives.

suc n. m. *La salive est un* SUC, un liquide produit par une glande.

succédané n. m. *Du* SUCCÉDANÉ *de caviar,* c'est un produit qui l'imite et vise à le remplacer.

succéder v. *Le soleil* A SUCCÉDÉ *à la pluie,* il est venu après (= remplacer). ‖ *Les jours* SE SUCCÈDENT, ils se suivent les uns après les autres. ◆ **succession** n. f. **1.** *Le verglas a causé une* SUCCESSION *d'accidents,* des accidents successifs (= série). — **2.** *Les héritiers se partagent la* SUCCESSION, les biens d'une personne décédée. ◆ **successeur** n. m. *Je m'adresse à mon* SUCCESSEUR, à celui qui prend ma place. ◆ **successif** adj. *J'ai reçu trois visites* SUCCESSIVES, qui se suivaient. ◆ **successivement** adv. *Ils sont arrivés* SUCCESSIVEMENT, les uns après les autres (≠ simultanément, en même temps).

succès n. m. **1.** *Je te félicite de ton* SUCCÈS, d'avoir réussi (≠ échec). — **2.** *Ce film a du* SUCCÈS, il plaît au public. ◆ **insuccès** n. m. (sens 1) *Sa maladie est la cause de son* INSUCCÈS *à l'examen* (= échec).

successeur, successif, succession, successivement → SUCCÉDER.

succinct adj. *Faites-nous un exposé* SUCCINCT (= court, bref, sommaire).
• **R.** On prononce [syksɛ̃].

succion → SUCER.

succomber v. **1.** *Le blessé* A SUCCOMBÉ, il est mort. — **2.** *Je* SUCCOMBE *de fatigue,* je suis accablé de fatigue. — **3.** *Jean* A SUCCOMBÉ *à la tentation,* il n'y a pas résisté (= céder).

succulent adj. *Ce gâteau est* SUCCULENT, très bon (= excellent).

succursale n. f. *Cette banque a une* SUCCURSALE *dans chaque ville,* un établissement qui dépend d'elle.

sucer v. **1.** *Le bébé* SUCE *le sein de sa mère,* il aspire le lait avec la bouche. — **2.** *Michel* SUCE *un bonbon,* il le fait fondre dans sa bouche. ◆ **succion** n. f. (sens 1) *Quand le bébé tète, on entend un bruit de* SUCCION (= aspiration). ◆ **sucette** n. f. (sens 2) Une SUCETTE est un bonbon fixé au bout d'un bâtonnet.

sucre n. m. *La canne à sucre et la betterave fournissent le* SUCRE, un aliment de saveur douce. ◆ **sucrer** v. AS-*tu* SUCRÉ *ton café?*, y as-tu mis du sucre? ◆ **sucré** adj. *Un fruit* SUCRÉ a le goût du sucre. ◆ **sucrerie** n. f. **1.** *On fabrique le sucre dans une* SUCRERIE, une usine. — **2.** (au plur.) Les SUCRERIES sont des friandises sucrées. ◆ **sucrier 1.** adj. *La betterave* SUCRIÈRE fournit le sucre. — **2.** n. m. *Le sucre est dans un* SUCRIER, un récipient. ▷ 583

sud n. m. *Marseille est dans le* SUD *de la France* (≠ nord). ▷ 294, 728

suer v. *J'ai chaud, je* SUE, je suis couvert de sueur (= transpirer). ◆ **sueur** n. f. La SUEUR est un liquide qui sort des pores de la peau quand on a chaud (= transpiration).

● **R.** [*Il*] *sue* se prononce [sy] comme [*il a*] *su* (de *savoir*).

suffisant adj. **1.** *J'ai une note* SUFFISANTE *pour être reçu,* une note assez élevée. — **2.** *M. Dupont est un homme* SUFFISANT, toujours satisfait de lui (= prétentieux). ◆ **suffire** v. (sens 1) *Pour cet achat, 100 francs me* SUFFISENT, j'ai assez de 100 francs. ◆ **suffisamment** adv. (sens 1) *J'ai* SUFFISAMMENT *mangé,* assez mangé. ◆ **suffisance** n. f. (sens 2) *Le conférencier parle avec* SUFFISANCE (= vanité). ◆ **insuffisant** adj. (sens 1) *Jean a des notes* INSUFFISANTES *en maths,* trop basses. ◆ **insuffisance** n. f. (sens 1) *Les paysans se plaignent de l'*INSUFFISANCE *de leur récolte,* que leur récolte est insuffisante.

● **R.** *Suffire,* conj. nº 72.

suffixe n. m. *Dans le mot « maisonnette », « -ette » est un* SUFFIXE, un élément qui se place à la fin du mot « maison » et en modifie le sens.

suffoquer v. **1.** *On* SUFFOQUE *dans cette pièce,* on a du mal à respirer. — **2.** *Cette nouvelle nous* SUFFOQUE, elle nous cause une violente émotion. ◆ **suffocant** adj. (sens 1) *Ce bois vert dégage une fumée* SUFFOCANTE (= étouffant). ◆ **suffocation** n. f. (sens 1) *L'asthme cause des accès de* SUFFOCATION (= étouffement).

● **R.** Ne pas confondre *suffocant* (adjectif) et *suffoquant* (participe).

suffrage n. m. **1.** *Ce candidat a obtenu beaucoup de* SUFFRAGES, beaucoup de gens ont voté pour lui (= voix). — **2.** *Le président de la République est élu au* SUFFRAGE *universel,* tout le monde vote. — **3.** *Ce film a les* SUFFRAGES *du public,* le public le trouve bien.

suggérer v. *Je* SUGGÈRE *que nous allions nous promener* (= proposer). ◆ **suggestion** n. f. *Puis-je faire une* SUGGESTION?, suggérer quelque chose (= proposition).

● **R.** V. SUJÉTION.

suicide n. m. *On apprend le* SUICIDE *d'un banquier,* qu'un banquier s'est suicidé. ◆ **se suicider** v. *Il* S'EST SUICIDÉ *par désespoir,* il s'est tué lui-même volontairement.

suie n. f. *La cheminée est pleine de* SUIE, de matière noire que la fumée y a déposée.

• **R.** *Suie* se prononce [syi] comme [*je*] *suis* (de *suivre* et de *être*).

suif n. m. *Le* SUIF *de bœuf* est la graisse de bœuf.

suinter v. *Les murs de la cave* SUINTENT, de l'eau en sort goutte à goutte. ◆ **suintement** n. m. *Il y a un* SUINTEMENT *sur les murs de la cave,* l'eau suinte.

suivre v. **1.** *La voiture* SUIT *le camion,* elle avance derrière lui (≠ précéder, devancer). — **2.** *Son frère le* SUIT *partout,* il l'accompagne. — **3.** *Le soleil* A SUIVI *la pluie,* il est venu après (= succéder à; ≠ précéder). — **4.** *J'*AI SUIVI *le sentier jusqu'à la route,* j'ai marché le long du sentier. — **5.** *Pierre* SUIT *des cours de maths,* il en prend régulièrement. — **6.** *Je ne vous* SUIS *plus,* je ne suis plus de votre avis, ou je ne comprends plus ce que vous dites. — **7.** *Je* SUIS *tes conseils,* je suis d'accord avec eux (= obéir à, se conformer à; ≠ s'opposer à). — **8.** *Je* SUIS *le match de rugby à la radio,* je l'écoute. — **9.** *Cet élève* SUIT *bien en classe,* il écoute bien, il est au niveau voulu. ◆ **suite** n. f. (sens 2) *Le chef d'État est venu avec sa* SUITE, les gens qui l'accompagnent (= escorte). • (sens 3) *Nous avons eu une* SUITE *d'ennuis* (= série, succession). ‖ *Connais-tu la* SUITE *de cette histoire?,* ce qui vient après. ‖ *Cet accident a eu des* SUITES (= conséquence). ‖ *Il mange trois fruits* DE SUITE, l'un après l'autre (= à la file, successivement). ◆ **suivant** adj. et n. (sens 3) *La solution du problème est à la page* SUIVANTE, celle qui vient après (≠ précédent). ‖ *Au* SUIVANT *de ces messiers!,* à celui qui vient après. ◆ **suivant** prép. (sens 7) *Choisissez* SUIVANT *vos préférences,* en suivant vos préférences (= selon). ◆ **suivi** adj. (sens 5) *Nous entretenons une correspondance* SUIVIE (= régulière). ◆ **s'ensuivre** v. (sens 3) *De ce qui précède, il* S'ENSUIT *que j'ai raison,* j'ai raison : c'est la conséquence de ce qui précède (= suivre, découler).

125 ◁

• **R.** Conj. n° 62. ‖ Ne pas confondre *je suis* (de *suivre*) et *je suis* (de *être*). ‖ V. SUIE.

sujet n. m. **1.** *Quel est le* SUJET *de votre conversation?,* de quoi parlez-vous? (= thème). — **2.** *Quel est le* SUJET *de votre dispute?* (= cause, motif). — **3.** *Le roi parle à ses* SUJETS, aux personnes soumises à son autorité. — **4.** *Dans la phrase «il dort», «il» est le* SUJET *du verbe «dormir».* — **5.** adj. *Elle est* SUJETTE *au mal de tête,* elle a souvent mal à la tête.

sujétion n. f. *Votre métier vous impose de nombreuses* SUJÉTIONS, vous enlève une partie de votre liberté (= obligation, contrainte).

• **R.** Ne pas confondre *sujétion* et *suggestion.*

sultan n. m. *Certains princes musulmans s'appellent des* SULTANS.

superbe adj. *M. Dupont habite un appartement* SUPERBE, très beau (= magnifique, splendide).

supercherie n. f. *Il a vendu un faux tableau à la place du vrai, c'est une* SUPERCHERIE, une tromperie.

superficie n. f. *Quelle est la* SUPERFICIE *de ce terrain?* (= surface).

superficiel adj. **1.** *Cette brûlure est* SUPERFICIELLE, peu profonde. — **2.** *En histoire, ses connaissances sont* SUPERFICIELLES, il ne sait pas grand-chose (≠ approfondi).

superflu adj. *Évitons les dépenses* SUPERFLUES! (= inutile; ≠ nécessaire).

supérieur adj. **1.** *Montons à l'étage* SUPÉRIEUR, au-dessus. — **2.** *Sa note est* SUPÉRIEURE *à la mienne,* elle est meilleure (≠ inférieur). — **3.** n. *M. Durand est mon* SUPÉRIEUR, je travaille sous ses ordres. ◆ **supériorité** n. f. (sens 2) *Je constate la* SUPÉRIORITÉ *de ce produit sur les autres,* qu'il est supérieur aux autres. ▷ 218

superlatif adj. et n. m. *« Très grand », « le plus grand » sont des* SUPERLATIFS *de « grand »,* ils expriment des degrés extrêmes de grandeur.

supermarché → MARCHÉ.

superposer v. *Les lits des enfants* SONT SUPERPOSÉS, mis l'un sur l'autre. ▷ 77

supersonique → SON 2.

superstition n. f. *Dire que le nombre 13 porte bonheur est de la* SUPERSTITION, une croyance aux présages que rien ne justifie. ◆ **superstitieux** adj. *Marie est* SUPERSTITIEUSE, elle croit aux présages, aux fantômes, etc.

supplanter v. *Il a réussi à* SUPPLANTER *son patron,* à prendre sa place.

suppléer v. *Sa bonne volonté* SUPPLÉE *à son inexpérience* (= compenser). ◆ **suppléant** adj. et n. *Le* SUPPLÉANT *d'un député le remplace s'il est nommé ministre.*

supplément n. m. *Pourrais-je avoir un* SUPPLÉMENT *de dessert?,* du dessert en plus de celui que j'ai eu. ◆ **supplémentaire** adj. *Il faut faire un effort* SUPPLÉMENTAIRE, un effort en plus.

supplice n. m. **1.** *Autrefois, les condamnés étaient envoyés au* SUPPLICE, on leur infligeait des punitions corporelles souvent mortelles (= torture). — **2.** *Je suis au* SUPPLICE, je suis très mal à l'aise, je souffre beaucoup.

supplier v. *Je vous* SUPPLIE *de m'écouter,* je vous le demande humblement et avec insistance. ◆ **supplication** n. f. *Il est resté sourd à mes* SUPPLICATIONS, à mes prières ardentes.

1. supporter v. **1.** *Les piliers* SUPPORTENT *le plafond,* ils le soutiennent (= porter). — **2.** *Il faut* SUPPORTER *ces inconvénients,* les subir sans se plaindre. ◆ **supportable** adj. (sens 2) *La chaleur est* SUPPORTABLE, on peut la supporter. ◆ **support** n. m. (sens 1) *Cette balance est vendue avec son* SUPPORT, un objet destiné à la porter. ◆ **insupportable** adj. (sens 2) *Cette maladie cause des douleurs* INSUPPORTABLES, qu'on ne peut pas supporter (= intolérable). ▷ 293

2. supporter n. m. *Le coureur est encouragé par ses* SUPPORTERS, ceux qui le soutiennent (= partisan). ▷ 34, 512

• **R.** On prononce [sypɔrtɛr].

supposer v. **1.** *Pierre est absent : je* SUPPOSE *qu'il est malade,* je pense que c'est possible (= présumer, imaginer). — **2.** *Faire une compétition* SUPPOSE *de l'entraînement,* cela exige nécessairement de l'entraînement. ◆ **supposition** n. f. (sens 1) *On se perd en* SUPPOSITIONS *sur les raisons de l'accident* (= conjecture).

39 ◁ **suppositoire** n. m. Un SUPPOSITOIRE est un médicament solide que l'on introduit dans le derrière.

supprimer v. *Ce médicament* SUPPRIME *la douleur,* il la fait disparaître. ‖ SUPPRIMEZ *cette phrase dans le texte!* enlevez-la (≠ garder). ◆ **suppression** n. f. *On lui a infligé un mois de* SUPPRESSION *de permis de conduire,* on lui a supprimé son permis pendant un mois.

suppurer v. *La plaie* SUPPURE, il en sort du pus.

suprême adj. **1.** *Le chef* SUPRÊME est celui qui est au-dessus de tous. — **2.** *Il fit un* SUPRÊME *effort pour ne pas se noyer,* un dernier effort (= désespéré).

1. sur prép. **1.** *Le verre est* SUR *la table* (≠ sous). — **2.** *L'affiche est* SUR *le mur,* elle est collée au mur. — **3.** *On tire* SUR *la cible,* dans la direction de la cible. — **4.** *Réfléchissons* SUR *ce problème,* à propos de ce problème. — **5.** *Six candidats* SUR *dix sont reçus* (= parmi).

• **R.** V. SÛR. ‖ SUR- s'emploie comme préfixe pour indiquer un degré supérieur : *suraigu, surestimer,* etc.

2. sur adj. *Cette pomme n'est pas mûre, elle est* SURE, elle a un goût acide, piquant.

• **R.** V. SÛR.

sûr adj. **1.** *Cette voiture est* SÛRE, on y est en sécurité (= solide; ≠ dangereux). — **2.** *Je suis* SÛR DE *gagner* (= certain). — **3.** *Cette nouvelle est* SÛRE, on peut avoir confiance en elle (= exact; ≠ douteux). ◆ **sécurité** n. f. (sens 1) *Nous sommes en* SÉCURITÉ, à l'abri du danger. ◆ **sûreté** n. f. (sens 1) *Elle met ses bijoux en* SÛRETÉ, dans un lieu sûr, à l'abri des voleurs (= sécurité). ◆ **sûrement** adv. (sens 1) *Il conduit* SÛREMENT, de façon à éviter les accidents. • (sens 2) *Je vais* SÛREMENT *gagner* (= certainement).

• **R.** *Sûr* se prononce [syr] comme *sur* (1 et 2).

surabondamment, surabondance, surabondant, surabonder → ABONDANT. / **suraigu** → AIGU. / **surajouter** → AJOUTER. / **suralimentation** → ALIMENT.

suranné adj. *Le chapeau melon est une coiffure* SURANNÉE, on ne la porte plus (= ancien, démodé).

surcharger → CHARGE. / **surchauffer** → CHAUD.

surcroît n. m. **1.** *Son absence nous impose un* SURCROÎT *de travail,* du travail en plus (= supplément). — **2.** *Cet objet est décoratif et utile* PAR (DE) SURCROÎT (= en plus, en outre).

surdité → SOURD. / **surélever** → ÉLEVER. / **sûrement** → SÛR. / **surenchère** → ENCHÈRE. / **surestimer** → ESTIMER. / **sûreté** → SÛR. / **surexcitation, surexciter** → EXCITER.

surface n. f. **1.** *Les hommes vivent sur la* SURFACE *de la Terre,* sur sa partie extérieure. — **2.** *Quelle est la* SURFACE *de ce terrain? — Cent mètres carrés* (= étendue, aire, superficie).

▷ 348, 795

surfait adj. *Sa réputation est* SURFAITE, elle n'est pas méritée.

surgeler → GELER.

surgir v. *Un chien* A SURGI *devant la voiture,* il est apparu brusquement.

surhumain → HOMME.

sur-le-champ adv. *Il m'a demandé de venir* SUR-LE-CHAMP, sans attendre (= tout de suite, immédiatement).

surlendemain → DEMAIN.

surmener v. *Les sauveteurs* SONT SURMENÉS, fatigués par un travail excessif. ‖ *Il* SE SURMÈNE, il se fatigue trop. ◆ **surmenage** n. m. *Les médecins ont discuté du* SURMENAGE *scolaire,* de la fatigue excessive des élèves.

surmonter v. **1.** *Le clocher* SURMONTE *l'église,* il est placé au-dessus. — **2.** *Jean* A SURMONTÉ *sa peur,* il l'a maîtrisée (= dominer). ◆ **surmontable** adj. (sens 2) *Ces difficultés sont* SURMONTABLES, on peut les surmonter. ◆ **insurmontable** adj. (sens 2) *Jean était dominé par une peur* INSURMONTABLE (= irrésistible).

surnager v. *Des débris du bateau naufragé* SURNAGENT, ils restent à la surface de l'eau.

surnaturel → NATURE. / **surnom** → NOM. / **surnombre** → NOMBRE. / **surnommer** → NOM.

suroît n. m. *Les marins ont mis leur* SUROÎT, un chapeau de pluie.

surpasser v. *Ce coureur* A SURPASSÉ *ses concurrents,* il a couru mieux qu'eux (= dépasser, battre).

surpeuplé, surpeuplement → PEUPLE.

surplomb n. m. *Les balcons sont en* SURPLOMB, en saillie. ◆ **surplomber** v. *La falaise* SURPLOMBE *la mer,* elle avance au-dessus de la mer.

surplus n. m. *Ils ont fait des confitures avec leur* SURPLUS *de fruits,* avec ce qu'ils ont récolté en trop.

surpopulation → PEUPLE.

surprendre v. **1.** *La pluie nous* A SURPRIS, elle est venue sans que nous nous y attendions. — **2.** *Cette nouvelle m'*A SURPRIS (= étonner). ◆ **surprenant** adj. (sens 2) *Cet élève a fait des progrès* SURPRENANTS (= étonnant). ◆ **surprise** n. f. **1.** (sens 1) *Le voleur a été arrêté par* SURPRISE, on l'a arrêté en le surprenant. • (sens 2) *Il est muet de* SURPRISE (= étonnement). — **2.** *Si on lui faisait une* SURPRISE *pour son anniversaire?,* un plaisir inattendu (= cadeau).
• **R.** Conj. n° 54.

surproduction → PRODUIRE.

sursaut n. m. *En entendant la sonnerie, il a eu un* SURSAUT, un mouvement brusque et involontaire. ◆ **sursauter** v. *Les bruits me font* SURSAUTER, avoir des sursauts (= tressaillir).

sursis n. m. **1.** *Il est condamné à la prison avec* SURSIS, il est condamné mais n'ira en prison que s'il recommence la même faute. — **2.** *Il a un* SURSIS *de dix jours pour payer,* il ne paiera que dans dix jours (= délai). ◆ **surseoir** v. (sens 1) SURSEOIR *à une exécution,* c'est la remettre à plus tard.

• **R.** Conj. n° 45.

surtout adv. **1.** *L'égoïste pense* SURTOUT *à lui* (= principalement). — **2.** SURTOUT, *n'oublie pas ce que je t'ai dit,* j'insiste là-dessus.

surveiller v. **1.** *La maman* SURVEILLE *ses enfants,* elle veille sur eux. — **2.** *La police* SURVEILLE *un suspect,* elle observe tout ce qu'il fait. — **3.** SURVEILLEZ *votre langage!,* veillez à parler correctement (= contrôler). ◆ **surveillant** n. (sens 1 et 2) *Ce* SURVEILLANT *est très sévère,* celui qui surveille les élèves. ◆ **surveillance** n. f. (sens 1 et 2) *Un maître nageur assure la* SURVEILLANCE *de la baignade.*

survenir v. *Un incident* EST SURVENU, il est arrivé sans qu'on s'y attende.

• **R.** Conj. n° 22.

survêtement → VÊTEMENT. / **survivant, survivre** → VIE. / **survoler** → VOL 1.

susceptible adj. **1.** *Marie est trop* SUSCEPTIBLE, elle se vexe facilement. — **2.** *Ton dessin est* SUSCEPTIBLE *d'être amélioré,* il peut l'être. — **3.** *Voilà un livre* SUSCEPTIBLE DE *plaire,* qui peut plaire (= capable de). ◆ **susceptibilité** n. f. (sens 1) *Je connais sa* SUSCEPTIBILITÉ, je sais qu'il est susceptible.

susciter v. *Ce projet* A SUSCITÉ *l'intérêt de la population,* celle-ci s'y est intéressée (= provoquer, éveiller).

suspect **1.** adj. *Son témoignage est* SUSPECT, on doit s'en méfier (= douteux). — **2.** adj. et n. *La police a arrêté un* SUSPECT, une personne qu'elle soupçonne. ◆ **suspecter** v. (sens 1) *Je* SUSPECTE *son honnêteté,* j'en doute. • (sens 2) *On* SUSPECTE *un rôdeur,* on le soupçonne. ◆ **suspicion** n. f. *Il règne un climat de* SUSPICION, les gens se soupçonnent les uns les autres (= méfiance).

• **R.** On prononce [syspɛ]. ‖ V. SUSPENDRE.

suspendre v. **1.** SUSPENDEZ *votre pardessus au portemanteau,* accrochez-le en le laissant pendre. — **2.** *On a dû* SUSPENDRE *la séance,* l'interrompre (= arrêter). — **3.** *Le ministre* A SUSPENDU *un préfet,* il lui a interdit pour quelque temps d'exercer ses fonctions. ◆ **suspendu** adj. **1.** (sens 1) *Un pont* SUSPENDU est soutenu par des câbles. — **2.** *Cette voiture est bien* SUSPENDUE, ses ressorts amortissent bien les cahots. ◆ **suspension** n. f. **1.** (sens 2 et 3) *La* SUSPENSION *d'un fonctionnaire n'entraîne pas d'office la* SUSPENSION *de son traitement.* — **2.** *La* SUSPENSION *de cette voiture est excellente,* elle est très bien suspendue (= amortisseurs). — **3.** *Il a mis des* POINTS DE SUSPENSION *à la fin de sa phrase,* plusieurs points qui indiquent

582, 152 ◁

qu'on ne dit pas tout. ◆ **en suspens** adv. (sens 2) *Le travail est resté* EN SUSPENS, il n'a pas été achevé.

• **R.** Conj. nº 50. ‖ Ne pas confondre *suspension* et *suspicion.*

suspense n. m. *Il y a beaucoup de* SUSPENSE *dans ce film,* on attend la fin avec une grande impatience.

suspension → SUSPENDRE. / **suspicion** → SUSPECT.

se sustenter v. *Nous allons* NOUS SUSTENTER, manger.

susurrer v. *Il m'*A SUSURRÉ *un conseil à l'oreille* (= murmurer).

suture n. f. *Le médecin a fait une* SUTURE *à la plaie,* il l'a recousue.

suzerain n. et adj. Autrefois, le SUZERAIN était un seigneur qui avait des vassaux sous sa domination. ◆ **suzeraineté** n. f. *La* SUZERAINETÉ *d'un État sur un autre* est sa domination.

svelte adj. *Cette jeune fille est très* SVELTE (= mince, élancé). ◆ **sveltesse** n. f. *J'admire sa* SVELTESSE, comme il est svelte.

syllabe n. f. *« Lapin » est un mot de deux* SYLLABES, formé par deux groupes de sons : [la] et [pɛ̃]. ◆ **monosyllabe** n. m. *« Sol » est un* MONOSYLLABE, un mot d'une seule syllabe.

sylviculture n. f. La SYLVICULTURE est la science qui étudie la culture et l'entretien des forêts.

symbole n. m. **1.** *La balance est le* SYMBOLE *de la justice,* la balance (mot concret) représente la justice (mot abstrait). — **2.** *En chimie, « H » est le* SYMBOLE *de l'hydrogène,* une lettre qui désigne ce gaz. ◆ **symbolique** adj. (sens 1) *Le salut au drapeau est un geste* SYMBOLIQUE. ◆ **symboliser** v. (sens 1) *La colombe* SYMBOLISE *la paix* (= figurer, représenter).

symétrique adj. *Les deux moitiés du visage sont* SYMÉTRIQUES, elles sont opposées mais semblables. ◆ **symétriquement** adv. *Ces objets sont rangés* SYMÉTRIQUEMENT *sur la table.* ◆ **symétrie** n. f. *La* SYMÉTRIE *de ce château est admirable,* les deux moitiés de sa façade sont exactement semblables. ◆ **dissymétrique** ou **asymétrique** adj. *L'escargot a une coquille* DISSYMÉTRIQUE, sans symétrie.

sympathie n. f. *J'éprouve de la* SYMPATHIE *pour lui,* je l'aime bien (= amitié; ≠ antipathie). ◆ **sympathique** adj. *M. Durand est un homme* SYMPATHIQUE (= aimable, agréable; ≠ antipathique). ‖ *Cette réunion était* SYMPATHIQUE (= agréable, amical). ◆ **sympathiser** v. *Ces deux personnes* ONT *vite* SYMPATHISÉ, elles se sont vite bien entendues.

symphonie n. f. *L'orchestre joue une* SYMPHONIE, un grand morceau de musique composé de plusieurs mouvements. ◆ **symphonique** adj. *Un orchestre* SYMPHONIQUE *joue de la musique classique.* ▷ 439

symptôme n. m. *L'apparition de boutons rouges est un* SYMPTÔME *de la rougeole,* un signe qui permet de reconnaître cette maladie.

synagogue n. f. *Les juifs vont à la* SYNAGOGUE, l'endroit où ils prient.

syncope n. f. *Le malade a eu une* SYNCOPE, il s'est évanoui.

syndicat n. m. **1.** *Les travailleurs ont fondé des* SYNDICATS, ils se sont associés pour défendre leurs intérêts. — **2.** *Les touristes peuvent se renseigner au* SYNDICAT D'INITIATIVE, au bureau qui est chargé de les renseigner. ◆ **syndical** adj. *M. Durand est abonné à un journal* SYNDICAL, publié par le syndicat. ◆ **syndiquer** v. *Il* S'EST SYNDIQUÉ, il s'est inscrit à un syndicat. ‖ *Les locataires* SE SONT SYNDIQUÉS, ils ont fondé un syndicat. ◆ **syndic** n. m. *Les copropriétaires de l'immeuble ont choisi un* SYNDIC, quelqu'un qui fait exécuter leurs décisions.

synonyme adj. et n. m. *« Rame » et « aviron » sont deux* SYNONYMES, deux mots qui ont à peu près le même sens.

syntaxe n. f. *La* SYNTAXE *étudie comment les mots s'assemblent pour former des phrases* (= grammaire).

synthèse n. f. **1.** *Faire la* SYNTHÈSE *des observations faites par plusieurs personnes,* c'est rassembler ces observations. — **2.** *Faire la* SYNTHÈSE *de l'eau,* c'est en produire artificiellement. ◆ **synthétique** adj. (sens 2) *Le Nylon est un textile* SYNTHÉTIQUE (= artificiel; ≠ naturel).

système n. m. *Le* SYSTÈME *solaire, le* SYSTÈME *métrique, un* SYSTÈME *de signalisation routière* sont des ensembles organisés qui constituent un tout. ◆ **systématique** adj. *Il fait de l'opposition* SYSTÉMATIQUE, il s'oppose à tout. ◆ **systématiquement** adv. *Il refuse* SYSTÉMATIQUEMENT *de voter,* il refuse à chaque fois de voter (= régulièrement, par principe).

t' → TE. / **ta** → TON 1.

tabac n. m. **1.** *Dans cette région, les paysans cultivent du* TABAC, une plante. — **2.** *M. Durand achète du* TABAC *pour sa pipe,* les feuilles séchées de cette plante. — **3.** *Va au* TABAC *m'acheter des cigarettes!,* à la boutique où l'on vend du tabac, des cigarettes, des allumettes, etc. (On dit aussi BUREAU DE TABAC.) ◆ **tabagie** n. f. (sens 1) *C'est une* TABAGIE, *ici!,* la pièce est pleine de fumée de tabac. ◆ **tabatière** n. f. (sens 1) Une TABATIÈRE est une petite boîte où l'on met du tabac en poudre. ▷ 224
• **R.** On ne prononce pas le *c* de *tabac :* [taba].

tabernacle n. m. Dans une église, le TABERNACLE est la petite armoire où l'on garde les hosties.

table n. f. **1.** *Pose le vase sur la* TABLE! ‖ *Jean* MET LA TABLE, il dispose dessus les assiettes et les couverts. ‖ *On* S'EST MIS À TABLE *à 8 heures,* on a commencé à manger. — **2.** *Il y a toujours une bonne* TABLE *chez lui,* on mange de bonnes choses. — **3.** *La* TABLE DES MATIÈRES *se trouve à la fin du livre,* la liste des chapitres. — **4.** *Anne apprend la* TABLE DE MULTIPLICATION, le tableau des multiplications entre les 10 premiers nombres. ◆ **tablée** n. f. (sens 1) *Il y avait là une joyeuse* TABLÉE, une assemblée de gens assis autour de la table. ◆ **s'attabler** v. pr. (sens 1) *Les invités* SE SONT ATTABLÉS, ils se sont mis à table. ▷ 39, 76, 294

tableau n. m. **1.** *Il y a de très beaux* TABLEAUX *dans ce musée,* des peintures encadrées (= toile). — **2.** *La maîtresse fait un dessin au* TABLEAU, la planche sur laquelle on écrit à la craie. — **3.** *Il y a des tas de manettes sur le* TABLEAU DE BORD *de l'avion,* le panneau où sont réunis les cadrans, les commandes, etc. — **4.** *Il nous a fait un* TABLEAU *détaillé de la situation* (= description). — **5.** *Voici un* TABLEAU *chronologique des rois de France* (= liste). ▷ 437 ▷ 295 ▷ 505, 510

tabler v. *Il ne faut pas trop* TABLER *sur la chance,* compter sur elle.

tablette n. f. **1.** *Le dentifrice est sur la* TABLETTE *du lavabo,* la plaque posée à plat au-dessus du lavabo. — **2.** *Qui a entamé la* TABLETTE *de chocolat?* (= plaque). ▷ 38, 79 ▷ 221

tablier n. m. *Quand elle fait la cuisine, maman met son* TABLIER *pour protéger sa robe.* ▷ 37, 291

tabou adj. *Ne parle pas de ça, c'est un sujet* TABOU! (= interdit).

78, 77 ◁ **tabouret** n. m. *Assieds-toi sur le* TABOURET!, un siège sans bras ni dossier.

289 ◁ **tache** n. f. **1.** *Oh! J'ai fait une* TACHE *sur mon pull!*, une marque qui salit. — **2.** *Les dalmatiens sont des chiens blancs à* TACHES *noires* (= marque). ◆ **tacher** v. (sens 1) *J'*AI TACHÉ *ma chemise*, j'y ai fait des taches (= salir). ◆ **tacheté** adj. (sens 2) *Ce chien est blanc* TACHETÉ *de noir*, avec des petites taches noires (= moucheté). ◆ **détacher** v. (sens 1) *J'ai porté ma robe à* DÉTACHER *chez le teinturier*, pour qu'on lui enlève ses taches. ◆ **détachant** adj. et n. m. (sens 1) *La benzine est un bon* DÉTACHANT, un produit qui enlève les taches.

tâche n. f. *Nous avons déménagé, ce n'est pas une* TÂCHE *facile* (= travail).

- **R.** Ne pas confondre *tache* [taʃ] et *tâche* [tɑʃ].

tâcher v. *Je* TÂCHERAI *d'être là à 8 heures* (= essayer, s'efforcer de).

- **R.** Ne pas confondre *tâcher* [tɑʃe] et *tacher* [taʃe].

tacher, tacheter → TACHE.

tacite adj. *Il a agi avec mon accord* TACITE, sans que j'aie exprimé mon accord de vive voix (= sous-entendu).

taciturne adj. et n. *Jean est* TACITURNE, il parle peu (= renfermé; ≠ exubérant).

tacot n. m. *Jacques a acheté un vieux* TACOT, une vieille voiture.

tact n. m. *Tu manques de* TACT *en parlant d'argent devant lui : il n'a pas un sou!* (= délicatesse, discrétion, doigté).

tactique n. f. *Puisque ça ne réussit pas comme ça, on va changer de* TACTIQUE, on va employer d'autres moyens pour arriver au résultat voulu (= plan, méthode).

taffetas n. m. *Marie a une robe en* TAFFETAS, une sorte de soie.

77 ◁ **taie** n. f. *Les* TAIES *d'oreiller sont sales*, le tissu qui les recouvre.

taille n. f. **1.** *Paul est de la* TAILLE *d'Yves*, ils ont la même hauteur de corps. — **2.** *Quelle* TAILLE *faites-vous? — Du 38*, quelles sont les mesures de vos vêtements? — **3.** *Les sauveteurs avaient de l'eau jusqu'à la* TAILLE, au-dessus des hanches (= ceinture). — **4.** *La* TAILLE *des arbres a lieu en hiver*, on coupe une partie des branches. ‖ *Cet immeuble est en* PIERRE DE TAILLE, construit avec des pierres taillées. — **5.** *C'est une erreur* DE TAILLE!, importante. ◆ **tailler** v. (sens 4) *Le jardinier* A TAILLÉ *la haie*, il l'a coupée pour lui donner une certaine forme. ◆ **tailleur** n. m. **1.** (sens 4) *Le* TAILLEUR *de pierres utilise un marteau et un burin*, l'ouvrier qui taille les pierres. — **2.** *Papa est allé chez le* TAILLEUR *se faire faire un costume*, celui qui fait des vêtements d'homme. — **3.** *Chantal s'est acheté un* 37 ◁ TAILLEUR, un costume de femme composé d'une jupe et d'une veste. ◆ **taille-crayon** n. m. (sens 4) *La mine de mon crayon est cassée,* 295 ◁ *prête-moi ton* TAILLE-CRAYON.

654 ◁ **taillis** n. m. *Le lièvre s'est enfui dans un* TAILLIS, une partie de la forêt où les arbres sont petits parce qu'ils sont souvent coupés.

taire v. **1.** *Il* A TU *son secret jusqu'au bout,* il ne l'a pas dit (= cacher). — **2.** *Chut!* TAISEZ-VOUS!, ne parlez pas, gardez le silence.
• **R.** Conj. n° 78. ‖ V. TU.

talc n. m. *Le* TALC *est employé pour les soins de la peau,* une poudre blanche. ◆ **talquer** v. *Maman* TALQUE *les fesses de bébé,* elle y met du talc.

talent n. m. *Cet acteur a du* TALENT, il joue bien.

talisman n. m. *Jeanne tient beaucoup à cette bague, elle dit que c'est son* TALISMAN, un objet auquel elle attribue un pouvoir magique.

talon n. m. **1.** *J'ai mal au* TALON *gauche,* à l'arrière du pied. — **2.** *Mes* TALONS *sont usés,* la partie arrière de la chaussure. — **3.** *Papa a écrit le montant de son chèque sur le* TALON, la partie qui reste dans le carnet quand on détache le chèque. ▷ 33 ▷ 37

talonner v. *Le fuyard* EST TALONNÉ *par la police,* suivi de très près.

talquer → TALC.

talus n. m. *Le camion a percuté contre le* TALUS, la partie en pente qui borde la route. ▷ 721

tambour n. m. **1.** *Les soldats jouent du* TAMBOUR, ils frappent avec deux baguettes une caisse ronde fermée à chaque bout par une peau tendue. — **2.** *Voici le* TAMBOUR *de la fanfare,* celui qui joue du tambour. ◆ **tambourin** n. m. (sens 1) *Nous dansons au son du* TAMBOURIN, un petit tambour. ◆ **tambouriner** v. (sens 1) *Pierre* TAMBOURINE *sur la vitre,* il frappe de petits coups rapides avec ses doigts. ▷ 438 ▷ 439

tamis n. m. *On sépare les graviers du sable avec un* TAMIS, un instrument à petits trous. ◆ **tamiser** v. TAMISER *de la farine,* c'est la passer au tamis. ◆ **tamisé** adj. *Il y a dans la chambre du malade une lumière* TAMISÉE, atténuée par un écran translucide (= doux; ≠ cru). ▷ 150

tampon n. m. **1.** *Le douanier a apposé un* TAMPON *sur mon passeport,* une inscription à l'encre (= cachet). — **2.** *Les* TAMPONS *placés à chaque bout des wagons servent à amortir les chocs,* des gros disques. — **3.** *Il se bouche les oreilles avec des* TAMPONS *de coton,* du coton roulé en boule. ◆ **tamponner** v. (sens 1) TAMPONNER *un timbre,* c'est le marquer d'un tampon. • (sens 2) *Les deux voitures* SE SONT TAMPONNÉES (= heurter). • (sens 3) *Elle se* TAMPONNE *les yeux avec son mouchoir,* elle sèche ses larmes. ◆ **tamponnement** n. m. (sens 2) *Le* TAMPONNEMENT *des deux trains a fait plusieurs blessés.* ◆ **tamponneur** adj. (sens 2) *À la foire, on a fait un tour dans les autos* TAMPONNEUSES. ▷ 293, 768 ▷ 509 ▷ 436

tam-tam n. m. *En Afrique, les Noirs dansent au son des* TAM-TAMS, des tambours en bois.

tanche n. f. *M. Dupont a pêché une* TANCHE, un poisson d'eau douce.

tandem n. m. **1.** *Tu as déjà fait du* TANDEM?, une bicyclette spéciale à deux places. — **2.** *Pascal et François forment un joyeux* TANDEM, un groupe de deux personnes inséparables.

tandis que conj. exprime l'opposition : *Tu t'amuses,* TANDIS QUE *moi, je travaille* (= alors que, pendant que).

tangage → TANGUER.

tangent adj. **1.** *Deux cercles sont* TANGENTS quand ils se touchent sans se couper. — **2.** *Stéphanie a réussi son examen, mais c'était* TANGENT!, elle a failli échouer.

tangible adj. *Donnez-moi des preuves* TANGIBLES *de votre bonne foi!* (= évident, réel).

tango n. m. *Marie danse bien le* TANGO, une danse.

tanguer v. *La mer était mauvaise et le bateau* TANGUAIT, se balançait de l'avant vers l'arrière. ◆ **tangage** n. m. *La houle provoquait un léger* TANGAGE (≠ roulis).

tanière n. f. *Le renard s'est réfugié dans sa* TANIÈRE, le trou où il se cache (= terrier).

762 ◁ **tank** n. m. *Les* TANKS *ennemis ont attaqué,* les chars d'assaut.

tanner v. **1.** *On* TANNE *une peau d'animal pour en faire du cuir.* — **2.** Fam. *Pascal* TANNE *ses parents pour avoir un vélo,* il le leur demande tout le temps. ◆ **tannerie** n. f. (sens 1) *Il y a une* TANNERIE *près de la rivière,* une usine où l'on tanne les peaux. ◆ **tanneur** n. m. (sens 1) *Le* TANNEUR *tanne les peaux.* ◆ **tannage** n. m. (sens 1) *Le* TANNAGE *empêche les peaux de pourrir.*

tant adv. **1.** *Ne mange pas* TANT *de bonbons!,* une si grande quantité (= autant, tellement). — **2.** *Tu as réussi ton examen?* TANT MIEUX, c'est bien, je suis content. ‖ *Si tu ne peux pas venir,* TANT PIS, cela ne fait rien. ◆ conj. *J'attendrai* TANT QU'*il faudra,* aussi longtemps que. ◆ pron. indéfini *Je gagne* TANT *par mois,* telle somme d'argent.
• **R.** V. TAON.

547 ◁ **tante** n. f. *Voici* TANTE *Marie et son neveu Yves,* la sœur du père ou de la mère d'Yves, ou la femme de son oncle.

tantôt adv. **1.** TANTÔT *il rit,* TANTÔT *il pleure,* à un moment..., à un autre moment... — **2.** Fam. *Je reviendrai* TANTÔT, cet après-midi.

taon n. m. *Aïe! j'ai été piqué par un* TAON!, une sorte de grosse mouche.
• **R.** *Taon* se prononce [tɑ̃] comme *tant, temps* et [*il*] *tend* (de *tendre*).

tapage n. m. **1.** *Tu entends ce* TAPAGE *à côté?,* ces bruits violents (= vacarme). — **2.** *On a fait beaucoup de* TAPAGE *autour de cette affaire,* on en a beaucoup parlé (= bruit). ◆ **tapageur** adj. (sens 2) *Ce film a été lancé avec une publicité* TAPAGEUSE, qui cherche à attirer l'attention (≠ discret).

taper v. **1.** *Je tousse,* TAPE-*moi dans le dos pour que ça passe,* donne-moi quelques coups (= frapper). — **2.** *Tu sais* TAPER *à la machine?,* te servir d'une machine à écrire. ◆ **tape** n. f. (sens 1) *J'ai reçu une grande* TAPE *dans le dos, c'était Paul,* un coup donné avec la main. ◆ **tapoter** v. (sens 1) *Maman* TAPOTE *la joue de bébé,* lui donne de légères tapes.

tapioca n. m. *Ce soir, il y a du potage au* TAPIOCA, fait avec des petits flocons blancs tirés du manioc.

en tapinois adv. *Jean est arrivé* EN TAPINOIS, en se cachant.

se tapir v. *Le chat* S'EST TAPI *sous le lit,* il s'y est caché, en se ramassant sur lui-même.

tapis n. m. *J'ai renversé de l'eau sur le* TAPIS, la pièce de tissu qui recouvre le sol. ▷ 34, 76

tapisser v. *On a* TAPISSÉ *le mur avec du papier peint* (= recouvrir).

tapisserie n. f. *Les Durand ont une* TAPISSERIE *sur le mur de leur salon,* une tenture en laine ornée de dessins. ▷ 146, 296

tapoter → TAPER.

taquet n. m. *Cette porte se ferme grâce à un* TAQUET, une sorte de cale.

taquiner v. *Mais non, ce n'est pas vrai, je disais ça juste pour te* TAQUINER! (= agacer, faire enrager). ◆ **taquinerie** n. f. *Pascal adore la* TAQUINERIE, taquiner les autres. ◆ **taquin** adj. *Anne est très* TAQUINE, elle prend plaisir à taquiner.

tarabiscoté adj. *Une écriture* TARABISCOTÉE est chargée d'ornements excessifs.

tard adv. **1.** *Il est midi, tu te lèves* TARD!, après l'heure habituelle (≠ tôt). — **2.** *Tu es arrivé trop* TARD, après le moment convenable. — **3.** *On verra ça* PLUS TARD, à un autre moment dans l'avenir (= ultérieurement). ▷ 754 ◆ **tarder** v. **1.** (sens 1) *Je suis inquiet, Jean* TARDE À *rentrer,* il rentre plus tôt habituellement. — **2.** *L'autobus ne va plus* TARDER, il sera bientôt là. ◆ **tardif** adj. (sens 1) *Tu rentres à une heure bien* TARDIVE!, il est tard. ◆ **s'attarder** v. pr. (sens 1) *Ne vous* ATTARDEZ *pas trop en route,* ne rentrez pas trop tard (= flâner).

tare n. f. **1.** La TARE est le poids de l'emballage d'une marchandise. — **2.** *Ce cheval a une* TARE, un défaut de naissance. ◆ **taré** adj. (sens 2) *Ce cheval est* TARÉ, il a une tare.

tarentule n. f. *La piqûre des* TARENTULES *est dangereuse,* une grosse araignée.

targette n. f. *Cette porte se ferme avec une* TARGETTE, un petit verrou. ▷ 74

se targuer v. pr. *Il* SE TARGUE *d'être le plus fort,* il s'en vante.

tarif n. m. *Les enfants paient un* TARIF *réduit dans le train,* un prix.

tarir v. **1.** *L'eau de la source* S'EST TARIE, elle ne coule plus (= s'assécher). — **2.** *Pierre ne* TARIT *pas d'éloges à ton sujet,* il n'arrête pas d'en faire. ◆ **intarissable** adj. (sens 2) *Sur la politique, papa est* INTARISSABLE, on ne peut pas l'arrêter d'en parler.

tarot n. m. *Nous avons fait une partie de* TAROT, un jeu de cartes.

tartare adj. *Jean a mangé un* STEAK TARTARE, fait avec de la viande hachée crue.

221 ◁ **tarte** n. f. *Tu aimes la* TARTE *aux fraises?,* un gâteau plat. ◆ **tartelette** n. f. *Veux-tu une* TARTELETTE *aux cerises?,* une petite tarte.

tartine n. f. *Au petit déjeuner, je mange des* TARTINES *beurrées,* des tranches de pain. ◆ **tartiner** v. *J'aime le fromage à tartiner,* qu'on étale sur le pain.

tartre n. m. *Ce dentifrice enlève le* TARTRE, le dépôt jaunâtre qui se forme sur les dents. ‖ *Il y a du* TARTRE *au fond de la théière,* un dépôt calcaire. ◆ **détartrer** v. *Le dentiste m'*A DÉTARTRÉ *les dents,* il en a enlevé le tartre. ◆ **entartrer** v. *L'eau calcaire* A ENTARTRÉ *la bouilloire,* y a déposé du tartre.

tartufe n. m. *Jacques est un* TARTUFE (= hypocrite).

724 ◁ **tas** n. m. **1.** *Il faut jeter ce* TAS *de journaux,* ces journaux placés les uns sur les autres (= pile). — **2.** *Hubert connaît un* TAS *de gens à Paris,* un grand nombre. ◆ **entasser** v. (sens 1) *À force d'*ENTASSER *des livres sur le bureau, tu n'auras plus de place,* de les mettre en tas (= accumuler). • (sens 2) *À 6 heures le soir, les gens* S'ENTASSENT *dans le métro,* ils y sont nombreux et serrés les uns contre les autres (= se presser). ◆ **entassement** n. m. (sens 1) *Le bureau est surchargé d'un* ENTASSEMENT *de livres* (= tas, amoncellement).

tasse n. f. **1.** *J'ai cassé une* TASSE *à thé,* un petit récipient avec une anse pour boire. — **2.** *Je boirais bien une* TASSE *de café,* le contenu d'une tasse.

tasser v. **1.** *M. Durand* TASSE *le tabac dans sa pipe,* il appuie dessus pour qu'il s'aplatisse (= bourrer, comprimer). — **2.** *On était* TASSÉS *dans le métro,* serrés les uns contre les autres. — **3.** Fam. *Jean est en colère, mais ça va* SE TASSER, se calmer.

tâter v. **1.** *Tu as vu ma bosse? tiens,* TÂTE, touche avec la main. — **2.** *J'*AI TÂTÉ LE TERRAIN, *je crois que Marie va venir avec nous,* j'ai essayé de savoir discrètement. — **3.** *Je ne sais pas si je vais avec vous, je* ME TÂTE, je pèse le pour et le contre (= hésiter). ◆ **tâtonner** v. **1.** (sens 1) *J'avançais dans le noir en* TÂTONNANT, en tâtant les murs, les meubles, etc., pour me guider. — **2.** *La police* TÂTONNE *dans ses recherches,* elle avance lentement et de façon imprécise. ◆ **à tâtons** adv. (sens 1) *L'aveugle marche* À TÂTONS, en tâtonnant (= à l'aveuglette).

tatillon adj. *M*[me] *Dubois est* TATILLONNE, trop minutieuse.

tâtonner, à tâtons → TÂTER.

tatouage n. m. *M. Duval a des* TATOUAGES *sur la poitrine,* des dessins à l'encre incrustés dans la peau. ◆ **tatouer** v. *Ce marin s'est fait* TATOUER *le bras,* faire un tatouage.

taudis n. m. *Ces pauvres gens vivent dans un* TAUDIS, un logement misérable.

366 ◁ **taupe** n. f. *La* TAUPE *creuse des petits tunnels sous la terre,* un animal. ◆ **taupinière** n. f. *Il y a des* TAUPINIÈRES *dans le potager,* des tas de terre que fait la taupe en creusant.

taureau n. m. *Attention au* TAUREAU, *il peut être méchant!*, le mâle de la vache. ◆ **tauromachie** n. f. *La corrida est un spectacle de* TAUROMACHIE, de combat contre les taureaux. ▷ 361

taux n. m. *M. Dupont a placé ses économies au* TAUX *de six pour cent* (6 %), cent francs lui rapportent six francs par an.

taverne n. f. Une TAVERNE était une sorte d'auberge.

taxe n. f. *On paie une* TAXE *sur les produits de luxe,* une sorte d'impôt (= redevance). ◆ **taxer** v. *L'alcool* EST TAXÉ, on paie une taxe en plus de son prix. ◆ **détaxer** v. *À l'aéroport, les cigarettes* SONT DÉTAXÉES, vendues sans taxe.

taxi n. m. *J'ai pris un* TAXI *pour venir chez toi,* une voiture dans laquelle on paie le prix du trajet.

te est le pronom de la première personne quand il est complément : *Je* TE *vois.* ▷ 11

• **R.** *Te* devient *t'* devant une voyelle ou un *h* muet.

technique n. f. *Je connais un peu les* TECHNIQUES *du cinéma,* les méthodes et les procédés utilisés dans ce domaine. ◆ **technique** adj. *L'enseignement* TECHNIQUE *prépare au métier de technicien.* || *Le menuisier emploie des mots* TECHNIQUES *que je ne comprends pas,* qui font partie du vocabulaire de son métier (≠ courant). ◆ **technicien** n. *Pour faire réparer votre téléviseur, adressez-vous à un* TECHNICIEN, un spécialiste des techniques de la télévision. ◆ **technologie** n. f. La TECHNOLOGIE est l'étude des techniques utilisées dans l'industrie.

tee-shirt n. m. *Jean a un* TEE-SHIRT *jaune,* un maillot de corps. ▷ 36

• **R.** Attention au pluriel : des *tee-shirts.*

teigne n. f. Fam. *Quelle* TEIGNE, *cette fille!*, qu'elle est méchante!

teindre v. *J'ai fait* TEINDRE *mon manteau en noir,* je lui ai fait donner cette couleur (= colorer). ◆ **teint** n. m. *Marie a le* TEINT *clair,* la couleur de son visage est claire. ◆ **teinte** n. f. *Les* TEINTES *de ce tissu sont très jolies,* les couleurs (= nuance). ◆ **teinter** v. *Tu mets des lunettes à verres* TEINTÉS?, légèrement colorés. ◆ **teinture** n. f. *Tes cheveux sont roux, tu t'es fait faire une* TEINTURE?, une coloration. ◆ **teinturier** n. m. *Il ne faut pas laver cette robe, il vaut mieux la donner au* TEINTURIER, la personne chez qui on fait teindre ou nettoyer les vêtements, les tissus. ◆ **teinturerie** n. f. La TEINTURERIE est la boutique du teinturier (= pressing). ◆ **déteindre** v. *Oh! la chemise* A DÉTEINT *au lavage!*, a perdu sa couleur (= se décolorer).

• **R.** *Teindre* et *déteindre,* conj. nº 55. || V. THYM.

tel adj. **1.** *Elle est* TELLE *que je pensais,* pareille (= comme). — **2.** *Tu as fait un* TEL *bruit que tout le monde a été réveillé,* si grand. — **3.** *Tout est resté* TEL QUEL, *on n'a rien changé,* pareil.

télé → TÉLÉVISION. / **télécommander** → COMMANDER.

télécommunications n. f. pl. Les TÉLÉCOMMUNICATIONS sont l'ensemble des moyens permettant d'écrire ou de parler à distance, comme le téléphone, le télégraphe.

768 ◁ **télégramme** n. m. *J'ai reçu un* TÉLÉGRAMME *de Paul, il arrive demain,* un message court envoyé par télégraphe. ◆ **télégraphier** v. *Il faut* TÉLÉGRAPHIER *à Henri que son père est malade,* lui envoyer un télégramme. ◆ **télégraphe** n. m. Le TÉLÉGRAPHE est un système qui permet d'envoyer très rapidement des messages. ◆ **télégraphique** adj. **1.** *Les poteaux* TÉLÉGRAPHIQUES supportent les fils du télégraphe. — **2.** *Un style* TÉLÉGRAPHIQUE est très bref (= concis). ◆ **télégraphiste** n. *Le* TÉLÉGRAPHISTE *apporte les télégrammes à domicile.*

téléguidé adj. *Pascal joue avec sa petite voiture* TÉLÉGUIDÉE, qu'il peut guider de loin.

téléphérique n. m. *Pour monter au sommet de la montagne, on a pris le*
652, 651 ◁ TÉLÉPHÉRIQUE, une cabine suspendue à des câbles.

768, 293 ◁ **téléphone** n. m. *Le* TÉLÉPHONE *sonne, réponds!,* l'appareil électrique qui permet de se parler d'un endroit à un autre. ‖ *Est-ce que j'ai reçu des* COUPS DE TÉLÉPHONE?, des communications téléphoniques (= coup de fil). ◆ **téléphoner** v. *Je te* TÉLÉPHONERAI *ce soir,* je te parlerai au téléphone (= appeler). ◆ **téléphonique** adj. *On peut téléphoner dans une cabine*
768 ◁ TÉLÉPHONIQUE. ◆ **téléphoniste** n. *Les* TÉLÉPHONISTES *sont appelés aujourd'hui «standardistes»,* les employés du téléphone.

télescope n. m. *On peut voir les étoiles au* TÉLESCOPE, une grande lunette.

télescoper v. *Les deux voitures* SE SONT TÉLESCOPÉES, sont entrées en collision (= se tamponner).

652 ◁ **télésiège** n. m. *Le* TÉLÉSIÈGE *nous a conduits au sommet de la montagne,* des sièges accrochés à un câble.

téléski n. m. *Les skieurs remontent la pente grâce au* TÉLÉSKI, un appareil qui tire les skieurs (= remonte-pente).

74 ◁ **télévision** ou **télé** n. f. *On a un poste de* TÉLÉVISION *en couleurs,* un appareil qui permet de recevoir des images sur un écran grâce à des ondes
76 ◁ électriques. ◆ **téléviseur** n. m. *Le* TÉLÉVISEUR *est cassé,* le poste de télévision. ◆ **téléviser** v. *Le match sera* TÉLÉVISÉ, retransmis à la télévision. ◆ **téléspectateur** n. *Les* TÉLÉSPECTATRICES *ont été nombreuses à téléphoner,* les personnes qui regardent une émission de télévision.

tellement adv. *Pascal a* TELLEMENT *changé que je ne le reconnais pas,* il a beaucoup changé (= tant).

téméraire adj. *Il faut être bien* TÉMÉRAIRE *pour plonger de si haut!,* un peu trop courageux et imprudent (= audacieux; ≠ prudent). ◆ **témérité** n. f. *Jean est d'une folle* TÉMÉRITÉ (= audace, imprudence).

témoigner v. **1.** *Après l'accident, on m'a demandé de* TÉMOIGNER, de dire ce que j'en savais, ce que j'avais vu. — **2.** *Il m'a* TÉMOIGNÉ *toute sa sympathie,* il m'en a donné l'assurance (= marquer, montrer). ◆ **témoignage** n. m. (sens 1) *Le* TÉMOIGNAGE *de M. Dupont a permis d'établir l'innocence de l'accusé,* les preuves qu'il a apportées en tant que témoin (= déclaration). • (sens 2) *Ces fleurs sont un* TÉMOIGNAGE *de mon amitié,* une marque qui la prouve. ◆ **témoin** n. m. **1.** (sens 1) *J'ai été* TÉMOIN *d'un accident,* je l'ai vu et je peux donner des détails. — **2.** Dans une course de relais, le TÉMOIN est le petit bâton que les concurrents se passent de la main à la main.

tempe n. f. *Il a reçu un coup à la* TEMPE, sur le côté du front. ▷ 33

tempérament n. m. *Michel est d'un* TEMPÉRAMENT *gai,* d'un caractère gai (= nature).

tempérance n. f. *La* TEMPÉRANCE *est recommandée aux automobilistes,* le fait de ne pas boire d'alcool. ◆ **tempérant** adj. *M. Dupont est* TEMPÉRANT, il mange et boit modérément (= sobre).

température n. f. **1.** *La* TEMPÉRATURE *est douce pour la saison,* le degré de chaleur ou de froid de l'air extérieur. — **2.** *Pascal a* 39^0, *il a de la* TEMPÉRATURE (= fièvre). ▷ 39

tempérer v. *Tu as été trop brutal, il faudrait* TEMPÉRER *tes paroles,* les modérer (= adoucir). ◆ **tempéré** adj. *La France a un climat* TEMPÉRÉ, ni trop chaud ni trop froid (= doux).

tempête n. f. *Plusieurs bateaux ont fait naufrage pendant la* TEMPÊTE, le violent orage avec du vent et de la pluie.

temple n. m. **1.** *À Athènes, on a visité des* TEMPLES *grecs,* des édifices construits par les Grecs pour leurs dieux. — **2.** *Le dimanche, les protestants vont au* TEMPLE, dans leur lieu de culte.

temps n. m. **1.** *Une pendule sert à mesurer le* TEMPS, la durée (les minutes, les heures, les jours, etc.). — **2.** *Combien de* TEMPS *mets-tu pour aller à l'école? — Dix minutes.* — **3.** *Non, je n'ai pas le* TEMPS *de jouer avec toi,* je n'ai pas de moment libre, je suis pressé (= loisir). — **4.** *Il est* TEMPS *de partir,* le moment est venu. — **5.** *J'aurais aimé vivre au* TEMPS *des Gaulois,* à leur époque. — **6.** *Quel* TEMPS *fait-il aujourd'hui?,* est-ce qu'il fait beau ou non? — **7.** *En grammaire, on a étudié les* TEMPS *du verbe,* les formes de conjugaison des différents modes. — **8.** *La valse est un air à trois* TEMPS, à trois unités par mesure. — **9.** *On est arrivé juste* À TEMPS *pour prendre le train,* assez tôt (= à l'heure). ‖ *Je vois Paul* DE TEMPS EN TEMPS, quelquefois. ‖ *Elle chante* TOUT LE TEMPS, sans arrêter (= toujours). ‖ *Il pleut ici* LA PLUPART DU TEMPS, le plus souvent. ◆ **temporaire** adj. (sens 2) *Un emploi* TEMPORAIRE ne dure que peu de temps (= momentané, provisoire; ≠ durable). ◆ **temporairement** av. (sens 2) *M. Dubois est absent* TEMPORAIREMENT, pour peu de temps (= momentanément). ▷ 754 ▷ 12

• **R.** V. TAON. ‖ V. le tableau de la page suivante.

tenable → TENIR.

tenace adj. *Non, je ne céderai pas, je suis* TENACE, je persévère dans ce que je fais (= entêté, obstiné). ◆ **ténacité** n. f. *Quelle* TÉNACITÉ! *il n'a pas renoncé à son projet!* (= entêtement).

tenailles n. f. pl. *Passe-moi les* TENAILLES *pour arracher ce clou!,* un outil en forme de pince. ▷ 289, 291

tenancier → TENIR.

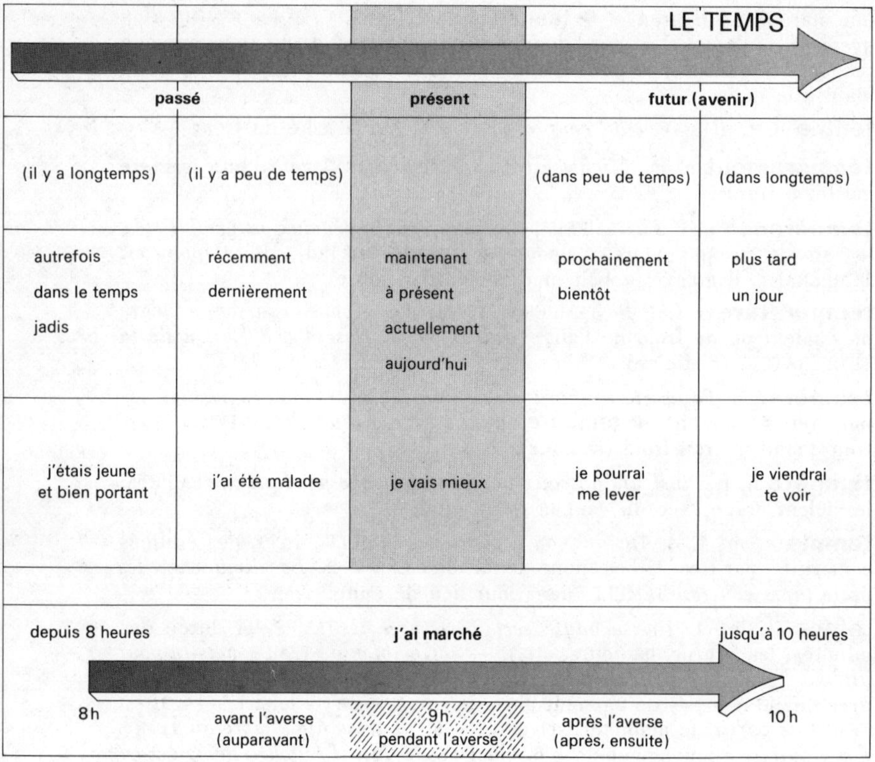

LE TEMPS

passé		présent	futur (avenir)	
(il y a longtemps)	(il y a peu de temps)		(dans peu de temps)	(dans longtemps)
autrefois dans le temps jadis	récemment dernièrement	maintenant à présent actuellement aujourd'hui	prochainement bientôt	plus tard un jour
j'étais jeune et bien portant	j'ai été malade	je vais mieux	je pourrai me lever	je viendrai te voir

depuis 8 heures		j'ai marché		jusqu'à 10 heures
8 h	avant l'averse (auparavant)	9 h pendant l'averse	après l'averse (après, ensuite)	10 h

tenant **1.** n. *Au championnat du monde de saut, le* TENANT DU TITRE *a été battu,* celui qui l'avait. — **2.** adj. *Quand il a reçu le télégramme, il est parti* SÉANCE TENANTE, immédiatement, sur-le-champ.

tendance n. f. *Paul a* TENDANCE *à exagérer,* il exagère souvent, c'est dans sa nature. ◆ **tendancieux** adj. *Ton avis est* TENDANCIEUX, il n'est pas objectif (= partial).

tendeur → TENDRE 2.

40 ◁ **tendon** n. m. *Les muscles sont attachés aux os par des* TENDONS, des organes allongés.

1. tendre adj. **1.** *Pascal est très* TENDRE *avec sa fiancée,* gentil et doux (= affectueux). — **2.** *Que cette viande est* TENDRE!, facile à couper et à mâcher (≠ dur). ◆ **tendresse** n. f. (sens 1) *Cet enfant a besoin de* TENDRESSE, d'affection. ◆ **tendreté** n. f. (sens 2) La TENDRETÉ est la qualité d'une viande tendre. ◆ **tendrement** adv. (sens 1) *Je t'embrasse* TENDREMENT, avec tendresse.

2. tendre v. **1.** *La corde n'*EST *pas assez* TENDUE, tirée pour être bien raide. — **2.** *On* A TENDU *les murs de papier peint,* on les a couverts. — **3.** TENDEZ-VOUS *la main,* avancez-la l'un vers l'autre. — **4.** *Il m'*A TENDU *un piège,* il a cherché à me tromper. — **5.** *Le temps* TEND À *s'améliorer,* il s'améliore peu à peu. — **6.** *La situation* EST TENDUE *entre les deux pays,* arrivée à un point qui peut amener à quelque chose de grave. ◆ **tendeur** n. m. (sens 1) *Fixe bien les* TENDEURS *de la tente,* ce qui sert à tendre la toile. ◆ **tension** n. f. (sens 6) *La* TENSION *est grande entre ces deux pays,* les relations sont tendues. ◆ **détendre** v. **1.** (sens 1) DÉTENDS *le câble!,* rends-le plus mou, moins raide. — **2.** *Ce bain m'*A DÉTENDU (= reposer, délasser). ◆ **détente** n. f. **1.** (sens 6) *Il y a une certaine* DÉTENTE *dans les relations internationales,* elles sont moins tendues (= accalmie). — **2.** *J'ai besoin d'un moment de* DÉTENTE, de repos (= délassement). — **3.** *Le chasseur a appuyé sur la* DÉTENTE, la pièce qui fait partir le coup d'une arme à feu. ▷ 763

• **R.** Conj. nº 50. ‖ V. TAON.

ténèbres n. f. pl. Les TÉNÈBRES c'est, en poésie, l'obscurité. ◆ **ténébreux** adj. *Une affaire* TÉNÉBREUSE est obscure (= mystérieux; ≠ clair).

teneur n. f. *Ce vin a une forte* TENEUR *en alcool,* il en contient beaucoup.

ténia n. m. *Le* TÉNIA *vit dans l'intestin de l'homme; il est aussi appelé «ver solitaire»,* un petit animal.

tenir v. **1.** *Tu peux me* TENIR *mon sac?,* le garder à la main ou dans les bras. — **2.** *Le tableau ne* TIENT *pas bien,* il n'est pas bien fixé. — **3.** *Cette table* TIENT *trop de place dans la pièce* (= prendre, occuper). — **4.** *C'est M. Dupont qui* TIENT *cet hôtel,* qui s'en occupe. — **5.** *La maison est bien* TENUE, entretenue. — **6.** *Je ne sais pas si on va tous* TENIR *dans la voiture,* y entrer. — **7.** *Paul* TIENT DE *son père,* il lui ressemble. — **8.** *Je* TIENS À *ce livre, ne le perds pas!,* j'y attache de l'importance (= être attaché à). — **9.** *Tu* TIENS *vraiment à aller là-bas?,* tu en as envie (= désirer). — **10.** TIENS-TOI *droit!,* prends cette position. ‖ *Ne fais pas comme Yves, il* SE TIENT *mal à table,* il se conduit en personne mal élevée. — **11.** *Il n'*A *pas* TENU *sa promesse,* respecté. — **12.** TENEZ *bon!,* ne lâchez pas (= résister). — **13.** *Cette voiture* TIENT *bien la route,* elle suit la direction voulue. ◆ **tenue** n. f. **1.** (sens 5) *Qui s'occupe de la* TENUE *de la maison?,* de l'entretien. • (sens 10) *Un peu de* TENUE, *voyons!,* tenez-vous bien (= correction). • (sens 13) *Cette voiture a une bonne* TENUE *de route, même par mauvais temps.* — **2.** *Comment faut-il s'habiller? — En* TENUE *de sport,* en vêtements. ◆ **tenable** adj. (sens 12) *La situation n'est plus* TENABLE, on ne peut plus tenir, résister (= supportable). ◆ **tenancier** n. (sens 4) *La* TENANCIÈRE *d'un café* est la personne qui le tient, le dirige. ◆ **intenable** adj. (sens 12) *La chaleur est* INTENABLE, insupportable. ▷ 761, 763

• **R.** Conj. nº 22. ‖ V. TIEN.

tennis n. m. **1.** *On joue au* TENNIS *avec une balle et des raquettes,* un sport. — **2.** Le TENNIS DE TABLE est l'autre nom du Ping-Pong. — **3.** *J'ai oublié mes* TENNIS, des chaussures de sport en toile blanche. ▷ 35 ▷ 218

ténor n. m. *Il est* TÉNOR *à l'Opéra,* chanteur avec une voix aiguë.

tension → TENDRE 2.

724 ◁ **tentacule** n. m. *La pieuvre a des* TENTACULES, des bras souples qui lui servent à se déplacer et à capturer ses proies.

tentant, tentation, tentative → TENTER.

651, 577 ◁ **tente** n. f. *On a dormi sous la* TENTE, un abri de toile que l'on installe avec des piquets et des cordes.

tenter v. **1.** *Le sportif* A TENTÉ *de sauter deux mètres,* il a essayé de le faire (= s'efforcer). ‖ TENTE *ta chance,* essaie de gagner. — **2.** *Ce voyage en Italie me* TENTE, me fait envie (= attirer). ◆ **tentant** adj. (sens 2) *Ton offre est bien* TENTANTE, attirante (= séduisant). ◆ **tentation** n. f. (sens 2) *Ne m'offre pas de chocolats, je ne pourrais pas résister à la* TENTATION *de les manger tous!,* à l'envie. ◆ **tentative** n. f. (sens 1) *À la deuxième* TENTATIVE, *le sportif a réussi son saut* (= essai).

146 ◁ **tenture** n. f. *Une* TENTURE *sépare les deux pièces,* une sorte de rideau.

ténu adj. *Un fil* TÉNU est très fin, très mince.

tenue → TENIR.

ter adj. *J'habite au 21* TER, *rue de Rome,* au numéro qui vient après le 21, le 21 *bis* et avant le 22.

térébenthine n. f. *L'*ESSENCE DE TÉRÉBENTHINE *sert à enlever les taches de graisse,* un produit.

Tergal n. m. *Mon pantalon est en* TERGAL, en tissu synthétique qui ne se froisse pas.

tergiverser v. *Décide-toi sans* TERGIVERSER (= hésiter).

terme n. m. **1.** *Nous arrivons au* TERME *de notre voyage,* nous l'avons fini (= fin; ≠ début). — **2.** *Chaque trimestre, il faut payer le* TERME, le loyer. — **3.** *«Littoral» est un* TERME *de géographie* (= mot). — **4.** (au plur.) *Nous sommes* EN BONS TERMES *avec nos voisins,* nous avons de bons rapports avec eux (= relations).

• **R.** V. THERMES.

terminer v. **1.** *Mon grand frère* TERMINE *ses études* (= achever; ≠ commencer). — **2.** *Le mot «œuf»* SE TERMINE *par un «f»* (= finir). ◆ **terminaison** n. f. (sens 2) *La* TERMINAISON *du mot «aimer» est «er»,* ses dernières lettres (= finale). ◆ **terminal** adj. (sens 1) *Patrick est élève en classe* TERMINALE (ou EN TERMINALE), celle qui termine les études au lycée. ◆ **terminus** n. m. (sens 1) *Je suis sorti du métro au* TERMINUS, au dernier arrêt. ◆ **interminable** adj. (sens 2) *Il a fait un discours* INTERMINABLE, très long.

• **R.** On prononce le [s] de la fin du mot *terminus :* [tɛrminys].

580 ◁ **termite** n. m. *Les* TERMITES *rongent le bois de l'intérieur,* un insecte. ◆ **termitière** n. f. Une TERMITIÈRE est un nid de termites.

terne adj. **1.** *Tes cheveux sont* TERNES, ils ne brillent pas (≠ brillant). — **2.** *C'est un personnage* TERNE, qui n'attire pas l'attention (≠ original). ◆ **ternir** v. (sens 1) *Les couleurs* TERNISSENT *au soleil,* deviennent ternes (= se décolorer).

terrain n. m. **1.** *Voilà un* TERRAIN *à vendre,* une étendue de terre où il n'y a pas de constructions. — **2.** *Il va falloir trouver un* TERRAIN *d'entente pour se mettre d'accord,* un sujet, un point de discussion. ▷ 35, 294

terrasse n. f. **1.** *Si tu montes sur la* TERRASSE, *tu verras tout Paris,* la plate-forme qui remplace le toit d'une maison. — **2.** *Il n'y a plus de place à la* TERRASSE *du café,* l'endroit où sont les tables, au-dehors. — **3.** *Il fait beau, on mange sur la* TERRASSE?, un grand balcon. ▷ 218 ▷ 75

terrassement n. m. *Sur le chantier, les travaux de* TERRASSEMENT *commencent,* on creuse et on déplace la terre. ◆ **terrassier** n. m. Un TERRASSIER est un ouvrier qui travaille au terrassement. ▷ 150

terrasser v. *Il* A TERRASSÉ *son adversaire,* il l'a renversé à terre.

terre n. f. **1.** *La* TERRE *tourne autour du Soleil,* la planète sur laquelle nous sommes. — **2.** *Du bateau, on voit la* TERRE, le sol sur lequel on marche (≠ mer, air). ‖ *Asseyez-vous* PAR TERRE, sur le sol. ‖ *Le métro passe sous* TERRE, au-dessous du niveau du sol. — **3.** *Creuse un trou dans la* TERRE, la matière dont le sol est fait. — **4.** *Ce riche industriel a des* TERRES *en Touraine,* des domaines à la campagne (= terrain). — **5.** *Ta plaisanterie est plutôt* TERRE À TERRE, pas très élevée (≠ fin). — **6.** *Christophe Colomb a voulu explorer les* TERRES *lointaines,* les pays, les régions. ◆ **terreau** n. m. (sens 3) *Marie plante des fleurs dans du* TERREAU, de la terre très fertile. ◆ **terre-plein** n. m. (sens 3) *Sur les autoroutes, il est interdit de stationner sur les* TERRE-PLEINS, les espaces où il y a de la terre qu'on a apportée. ◆ **terrestre** adj. (sens 1) *Nous vivons sur le globe* TERRESTRE, de la Terre. • (sens 2) *Les plantes* TERRESTRES sont celles qui vivent sur la terre (≠ aquatique). ◆ **terreux** adj. (sens 3) *Cet homme est malade, il a un teint* TERREUX, de la couleur de la terre (= grisâtre). ◆ **terrien** adj. (sens 4) *Ce banquier est un gros propriétaire* TERRIEN, il possède des terres. ◆ **terrier** n. m. (sens 3) *Le lapin est rentré dans son* TERRIER, le trou dans la terre qui lui sert d'abri. ◆ **atterrir** v. (sens 2) *L'avion* A ATTERRI *à 8 heures,* il s'est posé à terre (≠ décoller). ◆ **atterrissage** n. m. (sens 2) *Les avions atterrissent sur le terrain d'*ATTERRISSAGE (≠ décollage). ◆ **déterrer** v. (sens 3) *Au cours des fouilles, on* A DÉTERRÉ *des vases antiques,* sorti de la terre. ◆ **enterrer** v. (sens 3) *Le voleur* AVAIT ENTERRÉ *les bijoux dans le jardin,* mis dans la terre (≠ déterrer). ‖ *Mon grand-père* EST ENTERRÉ *au cimetière du Père-Lachaise,* on a mis son corps dans la terre (= ensevelir, inhumer). ◆ **enterrement** n. m. (sens 3) *Il y avait beaucoup de monde à l'*ENTERREMENT *de mon grand-père,* à la cérémonie au cours de laquelle on l'a enterré. ▷ 364 ▷ 367 ▷ 507 ▷ 294 ▷ 510

se terrer v. *Le chat* S'EST TERRÉ *sous le lit,* s'est caché.

terrestre → TERRE.

terreur n. f. *L'assassin sème la* TERREUR *dans toute la ville,* une très grande peur (= panique). ◆ **terrifier** v. *Ce film m'*A TERRIFIÉ, m'a fait très peur (= épouvanter). ◆ **terrifiant** adj. *On a entendu un cri* TERRIFIANT (= effrayant). ◆ **terroriser** v. *L'enfant* ÉTAIT TERRORISÉ *par le chien qui aboyait,* avait très peur (= terrifier). ◆ **terrorisme** n. m. *Les attentats, les* *sabotages sont des actes de* TERRORISME, destinés à provoquer la terreur. ◆ **terroriste** adj. et n. *Un* TERRORISTE *a été arrêté,* une personne qui participait à des actes de terrorisme.

terreux → TERRE.

terrible adj. **1.** *La bombe atomique est une arme* TERRIBLE, qui fait très peur (= terrifiant). — **2.** *Il y a un vent* TERRIBLE, très grand (= fort). — **3.** *C'est un enfant* TERRIBLE, insupportable (≠ sage). ◆ **terriblement** adv. (sens 2) *Il fait* TERRIBLEMENT *froid* (= très).

terrien, terrier → TERRE. / **terrifiant, terrifier** → TERREUR.

terrine n. f. *Le pâté est dans la* TERRINE, dans un plat profond en terre.

territoire n. m. **1.** *Je suis ici en* TERRITOIRE *étranger* (= pays). — **2.** *Le* TERRITOIRE *de la commune s'arrête ici* (= étendue). ◆ **territorial** adj. (sens 1) *Ce navire étranger a pénétré dans nos eaux* TERRITORIALES, la partie de la mer qui borde notre pays et qui nous appartient. • (sens 2) *Le canton est une division* TERRITORIALE, qui constitue un territoire.

terroir n. m. *M. Cadiergues parle avec l'accent de son* TERROIR *natal,* de la région où il est né.

terroriser, terrorisme, terroriste → TERREUR. / **tes** → TON 1.

tesson n. m. *Je me suis coupé avec un* TESSON *de bouteille,* un bout de bouteille cassée.

test n. m. *Avant d'entrer en sixième, on nous a fait passer des* TESTS, des exercices qui permettent de mesurer nos réflexes, notre intelligence, etc.

testament n. m. *Par son* TESTAMENT, *M. Durand a laissé toute sa fortune à sa filleule,* la lettre où il a écrit ses dernières volontés.

tétanos n. m. *Tu t'es fait vacciner contre le* TÉTANOS?, une maladie qu'on peut attraper quand on s'est blessé au contact de la terre sale.
• **R.** On prononce le [s] de la fin du mot : [tetanɔs].

434 ◁ **têtard** n. m. *Il y a des* TÊTARDS *dans la mare,* des animaux minuscules qui deviendront des grenouilles.

294, 33 ◁ **tête** n. f. **1.** *La* TÊTE, *le tronc et les membres forment le corps.* ‖ *Je me suis fait mal à la* TÊTE, au crâne. ‖ *Elle a une jolie* TÊTE (= visage). — **2.** *La* TÊTE *du lit* est la partie du lit où l'on pose la tête (≠ pied). — **3.** *Je n'ai pas la* TÊTE *à écouter tes histoires,* l'esprit. — **4.** *Tiens! une nouvelle* TÊTE!, une personne. — **5.** *Je ne peux pas faire ce calcul* DE TÊTE, sans écrire. — **6.** *Qui est* À LA TÊTE DE *cette usine?,* qui la dirige. — **7.** *On est en* TÊTE *du train,* dans les premières voitures, après la locomotive (≠ queue). — **8.** *Catherine* FAIT LA TÊTE, elle boude. — **9.** *En voyant le feu prendre, j'ai* PERDU LA TÊTE, je me suis affolé. ◆ **tête-à-queue** n. m. inv. (sens 7) *L'auto a fait un* TÊTE-À-QUEUE *sur la route mouillée,* elle a fait un demi-tour sur elle-même en dérapant. ◆ **tête-à-tête** (sens 4) **1.** adv. *Tiens, si on dînait* EN TÊTE-À-TÊTE (ou EN TÊTE À TÊTE)?, tous les deux, seuls. — **2.** n. m. *J'ai eu un* TÊTE-À-TÊTE *avec Jean,* un entretien particulier. ◆ **tête-bêche** adv. (sens 2) *Patrick et Paul ont dormi* TÊTE-BÊCHE, côte à côte, mais en sens inverse l'un de l'autre.

téter v. *Bébé* TÈTE, il boit son lait en le suçant. ◆ **tétée** n. f. *Bébé a six* TÉTÉES *par jour,* six repas où il tète. ◆ **tétine** n. f. *La* TÉTINE *d'un biberon* est son bout en caoutchouc qui sert à téter.

têtu adj. *Jean est très* TÊTU, il ne veut pas renoncer à ses idées (= entêté), obstiné). ◆ **s'entêter** n. *Malgré mes conseils, Jean* S'ENTÊTE *à vouloir partir demain,* il ne veut pas céder (= s'obstiner). ◆ **entêté** adj. et n. *Jean est (un)* ENTÊTÉ, il est têtu (≠ souple). ◆ **entêtement** n. m. *On n'a pas pu venir à bout de son* ENTÊTEMENT (= obstination; ≠ docilité).

texte n. m. *J'ai lu le* TEXTE *de son discours,* les mots écrits. ◆ **textuel** adj. *Cette citation est* TEXTUELLE, exactement fidèle au texte.

textile 1. adj. *Dans l'industrie* TEXTILE, *on fabrique des tissus.* — 2. n. m. *La laine est un* TEXTILE *naturel, le Nylon, un* TEXTILE *synthétique,* une matière dont on fait des tissus.

thé n. m. 1. *Tu veux une tasse de* THÉ?, d'une boisson faite avec les feuilles séchées du THÉIER, arbuste cultivé en Extrême-Orient. — 2. *Un salon de* THÉ est une sorte de pâtisserie où l'on sert du thé. ◆ **théière** n. f. (sens 1) La THÉIÈRE est le récipient dans lequel on fait et on sert le thé.
• R. *Thé* se prononce [te] comme *tes* et *T.*

théâtre n. m. 1. *Hier soir, on est allé au* THÉÂTRE, dans une salle où des acteurs jouent une pièce sur une scène. — 2. *Cet acteur de cinéma fait aussi du* THÉÂTRE, il joue dans un théâtre. ‖ *Les comédies, les tragédies, les drames, les mélodrames sont des* PIÈCES DE THÉÂTRE. — 3. *Son arrivée a été un* COUP DE THÉÂTRE, un événement inattendu. ◆ **théâtral** adj. (sens 2) *Les comédiens ont donné une représentation* THÉÂTRALE, ils ont joué une pièce de théâtre. ▷ 440

théière → THÉ.

thème n. m. 1. *Quel était le* THÈME *de la discussion?,* le sujet. — 2. *Patrick a fait son* THÈME *latin,* il a traduit en latin un texte français (≠ version).

théorème n. m. Un THÉORÈME est une démonstration mathématique.

théorie n. f. 1. *En maths, on apprend la* THÉORIE *des ensembles,* le système d'idées qui permet d'expliquer les ensembles. — 2. EN THÉORIE *tu as raison, mais en pratique ta solution est inaplicable,* en raisonnant sans tenir compte de la réalité (= en principe; ≠ en réalité, en fait). ◆ **théorique** adj. (sens 2) *Ton raisonnement est* THÉORIQUE, il ne tient pas compte de la réalité. ◆ **théoriquement** adv. (sens 2) THÉORIQUEMENT, *cela n'aurait pas dû arriver* (= en théorie; ≠ pratiquement, en fait).

thermes n. f. pl. Chez les Romains, les THERMES étaient des piscines où l'on prenait des bains. ◆ **thermal** adj. *Évian est une station* THERMALE, une ville où les eaux servent à soigner certaines maladies.
• R. *Thermes* se prononce [tɛrm] comme *terme.*

thermomètre n. m. *Un* THERMOMÈTRE *sert à mesurer la température.* ▷ 39

Thermos n. m. ou f. *Une bouteille* THERMOS *permet de garder un liquide chaud ou froid.*

thermostat n. m. *Mme Durand a un four à* THERMOSTAT, équipé d'un dispositif qui permet d'avoir toujours la même température.

thésauriser v. THÉSAURISER *de l'argent,* c'est le mettre de côté.

thèse n. f. *La* THÈSE *que tu défends est absurde* (= point de vue, opinion, idée).

579 ◁ **thon** n. m. *Mme Durand a acheté du* THON *chez le poissonnier,* un gros poisson de mer.

• **R.** *Thon* se prononce [tɔ̃] comme *ton* et [*il*] *tond* (de *tondre*).

294, 33 ◁ **thorax** n. m. *Jean gonfle le* THORAX, c'est la partie du corps qui contient les poumons (= poitrine, torse). ◆ **thoracique** adj. La CAGE THORACIQUE, c'est le thorax.

578 ◁ **thym** n. m. *Le* THYM *donne du goût aux plats,* une plante.

• **R.** *Thym* se prononce [tɛ̃], comme *teint* et il *teint* (de *teindre*).

40 ◁ **tibia** n. m. *En skiant, Jean s'est cassé le* TIBIA, un os du devant de la jambe.

tic n. m. *Il cligne tout le temps des yeux, c'est un* TIC!, un mouvement nerveux involontaire.

ticket n. m. *Le contrôleur poinçonne les* TICKETS, les billets qui montrent qu'on a payé sa place.

tiède adj. *L'eau est* TIÈDE, ni chaude ni froide. ◆ **tiédeur** n. f. *La* TIÉDEUR *du printemps,* c'est la température tiède. ◆ **tiédir** v. *Jean laisse* TIÉDIR *son café.*

tien pron. possessif. *Ma jupe est moins jolie que* LA TIENNE, celle qui est à toi.

• **R.** *Tien* se prononce [tjɛ̃] comme je *tiens* (de *tenir*) et *tiens!*

tiens! interj. marque la surprise : TIENS, *voilà Paul!*

• **R.** V. TIEN.

tiercé n. m. *Au* TIERCÉ, *j'ai joué le 3, le 4 et le 8, mais je n'ai pas gagné,* j'ai parié que les chevaux portant ces trois numéros arriveraient les premiers.

517 ◁ **tiers** n. m. **1.** *Jean a pris un* TIERS *du gâteau,* une des trois parties égales du gâteau. — **2.** *Je n'aime pas raconter ma vie devant des* TIERS, des personnes étrangères. ◆ **tierce** adj. f. (sens 2) *Une* TIERCE PERSONNE *assistait à l'entretien,* un tiers.

654, 364 ◁ **tige** n. f. **1.** *La* TIGE *de la rose a des épines,* la partie de la plante qui porte
75 ◁ les feuilles et les fleurs. — **2.** *Un paratonnerre est une longue* TIGE *de métal posée sur le toit* (= barre).

tignasse n. f. Fam. *Va chez le coiffeur faire couper ta* TIGNASSE, tes cheveux longs et mal coiffés.

434, 433 ◁ **tigre** n. m. *Le* TIGRE *vit en Asie,* un animal féroce au pelage jaune rayé de noir. ◆ **tigresse** n. f. *Lucie est jalouse comme une* TIGRESSE, la femelle du tigre.

extincteur

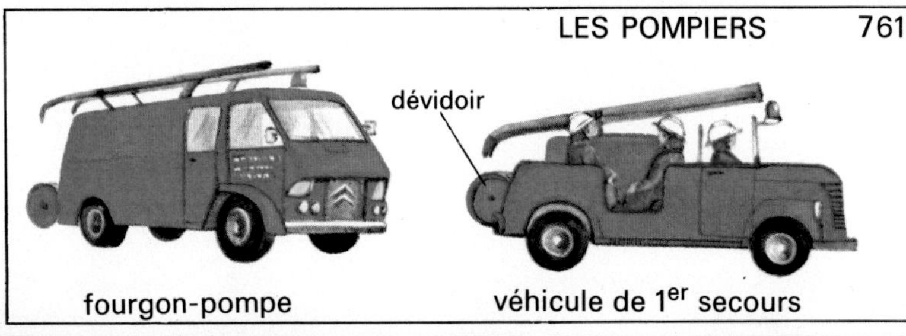
dévidoir
fourgon-pompe
véhicule de 1er secours

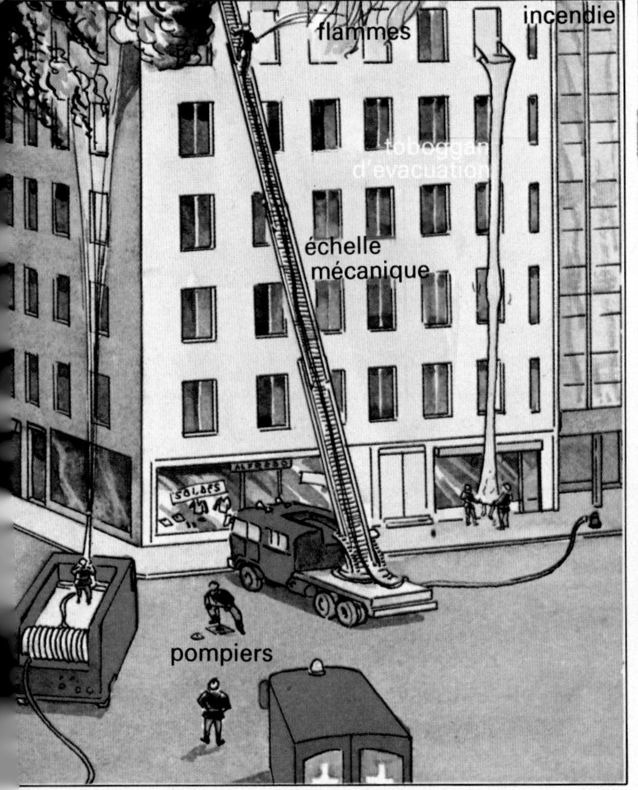
incendie
flammes
toboggan
d'évacuation
échelle
mécanique
SOLDES
pompiers

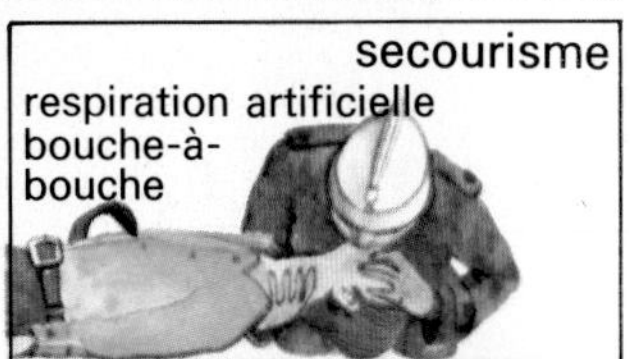
secourisme
respiration artificielle
bouche-à-
bouche

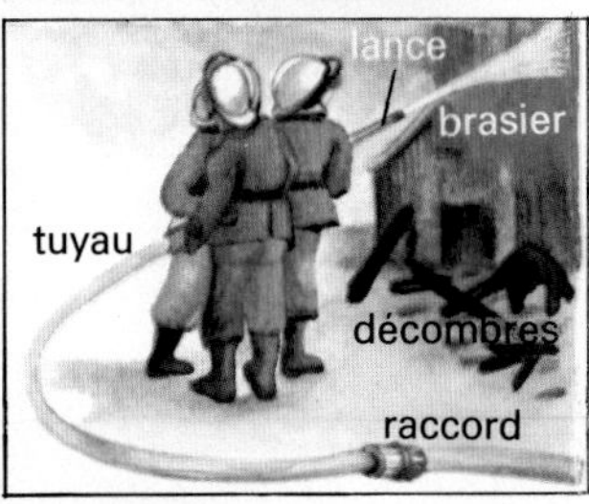
lance
brasier
tuyau
décombres
raccord

avertisseur
prise d'eau

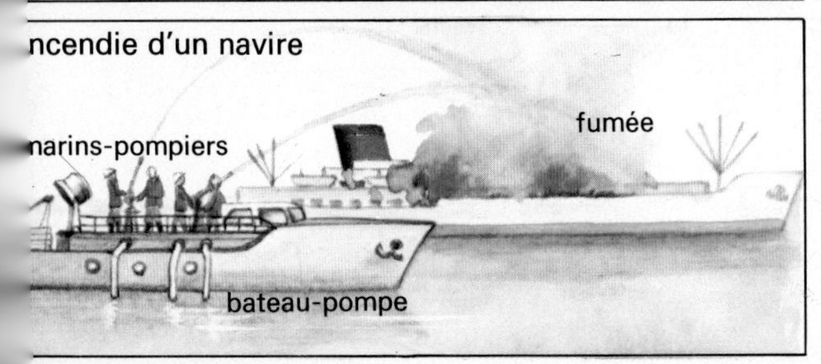
ncendie d'un navire
fumée
narins-pompiers
bateau-pompe

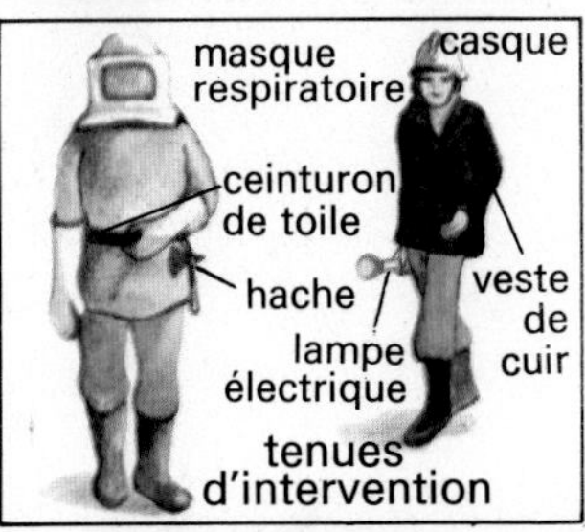
masque
respiratoire
casque
ceinturon
de toile
hache
veste
de
cuir
lampe
électrique
tenues
d'intervention

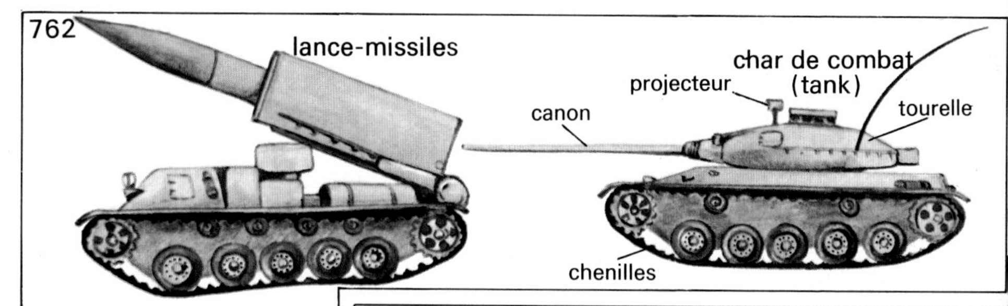
lance-missiles
char de combat
(tank)
projecteur
canon
tourelle
chenilles

automitrailleuse
voiture tous terrains
(Jeep)

transport
de troupes
officier

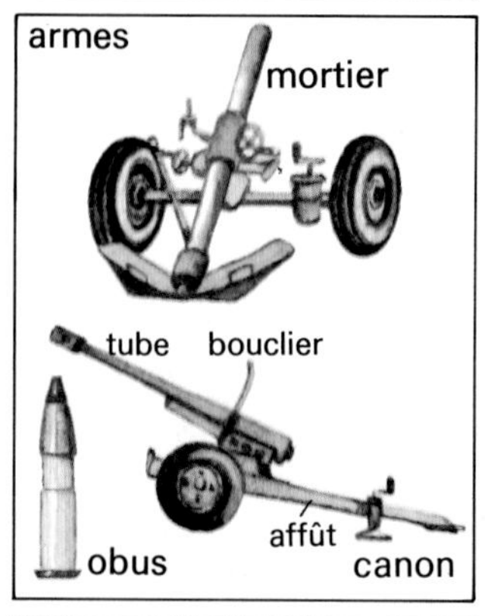
armes
mortier
tube
bouclier
obus
affût
canon

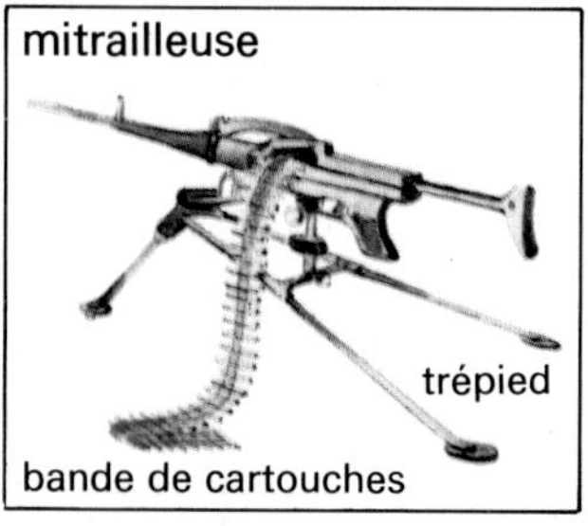
mitrailleuse
trépied
bande de cartouches

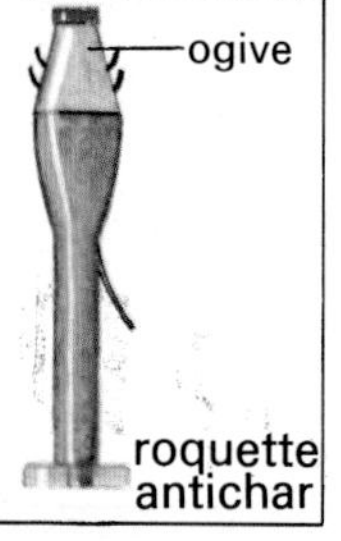
ogive
roquette
antichar

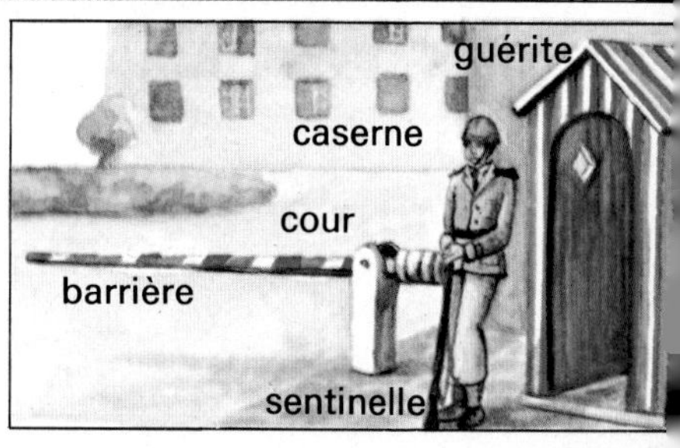
guérite
caserne
cour
barrière
sentinelle

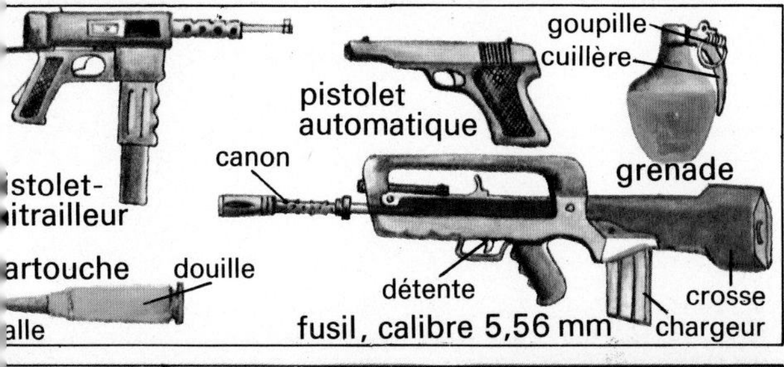
goupille
cuillère
pistolet automatique
grenade
canon
istolet-
itrailleur
artouche
douille
alle
détente
crosse
fusil, calibre 5,56 mm
chargeur

en manœuvres
explosion
cibles
filet de camouflage
fil de fer barbelé
piquet
canon antichar
fantassin en tenue de combat

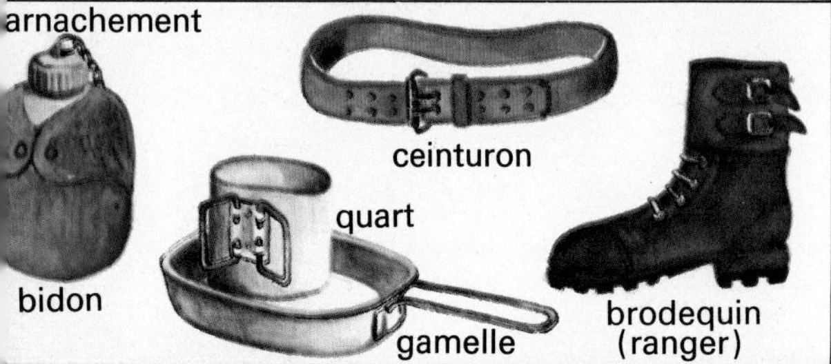
arnachement
ceinturon
quart
bidon
gamelle
brodequin (ranger)

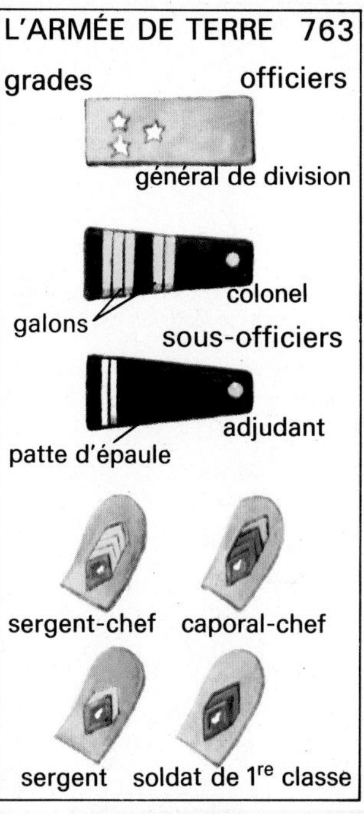
grades
officiers
général de division
colonel
galons
sous-officiers
adjudant
patte d'épaule
sergent-chef
caporal-chef
sergent
soldat de 1re classe

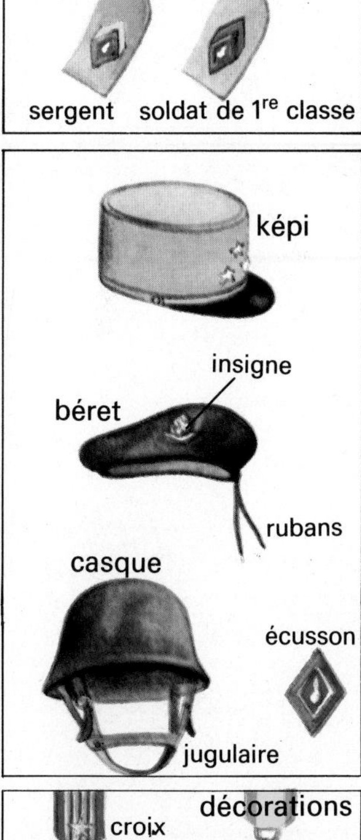
képi
insigne
béret
rubans
casque
écusson
jugulaire

décorations
croix de guerre
médaille militaire

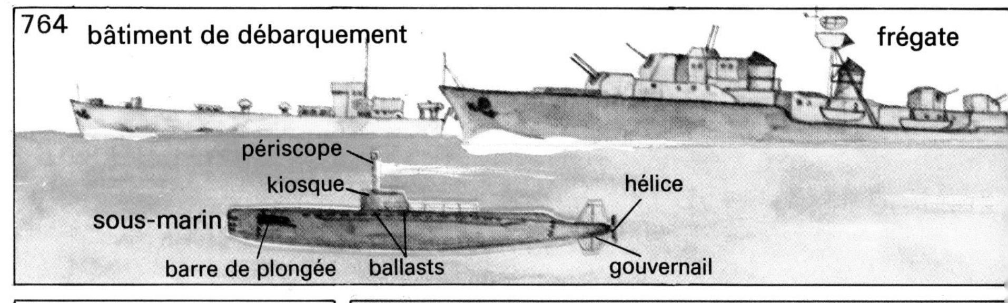
bâtiment de débarquement
frégate
périscope
kiosque
sous-marin
hélice
barre de plongée
ballasts
gouvernail

patrouilleur
chasseur de mines
dragueur côtier

avions de lutte anti-sous-marine
porte-avions
aviso

chaloupe
cabestan

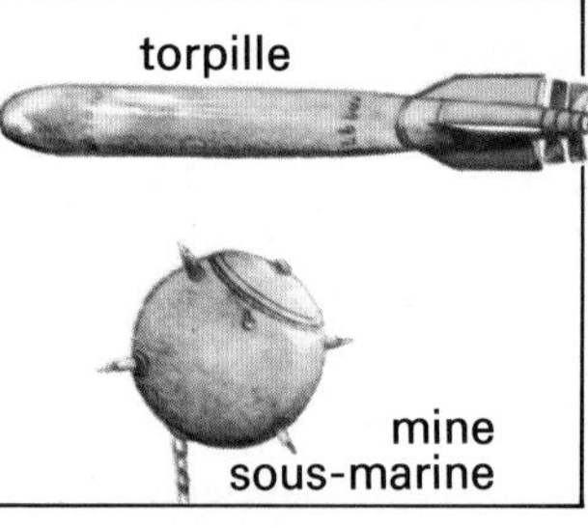
torpille
mine
sous-marine

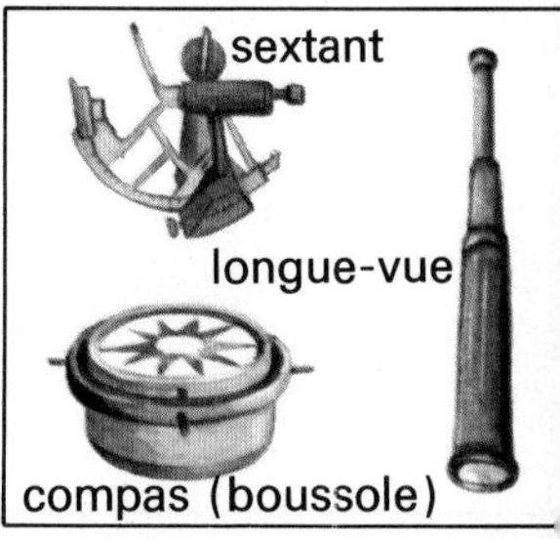
sextant
longue-vue
compas (boussole)

escorteur

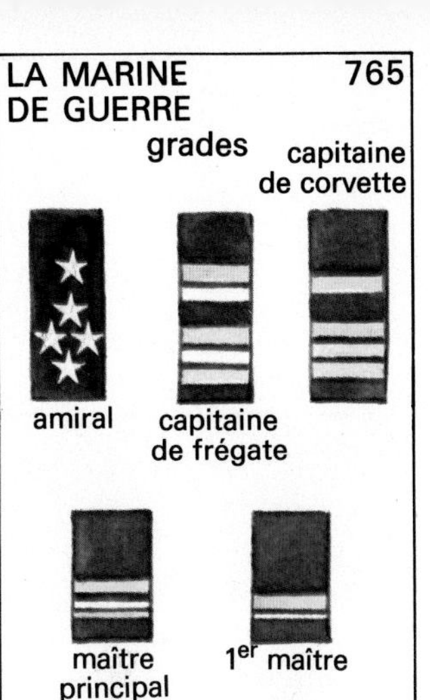
grades
capitaine de corvette
amiral
capitaine de frégate
maître principal
1er maître
quartier-maître de 1re classe
matelot breveté

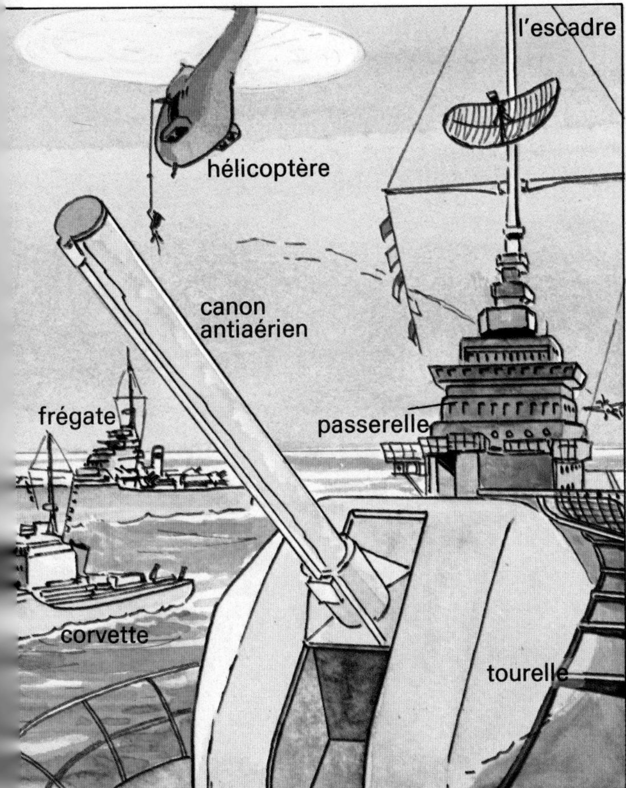
l'escadre
hélicoptère
canon antiaérien
frégate
passerelle
corvette
tourelle

pompon
béret
MARINE
col bleu
marin

barre
(gouvernail)

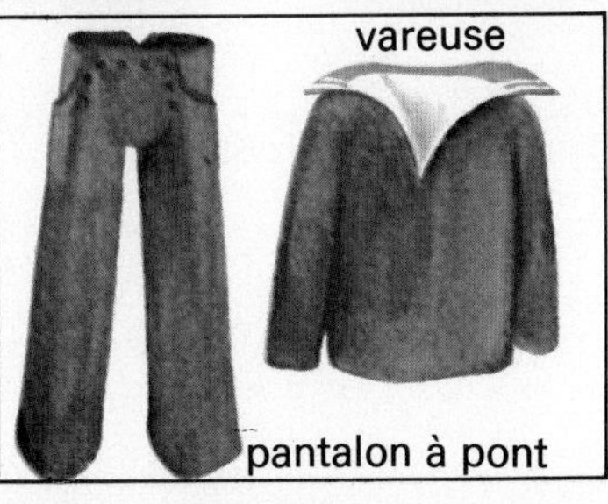
vareuse
pantalon à pont

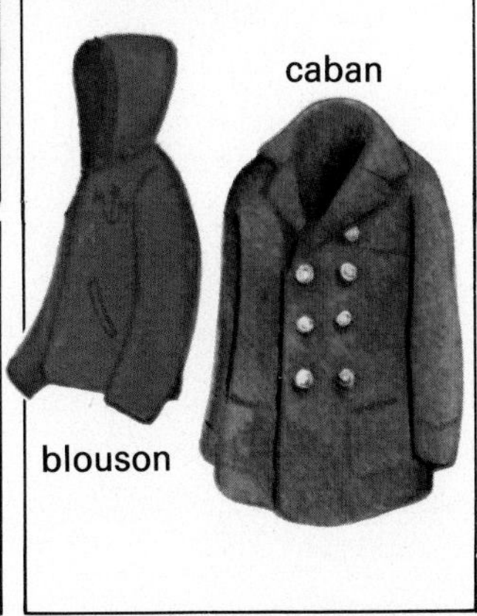
caban
blouson

avion-cargo
turbopropulseur
chasseur à réaction

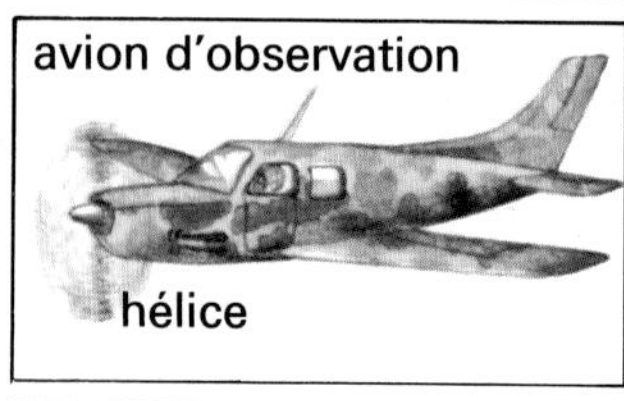
avion d'observation
hélice

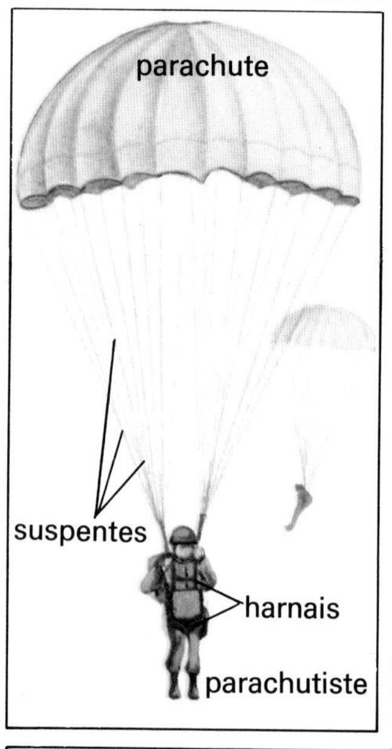
parachute
suspentes
harnais
parachutiste

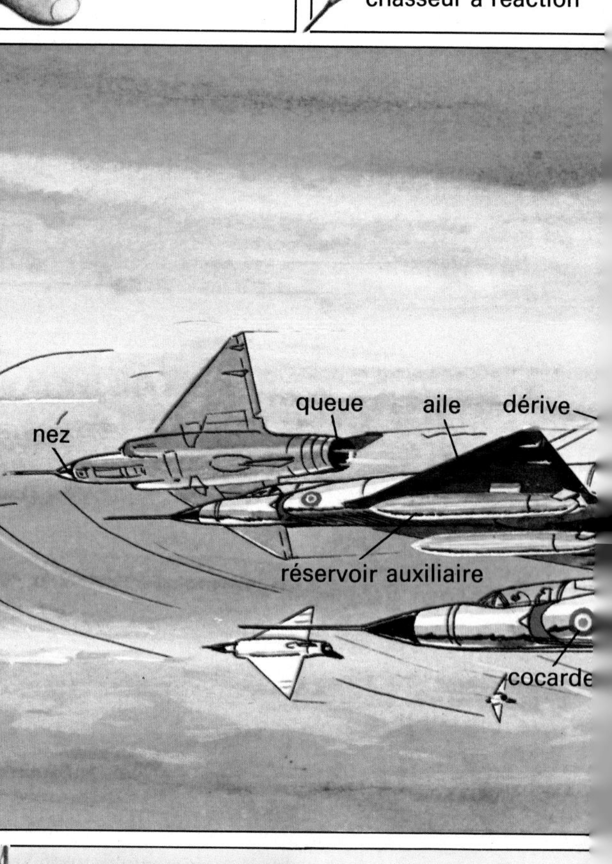
queue
aile
dérive
nez
réservoir auxiliaire
cocarde

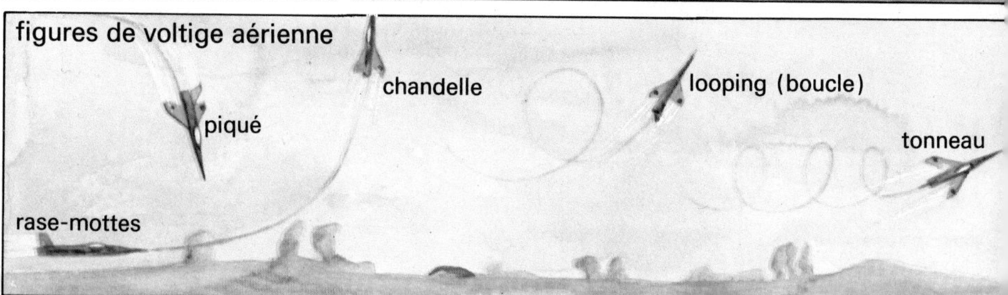
figures de voltige aérienne
chandelle
looping (boucle)
piqué
tonneau
rase-mottes

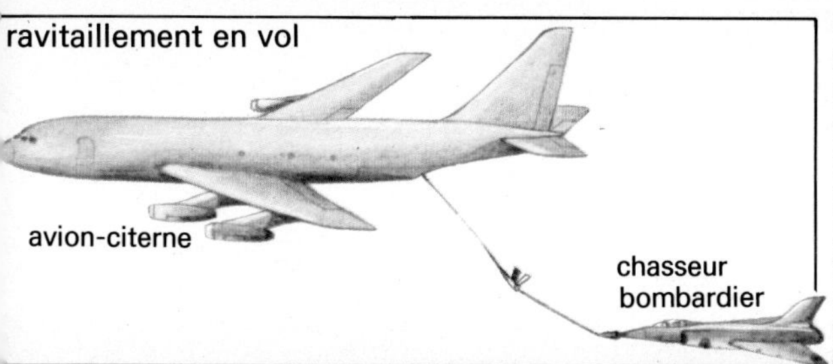
ravitaillement en vol
avion-citerne
chasseur
bombardier

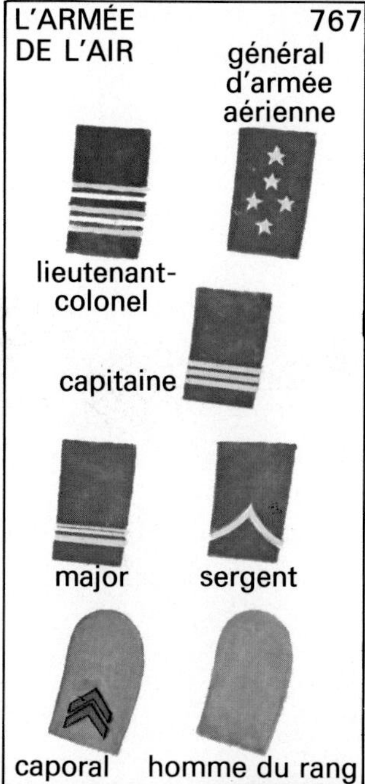
L'ARMÉE
DE L'AIR
général
d'armée
aérienne
lieutenant-
colonel
capitaine
major
sergent
caporal
homme du rang

escadrille

casque de pilote
visière
masque à oxygène

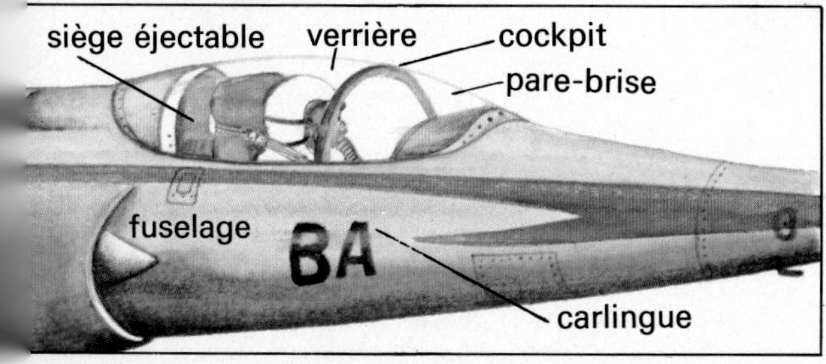
siège éjectable
verrière
cockpit
pare-brise
fuselage
BA
carlingue

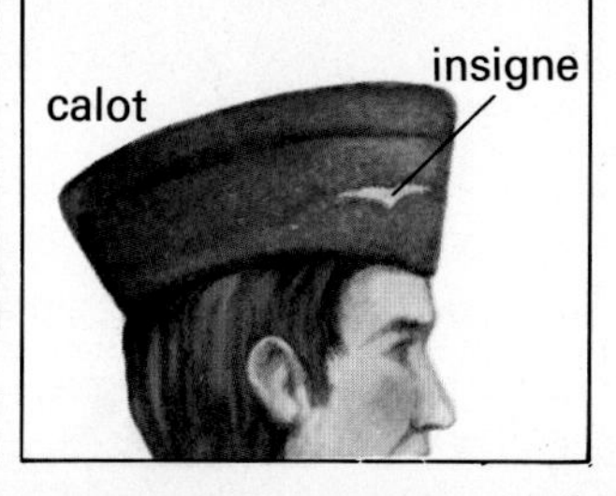
calot
insigne

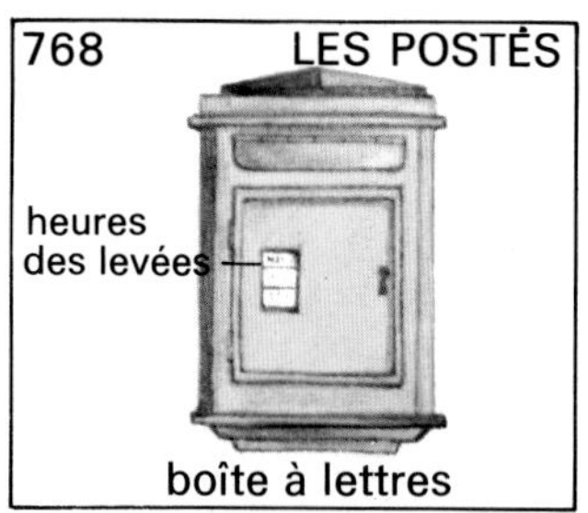
heures
des levées
boîte à lettres

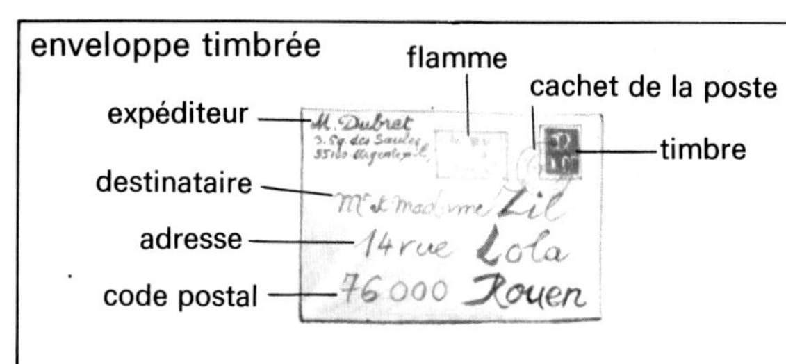
enveloppe timbrée
flamme
cachet de la poste
expéditeur
M. Dubret
timbre
destinataire
adresse
14 rue Lola
code postal
76000 Rouen

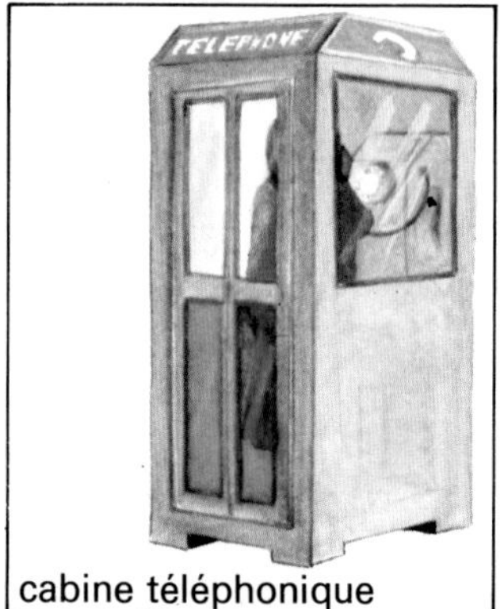
TELEPHONE
cabine téléphonique

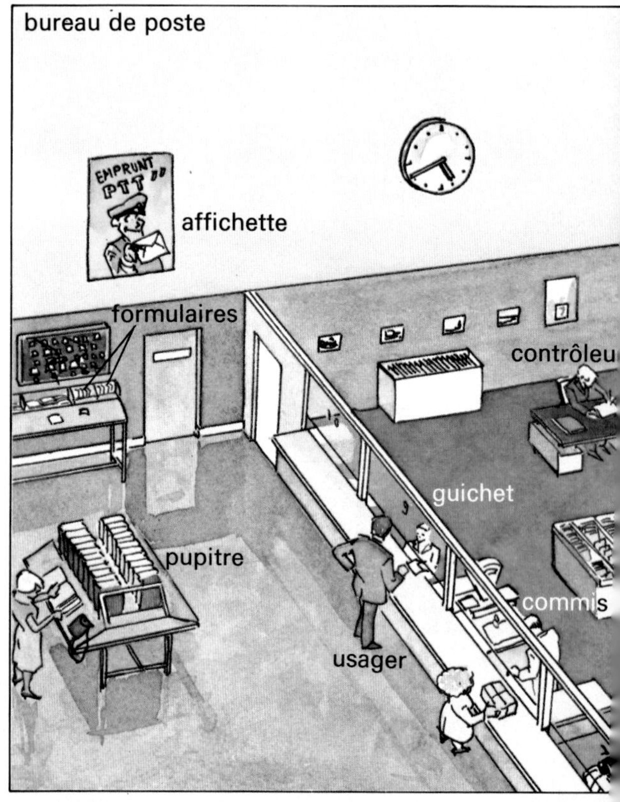
bureau de poste
EMPRUNT
PTT
affichette
formulaires
contrôleu
guichet
pupitre
commis
usager

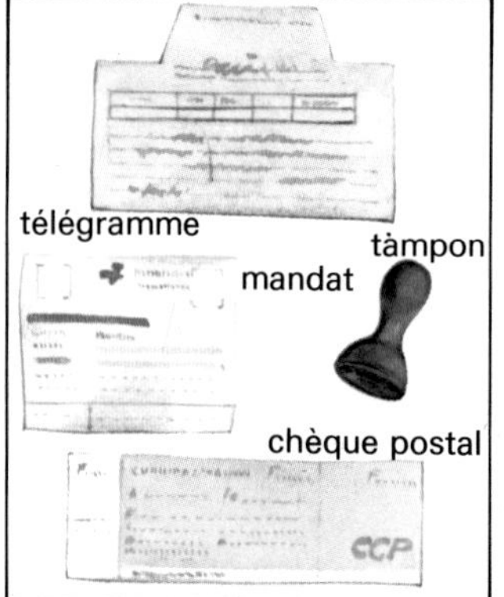
télégramme
tampon
mandat
chèque postal
CCP

annuaire
du téléphone

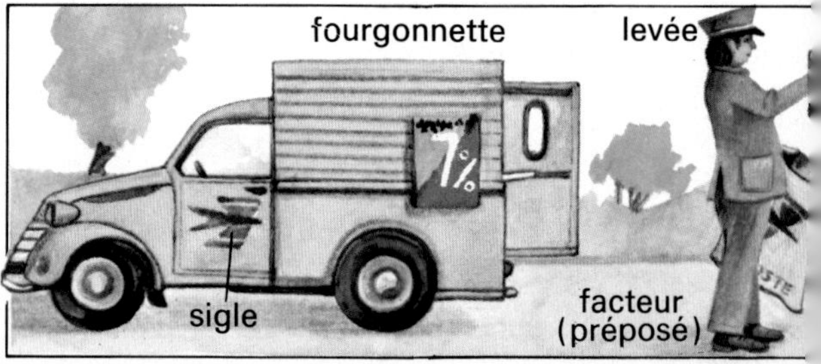
fourgonnette
levée
7%
sigle
facteur
(préposé)

tilleul n. m. *Tu veux boire du* TILLEUL?, une tisane à base des fleurs séchées de cet arbre. ▷ 38

timbale n. f. *Bébé a bu dans sa* TIMBALE, un gobelet en métal.

timbre n. m. **1.** *J'ai oublié de coller le* TIMBRE *sur l'enveloppe,* le petit rectangle de papier qui sert à payer l'envoi de la lettre par la poste. (On dit aussi TIMBRE-POSTE.) — **2.** *Sur la lettre, il y a le* TIMBRE *de l'administration,* la marque imprimée (= cachet, tampon). — **3.** *Cette cloche a un joli* TIMBRE, elle sonne bien (= son). ◆ **timbrer** v. (sens 1) *Tu as oublié de* TIMBRER *ta lettre,* d'y coller un timbre (= affranchir). ◆ **timbré** adj. (sens 2) *Ce contrat doit être écrit sur du papier* TIMBRÉ, marqué d'un timbre officiel. • (sens 3) *Jean a une voix bien* TIMBRÉE, qui a un joli son. ▷ 768

timide adj. et n. *Pourquoi ne lui a-t-il pas parlé? — Parce qu'il est* TIMIDE, il manque d'assurance, de confiance en lui (≠ hardi). ◆ **timidité** n. f. *Il faut surmonter ta* TIMIDITÉ, ton manque d'assurance (≠ audace). ◆ **timidement** adv. *Il m'a répondu* TIMIDEMENT (≠ hardiment). ◆ **intimider** v. *Jacques a voulu m'*INTIMIDER, me faire perdre mon assurance.

timonier n. m. *Le* TIMONIER *dirige le bateau,* celui qui est au gouvernail. ◆ **timonerie** n. f. La TIMONERIE, ce sont les appareils de navigation et la partie du bateau où ils se trouvent.

timoré adj. *Paul est* TIMORÉ (= timide, hésitant; ≠ entreprenant).

tintamarre n. m. *Que de bruit, quel* TINTAMARRE!, quel vacarme! (= tapage).

tinter v. *On entend au loin les cloches* TINTER, sonner à petits coups. ◆ **tintement** n. m. *Entends-tu le* TINTEMENT *des grelots,* leur bruit.

tir → TIRER.

tirade n. f. *L'acteur a récité sa* TIRADE *trop vite,* un monologue récité en une seule fois.

tirage, tiraillement, tirailler, tirailleur → TIRER.

tirant n. m. *Le* TIRANT D'EAU *d'un bateau,* c'est la profondeur de sa coque dans l'eau.

tire, tire-bouchon → TIRER.

à tire-d'aile adv. *L'oiseau est parti* À TIRE-D'AILE, très vite.

tirelire n. f. *Tu entends les pièces quand je secoue ma* TIRELIRE?, la boîte avec une fente où l'on met l'argent qu'on veut économiser.

tirer v. **1.** *Le cheval* TIRE *la charrue,* il la traîne derrière lui (≠ pousser). — **2.** *Qui* A TIRÉ *la sonnette d'alarme?,* l'a fait fonctionner en l'amenant vers lui ou vers le bas. — **3.** TIRE *le rideau,* ferme-le (≠ ouvrir). — **4.** TIRE *sur ta jupe!,* tends-la. — **5.** *Le prestidigitateur* A TIRÉ *un lapin de son chapeau,* l'a fait sortir. ‖ *Le problème était difficile, mais je* M'EN SUIS *bien* TIRÉ, j'ai réussi à le faire (= s'en sortir). — **6.** *On* TIRE *l'essence du pétrole,* on l'extrait. — **7.** *On* A TIRÉ *ce roman à 10 000 exemplaires,* on l'a imprimé. — **8.** *Il faut faire* TIRER *ces photos,* les faire reproduire sur du papier, à partir des négatifs. — **9.** *Le policier* A TIRÉ *sur le bandit,* il a fait feu sur lui. ‖ *Tu sais* TIRER *à l'arc?,* lancer des flèches avec un arc. — **10.** TIRER *un trait,* c'est le tracer. — **11.** *La cheminée* TIRE *mal, il y a plein de fumée dans la pièce,* la circulation d'air ne se fait pas bien. — **12.** *Dans une tombola, les lots* SONT TIRÉS AU SORT, désignés par le hasard. — **13.** TIRER *les cartes,* c'est prédire l'avenir de quelqu'un à l'aide d'un jeu de cartes.

436 ◁ ◆ **tir** n. m. (sens 9) *À la foire, on est allé au stand de* TIR, où l'on s'exerce à tirer. ◆ **tirage** n. m. (sens 7) *Ce journal a un gros* TIRAGE, on le tire à un grand nombre d'exemplaires. • (sens 8) *Le* TIRAGE *d'une photo,* c'est sa reproduction sur du papier. • (sens 11) *Il faut régler le* TIRAGE *du poêle, il enfume toute la pièce!,* la manière dont la circulation d'air s'y fait. • (sens 12) *C'est ce soir le* TIRAGE *de la loterie,* on tire au sort les numéros gagnants. ◆ **tirailler** v. **1.** (sens 9) *On entend les chasseurs* TIRAILLER *dans le bois,* tirer çà et là, sans régularité. — **2.** *Je* SUIS TIRAILLÉ *entre deux désirs,* attiré dans des sens divers. ◆ **tiraillement** n. m. (au plur.) *Il y a des* TIRAILLEMENTS *à l'intérieur de ce parti,* des désaccords. ◆ **tirailleur** n. m. (sens 9) Un TIRAILLEUR est un soldat qui tire seul, pour harceler l'ennemi. ◆ **tire** n. f. (sens 5) *Le vol* À LA TIRE est celui où le voleur tire habilement un objet de la poche de quelqu'un. ◆ **tiré** adj. **1.** (sens 4) *Tu as les traits* TIRÉS, tendus par la fatigue. — **2.** *Yves est toujours* TIRÉ *à quatre épingles!,* habillé avec soin. ◆ **tire-bouchon** n. m. (sens 2) *Il y avait deux* TIRE-BOUCHONS *et je n'en retrouve aucun!,* un appareil qui sert à déboucher une bouteille. ◆ **tireur** n. (sens 9) *M. Dupont est un bon* TIREUR *à la carabine,* il tire bien. • (sens 13) *Une* TIREUSE *de cartes* est une cartomancienne.

tiret n. m. Un TIRET est un petit trait horizontal (—) qu'on utilise dans les textes écrits.

tirette n. f. Une TIRETTE est une petite planche qu'on peut sortir et rentrer dans un meuble.

tireur → TIRER.

293, 79, 77 ◁ **tiroir** n. m. *Les couteaux sont dans le* TIROIR *du buffet,* la partie du meuble qu'on peut tirer et repousser.

tisane n. f. *Qui veut boire une* TISANE *après le dîner?,* une boisson chaude faite avec des plantes parfumées (tilleul, menthe, verveine, etc.).

tison n. m. *On va rallumer le feu avec les* TISONS, les morceaux de bois à moitié brûlés et encore rouges (= braise). ◆ **tisonnier** n. m. *Remue les tisons avec le* TISONNIER, une tige métallique.

tisser v. *C'est à Lyon qu'on* TISSE *la soie,* qu'on fait des tissus de soie. ◆ **tissage** n. m. *Autrefois, le* TISSAGE *se faisait sur des métiers à tisser,* la fabrication des tissus. ◆ **tisserand** n. m. Un TISSERAND est un artisan qui tisse. ◆ **tissu** n. m. *Pour les rideaux, il faudrait un* TISSU *uni* (= étoffe). ◆ **tissu-éponge** n. m. *Les serviettes de toilette sont en* TISSU-ÉPONGE, en tissu de coton très absorbant.

296, 223 ◁

titre n. m. **1.** *Quel est le* TITRE *de ce roman de Kipling? — « Le Livre de la jungle »,* le nom. — **2.** *Sur la première page du journal, il y a un gros* TITRE, une inscription en grosses lettres. — **3.** *Il court pour le* TITRE *de champion du monde* (= qualité, appellation). — **4.** *Qu'est-ce que tu as comme* TITRES *universitaires?* (= diplôme). — **5.** *S'il proteste, c'est* À

221 ◁

JUSTE TITRE, avec raison. ◆ **titrer** v. (sens 2) *Le journal* TITRE *à la « une » : terrible accident sur l'autoroute,* met comme titre. ◆ **intituler** v. (sens 1) *Comment* S'INTITULE *ce livre?,* quel est son titre (= s'appeler). ◆ **sous-titre** n. m. **1.** (sens 1 et 2) Un SOUS-TITRE est un titre plus petit que le titre principal et destiné à le compléter. — **2.** *Ce film anglais a des* SOUS-TITRES *en français,* des phrases écrites qui traduisent les paroles en français. ◆ **sous-titrer** v. *Ce film anglais est en version originale* SOUS-TITRÉE, il parle anglais et porte des sous-titres.

tituber v. *Regarde cet ivrogne, il* TITUBE, il marche en ne tenant pas bien sur ses jambes (= vaciller).

titulaire adj. et n. **1.** *Un fonctionnaire* TITULAIRE est nommé définitivement à son poste. — **2.** *Les* TITULAIRES *du permis de conduire* sont les personnes qui l'ont. ◆ **titulariser** v. (sens 1) *Les stagiaires* ONT ÉTÉ TITULARISÉS, nommés titulaires.

toast n. m. **1.** *Et maintenant, nous allons porter un* TOAST *aux jeunes mariés,* lever nos verres en leur honneur. — **2.** *Jean mange des* TOASTS *à son petit déjeuner,* des tranches de pain grillé.
• **R.** On prononce [tost].

toboggan n. m. *Au square, on joue sur le* TOBOGGAN, un appareil en pente sur lequel on se laisse glisser sur les fesses. ▷ 436, 761

toc n. m. Fam. *Ton collier n'est pas en or, c'est du* TOC!, une imitation.

tocsin n. m. *Aujourd'hui, la sirène a remplacé le* TOCSIN, la sonnerie de cloche employée comme signal d'alarme.

toge n. f. *Les juges portent une* TOGE, une sorte de robe. ▷ 440

toi pron. personnel peut s'employer : a) pour renforcer le sujet *tu :* TOI, *tu restes là;* b) comme attribut : *C'est* TOI *que j'aime;* c) comme complément après une préposition : *Ce cadeau est pour* TOI. ▷ 11
• **R.** *Toi* se prononce [twa] comme *toit.*

toile n. f. **1.** *La* TOILE *de la tente s'est déchirée,* le tissu dans lequel elle est faite. — **2.** *L'araignée tisse sa* TOILE, elle fait un piège pour capturer les insectes avec les fils qu'elle sécrète. — **3.** *Je n'aime pas les* TOILES *de ce peintre,* ses tableaux (= peinture).

toilette n. f. **1.** *Pascal est dans la salle de bains, il fait sa* TOILETTE, il se lave et se peigne. — **2.** *Quelle toilette!, tu sors?* (= vêtements, tenue). — **3.** (au plur.) *Où sont les* TOILETTES?, les w.-c. (= lavabos). ▷ 79 ▷ 77

toise n. f. Une TOISE est un grand bâton qui sert à mesurer la taille d'une personne.

toiser v. TOISER *quelqu'un,* c'est le regarder de haut en bas avec mépris ou défi.

toison n. f. *La* TOISON *d'un mouton,* c'est sa laine.

toit n. m. **1.** *L'antenne de télévision est sur le* TOIT, la surface qui recouvre le dessus d'une maison. — **2.** *Ta voiture a un* TOIT *ouvrant?,* la partie supérieure de la carrosserie. ◆ **toiture** n. f. (sens 1) *Il faut refaire la* TOITURE, le toit et ce qui le fait tenir. ▷ 75, 147 ▷ 505, 508

tôle n. f. *Sur la cabane, il y a un toit en* TÔLE, en métal aplati en feuilles.

tolérer v. *Le gardien* TOLÈRE *que les enfants jouent sur la pelouse,* il l'accepte mais ce n'est pas permis (= permettre, supporter). ◆ **tolérance** n. f. *Il a le droit d'avoir ses idées, tu manques de* TOLÉRANCE!, de respect pour le droit des autres à penser comme ils veulent. ◆ **tolérant** adj. *Anne est très* TOLÉRANTE, elle admet que les autres puissent avoir des opinions différentes des siennes. ◆ **tolérable** adj. *Un tel bruit n'est pas* TOLÉRABLE (= supportable). ◆ **intolérable** adj. *La douleur est* INTOLÉRABLE (= insupportable). ◆ **intolérance** n. f. L'INTOLÉRANCE est le manque de tolérance à l'égard des autres. ◆ **intolérant** adj. *Laisse-le s'expliquer : tu es trop* INTOLÉRANT.

tollé n. m. *Quand il a dit non, il y a eu un* TOLLÉ *général,* un cri pour protester (≠ acclamation).

367 ◁ **tomate** n. f. *À midi, on a mangé une salade de* TOMATES, de gros fruits rouges.

tombe n. f. *On est allé au cimetière mettre des fleurs sur la* TOMBE *de grand-père,* l'endroit où il est enterré. ◆ **tombal** adj. *La pierre* TOMBALE *est en marbre,* celle qui recouvre une tombe. ◆ **tombeau** n. m. Les TOMBEAUX sont des monuments en pierre qu'on construit au-dessus des tombes.

tomber v. **1.** *J'ai glissé et je* SUIS TOMBÉ, je me suis renversé par terre (= dégringoler). — **2.** *La nuit* TOMBE, *on ne voit plus clair,* il va faire nuit. — **3.** *La pluie est tombée cette nuit,* il a plu. — **4.** *Le vent* TOMBE, il arrête de souffler (= cesser; ≠ se lever). — **5.** *Chantal nous* LAISSE TOMBER, *on ne la voit plus,* elle nous abandonne (= délaisser). — **6.** *Noël* TOMBE *un samedi cette année,* a lieu. ‖ *Tiens! tu es là, ça* TOMBE *bien!,* ça arrive bien. — **7.** *Tu vas* TOMBER *malade,* le devenir brusquement. — **8.** *Je* SUIS TOMBÉ *sur Paul dans la rue,* je l'ai rencontré par hasard. — **9.** *Il* EST TOMBÉ *dans le piège,* il a été pris. ◆ **tombée** n. f. (sens 2) *On est parti à la* TOMBÉE *de la nuit,* au moment où la nuit tombe. ◆ **retomber** v. **1.** (sens 1) *Le chat a sauté et il* EST RETOMBÉ *sur ses pattes,* il a touché terre. • (sens 7) *Jean* EST RETOMBÉ *malade,* il est de nouveau malade. — **2.** *C'est sur lui que* RETOMBE *cette responsabilité,* il est responsable. ◆ **retombées** n. f. pl. (sens 1) *Après une explosion atomique, il y a des* RETOMBÉES *radioactives,* des particules qui retombent.

• **R.** *Tomber* et *retomber* se conjuguent avec l'auxiliaire *être.*

tombereau n. m. *On a déversé trois* TOMBEREAUX *de sable dans le jardin,* le contenu de trois camions ou charrettes qui basculent.

tombola n. f. *J'ai gagné une bouteille de champagne à la* TOMBOLA, la loterie où l'on gagne des objets.

tome n. m. *J'ai lu le deuxième* TOME *de ce roman* (= volume).

1. ton, ta, tes adj. possessifs indiquent ce qui est à toi : TON *livre,* TA *chemise,* TES *affaires.*

• **R.** V. TON 2 et THÉ. ‖ On emploie *ton* au lieu de *ta* devant un nom féminin commençant par une voyelle ou un *h* muet : TON *oreille.*

2. ton n. m. **1.** *Il m'a répondu sur un* TON *qui ne m'a pas plu,* une façon de parler. — **2.** *On ne chante pas tous dans le même* TON, la même hauteur de la voix, du son (= tonalité). — **3.** *En automne, les arbres ont des* TONS *jaunâtres,* des couleurs (= nuance, teinte). — **4.** *Ce qui est de* BON TON est conforme aux bonnes manières, à la bonne éducation. ◆ **tonalité** n. f. **1.** (sens 2) *Quel est le bouton pour régler la* TONALITÉ *de la télé?,* la qualité du son. — **2.** [*Au téléphone*] : *Je n'ai pas la* TONALITÉ, le son qui fait qu'on peut composer un numéro quand on décroche.

• **R.** *Ton* se prononce [tɔ̃] comme *thon* et [*il*] *tond* (de *tondre*).

tondre v. *Jacques* TOND *le gazon,* le coupe très court. ◆ **tondeuse** n. f. *La* TONDEUSE *à gazon est cassée,* l'appareil pour le tondre. ◆ **tonte** n. f. *Quand a lieu la* TONTE *des moutons?,* l'époque où on les tond. ▷ 73

• **R.** Conj. n° 51. ‖ V. TON 2.

tonique adj. *L'air de la montagne est* TONIQUE, il donne de l'énergie (= vivifiant). ◆ **tonifier** v. *Une bonne douche froide* TONIFIE *les muscles,* elle a un effet tonique (= stimuler).

tonitruant adj. *Georges a une voix* TONITRUANTE, très forte.

tonnage → TONNEAU.

tonne n. f. *Ce camion pèse trois* TONNES, trois fois mille kilos. ▷ 795

tonneau n. m. **1.** *On a mis le vin dans des* TONNEAUX, des récipients en bois. — **2.** *La voiture a fait un* TONNEAU, un tour complet sur elle-même en se renversant. — **3.** Le TONNEAU est une unité de mesure qui sert à calculer ce que peut contenir un bateau. ◆ **tonnage** n. m. (sens 3) *Les paquebots sont des navires de fort* TONNAGE (= capacité). ◆ **tonnelet** n. m. (sens 1) *M. Durand a acheté son* TONNELET *de cognac,* un petit tonneau. ◆ **tonnelier** n. m. (sens 1) *Le* TONNELIER *fabrique ou répare des tonneaux.* ▷ 367, 579 ▷ 766

tonnelle n. f. *On a déjeuné dans le jardin sous la* TONNELLE, une sorte de voûte faite de feuilles et de branches d'arbres. ▷ 73

tonnerre n. m. *Il y a eu des éclairs et puis on a entendu un coup de* TONNERRE, le bruit que fait la foudre pendant l'orage. ◆ **tonner** v. *On entend* TONNER *au loin,* le bruit du tonnerre.

tonsure n. f. *Les moines ont une* TONSURE *sur le sommet du crâne,* un cercle de cheveux rasés.

tonte → TONDRE.

topographie n. f. *Cette région a une* TOPOGRAPHIE *montagneuse* (= relief). ◆ **topographique** adj. *Les cartes* TOPOGRAPHIQUES *représentent le relief.*

toquade n. f. Une TOQUADE est une envie soudaine (= caprice, lubie).

toque n. f. *Le cuisinier a mis sa* TOQUE, une sorte de bonnet. ▷ 36

toqué adj. Fam. *Annie est un peu* TOQUÉE! (= fou).

torche n. f. **1.** *Dans la grotte, le guide nous éclaire avec une* TORCHE, un gros bâton qui brûle (= flambeau). — **2.** *Une* TORCHE *électrique* est une grosse lampe portative.

torchis n. m. *Cette maison a des murs en* TORCHIS, faits d'un mélange de paille et de terre.

torchon n. m. *Prends un* TORCHON *propre pour essuyer les verres!*, une sorte de serviette en toile.

tordre v. **1.** *Aide-moi à* TORDRE *la serviette, elle est trempée,* à la tourner sur elle-même en serrant chaque bout en sens contraire. — **2.** *Aïe, tu m'*AS TORDU *le bras!*, tu me l'as tourné brutalement. — **3.** *La clé* S'EST TORDUE *dans la serrure,* elle s'est courbée et n'est plus droite. — **4.** *On* SE TORDAIT *de rire en écoutant Yves,* on riait beaucoup. ◆ **tordant** adj. (sens 4) *Ton histoire est* TORDANTE, très drôle. ◆ **torsion** n. f. (sens 1, 2 et 3) *Il a exercé une* TORSION *sur la ficelle,* il l'a tordue. ◆ **torsade** n. f. (sens 1) *Anne s'est fait une* TORSADE, elle a enroulé ses cheveux sur eux-mêmes.
• **R.** Conj. n° 52.

tornade n. f. *La* TORNADE *a arraché plusieurs arbres,* la tempête accompagnée d'un vent très violent (= cyclone, ouragan).

torpeur n. f. *Le malade est dans un état de profonde* TORPEUR, il ne réagit plus (= assoupissement).

764 ◁ **torpille** n. f. *Le navire a été coulé par une* TORPILLE, une sorte de bombe. ◆ **torpiller** v. TORPILLER *un navire,* c'est le faire exploser avec une torpille. ◆ **torpilleur** n. m. *Les* TORPILLEURS *sont utilisés pour torpiller les navires ennemis,* un bateau de guerre. ◆ **contre-torpilleur** n. m. *Les* CONTRE-TORPILLEURS *sont plus petits et plus rapides que les torpilleurs.*

torréfier v. TORRÉFIER *des grains de café,* c'est les faire griller. ◆ **torréfaction** n. f. *On torréfie le café dans des usines de* TORRÉFACTION.

651 ◁ **torrent** n. m. **1.** *Le* TORRENT *dévale la montagne,* un cours d'eau qui coule vite et fort. — **2.** *Il pleut à* TORRENTS, très fort. ◆ **torrentiel** adj. (sens 2) *Des pluies* TORRENTIELLES *sont tombées sur la région,* très violentes.

torride adj. *On a eu un été* TORRIDE, très chaud.

torsade → TORDRE.

torse n. m. *Il fait chaud, Pascal s'est mis* TORSE *nu,* le haut du corps, jusqu'à la taille (= poitrine).

torsion → TORDRE.

tort n. m. **1.** *Qui est responsable? — Je ne sais pas, chacun a des* TORTS, des choses à se reprocher. — **2.** *Le chauffeur du camion était* DANS SON TORT (ou EN TORT), *il a brûlé le feu rouge,* il a commis une faute (≠ dans son droit). — **3.** *Tu* AS EU TORT *de ne pas venir* (≠ avoir raison). — **4.** *Il a été accusé* À TORT, injustement (≠ à juste titre).

torticolis → COL.

tortiller v. *Arrête de* TORTILLER *ton mouchoir!*, de le tordre dans tous les sens. ◆ **entortiller** v. *Les bonbons sont* ENTORTILLÉS *dans du papier,* enveloppés dans du papier tordu aux deux bouts.

tortillard n. m. Un TORTILLARD est un petit train qui va lentement.

tortionnaire → TORTURE.

tortue n. f. *Jean est lent comme une* TORTUE, un animal. ▷ 80, 434

tortueux adj. *Un sentier* TORTUEUX *mène au sommet de la montagne* (= sinueux; ≠ droit).

torture n. f. *Il a subi des* TORTURES, *mais il n'a pas avoué,* des supplices. ◆ **torturer** v. *Le prisonnier* A ÉTÉ TORTURÉ, soumis à la torture. ◆ **tortionnaire** n. *Il n'a rien avoué à ses* TORTIONNAIRES, les personnes qui le torturaient.

tôt adv. *Le matin, je me lève* TÔT, de bonne heure (≠ tard). ‖ TÔT OU TARD, *on s'en apercevra,* un jour ou l'autre.

total adj. **1.** *J'ai une confiance* TOTALE *en lui,* entière, complète (= absolu). — **2.** *20 F + 10 F, ça fait une somme* TOTALE *de 30 F,* qui comprend les deux prix (= global). ◆ **total** n. m. (sens 2) *Ça vous fait un* TOTAL *de 100 F,* une somme totale obtenue en additionnant. ‖ AU TOTAL, *c'est une bonne affaire,* tout compte fait (= en somme). ◆ **totalement** adv. (sens 1) *C'est* TOTALEMENT *faux,* entièrement (= complètement). ◆ **totaliser** v. (sens 2) *Le concurrent* A TOTALISÉ *50 points,* est arrivé à ce total. ◆ **totalité** n. f. (sens 2) *J'ai dépensé la* TOTALITÉ *de mon salaire,* le tout (≠ une partie).

totem n. m. *Ces Indiens dansent autour de leur* TOTEM, une sorte de statue qui protège la tribu.

touchant → TOUCHER.

touche n. f. **1.** *Où est le « do »? — Là, appuie sur cette* TOUCHE, une des pièces du clavier d'un piano, d'un accordéon, d'un orgue, d'une machine à écrire, etc. — **2.** *Il peint par petites* TOUCHES, coups légers de pinceau. — **3.** [*À la pêche*] : *Ça y est, j'ai une* TOUCHE!, une secousse qui montre que le poisson a mordu. — **4.** *Le ballon est sorti* EN TOUCHE, hors des limites du terrain de football, de rugby. ▷ 148, 293, 438 ▷ 35

toucher v. **1.** *Ne* TOUCHE *pas à la prise électrique!,* ne mets pas la main dessus. — **2.** *Ma bille a frôlé la tienne, mais elle ne l'a pas* TOUCHÉE, elle n'est pas entrée en contact avec (= atteindre). — **3.** *Nos deux maisons* SE TOUCHENT, elles sont l'une à côté de l'autre. — **4.** *J'*AI TOUCHÉ *1 000 F pour faire ce travail,* j'ai été payé (= recevoir). — **5.** *Ta lettre nous* A *beaucoup* TOUCHÉS, émus. ◆ **toucher** n. m. (sens 1) Le TOUCHER est l'un des cinq sens par lequel on reconnaît, en la touchant avec les doigts, la forme d'une chose. ◆ **touchant** adj. (sens 5) *Quels adieux* TOUCHANTS!, qui touchent le cœur (= émouvant).

touffe n. f. *Le jardinier a arraché une* TOUFFE *de mauvaises herbes,* un ensemble de brins d'herbe. ◆ **touffu** adj. *Jean a une barbe* TOUFFUE, en touffes épaisses (= dru, serré; ≠ clairsemé).

toujours adv. **1.** *J'ai* TOUJOURS *habité Paris,* tout le temps (≠ jamais). — **2.** *Paul est* TOUJOURS *ici?,* encore maintenant. — **3.** *Il est parti* POUR TOUJOURS, définitivement.

toupet n. m. Fam. *Il t'a dit ça, quel* TOUPET!, il est effronté (= aplomb).

toupie n. f. *Jeannot joue à la* TOUPIE, avec un jouet qu'on fait tourner sur sa pointe.

148, 147, 146 ◁ **1. tour** n. f. **1.** *Montons dans la* TOUR *du château,* le bâtiment très haut.
218 ◁ — **2.** *Les Dupont habitent dans une* TOUR, un immeuble très élevé.
147 ◁ ◆ **tourelle** n. f. (sens 1) Une TOURELLE est une petite tour.

2. tour n. m. **1.** *En fermant la porte, n'oublie pas de donner un* TOUR *de clé,* de tourner la clé sur elle-même dans la serrure. — **2.** *Les coureurs ont*
512 ◁ *fait le* TOUR *de la piste,* ils ont fait un parcours en rond autour de la piste, en revenant à leur point de départ. — **3.** *Tu fais 40 cm de* TOUR *de taille?,* de circonférence. — **4.** *Il fait beau, si on allait faire un* TOUR?, une promenade. — **5.** *Cette fois, c'est mon* TOUR *de faire les courses,* c'est à moi. ‖ *Répondez* À TOUR DE RÔLE, dans l'ordre fixé pour chacun (= l'un après l'autre; ≠ ensemble). — **6.** *Tu connais ce* TOUR *de cartes?,* cet exercice qui demande de l'habileté. — **7.** *Les élèves ont joué un* TOUR *à leur professeur : ils lui ont caché son stylo,* fait une farce. — **8.** *Je n'aime pas le* TOUR *que prend la discussion,* l'aspect. — **9.** *Ce* TOUR *de phrase est compliqué,* ce procédé de construction de la phrase (= tournure). ◆ **demi-tour** n. m. (sens 1) *Fais* DEMI-TOUR, *on s'est trompé de route,* un tour sur toi-même pour revenir en arrière. ◆ **pourtour** n. m. (sens 2) *Le* POURTOUR *de la place est planté d'arbres,* la partie qui en fait le tour (≠ centre).

• **R.** Notez le pluriel : *des* DEMI-TOURS.

437, 291 ◁ **3. tour** n. m. *Le potier travaille l'argile sur un* TOUR, une sorte de planche tournante. ◆ **tourneur** n. m. Le TOURNEUR est l'ouvrier qui travaille au tour.

tourbe n. f. La TOURBE est une sorte de charbon qu'on extrait des marécages. ◆ **tourbière** n. f. Une TOURBIÈRE est un marécage d'où on extrait la tourbe.

tourbillon n. m. **1.** *Le vent soulève un* TOURBILLON *de poussière,* de la poussière qui s'élève en tournant sur elle-même. — **2.** *À cet endroit la*
721 ◁ *rivière fait des* TOURBILLONS, l'eau est agitée d'un mouvement tournant. ◆ **tourbillonner** v. (sens 1) *Quel vent! Regarde, les feuilles mortes* TOURBILLONNENT, tournent rapidement sur elles-mêmes en volant.

tourelle → TOUR 1.

tourisme n. m. *Nous avons fait du* TOURISME *en Italie,* nous avons voyagé, visité l'Italie. ◆ **touriste** n. *Avec leur guide, les* TOURISTES *anglais visitent le Louvre,* les personnes qui font du tourisme. ◆ **touristique** adj. *Papa s'est acheté un guide* TOURISTIQUE *de l'Italie,* un guide fait pour le tourisme. ‖ *Ce n'est pas un lieu* TOURISTIQUE, qui attire les touristes.

tourment n. m. *Ne te fais pas de* TOURMENT, *l'opération se passera bien!* (= inquiétude, tracas). ◆ **tourmenter** v. *Ne te* TOURMENTE *pas pour si peu!,* ne te fais pas de souci.

tourmente n. f. *Un bateau a fait naufrage dans la* TOURMENTE, la violente tempête.

tourmenter → TOURMENT. / **tournage, tournant** → TOURNER.

tourne-disque n. m. *Un* TOURNE-DISQUE *sert à écouter des disques* (= électrophone).

• **R.** Notez le pluriel : *des* TOURNE-DISQUES.

tournedos n. m. *À midi, on a mangé des* TOURNEDOS *grillés,* du filet de bœuf coupé en tranches rondes.

tournée n. f. **1.** *Le facteur fait sa* TOURNÉE, il distribue le courrier selon un certain itinéraire. ‖ *Ce chanteur rentre d'une* TOURNÉE *dans le sud de la France,* d'une série de représentations qu'il a données dans diverses villes. — **2.** [*Au café*] : «*Allez, encore un verre, c'est ma* TOURNÉE! », c'est moi qui paie les boissons.

en un tournemain adv. *Paul a résolu le problème* EN UN TOURNEMAIN, très rapidement.

tourner v. **1.** *La Terre* TOURNE *autour du Soleil,* elle se déplace en faisant le tour du Soleil. ‖ *Le manège* TOURNE, il fait un tour en rond sur lui-même. ‖ TOURNE *la salade,* retournes-en les feuilles (= remuer). — **2.** TOURNE *la tête vers moi,* dirige-la de mon côté. ‖ *Au prochain carrefour, vous* TOURNEREZ *à droite,* vous prendrez cette direction. ‖ TOURNEZ *la page,* faites-la passer d'un côté à l'autre. — **3.** *Je ne sais pas comment* TOURNER *ma phrase,* l'exprimer et la présenter. — **4.** *Arrêtez de vous battre, ça va mal* TOURNER, se terminer (= évoluer). — **5.** *Quel est le réalisateur qui a* TOURNÉ *ce film?,* qui a filmé avec la caméra. ‖ *Cet acteur* A TOURNÉ *dans de nombreux films* (= jouer). — **6.** *Zut! ma sauce* A TOURNÉ!, elle s'est décomposée. — **7.** *J'ai la tête qui* TOURNE, j'ai des vertiges. ◆ **tournage** n. m. (sens 5) *Le* TOURNAGE *du film a duré six mois,* sa réalisation. ◆ **tournant** n. m. (sens 2) *Attention, ce* TOURNANT *est dangereux!,* l'endroit où la route change de direction (= virage). ▷ 506 ◆ **tourniquet** n. m. (sens 1) *Il y a un* TOURNIQUET *à l'entrée du magasin,* un appareil qui tourne en ne laissant passer qu'une personne à la fois. ◆ **tournis** n. m. (sens 7) *Les enfants, arrêtez de courir autour de la table, vous me donnez le* TOURNIS, la tête me tourne (= vertige). ◆ **tournoyer** v. (sens 1) *Les feuilles mortes* TOURNOIENT *dans le ciel,* tournent sur elles-mêmes. ◆ **tournoiement** n. m. (sens 1) *Le* TOURNOIEMENT *des feuilles le rendait mélancolique.* ◆ **tournure** n. f. **1.** (sens 4) *Je n'aime pas la* TOURNURE *que prennent les événements,* la façon dont ils évoluent (= tour). • (sens 3) *Cet écrivain emploie des* TOURNURES *vieillies* (= expression). — **2.** *Il a une drôle de* TOURNURE *d'esprit!,* de façon de voir les choses (= forme).

tournesol n. m. *J'ai mis de l'huile de* TOURNESOL *dans la salade,* une plante.

tourneur → TOUR 3.

tournevis n. m. *Un* TOURNEVIS *sert à visser et à dévisser,* un outil. ▷ 289
• **R.** On prononce [turnəvis].

tourniquet, tournis → TOURNER.

tournoi n. m. **1.** Au Moyen Âge, un TOURNOI était un combat opposant deux cavaliers qui cherchaient à se faire tomber de cheval. — **2.** *Marie a gagné le* TOURNOI *de tennis,* une compétition composée de plusieurs matchs.

tournoiement, tournoyer → TOURNER.

tourteau n. m. *J'ai mangé un* TOURTEAU *à la mayonnaise,* un gros crabe. ▷ 722

tourterelle n. f. *Une* TOURTERELLE *roucoule sur le balcon,* une sorte de pigeon.

tousser, toussoter → TOUX.

tout **1.** adj. indéfini TOUTE *la famille est réunie,* la famille entière. ‖ TOUS *les enfants ont eu des jouets,* chacun sans exception. — **2.** pron. indéfini *Marie sait* TOUT *faire,* toutes les choses. ‖ *Vous savez* TOUS *nager?,* la totalité d'entre vous. — **3.** n. m. *Vous aurez* LE TOUT *pour 20 F,* l'ensemble. ‖ *On était dix* EN TOUT, au total. — **4.** adv. *Il est* TOUT *petit,* TOUT *étourdi* (= très). ‖ *Je* NE *suis* PAS DU TOUT *contente,* absolument pas.

• **R.** Au sens 4, *tout* est adverbe mais prend un *e* devant un adjectif féminin commençant par une consonne : *Elle est toute petite,* mais *elle est tout heureuse.* ‖ V. TOUX.

tout à coup adv. TOUT À COUP *le chat a bondi sur la souris* (= soudain, subitement, brusquement).

tout à fait adv. *Je suis* TOUT À FAIT *ravie,* entièrement.

tout-à-l'égout → ÉGOUT. / **tout à l'heure** → HEURE.

tout de suite adv. *Venez ici* TOUT DE SUITE, immédiatement.

toutefois adv. *Si* TOUTEFOIS *vous ne pouviez venir, prévenez-moi* (= cependant).

tout-puissant → PUISSANCE. / **tout-venant** → VENIR.

toux n. f. *Tu as pris ton sirop contre la* TOUX?, pour ne plus tousser. ◆ **tousser** v. *La fumée me fait* TOUSSER, chasser de l'air par la bouche en faisant du bruit. ◆ **toussoter** v. *Sylvie* TOUSSOTE, elle tousse un peu.

• **R.** *Toux* se prononce [tu] comme *tout.*

toxique adj. *L'opium, le haschisch sont des produits* TOXIQUES, contenant du poison. ◆ **toxicomanie** n. f. *Être atteint de* TOXICOMANIE, c'est se droguer avec des produits toxiques. ◆ **toxicomane** n. *Le* TOXICOMANE *a été hospitalisé* (= drogué). ◆ **intoxiquer** v. *Ils* ONT ÉTÉ INTOXIQUÉS *par des champignons,* empoisonnés. ◆ **intoxication** n. f. *Paul est malade, il a une* INTOXICATION *alimentaire,* il a mangé des aliments toxiques.

trac n. m. *Avant d'entrer en scène, cet acteur a le* TRAC, il a peur.

tracas n. m. *Pourquoi te faire du* TRACAS?, du souci. ◆ **tracasser** v. *La santé de grand-père me* TRACASSE, me cause du souci (= inquiéter, tourmenter).

trace n. f. *On voit des* TRACES *de pas dans la neige* (= marque, empreinte).

tracer v. *Avec votre compas, vous allez* TRACER *un cercle,* le dessiner en faisant un trait. ◆ **tracé** n. m. *Les dessinateurs ont fait le* TRACÉ *de l'autoroute,* ils ont dessiné son parcours.

tract n. m. *Les manifestants distribuaient des* TRACTS, des feuilles de papier imprimées.

tractations n. f. pl. *Il a obtenu ce qu'il voulait, après de nombreuses* TRACTATIONS (= négociation, marchandage).

tracteur n. m. *C'est un* TRACTEUR *qui a amené la remorque,* un véhicule à moteur qui sert à tirer un engin ou un instrument agricole. ▷ 363, 364

traction n. f. *Pour les trains, la* TRACTION *électrique a remplacé la* TRACTION *à vapeur,* les trains sont tirés par des locomotives électriques.

tradition n. f. *Tous les ans, au 1er janvier, on se souhaite une bonne année, c'est la* TRADITION (= coutume, usage, habitude). ◆ **traditionnel** adj. *Et voici la* TRADITIONNELLE *bûche de Noël,* qui est fondée sur une tradition et est passée dans les habitudes.

traduire v. **1.** *L'interprète* A TRADUIT *en français le discours du ministre allemand,* il a dit en français ce que le ministre disait en allemand. — **2.** *L'accusé* A ÉTÉ TRADUIT *en justice,* il est passé devant les juges des tribunaux. ◆ **traduction** n. f. (sens 1) *La* TRADUCTION *de ce texte est mauvaise,* il a été mal traduit. ◆ **traducteur** n. (sens 1) *Mme Dupont est* TRADUCTRICE *dans une maison d'édition,* elle traduit des textes écrits. ◆ **intraduisible** adj. (sens 1) *Cette expression est* INTRADUISIBLE *en français,* on ne peut pas la traduire.

• **R.** Conj. nº 50.

trafic n. m. **1.** *Le* TRAFIC *routier sera important pour le week-end,* la circulation sur les routes. — **2.** *Ils se livraient au* TRAFIC *de la drogue,* à un commerce interdit. ◆ **trafiquer** v. (sens 2) *Ces escrocs* TRAFIQUAIENT, ils achetaient et vendaient de la marchandise de façon illégale. ‖ *Ce vin est* TRAFIQUÉ, il a subi un traitement destiné à tromper sur sa qualité. ◆ **trafiquant** n. m. (sens 2) *La police a arrêté des* TRAFIQUANTS *d'armes,* des personnes qui se livraient au trafic des armes.

tragédie n. f. **1.** *Cite-moi une* TRAGÉDIE *de Racine!,* une pièce de théâtre dont le sujet est triste (≠ comédie). — **2.** *La prise d'otages a été une véritable* TRAGÉDIE, un événement grave qui finit mal (= drame). ◆ **tragique** adj. (sens 1) *Corneille est un auteur* TRAGIQUE, il a écrit des tragédies. • (sens 2) *Un* TRAGIQUE *accident s'est produit sur l'autoroute,* effroyable (= terrible). ◆ **tragiquement** adv. (sens 2) *Il est mort* TRAGIQUEMENT, dans des circonstances tragiques. ▷ 440

trahir v. **1.** *En donnant des renseignements qui devaient être tenus secrets, cet homme* A TRAHI, il n'a pas été fidèle à sa parole et a trompé ceux qui lui avaient fait confiance. — **2.** *Tu viens de dire le contraire de ce que tu disais tout à l'heure, tu* T'ES TRAHI, tu as laissé échapper ce que tu ne voulais pas qu'on sache. ◆ **trahison** n. f. (sens 1) *En temps de guerre, la* TRAHISON *est punie de mort.* ◆ **traître** n. m. **1.** (sens 1) *Il y a un* TRAÎTRE *parmi nous,* une personne qui a trahi. — **2.** *En nous attaquant par-derrière, tu nous as pris* EN TRAÎTRE, d'une façon qui n'est pas loyale (= perfidement). ◆ **traîtrise** n. f. (sens 1) *On a des preuves de sa* TRAÎTRISE, du fait qu'il a trahi (= loyauté, fidélité).

train n. m. **1.** *Le* TRAIN *entre en gare,* la suite de wagons tirés par une locomotive. — **2.** *Un* TRAIN *de péniches descend le fleuve,* une suite de péniches tirées les unes derrière les autres par un remorqueur. — **3.** *L'avion va se poser, le pilote a sorti le* TRAIN D'ATTERRISSAGE, les roues qui servent pour atterrir. — **4.** *J'étais* EN TRAIN D'*écrire quand tu as sonné,* occupé à. — **5.** *Tu n'as pas l'air* EN TRAIN?, en forme. ▷ 511

traînard → TRAÎNER.

652, 584 ◁ **traîneau** n. m. *Le* TRAÎNEAU *est tiré par des chiens,* un véhicule qui glisse sur la neige.

traîne → TRAÎNER.

traînée n. f. *La fusée du feu d'artifice a laissé une* TRAÎNÉE *rouge dans le ciel,* une trace en longueur.

traîner v. **1.** *Pascal* TRAÎNE *son camion derrière lui avec une ficelle,* le tire. — **2.** *Attention, ton manteau* TRAÎNE *par terre,* pend jusqu'à terre en balayant le sol. — **3.** *Les enfants, ne* TRAÎNEZ *pas en rentrant!,* ne vous mettez pas en retard (= s'attarder). — **4.** *Chantal laisse* TRAÎNER *toutes ses affaires,* elle ne les range pas. — **5.** *Mon procès* TRAÎNE *depuis des mois,* dure (= s'éterniser). — **6.** *Le blessé a réussi à* SE TRAÎNER *jusqu'à la voiture,* se déplacer péniblement (= ramper). ◆ **traînard** n. (sens 3) *Quelle* TRAÎNARDE, *dépêche-toi!* tu ne vas pas assez vite. ◆ **traîne** n. f. (sens 2) *Tu as vu la* TRAÎNE *de la mariée!,* la partie de la robe qui traîne par terre derrière elle. • (sens 3) *Pascal est toujours* À LA TRAÎNE, après les autres (= en retard).

train-train n. m. *Le* TRAIN-TRAIN *quotidien,* ce sont les occupations qui se répètent chaque jour.

traire v. *La fermière* TRAIT *ses vaches,* tire leur lait en pressant sur le pis.
• **R.** Conj. n° 79. ‖ V. TRAIT.

368 ◁ **trait** n. m. **1.** *Un cheval* DE TRAIT *tire les chariots* (≠ de selle). — **2.** *Tire un* TRAIT *avec ta règle pour souligner le mot,* une ligne. ‖ *«Abat-jour» s'écrit avec un* TRAIT D'UNION, un petit trait qui joint les mots formant un mot composé. — **3.** (au plur.) *Hélène a des* TRAITS *très fins,* les lignes du visage. — **4.** *Vous relèverez dans ce texte tout ce qui* A TRAIT *à l'agriculture,* ce qui a un rapport avec l'agriculture (= concerner). — **5.** Un TRAIT D'ESPRIT est une parole par laquelle une personne montre qu'elle est spirituelle. — **6.** *J'avais tellement soif que j'ai bu mon verre* D'UN TRAIT, en une fois, sans m'arrêter.
• **R.** *Trait* se prononce [trɛ] comme *très* et [*je*] *trais* (de *traire*).

traite n. f. **1.** *On a fait le voyage d'*UNE *seule* TRAITE, sans s'arrêter. — **2.** *Autrefois, on pratiquait la* TRAITE *des esclaves,* le trafic qui consistait à les vendre (= commerce).

traiter v. **1.** *Les prisonniers* ONT ÉTÉ *bien* TRAITÉS, on s'est bien comporté envers eux. — **2.** *Il m'*A TRAITÉ *d'idiot!,* il m'a insulté en m'appelant ainsi. — **3.** *Le médecin* A *très bien* TRAITÉ *ma grippe* (= soigner). — **4.** *On* TRAITE *le pétrole dans des raffineries pour en faire de l'essence,* on lui fait subir certaines transformations. — **5.** *Ce livre* TRAITE *de la politique française,* développe ce sujet (= exposer). — **6.** *M. Dupont est en train de* TRAITER *une grosse affaire,* de négocier pour arriver à un accord. ◆ **traité** n. m. (sens 5) *Un* TRAITÉ *de chimie* est un livre qui traite de chimie. • (sens 6) *La guerre s'est terminée par un* TRAITÉ *de paix,* un texte officiel où les parties adverses se sont mises d'accord après avoir négocié. ◆ **traitant** adj. m. (sens 3) *Le médecin* TRAITANT est celui qui soigne habituellement un malade. ◆ **traitement** n. m. **1.** (sens 1) *Ce chien a subi de mauvais*

TRAITEMENTS, on l'a maltraité. • (sens 3) *Papa suit un* TRAITEMENT *pour ne plus fumer,* on lui donne des médicaments et on le soigne pour ça. • (sens 4) *Le* TRAITEMENT *du pétrole,* ce sont les opérations qu'on lui fait subir. — **2.** *M. Durand est professeur, il reçoit un* TRAITEMENT, un salaire. ◆ **maltraiter** v. (sens 1) *Ce chien* A ÉTÉ MALTRAITÉ, on lui a fait du mal, on l'a battu. ◆ **intraitable** adj. (sens 6) *Je serai* INTRAITABLE *sur la question des retards,* on ne pourra pas traiter avec moi (= impitoyable).

traiteur n. m. *Chez un* TRAITEUR, *on peut commander des plats déjà cuits,* une personne dont le métier est de faire la cuisine.

traître, traîtrise → TRAHIR.

trajectoire n. f. *Les policiers ont étudié la* TRAJECTOIRE *de la balle,* le chemin qu'elle a suivi.

trajet n. m. *On a fait le* TRAJET *Paris-Lyon en cinq heures,* la distance entre ces deux villes (= parcours, itinéraire).

tramer v. *Qu'est-ce que vous* TRAMEZ *tous les deux?* (= comploter, manigancer).

tramway n. m. *Dans certaines villes de France, il y a encore des* TRAMWAYS, des espèces d'autobus qui roulent sur des rails. ▷ 219

tranchant, tranche → TRANCHER.

tranchée n. f. *On a creusé une* TRANCHÉE *dans la rue,* un trou long et étroit. ▷ 151, 217

trancher v. **1.** *Louis XVI eut la tête* TRANCHÉE, coupée d'un seul coup. — **2.** *Comme personne n'était d'accord, c'est Yves qui* A TRANCHÉ : *on irait au cinéma,* réglé la question en décidant. — **3.** *Le fauteuil noir* TRANCHE *sur la moquette blanche,* il forme un contraste (= ressortir). ◆ **tranchant** adj. **1.** (sens 1) *Le couteau est un instrument* TRANCHANT, qui coupe. — **2.** *Il m'a répondu d'un ton* TRANCHANT (= brusque, cassant). ◆ **tranchant** n. m. (sens 1) *Le* TRANCHANT *d'un couteau* est le côté qui coupe. ◆ **tranche** n. f. (sens 1) *Tu veux une* TRANCHE *de jambon?,* un morceau mince qu'on a coupé.

tranquille adj. **1.** *Nous habitons dans un quartier* TRANQUILLE, où il n'y a pas de bruit, d'agitation (= calme, paisible; ≠ bruyant). — **2.** *Les enfants, restez un peu* TRANQUILLES! (= sage; ≠ remuant, agité). — **3.** *Laisse ta sœur* TRANQUILLE, ne l'ennuie pas. — **4.** *Soyez* TRANQUILLE, *tout se passera bien,* ne vous faites pas de souci (= rassuré; ≠ inquiet). ◆ **tranquillement** adv. (sens 2) *Les enfants jouent* TRANQUILLEMENT, sagement et calmement. ◆ **tranquillité** n. f. (sens 1) *Quelle* TRANQUILLITÉ *dans ce quartier!* (= calme). ◆ **tranquilliser** v. (sens 4) TRANQUILLISEZ-VOUS, *votre fils n'est pas malade* (= rassurer; ≠ inquiéter).

R. On prononce [trɑ̃kil, trɑ̃kilmɑ̃, trɑ̃kilite].

transaction n. f. *Des* TRANSACTIONS *immobilières,* ce sont des marchés conclus (achats, ventes).

transat n. m. *Papa se repose dans son* TRANSAT, une chaise longue pliante en toile. ▷ 723

• **R.** On prononce [trɑ̃zat].

transatlantique **1.** adj. *Une course* TRANSATLANTIQUE *oppose des voiliers qui traversent l'océan Atlantique.* — **2.** n. m. *Ce* TRANSATLANTIQUE *relie Le Havre à New York,* ce gros bateau.

transférer v. **1.** *Le voleur a été arrêté à Lyon, on l'*A TRANSFÉRÉ *à Paris,* on l'a conduit de ce lieu à l'autre (= transporter). — **2.** *Le magasin* EST TRANSFÉRÉ *un peu plus loin,* changé de place. ◆ **transfert** n. m. (sens 1) *Le prisonnier s'est évadé pendant son* TRANSFERT, son passage d'une prison à une autre.

transfigurer v. *Depuis qu'il est marié, il* EST TRANSFIGURÉ, il a changé complètement.

transformer v. **1.** *J'*AI *complètement* TRANSFORMÉ *le salon,* je lui ai donné une forme, un aspect différent (= changer, modifier). — **2.** *La chenille* SE TRANSFORME *en papillon,* prend une autre forme (= se changer, se métamorphoser). — **3.** *Au rugby,* TRANSFORMER *un essai,* c'est tirer entre les poteaux pour marquer un but. ◆ **transformateur** n. m. (sens 1) *Un* TRANSFORMATEUR *sert à changer la force du courant électrique,* un appareil. ◆ **transformation** n. f. (sens 1) *Tu as fait des* TRANSFORMATIONS *chez toi?,* des changements. • (sens 2) *La* TRANSFORMATION *du têtard en grenouille* est sa métamorphose.

39 ◁ **transfusion** n. f. *Ce blessé a besoin d'une* TRANSFUSION, qu'on fasse passer dans ses veines le sang d'une autre personne.

transgresser v. *Le soldat a* TRANSGRESSÉ *les ordres* (= désobéir à; ≠ respecter).

transhumance n. f. *La* TRANSHUMANCE *des moutons a lieu au printemps,* leur déplacement de la plaine vers la montagne.

transi adj. *Brrr!, je suis* TRANSIE, j'ai très froid.

transiger v. *L'un voulait aller à la mer, l'autre à la campagne; finalement ils* ONT TRANSIGÉ *et sont partis à la montagne!,* ils se sont mis d'accord en se faisant des concessions. ◆ **intransigeant** adj. *Qu'elle est* INTRANSIGEANTE! *avec elle c'est tout ou rien!,* elle refuse de faire des concessions (≠ accommodant). ◆ **intransigeance** n. f. L'INTRANSIGEANCE est le contraire de la souplesse de caractère.

76 ◁ **transistor** n. m. *Jean a acheté des piles pour son* TRANSISTOR, son poste de radio portatif.

transitif adj. *Dans la phrase «Prends ton manteau», le verbe est* TRANSITIF, il peut recevoir un complément d'objet. ◆ **intransitif** adj. *Dans la phrase «Le soleil brille», le verbe est* INTRANSITIF, il n'a jamais de complément d'objet.

transition n. f. **1.** *C'est la* TRANSITION *du chaud au froid qui t'a fait attraper un rhume,* le passage. — **2.** *Un gouvernement* DE TRANSITION est intermédiaire entre l'ancien et le nouveau. ◆ **transitoire** adj. (sens 2) *Ces dispositions sont* TRANSITOIRES, elles ne dureront pas (= momentané, passager; ≠ durable).

translucide adj. *Cette porcelaine est* TRANSLUCIDE, elle laisse passer la lumière sans être transparente.

transmettre v. **1.** *Votre lettre m'*A ÉTÉ TRANSMISE *hier,* on me l'a fait parvenir. — **2.** *La grippe* SE TRANSMET *facilement d'une personne à l'autre,* se passe (= communiquer). ◆ **transmission** n. f. (sens 2) *Demain aura lieu la* TRANSMISSION *des pouvoirs entre l'ancien président et le nouveau* (= passage). ◆ **transmissible** adj. (sens 2) *La grippe est une maladie* TRANSMISSIBLE, qui peut se transmettre (= contagieux).
• **R.** Conj. n° 57.

transparent adj. *Ta jupe est* TRANSPARENTE, on voit à travers. ◆ **transparence** n. f. *On voit par* TRANSPARENCE *ce qui se passe derrière le rideau.*

transpercer → PERCER.

transpirer v. *Pascal a de la fièvre, il* A TRANSPIRÉ *toute la nuit,* il a été en sueur (= suer). ◆ **transpiration** n. f. *C'est la chaleur qui provoque la* TRANSPIRATION.

transplanter → PLANTER.

transporter v. *Le blessé* A ÉTÉ TRANSPORTÉ *à l'hôpital,* porté (= emmener). ◆ **transport** n. m. *Ce train est réservé au* TRANSPORT *des marchandises,* pour les transporter d'un lieu à un autre. ◆ **transporteur** n. m. *Un* TRANSPORTEUR *routier* est un camionneur qui transporte des marchandises. ▷ 219

transvaser v. *On* A TRANSVASÉ *le vin du tonneau dans des bouteilles,* on l'a changé de récipient.

transversal adj. *Ma voiture est garée dans une rue* TRANSVERSALE, qui coupe celle où je suis.

trapèze n. m. **1.** *Un* TRAPÈZE *a deux côtés parallèles,* une figure de géométrie. — **2.** *Au cirque, on a vu les acrobates faire du* TRAPÈZE, se suspendre à une barre tenue par deux cordes. ◆ **trapéziste** n. (sens 2) Les TRAPÉZISTES sont spécialisés dans les exercices de trapèze. ▷ 348 ▷ 433 ▷ 433

trappe n. f. *Il faut soulever la* TRAPPE *pour entrer dans le grenier,* le panneau mobile du parquet.

trappeur n. m. *Les* TRAPPEURS *chassent les animaux à fourrure en Amérique du Nord.*

trapu adj. *Jean est* TRAPU, petit et large de corps.

traquenard n. m. *On est tombé dans un* TRAQUENARD, un piège.

traquer v. *La police* TRAQUE *les malfaiteurs,* les poursuit pour les capturer.

travail n. m. **1.** *Bruno est au chômage, il cherche du* TRAVAIL, une occupation qui lui permette de gagner sa vie. — **2.** *Encore une semaine de* TRAVAIL *et c'est les vacances* (≠ loisirs, repos). — **3.** *Pascal, tu as fait ton* TRAVAIL *pour demain?,* tes devoirs et tes leçons. — **4.** (au plur.) *En été, à Paris, il y a des* TRAVAUX *dans les rues,* on répare, on entretient (= aménagements). ◆ **travailler** v. (sens 1 et 2) *Papa* TRAVAILLE *en usine,* il exerce une activité, un métier. • (sens 3) *Va* TRAVAILLER, *tu as une leçon* ▷ 290, 365 ▷ 152, 217 *à apprendre,* étudier. ◆ **travailleur** adj. et n. (sens 1) *Les* TRAVAILLEURS *de l'usine sont en grève,* ceux qui y travaillent. • (sens 3) *Paul est très* TRAVAILLEUR, il travaille beaucoup (≠ paresseux).

travers 1. *n. m. Il est gourmand? Ce n'est qu'un léger* TRAVERS! (= défaut; ≠ qualité). — 2. prép. *On a marché* À TRAVERS *les champs,* en les traversant. ‖ *Un camion est renversé* EN TRAVERS DE *la route,* au milieu, dans le sens de la largeur. — 3. adv. *Tu as mis ton chapeau* DE TRAVERS, pas droit. ‖ *Il comprend tout* DE TRAVERS, d'une manière fausse (= mal).

509 ◁ **traverse** n. f. (sens 2) *Les* TRAVERSES *d'une voie ferrée* sont des barres sur lesquelles les rails sont fixés.

traverser v. 1. *Faites attention pour* TRAVERSER *la rue!,* pour passer d'un côté à l'autre (= franchir). — 2. *La pluie* A TRAVERSÉ *mon imperméable* (= transpercer). ◆ **traversée** n. f. (sens 1) *La mer était mauvaise, j'ai été malade pendant toute la* TRAVERSÉE, le voyage.

77 ◁ **traversin** n. m. *Paul dort avec un* TRAVERSIN *sous son oreiller,* un long coussin de la largeur du lit (= polochon).

travestir v. *Pour le mardi gras, Pascal* S'EST TRAVESTI *en Indien* (= se déguiser). ◆ **travestissement** n. m. *Ce magasin loue des* TRAVESTISSEMENTS, des costumes pour se déguiser (= déguisement).

trébucher v. *En marchant, j'*AI TRÉBUCHÉ *sur une pierre,* mon pied l'a heurtée et j'ai failli tomber.

365 ◁ **trèfle** n. m. 1. *Les vaches broutent le* TRÈFLE, une plante fourragère. —
436 ◁ 2. *Qui a l'as de* TRÈFLE?, une des couleurs aux cartes.

tréfonds n. m. *Tu ne connaîtras pas le* TRÉFONDS *de ma pensée,* ce que j'ai de plus caché, de plus secret.

treillage n. m. *La vigne vierge pousse sur du* TREILLAGE, un assemblage de lattes minces entrecroisées. ◆ **treille** n. f. Une TREILLE est une vigne dont les rameaux sont fixés à un treillage ou à un mur.

treillis n. m. 1. *Le garde-manger est recouvert d'un* TREILLIS, une sorte de treillage. — 2. *Les soldats mettent leur* TREILLIS, un uniforme en grosse toile.

517 ◁ **treize** adj. *Il y a* TREIZE *élèves dans la classe.* ‖ *12 + 1 = 13.*
517 ◁ ◆ **treizième** adj. et n. *Paul habite dans le* TREIZIÈME *arrondissement à Paris.*

tréma n. m. *On met un* TRÉMA *sur le «e» de Noël.*

trembler v. 1. *Tu as froid? Tu* TREMBLES, tu es agité de petits mouvements répétés et involontaires. — 2. *Je* TREMBLE *à l'idée de savoir Paul sur la route, lui qui conduit si mal!,* j'ai peur qu'il lui arrive quelque chose. — 3. *La terre* A TREMBLÉ, a été ébranlée par une secousse. ◆ **tremblement** n. m. (sens 1) *Tu dois être malade, regarde le* TREMBLEMENT *de tes mains!,* leur agitation. • (sens 3) *Il y a eu un* TREMBLEMENT DE TERRE *au Japon,* une violente secousse (= séisme). ◆ **trembloter** v. (sens 1) *J'ai les mains qui* TREMBLOTENT, qui tremblent légèrement.

trémolo n. m. *Il nous a dit adieu avec des* TRÉMOLOS *dans la voix,* des tremblements.

se trémousser v. *Les enfants se* TRÉMOUSSENT *au son de la musique,* se remuent vivement.

tremper v. **1.** *Il faut faire* TREMPER *le linge,* le laisser un certain temps dans l'eau. — **2.** *Pascal* TREMPE *sa tartine dans son café* (= plonger). — **3.** *Il a plu cette nuit, les fauteuils du jardin* SONT TREMPÉS, tout mouillés. ◆ **détremper** v. (sens 3) *La terre* EST DÉTREMPÉE *par la pluie,* complètement imbibée d'eau.

tremplin n. m. *À la piscine, Yves a pris son élan du* TREMPLIN *et a plongé,* la planche élastique qui sert à sauter. ▷ 653

trente adj. *Maman a* TRENTE *ans,* deux fois quinze. ‖ *2 × 15 = 30.* ▷ 517 ◆ **trentième** adj. et n. *Vous avez le* TRENTIÈME *numéro de la série,* le numéro trente. ▷ 517 ◆ **trentaine** n. f. *Cette femme doit avoir une* TRENTAINE *d'années,* environ trente ans. ▷ 517

trépas n. m. *Il est passé de vie à* TRÉPAS, de la vie à la mort. ◆ **trépasser** v. *Autrefois, on disait que quelqu'un avait* TRÉPASSÉ *quand il était mort.*

trépidant adj. *À Paris, on mène une vie* TRÉPIDANTE (= agité; ≠ calme).

trépider v. *Quand le métro passe, on sent le sol* TRÉPIDER, trembler légèrement. ◆ **trépidation** n. f. *Les gens du dessus dansent, le plafond est agité de légères* TRÉPIDATIONS, vibrations.

trépied n. m. Un TRÉPIED est un support ou un meuble à trois pieds. ▷ 762

trépigner v. *Dans sa colère, Jean s'est mis à* TRÉPIGNER *et à crier,* à frapper des pieds par terre.

très adv. *Papa est* TRÈS *grand* (= tout à fait, extrêmement; ≠ peu).
- **R.** *Très* se prononce [trɛ] comme *trait* et [*je*] *trais* (de *traire*).

trésor n. m. *On a découvert un* TRÉSOR *dans l'épave du navire,* un ensemble de choses précieuses (des pièces d'or, des bijoux).

trésorier n. *Mme Dupont est la* TRÉSORIÈRE *de l'association,* elle est chargée de garder l'argent et de faire les comptes. ◆ **trésorerie** n. f. *Qui s'occupe de la* TRÉSORERIE *de l'entreprise?* (= finances, fonds).

tressaillir v. *Tu* AS TRESSAILLI, *je t'ai fait peur?,* tu as eu un brusque mouvement du corps. ◆ **tressaillement** n. m. *Un* TRESSAILLEMENT *a marqué sa surprise* (= frémissement, frisson).
- **R.** Conj. nº 23.

tresse n. f. *Marie a une* TRESSE *dans le dos,* une sorte de natte. ◆ **tresser** v. *Marie* TRESSE *ses cheveux,* les entrecroise pour faire une tresse.

tréteau n. m. *On a installé la table de Ping-Pong sur des* TRÉTEAUX, des supports horizontaux à quatre pieds. ▷ 223

treuil n. m. *Pour remonter le seau du puits, on tourne le* TREUIL, une sorte de roue autour de laquelle s'enroule une corde. ▷ 726

trêve n. f. **1.** *Pendant la* TRÊVE *de Noël, les combats se sont arrêtés,* une période d'arrêt provisoire des combats. — **2.** TRÊVE DE *plaisanteries, je parle sérieusement maintenant* (= assez de).

tri, triage → TRIER.

348 ◁ **triangle** n. m. **1.** Un TRIANGLE est une figure de géométrie à trois côtés. ◆ **triangulaire** adj. *Le foc est une voile* TRIANGULAIRE, en forme de triangle.

727 ◁ **tribord** n. m. *Attention, un voilier arrive sur nous à* TRIBORD, du côté droit du bateau quand on regarde vers l'avant (≠ bâbord).

tribu n. f. *Le chef indien a rassemblé tous les membres de sa* TRIBU, les familles qui descendent du même ancêtre et ont le même chef.

tribulations n. f. pl. *Après bien des* TRIBULATIONS, *il a réussi à regagner son pays,* des aventures plus ou moins désagréables.

tribunal n. m. **1.** *L'assassin a comparu devant le* TRIBUNAL, les juges. — **2.** *L'accusé est convoqué au* TRIBUNAL, à l'endroit où les juges rendent la justice.

tribune n. f. **1.** *Le président est monté à la* TRIBUNE *pour faire son discours,* l'estrade. — **2.** *Les* TRIBUNES *du champ de courses sont pleines de monde,* les gradins où sont assis les spectateurs.

tributaire adj. *Comme elle n'a pas de pétrole, la France est* TRIBUTAIRE *des pays qui en ont,* elle en dépend.

tricher v. *Je ne joue plus aux cartes avec toi, tu* TRICHES *pour gagner,* tu trompes les autres en faisant des choses interdites par les règles du jeu. ◆ **tricheur** adj. et n. *Quelle* TRICHEUSE! *tu regardes mon jeu!* ◆ **triche** ou **tricherie** n. f. *On n'a pas le droit de faire ça, c'est de la* TRICHE!

tricolore → COULEUR.

296 ◁ **tricot** n. m. **1.** *Maman fait du* TRICOT *avec de la laine et des aiguilles,* elle fait des rangs de mailles qui formeront un vêtement. — **2.** *Mets ton*
36 ◁ TRICOT, *il fait froid* (= pull, chandail). ◆ **tricoter** v. (sens 1) *Je vais te* TRICOTER *une écharpe,* la faire en tricot.

tricycle n. m. *Mon petit frère fait du* TRICYCLE, un vélo à trois roues.

trident n. m. *Neptune, le dieu de la Mer, est représenté avec un* TRIDENT *à la main,* une fourche à trois dents.

trier v. **1.** *Il faut* TRIER *les pommes, il y en a des bonnes et des mauvaises,* les choisir et les mettre à part. — **2.** *Les employés des postes* TRIENT *les lettres,* les répartissent selon leur destination. ◆ **tri** n. m. (sens 1 et 2) *J'ai fait un* TRI *dans mes affaires,* je les ai triées. ◆ **triage** n. m. (sens 2) *Dans une gare de* TRIAGE, *on trie les wagons de marchandises suivant leur destination.*

trimbaler v. Fam. *Chantal* TRIMBALE *partout sa poupée,* elle l'emporte avec elle.

trimestre n. m. *Mon grand frère passe ses examens au troisième*
125 ◁ TRIMESTRE, une des quatre périodes de trois mois qui divisent l'année. ◆ **trimestriel** adj. *Cette revue est* TRIMESTRIELLE, elle paraît tous les trois mois.

tringle n. f. *Maintenant que la* TRINGLE *est posée, on va pouvoir suspendre les rideaux,* la barre qui les soutient.

trinquer v. *On* A TRINQUÉ *à la santé de l'oncle Jules,* on a cogné légèrement les verres les uns contre les autres avant de boire.

trio n. m. *Yves, Paul et Éric font un joyeux* TRIO, un ensemble de trois personnes inséparables.

triomphe n. m. **1.** *L'élection de cet homme politique a été un* TRIOMPHE, un très grand succès (= victoire). — **2.** *Le gagnant a été porté* EN TRIOMPHE *par ses camarades,* ils l'ont porté sur leurs épaules pour qu'on l'acclame. ◆ **triompher** v. (sens 1) *Ce sportif* A TRIOMPHÉ *de tous ses adversaires,* il a gagné contre tous (= l'emporter sur). ◆ **triomphant** adj. (sens 1) *Pascal nous a annoncé son succès d'un air* TRIOMPHANT, fier d'avoir gagné. ◆ **triomphal** adj. (sens 2) *Cette chanteuse a reçu un accueil* TRIOMPHAL, marqué par des acclamations (= enthousiaste).

tripes n. f. pl. *À midi, on a mangé des* TRIPES, des morceaux cuisinés de l'estomac et de l'intestin du bœuf. ◆ **tripier** n. m. *Va chez le* TRIPIER *m'acheter des rognons,* le commerçant qui vend des tripes et des abats. ◆ **triperie** n. f. La TRIPERIE est la boutique du tripier.

triple adj. et n. m. *Ma solution offre un* TRIPLE *avantage,* un avantage sur trois points. ‖ *J'ai payé ces bonbons 1 F au supermarché et ils valent 3 F ici, c'est le* TRIPLE, trois fois la somme. ◆ **tripler** v. *Les prix* ONT TRIPLÉ *en cinq ans,* ils sont trois fois ce qu'ils étaient. ▷ 517

triporteur n. m. Un TRIPORTEUR est une bicyclette à trois roues avec une caisse pour transporter les marchandises.

tripoter v. Fam. *Ne* TRIPOTE *pas la poignée de la portière!,* ne la touche pas tout le temps.

trique n. f. *Il a assommé le bandit d'un coup de* TRIQUE, un gros bâton.

triste adj. **1.** *Je suis bien* TRISTE *que tu t'en ailles,* j'ai de la peine, du chagrin (≠ content). — **2.** *La fin du film est* TRISTE, elle donne envie de pleurer (≠ gai). ◆ **tristesse** n. f. (sens 1) *C'est avec une profonde* TRISTESSE *que nous sommes partis* (= peine, chagrin; ≠ gaieté, joie). ◆ **attrister** v. (sens 1) *Ça m'*ATTRISTE *de voir mon chien si malade,* ça me rend triste (= peiner, chagriner; ≠ réjouir).

trivial adj. *Jean a employé un mot* TRIVIAL, très vulgaire (= grossier). ◆ **trivialité** n. f. *Sa plaisanterie est d'une* TRIVIALITÉ *choquante,* grossièreté.

troc n. m. *Faire du* TROC, c'est échanger un objet contre un autre, sans donner d'argent. ◆ **troquer** v. *Marie* A TROQUÉ *son collier contre mon bracelet* (= échanger).

troène n. m. *Il y a une haie de* TROÈNES *dans le fond du jardin,* un arbuste.

troglodyte n. m. *Les* TROGLODYTES *habitent dans des grottes.*

trognon n. m. *Jean a mangé la pomme; il a laissé le* TROGNON, la partie du milieu avec les pépins.

troïka n. f. Une TROÏKA est un traîneau russe tiré par trois chevaux.

517 ◁ **trois** adj. *Paul a* TROIS *sœurs : Sylvie, Lucie et Anne.* ‖ *2 + 1 = 3.* ‖ *Demain, on sera le* TROIS *mars.* ◆ **troisième** adj. et n. *Anne est la*
517 ◁ TROISIÈME *sœur de Paul.* ‖ *J'habite au* TROISIÈME *(étage).*

trolleybus n. m. *Les* TROLLEYBUS *ont remplacé les tramways,* les autobus qui marchent à l'électricité, à l'aide d'une perche reliant des fils aériens.

trombe n. f. **1.** *Cette nuit, il est tombé des* TROMBES *d'eau,* de la pluie très abondante et forte. — **2.** *L'automobiliste a fait un démarrage* EN TROMBE, très rapide.

439 ◁ **trombone** n. m. **1.** *Ce musicien joue du* TROMBONE, d'un instrument à
293 ◁ vent. — **2.** *Attache ces deux feuilles de papier avec un* TROMBONE!, une sorte d'agrafe.

trompe n. f. **1.** *À la chasse à courre, on fait sonner la* TROMPE, le cor de
581 ◁ chasse. — **2.** *Avec sa* TROMPE, *l'éléphant s'asperge d'eau,* la partie très longue de son nez.

tromper v. **1.** *J'ai pris la mauvaise route, c'est le brouillard qui m'*A TROMPÉ, qui m'a fait croire quelque chose qui n'était pas vrai. — **2.** *Je* ME SUIS TROMPÉ *dans mes calculs,* j'ai fait une erreur. ‖ *Vous* VOUS TROMPEZ *d'adresse,* vous la confondez avec une autre. ◆ **trompeur** adj. (sens 1) *Les apparences sont souvent* TROMPEUSES, elles trompent (= faux). ◆ **détromper** v. (sens 1) *Tu penses que je céderai? Eh bien,* DÉTROMPE-TOI! *Je ne céderai pas,* cesse de croire cela.

439, 438 ◁ **trompette** n. f. **1.** *Le clown joue de la* TROMPETTE, d'un instrument à vent. — **2.** *Paul a le nez* EN TROMPETTE, relevé du bout (= retroussé). ◆ **trompettiste** n. m. *Duke Ellington était un remarquable* TROMPETTISTE, un joueur de trompette.

trompeur → TROMPER.

655 ◁ **tronc** n. m. **1.** *Il y a un* TRONC *d'arbre en travers de la route,* la partie de l'arbre qui va du sol aux branches. — **2.** *Cette poupée n'a plus de jambes, ni de bras, ni de tête, il ne reste que le* TRONC, la partie du corps qui va du
148 ◁ ventre au cou. — **3.** *Il a mis une pièce dans le* TRONC *de solidarité,* une boîte avec une fente servant à faire la quête.

tronçon n. m. **1.** *Le bûcheron débite l'arbre en* TRONÇONS, en morceaux coupés en travers. — **2.** *On a pris le nouveau* TRONÇON *d'autoroute,* la partie ajoutée à ce qui existait (= section). ◆ **tronçonner** v. (sens 1) *Le bûcheron* TRONÇONNE *un arbre,* le coupe en tronçons. ◆ **tronçonneuse**
655 ◁ n. f. (sens 1) Une TRONÇONNEUSE est une scie à moteur pour tronçonner.

trône n. m. **1.** *La reine préside la cérémonie assise sur son* TRÔNE, le siège élevé qui lui est réservé. — **2.** *Ce prince accédera au* TRÔNE *dans quelques années,* il sera roi. ◆ **trôner** v. (sens 1) *Le président* TRÔNAIT *à la place d'honneur,* il y était placé et tout le monde pouvait le voir. ◆ **détrôner** v. **1.** (sens 2) *Les révolutionnaires ont* DÉTRÔNÉ *le roi,* lui ont fait perdre son titre de roi, en le chassant (= destituer). — **2.** *La locomotive électrique* A DÉTRÔNÉ *la locomotive à vapeur,* l'a remplacée.

tronquer v. *Cette citation* EST TRONQUÉE, on en a supprimé une partie.

trop adv. *Tu as mis* TROP *de sel,* plus qu'il ne faut.

trophée n. m. *Le vainqueur de la course a reçu un* TROPHÉE, un objet qu'il gardera en souvenir de sa victoire. ▷ 224

tropique n. m. *Le soleil des* TROPIQUES *est très chaud,* une zone terrestre près de l'équateur. ◆ **tropical** adj. *Il fait une chaleur* TROPICALE, très forte. ‖ *Une plante* TROPICALE pousse dans la zone des tropiques. ▷ 581

trop-plein → PLEIN. / **troquer** → TROC.

trotter v. **1.** *Le cheval* TROTTE, il va à une allure intermédiaire entre le pas (plus lent) et le galop (plus rapide). — **2.** *Bébé commence à* TROTTER *maintenant,* à marcher. — **3.** *Cette chanson me* TROTTE *dans la tête,* me revient tout le temps. ◆ **trot** n. m. (sens 1) *À l'hippodrome, on a vu une course de* TROT, où les chevaux vont au trot. ◆ **trotteur** n. m. (sens 1) *Ce cheval est un* TROTTEUR, il est spécialement entraîné pour la course au trot. ◆ **trotteuse** n. f. *La* TROTTEUSE *d'une montre* est l'aiguille qui marque les secondes. ◆ **trottiner** v. (sens 2) *Delphine* TROTTINE *dans la rue, à côté de sa maman,* marche à petits pas. ◆ **trottinette** n. f. *Jeannot fait de la* TROTTINETTE, un jouet ayant deux petites roues (= patinette). ▷ 220

trottoir n. m. *Attention aux voitures, marchez sur le* TROTTOIR!, la partie, de chaque côté d'une rue, réservée aux piétons. ▷ 217

trou n. m. **1.** *Oh! j'ai fait un* TROU *dans ma chemise!,* je l'ai déchirée, percée. — **2.** *Papa dit qu'il a des* TROUS DE MÉMOIRE, il ne se souvient plus de certaines choses (= oubli). ◆ **trouer** v. (sens 1) *Mes chaussettes* SONT TROUÉES, elles ont un trou. ◆ **trouée** n. f. (sens 1) *Les voleurs ont fait une* TROUÉE *dans les souterrains de la banque,* un grand trou pour passer.

troubadour ou **trouvère** n. m. Au Moyen Âge, les TROUBADOURS et les TROUVÈRES étaient des poètes qui chantaient.

troubler v. **1.** *Ici, l'eau* EST TROUBLÉE *par les égouts qui s'y déversent,* elle n'est plus claire. — **2.** *La conférence* A ÉTÉ TROUBLÉE *par des gens qui manifestaient,* interrompue par du désordre. — **3.** *L'élève* S'EST TROUBLÉ *quand on lui a demandé de répondre,* il s'est ému et a été embarrassé. ◆ **trouble** adj. (sens 1) *L'eau est* TROUBLE *ici* (≠ clair). ◆ **trouble** adv. (sens 1) *Je vois* TROUBLE *avec tes lunettes,* je ne vois pas nettement les objets. ◆ **trouble** n. m. (sens 2) *La manifestation a été marquée par des* TROUBLES, du désordre (= agitation). • (sens 3) *L'accusé soutenait qu'il était innocent, mais son* TROUBLE *l'a trahi,* son émotion. ◆ **trouble-fête** n. m. inv. (sens 2) *Un voisin est venu nous dire que notre réunion était trop bruyante : c'est un* TROUBLE-FÊTE!, une personne qui vient déranger le plaisir des autres.

trouée, trouer → TROU.

troupe n. f. **1.** *Il y a toute une* TROUPE *de touristes qui descendent du car,* un ensemble. — **2.** *Cette pièce de théâtre est jouée par une jeune* TROUPE *de comédiens,* un groupe (= compagnie). — **3.** (au plur.) *Nos* TROUPES *sont proches de la frontière,* nos soldats, notre armée. ◆ **s'attrouper** v. pr. (sens 1) *Les passants* S'ATTROUPENT *autour du blessé* (= se rassembler). ◆ **attroupement** n. m. (sens 1) *Circulez, pas d'*ATTROUPEMENT!, de rassemblement de personnes. ▷ 36

650, 581, 364 ◁ **troupeau** n. m. *Ce paysan a plusieurs* TROUPEAUX *de moutons,* des groupes d'animaux qui vivent ensemble.

295 ◁ **trousse** n. f. **1.** *Range ton stylo dans la* TROUSSE, un étui pour ranger des objets. — **2.** (au plur.) *Le voleur n'ira pas loin, la police* EST À SES TROUSSES, à sa poursuite.

trousseau n. m. **1.** *J'avais deux* TROUSSEAUX *de clés, je n'en retrouve aucun,* des clés attachées ensemble par un anneau. — **2.** *On part en colonie, maman a préparé notre* TROUSSEAU, nos vêtements et notre linge.

trouver v. **1.** *Alors, tu* AS TROUVÉ *ton disque?,* tu as le disque que tu cherchais. — **2.** *J'*AI TROUVÉ *un billet de 10 F dans la rue,* je l'ai découvert par hasard (≠ perdre). — **3.** *Tu* TROUVES *que j'ai raison?* (= penser, estimer, croire). — **4.** *Où* SE TROUVE *la rue du Montparnasse?,* à quel endroit est-elle située. — **5.** *Attention, Marie va* SE TROUVER MAL, s'évanouir. ◆ **trouvaille** n. f. (sens 2) *J'ai fait une* TROUVAILLE *dans le grenier : regarde comme ce coffret est joli!,* une découverte. ◆ **introuvable** adj. (sens 1) *Ce vieux disque est* INTROUVABLE *aujourd'hui,* il est impossible de le trouver. ◆ **retrouver** v. **1.** (sens 2) *J'*AI RETROUVÉ *le livre que j'avais perdu,* je l'ai trouvé après l'avoir chercher (= récupérer; ≠ perdre). — **2.** *On* SE RETROUVE *tous ce soir chez toi,* on se rejoint. ◆ **retrouvailles** n. f. pl. *Ils ne s'étaient pas vus depuis dix ans, ce soir ils fêtent leurs* RETROUVAILLES, le fait de se retrouver (≠ séparation).

trouvère → TROUBADOUR.

truand n. m. Fam. *Le* TRUAND *a été arrêté par la police* (= bandit, malfaiteur).

truc n. m. Fam. **1.** *Il y a sûrement un* TRUC *pour réussir ce tour de cartes,* un moyen astucieux (= astuce). — **2.** *Qu'est-ce que c'est que ce* TRUC-*là?,* cet objet (= machin). ◆ **truquer** v. (sens 1) *Mais non, dans le film, le blessé ne saigne pas vraiment, c'est* TRUQUÉ, il y a un truc pour le faire croire. ◆ **truquage** n. m. (sens 1) *Il y a des* TRUQUAGES *dans ce film,* des moyens utilisés pour faire croire que ce qu'on voit est vrai.

truchement n. m. *C'est par le* TRUCHEMENT *d'un ami que j'ai eu ce renseignement,* par son intermédiaire.

truculent adj. *Cet écrivain utilise un langage* TRUCULENT, plein de mots expressifs.

151, 150 ◁ **truelle** n. f. *Le maçon applique le plâtre avec sa* TRUELLE, une sorte de petite pelle plate.

656 ◁ **truffe** n. f. *Sous les racines du chêne, le porc a flairé des* TRUFFES, des champignons noirs et très parfumés. ◆ **truffé** adj. *À Noël, on a mangé du foie gras* TRUFFÉ, avec des truffes à l'intérieur.

361 ◁ **truie** n. f. *Regarde la* TRUIE *avec ses petits,* la femelle du porc.

721 ◁ **truite** n. f. *Le menu comporte des* TRUITES *aux amandes,* des poissons de rivière à la chair excellente.

truquage, truquer → TRUC.

tsar n. m. Le TSAR était l'empereur de Russie.

tsé-tsé n. f. *Quand on est piqué par la* MOUCHE TSÉ-TSÉ, *on attrape la «maladie du sommeil»,* une mouche d'Afrique.

tu pron. personnel s'emploie pour représenter la personne à qui l'on parle : TU *viens?* ◆ **tutoyer** v. *On se connaît depuis longtemps, alors on* SE TUTOIE, on se dit «tu» (≠ vouvoyer). ◆ **tutoiement** n. m. *Le* TUTOIEMENT *s'emploie entre amis* (≠ vouvoiement). ▷ 11

• **R.** *Tu* se prononce [ty] comme [*il*] *tue* (de *tuer*) et [*il s'est*] *tu* (de *taire*).

tube n. m. *Où est mon* TUBE *de colle?,* un récipient allongé. ▷ 39, 221

tuberculose n. f. *Par le B. C. G., on est vacciné contre la* TUBERCULOSE, une maladie contagieuse qui atteint surtout les poumons. ◆ **tuberculeux** adj. et n. *Cette malade est* TUBERCULEUSE, atteinte de tuberculose.

tuer v. **1.** *Le chasseur n'*A *pas* TUÉ *le lièvre, il l'a seulement blessé,* ne l'a pas fait mourir. — **2.** Fam. *Je* ME TUE *à te répéter toujours la même chose,* je me fatigue beaucoup. ◆ **tuant** adj. (sens 2) *C'est un métier* TUANT, très fatigant. ◆ **tué** n. (sens 1) *Il y a eu plusieurs* TUÉS *dans l'accident* (= mort). ◆ **tueur** n. m. (sens 1) *Un* TUEUR *à gages* est une personne payée pour tuer quelqu'un. ◆ **tuerie** n. f. (sens 1) *La fusillade a été une véritable* TUERIE (= massacre).

• **R.** V. TU.

à tue-tête adv. *Marie chante* À TUE-TÊTE, très fort.

tuile n. f. *Plusieurs* TUILES *du toit sont cassées,* des plaques rouges en terre cuite. ▷ 74

tulipe n. f. *On cultive beaucoup de* TULIPES *aux Pays-Bas,* des fleurs aux couleurs variées. ▷ 73

tulle n. m. *Les rideaux sont en* TULLE, en tissu transparent et léger.

tuméfier v. *Après le combat, le boxeur avait le visage* TUMÉFIÉ, enflé à certains endroits.

tumeur n. f. Une TUMEUR est une maladie qui fait enfler anormalement un organe (= grosseur).

tumulte n. m. *La réunion s'est terminée dans le* TUMULTE, de l'agitation accompagnée de bruit, de cris. ◆ **tumultueux** adj. *La séance fut* TUMULTUEUSE (= agité).

tunique n. f. **1.** *Dans le film, l'officier allemand est celui qui a une* TUNIQUE, une veste d'uniforme à col droit et sans poches. — **2.** *Maman porte une* TUNIQUE *sur son pantalon,* une sorte de chemise longue.

tunnel n. m. *Il fait noir, le train passe sous un* TUNNEL, un passage creusé sous le sol. ▷ 509, 651

turban n. m. *Le fakir a un* TURBAN *autour de la tête,* une bande d'étoffe.

turbine n. f. *Les* TURBINES *du bateau font un bruit épouvantable,* les machines qui le font marcher.

turbot n. m. *Au restaurant, on a mangé du* TURBOT, un poisson de mer.

turbulent adj. *Pascal est très* TURBULENT *à l'école* (= remuant, agité; ≠ calme).

turfiste n. *Les* TURFISTES *s'intéressent aux pronostics hippiques,* les amateurs de courses de chevaux.

turlupiner v. Fam. *Cette idée me* TURLUPINE *depuis ce matin,* j'y pense sans cesse (= préoccuper).

turpitude n. f. *Quelle vie pleine de* TURPITUDES!, d'actions malhonnêtes.

turquoise adj. inv. *Ma robe est bleu* TURQUOISE, d'un bleu-vert.

tuteur n. m. **1.** *Les parents de Catherine sont morts dans un accident, sa tante est devenue sa* TUTRICE, la personne chargée de s'occuper d'elle, selon la loi. — **2.** *On a attaché le rosier à un* TUTEUR, un piquet planté dans le sol pour le tenir droit. ◆ **tutelle** n. f. (sens 1) *Patrick est orphelin, il est sous la* TUTELLE *de son parrain,* la protection.

tutoiement, tutoyer → TU.

tutu n. m. *Les danseuses de l'Opéra portent un* TUTU, une petite jupe.

761, 506, 73 ◁ **tuyau** n. m. **1.** *Le* TUYAU *d'arrosage est percé,* le long tube qui sert au passage de l'eau. — **2.** Fam. *J'ai des* TUYAUX *pour le tiercé,* des renseignements secrets. ◆ **tuyauterie** n. f. (sens 1) *Le plombier a refait*
75 ◁ *toute la* TUYAUTERIE *de la salle de bains,* l'ensemble des tuyaux, des canalisations.

tweed n. m. *Papa a une veste en* TWEED, en tissu de laine.

tympan n. m. *L'explosion lui a déchiré le* TYMPAN, la peau tendue au fond de l'oreille, par laquelle on perçoit les sons.

type n. m. **1.** *Ce fusil est d'un* TYPE *très courant* (= modèle). — **2.** *M. Dupont est le* TYPE *de l'intellectuel,* il en a les caractéristiques, les traits qui permettent de le reconnaître. — **3.** Fam. *Je n'aime pas ce* TYPE, cet homme (= bonhomme). ◆ **typique** adj. (sens 2) *Boire du thé est une habitude* TYPIQUE *des Anglais,* caractéristique.

typhon n. m. *Le bateau a coulé dans un* TYPHON (= ouragan, cyclone).

typique → TYPE.

typographe n. Dans une imprimerie, le TYPOGRAPHE assemble les lettres, les caractères pour composer un texte. ◆ **typographie** n. f. La TYPOGRAPHIE est une technique pour imprimer.

tyran n. m. *Cet homme est un* TYRAN *avec toute sa famille,* une personne qui abuse de son autorité pour être cruel avec les autres. ◆ **tyrannie** n. f. *Ce chef d'État exerçait une véritable* TYRANNIE *sur son peuple,* un abus d'autorité (= oppression). ◆ **tyrannique** adj. *Ne sois pas* TYRANNIQUE *avec ta petite sœur!,* autoritaire et méchant. ◆ **tyranniser** v. *Ce roi* TYRANNISAIT *ses esclaves* (= persécuter, opprimer).

tzigane adj. et n. *J'aime la musique* TZIGANE, particulière aux musiciens de Bohême et de Hongrie.

ukase n. m. *Je n'obéirai pas à ses* UKASES, ses décisions arbitraires.
• **R.** On prononce [ukaz].

ulcère n. m. *M. Dupont a un* ULCÈRE *à l'estomac,* une maladie.

ulcérer v. *Son ingratitude m'*A ULCÉRÉ, beaucoup choqué (= blesser, choquer).

ultérieur adj. *On reparlera de ce projet à une date* ULTÉRIEURE (= postérieur; ≠ antérieur). ◆ **ultérieurement** adv. *On en reparlera* ULTÉRIEUREMENT, plus tard.

ultimatum n. m. *Comme il refusait de payer ses dettes, l'huissier lui a adressé un* ULTIMATUM, un ordre impératif (= sommation).
• **R.** On prononce [yltimatɔm].

ultime adj. *Écoute bien, ce sont mes* ULTIMES *recommandations,* mes toutes dernières.

ultra- est un préfixe indiquant une grande intensité.

ululer v. *Le hibou* ULULE, il pousse son cri.

un, une, des articles indéfinis *Donne-moi* UNE *pomme, j'en veux* UNE *autre* (≠ le, la). ‖ *Je veux* DES *pommes* (≠ les). ◆ **un, une** adj. UN *et* UN *font deux* (1 + 1 = 2). ‖ *Regarde page* UN. ‖ *Il est venu* UNE *fois ou deux.* ▷ 517

unanime adj. *Jean a reçu une approbation* UNANIME, de tout le monde (= général). ◆ **unanimement** adv. *Tout le monde a accepté* UNANIMEMENT. ◆ **unanimité** n. f. *Cette loi a été votée à l'*UNANIMITÉ, tout le monde a voté pour.

une → UN.

uni adj. **1.** *Le sol n'est pas assez* UNI *pour jouer au ballon* (= plat; ≠ inégal, accidenté). — **2.** *Marie a une jupe* UNIE, d'une seule couleur (≠ bigarré).
• **R.** Ne pas confondre avec *uni,* participe de *unir.*

unifier v. *On* A UNIFIÉ *les tarifs douaniers européens,* on les a rendus semblables (≠ diversifier). ◆ **unification** n. f. *L'*UNIFICATION *de l'Allemagne a eu lieu au XIX*ᵉ *siècle,* la création d'un État allemand.

uniforme **1.** adj. *Dans cette région de plaine, le paysage est* UNIFORME, toujours le même (≠ varié). — **2.** n. m. *Les pompiers, les soldats portent un* UNIFORME, un costume imposé par le règlement. ◆ **uniformément** adv. ▷ 37 (sens 1) *Le ciel reste* UNIFORMÉMENT *nuageux,* sans changer. ◆ **uniformiser** v. (sens 1) *Tous ces règlements différents devraient* ÊTRE UNIFORMISÉS (= unifier). ◆ **uniformité** n. f. (sens 1) *L'*UNIFORMITÉ *s'oppose à la diversité, au contraste, au changement.*

unijambiste → JAMBE. / **unilatéral** → LATÉRAL. / **union** → UNIR.

unique adj. **1.** *Pierre est fils* UNIQUE, il n'a ni frère ni sœur. ‖ *Cette rue est à sens* UNIQUE, un seul sens est autorisé. — **2.** *Attention à ce vase, c'est une pièce* UNIQUE, il n'y en a pas d'autres (= exceptionnel; ≠ commun). ◆ **uniquement** adv. (sens 1) *Égoïste, tu penses* UNIQUEMENT *à toi!* (= seulement).

unir v. **1.** *Les opprimés doivent* S'UNIR *contre leurs maîtres* (= s'associer; ≠ s'opposer). ‖ *L'amitié qui les* UNIT *est très grande* (= lier, rassembler; ≠ séparer). — **2.** *M. Durand* UNIT *la force et le courage,* il a ces qualités en même temps. ◆ **union** n. f. (sens 1) *L'*UNION *fait la force,* le fait d'être unis (= entente; ≠ opposition). ‖ *Une fédération est une* UNION *d'États* (= association, groupement). • (sens 2) *Cette* UNION *de couleurs est très jolie* (= assemblage, réunion). ◆ **à l'unisson** adv. (sens 1) *Le public a applaudi* À L'UNISSON, tous ensemble. ◆ **désunir** v. (sens 1) *Une dispute les* A DÉSUNIS (= séparer). ◆ **désunion** n. f. (sens 1) *La* DÉSUNION *règne entre eux* (= désaccord).

• **R.** V. UNI.

unité n. f. **1.** *Ces différents partis ont décidé l'*UNITÉ *d'action,* ils sont d'accord pour agir ensemble. — **2.** *Ce tableau manque d'*UNITÉ, d'harmonie d'ensemble. — **3.** *Ces vélos coûtent 500 francs l'*UNITÉ, l'un, chaque. — **4.** *Le mètre est une* UNITÉ *de longueur, le gramme est une* UNITÉ *de poids.* ‖ *Le franc est l'*UNITÉ *monétaire de la France,* l'élément de base. — **5.** *Le soldat a rejoint son* UNITÉ, son corps de troupes. ◆ **unitaire** adj. (sens 1) *Les syndicats ont décidé une action* UNITAIRE, visant à l'unité.

univers n. m. **1.** *La Terre, le Soleil, les étoiles constituent l'*UNIVERS. — **2.** *Ce savant est connu dans l'*UNIVERS *entier,* par tous les hommes (= monde). ◆ **universel** adj. (sens 2) *Le président est élu au suffrage* UNIVERSEL, tout le monde vote. ◆ **universellement** adv. (sens 2) *Ce tableau est* UNIVERSELLEMENT *connu* (= mondialement).

université n. f. *Jacques fait ses études supérieures à l'*UNIVERSITÉ *de Paris.* ◆ **universitaire** adj. et n. *Jacques mange au restaurant* UNIVERSITAIRE, réservé aux étudiants. ‖ *M. Dubois est un* UNIVERSITAIRE, il enseigne à l'université.

uranium n. m. L'URANIUM est un métal rare recherché par l'industrie atomique.

• **R.** On prononce [yranjɔm].

urbain adj. **1.** *La population* URBAINE *de la France augmente de plus en plus,* celle des villes (≠ rural). — **2.** URBAIN se disait pour *poli.* ◆ **urbaniser** v. (sens 1) *Cette région* S'EST URBANISÉE, des villes se sont construites. ◆ **urbanisme** n. m. (sens 1) L'URBANISME est l'ensemble des études et des méthodes d'aménagement des villes. ◆ **urbaniste** n. (sens 1) Un URBANISTE est un architecte spécialiste d'urbanisme. ◆ **urbanité** n. f. (sens 2) *Il nous a reçus avec* URBANITÉ (= politesse).

LES UNITÉS DE MESURE

	1/1000	1/100	1/10	1	10	100	1000	10000
longueur	millimètre	centimètre	décimètre	mètre	décamètre	hectomètre	kilomètre	
volume	millilitre	centilitre	décilitre	litre	décalitre	hectolitre	mètre cube	
surface				mètre carré		are		hectare
poids	milli-gramme	centi-gramme	déci-gramme	gramme	déca-gramme	hecto-gramme	1 kilogramme (kilo) = 2 livres	1 quintal = 100 kilos 1 tonne = 1000 kilos

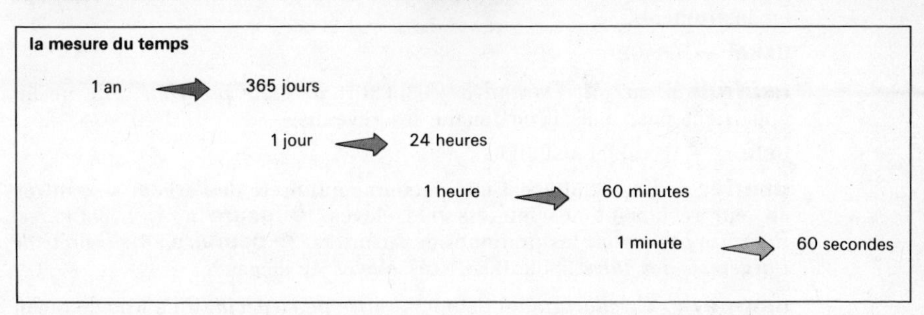

urgent adj. *Je vous quitte, j'ai un rendez-vous* URGENT, qui ne peut attendre. ◆ **urgence** n. f. *On vous demande* D'URGENCE, tout de suite.

uriner v. *Le chat* A URINÉ *sur le tapis,* il a fait pipi. ◆ **urine** n. f. *Le médecin a fait faire une analyse d'*URINE, le liquide jaune qui vient des reins. ◆ **urinoir** n. m. *Il y a des* URINOIRS *dans la cour de l'école,* des endroits où les garçons peuvent faire pipi.

▷ 295

urne n. f. **1.** *Pour voter, on met son bulletin dans l'*URNE, une boîte. — **2.** *Quand on incinère un mort, on met ses cendres dans une* URNE, un vase.

urticaire n. f. *Jean se gratte, il a une crise d'*URTICAIRE, une maladie.

usage n. m. **1.** *Quels sont les* USAGES *de ce pays?,* les habitudes, les coutumes, les traditions. — **2.** *Il* EST D'USAGE DE *se serrer la main pour se dire bonjour,* on le fait habituellement. — **3.** *L'*USAGE *du tabac est mauvais pour la santé,* le fait d'en fumer. — **4.** *Quel est l'*USAGE *de cet appareil?,* à quoi sert-il? — **5.** *Ces vêtements m'ont fait un long* USAGE, ils m'ont servi longtemps. ◆ **us** n. m. pl. (sens 1 et 2) *Quels sont les* US ET COUTUMES *de cette région?,* les usages. ◆ **usagé** ou **usé** adj. (sens 5) *Jean porte des vêtements* USAGÉS (USÉS), qui ont beaucoup servi (= défraîchi; ≠ neuf). ◆ **usager** n. m. (sens 3 et 4) *La police recommande la prudence aux* 768 ◁ USAGERS *de la route,* à ceux qui l'utilisent. ◆ **user** v. (sens 3 et 4) *Ils* ONT USÉ D'*une ruse pour réussir leur coup* (= utiliser). • (sens 5) *Cette voiture* USE *beaucoup d'essence* (= consommer). ‖ *Jean* A USÉ *les coudes de son pull* (= abîmer, détériorer). ◆ **usité** adj. (sens 2) *Le verbe «se pâmer» n'est plus* USITÉ, on ne l'utilise plus (= courant, usuel). ◆ **usuel** adj. (sens 2) *Le stylo est un objet* USUEL, on s'en sert souvent (= habituel, courant). ◆ **usure** n. f. (sens 5) *Le tapis porte des traces d'*USURE, il est usé. ◆ **inusable** adj. (sens 5) *Ces pneus sont presque* INUSABLES, ils sont très solides. ◆ **inusité** adj. (sens 2) *«Se pâmer» est* INUSITÉ (≠ habituel, utilisé).

291, 219 ◁ **usine** n. f. *M. Martin travaille dans une* USINE *d'automobiles,* un établissement où l'on en fabrique. ◆ **usiner** v. *Ces pièces* ONT ÉTÉ USINÉES *à la machine* (= façonner, fabriquer).

usité → USAGE.

ustensile n. m. *Le rateau et la bêche sont des* USTENSILES *de jardinage* (= instrument).

usuel → USAGE.

usufruit n. m. *M. Durand a l'*USUFRUIT *de cette propriété,* elle ne lui appartient pas, mais il en touche les revenus.

usure → USAGE et USURIER.

usurier n. Un USURIER est une personne qui prête de l'argent aux autres en leur réclamant des intérêts très élevés. ◆ **usure** n. f. *L'*USURE *est interdite par la loi,* les pratiques des usuriers. ◆ **usuraire** adj. *Il prête de l'argent à des taux* USURAIRES, très élevés et illégaux.

usurper v. *Ce charlatan* A USURPÉ *le titre de médecin,* il l'a pris de façon illégitime. ◆ **usurpation** n. f. *Le maire proteste contre les* USURPATIONS *du préfet,* les abus de pouvoir. ◆ **usurpateur** n. *Napoléon fut surnommé «l'*USURPATEUR*» par les royalistes.*

ut n. m. UT est la première note de la gamme (= do).

utérus n. m. L'UTÉRUS est l'organe de la femme dans lequel se développe l'enfant à naître.

utile adj. *Cet outil est très* UTILE, il rend service. ◆ **utilement** adv. *Tu as travaillé* UTILEMENT (= bien). ◆ **utiliser** v. *M. Durand* UTILISE *sa voiture pour aller à son travail,* il s'en sert (= employer). ◆ **utilisable** adj. *Ce livre n'est pas* UTILISABLE, on ne peut l'utiliser. ◆ **utilisateur** n. *Les* UTILISATEURS *de l'appareil sont priés de le remettre en place.* ◆ **utilisation**

n. f. *L'*UTILISATION *de la radio gêne les voisins* (= emploi). ◆ **utilitaire** adj. *Les camions, les autocars sont des véhicules* UTILITAIRES. ◆ **utilité** n. f. *Quelle est l'*UTILITÉ *de ce machin?*, à quoi est-il utile? ◆ **inutile** adj. *Il m'a donné des conseils* INUTILES, qui ne servent à rien. ◆ **inutilement** adv. *Tu es venu* INUTILEMENT, pour rien. ◆ **inutilisable** adj. *La voiture est* INUTILISABLE, on ne peut plus l'utiliser. ◆ **inutilisé** adj. *Beaucoup de ressources restent* INUTILISÉES, non utilisées. ◆ **inutilité** n. f. *Il s'est rendu compte de l'*INUTILITÉ *de ses paroles* (≠ utilité).

utopie n. f. *L'égalité de tous les hommes est-elle une* UTOPIE?, une chose impossible à réaliser. ◆ **utopique** adj. *Il a présenté un projet* UTOPIQUE (= irréalisable, chimérique).

vacances n. f. pl. *Les grandes* VACANCES *durent de juillet à septembre* (= congé; ≠ travail). ◆ **vacancier** n. m. *Il y a beaucoup de* VACANCIERS *sur la Côte d'Azur,* de personnes en vacances.

vacant adj. *Il y a dans cet immeuble des appartements* VACANTS (= libre; ≠ occupé).

vacarme n. m. *Les motos font un affreux* VACARME, un bruit très fort (= tapage; ≠ silence).

vacataire n. *Cette entreprise emploie des* VACATAIRES, des employés temporaires.

vaccin n. m. *On a découvert un nouveau* VACCIN *contre la grippe,* une substance qui permet d'éviter cette maladie. ◆ **vaccination** n. f. 38 ◁ *Certaines* VACCINATIONS *sont obligatoires.* ◆ **vacciner** v. *Le médecin nous* A VACCINÉS *contre le tétanos,* nous a fait un vaccin.

• **R.** *Vaccin* se prononce [vaksɛ̃].

368, 361 ◁ **vache** n. f. *La fermière va traire les* VACHES.

vaciller v. *Pierre est si fatigué qu'il* VACILLE *sur ses jambes,* il penche d'un côté et de l'autre (= chanceler).

va-et-vient n. m. inv. *Il y a dans le couloir un* VA-ET-VIENT *continuel,* des gens y passent (= circulation).

vagabond n. m. *Autrefois, il y avait beaucoup de* VAGABONDS *qui erraient sur les routes,* des gens sans domicile ni travail. ◆ **vagabondage** n. m. *Le* VAGABONDAGE *est un délit.* ◆ **vagabonder** v. *Des mendiants* VAGABONDENT *à travers la campagne* (= errer).

vagir v. *Les nouveau-nés* VAGISSENT (= crier). ◆ **vagissement** n. m. *On entend des* VAGISSEMENTS *dans la chambre du bébé.*

722 ◁ **1. vague** n. f. **1.** *La tempête soulève des* VAGUES *énormes,* des ondulations de la mer (= lame). — **2.** *La* VAGUE *de chaleur dure depuis le 10 juillet,* un temps très chaud. — **3.** *Samedi, il y a eu une* VAGUE *de départs en vacances,* un grand nombre (= masse, série).

2. vague adj. **1.** *Les promesses que Jean m'a faites étaient très* VAGUES (= flou, incertain; ≠ net, précis). — **2.** *Il y a un* TERRAIN VAGUE *derrière l'immeuble,* ni utilisé ni entretenu. ◆ **vague** n. m. (sens 1) *Il reste immobile, les yeux dans le* VAGUE, sans regarder rien de précis.

◆ **vaguement** adv. (sens 1) *On voit* VAGUEMENT *une silhouette au loin* (≠ précisément, nettement). ◆ **vaguer** v. (sens 1) *Jean laisse* VAGUER *son imagination,* il ne pense à rien de précis.

vaguemestre n. m. À l'armée, le VAGUEMESTRE est un sous-officier qui distribue le courrier.

vaguer → VAGUE 2.

vaillant adj. **1.** VAILLANT se disait pour *brave, courageux.* — **2.** *Je* N'AI PAS UN SOU VAILLANT, je suis sans argent. ◆ **vaillance** n. f. (sens 1) *On parle de la* VAILLANCE *des chevaliers d'autrefois* (= courage).

vain adj. **1.** *Leurs efforts ont été* VAINS, ils n'ont pas réussi (= inutile; ≠ efficace). — **2.** *Mes craintes n'étaient pas* VAINES (= faux, illusoire; ≠ réel, fondé). — **3.** VAIN se disait autrefois pour *vaniteux.* ◆ **en vain** adv. (sens 1) *J'ai essayé* EN VAIN *de le convaincre,* sans réussir (= inutilement). ◆ **vainement** adv. (sens 1) *J'ai attendu* VAINEMENT *pendant trois heures* (= en vain). ◆ **vanité** n. f. (sens 1) *La* VANITÉ *de leurs efforts était évidente* (= inefficacité). • (sens 3) *En me moquant de lui, je l'ai blessé dans sa* VANITÉ (= orgueil, prétention). ◆ **vaniteux** adj. (sens 3) *Marie est* VANITEUSE, elle est trop fière d'elle-même (= prétentieux; ≠ modeste).
• **R.** V. VIN.

vaincre v. **1.** *En 1940, l'Allemagne* A VAINCU *la France,* elle a remporté la victoire (= battre). — **2.** *Pierre a réussi à* VAINCRE *sa peur de l'obscurité* (= dominer, surmonter). ◆ **vaincu** adj. et n. (sens 1) *L'équipe* VAINCUE *a regagné tristement les vestiaires* (= perdant). ◆ **vainqueur** n. m. (sens 1) *Les* VAINQUEURS *de la Coupe du monde ont été acclamés* (= gagnant). ◆ **invaincu** adj. (sens 1) *Cette équipe est jusqu'ici* INVAINCUE, elle n'a jamais perdu. ◆ **invincible** adj. (sens 1) *Ce boxeur se croyait* INVINCIBLE, le plus fort. • (sens 2) *Jean est d'une timidité* INVINCIBLE (= insurmontable).
• **R.** Conj. nº 85. ‖ V. VIN.

▷ 512

vainement → VAIN.

vaisseau n. m. **1.** *Le sang circule à travers le corps dans les* VAISSEAUX *sanguins.* — **2.** Autrefois, un VAISSEAU était un grand navire de guerre. — **3.** *Le* VAISSEAU SPATIAL *a quitté l'atmosphère terrestre,* l'engin pour voyager dans l'espace.

vaisselle n. f. *Mme Durand lave la* VAISSELLE *après le repas,* les ustensiles qui ont servi (assiettes, plats, bols, etc.). ◆ **vaisselier** n. m. Un VAISSELIER est un meuble pour ranger la vaisselle.

val → VALLÉE. / **valable** → VALOIR.

valet n. m. **1.** *Autrefois, les nobles avaient de nombreux* VALETS (= domestique, serviteur). — **2.** *Jean a joué le* VALET *de cœur,* une des cartes.

valeur → VALOIR.

valide adj. **1.** *Paul a été malade, mais il est de nouveau* VALIDE, en bonne santé. — **2.** *Ce certificat n'est* VALIDE *qu'avec la signature du médecin* (= valable, utilisable). ◆ **valider** v. (sens 2) *Il faut faire* VALIDER *votre passeport,* le rendre valide (= légaliser). ◆ **validité** n. f. (sens 2) *Ce billet d'avion a une* VALIDITÉ *d'un mois,* il peut être utilisé pendant un mois. ◆ **invalide** adj. et n. (sens 1) *M. Dupuis est un* INVALIDE *de guerre,* il ne peut plus travailler (= infirme). ◆ **invalider** v. (sens 2) *L'élection* A ÉTÉ INVALIDÉE, déclarée non valable (= annuler). ◆ **invalidité** n. f. (sens 1) *M. Dupuis touche une pension d'*INVALIDITÉ.

509 ◁ **valise** n. f. *Pierre fait ses* VALISES *avant de partir en vacances* (= bagage).

650 ◁ **vallée** n. f. *Cette rivière coule dans une large* VALLÉE, un endroit creux avec des versants en pente. ◆ **val** n. m. se disait pour *vallon.* ◆ **vallon** n. m. *Un ruisseau coule au fond du* VALLON, de la petite vallée. ◆ **vallonné** adj. *Cette région est* VALLONNÉE, il y a des collines et des vallées.

• **R.** V. VEAU.

valoir v. **1.** *Ce livre* VAUT *100 francs,* il a ce prix (= coûter). — **2.** *Ce tissu ne* VAUT *rien,* il est de mauvaise qualité. — **3.** *Cet acteur ne* VAUT *rien,* il joue mal. — **4.** *La chaleur* NE *te* VAUT RIEN, elle n'est pas bonne pour ta santé. — **5.** *Jean cherche toujours à* SE FAIRE VALOIR, à se montrer à son avantage. — **6.** IL VAUT MIEUX *partir demain que ce soir,* cela est préférable. ◆ **valable** adj. (sens 2, 3 et 4) *Mon passeport n'est plus* VALABLE (= bon; ≠ périmé). ‖ *Jean s'est fâché sans raison* VALABLE (= acceptable, sérieux). ◆ **valeur** n. f. (sens 1) *La* VALEUR *de ce vase est très grande* (= prix). • (sens 3) *M. Durand est un homme de* VALEUR, il a de grandes qualités (= mérite). ◆ **valoriser** v. (sens 1) *Le passage de l'autoroute* A VALORISÉ *ces terrains,* a fait augmenter leur prix. ◆ **dévaloriser** v. (sens 1) *La monnaie de ce pays* S'EST DÉVALORISÉE, a perdu de sa valeur. ◆ **dévaluer** v. (sens 1) *Le franc vient d'*ÊTRE DÉVALUÉ, il a perdu une partie de sa valeur par rapport aux monnaies étrangères. ◆ **dévaluation** n. f. (sens 1) *La* DÉVALUATION *est une conséquence de la crise économique.* ◆ **équivaloir** v. (sens 1) *Le prix de cette voiture* ÉQUIVAUT *à dix mois de mon salaire,* à une valeur égale (= représenter). ◆ **équivalent** adj. (sens 1) *Ces deux terrains sont d'un prix* ÉQUIVALENT (= égal).

• **R.** Conj. nº 40. ‖ V. VEAU.

valse n. f. *L'orchestre joue une* VALSE *lente,* une sorte de danse. ◆ **valser** v. *Jean* VALSE *avec Marie,* il danse une valse. ◆ **valseur** n. *Marie est bonne* VALSEUSE.

valve n. f. *Pour gonfler le pneu de ton vélo, il faut d'abord dévisser la*
512 ◁ VALVE, l'appareil qui laisse entrer l'air mais ne le laisse pas sortir.

vampire n. m. *Pierre m'a raconté une affreuse histoire de* VAMPIRE, de fantôme buveur de sang.

van → VANNER.

vandale n. m. *Les arbres du boulevard ont été abîmés par des* VANDALES, des gens stupides qui détruisent pour s'amuser (= barbare). ◆ **vandalisme** n. m. *On recherche les auteurs de ces actes de* VANDALISME.

vanille n. f. *Marie aime la glace à la* VANILLE, parfumée avec cette plante exotique. ◆ **vanillé** adj. *Mme Durand met du sucre* VANILLÉ *sur la tarte.*

vanité, vaniteux → VAIN.

vanne n. f. *Quand les* VANNES *de l'écluse sont fermées, on ne peut pas passer* (= porte, panneau).

vanner v. **1.** *Autrefois, on* VANNAIT *le blé pour séparer le grain des déchets.* — **2.** *Pierre est rentré* VANNÉ *de la promenade,* très fatigué (= harasser). ◆ **van** n. m. (sens 1) Un VAN est une sorte de panier qui servait à vanner le blé.
- **R.** V. VENT.

vannerie n. f. *À l'école, Pierre apprend à faire de la* VANNERIE, des objets en osier tressé.

vantail n. m. *La maison a une porte à deux* VANTAUX, formée de deux grands panneaux mobiles. ▷ 73

vanter v. **1.** *On nous* A VANTÉ *le vin de cette région,* on nous en a dit du bien (= louer). — **2.** *Pierre* SE VANTE *quand il dit qu'il peut faire 50 kilomètres à pied,* il exagère sa force. ◆ **vantard** n. et adj. (sens 2) *Pierre est (un)* VANTARD (= fanfaron). ◆ **vantardise** n. f. (sens 2) *Personne ne croit ses* VANTARDISES (= exagération).
- **R.** V. VENT.

va-nu-pieds n. m. inv. *Avec ton pantalon déchiré, tu as l'air d'un* VA-NU-PIEDS (= mendiant, clochard).

vapeur n. f. **1.** *L'eau bout à 100 degrés et se transforme en* VAPEUR, en fines gouttelettes qui flottent dans l'air. — **2.** *Les machines à* VAPEUR *fonctionnent grâce à l'énergie produite par la* VAPEUR *d'eau* (sens 1). — **3.** *Il y a des* VAPEURS *à l'horizon,* un léger brouillard. — **4.** (au plur.) *Mme Durand a eu des* VAPEURS, un léger malaise. ◆ **vapeur** n. m. (sens 2) *Les* VAPEURS *ont remplacé les bateaux à voiles,* les bateaux qui avançaient grâce à une machine à vapeur. ◆ **vaporeux** adj. (sens 3) *Marie a une robe* VAPOREUSE, légère et presque transparente. ◆ **vaporiser** v. (sens 1) *Le jardinier* VAPORISE *un insecticide sur ses fraisiers,* il l'envoie grâce à un vaporisateur. ◆ **vaporisateur** n. m. (sens 1) *Ce parfum est vendu en* VAPORISATEUR, un appareil qui envoie le parfum en fines gouttelettes (= pulvérisateur). ◆ **s'évaporer** v. (sens 1) *L'eau* S'ÉVAPORE *au soleil,* elle se change en vapeur d'eau. ◆ **évaporation** n. f. (sens 1) *L'*ÉVAPORATION *des liquides augmente avec la chaleur.* ▷ 221

vaquer v. *M. Durand* VAQUE *à ses occupations,* il s'y applique, s'en occupe.

varappe n. f. *Le dimanche, Pierre fait de la* VARAPPE, il escalade des rochers pour faire du sport. ▷ 649

varech n. m. *Les rochers sont couverts de* VARECH, une algue. ▷ 723
- **R.** On prononce [varɛk].

vareuse n. f. *Jean a relevé le col de sa* VAREUSE, une sorte de veste. ▷ 765

variable, variation → VARIER.

varice n. f. *Mme Dupont a du mal à marcher à cause de ses* VARICES, une sorte de maladie des veines.

varicelle n. f. *Pierre ne va pas en classe, il a la* VARICELLE, une maladie bénigne mais contagieuse.

varier v. *Le prix des fruits* VARIE *selon la saison,* il n'est pas le même (= changer). ◆ **varié** adj. *Mon travail n'est pas très* VARIÉ, il ne change pas (≠ monotone). ◆ **variable** adj. *Aujourd'hui, il fait un temps* VARIABLE (= changeant, instable; ≠ constant, immuable). ◆ **variation** n. f. *Attention aux* VARIATIONS *de température!* (= changement). ◆ **variété** n. f. **1.** *Il y a peu de* VARIÉTÉ *dans ce paysage,* il change peu (= diversité). — **2.** *L'épicier nous a recommandé cette* VARIÉTÉ *de pomme* (= sorte, espèce). — **3.** (au plur.) *À la télévision, il y a une émission de* VARIÉTÉS, composée de chansons et de sketches variés. ◆ **invariable** adj. *Les adverbes et les prépositions sont des mots* INVARIABLES, qui ne changent pas en nombre ou en genre.

variole n. f. *La vaccination contre la* VARIOLE *est obligatoire,* une grave maladie contagieuse.

437 ◁ **1. vase** n. m. *Mme Durand a mis les fleurs dans un* VASE *en cristal.*

2. vase n. f. *Le bord de l'étang est couvert de* VASE, de boue très molle. ◆ **s'envaser** v. *Le bateau s'est échoué et* S'EST ENVASÉ, il s'est enfoncé dans la vase.

vaseline n. f. *La* VASELINE *sert à fabriquer des pommades,* un produit.

vasistas n. m. *La cave est aérée par un* VASISTAS, une sorte de fenêtre placée près du plafond.

• **R.** On prononce [vazistas].

vassal n. *Au Moyen Âge, les seigneurs étaient assistés par leurs* VASSAUX, des gens qui leur obéissaient, mais qu'ils devaient protéger.

vaste adj. *Les Durand habitent dans une* VASTE *maison,* très grande (= spacieux; ≠ exigu).

va-tout n. m. inv. *Pierre* A JOUÉ SON VA-TOUT *et il a perdu,* il a risqué tout ce qu'il avait.

vaudeville n. m. Un VAUDEVILLE est une pièce de théâtre comique contenant des chansons.

à vau-l'eau adv. *Il laisse ses affaires aller* À VAU-L'EAU, il ne s'en occupe pas.

vaurien n. m. *Petit* VAURIEN, *tu as cassé un carreau!* (= garnement, voyou).

650 ◁ **vautour** n. m. *Les* VAUTOURS *se nourrissent de cadavres,* une sorte de grand oiseau.

se vautrer v. *Les cochons* SE VAUTRENT *dans la boue,* ils se couchent et se roulent dedans.

361 ◁ **veau** n. m. *La vache a eu un* VEAU, un petit.

• **R.** *Veau* se prononce [vo] comme *vos, vaux* (pluriel de *val*) et [*il*] *vaut* (de *valoir*).

vedette n. f. **1.** *Nous avons visité le port dans une* VEDETTE, un bateau à moteur. — **2.** *Plusieurs* VEDETTES *jouent dans ce film,* des acteurs très connus. — **3.** *Jacques aime se mettre* EN VEDETTE, se faire remarquer. ▷ 726

végétation n. f. **1.** *Dans les déserts, il n'y a pas de* VÉGÉTATION, de plantes. — **2.** (au plur.) *François a été opéré des* VÉGÉTATIONS, une maladie du nez. ◆ **végétal** n. m. et adj. (sens 1) *Les* VÉGÉTAUX *ont besoin d'eau pour pousser* (= plante). ‖ *L'huile d'olive est une huile* VÉGÉTALE, faite avec une plante (≠ animal et minéral). ◆ **végétarien** adj. et n. (sens 1) *Les Dupont sont (des)* VÉGÉTARIENS, ils ne mangent que des plantes, pas de viande. ◆ **végétatif** adj. (sens 1) *M. Durand mène une vie* VÉGÉTATIVE, il est inactif. ◆ **végéter** v. *M. Durand* VÉGÈTE *dans l'inaction,* il reste dans une situation médiocre (= vivoter).

véhément adj. *Jean m'a répondu d'un ton* VÉHÉMENT, très violent. ◆ **véhémence** n. f. *Pierre et Jean discutent avec* VÉHÉMENCE (= emportement; ≠ calme).

véhicule n. m. *L'avion, le train, l'automobile sont des* VÉHICULES *d'aujourd'hui, les carrosses, les carrioles étaient des* VÉHICULES *d'autrefois,* des moyens de transport. ◆ **véhiculer** v. *Ces marchandises* SERONT VÉHICULÉES *par bateau* (= transporter). ▷ 511, 761

veille n. f. **1.** *Les vacances commenceront* LA VEILLE *de Noël,* le jour d'avant (≠ le lendemain). — **2.** *Les Durand sont* À LA VEILLE DE *partir en Afrique,* sur le point de le faire. — **3.** *M. Durand est resté deux nuits en état de* VEILLE, sans dormir (≠ sommeil). — **4.** *Le marin a pris son tour de* VEILLE *à 2 heures du matin* (= surveillance). ◆ **veillée** n. f. (sens 3) *Autrefois, on racontait des histoires à la* VEILLÉE, entre le repas du soir et le moment de se coucher. ◆ **veiller** v. (sens 3) *M. Durand* A VEILLÉ *pendant deux nuits,* il n'a pas dormi. • (sens 4) *Tu* VEILLERAS *à ce que tout se passe bien,* tu en prendras soin (= s'occuper de). ◆ **veilleur** n. m. (sens 4) *Le* VEILLEUR DE NUIT *est chargé de surveiller des bâtiments pendant la nuit,* c'est son métier. ◆ **veilleuse** n. f. **1.** *Marie n'aime pas dormir sans une* VEILLEUSE, une petite lampe qui reste allumée toute la nuit. — **2.** *Dès qu'il fait sombre, les automobilistes doivent allumer leurs* VEILLEUSES, leurs petites lampes (≠ code et phare). ◆ **avant-veille** n. f. (sens 1) *Lundi est* L'AVANT-VEILLE *de mercredi* (≠ le surlendemain). ▷ 125 ▷ 125

veine n. f. **1.** *En appuyant sur la* VEINE *du poignet, on sent le battement du sang,* le vaisseau sanguin. — **2.** *Sur ce meuble poli, on voit les* VEINES *du bois,* des traits de couleurs différentes. — **3.** Fam. *Jean gagne souvent aux cartes, il a de la* VEINE (= chance). ◆ **veinard** adj. et n. (sens 3) Fam. *Jean est un* VEINARD, il a de la veine. ◆ **veiné** adj. (sens 2) *Le marbre est une roche* VEINÉE, qui a des veines. ◆ **intraveineux** adj. (sens 1) *On m'a fait une piqûre* INTRAVEINEUSE, dans une veine (≠ intramusculaire). ◆ **déveine** n. f. (sens 3) Fam. *J'ai encore perdu, quelle* DÉVEINE! (= malchance). ▷ 40

velléités n. f. pl. *Pierre avait des* VELLÉITÉS *de se lever tôt,* il en avait l'intention, mais il ne l'a pas fait. ◆ **velléitaire** n. *Pierre est un* VELLÉITAIRE, il a l'intention d'agir, mais n'agit pas.

512 ◁ **vélo** n. m. Fam. *Pour Noël, Pierre a eu un* VÉLO *de course* (= bicyclette). ◆ **vélodrome** n. m. *L'arrivée de l'étape a eu lieu dans le* VÉLODROME, dans un stade avec une piste pour les vélos. ◆ **vélomoteur** n. m. *Ce* VÉLOMOTEUR *fait beaucoup de bruit.*

vélocité n. f. *M. Durand parle avec* VÉLOCITÉ, à une grande vitesse.

vélodrome, vélomoteur → VÉLO.

velours n. m. *Jean a un costume de* VELOURS, une sorte de tissu. ◆ **velouté** adj. *La peau des pêches est* VELOUTÉE, douce à toucher comme le velours.

velu adj. *M. Duval a les bras* VELUS (= poilu).

venaison n. f. *Nous avons mangé de la* VENAISON, de la chair de grand gibier (cerf, sanglier, etc.). ◆ **vénerie** n. f. La VÉNERIE est la chasse au gros gibier.

vénal adj. *M. Duval est un homme* VÉNAL, il ferait n'importe quoi pour de l'argent.

venant → VENIR. / **vendable** → VENDRE.

578 ◁ **vendange** n. f. *Cette année, la (les)* VENDANGE(S) *a (ont) commencé le 15 septembre,* la récolte du raisin. ◆ **vendanger** v. *Le vigneron* A VENDANGÉ *toutes ses vignes en quinze jours.* ◆ **vendangeur** n. *À la fin de la journée, les* VENDANGEURS *sont fatigués,* ceux qui vendangent.

vendetta n. f. En Corse, une VENDETTA est un meurtre commis pour venger un autre meurtre.

vendre v. **1.** *Le libraire* VEND *des livres, le pharmacien* VEND *des médicaments,* les cède contre de l'argent (≠ acheter ou donner). — **2.** *Le bandit* A VENDU *ses complices* (= trahir). ◆ **vendeur** n. (sens 1) *Le* VENDEUR *veut être payé par chèque* (≠ acheteur). ‖ *Mme Dubois est* 221 ◁ VENDEUSE *dans un magasin,* c'est son métier (≠ client). ◆ **vendu** n. (sens 2) *Cet homme est un* VENDU (= traître). ◆ **vente** n. f. (sens 1) *Quel est le prix de* VENTE *de ces marchandises?* (≠ achat). ◆ **invendable** adj. (sens 1) *Ces fruits sont pourris, ils sont* INVENDABLES. ◆ **mévente** n. f. (sens 1) *La* MÉVENTE *du blé inquiète les paysans,* la baisse des ventes. ◆ **revendre** v. (sens 1) *Les Durand* ONT REVENDU *leur appartement* (= vendre).

• **R.** Conj. n° 50. ‖ V. VENT.

125 ◁ **vendredi** n. m. *L'école recommence* VENDREDI *15 septembre.*

vendu → VENDRE.

656 ◁ **vénéneux** adj. *Attention à ce champignon, il est* VÉNÉNEUX!, il contient un poison.

• **R.** *Vénéneux* ne se dit que des choses qu'on mange. (V. VENIN.)

vénérer v. *Les chrétiens* VÉNÈRENT *le Christ, la Vierge et les saints,* ils les respectent et les adorent. ◆ **vénérable** adj. *Mon grand-père a atteint un âge* VÉNÉRABLE (= respectable). ◆ **vénération** n. f. *Il parle de son père avec* VÉNÉRATION, un grand respect.

vénerie → VENAISON.

venger v. *Pierre a voulu* SE VENGER *des insultes de Jean,* lui faire du mal pour le punir de l'avoir insulté. ◆ **vengeance** n. f. *Pierre a agi par esprit de* VENGEANCE, pour se venger. ◆ **vengeur** adj. *L'orateur a fait un discours* VENGEUR, appelant à la vengeance. ◆ **vindicatif** adj. *Jean est* VINDICATIF, il cherche à se venger (= rancunier).

véniel adj. *Ne t'inquiète pas, ce n'est qu'une faute* VÉNIELLE, sans gravité (= léger).

venin n. m. *Le* VENIN *de la vipère peut être mortel,* le poison contenu dans ses crocs. ◆ **venimeux** adj. *Certaines araignées sont* VENIMEUSES, leur piqûre est empoisonnée.

• **R.** Ne pas confondre *vénéneux* et *venimeux.*

venir v. **1.** *J'ai demandé à Pierre de* VENIR *nous voir,* de se déplacer vers nous. — **2.** *Le vent* VIENT *du nord,* le nord est son point de départ (= provenir). — **3.** *Pierre* EST VENU AU MONDE *en 1965,* il est né. — **4.** *Ne t'inquiète pas, ton tour* VIENDRA! (= arriver, survenir). — **5.** *Jean* VIENT DE *sortir,* il est sorti il y a très peu de temps. ◆ **venant** n. m. (sens 1) *Ce bâtiment est ouvert* À TOUS VENANTS, à n'importe qui. ◆ **venu** n. (sens 1) *Ne parle pas au* PREMIER VENU, à n'importe qui. ◆ **venue** n. f. (sens 1) *Pierre m'a annoncé sa* VENUE, qu'il viendrait (= arrivée). ◆ **bienvenu** n. (sens 1) *Entre, tu es le* BIENVENU!, tu arrives bien. ◆ **bienvenue** n. f. (sens 1) *Jean m'a souhaité la* BIENVENUE, il m'a fait un bon accueil. ◆ **tout-venant** n. m. (sens 1) *Cette marchandise n'est pas du* TOUT-VENANT, c'est de la bonne qualité.

• **R.** Conj. nº 22. ‖ *Venir* se conjugue avec l'auxiliaire *être.* ‖ V. VIN.

vent n. m. **1.** *Le* VENT *souffle en tempête depuis ce matin.* — **2.** *La trompette, la flûte sont des* INSTRUMENTS À VENT, dans lesquels on souffle. — **3.** *L'histoire que tu m'as racontée, c'est du* VENT, ce n'est pas vrai. ◆ **venter** v. (sens 1) *Il* VENTE *depuis ce matin,* il fait du vent. ◆ **ventiler** v. (sens 1) *Il fait trop chaud, il faut* VENTILER *cette pièce,* faire entrer de l'air. ◆ **ventilateur** n. m. (sens 1) *Le* VENTILATEUR *nous envoie une petite brise agréable,* un appareil qui tourne. ▷ 505

• **R.** *Vent* se prononce [vɑ̃] comme *van* et [je] *vends* (de *vendre).* ‖ *Venter* se prononce [vɑ̃te] comme *vanter.*

vente → VENDRE.

ventouse n. f. **1.** *Les pieuvres ont de longs bras à* VENTOUSES, des organes qui collent aux objets. — **2.** *Mettre des* VENTOUSES *à un malade,* c'est lui appliquer sur la peau des petites cloches de verre. ▷ 724

ventre n. m. **1.** *Pierre a la colique, il a mal au* VENTRE, à l'estomac ou à l'intestin. — **2.** *Jean dort sur le* VENTRE, sur la partie avant du corps (≠ dos). ◆ **ventriloque** n. Un VENTRILOQUE est une personne qui parle sans remuer les lèvres. ◆ **ventru** ou, fam., **ventripotent** adj. (sens 1) *M. Durand est* VENTRU, il a un gros ventre. ▷ 33

venu, venue → VENIR.

vêpres n. f. pl. Dans l'Église catholique, les VÊPRES sont un office religieux de l'après-midi.

ver n. m. *Le pêcheur met un* VER *au bout de sa ligne,* un petit animal allongé au corps mou. ◆ **véreux** adj. *Jette cette poire, elle est* VÉREUSE, elle contient des vers. ◆ **vermifuge** n. m. Un VERMIFUGE est un médicament contre les vers de l'intestin. ◆ **vermisseau** n. m. Un VERMISSEAU est un tout petit ver. ◆ **vermoulu** adj. *Ce vieux buffet est tout* VERMOULU, plein de trous de vers.

• **R.** *Ver* se prononce [vɛr] comme *verre, vers* et *vert.*

véracité → VRAI.

véranda n. f. *Il y a une* VÉRANDA *derrière la cuisine,* une galerie vitrée.

verbal adj. **1.** *M. Durand m'a donné son accord* VERBAL, de vive voix (= oral; ≠ écrit). — **2.** *«Apitoyer» est un verbe, «faire pitié» est une locution* VERBALE, qui joue le même rôle qu'un verbe. ◆ **verbalement** adv. (sens 1) *Il me l'a promis* VERBALEMENT (≠ par écrit). ◆ **verbe** n. m. (sens 2) *Le* VERBE *est le mot principal de la phrase.* ‖ *Certains* VERBES *ont une conjugaison irrégulière.*

verbaliser → PROCÈS-VERBAL.

verbeux adj. *Pierre s'est lancé dans des explications* VERBEUSES, longues et embrouillées (≠ concis). ◆ **verbiage** n. m. *Je ne comprends rien à son* VERBIAGE, à ses discours verbeux (= bavardage).

verdâtre, verdeur → VERT.

verdict n. m. *Quel est le* VERDICT? — *L'accusé est acquitté,* la décision du tribunal (= jugement).

verdir, verdoyant, verdure → VERT. / **véreux** → VER.

verger n. m. *Dans ce* VERGER, *il y a des poiriers et des cerisiers,* ce champ d'arbres fruitiers.

verglas n. m. *La voiture a dérapé sur le* VERGLAS, sur la glace qui recouvre la route. ◆ **verglacé** adj. *Attention, route* VERGLACÉE!

vergogne n. f. SANS VERGOGNE, *il a pris le plus gros morceau,* sans se gêner, sans honte.

vergue n. f. *Sur les grands bateaux à voiles, il y avait des* VERGUES, des pièces de bois qui soutiennent les voiles.

véridique, vérification, vérifier, véritable, véritablement, vérité → VRAI.

vermeil 1. adj. *M. Durand est gros, il a le teint* VERMEIL, rouge vif. — **2.** n. m. *Les Durand ont des fourchettes et des cuillers en* VERMEIL, en argent doré. ◆ **vermillon** adj. inv. (sens 1) *Elle s'est mis du rouge à lèvres* VERMILLON, rouge vif.

vermicelle n. m. *Jean aime la soupe au* VERMICELLE, aux petites nouilles.

vermifuge → VER. / **vermillon** → VERMEIL.

vermine n. f. *Ce matelas est plein de* VERMINE, d'insectes nuisibles (puces, poux, punaises, etc.).

vermisseau, vermoulu → VER.

vermouth n. m. *Comme apéritif, M. Durand a pris un* VERMOUTH, une sorte de vin.

vernis n. m. *Il faut mettre du* VERNIS *sur cette table,* un enduit brillant pour la protéger. ◆ **vernir** v. *Le plancher de la chambre* EST VERNI, recouvert de vernis. ◆ **verni** adj. Fam. *Jean a gagné, il est* VERNI, il a de la chance.

vérole n. f. PETITE VÉROLE se disait autrefois pour *variole.*

verrat n. m. Un VERRAT est un porc mâle (≠ truie).

verre n. m. **1.** *Pierre a cassé un carreau, il y a du* VERRE *par terre.* — **2.** *Les Durand ont des* VERRES *de cristal,* des récipients pour boire. — **3.** *Marie porte des* VERRES *de contact,* des instruments pour corriger la vue. ◆ **verrerie** n. f. (sens 1) *Dans une* VERRERIE, *on fabrique du verre et des objets en verre.* ◆ **verrier** n. m. (sens 1) *Un* VERRIER *travaille dans une verrerie.* ◆ **verrière** n. f. (sens 1) *Les serres sont recouvertes d'une* VERRIÈRE, de grands panneaux de verre. ◆ **verroterie** n. f. (sens 1) *Marie a acheté un collier de* VERROTERIE, en verre coloré sans valeur.
• **R.** V. VER.

▷ 78, 79
▷ 508, 767

verrou n. m. *Le soir, M. Durand ferme la porte au* VERROU, une sorte de serrure très résistante. ◆ **verrouiller** v. VERROUILLE *bien la porte avant de partir!,* ferme-la avec le verrou.

▷ 74

verrue n. f. *Jean a des* VERRUES *sur les mains,* des sortes de boutons.

1. vers prép. indique le lieu : *Nous allons* VERS *la mer* (= en direction de); le temps : *J'arriverai* VERS *midi* (= aux environs de).
• **R.** V. VER.

2. vers n. m. *Ce poème est en* VERS *de douze pieds,* en lignes de douze syllabes. ◆ **versification** n. f. *La rime, le nombre des syllabes du vers font partie des règles de la* VERSIFICATION (= poésie).
• **R.** V. VER.

versant n. m. *Les* VERSANTS *de la montagne sont très abrupts,* les pentes entre le bas et le sommet.

▷ 650

versatile adj. *Jean a un caractère* VERSATILE, il change souvent d'idée (≠ obstiné, persévérant).

verser v. **1.** *Hélène* VERSE *de l'eau dans sa gourde,* elle la fait couler dedans (= mettre). — **2.** *M. Durand est allé* VERSER *de l'argent à la banque* (= porter, remettre). — **3.** *La voiture* A VERSÉ *dans le fossé,* elle est tombée sur le côté (= se renverser). — **4.** *Pendant son service militaire, il* A ÉTÉ VERSÉ *dans l'aviation* (= incorporer). ◆ **à verse** adv. (sens 1) *Il pleut* À VERSE, en abondance. ◆ **versé** adj. *Il est très* VERSÉ *en musique* (= savant). ◆ **versement** n. m. (sens 2) *Il a payé sa dette en trois* VERSEMENTS, en trois fois (= paiement). ◆ **verseur** adj. (sens 1) *Cette casserole a un bec* VERSEUR, servant à verser.

verset n. m. *La Bible est divisée en* VERSETS, en petits paragraphes numérotés.

verseur → VERSER. / **versification** → VERS 2.

version n. f. **1.** *Jacques a fait une* VERSION *anglaise,* il a traduit en français un texte anglais (≠ thème). — **2.** *Ce film est projeté en* VERSION *originale,* dans la langue de son pays d'origine. — **3.** *Il nous a raconté sa* VERSION *de l'accident,* la manière dont il l'a vu.

verso n. m. *Regardez au* VERSO!, de l'autre côté de la page (= dos; ≠ recto).

vert adj. **1.** *Au printemps, les prés et les bois deviennent* VERTS. — **2.** *Ces raisins sont encore* VERTS (≠ mûr). — **3.** *Le bois* VERT *brûle difficilement* (≠ sec). — **4.** *Mon grand-père est encore* VERT, vigoureux malgré son âge.
721, 289 ◁ ◆ **vert** n. m. (sens 1) *Le* VERT *est la couleur de l'espérance.* ◆ **verdâtre** adj. (sens 1) *Tu es fatigué, tu as le teint* VERDÂTRE, tirant sur le vert. ◆ **verdeur** n. f. (sens 4) *Mon grand-père n'a pas perdu sa* VERDEUR (= vigueur). ◆ **verdir** v. (sens 1) *Pierre* A VERDI *de peur,* il est devenu vert. ◆ **verdoyant** adj. (sens 1) *La Normandie est une région* VERDOYANTE, pleine de verdure. ◆ **verdure** n. f. (sens 1) *La colline est couverte de* VERDURE, d'herbe, de feuilles (= végétation). ◆ **vert-de-gris** n. m. inv. (sens 1) Le VERT-DE-GRIS est un dépôt verdâtre qui se forme sur le cuivre. ◆ **reverdir** v. (sens 1) *La campagne* REVERDIT *au printemps.*
• **R.** V. VER.

40 ◁ **vertébral** adj. *La* COLONNE VERTÉBRALE *contient la moelle épinière.*
40 ◁ ◆ **vertèbre** n. f. *En tombant, Pierre s'est déplacé une* VERTÈBRE, un des os de la colonne vertébrale. ◆ **vertébré** n. m. *Les mammifères, les oiseaux, les poissons, les serpents sont des* VERTÉBRÉS, ils ont une colonne vertébrale. ◆ **invertébré** n. m. *Les insectes, les vers sont des* INVERTÉBRÉS, ils n'ont pas de colonne vertébrale.

vertical adj. *La paroi de la falaise est* VERTICALE (≠ horizontal ou oblique). ◆ **verticale** n. f. *Le fil à plomb indique la direction de la*
348 ◁ VERTICALE. ◆ **verticalement** adv. *Les corps tombent* VERTICALEMENT, de haut en bas.

vertige n. m. *En montagne, Jean a le* VERTIGE, la tête lui tourne à cause du vide. ◆ **vertigineux** adj. *L'avion a atteint une vitesse* VERTIGINEUSE, très grande.

vertu n. f. **1.** *Le courage, la générosité, l'honnêteté sont des* VERTUS, de bonnes qualités (≠ vice). — **2.** *Cette plante a la* VERTU *de calmer les maux de ventre* (= pouvoir, propriété). — **3.** *Les policiers ont perquisitionné* EN VERTU DES *pouvoirs qu'ils avaient* (= au nom de). ◆ **vertueux** adj. (sens 1) *Ta conduite n'a pas été très* VERTUEUSE (= honnête; ≠ immoral).

verve n. f. *Jean raconte des histoires drôles avec beaucoup de* VERVE (= esprit, humour).

verveine n. f. *Veux-tu une tisane de* VERVEINE?, une sorte de plante.

vésicule → BILE.

40 ◁ **vessie** n. f. **1.** *L'urine est contenue dans la* VESSIE, un organe du ventre. — **2.** *Dans un ballon de foot, il y a une* VESSIE *en caoutchouc,* un sac gonflable.

vestale n. f. Dans la Rome antique, les VESTALES étaient des prêtresses qui s'occupaient du feu sacré.

veste, vestiaire → VÊTEMENT.

vestibule n. m. *Attendez quelques minutes dans le* VESTIBULE!, le couloir d'entrée.

vestiges n. m. pl. *Ces ruines sont des* VESTIGES *de la civilisation grecque,* des restes.

vêtement n. m. *Mme Durand apporte des* VÊTEMENTS *à nettoyer chez le teinturier,* des pantalons, des robes, des pulls, etc. (= habit). ◆ **vestimentaire** adj. *Ta tenue* VESTIMENTAIRE *est négligée,* celle de tes vêtements. ◆ **veste** n. f. *Il fait chaud, je vais enlever ma* VESTE, un vêtement qui va des épaules à la taille. ◆ **vestiaire** n. m. *Vous pouvez laisser votre chapeau et votre manteau au* VESTIAIRE, l'endroit prévu pour ranger les vêtements. ◆ **veston** n. m. *Le* VESTON *de mon costume est déchiré,* une sorte de veste d'homme. ◆ **vêtir** v. *Marie* EST VÊTUE *d'une jupe rouge et d'un pull bleu* (= habiller). ◆ **dévêtir** v. *Veuillez* VOUS DÉVÊTIR *pour passer la visite médicale* (= se déshabiller). ◆ **sous-vêtement** n. m. *Jean porte des* SOUS-VÊTEMENTS *de Nylon,* un slip et un maillot de corps. ◆ **survêtement** n. m. *Après la course, le sportif a enfilé un* SURVÊTEMENT, un vêtement chaud par-dessus sa tenue de sport.

▷ 37
▷ 761
▷ 37

vétéran n. m. *Mon arrière-grand-père est un* VÉTÉRAN *de la Première Guerre mondiale,* un vieux soldat.

vétérinaire n. *Le chat était malade, on l'a porté chez le* VÉTÉRINAIRE, le médecin pour animaux.

vétille n. f. *Nous n'allons pas nous fâcher pour une* VÉTILLE, une chose sans importance.

vêtir → VÊTEMENT.

veto n. m. inv. *Il a mis son* VETO *à toutes nos demandes,* il a refusé (= opposition).

• **R.** On prononce [veto].

vétuste adj. *Les Dupont habitent une maison* VÉTUSTE, vieille et en mauvais état. ◆ **vétusté** n. f. *La* VÉTUSTÉ *de cet immeuble le rend dangereux* (= délabrement).

veuf adj. et n. *Mme Martin est* VEUVE, son mari est mort. ◆ **veuvage** n. m. *Depuis son* VEUVAGE, *M. Dupuis s'habille toujours en noir,* la mort de sa femme.

veule adj. *Ne compte pas sur lui, il est* VEULE, il manque d'énergie (≠ volontaire). ◆ **veulerie** n. f. *Par* VEULERIE, *il a renoncé à ses projets* (= mollesse).

veuvage, veuve → VEUF.

vexer v. *Ne* TE VEXE *pas, je ne voulais pas te faire de peine* (= se fâcher, se froisser). ◆ **vexant** adj. *Pierre m'a dit des paroles* VEXANTES (= blessant). ◆ **vexation** n. f. *Il m'a fait subir toutes sortes de* VEXATIONS (= humiliation). ◆ **vexatoire** adj. *On ne se laissera pas intimider par ces mesures* VEXATOIRES (= humiliant).

viabilité n. f. *Ces travaux sont destinés à améliorer la* VIABILITÉ, l'état de la route.

viable adj. *Cette affaire n'est pas* VIABLE, elle ne peut pas réussir.

582, 509, 152 ◁ **viaduc** n. m. *Le train traverse le fleuve sur un* VIADUC, un grand pont.

viager adj. *Mon grand-père touche une pension* VIAGÈRE, qui lui sera versée jusqu'à sa mort. ◆ **viager** n. m. *Les Durand ont acheté leur maison en* VIAGER, ils paient une rente viagère au propriétaire.

viande n. f. *On achète la* VIANDE *chez le boucher.* ‖ *Je préfère la* VIANDE *de bœuf à la* VIANDE *de cheval,* la chair de ces animaux.

vibrer v. **1.** *Les vitres* VIBRENT *quand un camion passe dans la rue* (= trembler). — **2.** *Son discours a fait* VIBRER *les auditeurs,* il les a émus. ◆ **vibrant** adj. (sens 2) *Il chantait d'une voix* VIBRANTE (= émouvant). ◆ **vibration** n. f. (sens 1) *On s'habitue aux* VIBRATIONS *de l'avion,* au bruit et au tremblement du moteur. ◆ **vibratoire** adj. (sens 1) *Un mouvement* VIBRATOIRE est formé d'une suite de vibrations.

vicaire n. m. Un VICAIRE est un prêtre qui aide le curé d'une paroisse.

vice n. m. **1.** *La gourmandise, la paresse, le mensonge sont des* VICES, de graves défauts (≠ vertu). — **2.** *Cette voiture a un* VICE *de construction,* elle est mal construite (= défaut). ◆ **vicieux** adj. (sens 1) *Attention à ce cheval, il est* VICIEUX! (= méchant). • (sens 2) *Tu as une prononciation* VICIEUSE (= mauvais). ◆ **vicié** adj. (sens 2) *Dans cette ville, l'air est* VICIÉ (= impur).

• **R.** V. VIS.

vice-présidence, vice-président → PRÉSIDENT.

vice versa adv. *Toutes les semaines, M. Durand va de Lyon à Paris et* VICE VERSA, et de Paris à Lyon (= inversement).

vicié, vicieux → VICE.

507 ◁ **vicinal** adj. *Nous avons roulé dans la campagne en prenant les* CHEMINS VICINAUX, les petites routes.

vicissitudes n. f. pl. *Ce projet a connu de nombreuses* VICISSITUDES, des hasards qui l'ont contrarié.

vicomte, vicomtesse → COMTE.

victime n. f. **1.** *La catastrophe a fait une centaine de* VICTIMES, de morts et de blessés. — **2.** *M. Durand a été* VICTIME *d'un escroc,* il a souffert des actes de celui-ci.

victoire n. f. *L'équipe de France de football a remporté une belle* VICTOIRE, elle a gagné (= succès; ≠ défaite). ◆ **victorieux** adj. *Le boxeur* VICTORIEUX *a été applaudi* (= vainqueur; ≠ vaincu).

victuailles n. f. pl. *Pour le pique-nique, chacun a apporté des* VICTUAILLES, de la nourriture.

vide adj. *Cette boîte est* VIDE, il n'y a rien dedans (≠ plein). ‖ *Cet appartement est* VIDE (≠ occupé, habité). ◆ **vide** n. m. **1.** *En montagne, Pierre a peur du* VIDE, des trous profonds. — **2.** *Il y a un* VIDE *dans le* *rayon de la bibliothèque,* un espace vide. — **3.** *On a fait le* VIDE *dans cette bouteille,* on a enlevé l'air. — **4.** *Le bateau est reparti* À VIDE, sans rien dedans. ◆ **vidanger** v. *On* A VIDANGÉ *la citerne,* on l'a vidée pour la nettoyer. ◆ **vidange** n. f. *M. Durand a fait faire la* VIDANGE *de sa voiture,* changer l'huile usée. ◆ **vide-ordures** n. m. inv. *Jette ça dans le* VIDE-ORDURES!, le tuyau qui aboutit à une grande poubelle collective. ◆ **vider** v. **1.** *Les déménageurs* ONT VIDÉ *l'appartement,* il n'y reste plus rien (≠ remplir). — **2.** *M*[me] *Dupont* VIDE *un poulet,* elle enlève les boyaux. — **3.** *Vous êtes prié de* VIDER LES LIEUX, de vous en aller.

vie n. f. **1.** *Les sauveteurs ont risqué leur* VIE, ils ont risqué de mourir. — **2.** *M. Durand a passé toute sa* VIE *à Paris,* le temps pendant lequel il a vécu. — **3.** *Il m'a raconté sa* VIE, son passé, son histoire. — **4.** *Hélène est une fillette pleine de* VIE, de vigueur, de vitalité. — **5.** *La* VIE *est de plus en plus chère,* les produits qu'on doit acheter. ◆ **vital** adj. (sens 1) *Ces gens ne gagnent pas le minimum* VITAL, indispensable à la vie. ◆ **vitalité** n. f. (sens 4) *Hélène est pleine de* VITALITÉ (= énergie, dynamisme). ◆ **vivre** v. **1.** (sens 1) *Le chien est blessé, mais il* VIT *encore,* il respire, son cœur bat (≠ être mort). ‖ *Mon grand-père* A VÉCU *quatre-vingt-dix ans,* il est resté en vie. • (sens 2) *Les Dupont* VIVENT *à Paris et les Durand* VIVENT *en banlieue* (= habiter). • (sens 3) *Nous* AVONS VÉCU *de bons moments ensemble* (= passer). • (sens 5) *Il faut travailler pour* VIVRE, pour gagner sa vie (se nourrir, s'habiller, etc.). ◆ **vivres** n. m. pl. (sens 5) *Les alpinistes ont emporté des* VIVRES *pour trois jours,* de quoi se nourrir (= provisions). ◆ **vivant** adj. **1.** (sens 1) *Le blessé est encore* VIVANT (≠ mort). • (sens 4) *Nous habitons un quartier* VIVANT (= animé, actif). — **2.** *Le latin est une langue morte et le français est une langue* VIVANTE, parlée aujourd'hui. ◆ **vivant** n. m. (sens 4) *M. Dupont est un* BON VIVANT, il aime bien manger, il est toujours de bonne humeur. • (sens 1) *De son* VIVANT, *il n'aimait pas cela,* quand il vivait. ◆ **vivoter** v. (sens 5) *Il a si peu d'argent qu'il* VIVOTE, il vit mal. ◆ **vivrier** adj. (sens 5) *Les cultures* VIVRIÈRES sont celles qui produisent des aliments. ◆ **revivre** v. (sens 1) *Le malade se sentait* REVIVRE, revenir à la vie. ◆ **survivre** v. (sens 1) *Le blessé* A SURVÉCU *à l'accident,* il a échappé à la mort. ◆ **survivant** n. (sens 1) *Lors de l'accident d'avion, il n'y a pas eu de* SURVIVANTS, tout le monde est mort.

• **R.** *Vie* se prononce [vi] comme [*je*] *vis* (de *vivre* et de *voir*). ‖ *Vivre, revivre, survivre,* conj. n° 63.

vieil ou **vieux** adj. **1.** *Ma grand-mère est morte très* VIEILLE (= âgé; ≠ jeune). — **2.** *Pierre est plus* VIEUX *que Jean d'un an,* il a un an de plus. — **3.** *Ils habitent une* VIEILLE *maison* (= ancien; ≠ moderne, neuf). — **4.** *J'ai jeté de* VIEUX *papiers,* sans valeur (= usagé; ≠ neuf). — **5.** *Pierre est un* VIEIL *ami à moi,* nous sommes amis depuis longtemps. ◆ **vieux** n. m., **vieille** n. f. (sens 1 et 2) *Un* VIEUX *et une* VIEILLE *sont assis sur le banc,* des gens âgés. • (sens 3) *Jean aime mieux le* VIEUX *que le neuf* (= ancien; ≠ moderne). • (sens 5) *Bonjour,* MON VIEUX! (= terme d'amitié). ◆ **vieillard** n. m. (sens 1) *Mon grand-père est un* VIEILLARD *de quatre-vingt-dix ans,* un vieil homme. ◆ **vieillerie** n. f. (sens 4) *Jette toutes ces* VIEILLERIES *à la poubelle,* ces vieux objets. ◆ **vieillesse** n. f. (sens 1) *M. Martin est mort de* VIEILLESSE, parce qu'il était vieux.

◆ **vieillir** v. (sens 1) *Il* VIEILLIT, *sa vue baisse,* il devient vieux. • (sens 2) *Cette coiffure te* VIEILLIT, te fait paraître plus vieille. ◆ **vieillot** adj. (sens 3 et 4) *Tu as des idées* VIEILLOTES, anciennes et démodées.

• **R.** Au masculin singulier, on dit *vieil* devant une voyelle ou un *h* muet et *vieux* devant une consonne.

vierge adj. **1.** *Une feuille de papier est* VIERGE quand elle est blanche (≠ écrit). — **2.** *La forêt* VIERGE n'est ni habitée ni exploitée par l'homme.

vieux → VIEIL.

vif adj. **1.** *Jeanne d'Arc a été brûlée* VIVE (= vivant). — **2.** *Jacques a l'esprit* VIF, il comprend vite (= éveillé; ≠ lent). — **3.** *Hélène a les yeux* VIFS, pleins de vie, de vitalité. — **4.** *Mon père m'a fait de* VIFS *reproches* (= violent, dur). — **5.** *Pierre se plaint d'une* VIVE *douleur à la jambe* (= fort, aigu). — **6.** *Anne a un pull rouge* VIF, d'un rouge éclatant (≠ pâle, terne). ◆ **vif** n. m. **1.** (sens 1) *Pour opérer, le médecin a dû couper dans le* VIF, dans la chair vivante. — **2.** *Entrons dans le* VIF *du sujet!*, parlons du point le plus important. ◆ **vivacité** n. f. (sens 2 et 3) *Jacques a une grande* VIVACITÉ *d'esprit* (≠ lenteur). • (sens 4 et 5) *Il m'a répondu avec* VIVACITÉ (= violence). ◆ **vivement** (sens 2) **1.** adv. *Il m'a répondu* VIVEMENT (= rapidement). — **2.** interj. VIVEMENT QU'*on parte en vacances!*, que cela arrive vite! ◆ **raviver** v. (sens 4 et 5) *Ma réponse* A RAVIVÉ *sa colère,* l'a rendue plus vive (≠ atténuer).

vigie n. f. *Sur les navires à voiles, il y avait une* VIGIE, un poste d'observation pour surveiller les alentours.

vigilant adj. *Tâche de rester* VIGILANT!, de faire attention. ◆ **vigilance** n. f. *Les prisonniers ont trompé la* VIGILANCE *des gardiens* (= surveillance).

vigne n. f. **1.** *M. Durand a planté des* VIGNES *dans son jardin,* des petits arbres qui donnent du raisin. — **2.** *La façade de la maison est recouverte*
73 ◁ *de* VIGNE VIERGE, une sorte de plante grimpante. ◆ **vigneron** n. (sens 1)
578 ◁ *M. Martin est* VIGNERON *en Bourgogne,* il cultive la vigne. ◆ **vignoble**
578 ◁ n. m. (sens 1) *Ce* VIGNOBLE *donne un vin réputé,* cette plantation de vignes.

vignette n. f. *Tous les ans, les automobilistes doivent acheter une* VIGNETTE, une sorte d'étiquette qui correspond au paiement d'une taxe.

vignoble → VIGNE.

435 ◁ **vigogne** n. f. *Jean a un pull en laine de* VIGOGNE, une sorte d'animal d'Amérique.

vigueur n. f. **1.** *Pierre s'est défendu avec* VIGUEUR (= force, énergie; ≠ mollesse). — **2.** *Cette loi* ENTRERA EN VIGUEUR *le 1er janvier prochain,* elle sera appliquée. ◆ **vigoureux** adj. (sens 1) *Pierre a des bras* VIGOUREUX (= fort). ◆ **vigoureusement** adv. (sens 1) *Tout le monde a protesté* VIGOUREUSEMENT *contre cette injustice* (= énergiquement).

vil adj. **1.** *Il a acheté ces meubles* À VIL PRIX, à très bon marché. — **2.** VIL se disait pour *lâche, méprisable.* ◆ **avilir** v. (sens 2) *En mentant ainsi, tu* T'AVILIS (= se déshonorer).

vilain adj. **1.** *Tu as menti, c'est très* VILAIN (= mal; ≠ gentil). — **2.** *Marie n'est pas* VILAINE (= laid; ≠ joli). — **3.** *Quel* VILAIN *temps aujourd'hui!* (= mauvais; ≠ beau). — **4.** n. m. *Au Moyen Âge, on appelait les paysans des* VILAINS.

vilebrequin n. m. *Un* VILEBREQUIN *sert à percer des trous,* un outil.

villa n. f. *Les Durand ont une* VILLA *au bord de la mer,* une maison entourée d'un jardin.

village n. m. *Les Dupont habitent dans un* VILLAGE *de cent habitants,* une localité peu importante. ◆ **villageois** n. *Les* VILLAGEOIS *se réunissent pour la fête du village,* les habitants du village. ▷ 365

ville n. f. **1.** *Paris est la plus grande* VILLE *de France* (= agglomération). — **2.** *Les Durand habitent la* VILLE (≠ campagne). ▷ 219

villégiature n. f. *Les Durand sont en* VILLÉGIATURE *à la montagne,* ils y sont pour se reposer.

vin n. m. *Avec le rôti, nous avons bu une bouteille de* VIN *rouge,* une boisson alcoolisée faite avec le raisin. ◆ **vinasse** n. f. *Ça sent la* VINASSE, *dans cette cave!,* le mauvais vin. ◆ **vinicole** adj. *La Bourgogne est une région* VINICOLE, qui produit du vin (= viticole). ◆ **vinification** n. f. *La* VINIFICATION *demande beaucoup de soin,* la transformation du jus de raisin en vin. ◆ **aviné** adj. *Tu as bu, tu as l'haleine* AVINÉE, qui sent le vin.
• **R.** *Vin* se prononce [vɛ̃] comme *vain, vingt,* [*je*] *vins* (de *venir*) et [*je*] *vaincs,* [*il*] *vainc* (de *vaincre*).

vinaigre n. m. *Tu as mis trop de* VINAIGRE *dans la salade, ça pique!,* un condiment fait avec du vin aigre. ◆ **vinaigrer** v. *Cette sauce* EST *trop* VINAIGRÉE. ◆ **vinaigrette** n. f. *On a mangé des poireaux à la* VINAIGRETTE, avec une sauce faite d'huile et de vinaigre. ◆ **vinaigrier** n. m. Un VINAIGRIER est une petite bouteille pour mettre le vinaigre.

vinasse → VIN. / **vindicatif** → VENGER.

vingt adj. *Il y a* VINGT *arrondissements, à Paris.* ‖ *10 + 10 = 20.* ◆ **vingtaine** n. f. *Une* VINGTAINE *de personnes assistaient à la réunion,* environ vingt. ◆ **vingtième** adj. et n. *Nous sommes au* VINGTIÈME *siècle.* ▷ 517 ▷ 517 ▷ 517
• **R.** V. VIN.

vinicole, vinification → VIN. / **viol** → VIOLER. / **violacé** → VIOLET. / **violation** → VIOLER. / **viole** → VIOLON.

violent adj. **1.** *Quand il se met en colère, Paul devient* VIOLENT (= brutal; ≠ doux, calme). — **2.** *Un vent* VIOLENT *a soufflé toute la nuit,* très fort (≠ léger). ◆ **violemment** adv. (sens 1) *Il m'a repoussé* VIOLEMMENT (= brutalement). ◆ **violence** n. f. (sens 1) *Les militaires ont pris le pouvoir par la* VIOLENCE, en employant la force brutale (≠ douceur). • (sens 2) *La* VIOLENCE *de la tempête a encore augmenté.* ◆ **non-violence** n. f. (sens 1) *M. Dupont est partisan de la* NON-VIOLENCE, il pense qu'il ne faut jamais employer la violence. ◆ **non-violent** n. (sens 1) *Les* NON-VIOLENTS *ont manifesté contre la guerre,* les partisans de la non-violence.

violer v. **1.** *En te racontant cette histoire, Jean* A VIOLÉ *sa promesse,* il ne l'a pas respectée. — **2.** VIOLER *une femme,* c'est la brutaliser gravement. ◆ **viol** n. m. (sens 2) *Cet individu a été condamné pour* VIOL, pour avoir violé une femme. ◆ **violation** n. f. (sens 1) *Ces actes sont une* VIOLATION *de la loi,* une infraction.

721, 289 ◁ **violet** adj. et n. m. *Pierre a apporté un bouquet de fleurs* VIOLETTES. ‖ *Marie s'habille souvent en* VIOLET. ◆ **violacé** adj. *Ces rideaux sont bleu* VIOLACÉ, tirant sur le violet. ◆ **violette** n. f. *Marie a cueilli des*
655, 73 ◁ *primevères et des* VIOLETTES, une petite fleur.

438 ◁ **violon** n. m. **1.** *Pierre apprend à jouer du* VIOLON, un instrument à cordes. — **2.** *Jean aime faire de la peinture, c'est son* VIOLON D'INGRES, son activité préférée. ◆ **violoniste** n. (sens 1) *Ce morceau de musique est joué par un grand* VIOLONISTE. ◆ **viole** n. f. (sens 1) La VIOLE est un violon
439 ◁ d'autrefois. ◆ **violoncelle** n. m. (sens 1) Le VIOLONCELLE est une sorte de gros violon. ◆ **violoncelliste** n. (sens 1) Un VIOLONCELLISTE est un joueur de violoncelle.

577 ◁ **vipère** n. f. *Fais attention, il y a souvent des* VIPÈRES *dans ce champ,* un serpent venimeux.

virer v. **1.** *Au carrefour, tu* VIRERAS *à droite,* tu changeras de direction (= tourner). — **2.** *M. Durand* A VIRÉ *de l'argent à mon compte bancaire,* il a fait passer de l'argent de son compte sur le mien. — **3.** *Au coucher du soleil, le ciel* A VIRÉ *au rouge,* il a changé de couleur. ◆ **virage** n. m.
507, 506 ◁ (sens 1) *La voiture a dérapé dans un* VIRAGE (= tournant). ◆ **virement** n. m. (sens 2) *Est-ce que je peux vous payer par* VIREMENT?, en vous virant de l'argent. ◆ **virevolter** v. (sens 1) *Marie est partie en courant, puis elle* A VIREVOLTÉ, elle s'est retournée soudain.

virgule n. f. *Tu as oublié des* VIRGULES *dans ta rédaction,* un signe de ponctuation.

viril adj. *M. Durand a employé un langage* VIRIL (= énergique). ◆ **virilité** n. f. *L'attitude de Jean a manqué de* VIRILITÉ (= vigueur, énergie).

289 ◁ **virole** n. f. *Ce couteau à cran d'arrêt reste ouvert grâce à une* VIROLE, une bague de métal.

virtuel adj. *Tu as la possibilité* VIRTUELLE *de partir demain,* cette possibilité est presque réalisée (= théorique; ≠ réel). ◆ **virtuellement** adv. *Mon travail est* VIRTUELLEMENT *fini* (= pour ainsi dire, presque).

virtuose n. *Ce violoniste est un véritable* VIRTUOSE, il joue très bien. ◆ **virtuosité** n. f. *Sa* VIRTUOSITÉ *au piano est extraordinaire* (= talent, brio).

virulent adj. *M. Durand a fait une critique* VIRULENTE *du gouvernement,* très violente. ◆ **virulence** n. f. *Il a protesté avec* VIRULENCE *contre les impôts* (= âpreté, violence).

virus n. m. *La grippe est une maladie causée par un* VIRUS, une sorte de microbe.
• **R.** On prononce [virys].

vis n. f. **1.** *M. Durand a mis des* VIS *dans le plafond pour accrocher le lustre,* des clous qu'on enfonce en tournant. — **2.** *On monte en haut du phare par un* ESCALIER À VIS, qui tourne (= en spirale). ◆ **visser** v. (sens 1) *Le menuisier* VISSE *deux morceaux de bois,* il les réunit grâce à des vis. ◆ **dévisser** v. (sens 1) *Le bouchon de cette bouteille* SE DÉVISSE, on l'enlève en le tournant. ▷ 289

• **R.** *Vis* se prononce [vis] comme [*je*] *visse* (de *visser*) et *vice.*

visa n. m. *Pour aller dans ce pays, il faut un* VISA *en plus du passeport,* une autorisation spéciale.

visage n. m. *Pierre a le plus souvent un* VISAGE *souriant* (= figure, face).

vis-à-vis prép. **1.** *Jean s'est assis* VIS-À-VIS DE *moi,* en face de moi. — **2.** *Que comptes-tu faire* VIS-À-VIS DE *Paul?,* à son égard, envers lui.

viscères n. m. pl. *La cuisinière enlève les* VISCÈRES *du poulet,* les boyaux, les poumons, etc.

viser v. **1.** *Jean* A VISÉ *longuement avant de tirer,* il a dirigé soigneusement son arme vers le but. — **2.** *En disant cela, il* VISE À *nous étonner,* c'est son intention (= chercher à). ◆ **visée** n. f. (sens 1) *La ligne de* VISÉE *d'un fusil part de l'œil du tireur et aboutit au but.* • (sens 2) [au plur.] *Pierre a des* VISÉES *ambitieuses* (= intentions, ambitions). ◆ **viseur** n. m. (sens 1) *Regarde dans le* VISEUR *de l'appareil photo.* ▷ 437

visibilité, visible, visiblement → VOIR.

visière n. f. *Pierre a abaissé la* VISIÈRE *de sa casquette,* le bord qui protège les yeux. ▷ 37, 767

vision, visionnaire → VOIR.

visite n. f. **1.** *La* VISITE *du musée a duré deux heures,* le fait de le parcourir pour le voir. — **2.** *Nous avons eu la* VISITE *de Paul,* il est venu nous voir. — **3.** *Les enfants ont passé une* VISITE *médicale,* le médecin les a examinés. ◆ **visiter** v. (sens 1) *Pendant les vacances, nous* AVONS VISITÉ *l'Italie,* nous avons parcouru ce pays. ◆ **visiteur** n. (sens 1) *Les* VISITEURS *peuvent se renseigner au syndicat d'initiative* (= touriste). • (sens 2) *M*me *Durand a reconduit sa* VISITEUSE, la personne qui lui a rendu visite.

vison n. m. *M*me *Martin a un manteau de* VISON, un petit animal à la fourrure estimée.

visqueux adj. *Le goudron chaud forme une pâte* VISQUEUSE, épaisse, molle et collante.

visser → VIS. / **visuel** → VOIR. / **vital, vitalité** → VIE.

vitamine n. f. *Les fruits contiennent des* VITAMINES, des substances nécessaires à la santé.

vite adv. *Je n'arrive pas à te suivre, tu marches trop* VITE (= rapidement; ≠ lentement). ◆ **vitesse** n. f. **1.** *Quelle est la* VITESSE *de cet avion? — 800 kilomètres à l'heure* (= allure, rapidité). ‖ *Il est parti* À TOUTE VITESSE, très vite. — **2.** *Cette voiture a quatre* VITESSES, *il y a quatre positions du* CHANGEMENT DE VITESSE, du mécanisme qui règle l'effort du moteur. ▷ 34 ▷ 505

viticulture n. f. La VITICULTURE, c'est la culture de la vigne. ◆ **viticole** adj. *La Champagne est une région* VITICOLE (= vinicole).

74 ◁ **vitre** n. f. *Pierre a cassé une* VITRE *avec son ballon* (= carreau). ◆ **vitrage** n. m. *Un grand* VITRAGE *éclaire la pièce,* une fenêtre garnie de 149 ◁ vitres. ◆ **vitrail** n. m. *Les* VITRAUX *de la cathédrale représentent la naissance du Christ,* les grandes fenêtres. ◆ **vitré** adj. *On entre dans le* 145, 74 ◁ *salon par une porte* VITRÉE, garnie de vitres. ◆ **vitreux** adj. **1.** *Les roches* VITREUSES *ressemblent à du verre fondu.* — **2.** *Pierre a le regard* VITREUX, sans éclat, terne. ◆ **vitrier** n. m. *Le* VITRIER *est venu remplacer le carreau cassé.* ◆ **vitrifier** v. *On* A VITRIFIÉ *le parquet,* on l'a recouvert d'un enduit transparent. ◆ **vitrine** n. f. *De nouveaux livres sont exposés dans la* 221, 217 ◁ VITRINE *du libraire,* dans la devanture vitrée.

vitriol n. m. Le VITRIOL est un acide très puissant.

vitupérer v. *M. Durand* VITUPÈRE *contre la hausse des prix,* il la critique énergiquement.

vivace adj. *M. Dupont porte une haine* VIVACE *à son voisin* (= durable, tenace).

vivacité → VIF. / **vivant** → VIE.

vive interj. sert à acclamer : *Tout le monde a crié :* « VIVE *la liberté!* » ◆ **vivats** n. m. pl. *Le président a été accueilli par des* VIVATS (= acclamations; ≠ huées).

vivement → VIF.

vivier n. m. Un VIVIER est un bassin dans lequel on élève des poissons pour les manger.

vivifier v. *Pierre est revenu* VIVIFIÉ *de la montagne,* plein de santé, vigoureux. ◆ **vivifiant** adj. *Cette région a un climat* VIVIFIANT (= stimulant).

vivoter, vivre, vivres, vivrier → VIE.

vizir n. m. Chez les musulmans, un VIZIR était un ministre.

vlan! interj. exprime un bruit de coup.

vocabulaire n. m. *Pierre lit beaucoup pour enrichir son* VOCABULAIRE, l'ensemble des mots qu'il connaît. ◆ **vocable** n. m. est un synonyme savant de *mot.*

vocal → VOIX.

vocalise n. f. *Faire des* VOCALISES, c'est chanter une seule syllabe en changeant de note.

vocation n. f. *Jean veut devenir médecin, c'est sa* VOCATION, la profession qu'il veut exercer.

vociférer v. *Qu'as-tu à* VOCIFÉRER *comme ça?,* à crier avec colère (= hurler).

vodka n. f. La VODKA est un alcool russe.

vœu n. m. **1.** *Pour le nouvel an, Pierre m'a envoyé ses* VŒUX, il m'a souhaité du bonheur. — **2.** *Cette décision n'est pas conforme aux* VŒUX *de la majorité,* à ce qu'elle veut (= souhait, désir). — **3.** *Les moines font* VŒU *de pauvreté,* ils promettent à Dieu de rester pauvres.
• **R.** *Vœu* se prononce [vø] comme [*je*] *veux* et [*il*] *veut* (de *vouloir*). ‖ Noter le pluriel : des *vœux.*

vogue n. f. *Cette danse n'est plus* EN VOGUE, appréciée du public (= à la mode).

voguer v. *Les navires de Christophe Colomb* ONT VOGUÉ *plusieurs semaines* (= naviguer).

voici, voilà prép. servent à montrer : VOICI *mon frère et* VOILÀ *ma sœur.*

voie n. f. **1.** *Les routes, les chemins de fer, les canaux sont des* VOIES DE COMMUNICATION. — **2.** *La voiture s'est engagée dans une* VOIE *à sens unique,* un chemin, une rue ou une route. — **3.** *Nous sommes sur une route à trois voies,* il y a de la place pour trois voitures. — **4.** *Pour traverser la* VOIE (FERRÉE), *empruntez le passage souterrain,* les rails du chemin de fer. ▷ 508, 509 — **5.** *Pierre est dans la bonne* VOIE, il se conduit bien. — **6.** *Jean est* EN VOIE DE *réussir,* sur le point de. — **7.** *Le bateau a coulé à cause d'une* VOIE D'EAU, un trou dans la coque. ◆ **voirie** n. f. (sens 2) La VOIRIE, c'est l'entretien des rues, des routes et des chemins.
• **R.** *Voie* se prononce [vwa] comme *voix* et [*je*] *vois* (de *voir*).

voilà → VOICI.

1. voile n. m. **1.** *Dans les pays arabes, les femmes portent un* VOILE, un tissu sur la tête et sur le visage. — **2.** *La côte est cachée par un* VOILE *de brouillard,* le brouillard empêche de la voir. — **3.** *Jetons un* VOILE *sur sa conduite malhonnête!,* cachons-la, n'en parlons pas. ◆ **voilette** n. f. (sens 1) Une VOILETTE était un petit voile que les femmes mettaient à leur chapeau pour cacher leur visage. ◆ **voiler** v. **1.** (sens 1) *Les femmes musulmanes* SE VOILENT *le visage,* le cachent avec un voile. • (sens 2) *Des nuages* VOILENT *le soleil* (= cacher, masquer). — **2.** *La bicyclette a une roue* VOILÉE (= déformer, tordre). ◆ **dévoiler** v. (sens 1) *On* A DÉVOILÉ *la statue,* on a enlevé le voile qui la recouvrait. • (sens 3) *Il n'a pas voulu* DÉVOILER *ses projets,* les révéler.

2. voile n. f. **1.** *Autrefois, on naviguait à la* VOILE, grâce à des étoffes que le vent gonfle. ▷ 726 — **2.** *Pierre fait du* VOL À VOILE, il pilote un planeur. ▷ 437 ◆ **voilier** n. m. (sens 1) *Dans le port, il y a des bateaux à moteur et des* VOILIERS, des bateaux à voiles. ▷ 723 ◆ **voilure** n. f. (sens 1) *Le navire a déployé sa* VOILURE, ses voiles.

voir v. **1.** *Pierre* VOIT *mal, il porte des lunettes,* ses yeux sont faibles. — **2.** *J'*AI VU *un beau film à la télévision,* je l'ai suivi grâce à mes yeux (= regarder). — **3.** *Nous sommes allés* VOIR *les Dupont,* leur rendre visite. — **4.** *Il faut* VOIR *ce problème de plus près,* l'examiner, l'étudier. — **5.** *Je ne* VOIS *pas de quoi il veut parler* (= savoir, imaginer). — **6.** *Jean m'*A FAIT VOIR *sa collection de timbres* (= montrer). ◆ **voyant** adj. (sens 1) *Cette couleur est trop* VOYANTE, elle se remarque trop (≠ discret). ◆ **voyant** n. m. (sens 1) *Quand on met l'appareil en marche, un* VOYANT *rouge* *s'allume,* un point lumineux. ◆ **voyante** n. f. (sens 5) *Une* VOYANTE *lui a prédit de beaux succès,* une femme qui prétend savoir l'avenir. ◆ **visible** adj. (sens 1 et 2) *Le bateau est trop loin, il n'est plus* VISIBLE, on ne peut plus le voir. ‖ *Il a accepté avec un plaisir* VISIBLE, qui se voyait (= évident). ◆ **visibilité** n. f. (sens 1 et 2) *Avec ce brouillard, la* VISIBILITÉ *est très mauvaise,* on ne voit rien. ◆ **visiblement** adv. (sens 1 et 2) *Pierre est* VISIBLEMENT *en colère,* ça se voit. ◆ **vision** n. f. (sens 1 et 2) *Jean a des troubles de la* VISION, il voit mal (= vue). • (sens 5) *Jean a une* VISION *juste de la situation,* il voit les choses comme elles sont. ‖ *Tu es fou, tu as des* VISIONS!, tu imagines des choses fausses (= hallucination). ◆ **visionnaire** n. (sens 5) Un VISIONNAIRE est une personne qui a des visions. ◆ **visuel** adj. (sens 1) *Jean a une bonne mémoire* VISUELLE, il se souvient des choses qu'il voit (≠ auditif). ◆ **vu** n. m. (sens 1) *Cela s'est passé* AU VU DE *tout le monde,* en public. ◆ **vu** adj. *Pierre est* BIEN VU *de son professeur,* bien considéré. ◆ **vu** prép. VU *l'heure qu'il est, il faut partir* (= à cause de). ◆ **vue** n. f. **1.** (sens 1 et 2) *Les yeux sont les organes de la* VUE (= vision). ‖ *De ce sommet, on a une belle* VUE, on voit loin. ‖ *Cette photo représente une* VUE *de la plage* (= image). ‖ *Je le connais* DE VUE, je l'ai déjà vu. ‖ *Pierre grandit* À VUE D'ŒIL, très rapidement. • (sens 5) *Il nous a présenté ses* VUES *sur cette question,* son opinion, ses intentions. ‖ *Pierre est venu* EN VUE DE *nous aider,* dans cette intention (= pour). ◆ **entrevoir** v. (sens 1) *Je l'*AI ENTREVU *à la réunion,* je l'ai vu peu de temps (= apercevoir). • (sens 4) *On commence à* ENTREVOIR *la solution du problème,* a en avoir une idée (= pressentir). ◆ **invisible** adj. (sens 1 et 2) *Les microbes sont* INVISIBLES *sans un microscope,* on ne peut les voir. ◆ **revoir** v. (sens 1 et 2) *J'*AI REVU *Paul il y a deux jours,* je l'ai vu de nouveau. • (sens 4) *Il faut* REVOIR *tes leçons,* les étudier de nouveau. ◆ **au revoir** n. m. *On dit* AU REVOIR *à quelqu'un quand on le quitte.*

• **R.** Conj. n° 41. ‖ V. VIE, VOIE et VOIRE.

voire adv. *Je resterai absent des semaines,* VOIRE *des mois,* et même.
• **R.** *Voire* se prononce [vwar] comme *voir.*

voirie → VOIE.

voisin adj. **1.** *La poste est* VOISINE *de la mairie,* elle n'est pas loin (= proche; ≠ éloigné). — **2.** *Nous avons des idées* VOISINES, qui se ressemblent (≠ différent, opposé). ◆ **voisin** n. (sens 1) *M. Durand s'entend bien avec ses* VOISINS, les gens qui habitent près de chez lui. ◆ **voisinage** n. m. (sens 1) *Tous les gens du* VOISINAGE *sont au courant,* des environs. ◆ **avoisinant** adj. (sens 1) *Il y a des embouteillages dans les rues* AVOISINANTES (= voisin).

508 ◁ 582, 507, 506 ◁ **voiture** n. f. **1.** *Mme Durand pousse devant elle une* VOITURE *d'enfant,* un véhicule à roues. — **2.** *Il y avait beaucoup de* VOITURES *sur l'autoroute* (= auto).

voix n. f. **1.** *M. Durand parle d'une* VOIX *forte.* ‖ *Pierre m'a dit cela* DE VIVE VOIX, en me parlant et non par écrit. — **2.** *Il faut écouter la* VOIX *de son cœur,* les conseils, les avertissements. — **3.** *Le candidat a été élu à la majorité des* VOIX, de ceux qui votaient (= suffrage). — **4.** *« Aimer » est à la* VOIX *active, « être aimé » est à la* VOIX *passive.* ◆ **vocal** adj. (sens 1) *Les cordes* VOCALES sont les organes qui produisent la voix, la parole.

◆ **porte-voix** n. m. inv. (sens 1) *Le camelot hurle dans son* PORTE-VOIX, un appareil qui amplifie la voix.
• **R.** V. VOIE.

1. vol n. m. **1.** *L'oiseau prend son* VOL, il s'élève dans l'air en battant des ailes. ‖ *Un* VOL *d'hirondelles passe dans le ciel,* un groupe d'hirondelles en train de voler. — **2.** *Il y a deux heures de* VOL *entre Paris et Alger,* de déplacement en avion. — **3.** *Jean a attrapé la balle* AU VOL, avant qu'elle touche la terre. ◆ **voler** v. **1.** (sens 1) *Il y a de l'orage, les hirondelles* VOLENT *bas,* se déplacent dans l'air. • (sens 2) *L'avion* VOLE *à 3000 mètres.* — **2.** *Quand il a crié, nous* AVONS VOLÉ *à son secours,* nous sommes accourus très vite. ◆ **volée** n. f. **1.** (sens 3) *Il a attrapé le ballon* À LA VOLÉE (= au vol). — **2.** *Il a relancé la balle* À TOUTE VOLÉE, avec force. — **3.** Fam. *Pierre a reçu une* VOLÉE, des coups (= raclée). ◆ **voleter** v. (sens 1) *Les petits oiseaux* VOLETTENT *dans la cage,* volent à petits coups d'ailes. ◆ **volière** n. f. (sens 1) Une VOLIÈRE est une cage assez grande pour que les oiseaux puissent y voler. ◆ **s'envoler** v. (sens 1 et 2) *Quand je me suis approché, les oiseaux* SE SONT ENVOLÉS, ils sont partis en volant. ◆ **envol** n. m. (sens 3) *L'avion s'est dirigé vers la* PISTE D'ENVOL, d'où il doit s'envoler. ◆ **survoler** v. **1.** (sens 3) *En allant à Londres, nous* AVONS SURVOLÉ *la Manche,* l'avion est passé au-dessus. — **2.** *Je n'ai fait que* SURVOLER *ton compte rendu,* je l'ai regardé très vite.
• **R.** *Voleter,* conj. nº 8.

▷ 510

▷ 435

▷ 511

2. vol n. m. *Cet individu est jugé pour le* VOL *d'une voiture,* pour l'avoir volée. ◆ **voler** v. *Quelqu'un m'*A VOLÉ *mon portefeuille,* me l'a pris (= dérober). ◆ **voleur** n. *La police a arrêté les* VOLEURS (= bandit). ◆ **antivol** n. m. *Jean a acheté un* ANTIVOL *pour son vélo,* un appareil de sécurité.

volage adj. *M. Dupont est un homme* VOLAGE, il change facilement de sentiments (= infidèle).

volaille n. f. *Les poules, les canards, les oies, les dindons sont de la (des)* VOLAILLE(S), des oiseaux de basse-cour.

▷ 222, 363

volant n. m. **1.** *M. Durand manœuvre le* VOLANT *pour se garer,* la roue qui sert à diriger la voiture. — **2.** *On joue au* VOLANT *avec des raquettes et un morceau de liège muni de plumes.* — **3.** *Marie a une robe à* VOLANT, avec une pièce de tissu cousu en bas. — **4.** adj. *Il m'a écrit son adresse sur une feuille* VOLANTE, détachée d'un carnet ou d'un cahier.
• **R.** Ne pas confondre avec *volant* participe de *voler.*

volatil adj. *L'essence est une substance* VOLATILE, qui s'évapore facilement. ◆ **se volatiliser** v. *Je ne l'ai pas vu partir, il* S'EST *comme* VOLATILISÉ, il a disparu soudain.

vol-au-vent n. m. inv. Un VOL-AU-VENT est une sorte de petit pâté qui se mange chaud.

volcan n. m. *Nous sommes montés sur les* VOLCANS *d'Auvergne,* les montagnes qui ont été formées par des laves. ◆ **volcanique** adj. *Une éruption* VOLCANIQUE *a fait de nombreux morts,* l'explosion d'un volcan et la sortie de laves en fusion.

▷ 581

volée → VOL 1. / **voler** → VOL 1 et 2.

74 ◁ **volet** n. m. **1.** *La lumière me gêne, ferme les* VOLETS, les panneaux qui protègent les fenêtres (= persienne). — **2.** *Remplissez les trois* VOLETS *du questionnaire!*, les trois parties qui peuvent se détacher. — **3.** TRIER *des gens* SUR LE VOLET, c'est les trier très soigneusement.
• **R.** V. VOLLEY-BALL.

voleter → VOL 1. / **voleur** → VOL 2. / **volière** → VOL 1.

722 ◁ **volley** ou **volley-ball** n. m. *Nous avons gagné la partie de* VOLLEY, une sorte de jeu de ballon.
• **R.** *Volley* se prononce [vɔlɛ] comme *volet.* ‖ *Volley-ball* se prononce [vɔlɛbol].

volontaire, volontairement, volonté, volontiers → VOULOIR.

volt n. m. *Cet appareil fonctionne en 220* VOLTS, le courant électrique a cette force. ◆ **voltage** n. m. *Vérifie le* VOLTAGE *avant de brancher ton rasoir,* la force du courant.

volte-face n. f. inv. *Quand je l'ai appelé, il* A FAIT VOLTE-FACE, il s'est retourné.

766, 433 ◁ **voltiger** v. *Le vent fait* VOLTIGER *les feuilles mortes,* les soulève et les fait voler. ◆ **voltige** n. f. *Le trapéziste a fait un numéro de* VOLTIGE, d'acrobatie aérienne.

volubile adj. *Il a été* VOLUBILE *pour me raconter cette histoire,* il a parlé beaucoup et vite. ◆ **volubilité** n. f. *M. Dubois parle avec* VOLUBILITÉ.

795, 348 ◁ **volume** n. m. **1.** *Quel est le* VOLUME *de cette caisse?*, la place qu'elle occupe et ce qu'elle peut contenir (= grandeur). — **2.** *Le* VOLUME *des importations a augmenté* (= quantité). — **3.** *M. Durand a cinq cents* VOLUMES *dans sa bibliothèque* (= livre). ◆ **volumineux** adj. (sens 1) *Ce meuble est trop* VOLUMINEUX, il tient trop de place.

volupté n. f. *Pierre écoute la musique avec* VOLUPTÉ, un plaisir très grand.

volute n. f. *Des* VOLUTES *de fumée sortent de la cheminée,* la fumée forme une colonne en spirale.

vomir v. *Pierre a trop mangé et il* A VOMI, il a rejeté la nourriture déjà avalée (= rendre). ◆ **vomissement** n. m. *Le malade a eu des* VOMISSEMENTS *de sang,* il a vomi du sang.

vorace adj. *Ce chien est* VORACE, il mange beaucoup et vite. ◆ **voracement** adv. *Jean s'est jeté* VORACEMENT *sur les gâteaux* (= avidement). ◆ **voracité** n. f. *Jean mange avec* VORACITÉ (= goinfrerie).

vos → VOTRE.

vote n. m. **1.** *À dix-huit ans, on a le droit de* VOTE, de prendre part aux élections. — **2.** *Après l'élection, on a compté les* VOTES (= voix, suffrage). ◆ **voter** v. (sens 1) *L'Assemblée* A VOTÉ *une loi,* elle l'a adoptée par un vote. • (sens 2) *M. Durand* A VOTÉ *pour le candidat socialiste,* il lui a donné sa voix. ◆ **votant** n. *Aux élections, il y a eu 80 pour 100 de* VOTANTS, de personnes qui ont voté (≠ abstentionniste).

votre, vos adj. possessifs indiquent ce qui est à vous : VOTRE *maison,* VOS *affaires.* ◆ **vôtre (le, la), vôtres (les)** pron. possessifs *Voici nos bagages et voilà* LES VÔTRES, ceux qui sont à vous.
• **R.** V. VEAU.

vouer v. **1.** *Pierre* VOUE *une grande admiration à son père,* il l'admire. — **2.** *Cette entreprise* EST VOUÉE À *l'échec,* elle échouera (= destiner à).

vouloir v. **1.** *Pierre* VEUT *venir demain,* il en a l'intention, le désir, la volonté (= souhaiter). — **2.** *Je* VEUX BIEN *te prêter ce livre,* j'accepte de le faire. — **3.** *Je ne sais pas ce que ce mot* VEUT DIRE (= signifier). — **4.** *Depuis que nous nous sommes disputés, il m'*EN VEUT, il a de la rancune à mon égard. ◆ **vouloir** n. m. (sens 2) *On n'attend que son* BON VOULOIR *pour partir,* qu'il le veuille bien. ◆ **volonté** n. f. (sens 1) *Cela ne dépend pas de ma* VOLONTÉ, de ce que je peux vouloir. ‖ *Avant de partir, il nous a fait connaître ses* VOLONTÉS, ce qu'il voulait (= désir, ordre, intention). ‖ *Jean a de la* VOLONTÉ, il est énergique, opiniâtre (= caractère). ‖ *Pierre est plein de* BONNE VOLONTÉ, il veut faire de son mieux. ◆ **volontaire** adj. (sens 1) *Je ne l'ai pas fait exprès, ce n'était pas* VOLONTAIRE (= voulu, intentionnel). ‖ *Jean est un garçon* VOLONTAIRE, il a de la volonté (= énergique). ◆ **volontaire** n. (sens 2) *Des* VOLONTAIRES *se sont présentés pour combattre l'incendie,* des gens qui ont bien voulu, mais qui n'étaient pas obligés. ◆ **volontairement** adv. (sens 1) *Il nous a mal renseignés* VOLONTAIREMENT (= exprès). ◆ **volontiers** adv. (sens 2) *Peux-tu me prêter ce livre?* — VOLONTIERS!, je veux bien (= avec plaisir). ◆ **involontaire** adj. (sens 1) *Il a cassé le vase par un mouvement* INVOLONTAIRE, sans le vouloir. ◆ **involontairement** adv. (sens 1) *Je suis arrivé* INVOLONTAIREMENT *en retard.*
• **R.** Conj. nº 37. ‖ V. VŒU.

vous pron. pers. s'emploie **1.** pour représenter les personnes à qui l'on parle : VENEZ-*vous?* — **2.** pour remplacer *tu* quand on parle à quelqu'un qu'on ne connaît pas bien : *Bonjour, monsieur, comment allez*-VOUS? ◆ **vouvoyer** v. (sens 2) *Le professeur* VOUVOIE *les élèves,* il leur dit vous (≠ tutoyer). ◆ **vouvoiement** n. m. (sens 2) *On emploie le* VOUVOIEMENT *par politesse.* ▷ 11

voûté adj. **1.** *La cave est* VOÛTÉE, le plafond a la forme d'une courbe. — **2.** *Pierre a le dos* VOÛTÉ (= courbé). ◆ **voûte** n. f. (sens 1) *La* VOÛTE *de cette église est en pierre,* le plafond voûté.

vouvoiement, vouvoyer → VOUS.

voyage n. m. **1.** *M. Dupont est parti en* VOYAGE *en Italie,* il est allé là-bas. — **2.** *Pour décharger la voiture, il a fallu faire trois* VOYAGES, transporter les objets en trois fois. ◆ **voyager** v. (sens 1) *M. Dupont* A *beaucoup* VOYAGÉ, il a fait de nombreux voyages (= se déplacer, circuler). ◆ **voyageur** (sens 1) **1.** n. *Après l'escale, les* VOYAGEURS *sont remontés dans l'avion.* — **2.** adj. *Les pigeons* VOYAGEURS *sont dressés pour porter des messages au loin.* ▷ 508

voyant, voyante → VOIR.

voyelle n. f. *«A», «e», «i», «o», «u», «y» sont les* VOYELLES *de l'alphabet* (≠ consonne). ▷ 6

voyou n. m. *Des* VOYOUS *ont cassé la porte du jardin,* des garçons mal élevés (= vaurien).

en vrac adv. *Il a posé ses paquets* EN VRAC *sur le plancher,* en désordre, pêle-mêle.

vrai adj. **1.** *L'histoire que je te raconte est* VRAIE, elle s'est passée dans la réalité (= exact; ≠ faux, imaginaire, inventé). — **2.** *Les perles de ce collier sont* VRAIES (≠ faux, imité, factice). — **3.** *M. Duval est une* VRAIE *crapule,* il mérite vraiment ce nom (= véritable). ◆ **vrai** n. m. (sens 1) *Il y a beaucoup de* VRAI *dans ce qu'il a dit* (= vérité). • (sens 3) À VRAI DIRE, *je n'avais pas pensé à cela* (= en fait). ◆ **vraiment** adv. (sens 1) *Ce que je dis s'est* VRAIMENT *passé* (= réellement). • (sens 3) *Aujourd'hui, le ciel est* VRAIMENT *nuageux* (= extrêmement, très). ◆ **véracité** n. f. (sens 1) *Je te garantis la* VÉRACITÉ *de cette histoire* (= vérité, exactitude). ◆ **véridique** adj. (sens 1) *Son récit est* VÉRIDIQUE (= vrai). ◆ **vérifier** v. (sens 1) *Il faudrait* VÉRIFIER *tous ces calculs,* voir s'ils sont exacts. ◆ **vérification** n. f. (sens 1) *Les policiers ont fait une* VÉRIFICATION *d'identité* (= contrôle). ◆ **véritable** adj. (sens 1) *On ne connaît pas la* VÉRITABLE *raison de son absence* (= vrai). • (sens 3) *Pierre est pour moi un* VÉRITABLE *ami* (= vrai). ◆ **véritablement** adv. (sens 3) *Ce qu'il m'a dit était* VÉRITABLEMENT *étonnant* (= vraiment, très). ◆ **vérité** n. f. (sens 1) *J'ai raconté ce que j'ai vu, j'ai dit la* VÉRITÉ, ce qui est vrai (≠ mensonge). • (sens 3) EN VÉRITÉ, *il faut que je parte* (= vraiment). ◆ **vraisemblable** adj. (sens 1) *Il est* VRAISEMBLABLE *qu'il ne viendra pas,* cela semble vrai (= probable). ◆ **vraisemblablement** adv. (sens 1) *D'après son accent, cet étranger est* VRAISEMBLABLEMENT *allemand* (= sans doute). ◆ **vraisemblance** n. f. (sens 1) *Cette histoire n'a aucune* VRAISEMBLANCE, on ne peut y croire. ◆ **invraisemblable** adj. (sens 1) *Cette histoire est* INVRAISEMBLABLE (= incroyable). ◆ **invraisemblance** n. f. (sens 1) *Il y a des* INVRAISEMBLANCES *dans son récit,* des choses bizarres.

• **R.** Attention, *vraisemblable* et ses dérivés ne prennent qu'un seul *s.*

289 ◁ **vrille** n. f. **1.** *Le menuisier perce la planche avec une* VRILLE, un outil pointu. — **2.** *L'avion est descendu en* VRILLE, en tournant sur lui-même.

vrombissement n. m. *Le moteur s'est mis en route avec un* VROMBISSEMENT, un bruit de ronflement. ◆ **vrombir** v. *Les guêpes* VROMBISSENT (= bourdonner).

vu, vue → VOIR.

vulgaire adj. **1.** *M. Duval a des manières* VULGAIRES (= grossier, trivial; ≠ distingué, élégant). — **2.** *Les plantes ont un nom savant et un nom* VULGAIRE, connu de tout le monde (= populaire). ◆ **vulgairement** adv. (sens 1) *M. Duval s'exprime* VULGAIREMENT (≠ poliment). ◆ **vulgariser** v. (sens 2) VULGARISER *des connaissances scientifiques,* c'est les mettre à la portée de tout le monde. ◆ **vulgarisation** n. f. (sens 2) *Voilà un bon livre de* VULGARISATION *sur l'électricité!* ◆ **vulgarité** n. f. (sens 1) *La* VULGARITÉ *de ton langage est choquante* (= grossièreté).

vulnérable adj. *La carapace des tortues les rend peu* VULNÉRABLES, peu faciles à blesser, à attaquer. ◆ **invulnérable** adj. *L'avocat a présenté des arguments* INVULNÉRABLES (= invincible; ≠ fragile).

wagon n. m. *Ce train comporte des* WAGONS *de marchandises et des* WAGONS *de voyageurs* (= voiture). ◆ **wagonnet** n. m. *Dans les mines, le charbon est transporté dans des* WAGONNETS, des petites voitures sur rails. ▷ 508 ▷ 151

waters ou **w.-c.** n. m. pl. *Les* WATERS *sont au fond du couloir* (= cabinets, toilettes).

• **R.** *Waters* se prononce [watɛr]; *w.-c.* se prononce [dubləvese] ou [vese].

water-polo n. m. *Le* WATER-POLO *se joue dans l'eau avec un ballon.*

watt n. m. *Quelle est la force de cette ampoule électrique? — 40* WATTS.

w.-c. → WATERS.

week-end n. m. *Les Durand passent leurs* WEEK-ENDS *à la campagne,* le congé de fin de semaine.

• **R.** On prononce [wikɛnd].

western n. m. *Jean regarde un* WESTERN *à la télévision,* un film de cow-boys.

whisky n. m. *M. Duval est soûl, il a bu trop de* WHISKY, une sorte d'alcool.

xénophobe adj. *M. Martin est* XÉNOPHOBE, il déteste les étrangers.

xylophone n. m. Le XYLOPHONE est un instrument de musique. ▷ 439

y **1.** adv. exprime le lieu : *J'*Y *vais,* à cet endroit. — **2.** pron. pers. : *Je n'*Y *ai pas pensé,* à cela.

yacht n. m. *Ils ont traversé l'Atlantique sur un* YACHT, un navire de plaisance. ◆ **yachting** n. m. *Le* YACHTING *est un sport coûteux.*
• **R.** On prononce [jɔt, jɔting].

Yankee adj. et n. *On appelle parfois* YANKEES *les habitants des États-Unis.*
• **R.** On prononce [jɑ̃ki].

yaourt ou **yogourt** n. m. *Au dessert, Pierre a mangé un* YAOURT, une sorte de lait caillé.

yard n. m. Le YARD est une mesure anglaise valant un peu moins d'un mètre.
• **R.** On prononce [jard].

yen n. m. Le YEN est la monnaie japonaise.

yeux → ŒIL.

yoga n. m. *Pour se maintenir en forme, il fait du* YOGA, une sorte de gymnastique hindoue.

yogourt → YAOURT.

youyou n. m. *Les enfants s'amusent dans un* YOUYOU, un petit canot.

zèbre n. m. *Pierre court comme un* ZÈBRE, une sorte de cheval d'Afrique au corps rayé. ◆ **zébrer** v. *Le ciel est* ZÉBRÉ *d'éclairs,* ceux-ci y font de grandes raies. ◆ **zébrure** n. f. *Une brûlure lui a fait une* ZÉBRURE *à la main* (= raie).

zébu n. m. Le ZÉBU est un bœuf avec une bosse sur le dos.

zèle n. m. *Pierre travaille avec* ZÈLE (= ardeur, empressement). ◆ **zélé** adj. *Pierre est* ZÉLÉ (≠ négligent).

zénith n. m. *À midi, le soleil est au* ZÉNITH, au point le plus haut de sa course.

zéro n. m. **1.** *Vingt s'écrit avec un deux suivi d'un* ZÉRO (20). — **2.** *Notre équipe a gagné par deux buts à* ZÉRO, l'équipe adverse n'a marqué aucun but. — **3.** *Pierre a eu un* ZÉRO *en dictée,* une note nulle. — **4.** *Pierre est un* ZÉRO *en orthographe,* il est nul. ◆ **zéro** adj. (sens 2) *J'ai fait* ZÉRO *faute à ma dictée,* pas une seule (= aucun).

zeste n. m. *M*[me] *Durand a mis des* ZESTES *de citron et d'orange dans le gâteau,* des morceaux de peau.

zézayer v. *Jeannot* ZÉZAIE, il prononce les *j* comme des *z*. ◆ **zézaiement** n. m. *Essaie de corriger ton* ZÉZAIEMENT.

zibeline n. f. *M*[me] *Durand a un manteau de* ZIBELINE, fait avec la fourrure de cet animal.

zigzag n. m. *Cette route de montagne fait des* ZIGZAGS, des angles très aigus. ◆ **zigzaguer** v. *Il a trop bu, il marche en* ZIGZAGUANT, il ne marche pas droit.

zinc n. m. *Les baraques ont un toit en* ZINC, une sorte de métal.
• **R.** On prononce [zɛ̃g].

zizanie n. f. *Jean est venu mettre la* ZIZANIE *entre nous,* provoquer une dispute.

zodiaque n. m. *Le Bélier, le Taureau, les Gémeaux sont des* SIGNES DU ZODIAQUE, des groupes d'étoiles.

zone n. f. **1.** *La France fait partie de la* ZONE *tempérée,* d'une partie de la Terre de climat tempéré. — **2.** *Au nord de la ville, il y a une* ZONE *de cultures,* un espace, un secteur réservé aux cultures. ▷ 218

zoologie n. f. La ZOOLOGIE est la science des animaux. ◆ **zoologique** adj. *Dans un jardin* ZOOLOGIQUE, *on peut voir des animaux rares et sauvages.* ◆ **zoo** n. m. Un ZOO est un jardin zoologique. ▷ 435

zouave n. m. **1.** Les ZOUAVES étaient des soldats de l'ancienne armée française. — **2.** *Arrête de faire le* ZOUAVE!, l'imbécile, le malin.

zut! interj. marque la contrariété : ZUT, *j'ai oublié ma clé!*

INDEX

Cet index contient tous les mots présents
dans les planches en couleurs
et dans les tableaux de vocabulaire.
Les mots imprimés en italique
(abat-son, abattant, ablette) ne figurent pas
à leur ordre alphabétique dans le dictionnaire
et sont expliqués uniquement par l'image.
Deux numéros séparés par une virgule
(accident n. m. 37, 506) renvoient au même sens du mot ;
séparés par une barre oblique
(aiguille n. f. 296/220/655/*38*/*651*),
ils renvoient à des sens différents du mot,
classés dans le même ordre
que celui de l'article du dictionnaire.
Les numéros imprimés en italique
renvoient à des sens
qui n'ont pas été traités dans le texte.

a

abat-jour n. m. 76
abat-son n. m. *148*
abats n. m. pl. 222
abattant n. m. *77*
abdomen n. m. 33, 294
abeille n. f. 362
ablette n. f. *721*
abreuvoir n. m. 363
abri n. m. 435, 509
abricot n. m. 367
abside n. f. 148
accélérateur n. m. 505
accident n. m. 37, 506
accordéon n. m. 438
accotement n. m. 506
accu n. m. 505
acrobate n. 433
acteur n. 440
adhésif adj. 39, 293
adjudant n. m. 355, 763
adresse n. f. 768
aéroclub n. m. 219
aérogare n. f. 510, 511
aéroport n. m. 511
affiche n. f. 217
affichette n. f. *768*
affluent n. m. 721
affût n. m. *762*
afghan adj. et n. *376*
africain adj. et n. *376*
agent n. m. 36
agneau n. m. 361
agrafe n. f. 296/*292*
agrafeuse n. f. *293*
agricole adj. 361, 365
agriculteur n. m. 361
aigle n. m. 650
aigrette n. f. *579*
aigu adj. 348
aiguillage n. m. 509
aiguille n. f. 296/220/655/*38*/*651*
ail n. m. 367
aile n. f. 651/511, 726/505
aine n. f. 33
aire n. f. 506
aisselle n. f. 33
albanais adj. et n. *376*
algérien adj. et n. *376*
algérois adj. et n. *376*
algue n. f. 723
allée n. f. 73, 75, 148, 366
allemand adj. et n. *376*
alligator n. m. *583*
aloès n. m. *578*
alpage n. m. 650
alpinisme n. m. 649
alsacien adj. et n. *376*
alto n. m. *439*
alvéole n. f. 362/*40*
amanite n. f. 656
amarre n. f. 728
ambulance n. f. 37, 39
âme n. f. *438*
américain adj. et n. *376*
améthyste n. f. *650*
amiral n. m. 355, 765
amortisseur n. m. 505
amphithéâtre n. m. 579
amphore n. f. 579
ampoule n. f. 76/38
an n. m. 125, 795
anatomie n. f. 294, 728
anchois n. m. 579
ancre n. f. 727
âne n. m. 361
anémone n. f. 655/*724*
angevin adj. et n. *376*
anglais adj. et n. *376*
angle n. m. 348
angolais adj. et n. *376*
anguille n. f. 721
animal n. m. 224
anneau n. m. *73*
année n. f. 125
annuaire n. m. 768
annulaire n. m. 33
anorak n. m. 584, 653
anse n. f. 224/725
antenne n. f. 74, 505, 511/294
antillais adj. et n. *376*
antilope n. f. 580
aorte n. f. *40*
août n. m. 125
apiculture n. f. 362
appareil n. m. 38, 437
appendice n. m. 40
applique n. f. *76*
appontement n. m. *726*
appui-tête n. m. *38*
après-demain adv. 125
aquarelle n. f. 295
aquarium n. m. 434
aquitain adj. et n. *376*
arabe adj. et n. *376*
arachide n. f. 580
araignée n. f. 363
arbalète n. f. *147*
arbre n. m. 362, 366
arc n. m. 147/579
arcade n. f. 579
arc-boutant n. m. 149
arceau n. m. *436*
arc-en-ciel n. m. 721
archet n. m. 438
archipel n. m. 725
architecte n. 145
ardoise n. f. 75
are n. m. 795
arête n. f. 728/*650*
argentin adj. et n. *376*
armature n. f. 150
arme n. f. 147, 762
armée n. f. 355, 763, 767
arménien adj. et n. *376*
armoire n. f. 39, 77, 79, 294
armoiries n. f. pl. 147
armure n. f. 147
arrêt n. m. 217
arrière n. m. 505
arrière-grand-mère n. f. 547
arrière-grand-père n. m. 547
arrière-grands-parents n. m. pl. 547
arrière-petite-fille n. f. *547*
arrière-petit-fils n. m. *547*
arrière-petits-enfants n. m. pl. *547*
arrivée n. f. 512
arrondissement n. m. 298
arrosage n. m. 73, 367
arroseuse n. f. *218*
arrosoir n. m. 366
artère n. f. 40
artésien adj. et n. *376*
artichaut n. m. 367
asiatique adj. et n. *376*
asphalte n. m. 152
aspirant n. m. 355
aspirateur n. m. 78
assemblée n. f. 298
assiette n. f. 78
atelier n. m. 291
athénien adj. et n. *376*
attache n. f. 293
attelage n. m. 584
attelle n. f. *38*
attroupement n. m. 36
aube n. f. *721*
auge n. f. 151, 361
aujourd'hui adv. 125
auriculaire n. m. 33
aurore n. f. *584*
australien adj. et n. *376*
autel n. m. 148, 149
auto n. f. 436
autobus n. m. 217
autocar n. m. 506
autoclave n. m. *39*
auto-mitrailleuse n. f. *762*
automne n. m. 125
automobile n. f. 505
autorail n. m. 508
autoroute n. f. 507, 511, 582
autrichien adj. et n. *376*
autruche n. f. 581
auvent n. m. 74
auvergnat adj. et n. *376*
avalanche n. f. 652
avant n. m. 505, 727
avant-bras n. m. 33
avant-hier adv. 125
avant-port n. m. *726*

avant-veille n. f. 125
avenue n. f. 217
avertisseur n. m. 761
avion n. m. 219, 437, 510, 511, 766, 767
avion-cargo n. m. *511*
aviron n. m. 437
aviso n. m. *764*
avoine n. f. 364
avril n. m. 125

b

baba n. m. 220
bâbord n. m. 727
bac n. m. 78, 80, 289, 292
bâche n. f. 222
bagages n. m. 510
bague n. f. 220
baguette n. f. 438/220
bahut n. m. 224
baie n. f. 145/724
baignade n. f. 437
baigneur n. 722
baignoire n. f. 79/440
balai n. m. 223, 652
balance n. f. 222, 223
balancier n. m. 220/*433*
balançoire n. f. 73, 437
balcon n. m. 75/440
baleine n. f. 584
baleinier n. m. 584
balise n. f. 511, 727
ballast n. m. 509/764
balle n. f. 35/763
ballon n. m. 35
ballot n. m. 577
balustrade n. f. 75
banane n. f. 580
bananier n. m. 580/726
banc n. m. 74, 219/721
bandage n. m. 38
bande n. f. 38/*762*/*436*
banderolle n. f. 361, 512
bandoulière n. f. 37
banjo n. m. *439*
bannière n. f. 147, 438
banquette n. f. 508
banquise n. f. 584
baobab n. m. 580
baptême n. m. 148
baptisé n. *148*
baptismal adj. *148*
baquet n. m. 362
baraque n. f. 436
baratte n. f. *368*
barbe n. f. 33
barbelé adj. 763
barbillon n. m. *728*
barque n. f. 437, 721
barrage n. m. 651, 721
barre n. f. 34, 74/726, 764, 765
barreau n. m. 76
barrière n. f. 73, 508, 762
barrique n. f. 579
bas-côté n. m. 148, 152, 506
bascule n. f. 76/361
basket-ball n. m. 35
basque adj. et n. *376*
basse-cour n. f. 362
bassin n. m. 73, 218, 219/727/40
bassine n. f. 79
bassinoire n. f. *224*
basson n. m. *439*
bastingage n. m. 726
bât n. m. 361
bâtard n. m. 220
bateau n. m. 726, 761
bat-flanc n. m. *368*
bâtiment n. m. 145/764
bâton n. m. 653
batracien n. m. 434
battant n. m. 148
batterie n. f. 505/439/*78*
béarnais adj. et n. *376*
beauceron adj. et n. *376*
beau-père n. m. 547
bécarre n. m. *438*
bêche n. f. 366
bédane n. m. *291*
beige adj. et n. m. 296
belette n. f. 656
belge adj. et n. *376*
bélier n. m. 361/*146*
belle-fille n. f. 547
belle-mère n. f. 547
belvédère n. m. *649*
bémol n. m. 438
bengali adj. et n. *376*
bénitier n. m. 148, 149
benne n. f. 151, 217
béret n. m. 37, 763, 765
berge n. f. 152, 721
berger n. m. 364
berlinois adj. et n. *376*
bernard-l'ermite n. m. *722*
bernique n. f. *722*
berrichon adj. et n. *376*
bestiaux n. m. pl. 361
béton n. m. 150, 152
bétonnière n. f. *150*
bette n. f. *367*
betterave n. f. 365, 367
beurre n. m. 222
bibliothèque n. f. 76
biceps n. m. 40
bicyclette n. f. 512
bidet n. m. *79*
bidon n. m. 368, 512, 763
bief n. m. *218, 721*
bielle n. f. 505
bigorneau n. m. 722
bijou n. m. 220
bijouterie n. f. 220
billard n. m. 436
bille n. f. 295, 436
billet n. m. 221
binette n. f. 366
biréacteur n. m. *510*
birman adj. et n. *376*
bison n. m. 583
bissectrice n. f. 348
blaireau n. m. 79
blanc adj. et n. m. 289, 506, 584
blanche n. f. *438*
blason n. m. 147
blé n. m. 364, 583
blessé n. 39
bleu adj. et n. m. 289, 721, 765
bleuet n. m. 363
bloc n. m. 151, 584/*293*
blouse n. f. 37
blouson n. m. 37, 765
blue-jean n. m. 36
boa n. m. 434
bobine n. f. 296, 440
bobsleigh n. m. *653*
bœuf n. m. 361, 583
bois n. m. 365/583/584, 656
boîte n. f. 75, 289, 295, 437, 505, 768
boîtier n. m. 220, 221
bolet n. m. 656
bolivien adj. et n. *376*
bombardier n. m. 767
bombe n. f. *221*/*437*
bôme n. f. *726*
bonbon n. m. 221
bonde n. f. 579
bonhomme n. m. 652
bonnet n. m. 652, 653
boqueteau n. m. *365*
bordelais adj. et n. *376*
bordure n. f. 73
borne n. f. 506/*145*/*217*/*505*
bosse n. f. 577
botte n. f. 365/37, 584
bottine n. f. *224*
bouc n. m. 361
bouche n. f. 33/217
boucher n. 222
boucherie n. f. 217
bouchon n. m. 579, 649/506
boucle n. f. 649/220/*766*
bouclier n. m. 147/*762*
bouée n. f. 727/723
bougeoir n. m. 224
bougie n. f. 505
boulanger n. 220

boule n. f. 436, 578
bouleau n. m. 654
boulevard n. m. 217
boulon n. m. 289
bouquetin n. m. *651*
bourgeon n. m. 655
bourguignon adj. et n. *376*
boussole n. f. 764
bouteille n. f. 579/38, 152, 290
boutique n. f. 217
bouton n. m. 296/79/363
bovin n. m. 361
boyau n. m. 512
bracelet n. m. 220
brancard n. m. 363
branche n. f. 654
branchies n. f. pl. 728
brandebourg n. m. *224*
bras n. m. 33, 40/38, 76/725
brasier n. m. 761
brebis n. f. 361
brésilien adj. et n. *376*
bretelle n. f. 507, 511
breton adj. et n. *376*
briard adj. et n. *376*
bricoleur n. 289
bride n. f. 437
brigadier n. m. 355
brioche n. f. 220
brique n. f. 150, 151
brisant n. m. 725
brise-glace n. m. 584
brise-lames n. m. *726*
brise-mottes n. m. *364*
britannique adj. et n. *376*
brocanteur n. m. 224
broche n. f. 220
brochet n. m. 721
brodequin n. m. 763
broderie n. f. 296
bronche n. f. 40
brosse n. f. 79, 223, 289
brouette n. f. 150, 366
bru n. f. 547
brûleur n. m. 75
bruxellois adj. et n. *376*
bruyère n. f. 654
buanderie n. f. *79*
bûche n. f. 655
bûcheron n. m. 655
buffet n. m. 79/508
buffle n. m. 581
building n. m. 582
bulgare adj. et n. *376*
bulldozer n. m. 152
bureau n. m. 292, 295/768/293
burin n. m. 150, 291
burnous n. m. 577
bus n. m. *217*
buse n. f. 650
buste n. m. 224
but n. m. 35, 652
butoir n. m. 509
buvard n. m. 293

caban n. m. 765
cabane n. f. 367
cabas n. m. 222
cabestan n. m. 764
cabine n. f. 768/722/511/*150, 440, 509*
cabinet n. m. 38
câble n. m. 150, 652
cabri n. m. 361
cacahouète n. f. 580
cacaoyer n. m. *580*
cachalot n. m. 584
cachet n. m. 768
cactus n. m. 577
caddie n. m. *219*
cadran n. m. 220/75
cadre n. m. *512*
café n. m. 580/218
caféier n. m. *580*
cafetière n. f. 78
cage n. f. 224, 433, 435/*35*
cageot n. m. 223
cagoule n. f. 653
cahier n. m. 295
caïman n. m. 434
caisse n. f. 223/221/439
caissette n. f. 223
calandre n. f. *505*
calculatrice n. f. 293
cale n. f. 726/*727*
calendrier n. m. 125, 292
cale-pied n. m. 512
calibre n. m. 763
calice n. m. 149
calot n. m. 767
cambodgien adj. et n. *376*
caméléon n. m. 434
camelot n. m. 223
camerounais adj. et n. *376*
camion n. m. 152, 223, 507, 577
camomille n. f. 38
camouflage n. m. 763
campanule n. f. *651*
canadien adj. et n. *376*
canal n. m. 218
canalisation n. f. 75, 151
canapé n. m. 77
canard n. m. 362
candélabre n. m. *146*
canette n. f. *296*
canevas n. m. 296
canif n. m. 292
caniveau n. m. 218
canne n. f. 721
cannelle n. f. *579*
canoë n. m. 721
canon n. m. 762, 765/763
cañon n. m. 583
canot n. m. 726, 727
canotage n. m. 437
canton n. m. 298
cap n. m. 724
capitaine n. m. 355, 765, 767
caporal n. m. 355, 763, 767
capot n. m. 505
capuchon n. m. 36/292
capucine n. f. 80
car n. m. 506
carabine n. f. 436
caractère n. m. 290
caravane n. f. 512, 577/507
carbone n. m. 293
carcasse n. f. 222
cardigan n. m. *36*
cardinal adj. 517/728
cargo n. m. 726
carlingue n. f. 437, 767
carnet n. m. 295
carnier n. m. *361*
carotte n. f. 367
carpe n. f. 721
carquois n. m. 147
carré adj. et n. m. 348/795
carreau n. m. 289/436/*150*
carrefour n. m. 217
carrelage n. m. 78
carriole n. f. 363
carrosserie n. f. 290
cartable n. m. 295
carte n. f. 436/294/*223*
cartouche n. f. 361, 763
cartouchière n. f. 361
carter n. m. *505*
case n. f. 436
caserne n. f. 762
casier n. m. 77, 292
casoar n. m. *435*
casque n. m. 37, 147, 653, 761, 763, 767
casquette n. f. 37, 512
casserole n. f. 78
cassis n. m. 367
castagnettes n. f. pl. 439
castor n. m. 582
catalan adj. et n. *376*
catapulte n. f. *146*
caténaire n. f. *509*
cathédrale n. f. 149
cavalier n. m. *293*
cave n. f. 74
ceinture n. f. 34, 36/*505*
ceinturon n. m. 761, 763
céleri n. m. 367
centigramme n. m. 795
centilitre n. m. 795

centimètre n. m. 795
central adj. 34, 148
centre n. m. *219, 221*
cep n. m. 578
cèpe n. m. 656
céramique n. f. 437
cercle n. m. 348
céréale n. f. 364
cerfeuil n. m. 367
cerf-volant n. m. 723
cerise n. f. 367
cerveau n. m. 40
cervelet n. m. 40
cétacé n. m. 584
cévenol adj. et n. *376*
chacal n. m. 581
chaîne n. f. 75/290/*652/76/145/512*
chaise n. f. 76/*723*
chalet n. m. 650
chaloupe n. f. 728, 764
chalumeau n. m. 290
chalut n. m. 728
chalutier n. m. 728
chambre n. f. 38, 77/505
chameau n. m. 577
chamelier n. m. *577*
chamois n. m. 651
champ n. m. 364/361
champenois adj. et n. *376*
champignon n. m. 656
chandail n. m. 36
chandelier n. m. *149*
chandelle n. f. *766*
chantier n. m. 151, 726
chapelle n. f. 149
chapiteau n. m. 149/433
char n. m. 762
charançon n. m. *363*
charcutier n. 222
chardon n. m. 651
charentais adj. et n. *376*
charge n. f. 150
chargement n. m. 511
chargeur n. m. 763
chariot n. m. 38, 219
charme n. m. 654
charpente n. f. 74
charrette n. f. 363
charrue n. f. 364
chas n. m. 296
chasse-neige n. m. 652/*653*
chasseur n. m. 766, 767/*764*
châssis n. m. 366
chasuble n. f. 149
chat n. m. 362
châtaigne n. f. 655
châtaignier n. m. 655
château n. m. 147/218
chaton n. m. 655
chaudière n. f. 75
chaussée n. f. 152, 217, 218, 506
chaussette n. f. 36
chausson n. m. 220
chaussure n. f. 649, 653
chauve-souris n. f. 363
chef n. m. 439, 509
chemin n. m. 146, 507, 654/582
cheminée n. f. 76, 147/75, 727
cheminot n. m. 508
chemise n. f. 37/292/*36*
chêne n. m. 654
chenet n. m. *224*
chenille n. f. 294, 366/152, 762/*436*
chèque n. m. 768
cheval n. m. 368
chevalet n. m. 437
chevet n. m. 148
cheveu n. m. 33
cheville n. f. 33
chèvre n. f. 361, 650
chevreau n. m. 361
chèvrefeuille n. m. 73
chevreuil n. m. 656
chevron n. m. *74*
chewing-gum n. m. 221
chicorée n. f. 366
chien n. m. 75, 363, 364, 584
chilien adj. et n. *376*
chiffre n. m. 75, 517
chimpanzé n. m. 580
chinois adj. et n. *376*
chirurgie n. f. 39
chœur n. m. 148
chope n. f. 224
chorale n. f. 294
chou n. m. 367/221
chouette n. f. 650
chou-fleur n. m. 367
chrysanthème n. m. 80
chute n. f. 512/582
chypriote adj. et n. *376*
cible n. f. 436, 763
ciboire n. m. *149*
ciboulette n. f. 367
ciel n. m. 721
cierge n. m. 149
cigogne n. f. 435
cil n. m. 33
ciment n. m. 150
cimetière n. m. 219
cinéma n. m. 440/218
cintre n. m. 37
circonférence n. f. 348
cirque n. m. 433/*649*
ciseau n. m. 291/296
citron n. m. 578
civière n. f. 37
clairière n. f. 656
clairon n. m. 438
clarine n. f. *361*
clarinette n. f. 438
classeur n. m. 292
clavecin n. m. 439
clavicule n. f. *40*
clavier n. m. 148, 293
clé ou clef n. f. 74/289, 505/*438*
clématite n. f. *73*
client n. 220
clignotant adj. et n. m. 39, 505
clique n. f. *438*
cloche n. f. 148
clocher n. m. 148
clochette n. f. *651*
cloison n. f. 77, 79
clos n. m. 368
clôture n. f. 368, 435
clou n. m. 289, 368
clown n. m. 433
cobra n. m. 435
cocarde n. f. 766
coccinelle n. f. 366
cochon n. m. 361
cochonnet n. m. *578*
cockpit n. m. *726, 767*
coco n. m. 580
cocon n. m. 294
cocotier n. m. 580
code n. m. *768*
cœur n. m. 40, 436
coffrage n. m. *150*
coffre n. m. 77, 147/*505*
coffre-fort n. m. 292
cognée n. f. 655
coiffeuse n. f. *77*
coin n. m. *655*
col n. m. 36, 765/512, 651
colibri n. m. *435*
colin n. m. 728
collant n. m. 36
collier n. m. 220/361, 368/*290*
colline n. f. 365
colombien adj. et n. *376*
colonel n. m. 355, 763
colonne n. f. 149/40
colza n. m. 365
combinaison n. f. 152
combiné n. m. *293*
combles n. m. pl. 74
comédien n. 440
comestible adj. 656
commandant n. m. 355/*510*
commis n. m. 768
commode n. f. 77
commune n. f. 298
compartiment n. m. 508
compas n. m. 145/*764*

compresseur n. m. *150, 217*
comprimé n. m. 39
compte-gouttes n. m. 39
compteur n. m. 505, 506
comptoir n. m. 220
concombre n. m. 367
condor n. m. 435
conduite n. f. 151
cône n. m. 348
confessional n. m. 149
confluent n. m. 721
congolais adj. et n. *376*
congre n. m. 724
conifère n. m. 583
conseil n. m. 298
consigne n. f. 508
continu adj. 506
contre-amiral n. m. *355*
contrebasse n. f. 439
contrefort n. m. 149
contrepoids n. m. 145, 150
contrôleur n. m. 509/*768*
copilote n. m. *510*
coq n. m. 362
coque n. f. 726, 727/*722*
coquelicot n. m. 363
coquille n. f. 722, 728
cor n. m. 147, 438
corail n. m. 724
corbeille n. f. 293/*80*
corde n. f. 73, 295, 433, 649/438
cordeau n. m. 366
cordée n. f. 649
coréen adj. et n. *376*
cormoran n. m. 722
corne n. f. 368, 651
cornemuse n. f. 439
cornet n. m. 223/*221*/*436*
corniche n. f. *579*
cornichon n. m. 367
corps n. m. 33, 40
corse adj. et n. *376*
cosse n. f. 366
costume n. m. 36
cote n. f. 145
côte n. f. 40/725
côté n. m. 348
côtier adj. 725, 764
coton n. m. 583/79
cotte n. f. 147
cou n. m. 33
coude n. m. 33/721
cou-de-pied n. m. *33*
coulée n. f. 581
couleur n. f. 437
couleuvre n. f. 435
coulisse n. f. 291, 439/440
couloir n. m. 38, 76, 77, 508/*507, 510*/*652*
coupe n. f. 221, 224/145
coupe-papier n. m. 292
coupon n. m. 296
cour n. f. 146, 295, 362, 762
courbe n. f. 348/*39*
coureur n. m. 512
courlis n. m. *435*
couronne n. f. *220*
courroie n. f. 649
course n. f. 34, 512
court n. m. *35*
cousin n. m. 547
cousine n. f. 547
couteau n. m. 78, 289/*722*
couture n. f. 296
couturière n. f. 296
couvercle n. m. 78
couvert n. m. 78
couverture n. f. 221/77/*74*
cow-boy n. m. 583
crabe n. m. 722
crachoir n. m. *38*
craie n. f. 295, 296
crâne n. m. 40
crapaud n. m. 434
cravache n. f. 437
crayon n. m. 292
crémaillère n. f. 224
crème n. f. 368
crémier n. 222
créneau n. m. 146
cresson n. m. 721
crête n. f. 362
crétois adj. et n. *376*
crevaison n. f. 506
crevasse n. f. 649
crevette n. f. 722
crible n. m. 150
cric n. m. 505, 506
crinière n. f. 368
crique n. f. 725
criquet n. m. 577
cristal n. m. 650, 653
croche n. f. 438
crochet n. m. 289/296
crocodile n. m. 580
crocus n. m. 73
croisée n. f. *149*
croisement n. m. 506
croissant n. m. 220
croix n. f. 763
croquet n. m. 436
croquis n. m. 145
crosse n. f. 763/*652*
crotte n. f. 221
crucifix n. m. 148
crue n. f. 721
crustacé n. m. 722
cube n. m. 348
cubitus n. m. *40*
cueillette n. f. 578
cuiller n. f. 78/*763*
cuirasse n. f. 440
cuisine n. f. 79
cuisinier n. m. 36
cuisinière n. f. 78
cuisse n. f. 33, 368
culotte n. f. 512
cultivateur n. m. 365
culture n. f. 578, 583
cuve n. f. 75
cuvette n. f. *77*
cyclamen n. m. 651
cycliste adj. 512
cylindre n. m. 348/505
cymbale n. f. 439
cyprès n. m. 579
cyprin n. m. *434*
cytise n. m. *73*

d

dactylo n. f. 292
dahlia n. m. 80
dahoméen adj. et n. *376*
dallage n. m. 74, 146
dalle n. f. 75, 148
dame n. f. 436
damier n. m. 436
danois adj. et n. *376*
dard n. m. 577
datte n. f. 577
dattier n. m. 577
dauphinois adj. et n. *376*
daurade n. f. 728
dé n. m. 436/296
débarquement n. m. 511
déblais n. m. pl. 151, 217
décagramme n. m. 795
décalitre n. m. 795
décamètre n. m. 795
décapotable adj. 506
décembre n. m. 125
décigramme n. m. 795
décilitre n. m. 795
décimètre n. m. 795
décombres n. m. pl. 761
décor n. m. 440
décoration n. f. 763
défense n. f. 581
delta n. m. 725
demain adv. 125
dent n. f. 33, 40/362
denté adj. 512
dentelle n. f. 296
dentiste n. 38
départ n. m. 512
département n. m. 298
départemental adj. 506
dépôt n. m. 727
député n. m. 298
dérailleur n. m. 512
dérive n. f. 511, 726, 766
dériveur n. m. 726
dernier adj. 125
derrick n. m. 152, 577
descente n. f. 77

désert n. m. 577
dessin n. m. 145, 295
dessinateur n. 145
dessous-de-plat n. m. *78*
destinataire n. 768
détente n. f. 763
détroit n. m. 725
déviation n. f. 506
dévidoir n. m. *293, 761*
diable n. m. *509*
diadème n. m. *220*
diagonale n. f. 348
diamant n. m. 581
diamètre n. m. 348
diapason n. m. 438
dièse n. m. 438
digitale n. f. 654
digue n. f. 721
dimanche n. m. 125
dindon n. m. 362
discontinu adj. 506
discothèque n. f. 76
disque n. m. 34
distraction n. f. 437
dock n. m. 727
doigt n. m. 33
dolmen n. m. *224*
dôme n. m. *651*
domino n. m. 436
dompteur n. m. 433
donjon n. m. 147
doryphore n. m. 363
dos n. m. 33/*221*
dossard n. m. 512
dossier n. m. 76, 292/293
douche n. f. 79
douille n. f. 763
douve n. f. *147*
dragée n. f. 39
dragonne n. f. *653*
drague n. f. *727*
dragueur n. m. *764*
drap n. m. 77
drapeau n. m. 509, 722
drisse n. f. *726*
droguiste n. 223
droit adj. 33/348
droite n. f. 348
dromadaire n. m. 577
dune n. f. 577
dunette n. f. 727

éboulis n. m. 651, 725
échafaudage n. m. 151
échalote n. f. 367
échangeur n. m. *507*
échappée n. f. 512
écharpe n. f. 36
échauguette n. f. *147*
échecs n. m. pl. 436
échelle n. f. 77, 151, 433, 649, 761/145
échelon n. m. 151
écheveau n. m. 296
échiquier n. m. 436
éclair n. m. 365/220
éclairage n. m. 39, 510
écluse n. f. 218, 726
école n. f. 295
écorce n. f. 655
écossais adj. et n. *376*
écoute n. f. *726*
écouteur n. m. 293
écran n. m. 440
écrémeuse n. f. *368*
écrou n. m. 289
écu n. m. 147
écueil n. m. 725
écuelle n. f. 75
écume n. f. 723
écumoire n. f. 78
écureuil n. m. 656
écurie n. f. 363, 368
écusson n. m. 763
écuyère n. f. 433
edelweiss n. m. 651
église n. f. 149, 219
égoïne n. f. *289*
égout n. m. 217
égyptien adj. et n. *376*
éjectable adj. 767
électricien n. m. 290
électrique adj. 78, 79, 222, 368, 509, 761
éléphant n. m. 581
élève n. 294
ellipse n. f. *348*
émail n. m. 40
emballage n. m. 223
embarcadère n. m. 583
embouchure n. f. 725
embouteillage n. m. 506
embrayage n. m. 505
encensoir n. m. 149
enclos n. m. 368, 435
enclume n. f. 291
encolure n. f. 368
encreur n. m. *293*
endive n. f. 366
enfant n. 547
enfumoir n. m. 362
enregistrement n. m. *510*
enseigne n. f. 219, 220
enseigne n. m. *355*
ensemble n. m. 218, 219
en-tête n. m. *292*
entrée n. f. 435
enveloppe n. f. 292, 768
éolienne n. f. *577*
épaule n. f. 33
épaulette n. f. 224
épée n. f. 224
épervier n. m. 651
éphéméride n. f. *293*
épi n. m. 364, 583
épicéa n. m. 650
épinards n. m. pl. 366
épine n. f. 577
épingle n. f. 293, 296
éponge n. f. 295
épouse n. f. 547
épouvantail n. m. 366
époux n. m. 547
équateur n. m. 294
équatorial adj. 580, 581
équerre n. f. 145, 291, 295
équitation n. f. 437
érable n. m. 583
éruption n. f. 581
escabeau n. m. 289
escadre n. f. 765
escadrille n. f. 767
escalade n. f. 649
escalator n. m. 221
escalier n. m. 75, 77, 221
escargot n. m. 366
escorteur n. m. *765*
escrime n. f. 35
espagnol adj. et n. *376*
espalier n. m. 366
esplanade n. f. 218
esquimau n. m. *221/584*
essence n. f. 219, 506
essuie-glace n. m. 505
est n. m. et adj. 728
estomac n. m. 728
estrade n. f. 295
estragon n. m. 367
estuaire n. m. 725
étable n. f. 368
établi n. m. 289, 291
étage n. m. 217
étagère n. f. 77
étai n. m. *150*
étal n. m. 222
étalage n. m. 221
étamine n. f. *294*
étape n. f. 512
état n. m. 298
étau n. m. 289
été n. m. 125
éthiopien adj. et n. *376*
étincelle n. f. 290
étiquette n. f. 223, 579
étoile n. f. 724
étole n. f. *149*
étrave n. f. *726*
étrier n. m. 368
étrille n. f. *368*
européen adj. et n. *376*
éventail n. m. 224
éventaire n. m. 223
évier n. m. 78
excavation n. f. *151*
excavatrice n. f. *152, 581*
expéditeur n. 768

explosion n. f. 763
extincteur n. m. 761
ex-voto n. m. *148*

f

façade n. f. 75
facteur n. m. 768
faille n. f. *649*
faine n. f. *654*
faisceau n. m. *440*
faîte n. m. 75
falaise n. f. 650, 725
fanal n. m. *728*
fanfare n. f. 438
fanion n. m. 34
fantassin n. m. 763
fard n. m. 221
faubourg n. m. 219
faucheuse n. f. 364
faucille n. f. 362
fauteuil n. m. 38, 76, 224, 440
fauve adj. et n. m. 433, 434
faux n. f. 362
femme n. f. 33/547
fémur n. m. 40
fenêtre n. f. 74, 146, 508
fennec n. m. *577*
fer n.·m. 79/368
ferme n. f. 363
fermeture n. f. 296
fermière n. f. 362
fermoir n. m. 37, 220
feraille n. f. *150*
ferry-boat n. m. *726*
fesse n. f. 33
fête n. f. 437
feu n. m. 581/39, 217, 505, 508, 511, 512, 727
feuille n. f. 655/39, 295
feutre n. m. 292
février n. m. 125
fibre n. f. *223*
ficelle n. f. *220*
fiche n. f. 292/*290*
fichier n. m. 292
figue n. f. 578
figure n. f. *766*
fil n. m. 150, 290, 293, 763
file n. f. 218, 507
filet n. m. 35, 433, 508, 723, 728, 763
filin n. m. 728
fille n. f. 547
film n. m. 437
fils n. m. 547
finlandais adj. et n. *376*
finisseuse n. f. *152*
finnois adj. et n. *376*
fissure n. f. 649
fjord n. m. 725
flacon n. m. 39, 79, 221
flamand adj. et n. *376*
flamant n. m. 579
flamme n. f. 761/*768*
flan n. m. 221
fléau n. m. 363/*223*
flèche n. f. 147/*149*
fleur n. f. 80, 294, 363
fleuret n. m. 35, 224
fleuve n. m. 725
flocon n. m. 652
flottage n. m. *583*
flotteur n. m. 728
flûte n. f. 438, 439
foc n. m. 726
foie n. m. 40
foin n. m. 365, 368
foire n. f. 361
fond n. m. 728/*652, 653*
fontaine n. f. 223
fonts n. m. pl. 148
football n. m. 34
forage n. m. 152
forain n. m. et adj. 436, 437
forestier adj. 581, 654
forêt n. f. 580, 655, 656
forge n. f. 291
forgeron n. m. 291
formulaire n. m. 768
forsythia n. m. *73*
fosse n. f. 435/*440*
fossé n. m. 152/*147*
foudre n. f. 365
fouet n. m. 368
fougère n. f. 654
fouine n. f. 656
four n. m. 220
fourche n. f. 362/*654*
fourchette n. f. 78
fourgon n. m. 222, 363, 761
fourgonnette n. f. 761, 768
fourmi n. f. 294
fourrager adj. 365
fourré n. m. 364, 654
fourreau n. m. 224
fourrure n. f. 653
foyer n. m. 291
fraise n. f. 367/38
fraiseuse n. f. *291*
framboise n. f. 367
frégate n. f. 764
frein n. m. 505
frêne n. m. 654
frère n. m. 547
friche n. f. 364
frigorifique adj. 223
friteuse n. f. 78
franc-comtois adj. et n. *376*
fromage n. m. 222
fromager n. m. *222*
fronce n. f. 296
front n. m. 33
fronton n. m. 579
fruit n. m. 222
fruitier adj. 362, 366
fumée n. f. 761
fumier n. m. 363
funambule n. m. 433
fuseau n. m. *224*
fusée n. f. 582
fuselage n. m. 511, 767
fusil n. m. 361, 763
futaie n. f. 654

gabonais adj. et n. *376*
gaine n. f. 147
galerie n. f. *218*
galet n. m. 725
galon n. m. 763
gamelle n. f. 763
gant n. m. 37, 653/*79*
garage n. m. 75
garçon n. m. 36
garde n. f. 147
garde n. m. 146
garde-boue n. m. 512
garde-fou n. m. 151, 649
gare n. f. 218, 508, 509, 727
gargouille n. f. 149
garrot n. m. 368
gascon adj. et n. *376*
gauche adj. 33
gaule n. f. 363/721
gaulois adj. et n. *376*
gazelle n. f. 581
gazomètre n. m. *218*
gazon n. m. 75
gélule n. f. *39*
gencive n. f. 40
gendre n. m. 547
général n. m. 355, 763, 767
genevois adj. et n. *376*
genou n. m. 33, 38, 368
gentiane n. f. *651*
géomètre n. 145
géométrie n. f. 348
géorgien adj. et n. *376*
géranium n. m. 80
geyser n. m. 583
ghanéen adj. et n. *376*
gibier n. m. 222
gilet n. m. 36/*723*
girafe n. f. 580
giratoire adj. 507
giroflée n. f. *80*
girolle n. f. 656
girouette n. f. 75
glace n. f. 584/221
glacier n. m. 649, 651
glaïeul n. m. 80
glaive n. m. 440
gland n. m. 654

glissière n. f. 296, 507, 508
globe n. m. 294
glycine n. f. 73
godet n. m. 295, 583
goéland n. m. 722
goémon n. m. 723
golfe n. m. 724
gomme n. f. 295
goret n. m. 361
gorge n. f. 33
gorille n. m. 580
gothique adj. 149
goujon n. m. 721
goulet n. m. 724
goulot n. m. 579
goupillon n. m. 149
gourde n. f. 649
gourmette n. f. 220
gousse n. f. 583
gouttière n. f. 75
gouvernail n. m. 727, 764, 765
gouvernement n. m. 298
grade n. m. 355, 763, 765
gradin n. m. 35, 433
grain n. m. 364, 578, 580
grand-mère n. f. 547
grand-père n. m. 547
grands-parents n. m. pl. 547
grange n. f. 362
granite n. m. 650
graphique n. m. 39
grappe n. f. 578
gratte-ciel n. m. 582
grattoir n. m. 289, 293
gravats n. m. pl. 151
gravier n. m. 80
grec adj. et n. *376*
grenade n. f. 763
grenouille n. f. 434
grève n. f. 722, 725
griffe n. f. *366*
grille n. f. 74/*223*/*289*
grizzli n. m. *582*
groseille n. f. 367
grotte n. f. 650
grue n. f. 150, 727/579
grume n. f. *581*
grutier n. m. *150*
guadeloupéen adj. et n. *376*
guatémaltèque adj. et n. *376*
gué n. m. 721
guépard n. m. *434*
guêpe n. f. 363
guéridon n. m. 76
guérite n. f. 762
guet n. m. 147
guichet n. m. 508, 768
guide n. m. 649
guidon n. m. 512
guignol n. m. 440
guinéen adj. et n. *376*
guitare n. f. 294
guyanais adj. et n. *376*
gymnastique n. f. 35

h

habitation n. f. 581
hache n. f. 761
hachoir n. m. 78
haie n. f. 73, 364/34
haïtien adj. et n. *376*
halle n. f. 222
haltère n. m. 34
hamac n. m. 765
hameau n. m. 219
hanche n. f. 33
handball n. m. 35
hangar n. m. 219, 363, 511
hanneton n. m. 363
hareng n. m. 728
haricot n. m. 366
harmonica n. m. 294
harmonium n. m. 294
harnachement n. m. *763*
harnais n. m. *766*
harpe n. f. 439
harpon n. m. 584
hauban n. m. 726
hautbois n. m. 438, 439
haut-parleur n. m. 219, 509
hayon n. m. *39*
heaume n. m. 147
hectare n. m. 795
hectogramme n. m. 795
hectolitre n. m. 795
hectomètre n. m. 795
hélice n. f. 727, 764, 766
hélicoptère n. m. 649, 765
herbe n. f. 364
hérisson n. m. 656
hermine n. f. 656
herse n. f. 364/*146*
hêtre n. m. 654
hexagone n. m. 348
hier adj. 125
hippocampe n. m. *724*
hippopotame n. m. 434
hirondelle n. f. 579
hispanique adj. *376*
hiver n. m. 125
hockey n. m. 652
hollandais adj. et n. *376*
homard n. m. 723
homme n. m. 33
hongrois adj. et n. *376*
hôpital n. m. 39
horaire n. m. 508, 510
horizon n. m. 725
horizontale n. f. 348
horloge n. f. 220, 509
horlogerie n. f. 220
hors-bord n. m. 722
hortensia n. m. 80
hôtel n. m. 218
hôtesse n. f. 510
hotte n. f. 578/291
houe n. f. *362*
houppe n. f. 221
hublot n. m. 510, 511, 727
huître n. f. 728
humain adj. 33, 40
humérus n. m. *40*
humus n. m. 654
hyène n. f. 581

i

ibis n. m. 581
iceberg n. m. 584
igloo n. m. 584
iguane n. m. *435*
île n. f. 724
îlot n. m. 578, 725
immatriculation n. f. 505
immeuble n. m. 217, 218
impasse n. f. 217
imperméable n. m. 36
imprimerie n. f. 290
incendie n. m. 761
index n. m. 33
indien adj. et n. m. *376*
indigo adj. et n. m. 721
indonésien adj. et n. *376*
infirmier n. 38, 39
inondation n. f. 721
insecte n. m. 363
insecticide n. m. 362
insigne n. m. 763, 767
instituteur n. 295
instrument n. m. 39/439
interdiction n. f. 507
interdit adj. 217, 507
interphone n. m. *293*
interrupteur n. m. 290
intersection n. f. 507
intestin n. m. 40
irakien adj. et n. *376*
iranien adj. et n. *376*
iris n. m. 80/33
irlandais adj. et n. *376*
islandais adj. et n. *376*
israélien adj. et n. *376*
isthme n. m. 724
italien adj. et n. *376*
italique n. f. 290
ivoire n. f. 40
ivoirien adj. et n. *376*

jachère n. f. 364

jacinthe n. f. 73
jalon n. m. 145
jambe n. f. 33, 368
jambon n. m. 222
jante n. f. 512
janvier n. m. 125
japonais adj. et n. *376*
jardin n. m. 73, 367/219
jardinier n. m. 367
jardinière n. f. 75, 80
jarre n. f. 579
jarret n. m. 33, 368
jatte n. f. 75
jaune adj. et n. m. 721
javanais adj. et n. *376*
jazz n. m. 439
jeep n. f. 762
jet n. m. 73
jetée n. f. 727
jeu n. m. 437
jeudi n. m. 125
jongleur n. m. 433
jonquille n. f. 80
jordanien adj. et n. *376*
joue n. f. 33
jouet n. m. 77
joueur n. 34
joug n. m. 363
jour n. m. 125/*296*
journal n. m. 217
judo n. m. 34
jugulaire n. f. *763*
juillet n. m. 125
juin n. m. 125
jumelles n. f. pl. 649
jupe n. f. 36
jurassien adj. et n. *376*

k

kangourou n. m. 435
kayak n. m. 721
képi n. m. 37, 763
kilo n. m. 795
kilogramme n. m. 795
kilomètre n. m. 795
kilométrique adj. 506
kimono n. m. 34
kiosque n. m. 217/*219*/*764*

l

lac n. m. 583, 651
lacet n. m. 651
lacustre adj. 581
lagune n. f. 724
laine n. f. 296, 361
lait n. m. 368
laitue n. f. 366
lama n. m. 435
lame n. f. 289
lampadaire n. m. 76, 217
lampe n. f. 68, 224, 761
lance n. f. 147/761
lancement n. m. 34, 582, 726
langouste n. f. 723
langue n. f. 33
languedocien adj. et n. *376*
lanière n. f. 649
lanterne n. f. 75
laotien adj. et n. *376*
lapin n. m. 362
lapon adj. et n. *376*
large n. m. 724
latte n. f. 74
lavabo n. m. 79
lavande n. f. 578
lave n. f. 581
lave-vaisselle n. m. 78
lavis n. m. *145*
légume n. m. 222
lendemain n. m. 125
léopard n. m. 434
lessive n. f. 223
levée n. f. 768
levier n. m. 291, 505/*151*
lèvre n. f. 33
lézard n. m. 363, 435
liane n. f. 580
libanais adj. et n. *376*
libérien adj. et n. *376*
librairie n. f. 221
lierre n. m. 73
lieutenant n. m. 355
lieutenant-colonel n.m. 355, 767
lièvre n. m. 656
ligne n. f. 35, 348, 506, 512, 725/721
lilas n. m. 80
lillois adj. et n. *376*
limace n. f. 366
lime n. m. 79, 289
limousin adj. et n. *376*
lin n. m. 80
linge n. m. 79
lingerie n. f. 77
lion n. m. 581
lionne n. f. 581
lis n. m. 80
lit n. m. 38, 77
litière n. f. 368
litre n. m. 795
littoral n. m. 725
livre n. m. 221, 295
livre n. f. 795
lobe n. m. 33, 40
locomotive n. f. 509, 582
loge n. f. 440
loir n. m. 363
londonien adj. et n. *376*
longue-vue n. f. 764
looping n. m. *766*
loquet n. m. 74
lorgnon n. m. 224
lorrain adj. et n. *376*
losange n. m. 348
loterie n. f. 436
loto n. m. 436
louche n. f. 78
loup n. m. 582/579
loutre n. f. 582
lucarne n. f. 74
luge n. f. 653
lumineux adj. 145, 217, 294, 440
lundi n. m. 125
lunettes n. f. pl. 290, 649
lupin n. m. *80*
lustre n. m. 224
luth n. m. 439
lutrin n. m. *146*
luxembourgeois adj. et n. *376*
luzerne n. f. 365
lyonnais adj. et n. *376*

m

mâche n. f. *366*
mâchicoulis n. m. *146*
machine n. f. 79, 290, 293, 296
machiniste n. m. 440
maçon n. m. 151
madrilène adj. et n. *376*
magasin n. m. 217
magnétophone n. m. 76
mai n. m. 125
maille n. f. 296
maillet n. m. 291, 436
maillot n. m. 512
main n. f. 33
maire n. m. 298
mairie n. f. 218
maïs n. m. 364, 583
maison n. f. 75, 145, 219
maître n. m. *355, 765*/*218*
majeur n. m. 33
major n. m. *355, 767*
majuscule n. f. 290
malade n. 38
malais adj. et n. *376*
malgache adj. et n. *376*
malien adj. et n. *376*
malle n. f. 224
mamelle n. f. 368
manche n. f. 37/*219, 510*
manche n. m. 362, 649/*510*
manchot n. m. 435
mandat n. m. 768
manège n. m. 437
mangeoire n. f. 368
manivelle n. f. 506
mannequin n. m. 296

manœuvre n. f. 763
manœuvre n. m. 151
manomètre n. m. 75
mansarde n. f. 75
manteau n. m. 37
maquereau n. m. 728
maquette n. f. 145, 437
maquignon n. m. 361
marais n. m. *724*
marbre n. m. 150
marchand n. m. 222, 223
marche n. f. 75, 221
marché n. m. 222, 223
mardi n. m. 125
mare n. f. 363
marécage n. m. 725
maréchal n. m. *355*
marée n. f. 725
marelle n. f. 294
marguerite n. f. 363
mari n. m. 547
marin n. m. 355, 761, 765
marine n. f. 355, 765
marionnette n. f. 440
marmite n. f. 224
marmotte n. f. 651
marocain adj. et n. *376*
marraine n. f. 148
marron n. m. 221
mars n. m. 125
marseillais adj. et n. *377*
marteau n. m. 289, 291, 649/150, 217
martiniquais adj. et n. *377*
masque n. m. 35, 152, 761, 767
masse n. f. 150, 291, 655
massif n. m. 80
massue n. f. *433*
mât n. m. 726/*433*
match n. m. 34
matelas n. m. 77, 723
matelot n. m. 355, 765
matériel n. m. 361
mauritanien adj. et n. *377*
mécanicien n. m. 36, 291, 505
mécanique adj. 79, 221, 364, 761
mèche n. f. 224/*289*
médaille n. f. 220/763
médecin n. m. 38
médiane n. f. *348*
médicinal adj. 38
méditerranéen adj. *579*
méduse n. f. 723
mêlée n. f. *35*
mélèze n. m. 650
melon n. m. 367, 578
ménagère n. f. 222
ménagerie n. f. 433, 434
méninges n. f. pl. 40
menton n. m. 33
menuisier n. m. 291
mer n. f. 724, 728
mercier n. 223
mercredi n. m. 125
mère n. f. 547
méridien n. m. 294
merlan n. m. 728
métamorphose n. f. 294
mètre n. m. 795/289, 296
métro n. m. 217, 508
métronome n. m. 438
meule n. f. 363/365
meurtrière n. f. 147
mexicain adj. et n. *377*
mica n. m. 650
microscope n. m. 294
miel n. m. 362
millefeuille n. m. 221
milligramme n. m. 795
millilitre n. m. 795
millimètre n. m. 795
mimosa n. m. 578
mine n. f. 581/764/292
ministre n. m. 298
minuscule n. f. 290
minute n. f. 795
miroir n. m. 77, 79, 224
mitrailleur adj. 763
mitrailleuse n. f. 762
modèle n. m. 437
moellon n. m. 150
mois n. m. 125
moisson n. f. 583
moissonneuse-batteuse n. f. 365
môle n. m. 726
molette n. f. 289
mollet n. m. 33
mollusque n. m. 722
monégasque adj. et n. *377*
mongol adj. et n. *377*
monnaie n. f. 221
montagne n. f. 512, 651, 653
montant n. m. 77, 151
monte-charge n. m. 151
montre n. f. 220
monument n. m. 218
moquette n. f. 76
morceau n. m. 295
morille n. f. 656
mors n. m. 368
morse n. m. 584
mortaise n. f. *291*
mortier n. m. 150/762
morue n. f. 728
morvandiau adj. et n. *377*
moscovite adj. et n. *377*
motard n. m. 512
moteur n. m. 505
motif n. m. 296
motoculteur n. m. 367
motocyclette n. f. 217
motocycliste n. m. 37, 507
motte n. f. 364/222, 368
mouette n. f. 722
moufle n. f. 584
mouilleur n. m. *293*
moule n. f. 728
moule n. m. 78
moulin n. m. 721
mousqueton n. m. *649*
moustache n. f. 33
mouton n. m. 361, 364
mufle n. m. 368
muguet n. m. 654
mulet n. m. 361
multiple n. m. 517
municipal adj. 298
mur n. m. 73
muraille n. f. 147
mural adj. 292, 294
mûre n. f. 364
muscle n. m. 40
musette n. f. 512
musique n. f. 439
myosotis n. m. 80

n

nacelle n. f. *437*
nacre n. f. 296
nageoire n. f. 728
naja n. m. 435
nappe n. f. 76
narcisse n. f. 80
narine n. f. 33
naseau n. m. 368
national adj. 298, 355, 507
navet n. m. 367
navigant adj. 510
navigateur n. m. *510*
navire n. m. 727
néerlandais adj. et n. *377*
nef n. f. 148, 149
neige n. f. 650, 652, 653
nénuphar n. m. 73
néo-guinéen adj. et n. *377*
néo-zélandais adj. et n. *377*
népalais adj. et n. *377*
nervure n. f. 655
nettoyage n. m. 218
neveu n. m. 547
new-yorkais adj. et n. *377*
nez n. m. 33/511, 766
niche n. f. 75/148
nièce n. f. 547
nigérien adj. et n. *377*
niveau n. m. 218/150
niveleuse n. f. *152*
noir adj. et n. m. 289
noire n. f. *438*
noisetier n. m. 655
noisette n. f. 655

noix n. m. 365/580
nombre n. m. 517
nombril n. m. 33
nord n. m. et adj. 294, 728
normand adj. et n. *377*
norvégien adj. et n. *377*
note n. f. 438
novembre n. m. 125
noyer n. m. 365
nuage n. m. 721
nuque n. f. 33

o

oasis n. f. 577
objectif n. m. 437
objet n. m. 149, 223
oblique adj. 348
oblitération n. f. *768*
obus n. m. 762
océanien adj. et n. *377*
ocre adj. et n. m. 289
octobre n. m. 125
octogone n. m. 348
œil n. m. 33
œil-de-bœuf n. m. *75*
œillère n. f. 368
œillet n. m. 80
œuf n. m. 222/*294*
officier n. m. 355, 762, 763
ogive n. f. 146, 149/*762*
oie n. f. 362
oignon n. m. 367
oiseau n. m. 438
oléagineux adj. 365
oléoduc n. m. *577*
olive n. f. 578/*290*
olivier n. m. 578
ombre n. f. 75
ombrelle n. f. 224
omoplate n. f. 40
oncle n. m. 547
ongle n. m. 33
opération n. f. 39
orage n. m. 365
orange n. f. 289
orangé adj. et n. m. 721
orang-outan n. m. 435
orbite n. f. 40
orchestre n. m. 438, 439/440
orchidée n. f. 80
ordinal adj. 517
ordures n. f. pl. 217
oreille n. f. 33
oreiller n. m. 38, 77
organiste n. 148
orge n. f. 364
orgue n. f. 148
oriflamme n. f. *147*
orme n. m. 655
ormeau n. m. *722*
orteil n. m. 33
oseille n. f. 366
ostensoir n. m. *149*
otarie n. f. 433
ouest n. m. et adj. 728
ougandais adj. et n. *377*
ouïes n. f. pl. *438*
ouistiti n. m. 435
ourlet n. m. 296
ours n. m. 584
oursin n. m. 722
outil n. m. 289, 367
ouvrier n. 291
ouvrière n. f. *580*
ovaire n. m. *294*
ovale adj. 35
ovule n. m. *294*
oxygène n. m. 38, 152, 767

p

pacotille n. f. 223
pagaie n. f. 581
page n. f. 221
paille n. f. 365
pain n. m. 220
pakistanais adj. et n. *377*
pale n. f. 577
palet n. m. 294, 652
palette n. f. 437/*220*
palier n. m. 75
palme n. f. 152
palmier n. m. 577
paludier n. m. *724*
panier n. m. 222, 363/35
panneau n. m. 294/506, 507, 583
panoplie n. f. 147
pansement n. m. 39
pantalon n. m. 36, 765
panthère n. f. 434
pantographe n. m. *509*
pantoufle n. f. 37
paon n. m. 435
papeterie n. f. 221
papier n. m. 290, 292
papillon n. m. 294, 581
papillote n. f. 723
paquebot n. m. 727
parabole n. f. *348*
parachute n. m. 766
parachutiste n. m. 766
paraguayen adj. et n. *377*
parallèle adj. et n. m. 348/*294*
parallélépipède n. m. 348
parallélogramme n. m. 348
parapet n. m. 152
parapluie n. m. 224
parasol n. m. 223, 723
paravent n. m. 224
parc n. m. 510
parcmètre n. m. 218
pare-brise n. m. 505, 767
pare-chocs n. m. 505
parents n. m. pl. 547
parisien adj. et n. *377*
parking n. m. 219
parlement n. m. 298
paroi n. f. 649
parpaing n. m. *150*
parrain n. m. 148
parterre n. m. *440*
partition n. f. 439
parvis n. m. 148
passage n. m. 217, 509/507, 508
passager n. m. 510, 511
passerelle n. f. 509, 511/*727, 765*
passoire n. f. 78
pastèque n. f. 578
pasteur n. m. *581*
pâté n. m. 222/723
patère n. f. *295*
patin n. m. 652
patinage n. m. 652, 653
patinoire n. f. 652
pâtissier n. 220
patron n. m. 296
patrouilleur n. m. *764*
patte n. f. 294/*763*
pâturage n. m. 364
pâture n. f. *368*
paume n. f. 33
pavillon n. m. 219
pavot n. m. 80
paysage n. m. 579, 584
péage n. m. 506
pêche n. f. 721, 728
pêcheur n. m. 721, 723
pédale n. f. 148, 439, 505, 512
pédalo n. m. 723
peigne n. m. 79
peinture n. f. 289/437
pékinois adj. et n. *377*
pélican n. m. 435
pelle n. f. 78, 150, 224, 723
pelleteuse n. f. 151
pellicule n. f. 437
pelote n. f. 296
peloton n. m. 512
pelouse n. f. 35, 73, 75
penderie n. f. 77
pendule n. f. 220
pendulette n. f. 220, 292
pêne n. m. 74
péniche n. f. 218, 727
péninsule n. f. 725
pentagone n. m. 348
péplum n. m. 440
perceuse n. f. 289, 291
perche n. f. 721/34/*653*
percussion n. f. 439

père n. m. 547
perforeuse n. f. *293*
périgourdin adj. et n. *377*
péroné n. m. 40
perron n. m. 74
perroquet n. m. 581
persan adj. et n. *377*
persienne n. f. 74
persil n. m. 367
personnel n. m. 510
péruvien adj. et n. *377*
pervenche n. f. 654
pesage n. m. *361*
pèse-lettre n. m. *292*
pétale n. m. 294
pétanque n. f. 578
petite-fille n. f. 547
petit-fils n. m. 547
petits-enfants n. m. pl. 547
pétrel n. m. *722*
pétrole n. m. 577
pétrolier n. m. 726
pétunia n. m. 80
peuplier n. m. 218, 655
phare n. m. 727/505, 512
pharmacie n. f. *39*
philippin adj. et n. *377*
phoque n. m. 584
photographie n. f. 437
piano n. m. 439
pic n. m. 649
picard adj. et n. *377*
pièce n. f. 223/221/296/*436*
pied n. m. 33, 40/76, 78/*291*
pierre n. f. 151
piéton n. m. 217
pieuvre n. f. 724
pigeon n. m. 362
pigeonnier n. m. 362
pignon n. m. 75/512
pile n. f. 152
pilier n. m. 75, 149, 150, 152, 511
pilotage n. m. 510
pilote n. m. 510, 767
pilotis n. m. 581
pin n. m. 655
pince n. f. 79, 289, 290
pinceau n. m. 289, 295
pincette n. f. 224
ping-pong n. m. 218
pintade n. f. 362
pioche n. f. 150
piolet n. m. 649
pion n. m. 436
pipe n. f. 652
pipeau n. m. 294
pique n. f. 436
piqué n. m. 766
pique-nique n. m. 506
piquet n. m. 366, 433, 763
piqûre n. f. 296
pirogue n. f. 581
pis n. m. 368
piscine n. f. 218
pissenlit n. m. 366
piste n. f. 34, 219, 511, 652, 653/*433*/*577*
pistil n. m. 294
pistolet n. m. 763
piston n. m. 505
piton n. m. 289, 649/*583*
pivoine n. f. 80
placard n. m. 79
place n. f. 219
plafond n. m. 76
plafonnier n. m. *76*
plage n. f. 722, 723, 725
plan n. m. 145, 148/78, 150
planche n. f. 151, 291/367
planeur n. m. 437
planning n. m. *292*
plante n. f. 38, 365/33
plantoir n. m. *366*
plaque n. f. 505
plastique adj. et n. m. 223, 366
plastron n. m. 35
plat n. m. *221*
plateau n. m. 582, 650/*223*/*440*
plate-bande n. f. 366
plate-forme n. f. 152
plâtre n. m. 150, 224
plâtrier n. m. 151
pli n. m. 296
plomb n. m. 290/*361*
plombier n. m. 290
plongée n. f. 764
plongeoir n. m. 218
plongeur n. m. 152
pluie n. f. 721
plume n. f. 651/292/*38*
pneu n. m. 505
pneumatique adj. 723, 726
poche n. f. 649
poêle n. m. 224
poêle n. f. 78
poids n. m. 754/223/34/*220*
poignard n. m. 147
poignée n. f. 74, 289, 505
poignet n. m. 33
poil n. m. 289
point n. m. 296/*728*
pointe n. f. 289
poire n. f. 367
poireau n. m. 367
pois n. m. 366
poisson n. m. 721, 728
poissonnerie n. f. 222
poitevin adj. et n. *377*
poitrail n. m. 368
poitrine n. f. 33
poivrière n. f. *78*/*146*
poivron n. m. 578
polaire adj. 584
pôle n. m. 294
polonais adj. et n. *377*
polygone n. m. 348
pomme n. f. 363, 367/654, 655/33/366
pommeau n. m. 368
pomme de terre n. f. 367
pommier n. m. 363
pompe n. f. 512/219, 506, 761
pompier n. m. 510, 761
pompiste n. 506
pompon n. m. 652, 765
ponceuse n. f. *289*
pont n. m. 726, 727/152, 582, 721/*505*/*765*
pont-levis n. m. 146
porc n. m. 361
porcelet n. m. 361
porche n. m. 148, 362
porcherie n. f. 363
port n. m. 721, 724, 727
portail n. m. 73, 148
porte n. f. 74, 146, 508
porte-avions n. m. 764
porte-bagages n. m. 512
porte-crayon n. m. *293*
porte-documents n. m. 293
portée n. f. 438
porte-fenêtre n. f. *75*
portemanteau n. m. 76, 295
porte-savon n. m. *79*
porteur n. m. 509
portière n. f. 505
portillon n. m. 508
portique n. m. 73, 508
portugais adj. et n. *377*
postal adj. 768
poste n. f. 768
poste n. m. 291, 506, 509, 510
pot n. m. 289
potager adj. 367
poteau n. m. 35
poterie n. f. 437
poterne n. f. 147
poubelle n. f. 78, 217
pouce n. m. 33
poudrier n. m. 211
pouf n. m. 76
poulailler n. m. 362/440
poule n. f. 362
poulie n. f. 151, 362
poulpe n. m. 724
poumon n. m. 40
poupe n. f. 727
poupée n. f. 76
poussette n. f. 222
pousseur n. m. *727*
poutre n. f. 74/35

poutrelle n. f. 150
pré n. m. 364
préau n. m. 294
précédent adj. 125
préface n. f. 4
préfet n. m. 298
préposé n. m. 768
présentoir n. m. *221*
président n. m. 298
presqu'île n. f. 579, 725
presse n. f. 289/290
pressoir n. m. 579
prêtre n. m. 148
prie-Dieu n. m. 149
primevère n. f. 655
printemps n. m. 125
prise n. f. 290/*761*
prisme n. m. 348
prochain adj. 125
projecteur n. m. 34, 440, 762
projection n. f. 440
promontoire n. m. 725
proue n. f. 727
provençal adj. et n. *377*
prune n. f. 367
public adj. 152, 219
publicitaire adj. 512, 583
puceron n. m. 366
puits n. m. 362, 577
pull-over n. m. 36
pulvérisateur n. m. 362
punaise n. f. 295
pupille n. f. 33
pupitre n. m. 439, 768
purin n. m. 368
pyjama n. m. 36
pylône n. m. 508, 652
pyramide n. f. *348*
python n. m. 580

q

quadrilatère n. m. 348
quadriréacteur n. m. *510*
quai n. m. 580, 509/727, 728
quart n. m. 763
quartier-maître n. m. 355, 765
quartz n. m. 650
quatre-saisons n. f. 223
quatuor n. m. 438
québécois adj. et n. *377*
quenouille n. f. 224
queue n. f. 368/218/766/*436*
quille n. f. 727
quincaillerie n. f. 221
quintal n. m. 795
quinzaine n. f. 125

r

rabat n. m. 649
rabot n. m. 291
raccord n. m. *512, 761*
racine n. f. 656
radar n. m. 511, 726
rade n. f. 726
radiateur n. m. 505/76
radio n. m. 510
radiographie n. f. 38
radis n. m. 367
raie n. f. 728
rail n. m. 150, 509
ramasseuse-presse n. f. *365*
rambarde n. f. 75
rame n. f. 437, 721/290/508, 509/*366*
rampe n. f. 511/75, 221/440/*582*
ranch n. m. 583
ranger n. m. *763*
rapace n. m. 650
râpe n. f. 291
rappel n. m. 649
raquette n. f. 35
rascasse n. f. *579*
rase-mottes n. m. 766
rasoir n. m. 79
rat n. m. 363
râteau n. m. 362, 723
râtelier n. m. 368/*289*
ravitaillement n. m. *767*
rayon n. m. 348/512/*362*
réacteur n. m. 510, 511
réaction n. f. 766
récolte n. f. 363, 583
récréation n. f. 295
rectangle n. m. 348
réfrigérateur n. m. 78
refuge n. m. 217/649
régime n. m. 580
région n. f. 298
règle n. f. 145, 295
réglisse n. f. 38
rein n. m. 33, 40
reine n. f. *580*
reine-marguerite n. f. *80*
rejeton n. m. *656*
relais n. m. *506*
religieuse n. f. *220*
remonte-pente n. m. 653
remontoir n. m. 220
remorque n. f. 365
remorqueur n. m. 727
remous n. m. 721
rêne n. f. 368, 437
renne n. m. 584
réparation n. f. 727, 728
répertoire n. m. 293
reprise n. f. 296
reptile n. m. 434
république n. f. 298
réserve n. f. *290*
réservoir n. m. 505, 511, 577, 766
ressort n. m. 74, 505
rétroviseur n. m. 505
réunionnais adj. et n. *377*
réveil n. m. 220
revers n. m. 36, 37
rez-de-chaussée n. m. 217
rhinocéros n. m. 581
rhodésien adj. et n. *377*
ricochet n. m. 721
rideau n. m. 76, 440
rigole n. f. 368
rivage n. m. 725
rive n. f. 721
rivière n. f. 152, 721
riz n. m. 578
robe n. f. 37
robinet n. m. 79
rocher n. m. 434, 724
romain adj. et n. 75/290/*377*
romaine n. f. *366*
ronce n. f. 364
rond n. m. 34
ronde n. f. 294/146/*438*
rondin n. m. 655
rond-point n. m. 217
roquette n. f. *762*
rosace n. f. 148
rose adj. et n. 80/289/*728*
roseau n. m. 721
rôti n. m. 222
rotule n. f. 40
roue n. f. 437, 506, 512, 581, 721
rouet n. m. 224
rouge adj. et n. m. 289, 721
rouget n. m. 579
rouleau n. m. 364, 367/152/223/*293*/*289*/*722*
roulette n. f. 292/*38*
roulotte n. f. 433
roumain adj. et n. *377*
route n. f. 152, 506, 507, 651, 721
ruandais adj. et n. *377*
ruban n. m. 293, 296, 763
ruche n. f. 362
rue n. f. 217, 218
rugby n. m. 35
ruine n. f. 579
ruisseau n. m. 721
russe adj. et n. *377*

s

sable n. m. 150, 152, 721, 723

sabot n. m. 368
sac n. m. 37, 150, 221, 222, 223, 295, 509, 649
saharien adj. et n. *377*
saignée n. f. *583*
sainfoin n. m. 365
saison n. f. 125
salade n. f. 367
saladier n. m. 78
salamandre n. f. *434*
salant adj. 721
salière n. f. 78
salle n. f. 39, 77, 79, 147, 508
salopette n. f. 36, 289
salsifis n. m. 366
samedi n. m. 125
sandale n. f. 37
sang n. m. 39
sangle n. f. 649
sanglier n. m. 656
santé n. f. 39
sapin n. m. 73, 654
sarde adj. et n. *377*
sardine n. f. 579
sarrasin n. m. 364
satellite n. m. *511*
saucisse n. f. 222
saucisson n. m. 222
sauge n. f. 80
saule n. m. 73, 721
saumon n. m. 721
saut n. m. 34, 653
sauvetage n. m. 723, 727
savane n. f. 581
savon n. m. 223
savoyard adj. et n. *377*
saxophone n. m. 439
scalaire n. m. *434*
scandinave adj. et n. *377*
scène n. f. 440
schiste n. m. 650
scie n. f. 38, 289
sciure n. f. 289
scorpion n. m. 577
seau n. m. 150, 723
sécateur n. m. 366, 578
séchoir n. m. 79, 362
seconde n. f. 795
secourisme n. m. 761
secrétaire n. 292/77
sécurité n. f. 505, 507, 510
seiche n. f. 724
sein n. m. 33
sel n. m. 724
selle n. f. 368, 437, 512
semaine n. f. 125
sémaphore n. m. 723
semestre n. m. 125
semi-remorque n. m. 506
semis n. m. 366
semoir n. m. *364*
sénat n. m. 298
sénateur n. m. 298
sénégalais adj. et n. *377*
sens n. m. 217, 507
sentier n. m. 649
sentinelle n. f. 762
sépale n. m. *294*
septembre n. m. 125
serfouette n. f. *366*
sergent n. m. 355, 763, 767
seringue n. f. 38
serpent n. m. 435
serpolet n. m. 578
serre n. f. 366
serres n. f. pl. 650
serrure n. f. 74
sérum n. m. 38
service n. m. 510
serviette n. f. 79
set n. m. *76*
seuil n. m. 75
sexe n. m. 33
sextant n. m. 764
sibérien adj. et n. *377*
sicilien adj. et n. *377*
siège n. m. 292, 510, 767
sigle n. m. 768
signalisation n. f. 217, 507, 508, 727
sillon n. m. 364
silo n. m. 363, 583
singe n. m. 434, 435
sinus n. m. *40*
ski n. m. 653/722
skieur n. 652, 653
slalom n. m. 652
slip n. m. 36
socle n. m. 293
sœur n. f. 547
soja n. m. 583
soldat n. m. 355/*580*
sole n. f. 728
sommet n. m. 650
sommier n. m. 77
sonnerie n. f. 220
sonnette n. f. 38, 74
souche n. f. 656
soudanais adj. et n. *377*
soudeur n. m. 290
soudure n. f. 290
soufflet n. m. 224/508/*438*
souffleur n. m. 440
soupape n. f. 505
soupière n. f. 78
soupirail n. m.75
source n. f. 721
sourcil n. m. 33
souris n. f. 363
sous-bois n. m. 655
sous-lieutenant n. m. *355*
sous-main n. m. *293*
sous-marin adj. et n. m. 152/764
sous-officier n. m. 355, 763
sous-préfet n. m. 298
soute n. f. 511
souterrain adj. 509
soutien-gorge n. m. *36*
soviétique adj. et n. *377*
spectateur n. 35
sphère n. f. 348
spirale n. f. 348
sport n. m. 294, 653
spot n. m. *76*
sprint n. m. 34
square n. m. 219
stade n. m. 35, 219
stalactite n. f. 650
stalagmite n. f. 650
stand n. m. 436
station n. f. 508/652/*584*
stationnement n. m. 507
station-service n. f. 506
statue n. f. 148
stéphanois adj. et n. *377*
stérilisateur n. m. *39*
sterne n. f. *722*
sternum n. m. 40
stéthoscope n. m. 39
steward n. m. *510*
stop n. m. 505
store n. m. 75, 76, 217
strasbourgeois adj. et n. *377*
stylo n. m. 292
sucre n. m. 583
sud n. m. et adj. 294, 728
suédois adj. et n. *377*
suisse adj. et n. *377*
suivant adj. 125
suiveur adj. *512*
sulfatage n. m. *578*
supermarché n. m. 219
superposé adj. 77
support n. m. 293
supporter n. m. 34, 512
suppositoire n. m. 39
surface n. f. 348, 795
surjet n. m. *296*
surlendemain n. m. 125
suspendu adj. 152, 582
suspente n. f. *766*
symphonique adj. 439
syrien adj. et n. *377*

tabatière n. f. 224
table n. f. 39, 76, 145, 218, 294
tableau n. m. 437/295/505, 510/*35*
tablette n. f. 38, 79/221
tablier n. m. 37, 291/*152*
tabouret n. m. 77, 78
tache n. f. 289

tahitien adj. et n. *377*
taie n. f. 77
taille-crayon n. m. 295
tailleur n. m. 37
taillis n. m. 654
taloche n. f. *151*
talon n. m. 33/37
talus n. m. 721
tambour n. m. 438
tambourin n. m. 439
tamis n. m. 150
tampon n. m. 293, 768/509
tangente n. f. *348*
tank n. f. 762
tante n. f. 547
tanzanien adj. et n. *377*
tapis n. m. 34, 76/*436*
tapis-brosse n. m. *77*
tapisserie n. f. 146, 296
targette n. f. 74
tarte n. f. 221
tas n. m. 724
tatami n. m. *34*
taupe n. f. 366
taureau n. m. 361
tchadien adj. et n. *377*
tchécoslovaque adj. et n. *377*
tchèque adj. et n. *377*
té n. m. *145*
tee-shirt n. m. 36
télécabine n. f. *652*
télégramme n. m. 768
téléphérique n. m. 651, 652
téléphone n. m. 293, 768
téléphonique adj. 293, 768
télésiège n. m. 652
téléviseur n. m. 76
télévision n. f. 74
tempe n. f. 33
température n. f. 39
tenaille n. f. 289, 291
tendon n. m. 40
tennis n. m. 35, 218
tenon n. m. *291*
tentacule n. m. 724
tente n. f. 577, 651
tenture n. f. 146
tenue n. f. 761, 763
termite n. m. 580
terrain n. m. 35, 294
terrasse n. f. 218/75/*578*
terrassement n. m. 150
terre n. f. 364
terreau n. m. 367
terre-plein n. m. 507
têtard n. m. 434
tête n. f. 33, 294
thaïlandais adj. et n. *377*
théâtre n. m. 440
thermomètre n. m. 39
thon n. m. 579
thonien n. m. *728*
thorax n. m. 33, 294
thym n. m. 578
tibétain adj. et n. *377*
tibia n. m. 40
tige n. f. 354, 654/75
tigre n. m. 433, 434
tilleul n. m. 38
timbale n. f. *438, 439*
timbre n. m. 768
timon n. m. *363*
tir n. m. 436
tire-ligne n. m. *145*
tiroir n. m. 77, 79, 213
tiroir-caisse n. m. *221*
tissu n. m. 223, 296
titre n. m. 221
toboggan n. m. 436, 761
toge n. f. 440
togolais adj. et n. *377*
toilette n. f. 79/77
toit n. m. 75, 147/505, 508
tomate n. f. 367
tondeuse n. f. 73
tonne n. f. 795
tonneau n. m. 367, 579/766
tonnelle n. f. 73
toque n. f. 36
torchère n. f. *577*
torpille n. f. 764
torrent n. m. 651
tortue n. f. 80, 434
toucan n. m. *435*
touche n. f. 148, 221, 293, 438/35
tour n. f. 146, 147, 148, 511/218
tour n. m. 512/291, 437
tourangeau adj. et n. *377*
tourbillon n. m. 721
tourelle n. f. 147/*762, 765*
tournant n. m. 506
tourne-disque n. m. *76*
tournevis n. m. 289
tourteau n. m. 722
trachée n. f. *40*
tracteur n. m. 363, 364
tragédie n. f. 440
train n. m. 511
traîneau n. m. 584, 652
trait n. m. 368
tramway n. m. 219
tranchée n. f. 151, 217
transat n. m. 723
transept n. m. *148, 149*
transfusion n. f. 39
transistor n. m. 76
transplantoir n. m. *366*
transport n. m. 219
transporteur n. m. *290/762*
trapèze n. m. 348/433
trapéziste n. 433
travail n. m. 290, 365/152, 217
travée n. f. *35, 152*
traverse n. f. 509
traversin n. m. 77
trayeuse n. f. *368*
trèfle n. m. 365/436
tremplin n. m. 653
trépied n. m. 762
tréteau n. m. 223
treuil n. m. 726
triangle n. m. 348/*439*
tribord n. m. 727
tricot n. m. 296/36
trimestre n. m. 125
triton n. m. *434*
troène n. m. *73*
trombone n. m. 439/293
trompe n. f. 581
trompette n. f. 438, 439
tronc n. m. 655/148
tronçonneuse n. f. 655
trophée n. m. 224
tropical adj. 581
trop-plein n. m. *79*
trotteuse n. f. 220
trottoir n. m. 217
trou n. m. *79, 440*
troupeau n. m. 364, 581, 650
trousse n. f. 295
truelle n. f. 150, 151
truffe n. f. 656
truie n. f. 361
truite n. f. 721
tuba n. m. *439*
tube n. m. 39, 221/*290, 762*
tuile n. f. 74
tulipe n. f. 73
tunisien adj. et n. *377*
tunel n. m. 509, 651/*366*
turbopropulseur n. m. *766*
turc adj. et n. *377*
tuyau n. m. 73, 148, 367, 505, 506, 761
tuyauterie n. f. 75
tuyère n. f. *582*
tympan n. m. *148*

u

uniforme n. m. 37
urinoir n. m. 295
uruguayen adj. et n. *377*
usager n. m. 768
usine n. f. 219, 291

vaccination n. f. 38
vache n. f. 361, 368
vague n. f. 722
vainqueur n. m. 512

vairon n. m. *721*
valet n. m. *289, 281*
valise n. f. 509
vallée n. f. 650
valve n. f. 512
vantail n. m. 73
vaporisateur n. m. 221
varappe n. f. 649
varech n. m. 723
vareuse n. f. 765
vase n. m. 437
vautour n. m. 650
veau n. m. 361
vedette n. f. 726
véhicule n. m. 511, 761
veille n. f. 125
veine n. f. 40
vélo n. m. 512
vendange n. f. 578
vendéen adj. et n. *377*
vendeuse n. f. 221
vendredi n. m. 125
vénéneux adj. 656
vénézuélien adj. et n. *377*
ventilateur n. m. 505
ventouse n. f. 724
ventre n. m. 33
verre n. m. 78, 79/*224*
verrière n. f. 508, 767
verrou n. m. 74
versant n. m. 650
vert adj. et n. m. 289, 721
vertébral adj. 40
vertèbre n. f. 40
verticale n. f. 348
vésicule n. f. 40
vessie n. f. 40/*728*
veste n. f. 761
veston n. m. 37
vêtement n. m. 37
viaduc n. m. 152, 509, 582
vice-amiral n. m. *355*
vidange n. f. 79
vicinal adj. 507
vielle n. f. *439*
vietnamien adj. et n. *377*
vigne n. f. 73
vigneron n. m. 578
vignoble n. m. 578
vigogne n. f. 435
village n. m. 365
ville n. f. 219
violet adj. et n. m. 289, 721
violette n. f. 73, 655
violon n. m. 438
violoncelle n. m. 439
vipère n. f. 577
virage n. m. 506, 507
virole n. f. 289
vis n. f. 289
viseur n. m. 437
visière n. f. 37, 767
vitesse n. f. 34, 653/505
vitrail n. m. 149
vitre n. f. 74
vitré adj. 74, 145
vitrine n. f. 217, 221
vivarium n. m. *435*
voie n. f. 508, 509
voile n. f. 726/437
voilier n. m. 723
voiture n. f. 508/506, 507, 512, 582, 762
vol n. m. 437, 510
volaille n. f. 222, 363
volailler n. m. *222*
volcan n. m. 581
volet n. m. 74/*511*
volière n. f. 435
volley-ball n. m. 722
voltaïque adj. et n. *377*
voltige n. f. 433, 766
volume n. m. 348, 795
voyageur n. 508
vrille n. f. 289

wagon n. m. 508
wagon-citerne n. m. *509*
wagonnet n. m. 151

xylophone n. m. 439

yéménite adj. et n. *377*
yougoslave adj. et n. *377*

zèbre n. m. 580
zone n. f. 218
zoo n. m. 435

LAROUSSE POUR L'ENSEIGNEMENT DU FRANÇAIS

COLLECTION
STRUCTURES DE LA LANGUE FRANÇAISE
par E. Genouvrier et Cl. Gruwez.

Cette collection s'inspire des principes énoncés dans « Linguistique et enseignement du français ». Elle s'appuie sur de multiples expérimentations menées dans diverses régions. Les livres de l'élève proposent un enseignement nouveau tenant le plus grand compte des courants pédagogiques modernes mais aussi des possibilités des enfants.

Chaque volume broché, (16,5 x 21 cm), 96 à 112 pages selon le cours.

NOUVELLE GRAMMAIRE POUR LE C.E. 1 - n° 151
NOUVELLE GRAMMAIRE POUR LE C.E. 2 - n° 152
NOUVELLE GRAMMAIRE POUR LE C.M. 1 - n° 153
NOUVELLE GRAMMAIRE POUR LE C.M. 2 - n° 154

Pour les enseignants. Cette série d'ouvrages destinés à chacun des cours du premier degré, est d'abord un guide méthodologique dont le but est de fournir une initiation à une technique pédagogique, une formation théorique et de nombreux exemples pratiques.

Chaque volume (14 x 20 cm), broché, 224 à 256 pages.

FRANÇAIS ET EXERCICES STRUCTURAUX AU C.E. 1 - n° 405
FRANÇAIS ET EXERCICES STRUCTURAUX AU C.E. 2 - n° 406
FRANÇAIS ET EXERCICES STRUCTURAUX AU C.M. 1 - n° 407
FRANÇAIS ET EXERCICES STRUCTURAUX AU C.M. 2 - n° 408

LAROUSSE POUR APPRENDRE A AIMER LIRE

C.P.

TINOU ET NANOU

par P. Tondeux, I.D.E.N., M. Le Neuthiec, institutrice-rééducatrice, et R. Le Neuthiec, instituteur.

Cette méthode de lecture mixte propose une étude progressive qui s'appuie sur un texte-support. Les phrases créent l'association fondamentale entre langage oral et langue écrite. Une série de mots clés provoque les exercices d'acquisition globale, de reconnaissance, de réemploi immédiat, éléments retrouvés dans d'autres mots à l'aide d'exercices écrits et oraux. Cette procédure conduit à la synthèse.

Enfin, une "gymnastique" quotidienne, une rencontre active des mots permet de les reconnaître et de les associer directement à leur sens.

2 livrets (21 x 27 cm), 80 pages chacun, illustrés en couleurs par J. Pecnard.

pour les enseignants :

L'APPRENTISSAGE DE LA LECTURE AU C.P.

Guide pédagogique de Tinou et Nanou.
un volume (14 x 20 cm), 208 pages.

C.E.

TIPITI LE ROUGE-GORGE

par R. Guillot, A. Biancheri, inspecteur général de l'instruction publique, et P. Cousin, directrice d'école.

Le conte de R. Guillot constitue un véritable roman scolaire. Le célèbre rouge-gorge, Tipiti, conduit ses lecteurs de la ville à la campagne, des rues aux forêts mystérieuses. Ainsi l'intérêt des enfants est-il constamment soutenu.

A. Biancheri a établi un appareil pédagogique qui exploite le contenu des leçons dans des perspectives complémentaires. L'illustration permet les exercices de dessin et de nombreux exercices d'élocution. Dans le texte, chaque groupe de souffle est nettement marqué par un blanc.

un volume cartonné (16,5 x 21 cm), 176 pages illustrées en couleurs par H. Poirié.

C.E.1 au C.M.2

BELLES PAGES DE FRANÇAIS

par J. Tronchère, I.D.E.N., et Ch. Pierre, instituteur ; J. Ferry et M. Pieuchard, I.D.E.N.

Cette collection, entièrement consacrée à la lecture, poursuit un double objectif : favoriser la lecture pour elle-même et pour l'intelligence du texte ; utiliser le texte lu comme point de départ de nombreux exercices d'expression orale, écrite et d'expression par le dessin.

Contes et extraits de récits, souvent groupés en lecture "à suivre", équilibrent imagination et réalité, permettant ainsi un travail par thèmes ou par genres. Pour chaque classe, les auteurs ont fait place également à un choix de poèmes.

C.E.1, 240 p. illustrées en couleurs par P. Leroy.

C.E.2, 224 p. illustrées en couleurs et en noir par H. Poirié.

C.M.1, 304 p. illustrées en couleurs par J. Traynier.

C.M.2, 350 p. illustrées en couleurs par J. Pecnard.

chaque volume cartonné (16,5 x 21 cm).

Photocomposition M.C.P. — Fleury-les-Aubrais.

IMPRIMERIE HÉRISSEY. — ÉVREUX - 27000.
Octobre 1977. — Dépôt légal 1977-4ᵉ .— Nº 20172. — Nº de série Éditeur 8189.
IMPRIMÉ EN FRANCE (*Printed in France*). — 20146-9-77.